KU-536-140

Studien zur Philosophie und Literatur des neunzehnten Jahrhunderts
Band 35

»Neunzehntes Jahrhundert«
Forschungsunternehmen der Fritz Thyssen Stiftung

Fin de siècle
Zu Literatur und Kunst der Jahrhundertwende

# FIN DE SIÈCLE

## Zu Literatur und Kunst der Jahrhundertwende

Herausgegeben von Roger Bauer, Eckhard Heftrich,
Helmut Koopmann, Wolfdietrich Rasch, Willibald Sauerländer
und J. Adolf Schmoll gen. Eisenwerth

Vittorio Klostermann
Frankfurt am Main

**CIP-Kurztitelaufnahme der Deutschen Bibliothek**

**Fin de siècle** / hrsg. von Roger Bauer ... —
Frankfurt am Main: Klostermann, 1977.

(Studien zur Philosophie und Literatur des neunzehnten Jahrhunderts; Bd. 35)
ISBN 3-465-01168-6 kart.
ISBN 3-465-01169-4 Lw.

NE: Bauer, Roger [Hrsg.]


Satz und Druck des Textes: Limburger Vereinsdruckerei, Limburg/Lahn
Druck der Abbildungen: Beltz Offsetdruck, Hemsbach

# Inhalt

## B. Vorbilder



## C. Der Symbolismus und seine Motive

D. Beispiele literarischer Formung

# Vorwort

Mit ihren Vorarbeiten reicht diese Sammelpublikation einige Jahre zurück. Als sich am 15. März 1972 die Vorsitzenden der Ende 1974 aufgelösten Arbeitskreise für Philosophie, Literaturwissenschaft, Musikwissenschaft und Kunstgeschichte der Fritz Thyssen Stiftung unter der Geschäftsleitung des bis 1974 als Vorstandsmitglied der Stiftung tätigen Dr. Dr. h. c. Ernst Coenen in Frankfurt trafen, um über zukünftige Vorhaben im Rahmen des „Forschungsunternehmens 19. Jahrhundert" zu beraten, tauchte der Vorschlag auf, eine Darstellung über das Selbstverständnis im kulturellen Bereich und in den Künsten im späten 19. Jahrhundert als interdisziplinäres Projekt anzustreben. Der Literaturwissenschaftler Wolfdietrich Rasch präzisierte sodann als Kennwort für das Rahmenthema den Begriff „Fin de siècle". Er gab dazu folgenden Hinweis auf einige (in seinem Beitrag dann ausführlich zitierte) Äußerungen Diltheys: „Wilhelm Dilthey schreibt 1892 in einem Brief an seinen philosophischen Freund, den Grafen Paul Yorck von Wartenburg: ‚Unsere Zeit hat etwas vom Ende einer Epoche.' 1896 lädt Dilthey den Freund nach Berlin ein; er sollte seine abseitige Existenz in Klein-Oels durch einen Besuch in Berlin unterbrechen, ‚ein paar Tage in dem uferlosen und formlosen Meer dieser Gegenwart eintauchen. Ein Ding, desgleichen seit der Renaissance nicht da war, so formlos, so chaotisch, so in den letzten Tiefen des Menschlichen bewegt, fin du siècle mit Zukunft unfaßlich gemischt.'"

Damit war ein Phänomen angedeutet, dessen Klärung auch deshalb als lohnend erschien, weil es so viele Züge nicht nur des zu Ende gehenden — und des ganzen — 19. Jahrhunderts enthält, sondern auch des neuen, unseres Jahrhunderts anzeigt. Aber gerade die besondere Mischung der Einzelzüge und Elemente mußte die Eigenart dessen ausmachen, was schon die Zeitgenossen — wie Dilthey — als Fin-de-siècle-Stimmung empfanden. Sie zu analysieren war das Ziel des Projektes. Die Fritz Thyssen Stiftung nahm das Arbeitsvorhaben an und förderte es noch unter Ernst Coenens behutsam-energischer Organisationsführung, wofür hier ausdrücklich und im Namen aller Beteiligten gedankt sei.

Zunächst fanden zwei vorbereitende Programmsitzungen in München statt, und zwar am 12. 6. und am 11. 11. 1972 in einem dankenswerterweise vom Direktor des Zentralinstituts für Kunstgeschichte, Willibald

Sauerländer, zur Verfügung gestellten Beratungsraum. An diesen Sitzungen nahmen noch höchst aktiv die damaligen Arbeitskreisvorsitzenden für Philosophie, Joachim Ritter, und für Kunstgeschichte, Ludwig Grote, teil, deren Tod 1974 einen schweren Verlust auch für die weitere Gestaltung des Fin-de-siècle-Projekts bedeutete. Wir dürfen der beiden Verstorbenen hier dankend und ehrend gedenken.

Die Programmsitzungen erbrachten eine Fülle von Gedanken zum Thema. An ihrer Formulierung waren nicht nur Literaturwissenschaftler und Kunsthistoriker beteiligt, Vertreter derjenigen Disziplinen, aus denen schließlich fast alle Beiträge dieses Sammelbandes hervorgingen, sondern auch Repräsentanten der Philosophie, wie J. Ritter, und der Musikwissenschaft, wie K. G. Fellerer und W. Wiora. Im Verlauf der weiteren Klärung des Projekts 1973 zeigte sich dann, daß leider kein philosophiegeschichtliches und nur ein Referat eines Musikwissenschaftlers zur Verfügung stehen würden. Auch von den später gehaltenen Vorträgen konnten nicht alle Manuskripte zur Veröffentlichung in diesem Bande in Aussicht gestellt werden (so fehlt z. B. das Referat von Laszlo Glózer über Paul Klee's Anfänge). Die Programmdiskussionen schnitten überhaupt viele Fragen und Sachkomplexe an, deren Bearbeitung schließlich aus zeitlichen und personellen Gründen nicht zustande kam. Einige Stichworte aus diesem Katalog seien hier genannt, da sie zur weiteren Erhellung des Themas und seiner Problemstellungen beitragen können: Fin-de-siècle-Aspekte in der Philosophie der Jahrhundertwende, insbesondere bei Nietzsche und Bergson, sowie deren Rezeption; Richard Wagner und die Wagner-Rezeption um 1900; Wagner-Motive in der französischen bildenden Kunst; die Pariser Weltausstellungen von 1889 und 1900 als Beiträge zur Selbstdarstellung der Epoche; Tendenzen einer säkularisierten Theologie; Exotismus-Kolonialismus; Victorianismus; Wihelminismus; die letzte Phase des großen Denkmalkults in den europäischen Nationen; Arbeiterbewegung, soziale Utopien, christlich-soziale Ideen; Bedeutung der Popularisation von philosophischen und kulturgeschichtlichen Systemen und Hypothesen (Langbehn, A. St. Chamberlain, Spengler usw.).

Dem Verfasser dieses Vorworts erschien es nötig, das Janusköpfige des Fin-de-siècle-Phänomens durch kontrastierende Begriffe besonders zu verdeutlichen,

| | | | |
|---|---|---|---|
| z. B. | Morbidität | — | Vitalismus (élan vital) |
| | Dekadence | — | „Jeunessisme“ (Jugendbewegung, Sportbewegung, Lebensform, „Jugendstil“ usw.) |
| | Kontemplation | — | Aktionismus |

Positivismus — Mystizismus
naturwissenschaftlich-mechanistische Weltanschauung — Transzendentismus
Naturalismus — Symbolismus
Realismus — Neuromantik, Lyrismus
Bruch mit dem Stilhistorismus — Neohistorismen (Neobarock, Neorokoko, Neoklassizismus, Neobiedermeier, „Jugendstilhistorismen")
Rationalismus — Antirationalismus
Materialismus — Antimaterialismus
Technik-Euphorie — Technik-Flucht
Großstadteuphorie — Großstadtflucht (Gartenstadtbewegung, Künstlerkolonien, Suche nach Naturverbundenheit)
Fortschrittsglaube — Zukunftspessimismus
usw., usw.

Dem Leser dieser gegensätzlichen Begriffspaare wird nicht entgehen, daß einzelne Stichworte auch verschränkt austauschbar, d. h. daß sie nicht unbedingt an die hier notierte paarweise Stellung fixiert sind. Darüber hinaus ist festzustellen, daß es auch in anderen Epochen vergleichbare Kontrastphänomene gibt. In der Kunstgeschichtswissenschaft beginnen wir, sie unter dem Kennwort des Stilpluralismus auch methodisch zu erfassen[1]. Für die schon von Dilthey als zeitgenössischem Beobachter festgestellte Zwiegesichtigkeit des Fin de siècle ist die Komplexität der Kontrastphänomene nicht nur charakteristisch, sondern geradezu konstituierend. Doch um ein solches Panorama systematisch zu entwerfen und mosaikartig auszufüllen, hätte es eines ganzen Arbeitsstabs von Spezialisten der verschiedensten Disziplinen bedurft, die für ein solches Projekt über einen längeren Zeitraum hätten zusammenarbeiten müssen.

Die Programmsitzungen wurden mit dem Beschluß beendet, das Darstellbare zunächst im Rahmen der beiden aktivsten Arbeitskreise, die sich für das Thema engagierten, dem für Literaturwissenschaft und dem für Kunstgeschichte, in getrennten Tagungen zu realisieren. So tagte der Arbeitskreis

1. „Beiträge zum Problem des Stilpluralismus", hrsg. von W. Hager u. N. Knopp, München 1977.

Kunstgeschichte am 15. und 16. März 1974, während die Literaturwissenschaftler, aus zwei Zirkeln um ihre Vertreter Bauer, Heftrich, Koopmann und Rasch aktiviert und in der Mehrzahl, am 29./30. März und am 3./4. Mai 1974 ihre Sitzungen abhielten. Alle Tagungen fanden im Lenbachhaus der Städtischen Galerie München statt inmitten eines historistischen Fin-de-siècle-Ambientes. Dem damaligen Hausherrn und Gastgeber, Michael Petzet (seit 1975 Generalkonservator der Bayerischen Denkmalpflege), sei hier besonders gedankt.

Beide Arbeitskreise mußten bald feststellen, daß sich ihre Konzeptionen in einer Vorbereitungszeit von etwa eineinhalb Jahren nicht lückenlos verwirklichen ließen. Als am 11./12. Oktober 1974 die letzte und nunmehr gemeinsame Tagung beider Arbeitskreise — wiederum im Münchner Lenbachhaus-Museum — stattfand, konnte zwar ein ansehnlicher Bestand an auf allen vier Sitzungen vorgetragenen Referaten verzeichnet werden, aber es waren doch nur Beiträge aus etwa zwei Dritteln des Stoffes, den man ursprünglich, und schon nach Abstrichen, für die Bearbeitung vorgesehen hatte. In der Kunstgeschichte beschränkte man sich z. B. von Anfang an auf geraffte Darstellungen des Symbolismus in Polen, Skandinavien, Holland, Belgien und der Schweiz — durch Fachleute aus diesen Ländern —, weil die symbolistischen Strömungen in Frankreich, England, Deutschland und Österreich, gewissermaßen den Kernländern der Symbolismusbewegung, bereits durch neuere Publikationen besser bekannt sind, aber andererseits auch in einer Bearbeitung für das Fin-de-siècle-Projekt wegen ihres Stoffreichtums und bei ihrer Vielschichtigkeit rahmensprengend gewirkt hätten. So wurde auf Komplexe wie die der Spätpraeraffaeliten, der Nabis, der Wiener Secessionisten, auf Moreau, Redon, Klimt, Stuck usw. verzichtet. — Auch bei den Literaturwissenschaften sind wichtige Erscheinungen unberücksichtigt geblieben oder werden nur flüchtig erwähnt. Allen Beteiligten war klar, daß man bei einem solchen Unternehmen immer auf das Angebot einzelner Forscher angewiesen ist, auf subjektive Initiativen, die in diesem Falle durch das Stichwort Fin de siècle ausgelöst wurden.

Bei der Oktobertagung 1974 wurde beschlossen, auf protokollartige Wiedergaben einzelner Diskussionsbeiträge, die in den teilweise sehr ausführlichen, anregenden und ergiebigen Besprechungen der Referate im Rahmen der vier Sitzungen abgegeben wurden, zu verzichten und statt dessen den einzelnen Autoren zu erlauben, ihnen wichtig erscheinende Diskussionshinweise in ihre Texte oder Text-Anmerkungen einzuarbeiten. Auch einigte man sich, den Gesamtstoff nicht in getrennten Buchausgaben der Literaturwissenschaft und der Kunstgeschichte zu veröffentlichen, sondern in einem gemeinsamen interdisziplinären Sammelband — wie dies gelegentlich schon in der Reihe der Stiftungspublikationen geschehen ist[2]. Im Sommer 1976 war schließlich eine Übersicht möglich, welche Manuskripte endgültig bereitstanden oder noch bereitstehen würden und das Herausgebergremium, dem die vier Literaturwissenschaftler Roger Bauer, Eckhard Heftrich, Helmut Koopmann und Wolfdietrich Rasch sowie die Kunsthistoriker Willibald Sauerländer und der Unterzeichner angehörten, konnte die Gliederung des Gesamtmaterials der 28 Beiträge disponieren, wofür die Zustimmung aller Autoren eingeholt wurde. Das ganze Jahr 1976 war ausgefüllt mit den Satz- und Korrekturarbeiten, wobei mir als dem mit der Redaktion Betrauten als freiwilliger Mitarbeiter Dr. Horst van Hees gewissenhaft behilflich gewesen ist, dem an dieser Stelle unser besonderer Dank ausgesprochen sei. Nicht zuletzt ist allen Autoren für ihre Geduld und für ihre Mitarbeit herzlich zu danken!

Der umfangreiche Band wurde in bereits bewährter Weise vom Verlag Klostermann in Frankfurt am Main betreut und gestaltet. Ihm wie der Fritz Thyssen Stiftung haben Autoren, Herausgeber und Redaktion vielfach zu danken.

Der Sammelband „Fin de siècle, Beiträge aus Literatur und Kunst“ erfüllt seine Aufgabe, wenn er den Blick für die angesprochenen Phänomene schärfen hilft, und wenn er dazu anregt, ihnen weiter nachzugehen.

Für die Herausgeber:

J. A. Schmoll gen. Eisenwerth

München, im Februar 1977.

2. z. B. „Beiträge zur Theorie der Künste im 19. Jh.“, 2 Bde. hrsg. von H. Koopmann u. J. A. Schmoll gen. Eisenwerth, Frankfurt am Main 1971 und 1972. „Triviale Zonen in der religiösen Kunst des 19. Jhs.“, hrsg. von W. Wiora, Frankfurt am Main 1971.

# A. BEGRIFF UND INTENTIONEN

FRITZ SCHALK

# „Fin de siècle"

In den beiden letzten Jahrzehnten des 19. Jahrhunderts wirkt die in Frankreich entstandene Bedeutung *fin de siècle* wie ein lebendiger Mittelpunkt, von dem Fäden gezogen werden, die in alle Gebiete des Lebens und in viele Länder hineinreichen. Es ist eine Wendung, die mit Wörtern wie décadence, décadisme, déliquescence, snobisme, dilletantisme sich verbinden und wie ein Prinzip erscheinen konnte, das in seiner Entfaltung das Alte und Überkommene aus den Fugen treibt. Wie das Wort mit der Sache verbunden ist, so läßt sich die Sache am Wort erörtern. Daß die Belege in der letzten Phase des Jahrhunderts so zahlreich sind, zeigt, daß hinter der Literatur, die Empfindung und Gedanken entfesselt hat, immer wieder eine Vorstellung aufsteigt, die einen großen Leserkreis beschäftigt hat. *Fin de siècle* war förmlich zu einem lebendigen Wesen in Raum und Zeit geworden.

Das Wort ist früh belegt und hat seit der Aufführung des Stückes *Fin de siècle* von Micard, Jouvenot und Cohen (1884) fortune gemacht. Ein Jahr vorher war es in der ersten Auflage des Argotwörterbuchs von Barrère schon verzeichnet, aber als synonym mit dandy, masher angesehen worden. Jedoch heben Zeitungsartikel (1886) bestimmte Züge aus der Summe von Anzeichen heraus, die das Wesen dieser Denk- und Lebensrichtung, den Inhalt und die Stimmung ihres Ausdrucks ausmachen: Être *fin de siècle,* c'est n'être plus responsable; c'est subir d'une façon presque fatale l'influence des temps et du milieu, c'est prendre tout simplement sa petite part de la lassitude et de la corruption générale ... C'est pourrir avec son siècle et déchoir avec lui ... Le luxe s'y étale avec tous ses raffinements. Le vice y devient savant, ingénieux, habile, les consciences, complaisantes et molles, trouvent une complicité bienfaisante dans l'affaisement universel. C'est le règne des passions lâchées à toute bride, le triomphe insolent de la perversité. Der Standort des Wortes ist damit schon anschaulich bezeichnet und die zitierten Sätze sind wichtig für die Konstituierung des geschichtlichen Sinns: Luxus und Raffinement durchdringen sich gegenseitig.

Um die neunziger Jahre trifft man in allen Weltsprachen auf das Wort. In Paris gab es zahlreiche Stücke und Revuen wie „Paris *fin de siècle*", „Epoque *fin de siècle*" (1890), „Locataires *fin de siècle*" (1893), „Virginité *fin de siècle*", usw. — manche sind 30, einzelne sogar 161 mal aufgeführt worden. Yvette Guilbert bezeichnete man als chanteuse *fin de siècle*, es gab „Histoires *fin de siècle*" (von Richard), eine Studie „La prostitution *fin de siècle*" und in einem „*Fin de siècle*" betitelten Monolog von Desachy und Dubreuil konnte man lesen:

„*Fin de siècle*" Partout, partout
Leur sens, athée ou bien mystique
Est en tout cas fort élastique
Car il sert à désigner tout.

*Fin de siècle* fing an, ein Modewort zu werden[1], Zeiger des wechselnden Geschehens. Darum wird es nicht aus dem Blickfeld des Lesers entlassen, der auf vorwärts deutende Denkweisen eingestellt ist. Das schon Mitte des Jahrhunderts von Nodier beschriebene Dekadenzbewußtsein gehört in die gleiche Konstellation. Bourgets „Essais de psychologie contemporaine" (1882), Barrès' „Culte du moi" (1892), die Schopenhauersche Philosophie zogen eine Gefolgschaft von Autoren und Lesern mit sich. Hofmannsthal, D'Annunzio, Oscar Wilde fühlten sich verwandten Traditionen zugehörig.

Man wandte sein besonderes Interesse Gestalten zu, die aus dem Kontinuum herauszufallen schienen und als Einzelne eine Reihe bildeten: der Duc des Esseintes und Gilles de Rais aus Huysmans' Romanen „A rebours" und „Là-bas", Dorian Gray, Menschen, die in Zwist mit der Zeit lagen und erfüllt waren von Gedanken, für die nur die happy few ein Ohr zu haben schienen. So gewannen Beziehungen zu fernen Zeiten — zu Byzanz, zur Spätantike, die in gewaltigem Ausmaß als Stoff frei zur Verfügung stand, zum späten Mittelalter — Aktualität. Solche Epochen sprachen den Schriftsteller mit einer Unmittelbarkeit und Kraft an, die sich in den überlieferten Formen nicht beruhigen konnte, um im bewegten Element des Verwegenen das Neue hervorzubringen. Man ahnte, daß eine Umwälzung bevorstand, die sich nicht geräuschlos ins Werk setzte. Ein Losungswort wie *fin de siècle* konnte den Anstoß zu einer solchen geben, zumal da Ende des Jahrhunderts Presse und Theater die Erzeugnisse der Diskussion massenhaft auf den Markt warfen. Den Figuren der verschiedenen Romane von Huysmans eignet ein gemeinsamer Charakterzug — Léo, Cyprien, Tibaille, André Jaillant, Folantin, Des Esseintes — sind bei aller Verschiedenheit ihrer Lebensführung doch ähnlich. Sie befinden sich in einem Spannungsverhältnis zur Umwelt, auf der Suche nach Neuem, ohne aber sich wirklich zur Aktivität emporzuschwingen. Daher kommen weniger Handlungsabläufe zur Darstellung als Stimmungen, Reflexionen — die Introspektion ist für alle bezeichnend.

Verschiedene Tonarten wurden angeschlagen, aber erst im Schatten von Huysmans' Werk gewann die neue Welt den klarsten Ausdruck, denn jetzt wurde die gegenseitige Haftbarkeit des Schönen und Seltsamen als ästhetischer Kanon ausgegeben. Das Moment des Raffinierten, Eleganten, Bizarren verselbständigte sich und die Literatur blühte auf in einer Gesellschaft, die sich selber für erschüttert und dekadent hielt. In Romanen erhebt das ausgehende Jahrhundert seine Stimme, eine manchmal grelle Stimme, die aus vielen Sprachregionen kommt, aus denen uns die Luft des *fin de siècle* entgegenweht.

Das Zurückweisen auf vergangene Stufen der seelischen Entwicklung, die durchgehende Bezogenheit auf Figuren der Dekadenz wurde zur Regel, Werke entstanden, die Nahrung waren für den erregten Geist und funkelten vor Lüsternheit nach dem Außerordentlichen, nach köstlichen Gerüchen, Prachtgewändern und nach dem Glanz der Schönheit in einer erhöhten Daseinsform. Dabei wirkte die Erinnerung an die Dekadenzvorstellungen vom Anfang des Jahrhunderts immer mit. Man kannte Vorstufen, wußte, daß Nisard 1834 seine „Etude de moeurs et de critique sur les poètes latins de la décadence" veröffentlicht hat, man kannte die pessimistischen Stimmen von Bourget, A. France, Mallarmé. Verlaines berühmter Vers aus dem Gedicht Langueur: Je suis l'empire à la *fin de la décadence* wirkte wie ein Nachklang von Gautiers in „Mlle de Maupin" entwickelter Anschauung. „Nous acceptons sans sensibilité comme sans orgueil", schrieb Bourget 1896 „le terrible mot de *décadence*", und schon vorher — 1889 — notierte Goncourt in seinem Tagebuch: Après la génération des simples, des gens naturels qui est bien certainement la nôtre et qui a succédé à la génération des romantiques, qui étaient tous des cabotins, des gens de théâtre dans la vie privée, voici que recommence chez les *décadents* une génération de poseurs, de chercheurs d'effet, d'étonneurs de bourgeois. Das Bedürfnis nach Posen, Reizmitteln aller Art, nach Würzungen und Betäubungen, möglichst starken Kontrasten entsprach der Neigung der Zeit. Und ihr besonderes Merkmal war die Bindung an das Werk von J.-N. Huysmans, der der allgemeinen Stimmung eine Wiedergeburt im Wort gegeben hat. Viele Schriftsteller waren gefesselt an den 1884 erschienenen Roman „A rebours"; von ihm hat ihre Produktion ihren Ausgang genommen. 1884 erschien Peladans „Le vice suprême", der erste Roman eines Zyklus, der der Dekadenz der „lateinischen Rasse" galt. D'Annunzios „Il piacere" (1889) verharrt nicht nur im Kreis von Vorstellungen und Affekten, die Huysmans verwandt sind, es prägt sich auch in der Person von Andrea Sperelli aus. „La sua vita reale è quella, dirò così, non vissuta da lui, è il complesso delle sensazioni involontarie, spontanee, inconscienti, istintive, è l'imperceptibile sviluppo di tutte le metamorfosi e di tutte le rinnovellazioni", das heißt: der Gestaltgebung ist eine Richtung der Objektivierung eigen, die Zusammenfassung und wechselseitige Zuordnung der sinnlichen Elemente in sich schließt. 1893 folgte das „Poema paradisiaco", 1900 „Il fuoco", in dem Daniel Glaro als Schüler von Walter Pater auftritt, dem Verfasser des berühmten Romans „Marius the Epicurean" (1882), 1889 erschien George Moores „Evely Innes" und schließlich das Huysmans nahe „The Picture of Dorian Gray" (1890) von Oscar Wilde. So verschieden diese Werke auch waren — in ihnen lassen sich doch übereinstimmende und durchgehende Richtlinien aufweisen, nach denen sich die Anschauungswelt organisiert. Ein künstliches Leben, oder ein Leben in fernen Zeiten wirkt wie der Balsam, der über die schlechte Gegenwart hinweghelfen soll.

Ob man nun frühere Traditionen bestreitet oder versucht, sie zu retten — die Anschauung der Dekadenz, die sich ästhetisch äußert, wird so oft und von verschiedenen Gesichtspunkten entwickelt und begründet, daß alle Schriftsteller schon dank dem Milieu, in dem sie lebten, ihrem Einfluß aufs stärkste unterlagen. In allen stellt sich der Akzent dar, den ein neues ästhetisches Bewußtsein auf die Gegenstände legt: das Geschehen wird in eine verfeinerte komplizierte Sphäre gerückt, manchmal fast in ein System von Überspannung und Überreizung, ja, ginge es nach den Theoretikern des l'art pour l'art[4], in ein vom Leben abgetrenntes Opiat. Indem man die Nerven aufreizende Musik, aufregende Lektüre, berauschende Getränke bevorzugte, konnte die Nervosität leicht zur Neurasthenie, die Neurasthenie zur Neurose werden.

Damit ist nun die Stelle bezeichnet, an der Huysmans' Roman „A rebours" steht, denn die Stimmung und Gesinnung, die auf vielen Lebensgebieten zutage trat, ging auf ihn zurück. Und wenn er auch eine Reihe von Motiven aus der ersten Hälfte des Jahrhunderts festgehalten und in die Folgezeit hinübergerettet hat, wenn auch viele seiner Gedanken ruhten auf dem Fundament von Baudelaires Werk, in dem sie ihre stärkste Stütze hatten — seine Romane sind doch mit Geburten seiner frei schaffenden Phantasie bevölkert, die in der Begründung und im Aufbau der Literatur des 19. Jahrhunderts sich oft als wirksam erweisen sollten.

Hatte Huysmans zunächst, zur Zeit der Entstehung seiner Frühwerke — „Le drageoir aux épices", „Marthe" — die Welt noch unter dem Blickpunkt von Zola gesehen, dessen Technik ihm nun — zu Unrecht — auf die Beschreibung der äußern Welt, des Trivialen beschränkt zu sein schien, so versuchte er nun die Ausnahmefälle — les cas extraordinaires, les extrêmes — zu beschreiben, als wollte er teilhaben an der Ungebundenheit derer, die wie Gilles de Rais umspielt waren von Gefahren. Er sah nicht, daß der „Naturalismus" alles Gegebene ins Ungeheuerliche gesteigert hatte — seine Abkehr vom Alltagsleben, seine Erhöhung des Alltagslebens glaubte einen würdigen Rahmen für die Lebensführung in Baudelaires „Paradis artificiels" gefunden zu haben. Hier schon wird der Ursprung seiner seelischen Beschaffenheit deutlich. Seine Gestalten überwinden die Alltäglichkeit, befreien von der schlechten Wirklichkeit, wie die Heldin von E. de Goncourts Roman „La Faustin", deren Theaterleidenschaft die Grenzen zwischen Bühne und Wirklichkeit verrückt, um sich in einer Traumwelt vom Zufälligen und Zuständlichen zu lösen. Nach der Lektüre von „La Faustin" schrieb Huysmans an Goncourt: „Oui, mon cher Maître, „La Faustin" est un livre extraordinaire — par la vigueur nouvelle des situations superbement traitées, car les scènes véhémentes et délicates abondent — par la dissection psychologique, détaillant des sensations, des songeries jusqu'alors inexplorées — par les sortilèges du style qui évoque et exprime mille pensées, mille impressions jusqu'à ce jour inexprimées[2]. In „La Faustin" mag Huysmans den Anreiz zu eigener Gestaltung des Neuen gefunden haben. Ein Brief an Zola aus dem Jahre 1882 klärt uns darüber auf: „. . . je me suis remis au travail, plongé dans une sorte de roman-fantaisie bizarre, une folie nerveuse, qui sera, je crois, assez neuve[3]." So entstand aus Haß gegen die Zeit ihr Gegenbild, das von der Gegenwart entlasten und die Summe der Existenz seines Urhebers bedeuten sollte. Die aus Zola stammenden Maßstäbe, die in Huysmans' erster Periode gültig waren, werden nun vertauscht, das Subjektive fließt in die Notwendigkeit der Gestaltung ein und wird zur allgemeinen Darstellung gebracht. Huysmans Konzeption, bei der auch E. de Goncourts Vorwort aus den „Frères Zemganno" mitgewirkt haben mag, führt zur Erfindung eines Helden, der imstande ist, dem Gesamtwillen seinen Eigenwillen entgegenzusetzen, des Duc des Esseintes, der sich in seinen Empfindungen frei bewegt und der wahre Stoff für die Ausbildung eines höheren Lebensideals sein konnte. Einleitend charakterisiert Huysmans seinen Helden wie folgt: . . . „J'y voyais un peu d'„A Vau l'Eau" transféré dans un autre monde; je me figurais un Monsieur Folantin, plus lettré, plus raffiné, plus riche et qui a découvert, dans l'artifice, un dérivatif au dégoût que lui inspirent les tracas de la vie et les moeurs américaines de son temps, je le profilais fuyant à tire-d'aile dans le rêve, se réfugiant dans l'illusion d'extravagantes féeries, vivant, seul, loin de son siècle, dans le souvenir évoqué d'époques plus cordiales, de milieux moins vils." Ein Adeliger ist Des Esseintes, der zum Unterschied von dem armen Bureauangestellten

Folantin seinen Wünschen unbeschränkt Raum lassen kann, um die verbindende Idee seines Kunststrebens in sich selbst zu finden. Was charakterisiert in den achtziger Jahren das Verhältnis der Adeligen zu ihrem Stand? Manche — wie Robert de Montesquiou — betonten die Bedeutung ihrer Abstammung, spielten sozusagen ihre letzte Karte aus, während andere versuchten, den Zwiespalt zwischen dem Adel und der heraufkommenden „demokratischen“ Welt zu überbrücken, ohne jedoch — wie Bourget — darauf zu verzichten, adeliges Leben im harmonischen Rahmen einer Romanhandlung zu beschreiben. Blieb so vom Adel auch nur ein Schatten übrig von dem was er einst war, so traten doch Etikette und Snobismus um so deutlicher hervor und die wachsende Vorliebe der Epigonen für Prunk und Dekor waren ihre — snobistische — Möglichkeit, noch Einfluß zu gewinnen in einer Gesellschaft, deren Leben schon in ganz andere Bahnen gelenkt war.

In der Gestalt von Des Esseintes waren manche Anregungen gemischt, die aus Vorbildern stammten. Neben Ludwig II. von Bayern, der sich mit Vorliebe in einem Raum aufhielt, der einen künstlichen Wald vorstellte, regte Graf Robert de Montesquiou-Fezensac zu manchen Motiven an. Der Graf erregte Aufsehen schon durch seine Kleidung, die er nicht nur nach Gelegenheit, Jahreszeit und Temperatur, sondern auch nach dem Geschmack seiner Gäste abzustimmen pflegte. Und er übertraf diese Extravaganz noch durch Einrichtung seiner Wohnung — manche Zimmer stellten die Kabine einer Jacht oder eine Mönchszelle dar. Huysmans kannte auch E. de Goncourts Beschreibung der „Maison d'un Artiste au XIXe siècle“ aus dem Jahre 1881 — er fand sie bewundernswert — wie einen intimisme délicieux qui émeut et fait passer un doux frisson nerveux. Schließlich ließ er sich von Baudelaires Übersetzung von Poes „Philosophie de l'ameublement“, von der Novelle „Fanfarlo“ in eine andere Welt entführen, die die Alltäglichkeit vergessen machen konnte.

Auf diesem Wege wird Des Esseintes zum Dandy, der befreit von den Dissonanzen der Umwelt, sich in einer imaginären Welt gefällt, in der die Phantasie eine souveräne Wirksamkeit zu entfalten vermag. Baudelaire hat in seiner Beschreibung des Dandy die Lebensweise von Des Esseintes und von Dorian Gray vorweggenommen: Ces êtres n'ont pas d'autres état que de cultiver l'idée du beau dans leur personne, de satisfaire leurs passions, de sentir et de penser. Unabweisbar ist das Bedürfnis des Dandy, allem Zwang zu entspringen und in Erhöhung des schöpferischen Selbstgefühls jede Notwendigkeit zur Freiheit zu steigern und durch überraschende Eingebungen jene unmittelbare Wirkung zu erzielen, die über allen Einfällen einen ungeahnten Gesichtskreis eröffnet. „Aussi, une des conséquences du Dandysme“, sagte ein Kenner wie Barbey d'Aurévilly, „est-il de produire toujours l'imprévu, ce à quoi l'esprit accoutumé au joug des règles ne peut pas s'attendre en bonne logique"[3a]. Aus solchen Voraussetzungen resultiert die Haltung, die der Dandy den Dingen gegenüber einnimmt: verwandelt Des Esseintes sein Speisezimmer in eine Schiffskabine, so hofft er, in der Illusion als befände er sich auf einem Dampfer den Weg der Nutzanwendung so völlig verlassen zu haben, daß er eine ästhetisch zweckfreie Orientierung ermöglichen konnte. In dieser Beschreibung des Künstlichen, die für ein Publikum bestimmt war, dessen Sinne Huysmans geöffnet hat und bewegte, war für die Natur, für das Natürliche kein Raum mehr: „Comme il disait, la nature a fait son temps; elle a définitivement lassé, par la dégoûtante uniformité de ses paysages et de ses ciels, l'attentive patience des raffinés. Das ist nicht nur der Kontrast zwischen der Welt des fin de siècle und der Romantik, sondern auch der Kontrast des künstlichen Vorgangs mit der Wirklichkeit des Lebens, in der er sich abspielt. Aber diese unmittelbare Wirklichkeit ist unvollkommen und vergessen, wenn der Intellekt das Reich der Logik verläßt, um in das der konstruierenden Phantasie zu flüchten — die Erinnerung an eine Erfahrung wird realer als diese selbst: ... „ce plaisir de déplacement qui n'existe, en somme, que par le souvenir et presque jamais dans le présent, à la minute même où il s'effectue". Der Traum einer Englandreise war Des Esseintes wirklicher als diese selbst, Spiegelbild seines tiefsten Wünschens, Ebenbild seiner gestaltenden Phantasie. Hier — in der Erkenntnis von Traum und Erinnerung — bewegt sich Huysmans schon auf der Bahn von Marcel Proust.

Wird das Interesse durch das Interessante und Ungewöhnliche mehr als durch das Vertraute und Regelmäßige erregt, haftet es mehr an dem, was aus der allgemeinen Ordnung herausfällt als an dieser Ordnung selbst, so mag dies auch in der psychischen Konstitution von Des Esseintes begründet sein. Sein Trieb lenkt ihn auf das Geheimnisvolle und Sonderbare, nicht zuletzt weil die Neurose ihn von der Gesellschaft distanziert, die überreizte Natur allem, was er ergreift eine spezifische Form aufdrückt, die aus einer hellhörigen mit feinsten Organen ausgestatteten Sensibilität stammt. Huysmans rechnete sich zu den Neuropathen und die Neurose befähigte Des Esseintes zu einer gesteigerten Einsicht in das Wesen der Kunst. Er gehört zu den cervelles ébranlées, aiguisées, comme rendues visionnaires par la névrose, nur das Neue, noch nicht da-Gewesene kann jene surexcitation du sang et des nerfs bewirken, die er erwartet. Daher seine Bewunderung für Goncourts „La Faustin", deren Anziehungskraft er sich widerstandslos hingab. „Ce livre a une acuité de son qui vous fait vibrer tous les nerfs et vous tient, haletant et tendu, jusqu'aux dernières pages; non, je ne connais point d'oeuvre qui m'ait ainsi exacerbé les nerfs ... Aussi ai-je éprouvé un frisson ... il y a là des éblouissements. Seine Vorliebe für E. A. Poe, für Baudelaire floß aus der Begeisterung für das Kunstschöne, das seinen Zweck in sich erfüllt, Baudelaires Thesen schienen ihm eins der wichtigsten Mittel zu sein, um zu einer eigenen Kunstauffassung zu gelangen. Und er sah die Literatur der Spätzeiten mit dem durch Poe und Baudelaire aufgeschlossenen Sinn für das Seltsame. Seine Äußerungen illustrieren seine Vorstellungen, denen andere als die von Norm und Regel beherrschten Werke entsprechen ... peut -être y avait-il une dose de vérité dans sa théorie que l'écrivain subalterne de la décadence, que l'écrivain encore personnel mais incomplet, alambique un baume plus irritant, plus apéritif, plus acide, que l'artiste de la même époque, qui est vraiment grand, vraiment parfait. Das heißt, was die spezifische Farbe der étrangeté hat, interessiert ihn, er schätzt die Züge, die in sein Wesen hinüberspielen und von einer ihm kongenialen ästhetischen Färbung sind. Daher verwendet er zur Charakteristik der Werke, die ihm teuer sind, Ausdrücke, an denen die Ähnlichkeit mir Baudelaires Poe-Analysen in die Augen fällt: nämlich bizarre, exotique, mystérieux, pervers, er spricht von einer harmonie fascinatrice et déconcertante, von einer irrestistible fascination inquiétante. Wörter, mit denen ein starker stilistischer Anspruch gegeben ist und die ein Gebiet erobern wollen, auf dem die Literatur der décadents, der poètes maudits sich bewegte ... „A rebours" war in der Zeit des gesteigerten Interesses an einer ästhetischen Lebensführung, an der Haltung des Dandy eine Provokation, der verwegene Versuch eines Einzelnen, sich absolut zu setzen, alle Wege des Fühlens und Wollens auszukosten, alle Reize bis zur Perversion fortzusetzen. Ein solcher Versuch mußte zur Zerstörung der Lebenseinheit führen, die getragen ist von der Natur, die Des Esseintes verleugnet hat. Daß der Versuch, die Fäden zu durchschneiden, die den Einzelnen mit der Natur verknüpfen, scheitern mußte, hat Des Esseintes erst am Ende seines Lebens erkannt. Als seine Kräfte innerhalb ihrer Peripherie sich allein überlassen, ermattet waren, fällt die Isolierung fort, die die Brücke zum Allgemeinen, zur Religion versperrt hat, die Einheit, die in der Wechselbeziehung besteht, wird sichtbar — eine höhere Ordnung, eine überpersönliche Macht.

In „A rebours" war geschildert, wie Des Esseintes, zurückgezogen in seine Thébaïde, bemüht war, durch die Beschäftigung mit Literatur und Kunst sein bisheriges Leben zu vergessen. Aber gerade in diesem Augenblick tauchen Erinnerungen an vergangene Zeiten auf, Erinnerungen, die so fest in ihm haften, weil sie so weit zurücklagen. Die theologischen Lehren erregen sein Interesse, und da sich der Katholizismus als poetisch darstellt, kann er sich seines Einflusses nicht erwehren und tendiert dazu, seinen Hang zum

Raffinement als Ergebnis theologischer Spekulationen zu betrachten: C'étaient au fonds des transports, des élans vers un idéal, vers un nouveau inconnu, vers une béatitude lointaine, désirable comme celle que nous portent nos écritures." Und in „Là-bas" und „Sainte Lydwine de Schiedam" war eine neue Richtung in Huysmans vielverwebten Verhältnissen zum Christentum bezeichnet: die Heilige stand als Bild gegen den dunklen Hintergrund, der in der Charakteristik des Marschalls Gilles de Rais, des Fanatikers des Verbrechens sichtbar geworden war. Die Frömmigkeit und das Verbrechen ergänzen einander und können sich berühren. Der Marschall verkörpert die Tiefe des Gegensatzes, die Möglichkeit des plötzlichen Umschlagens von einem zum andern: Du mysticisme exalté au satanisme il n'y a qu'un pas.

So bedeutend aber auch die Werke waren, die Huysmans aus seinen Erkundungen und religiösen Erlebnissen gewonnen hat, die meisten Leser fühlten sich hingezogen zu „A rebours", dessen Ferment viele in sich aufgenommen und mit ihrem Wesen vereint hatten. Denn sehr bald erkannte man die Richtlinien, die von diesem Roman ausgingen. Wird auch in den ersten Kapiteln — noch in Zolas Manier — die Herkunft des Helden beschrieben, so ist die Darstellung doch so sehr nur von seiner Gestalt beherrscht, daß von einer Handlung im traditionellen Sinn nicht die Rede sein konnte. Zola vermißte daher eine vorwärtsschreitende Entwicklung: „Ce qui me gêne dans le livre?" schrieb er: „D'abord, je le répète, de la confusion. Peut-être est-ce mon tempérament de constructeur qui regimbe, mais il me déplaît que des Esseintes soit aussi fou au commencement qu'à la fin, qu'il n'y ait pas de progression quelconque, que les morceaux soient toujours amenés par une transition pénible d'auteur." In der Tat ist Huysmans' Held, dem der Ausblick auf Vergangenheit und Zukunft nicht gegeben ist, Ausgangs- und Zielpunkt der Handlung, und in den Farben gemalt, die dem auf das Seltsame gerichteten Geschmack des Zeitalters gefallen mußten. Jeder Kommentar, jede Kritik an dem Helden lag Huysmans fern. Wir finden ihn nie auf den Wegen von Balzac, der dem Roman manchmal Züge der Geschichtsschreibung gab und seine Personen in das Licht der Zeit und ihrer politischen Anschauung stellte, auf Zutaten und Digressionen nicht verzichtete und auch seine eigene Ansichten oft breiten Raum einnehmen ließ. Die Farbe seiner Person, mehr oder minder stark aufgetragen, lag über dem Ganzen. Das Persönliche bei Huysmans ist jedoch verhüllt und wenn die Dinge ohne jeden Kommentar vergegenwärtigt werden, so identifiziert sich der Autor mit der Bewegung, die in der Spätantike sich zu regen begann, mit Petronius, der in den Spiegel einer sterbenden verfallenden Welt blicken ließ: „... sans préoccupation, quoi qu'on en puisse dire, de réforme ou de satire... sans que l'auteur se montre une seule fois, sans qu'il se livre à aucun commentaire, sans qu'il approuve ou maudisse les actes ou les pensées de ses personnages." Das Satyricon, so verstanden, gibt die Perspektive auf Huysmans' Stilideal. Zumal da sich in der Diktion des Petronius seine eigene Geistigkeit reflektiert. Die Richtung in der sich das Spätlatein bewegt, ist vom Klassischen scharf getrennt, Neologismen, Sinnverschiebungen, unerwartete Verknüpfungen scheinen einen Keim in sich zu schließen, der sich im Fortgang der Sprache zu einem Reichtum von Bildungen entfalten konnte. Die französische Sprache konnte kraft dieser Wechselbeziehung des fin de siècle mit der römischen Dekadenz in ein Netzwerk von Beziehungen eingesponnen werden. Das Spätlatein kann nur verstanden werden, wenn man es nicht wie Nisard nur im Gegensatz zu Vergil und zur Augusteischen Zeit sieht. Daher erkennt Des Esseintes die Bedeutung von Prudentius, Sidonius Apollinaris, Boethius, Gregor d. Großen, Alcuin, das heißt von Schriftstellern, auf die er sich auch durch das Buch von Remy de Gourmont „Le latin mystique" hingeführt sah. Je weiter er den Rahmen der Latinität spannte, desto komplizierter wurde ihre scharfe und klare Bestimmung.

Das Publikum, an das „A rebours" sich wandte, schätzte aber nicht nur Huysmans' Fähigkeit, verschiedene Stile zur Einheit zu bringen, sondern auch die enge Verbindung seiner schriftstellerischen Wirksamkeit mit der Malerei. Huysmans' Hauptinteresse galt der Farbe, der Stufenleiter der Schatten- und Lichtseiten in verschiedenen Modulationen. Er beachtet — wie schon die Goncourts — die Farben unter dem Einfluß der Beleuchtung. Zunächst wird die koloristische Wirkung durch die Beschreibung merkwürdig wechselnder Farben erzielt. Sehr bald aber gewinnt man präzisere Eindrücke, sofern nämlich nicht nur die Farbtechnik studiert, sondern auch das Spiel von Licht und Schatten in scharfen Helldunkelkontrasten, die Verbindung der Farben mit Empfindungssphären sichtbar wurde. Des Esseintes, sagt Huysmans, war ein Experte in den „sincérités et faux-Fuyants des tons". Huysmans besitzt eine reiche Palette, um durch das Medium von Des Esseintes sein eigenes Wesen in dem Gleißen und Funkeln der Farben, in der Fülle von Abstufungen, in den Brechungen der Töne zu beschreiben. Die Beobachtung von Lichteffekten hat zur Folge, daß die Beleuchtung im Hinblick auf ihr Verhältnis zu Farbe und Form studiert und Ausdrucksmittel der Atmosphäre wird. Das Verfahren ist dem impressionistischen verwandt — visuelle Eindrücke werden verlebendigt, so daß sie wie Spiegelbilder flüchtiger Vibrationen anmuten. Ständig fließen malerische Eindrücke in die Gestaltung ein, um in anschaulichen Gebilden aufzugehen, die in Licht und Farbe leben. Man bewegt sich in jener Übereinstimmung von Malerei und Literatur, die charakteristisch war für eine Zeit, die die Wechselbezüglichkeit der Künste so oft zu einer Theorie erhoben hat. Huysmans' Buch „L'art moderne", das die Kritiken vereinigt, die er zwischen 1879 und 1882 verfaßt hat, spiegelt den starken Eindruck wieder, den er von den Impressionisten empfangen hat, während in seiner letzten Phase der Weltaspekt des Mittelalters zur Voraussetzung seiner Kunst wird. Dann wird die wechselnde Bestimmtheit durch Architektur und Theologie Anfangs- und Zielpunkt seiner Beschreibungen, die kunstkritische und theologische Deutung der Kathedrale grenzen nahe aneinander und gehen ineinander über . . .

Huysmans' Buch ist gewiß nur ein Stück des literarischen Lebens des ausgehenden 19. Jahrhunderts. Aber es war nach dem Zeugnis eines modernen Interpreten (Billy), das Buch einer Generation, und mit dieser Schätzung befindet man sich in der Nachfolge vieler Zeitgenossen des Autors, und vor allem Paul Valérys. Es lenkt wie kaum ein anderes den Blick auf die inneren Zustände des fin de siècle. Die Wirkung in andern Ländern ist ein echter Nachklang, in dem die Kunst des Autors so deutlich wird wie die Technik seiner Mittel. Denn die sogenannte décadence stellte sich als eine selbständige Macht der Zeit entgegen und alle Länder waren in Verbindung mit Frankreich. Hofmannsthals erste Prosaveröffentlichung galt Bourgets „Physiologie de l'amour moderne" und seine Prognose des *fin de siècle* lautet: „Um 1890 werden die geistigen Erkrankungen der Dichter, ihre übermäßig gesteigerte Empfindsamkeit, die namenlose Bangigkeit ihrer herabgestimmten Stunden, ihre Disposition, der symbolischen Gewalt auch unscheinbarer Dinge zu unterliegen, ihre Unfähigkeit sich mit den existierenden Worten beim Ausdruck ihrer Gefühle zu begnügen, das alles wird eine allgemeine Krankheit unter den jungen Männern und Frauen der oberen Stände sein[5]." Denn so viele Einflüsse auf die Bildung und Dichtung Ende des Jahrhunderts auch stattfinden konnten, die französischen Mittel standen bereit und man erkennt ihre Wirkung auch, wenn sie auf eine in einer andern Sprache geschriebenen Werke angewendet werden sollen. Wirkt nicht der folgende Passus aus „The Picture of Dorian Gray" als wäre er Huysmans nachgebildet?:

„And, certainly, to him Life itself was the first, the greatest, of the arts, and for it all the other arts seemed to be but a preparation. Fashion, by which what is really fantastic becomes for a moment universal, and Dandyism, which, in its own way, is an attempt to assert absolute modernity of beauty, had, of course, their fascination for him. His mode of dressing and the particular styles that from time to time he affected, had their marqued influence on the young exquisites of the Mayfair balls and Pall Mall club windows, who copied him in everything that he did[6]."

Groß wäre die Zahl ähnlicher Beispiele und dank einer Reihe von Schriftstellern, den die Töne der décadence lockend ans Ohr zu schlagen anfingen, gewann der in Frankreich entstandene Stil seinen besonderen Charakter, den des *fin de siècle*[7].

## ANMERKUNGEN

1. S. Belege bei Keith G. Millward, *L'oeuvre de Loti et l'esprit „Fin de siècle,* Paris 1953, und E. Koppen, *Dekadenter Wagnerismus, Studien zur europäischen Literatur des fin de siècle,* Berlin-New York, 1973, 251 f, K. W. Swart, *The Sense of Decadence in Nineteenth Century France,* The Hague, 1974; zum substantivischen Gebrauch von fin de siècle s. Jullian, *Fin de siècle.* RddM, 1969, 93—100 — Koppen glaubt die Wendung auf finis saeculi, d. h. auf eine Schrift von Augustinus zurückführen zu können — dies könnte die Doppelbedeutung Jahrhundertende und Weltende erklären. Zum Thema s. ferner: Mario Praz, *La carne, la morte e il diavolo,* Firenze 1948. A. E. Carter, *The Idea of Decadence in French Literature 1830—1900,* Toronto 1958, J. Lethève, *Le thème da la décadence dans les lettres françaises,* RhL 1963, und id. *Un mot témoin de l'époque „fin de siècle"*, Esthète, ib. 1964, F. Livi, *Huysmans, A rebours et l'esprit décadent,* Paris 1972, *Der kleine Salon, Szenen und Prosa des Wiener Fin de siècle, mit Illustrationen von S. Klimt,* Hrsg. von Hansjörg Graf, Stuttgart 1970, und *Der rastlose Fluß, Englische u. französ. Geschichten des fin de siècle,* Stuttgart 1970, Hrsg. von W. Pehnt mit Illustrationen von Ch. Rikkets u. Charles H. Shannon.

2. *Lettres inédites à E. de Goncourt,* ed. Lambert et Cogny, Paris 1959, 70.

3. *Lettres inédites à Zola,* Paris 1953, 90.

3a. Du Dandysme et de G. Brummel, in: *Oeuvres complètes,* Paris, 1927, IX, 230.

4. Zum Problem des l'art pour l'art s. G. Simmel, *L'art pour l'art,* in: *Zur Philosophie der Kunst, Philosophische und kunstphilosophische Aufsätze,* Potsdam 1922 und W. Iser, *Walter, Pater,* Tübingen 1960.

5. Karl Kraus hat in *Die demolierte Literatur* Wien 1897, die damaligen Richtungen kritisiert, s. auch H. Broch, *Hofmannsthal und seine Zeit,* Broch sprach von einem Wert-Vakuum im Wien der Jahre 1870 bis 1890. S. *Ges. Werke,* Zürich 1955, Bd. 1, 66 ff.

6. S *The Picture of Dorian Gray,* Edited with an Introduction by Isobel Murray, Oxford 1974, 129. Die englische Literatur entwickelte sich nicht isoliert, die Beziehung auf andere Literaturen war dauernd und der Einfluß Oscar Wildes Ende des Jahrhunderts überall gleich stark. In den ersten Jahrgängen der „Fackel" ist oft von O. Wilde die Rede, und Karl Kraus, der Wildes „Leben in Schönheitstrunkenheit" gepriesen hat, schrieb nach einer Aufführung der *Salome:* Die somnambule Stimmung einer aus Wollust und Grauen bereiteten Vision; das rhythmisierte Tempo des aus schwüler Ruhe zur Katastrophe eines Zeitalters hastenden Fiebertraums; die aus dumpfen Seelen, aus einer Zisterne und aus dem Himmel dräuende Wende zweiter Welten, der unsichtbare Galiläer und ein stilisierter Mond, der vom blanken Rund zum scharlachfleckigen Ungetüm alle Phasen irdischen Unheils begleitet — die Unregelmäßigkeit der aus den Fugen gebrachten Natur, dies alles ist auf der Hamburger Bühne, wo die erste öffentliche Aufführung der Salome stattfand, möglich gewesen. (Die Fackel, V, 1903), 11. S. auch Gides Erinnerungen an Wilde aus dem Jahre 1901. Jetzt in *Prétextes suivis de Nouveaux Prétextes,* Paris 1963, 126 ff. — Zum Problem des Dandy s. Hans Hinterhäuser, *Der Dandy in der europäischen Literatur des 19. J'h.* (in Weltliteratur und Volksliteratur, München, 1972 (ed H. Schaefer). Hier wird auch besonders auf die Gestalt des Marqués de Bradomín bei Valle-Inclán verwiesen.

7. Der Zusammenhang der Literatur mit der Stimmung des *fin de siècle* liegt in einer großen Zahl von ständig wiederkehrenden Motiven vor Augen, die sich in einer Linie von 1884 bis 1914 fortgesetzt haben, um bei Marcel Proust ihre Gestalt organisch zu verändern. Die materialreiche und z. T. anekdotische Darstellung von A. Billy, *L'époque 1900* Paris 1964, ist in letzter Zeit ergänzt worden durch das bedeutende Buch von E. Carassus. *Le snobisme et les lettres françaises de Paul Bourget à Marcel Proust 1884—1914*, der wichtige Schritte zur Erkenntnis der belle époque getan hat. S auch das Kapitel Sinnlichkeit um die Jahrhundertwende in dem wichtigen Buch von Dolf Sternberger, *Über den Jugendstil und andere Essays*, Hamburg, 1956.

ECKHARD HEFTRICH

## Was heißt l'art pour l'art?

Seit langem werden die Begriffe Ästhetizismus, Dekadenz, *l'art pour l'art* fast synonym in negativer Bedeutung gebraucht. Daß ihnen ein Geruch von Esoterik anhaftet, hilft eher noch dazu, die offenbar selbstverständliche Übereinkunft zu bekräftigen, es handle sich da um etwas, das es zu bekämpfen gilt, sofern man es nicht schon verachten kann. Die Verwendung dieser herabsetzenden Schlagworte ist nicht auf den Bereich der Literatur oder der Kunst beschränkt. Im Falle von ‚Dekadenz' überrascht dies weniger. Denn wenn auch die von Bourget verbreitete und vom späten Nietzsche aufgegriffene *Décadence* mit ästhetischen Phänomenen verknüpft war, so zielt der Begriff doch über den ästhetischen Bereich hinaus auf die Ursachen, aus denen so etwas wie der artifizielle Dekadenzkult zu erklären war. Erstaunlicher schon ist, daß *l'art pour l'art* kein Reizwort der politisch gefärbten Ästhetik-Diskussion blieb, sondern inzwischen aus dieser Ebene in die intellektuelle Trivialsprache abgesunken ist. Jedwede Tätigkeit, der die höhere Weihe des gesellschaftlichen Bezuges zu fehlen scheint, kann so mit dem Etikett l'art pour l'art versehen werden.

Im engeren Bereich des Ästhetischen erhält man, wenn man auf Definitionen dringt, meist Tautologien geboten: *l'art pour l'art* wird als Ästhetizismus erklärt et vice versa, welcher Zirkel sich natürlich auch nicht durch die sich dann beinahe regelmäßig einstellenden Worte wie Dekadenz, Esoterik, Formalismus und elfenbeinerner Turm löst. Beharrliches Weiterfragen bringt dann vielleicht noch Umschreibungen dieser Art herauf: *l'art pour l'art* sei eine Tendenz, Kunst zu produzieren oder Kunst zu genießen, ohne die materiellen und gesellschaftlichen Bedingtheiten solcher Produktion und solchen Genusses zu reflektieren, in esoterischer Anmaßung und Verblendung ziehe sich der Künstler in einen elfenbeinernen Turm zurück, und während er sich einbilde, er lebe unabhängig und unberührt von der für banal erklärten Realität, betreibe er in Wirklichkeit in dekadentem esoterischen Snobismus das Geschäft derjenigen, die er am meisten zu verachten wähne — das Geschäft der bourgeoisen Kunstkulinarier.

Verwirrte Gereiztheit tritt ein, wenn man sich mit solcher Begriffsbestimmung nicht zufrieden gibt, sondern an die jüngere Vergangenheit erinnert und fragt, wie es denn zu erklären sei, daß zu den beliebten Schimpfworten von Goebbels und seinen im Kultursektor tätigen Sachwaltern eben auch schon zählten: Ästhetizismus, Dekadenz, Esoterik, elfenbeinerner Turm, *l'art pour l'art.* Dieses Vokabular diente ja damals dazu, einen zeitgenössischen Künstler, eine Schule oder auch eine ganz ältere Epoche abzutun, auszustoßen, zu erledigen. Nun läßt sich die Koinzidenz des Wortgebrauchs gewiß mit Hilfe einer Dialektik wegdisputieren, die uns erklärt, daß dasselbe nicht dasselbe sei. Aber wir sollten uns auch hier die Empfindlichkeit des erinnernden Ohres nicht ausreden lassen. Und dies um so weniger, als auch das Auge Vergleiche hat oder sich verschaffen kann. Denn zu den Bildern, die einst in Hitlers Haus der Kunst prangten, finden sich Analogien in Kunsttempeln des zwanzigsten Jahrhunderts, in denen zu ganz anderen Göttern gebetet wird. Und in der Kunst-Theologie dieses anderen Lagers stößt man wiederum, und eben nicht erst heute, sondern schon seit vierzig und mehr Jahren, auf dieselben negativen Beschwörungsformeln.

Die Kunst der Hitler-Ära hieß völkische Kunst. Sie sollte nicht um ihrer selbst willen geschaffen werden, sondern dem Volke dienen. Nun will keiner von denen, die heute so rasch und abwertend von *l'art pour l'art* sprechen, eine Kunst, die dem pathetischen Kitsch der völkischen auch nur ähnelt. Aber sie alle, die da so bedenkenlos die Kunst für die Kunst als Ästhetizismus verurteilen, sollten sich eine historische Tatsache ins Gedächtnis rufen: Seitdem die Formel *l'art pour l'art* eine, wenn nicht gar *die* Tendenz der modernen Kunst ausdrückt, also etwa seit der Mitte des letzten Jahrhunderts, ist jede Kunst, die unmittelbar einem außerhalb der Kunst liegenden Zweck dienen wollte oder einem solchen Zweck unterworfen wurde, eine zweit- oder drittrangige Kunst gewesen. Entweder war sie von Anfang an Kitsch, oder sie wurde, selbst wenn Talente sie handhabten, rasch so minderwertig, daß die deprimierende Diskrepanz zwischen wohlgemeintem Inhalt und unzulänglicher Form heraustrat.

Ein Weiteres scheint bedenkenswert. Wer Worte wie Ästhetizismus und *l'art pour l'art* im Munde führt, wer also nicht die Sprache des Volkes und der arbeitenden Klasse, sondern die der privilegierten Gebildeten spricht, sollte von der ersten Pflicht dieses Privilegs sich nicht entbunden wähnen. Sie besteht darin, sich Rechenschaft abzulegen über die Geschichte, die in den gebrauchten Begriffen ruht, auch wenn solche Rechenschaft am Ende die bequeme Selbstverständlichkeit des Schlagworts zerstört. Die folgenden Bemerkungen über die Herkunft und Entwicklung des *l'art pour l'art*-Begriffs sollen einer solchen Rechenschaft dienen.

Da *l'art pour l'art* seit langem beinahe nur negativ gebraucht wird, gerät der Versuch einer historischen Beurteilung fast unvermeidlich zur Rechtfertigung. Denn im Gegensatz zu vielen Kunstrichtungen und Tendenzen, bei denen sich eine ursprünglich herabsetzend gemeinte Benennung in einen Ehrennamen verwandelt hat, erfuhr der Begriff *l'art pour l'art* schon so früh eine pejorative Umwertung, daß der Wille zur historischen Objektivität allein kaum ausreicht. Es bedarf eines wahrhaft guten Willens, um das zu entdecken, was in dieser Formel an Positivem steckt.

Weniger aus Gründen der historischen Gerechtigkeit als vielmehr aus der Sorge um das Eigenrecht der Kunst hat sich 1929 Karl Scheffler des schon damals so geschmähten Prinzips angenommen. 1929 erschien seine kleine Kampfschrift ‚L'art pour l'art', aus der hier einiges zitiert sei: „Verächtlich spricht man vom l'art pour l'art, als von einem überlebten bürgerlichen Prinzip. Die Bezeichnung l'art pour l'art ist fast ein Schimpfwort geworden. Man wirft damit der Kunst des letzten Jahrhunderts vor, sie hätte sich vom Volk, von seinen Bedürfnissen und Bestrebungen gelöst, sie sei unsozial geworden und hätte egoistisch nur sich selber gelebt. Mit dieser Beweisführung wird der Kunst ihre Selbstherrlichkeit genommen, wird ihr ein dienender Platz angewiesen. Die Forderung heißt: Die Kunst dem Volke, die Kunst im Dienste der Volksgemeinschaft. Auf der einen Seite soll die Kunst ein Werkzeug kommunistischer Weltanschauung und Politik sein, und anderseits ein Organ nationalistischer Gesinnung." Der Kunsthistoriker und -kritiker Scheffler legt ein Bekenntnis zum *l'art pour l'art*-Prinzip ab, dessen historische Perspektiven zwar der Korrektur bedürfen, das aber nachträglich Respekt erheischt, weil es mit Mut in einer schon verlorenen Mitte zwischen den Kanzeln von rechts und links abgelegt wurde: „Man wird finden, daß sich alle großen Talente, soweit man auch in der Geschichte zurückgeht, in dienenden Verhältnissen eingeengt und bedrückt gefühlt haben, daß sie zu völliger Autonomie gestrebt und in ihren glücklichsten Augenblicken die Kunst um der Kunst willen ausgeübt haben. In Wahrheit ist das, was mit dem Wort ‚l'art pour l'art' ausgedrückt wird, eine der stolzesten Errungenschaften. Der Künstler lädt mit diesem Bekenntnis die ganze Verantwortung auf sich. Er fühlt sich keinem Menschen, keiner Staatsautorität, keinem sozialen Zwang mehr verantwortlich; um so mehr aber sich selber, seinem Gewissen und der Stimme des inneren ‚du sollst'. Das macht ihn frei und unbefangen. Bezeichnend ist, daß für den Künstler im selben Augenblick, als er die Forderung uneingeschränkter Selbstverantwortung bewußt an sich stellte, das Märtyrertum begann. Die Gesellschaft löste sich von ihm, er wurde einsam und lernte es von Grund auf, wie Hunger, Verkennung, Nichtachtung und Spott tut. In dem Augenblick aber, als das Genie gewissermaßen ausgestoßen wurde, war es auch verantwortlich für die ganze Kunst seiner Zeit, es stand da als Führer und als Revolutionär[1]."

Schefflers Schrift verrät, daß schon in den zwanziger Jahren *l'art pour l'art* ein Reizwort war. Schon damals? Ebensogut könnte man sagen: noch immer war es ein Reizwort, obwohl es doch auch damals bereits durch einen jahrzehntelangen Gebrauch hätte abgenützt sein müssen. Daß es über solche Zeiträume hinweg ein Reizwort blieb, scheint zumindest eines zu beweisen: In dieser Formel muß etwas sehr Lebenskräftiges stecken. Schon 1851 scheint Baudelaire, dem doch die *l'art pour l'art*-Idee einige ihrer bedeutendsten Impulse verdankt, wie über eine erledigte Angelegenheit zu urteilen: die unreife Utopie der *l'art pour l'art*-Schule sei notwendigerweise unfruchtbar geblieben. Aber der Satz sollte nicht aus dem Zusammenhang gerissen und als Verdikt gebraucht werden, wovor selbst Walter Benjamin, der es doch besser wußte, nicht zurückgeschreckt ist[2]. Denn Baudelaire richtet sich um der Kunst willen gegen die Reklamation des Prinzips durch kleine Mitläufer, die sich unter der Fahne des *l'art pour l'art* gesammelt hatten. Baudelaire zählt die Schule zu jenen tendenzgebundenen Unternehmungen ähnlicher Art, die er verachtet oder gegen die er revoltiert. Dem Großmeister der Schule selbst, Théophile Gautier, *Maître et ami,* sind immerhin die ‚Fleurs du Mal' gewidmet. Daß der meisterliche Freund da nicht nur *parfait magicien ès Lettres françaises* genannt wird, sondern auch *poète impeccable* — diese Zweideutigkeit hebt die Tatsache der Widmung nicht auf. Überdies hat Gautier schon in seinem Jugendroman ‚Mademoiselle de Maupin' mit den Themen des Dandytums und der Androgynie in Verbindung zur Kunstproblematik sich als Wegbereiter dessen erwiesen, was dann mit Baudelaire auf eine neue und in der Romantik noch nicht erkennbare Höhe kommen sollte.

Damit sind Namen und Stichworte genannt, die für gewöhnlich mit dem Begriff *l'art pour l'art* zusammenfallen. Gilt doch die *Préface* zu ‚Mademoiselle de Maupin' als *das l'art pour l'art*-Manifest. Wenn ein Manifest die öffentliche Erklärung einer Regierung zur Rechtfertigung ihrer Handlungsweise ist und von daher sich der Sinn einer möglichst prägnanten Verkündigung eines politischen oder künstlerischen Programms ableitet — dann ist Gautiers Vorwort nur sehr bedingt ein Manifest. Der 1834 datierte, rund 30 enggedruckte Seiten umfassende Text ist in erster Linie die temperamentvolle, mit Frivolitäten gespickte Abrechnung eines dreiundzwanzigjährigen Jungpoeten mit den Kritikern seiner Zeit, die vor allem natürlich seine Kritiker waren. Der historische Vorteil dieser Abrechnung ist, daß Gautier über die Individuen hinaus zielt auf die Tendenzen, in deren Dienst die Federn betätigt wurden. So werden wir zu Augenzeugen eines Geisteskrieges, der als Folge der Revolution von 1830 abläuft. Unterm Bürgerkönig Louis Philippe sichert sich ein robustes Spekulantenbürgertum seinen wirtschaftlichen und politischen Gewinn aus der nachnapoleonischen Restauration. Geistige und politische Tendenzen wie Liberalismus, Romantik, Frühsozialismus laufen quer durcheinander und suchen sich mit wechselnden politischen Parteiungen zu verbinden. Gautier führt seine Hiebe fast nach allen Seiten. Vor allem greift er die heuchlerische Moralität an, die das öffentliche Bewußtsein vorschreibe: „Eine der lächerlichsten Erscheinungen unserer so glorreichen Epoche ist die nicht zu leugnende Rehabilitation der Tugend." Sie werde von sämtlichen Zeitungen durchgeführt, ganz gleich, von welcher *couleur* sie auch seien. Dann verhöhnt er die wiederauferstandene Tugend; sie sei ganz gewiß eine außerordentlich respektable Angelegenheit. Diese würdige und schätzenswerte Dame Tugend habe sich für ihre Jahre wirklich beachtenswert gehalten, aber sie sei nun einmal eine Großmutter. Es scheine ihm ganz natürlich, daß man, vor allem mit zwanzig, dieser Großmutter etwas unmoralisch Junges vorziehe. Das verlogene Getue um die Moral wäre einfach nur lächerlich, wenn es — und das ist schlimmer — nur nicht so langweilig wäre. Aber jedes Feuilleton wird zur Kanzel, jeder Journalist zum Prediger, es fehlt nur noch Tonsur und Beffchen. Christlich und tugendhaft zu sein sei jetzt die Mode, man gäbe sich als heiliger Hieronymus wie einst als Don Juan. „Jetzt ist man bleich und asketisch, trägt eine Apostelfrisur, geht mit gefalteten Händen und gesenktem Blick ... Auf dem Kamin hat man eine geöffnete Bibel liegen und überm Bett das Kruzifix und einen geweihten Buchsbaumzweig. Man flucht nicht mehr, man raucht wenig und priempt kaum noch. Man ist also christlich, man spricht von der Heiligkeit der Kunst, von der hohen Sendung des Künstlers, von der Poesie des Katholizismus ... von den Malern der *école angélique*, vom Tridentinischen Konzil, von der fortschrittlichen Humanität und tausend anderen schönen Dingen[3]." Die Stichworte verraten jedoch, daß es Gautier nicht um tausend x-beliebige Dinge geht, von denen die Tagespresse voll ist, sondern um die dominierenden weltanschaulichen Strömungen seiner Zeit. Schließlich will er demonstrieren, was alles zusammenkommen muß, damit das herauskommt, was den zeitgemäßen moralisierenden Journalisten der dreißiger Jahre seines Jahrhunderts ausmacht. „Einige lassen in ihre Religion ein wenig Republikanismus hineinlaufen. Sie accouplieren Robespierre und Jesus Christus auf die jovialste Tour und verrühren mit der Miene des Biedermannes Sprüche aus der Apostelgeschichte mit Dekreten des *heiligen* Konvents ... andere geben als letzte Würze noch ein paar Saint Simonistische Ideen dazu."

Wer *damals* ganz auf der Höhe der Zeit sein wollte, der mußte also der alten Dame den Hof machen, der heute niemand mehr modische Reverenz erweist: der Dame Tugend. Die Huldigung bestand in jener besonders empfindsamen Prüderie, die ihren bleibenden Namen ja dann der ab 1837 regierenden englischen Königin Viktoria verdanken wird. Gautier wendet sich gegen die Sittenrichter, die Moral mit der Tabuisierung des Erotischen verwechseln. Hinter seinem Spott über die Tugendwächter steht die Verteidigung der Kunst, der Literatur zumal, die an den Maßstäben einer verklemmten Moral gemessen wird. Ginge es nach dem Willen der moralisierenden Kritiker, so käme schließlich eine Art Literatur fürs Töchterpensionat heraus. Nach Gautier verwechseln die engstirnigen Krittler immerzu Werk und Autor, d. h. sie kreiden dem Autor direkt als Weltanschauung und Immoralität an, was in seinem Buch geschieht oder von verschiedenen Personen gesagt wird. Dieses außer- und unkünstlerische Verfahren zu kritisieren, bestand nicht nur zu Gautiers Zeiten Anlaß genug. Rund zwanzig Jahre später hat Flaubert wegen seiner ‚Madame Bovary' die Anklage der Unzüchtigkeit am Halse, und hundert Jahre später rufen Meisterwerke noch immer die Justiz auf den Plan. Es spielt in unser Thema herein, daß für Verbot oder Freigabe von literarischen Erzeugnissen so lange entscheidend war, ob es gelang, das Werk als ein Kunstwerk zu beweisen.

Gautier ist natürlich noch weit davon entfernt, so etwas wie ein Recht auf Obszönität zu postulieren. Er will nur zeigen, wie absurd es ist, vom möglicherweise für unmoralisch empfundenen Inhalt eines Buches auf die Moralität oder Immoralität des Verfassers zu schließen. Er fordert nur um der Wahrheit willen das Recht der Darstellung von Immoralität. Und zwar, weil es unsinnig sei, in einer unbestreitbar unmoralischen Epoche von Schriftstellern moralische Geschichten zu verlangen. Hier, wo es um das Darstellungsrecht des Künstlers geht, wird in Gautiers Vorwort die Verteidigung der Kunst um der Kunst willen vernehmbar. Deutlicher wird das Prinzip jedoch erst, wenn Gautier sich einer weiteren Gruppe von Gegnern zuwendet: den Utilitaristen. Sie fordern bei allem, also auch bei der Kunst, daß als höchster Wert, als höchstes Ziel die Nützlichkeit zu gelten habe. Nützlich muß auch die Kunst sein, indem sie der Verbesserung der Sitten, dem Fortschritt der Menschheit, der Gesellschaft dient. Was nicht in solchem oder ähnlichem Sinne nützlich ist, was also zu nichts dient, ist überflüssig. Nun ist aber, nach Gautiers Überzeugung, alles Schöne ohne Nützlichkeit und folglich am Wertmaßstab der Utilitaristen gemessen, wirklich überflüssig. Wozu dient die Schönheit der Frauen? Ihren Naturzweck können sie auch ohne diese erfüllen. Wozu die Schönheit der Musik? Da der eigentliche Gegenstand der Kunst das Schöne ist, trifft man die Kunst, ja macht sie unmöglich, wenn man sie zum Werkzeug für anderes degradiert, indem man etwas von ihr verlangt, was nicht in ihrem Wesen liegt.

In Gautiers Verteidigung des Selbstzweckes der Kunst spielt die Formel l'art pour l'art als solche keine Rolle. Dennoch wird hier viel von dem vorweggenommen, was dann unter diesem Schlagwort in Umlauf kommt. Dazu gehört auch die herausfordernde Frivolität, mit der ein auf Nützlichkeit und Moral bedachtes Bürgertum provoziert werden soll. Viel später, gegen Ende des Jahrhunderts, forciert dann Oscar Wilde diese Herausforderung durch den paradoxienreichen Ästhetizismus bis über die Grenze hinaus, an der die Selbstvernichtung beginnt. Bei Gautier herrscht noch die frischfröhliche Unbefangenheit: „Nur das ist wirklich schön, was zu nichts dient; alles was nützlich ist, ist häßlich, weil es der Ausdruck irgendeines Bedürfnisses ist... Der nützlichste Ort eines Hauses ist der Abort. Ich aber gehöre zu denjenigen, für die das Überflüssige notwendig ist. Meinem Nachttopf, so nützlich er mir ist, ziehe ich doch eine mit Drachen und Mandarinen übersäte chinesische Vase vor. Sie dient mir zu gar nichts..." Gautier häuft Beispiel auf Beispiel und dreht die Schraube bis zu dem Punkt: „Als der einzige Zweck, als die einzige nützliche Sache auf der Welt erscheint mir das Vergnügen. So hat es Gott selbst gewollt, er, der die Frauen, die Düfte, die schönen Blumen, die guten Weine, die rassigen Pferde, die Windhunde und die Angorakatzen erschaffen hat." Und so weiter, und so fort. Einmal im Schwung, kann der junge Poet sich nicht mehr bremsen, und er prügelt dann auch noch kräftig auf jene ein, die das Evangelium des kulturellen und sozialen Fortschritts verkünden. Was die Kultur angeht und den Fortschritt, so hält er dieser kümmerlichen Epoche das Bild großer Kulturepochen wie Renaissance oder Antike entgegen. Dabei kokettiert er mit der barbarischen Kraft solcher vergangener Epochen, die weder moralisch noch zimperlich waren. Auch hier schlägt Gautier einen Akkord an, der dann im späteren neunzehnten Jahrhundert noch breit ausgespielt werden sollte: die Verherrlichung der Antike. Aber es sind nicht mehr die Griechen Winckelmanns, denen die Bewunderung gilt, es ist schon eher die dionysische oder dekadente und gerade in der Dekadenz noch für groß gehaltene Antike, die da den impotenten Zeitgenossen entgegengehalten wird. — Damit sind die wichtigsten Themen genannt. Gautier hat sie in seinem Vorwort mit mehr rhetorischem Überschwang als logischer Überzeugungskraft behandelt. Aber es sind alles Themen, die in der Luft lagen und die von da an nicht mehr aus der literarischen Diskussion verschwinden. Deshalb konnte nachträglich das Vorwort zur ‚Mademoiselle de Maupin' zum Manifest des *l'art pour l'art* erklärt werden.

Woher aber rührt nun die Formel l'art pour l'art? Man hat sie zum ersten Mal in einem Text ausfindig gemacht, der zwar 1804 bereits niedergeschrieben, aber erst viel später veröffentlicht wurde[4]. Es handelt sich um eine Notiz im *Journal intime* von Benjamin Constant. Nun hat zwar dieses Tagebuch nicht unmittelbar auf die Generation von Gautier gewirkt, und man kann deshalb Constant höchstens im rein philologischen Sinne als den Erfinder des Begriffes bezeichnen, nicht im historischen Sinn der Wirkung. Dennoch handelt es sich nicht um einen bloßen Zufall, daß wir gerade im Tagebuch dieses Mannes zu Anfang des 19. Jahrhunderts auf diesen Ausdruck stoßen. Constant gehörte zur engeren Begleitung von Madame de Staël, und er teilte mit ihr die Verbannung durch Napoleon. Sie war eng mit August Wilhelm Schlegel befreundet, durch den sie in die damalige deutsche Gegenwartsliteratur und Philosophie eingeweiht wurde. Auf ihren Reisen lernte sie auch die Berühmten dieser Literatur kennen. 1810 erschien ihr von Napoleon konfisziertes, aber gerade deshalb im Nachdruck um so mehr gelesenes Buch über Deutschland. Gegenüber dem in Frankreich protegierten Neoklassizismus wurde hier das Bild einer wirklich modernen Gegenwartsliteratur entworfen. Diese führende Literatur der Moderne ist bei der Staël unterm Generalnenner der Romantik vereinigt, umfaßt aber neben der damaligen Romantik im engeren Sinne auch Goethe und vor allem Schiller sowie die deutsche Philosophie mit Kant an der Spitze. *De l'Allemagne* hat lange das Deutschland-Bild in Frankreich bestimmt. Auch war es der entscheidende Anstoß für die Selbstfindung der jüngeren Generation, die sich in Frankreich mit dem steril gewordenen Klassizismus und dem politischen Erbe des napoleonischen Zusammenbruchs auseinanderzusetzen hatte.

Eine der wichtigsten Ideen, die von Madame de Staël und ihrem Kreis aus Deutschland nach Frankreich übermittelt werden, ist die Idee von der Autonomie der Kunst. Dabei spielt Kants Ästhetik eine große Rolle. Daß wir es mit einem sehr verflachten und vielfach auch mißverstandenen Kant zu tun haben, war für die Wirkung eher von Vorteil. Worum es geht, wird aus dem erwähnten Tagebuch von Constant deutlich. Da heißt es im Zusammenhang mit einem Besuch bei Schiller und dem Gespräch mit einem über Kants Ästhetik arbeitenden Engländer, der im übrigen noch eigens als Schüler von Schelling charakterisiert wird: „Sein Werk über Kants Ästhetik enthält einige wirkungsvolle Ideen. Kunst um der Kunst willen, [wörtlich: *l'art pour l'art*] ohne Zweck. Denn jeder Zweck verdirbt die Kunst. Doch erreicht die Kunst gerade den Zweck, den sie nicht hat", d. h. sie erreicht nur als zweckfreie Kunst, als *l'art pour l'art* jenen eigentlichen Zweck, der ihrem

Wesen gemäß ist. So könnte man am kürzesten die lapidare Notiz von Constant ergänzend wiedergeben[5].

Unsere kurze, weiterführende Erklärung dieser Notiz trägt das Wort *l'art pour l'art* bereits entschiedener, als es bei Constant der Fall ist, in die geistige Dimension hinüber, in der um die Autonomie der Kunst gerungen wird. Das geschieht etwa seit der Mitte des 18. Jahrhunderts, und der deutschen Literatur und Philosophie kommt hier von Winckelmann, Lessing und Herder an eine immer bedeutendere Rolle zu. Auch die Kunsttheorie und -kritik wird so zu einem wichtigen Bestandteil der gesamteuropäischen Aufklärung. Die brüchig gewordenen Normen waren zwar bald abgetragen, aber damit sah sich jeder produktive oder kunstrichterliche Kopf vor die Notwendigkeit gestellt, seine Tätigkeit neu legitimieren und begründen zu müssen. In dieser Situation mußte die Ästhetik als noch junge philosophische Sonderdisziplin eine rasch wachsende Bedeutung gewinnen. Wer nicht mehr mit Hilfe eines traditionellen Kanons malen oder schreiben, wer nicht mehr mit Hilfe dieses Kanons und dem ihm entsprechenden, gesellschaftlich fundierten Geschmack die Kunstwerke beurteilen kann, sieht sich gezwungen, bei der Philosophie Aufklärung über das Wesen des Schönen zu holen oder unter Berufung auf das originär schöpferische Genie die Kunst aus der Kunst abzuleiten. Aber nicht nur die innere Situation war für die fortschreitende Autonomisierung der Kunst schwierig. Die äußere Bedrohung durch die Mächte, die sich auf die Moral, die Religion, die staatlichen oder allgemein-gesellschaftlichen Werte beriefen, diese Bedrohung durch außerkünstlerische Mächte war und blieb von der Aufklärung an immer bestehen. Was uns in Gautiers Vorwort als Provokation begegnet, ist bereits der Nachklang und die Fortführung einer jahrzehntelangen Bemühung. Im Dezember 1794, weniger als ein halbes Jahr nach Robespierres Sturz, heißt es in der Ankündigung von Schillers ‚Horen‘: „Zu einer Zeit, wo das nahe Geräusch des Kriegs das Vaterland ängstiget, wo der Kampf politischer Meinungen und Interessen diesen Krieg beinahe in jedem Zirkel erneuert, und nur allzu oft Musen und Grazien daraus verscheucht, wo weder in den Gesprächen noch in den Schriften des Tages vor diesem allverfolgenden Dämon der Staatskritik Rettung ist, möchte es ebenso gewagt als verdienstlich sein, den so zerstreuten Leser zu einer Unterhaltung von ganz entgegengesetzter Art einzuladen. In der Tat scheinen die Zeitumstände einer Schrift weniger Glück zu versprechen, die sich über das Lieblingsthema des Tages ein strenges Stillschweigen auferlegen, und ihren Ruhm darin suchen wird, durch etwas anders zu gefallen, als wodurch jetzt alles gefällt.“

Schiller ließ die Zeitgenossen, die er für sein Unternehmen zu gewinnen hoffte, nicht im Zweifel, wie ernst es ihm mit dem war, was er Unterhaltung nannte: „Aber je mehr das beschränkte Interesse der Gegenwart die Gemüter in Spannung setzt, einengt und unterjocht, desto dringender wird das Bedürfnis, durch ein allgemeines und höheres Interesse an dem, was rein menschlich und über allen Einfluß der Zeiten erhaben ist, sie wieder in Freiheit zu setzen, und die politisch geteilte Welt unter der Fahne der Wahrheit und Schönheit wieder zu vereinigen." Die Theorie der Gegen-Unterhaltung bot Schiller in den ‚Horen' mit den Briefen über die ästhetische Erziehung des Menschen. Hier wird gegenüber dem auf Gewalt basierenden Naturstaat und dem Vernunftstaat, den Schiller durch die Französische Revolution ad absurdum geführt sieht, als drittes der ästhetische Staat entworfen. Es handelt sich nicht um ein ideologisches Programm, dessen Wert an die Realisierbarkeit gebunden bleibt, sondern um eine leitende Idee. Die Wesensbestimmung des Menschen, die im Zentrum dieser Idee steht — „... der Mensch spielt nur, wo er in voller Bedeutung des Worts Mensch ist, und er ist nur da ganz Mensch, wo er spielt" (15. Brief) —, kann man nur als Ästhetizismus abtun, wenn man nicht erkennt, daß es sich um eine Art platonischer Utopie eines vom Fluch der Entfremdung erlösten Menschentums handelt. Der Rang, den Schiller so der Kunst einräumt, ist jener geheime *l'art pour l'art*-Schatz, der zunächst so wenig wie das hochästhetizistische Erbe der Frühromantik in Deutschland fruchtbar wurde.

Anders in Frankreich. Die Phasenverschiebung bescherte der verspäteten französischen Romantik aus der deutschen Literatur Impulse, die zwar einseitig, aber zukunftsweisend waren. Eines der produktivsten Mißverständnisse der oft nur indirekten Kenntnis von Goethe, Schiller, Kant, Hegel und der Frühromantik in Frankreich lag in der zugespitzten Weiterführung der kunstphilosophischen Ideen der Autonomie der Kunst zum *l'art pour l'art*-Prinzip. In der deutschen Literatur jener Jahrzehnte, die unterm Namen Goethes zur Epoche zusammengefaßt werden, finden sich viele Formulierungen, die nachträglich wie vorwegnehmende Umschreibungen von *l'art pour l'art* klingen. Lange, ehe Kant das ästhetische Wohlgefallen als eines definiert, das ohne alles Interesse sei, heißt es schon beim ganz jungen Herder, ein Kunstwerk sei der Kunst wegen da. Und nach Schiller soll in einem wahrhaft schönen Kunstwerk der Inhalt nichts, die Form aber alles tun; das eigentliche Kunstgeheimnis des Meisters bestehe darin, daß er den Stoff durch die Form vertilge. Natürlich sind solche Sätze weniger paradox, wenn man die Bedeutung von Interesse und Interesselosigkeit bei Kant einbezieht und wenn man weiß, in welchem Verhältnis Stoff und Form bei Schiller zu sehen ist. Aber der initiatorische Reizwert solcher Sätze steigt gerade, wenn sie aus der historischen Objektivität herausgelöst werden. In den Kontext zurückgebracht, läßt sich natürlich die große Differenz zum späteren *l'art pour l'art*-Prinzip aufweisen. Doch ist andrerseits auch nicht zu bestreiten, daß es sogar Kant, geschweige Goethe oder Schiller darum ging, Kunst und Freiheit gegenseitig zu stärken, indem sie zueinander in Beziehung gesetzt werden. Noch der alte Goethe schreibt am 29. Januar 1830 an Zelter, und er geht dabei von Kants ‚Kritik der Urteilskraft' aus, Natur und Kunst seien zu groß, um auf Zwecke auszugehen: „Wir kämpfen für die Vollkommenheit eines Kunstwerks in und an sich; jene denken an dessen Wirkung nach außen . . . um welche sich der wahre Künstler gar nicht bekümmert, so wenig als die Natur, wenn sie einen Löwen oder Kolibri hervorbringt."

Für die weitere Entwicklung ist freilich nicht das Verhältnis von Natur und Kunst im Sinne Goethes entscheidend geworden, sondern die romantische Spekulation mit ihrer neuplatonischen Idee von der Kunst als einer zweiten und höheren Schöpfung. Aber während noch etwa Novalis bei dem Versuch, über Kant hinauszukommen, mit der Schöpfung der Kunst auch die Natur als Schöpfung zu vollenden hoffte, fallen Natur und Kunst später immer mehr auseinander. Auf die Bemühung eines ganzen Jahrhunderts, Natur und Schönheit gleichzusetzen oder wenigstens das Naturschöne neben dem Idealschönen der Kunst zu legitimieren, folgt von der Mitte des neunzehnten Jahrhunderts an der Wille, die Kunst gegen die Natur zu setzen. Es beginnt der Kult des Künstlichen, der geahnte Verlust soll durch artifizielle Kostbarkeit ausgeglichen werden. Die Schönheit wird bizarr und selbst das Häßliche noch durch die Form geadelt, weil es als Gegenstand der Kunst die Natur mit ihren bloßen Monstrositäten hinter sich gelassen hat.

Mit dieser Überwindung der Romantik durch ihre Spätgeborenen erhält auch die Idee von der Autonomie der Kunst eine andere Funktion. Auf der einen Seite führt das Programm von der Zweckfreiheit der Kunst zu einem Kult der Schönheit, der sich mit der Herstellung möglichst vollendeter, d. h. handwerklich gefeilter Kunstprodukte zufrieden gibt. Dieser Neoklassizismus im Kleinmeisterformat hat wenigstens den Vorteil, daß nach der spätromantischen Verwilderung der Sinn für das rein Formale in der Kunst geschärft wird. Also *l'art pour l'art* als Neoklassizismus, als Parnaß oder wie immer die einzelne Schule heißen mag. Wichtiger ist der andere Zweig, auf dem mit den Blumen des Bösen die Blüten der Dekadenz aufgehen. Diese Dekadenzliteratur hat dann im letzten Drittel des 19. Jahrhunderts gewisse problematische Züge der *l'art pour l'art*-Idee so stark herausgetrieben, daß von da an bis in unsere Tage sich mit dem Begriff fast untrennbar all das verbindet, was aus dem Wort Kunst für die Kunst eine negative Bestimmung werden ließ.

Zwar akzeptiert man heute historisch die Dekadenzliteratur des neunzehnten Jahrhunderts als Übergang zwischen den von der Romantik sich ablösenden Anfängen der Moderne und dieser Moderne selbst, aber man ist dennoch kaum gewillt, aus diesem Wissen heraus dem mit dem Übergang verbundenen *l'art pour l'art*-Prinzip Gerechtigkeit widerfahren zu lassen. Man behandelt so die darin beschlossene Gesinnung nicht viel anders, als einst die bürgerliche Welt den zu Fall gekommenen Oscar Wilde behandelt hat. Er war ja beinahe so etwas wie die Inkarnation des Prinzips gewesen, und sein Sturz war für die Sittenrichter der Kunst ein Gottesgericht über die ganze Richtung, die eine verruchte Schönheit um ihrer selbst willen als morbide Göttin angebetet hatte. Schließlich durfte einer nicht ungestraft Paradoxa von der Art verkünden, wie daß die Kunst die stärkste Form des Individualismus sei, welche die Welt kenne, und daß ein wahrer Künstler nichts mit den Bedürfnissen der anderen, des Publikums, zu schaffen habe[6]. Über den gefallenen Wilde hat am gerechtesten Hugo von Hofmannsthal geurteilt. Er, dessen Jugend den englischen und französischen Ästheten so viel verdankte, sah sehr wohl die Hybris, aber er hat weder die Tragödie noch die darin eingeschlossene Krisis des Prinzips moralisierend verkleinert[7]

Von Schiller an verbindet sich die Forderung nach dem Eigenrecht der Kunst immer wieder mit dem Programm ästhetischer Erziehung. Stefan George eröffnet seine „Blätter für die Kunst" mit einem wörtlichen *l'art pour l'art*-Bekenntnis, das über den Abstand eines Jahrhunderts hinweg die ‚Horen'-Ankündigung unmittelbar wiederaufzunehmen scheint: „Der name dieser veröffentlichung sagt schon zum teil was sie soll: der kunst besonders der dichtung und dem schrifttum dienen, alles staatliche und gesellschaftliche ausscheidend. — Sie will die GEISTIGE KUNST auf grund der neuen fühlweise und mache — eine kunst für die kunst — und steht deshalb im gegensatz zu jener verbrauchten und minderwertigen schule die einer falschen auffassung der wirklichkeit entsprang[8]." George hat dieses Programm nie verleugnet, obwohl er doch bald schon die Grenzen eines nur parnassischen *l'art pour l'art* hinter sich ließ[9].

Walter Benjamin stand seiner geistigen Herkunft wie seiner Sensibilität nach zu der geschilderten Grundtendenz in einem so nahen wie ambivalenten Verhältnis, doch hat ihn sein politisch-theoretischer Reduktionswille in späteren Jahren oft zu einseitigen Urteilen verführt. Aber noch in seiner Ungerechtigkeit bleibt er, und nicht nur aus Gründen des geistigen Ranges, den von ihm mit Strenge Betrachteten näher als den Simplificateuren, die in ihm einen Kirchenvater gefunden zu haben glauben. So heißt es in den Skizzen zu ‚Paris, die Hauptstadt des XIX. Jahrhunderts': „Die Nonkonformisten rebellieren gegen die Auslieferung der Kunst an den Markt. Sie scharen sich um das Banner des ‚l'art pour l'art'. Dieser Parole entspringt die Konzeption des Gesamtkunstwerks, das versucht, die Kunst gegen die

Entwicklung der Technik abzudichten. Die Weihe, mit der es sich zelebriert, ist das Pendant der Zerstreuung, die die Ware verklärt. Beide abstrahieren vom gesellschaftlichen Dasein des Menschen. Baudelaire unterliegt der Betörung Wagners[10]." Die Bemühung, die „Zusammenhänge zu ihrem Recht kommen zu lassen", erzeugt im ‚Kunstwerk im Zeitalter seiner technischen Reproduzierbarkeit' sogar eine Definition, die man im Sinne von Schillers Wortgebrauch sentimentalisch nennen möchte: „Als nämlich mit dem Aufkommen des ersten wirklich revolutionären Reproduktionsmittels, der Photographie (gleichzeitig mit dem Anbruch des Sozialismus), die Kunst das Nahen der Krise spürte, die nach weiteren hundert Jahren unverkennbar geworden ist, reagierte sie mit der Lehre vom l'art pour l'art, die eine Theologie der Kunst ist. Aus ihr ist dann weiterhin geradezu eine negative Theologie in Gestalt der Idee einer ‚reinen' Kunst hervorgegangen, die nicht nur jede soziale Funktion, sondern auch jede Bestimmung durch einen gegenständlichen Vorwurf ablehnt. (In der Dichtung hat Mallarmé als erster diesen Standort erreicht.)[11]"

Gerechtfertigt ist diese Theologie der Kunst durch das, was sie hervorbringen half: durch die Werke. Vor allem durch solche, in denen die Gesellschaft gültiger gespiegelt ist als in all den Produkten, die ihre Entstehung einer Theorie verdanken, die den Blick ganz auf die Gesellschaft fixiert. So kann man vielleicht später einmal das im Ersten Weltkrieg untergegangene alte Europa allein in dem epochalen Werk Marcel Prousts so wiederfinden, wie man eine Epoche aus Dantes Komödie rekonstruieren kann. Wenn aber Proust die *Comédie humaine* seines Zeitalters zu entwerfen vermochte, dann vor allem, weil er in strenger Folgerichtigkeit die Kunst an die zentrale Stelle setzte, die in der Göttlichen Komödie die Theologie innehat.

## ANMERKUNGEN

Da der Verfasser das Thema in einer umfassenderen Darstellung eingehend zu behandeln gedenkt, wurde hier die durch den Vortrag im Arbeitskreis bestimmte skizzenhafte Darbietung auch für den Druck beibehalten.

1. Karl Scheffler, *L'Art pour l'art,* Leipzig 1929, 15 ff.

2. Baudelaire, *Œuvres complètes,* Texte ... présentée par Claude Pichois, Bibl. de la Pléiade, Paris 1968, 605: „La puérile utopie de l'école de *l'art pour l'art,* en excluant la morale et souvent même la passion, était nécessairement stérile."

3. Die Übertragung und paraphrasierende Zusammenfassung folgt der kritischen Ausgabe der ‚Préface' von Georges Matoré, Paris 1946.

4. vgl. John Wilcox, *The Beginnings of l'art pour l'art,* in: Journal of Aesthetics and Art Criticism, Vol. XI, 1952, S. 363: „Constant kept a private diary (not published except fragmentarily until 1895) in which he entered, February 10, 1804, the passage ... the first known use of the phrase ..." Vgl. auch K. Heisig, *L'art pour l'art,* in: Zt. f. Religions- und Geistesgeschichte 14 (1962).

5. D. Melagari, *Journal intime de Benjamin Constant,* Paris, 1895, 7. (Vgl. Wilcox aaO, 360).

6. Oscar Wilde, *Complete Works,* London & Glasgow 1971, 1090: „A work of art is the unique result of a unique temperament. Its beauty comes from the fact that the author is what he is. It has nothing to do with the fact that other people want what they want. Indeed, the moment that an artist takes notice of what the people want, and tries to supply the demand, he ceases to be an artist, and becomes a dull or an amusing craftsman, an honest or a dishonest tradesman. He has no further claim to be considered as an artist. Art is the most intense mood of Individualism that the world has known."

7. Hugo von Hofmannsthal, *Sebastian Melmoth,* in: *Prosa II,* Frankfurt 1959, 116 ff.

8. Blätter für die Kunst. Begründet von Stefan George. Herausgegeben von Carl August Klein. 1892—1919, in zwölf Folgen. Abgelichteter Neudruck, Düsseldorf—München, 1968.

9. vgl. vom Verf., *Stefan George,* Frankfurt a. M. 1968.

10. Walter Benjamin, *Schriften I,* Frankfurt 1955, 419.

11. ebenda 374.

WOLFDIETRICH RASCH

# Fin de siècle als Ende und Neubeginn

„Dekadent ist schließlich jeder Poet."
Karl Kraus

Nichts vielleicht ist bezeichnender für die Zeit um 1900 als ein ständiges, immer waches Bedürfnis der Menschen, die eigene Gegenwart, ihre eigene geschichtliche Situation zu verstehen, sich ihrer möglichst genau bewußt zu werden und in ihrer Lebensgestaltung dem nahezukommen, was „heute" gefordert, was notwendig und zeitgemäß ist. Niemals früher, so scheint mir, bezieht sich das Lebensbewußtsein der einzelnen Menschen so intensiv auf die allgemeine Zeitsituation, an deren unermüdlich versuchter Deutung sich das individuelle Dasein orientiert.

Ich kann nicht darlegen, sondern nur nebenher erwähnen, daß sich darin auch eine Folge des Historismus erkennen läßt, ein Umschlagen der auf die verschiedenen Epochen der Vergangenheit gerichteten, ihr jeweiliges „Wesen" erkundenden Betrachtung auf das Gegenwartsbewußtsein, das sich selbst als zugehörig zu einer solchen geschichtlichen Epoche erlebt und der Einmaligkeit ihrer Bestimmung gerecht werden will. Man sieht sich im Übergang zweier Zeitalter, das Datum 1900 erscheint als Merkzeichen dieses Übergangs. Da ich die Zuwendung zur Thematik des Fin de siècle im Arbeitskreis der Fritz Thyssen Stiftung angeregt habe, möchte ich versuchen, einige Grundlinien der Situation um 1900 anzudeuten, so wie sie sich von der Literatur her ergeben — Grundlinien, die vielleicht einen Rahmen bilden können für die literaturwissenschaftlichen Einzelbeiträge.

Am 22. September 1899, also kurz vor Beginn des neuen Jahrhunderts, schreibt Rilke ein später in das „Stundenbuch" aufgenommenes Gedicht[1]:

> Ich lebe grad, da das Jahrhundert geht.
> Man fühlt den Wind von einem großen Blatt,
> das Gott und du und ich beschrieben hat
> und das sich hoch in fremden Händen dreht.
> Man fühlt den Glanz von einer neuen Seite,
> auf der noch Alles werden kann.

Die stillen Kräfte prüfen ihre Breite
und sehn einander dunkel an.

Rilke verwendet die Buch-Metapher, die schon im Mittelalter geläufig war; meist als „Buch der Welt" oder „Buch der Natur", aber auch schon, wie bei Bernhard Silvestris, als Buch, in dem „der ganze Geschichtsverlauf aufgezeichnet ist"[2]. Eine Seite im Buch der Geschichte wird umgewendet, und auf der neuen Seite, die leer ist, kann „noch Alles", Unerwartetes erscheinen. Auch hier mischen sich Ende und Erwartung im Zeitbewußtsein von 1900, das hier in einem lyrischen Reflex erscheint. Zu den Grundbegriffen, mit denen es seit etwa 1890 gedeutet wurde, zählt der Begriff Fin de siècle. Es war ein Modewort. Wie geläufig es war, läßt sich z. B. aus den Briefen des jungen Hofmannsthal belegen. Einmal gebraucht er das Wort im Plural: er rühmt die Schönheit der Natur, die ewig sei, „ob die Zeiten jung und täppisch sind oder gedankenzerwühlte, fiebernde Fins-de-siècles"[3]. Ein andermal erscheint das Wort attributiv verwendet. Hofmannsthal spricht von einer amourösen Beziehung und kennzeichnet sie folgendermaßen: „also natürlich ohne Hofmachen, ganz fin de siècle"[4]. So wird das Wort auch im Französischen gebraucht. Es meint: nicht jung, nicht naiv, nicht konventionell. Es meint weiterhin auch, was man zuweilen zu einseitig hervorhebt: Müdigkeit, Nervenschwäche, blasierte Skepsis. Aber das Wort umfaßt noch mehr, es ist annähernd ein Synonym für Décadence, wenngleich es sich nicht völlig mit diesem Begriff deckt. Auch muß hervorgehoben werden, daß die Bewußtseinslage am Ende des Jahrhunderts damit keineswegs etwa erschöpfend bestimmbar ist; auch ihre dominierende Komponente ist kaum damit erfaßbar. Hofmannsthal liest 1892 Maupassants letzten Roman „Notre coeur", der 1890 erschien, und er findet, in der Hauptperson sei „der wahrste Typus unserer (meiner) Generation" gezeichnet: „feinfühlig, aber zu müde für heftige Empfindungen, lebhaft, aber ohne starken Willen; mit einer graziösen etwas altklugen Ironie, dem Bedürfnis nach Güte und Neigung und hie und da einer gewissen inneren Ebbe"[5].

Der Terminus Fin de siècle wird in ganz Europa zum Modewort. In den „Studien zur Kritik der Moderne" (1890) schreibt Hermann Bahr: „Fin de siècle war ein hübsches Wort und lief bald durch Europa. Nur, wie vielen es gefiel, es wußte keiner recht, was es denn eigentlich heißt. Jeder deutete es anders, wie er es brauchte, und es gab viel Confusion[6]." Eine umfassende Begriffsgeschichte wäre höchst wünschenswert. 1888 wurde unter dem Titel „Fin de siècle" ein tragisch endendes Boulevardstück von Jouvenot und Micard aufgeführt, ein Zeichen für die Beliebtheit der Formel und auch ein Ausgangspunkt ihrer weiteren Verbreitung. Eine Novellensammlung Hermann Bahrs von 1891 heißt „Fin de siècle", und das Wort erscheint auch in

Oscar Wildes Roman „The Picture of Dorian Gray" von 1891, im 15. Kapitel. In einer Unterhaltung zu dritt bemerkt Lady Marborough: „ ‚Heutzutage leben alle Ehemänner wie Junggesellen und alle Junggesellen wie Ehemänner.' — ‚Fin de siècle', murmelte Lord Henry. — ‚Fin du globe', antwortete die Gastgeberin. — ‚Ich wollte, es wäre Fin du globe', sagte Dorian und seufzte. ‚Das Leben ist eine große Enttäuschung[7].' " Zweimal taucht die Formel in Gedichten des ersten Phantasus-Zyklus von Arno Holz auf[8]. Man sieht daran, daß sie also nicht auf einen engeren Umkreis, eine bestimmte Gruppe der literarischen Décadence beschränkt blieb, sondern daß sie sich auch bei Autoren des Naturalismus findet, die ja zeitlich und sachlich oft nicht leicht abzugrenzen sind von den Schriftstellern, die man anders etikettiert.

Der Begriff Fin de siècle wird auch bemerkenswert früh von Emile Zola verwendet. In seinem Künstlerroman „L'Oeuvre" von 1886 sagt der Maler Bongrand: „Ach ja, die Luft der Epoche ist schlecht, dieses Fin de siècle, in dem man vor Abrißarbeiten kaum treten kann ... Die Nerven werden zerrüttet, die große Neurose kommt dazu ...[9]." Gewiß haben auch schon manche Zeitgenossen das Modewort kritisch abgewertet oder abgelehnt, aber im ganzen hat die Formel doch einen schwer abweisbaren Reiz ausgeübt. Sie enthält einen Anklang an die lateinische Formulierung „finis saeculi", die auf Augustin zurückgeht und das Ende der Weltzeit überhaupt meint. Dies ist um 1890 zwar nicht der Sinn der Formel Fin de siècle, aber das Wort empfängt von dieser Vorgeschichte her eine gewisse Aura, einen Beiklang von Weltuntergang, der nicht ernst gemeint ist, aber den Stimmungswert des Modeworts pathetisch erhöht.

In Frankreich sind das Bewußtsein der Décadence und ihre literarische Motivik bekanntlich nicht etwa erst am Ende des 19. Jahrhunderts entstanden. Vielmehr finden sich Décadence-Motive schon seit der späten Romantik, bei Gautier, Baudelaire, Flaubert und anderen Autoren, z. B. auch, was zuweilen übersehen wird, bei Zola. In dem meisterhaften frühen Roman des Rougon-Macquart-Zyklus, „La Curée" von 1871, erscheinen viele Motive des Décadence: die „kranke" Liebe der mondänen Renée zu ihrem Stiefsohn, einem feminin verweichlichten „dekadenten Lüstling", die schwüle Luft des breit geschilderten Treibhauses, die morbide Haltlosigkeit und Willensschwäche. Zolas Roman, der vor der französischen Niederlage von 1871 konzipiert und wohl auch teilweise geschrieben wurde[10], bestätigt die Kontinuität der Décadence-Thematik in Frankreich, die dann in den achtziger Jahren, im Fin de siècle, neue Impulse erhält, neue Motive und Nuancen. Huysmans' Roman „A rebours" von 1884, der die extreme Künstlichkeit und Naturferne als Lebenswelt der dekadenten Hauptfigur schildert, läßt sich als Ausgangspunkt dieser Spätphase erkennen. 1886 wird die Zeitschrift „La Décadence" gegründet. Eine Fülle von Autoren nimmt, wenigstens zeitweise, die Thematik der Décadence auf, und gleichzeitig erscheint sie — das geschieht erst jetzt — in der gesamten europäischen Literatur, seit etwa 1890 auch in der deutschen. Hier gab es, ganz anders als in Frankreich, vorher kaum eine Literatur der Décadence, — aber es gab allerdings in der Musik einen sehr wichtigen und, wie man weiß, gerade für die französische Décadence sehr wirksamen Beitrag in Richard Wagners Musikdramen mit ihren dekadenten Motiven: der Verlorenheit Tannhäusers, der todessüchtigen Liebe Tristans, die in der chromatisch gebrochenen musikalischen Sprache erklingt, dem — im germanischen Mythos nicht überlieferten — Inzest in der „Walküre" und vor allem in der zum Untergang führenden Darstellung der Götterwelt im „Ring des Nibelungen". Denn nicht das „Schöpfungsmotiv", das im Anfang des „Rheingold" erklingt, sondern seine Umkehrung, die den Untergang ausdrückt und bereits im „Rheingold" auftaucht, ist das letzte Wort des Zyklus. Dessen Intention wird deutlich, wenn es am Ende des „Rheingold" von den Göttern heißt:

> Ihrem Ende eilen sie zu,
> Die so stark im Bestehen sich wähnen.

Im aufblühenden Leben den Verfall zu erkennen, das ist eine entscheidende Sehweise der Décadence. Der kleine Hanno in Thomas Manns „Buddenbrooks" versteht es, „in allem die Symptome des Verfalls wahrzunehmen" und sieht „das Leben von vornherein im Zeichen seiner Auflösung"[11]. Nach Wagners Absicht steht das Ende der Götterwelt symbolisch für den Untergang der Welt. Er schreibt am 11. Februar 1853 an Liszt: „Ja — im Brande Walhalls möchte ich untergehen! — Beachte wohl meine neue Dichtung — sie enthält der Welt Anfang und Untergang[12]!" Der Beiklang des „finis saeculi" in der Formel „Fin de siècle", wie unverbindlich er auch immer sein mag, weist zurück auf das Weltende in Wagners Zyklus und gewinnt auch von daher etwas von seinem dubiosen Pathos.

Wie der Verfall der Götterwelt in Wagners „Ring" thematisiert wird, so der Verfall einer Familie in Zolas Romanzyklus und — dreißig Jahre nach dessen Konzeption — in Thomas Manns „Buddenbrooks". Seit den achtziger Jahren also — 1886 nennt Zola die Gegenwart „Fin du siècle" — kulminiert die literarische Décadence in Frankreich und in ganz Europa. Hans Hinterhäuser formuliert exakt den literarhistorischen Tatbestand, wenn er die Zeitwelt Maupassants charakterisiert. „Es ist dies die Epoche ‚Fin de siècle', deren literarische Wurzeln zwar bis in die dreißiger Jahre des 19. Jahrhunderts zurückreichen, die aber mit dem Beginn der achtziger Jahre recht eigentlich und legitim beginnt . . .[13]."

Die als dekadent empfundenen Grundzüge in Gesinnung und Verhalten der Menschen, vor allem Schwäche des Willens, mangelnde Aktivität, Abwertung aller Wirklichkeit und entfremdete Isolierung von ihr, gesteigerte Sensibilität, ferner die Abwendung vom Natürlichen und die Neigung zur Künstlichkeit, — diese Züge begegnen in vielen Figuren europäischer Romane und Dramen der achtziger und neunziger Jahre, ebenso wie die Themen des Verfalls und Untergangs. Für Frankreich beruft sich Hofmannsthal in einem Essay auf Paul Bourget, dessen Roman „Physiologie de l'amour moderne" von 1891 er als „Auflösungsgeschichte" interpretiert[14]. Hermann Bahr nannte ihn das „müde Testament der erotischen Verzweiflung"[15]. Die Hauptfigur Claude Larcher sieht Hofmannsthal durch seinen „kranken Willen", die Bekenntnisse seines Leidens durch „dekadente Koketterie" bestimmt. Von Huysmans angeregt, gab Oscar Wilde ein artistisch pontiertes Bild des Verfalls im „Picture of Dorian Gray" (1891), das repräsentative Werk der englischen ästhetizistischen Décadence; die erotische erscheint 1892 in Wildes „Salome". Die skandinavische Literatur spiegelt gleichfalls die Erfahrung des Fin de siècle, etwa in den Romanen Jens Peter Jacobsens, in Arne Garborgs „Müden Seelen" (1891) oder in den Erzählungen Hermann Bangs. Schon die Häufung von Autoren der Décadence in den neunziger Jahren ist ein Index für die Kulmination ihrer literarischen Ausformung: Paul Bourget, Maurice Barrès, der junge André Gide, das sind nur ein paar Namen, denen sich viele andere zugesellen, auch eine große Zahl von Begabungen zweiten Ranges: Jean Lorrain, Elémir Bourges usw. In Belgien sind vor allem Rodenbach und Maeterlinck die Repräsentanten des Fin de siècle, in England neben Wilde George Moore, Arthur Symons und die Poeten des „Rhymer's Club" wie Ernest Dowson, Lionel Johnson usw.

Am genauesten und umfassendsten beschreibt Hofmannsthal die Décadence des Fin de siècle in seinem Essay über d'Annunzio von 1893. Er beginnt mit der Erkenntnis, zu den „Spätgeborenen" zu gehören, zu den nervenschwachen Söhnen lebenskräftigerer Vorfahren. Sie genießen die vergangene Kunst und Schönheit, sehen aber in ihrer Gegenwart nur „öde Wirklichkeit". „Wir haben nichts als ein sentimentales Gedächtnis, einen gelähmten Willen und die unheimliche Gabe der Selbstverdoppelung. Wir schauen unserem Leben zu . . ." — „Wir haben gleichsam keine Wurzeln im Leben und streichen, hellsichtige und doch tagblinde Schatten, zwischen den Kindern des Lebens umher[16]."

Sehr deutlich ist hier das Spätzeitbewußtsein im Lebensgefühl Hofmannsthals, und das ist es sicherlich, was die Formel Fin de siècle brauchbar macht für diese Generation: sie meint die Spätzeit einer Zivilisation, das Ende einer Epoche, die zwar als solche auch schon von den Ursprüngen weit entfernt war, aber doch noch willensstärker als die Endzeit des Jahrhunderts, die als Endzeit überhaupt erscheinen konnte.

Im Zusammenhang damit steht die Vorliebe für das „Rom der Verfallszeit", die Hofmannsthal in seinem Aufsatz über Walter Pater feststellt. Dieses Rom wird erfahren als Epoche der „Spätgebornen", die „die ererbten Schätze" früherer Kunst und Dichtung genießt. „So ähnlich mit uns selber kamen sie uns vor, ... nicht ganz wahr und doch sehr geistreich und sehr schön, von einer morbiden Narzissus-Schönheit ...[17]." Aber kann Hofmannsthal im Namen seiner ganzen Generation sprechen? Er weiß, daß er das nur sehr bedingt darf. „Wir! Wir! Ich weiß ganz gut, daß ich nicht von der ganzen großen Generation rede. Ich rede von ein paar tausend Menschen, in den großen europäischen Städten verstreut." Die Genies und großen Talente brauchen nicht zu ihnen zu gehören. Aber sie haben Bedeutung, sie sind das „Bewußtsein" dieser Generation. „Sie fühlen sich mit schmerzlicher Deutlichkeit als Menschen von heute[18]."

„Heute scheinen zwei Dinge modern zu sein: die Analyse des Lebens und die Flucht aus dem Leben ...[19]." All diese Merkzeichen der Modernität findet Hofmannsthal bei d'Annunzio, vor allem den „Grundzug", der in seiner Bestimmung der Zeitsituation das entscheidende Leitmotiv bildet: „jene unheimliche Willenlosigkeit, ... jenes Erleben des Lebens nicht als einer Kette von Handlungen, sondern von Zuständen[20]." Das gilt zum Beispiel auch für die Dramen Maeterlincks und für sehr viele andere Werke der europäischen Literatur der 90er Jahre. Man darf z. B. auch auf die frühen Dramen Gerhart Hauptmanns verweisen, so wenig sie auf den ersten Blick mit der europäischen Décadence zu tun zu haben scheinen. Aber sie machen die Zuständlichkeit zum dramaturgischen Prinzip, das die Aktion weitgehend reduziert. Und was die Willensschwäche betrifft, so läßt sich an die Worte der Frau Scholz im „Friedensfest" (1890) denken: „Der Wille, der Wille! Geh mer nur damit! Das kenn' ich besser[21]." Ohnmacht des Willens, Zweifel an seiner Wirksamkeit, — das ist eine Variation der Fin de siècle-Stimmung.

„Ein paar tausend Menschen in den großen europäischen Städten" teilen nach Hofmannsthal das Bewußtsein des Verfalls. In der Tat, in Paris z. B. gibt es viele Zeugnisse für dieses Bewußtsein, die „Fin de siècle-Stimmung", die Ernst Robert Curtius in seinem mit Recht berühmten Buch über „Die literarischen Wegbereiter des neuen Frankreich" hervorhebt. Er sieht sie bestimmt von Skepsis, Pessimismus, dekadentem Genießertum. Wenn Jacques Rivière 1913 eine neue Bewegung in der Literatur nach 1900 analysiert, so tut er das im Rückblick auf die vorangehende literarische Situation. „Die Symbolisten kannten nur die Genüsse müder Menschen. Sie kamen am Ende eines Jahrhunderts, in dem man viel gearbeitet hatte; sie lebten in der Stimmung eines zu Ende gehenden Tages ... Alles war gedanklich geworden ...[22]." Das stimmt sehr genau mit Hofmannthals Deutung überein, und das gleiche gilt von den frühen Werken André Gides, die Curtius „symbolistische Traktate" nennt. Der erste ist der „Traité du Narcisse" von 1891. Nach Curtius' Deutung erscheint hier die Figur des modernen Menschen, „der sich über den Spiegel der Kunst beugt, um sich in ihm zu erkennen", und der weiß, „daß er die Dinge nur in der Spiegelung hat, ... daß er stets Zuschauer bleibt"[23]. Das entspricht z. T. bis in den Wortlaut Hofmannsthals Aussagen über die Selbstbespiegelung. Es heißt bei ihm: „man fand den Begriff des Schwebens über dem Leben als Regisseur und Zuschauer des großen Schauspiels verlockender als den des Darinstehens als mithandelnde Gestalt[24]." Eben dies bestimmt bekanntlich das Schicksal des Claudio in „Der Tor und der Tod".

Getrenntsein von der Wirklichkeit ist ein wesentliches Thema von Gides zweitem Traktat, „Tentation amoureuse", 1893. Curtius sagt darüber: „Die kulturmüde Askese des Pariser Fin de siècle konnte hier ihr preziös formuliertes Bekenntnis finden"[25].

Auch Gide erkennt, daß die stetige Analyse des eigenen Bewußtseins zum Handeln unfähig macht. Den Versuch, aus dieser Gefangenschaft der lähmenden Selbstanalyse auszubrechen, schildert Gide in der Erzählung „Le Voyage d'Urien", 1893. Aber die Überwindung der Wirklichkeitsferne gelingt hier noch nicht, die Reise ist, wie der Autor am Schluß sagt, nur ein Traum. „Wir sind nie aus dem Zimmer unserer Gedanken herausgekommen und wir haben das Leben verbracht, ohne es zu sehen"[26], — genau wie Hofmannsthals Claudio. In „Paludes" (1895) gibt dann Gide eine Satire auf die Lebensferne. Erst 1897 wird in den „Nourritures terrestres" die Hingabe an das Wirkliche, die Abkehr von der lähmenden Analyse erreicht, zunächst im Sinne eines „ästhetischen Hedonismus".

Dieser Weg Gides aus der Situation des Fin de siècle ist, wenn auch die Lösung vielfach variiert wird, in vieler Hinsicht exemplarisch, nicht nur für seine französischen Zeitgenossen, für die Bourget, Barrès und manche andere, sondern auch für die österreichischen und deutschen Dichter. Das Spätzeitbewußtsein des Fin de siècle ist keineswegs etwa nur bei Hofmannsthal und seinen Wiener Freunden, Schnitzler, Beer-Hofmann, Hermann Bahr anzutreffen, sondern in etwas anderer Ausprägung bei vielen deutschen

Autoren der Zeit. Wie stark jene Stimmung das Bewußtsein der 90er Jahre überall beherrschte, zeigt z. B. das Wort Ernst Stadlers, der nach 1900 eine neue Orientierung, eine lebenskräftige Ausdrucksgebärde sucht und 1906 schreibt: „Man ist es satt, immer nur Ausklang, Spätling zu sein. Der Wille regt sich, vorwärts zu zeigen, statt zurück, Anfang zu sein . . .[27]." Künstlichkeit, Wirklichkeitsferne, Schwermut des Spätlings, Verzicht auf Handeln aus dem Wissen um seine Vergeblichkeit: all diese Motive gewannen Form in Stefan Georges „Algabal"-Zyklus. Ricarda Huch aus Braunschweig erzählt den Niedergang einer patrizischen Familie in den „Erinnerungen von Ludolf Ursleu dem Jüngeren", 1892. Ursleu verzichtet frühzeitig auf das Leben, weil ihm nur dadurch jene innere Ruhe erreichbar ist, die seine geschwächte Vitalität braucht. Er zieht sich in ein Kloster zurück, besiegelt seine unüberwindbare Lebensferne.

Arthur Holitscher aus Budapest, nicht zum Wiener Kreis gehörend, sondern in München lebend, veröffentlicht dort 1896 den äußerst preziösen, die dekadenten Motive abwandelnden Roman „Die weiße Liebe", den Thomas Mann als Lektor beim Verlag Langen annahm. Mann, der 1902 bekennt, daß er sich Hermann Bang „tief verwandt fühle"[28], sagt von dem 1898 erschienenen „Roman aus der Décadence" des aus Leipzig stammenden Kurt Martens, er sei „seit langer Zeit einmal wieder ein deutscher Roman, der starken Eindruck auf mich gemacht hat"[29]. Thomas Mann selbst gestaltete, wie es Reinhard Baumgart formuliert, in seinen frühen Novellen „Schulfälle der Décadence in fast anekdotischer Zuspitzung"[30], und die Verfallsthematik der „Buddenbrooks" von 1901 fügt sich genau in den Aspekt des allgemeinen Zeitbewußtseins der 90er Jahre, das in der vitalen Gebrochenheit des Senators Thomas Buddenbrook, in der Lebensschwäche des musikalischen Hanno Gestalt wird, allerdings mit jener Ambivalenz der Wertung, auch mit jener Gleichzeitigkeit von Zugehörigkeit zur Décadence und Distanzierung von ihr, die kennzeichnend ist für die eigentümliche Dialektik, die im Begriff des Fin de siècle angelegt ist. Davon werde ich sogleich sprechen. Die Selbstdeutung Thomas Manns, die er in den „Betrachtungen eines Unpolitischen" rückblickend gibt, ist die repräsentative Bekundung der Bewußtseinslage seiner Generation. „Ich gehöre geistig jenem über ganz Europa verbreiteten Geschlecht von Schriftstellern an, die, aus der Décadence kommend, zu Chronisten und Analytikern der Décadence bestellt, gleichzeitig den emanzipatorischen Willen zur Absage an sie — sagen wir pessimistisch: die Velleität dieser Absage im Herzen tragen und mit der Überwindung von Décadence und Nihilismus wenigstens *experimentieren*[30]."

In dieser Äußerung will jedes Wort genau genommen und bedacht sein. Bemerkenswert, wie vorsichtig Thomas Mann, der sich ja in diesem Buch als konservativer, positiv gesinnter Autor präsentieren will, seine Distanzierung von der Décadence formuliert. Er ist deutlich darauf bedacht, die glatte Formel einer „Überwindung" der Décadence zu vermeiden, sich nicht als ein Autor zu geben, der Décadence als eine Art Jugendtorheit längst hinter sich hat. Aus der Décadence kommend, trägt er „gleichzeitig" nicht geradezu den „Willen" zu einer Absage an sie „im Herzen", sondern nur die „Velleität" dieser Absage. Velleität, das bedeutet einen Willen, der wahrscheinlich kaum zu verwirklichen ist und vermutlich ein vergebliches Bemühen bleibt. Thomas Mann will nur „mit der Überwindung von Décadence und Nihilismus wenigstens *experimentieren*". Gewiß, genau das hat er getan, und das gilt auch von vielen anderen Autoren, von Hofmannsthal, George usw. Er hat sich dabei niemals ganz von seinen Anfängen gelöst und noch im „Doktor Faustus" die Décadence-Problematik wieder aufgenommen. Den bloßen Verächtern der Décadence ist diese Art der „experimentierenden" Distanzierung zu schwach, sie möchten die Konstanz dieser Thematik bei Thomas Mann nicht wahrhaben und sie allenfalls im Frühwerk sehen, als Tribut an die Zeittendenz. Aber gerade darum handelt es sich nicht. Er stand der modischen Geste des Fin de siècle fern, jener selbstgefälligen Pose einer nervenschwachen Morbidität, die freilich häufig genug wahrzunehmen ist und die keineswegs identisch ist mit jener substantiellen Erfahrung von Décadence, wie sie etwa Nietzsche zugehört. Im Rückblick von 1950[32] nennt Thomas Mann das „über ganz Europa hingehende Schlagwort Fin de siécle" etwas unwillig eine „allzu modische und etwas geckenhafte Formel" und bemerkt, er habe „nie das makabre Narrenkleid des Fin de siècle getragen". Dagegen hat er sich, wie ich eben zeigte, zur Décadence als seinem Ausgangspunkt bekannt und ihr eine bleibende Nachwirkung zugeschrieben, die ja in dem Roman „Königliche Hoheit" oder im „Tod in Venedig" auch klar hervortritt. Er schreibt 1913 (8. 11.) an den Bruder Heinrich: „Ich bin oft gemütskrank und zerquält ... Aber das Innere: die immer drückende Erschöpfung, Skrupel, Müdigkeit, Zweifel, eine Wundheit und Schwäche, daß mich jeder Angriff bis auf den Grund erschüttert; dazu die Unfähigkeit, mich geistig und politisch eigentlich zu orientieren, wie Du es gekonnt hast; eine wachsende Sympathie mit dem Tode, mir tief eingeboren: mein ganzes Interesse galt immer dem Verfall, und das ist es wohl eigentlich, was mich hindert, mich für den Fortschritt zu interessieren ...[33]." Thomas Mann ist damals achtunddreißig, auf der Höhe des Lebens. Die Worte, fern jeglicher Pose, bestätigen, daß die „Velleität" zu einer Distanzierung von der Décadence sich auch gegen seinen eigenen Anteil an ihr wenden mußte.

Wer die Haltung der Décadence im Fin de siècle als unverbindlich oder irreal verstehen möchte, weil sie „nur Literatur" sei und, wie alle Literatur, nur ein Spiel, der müßte dann genauso ihre sogenannte „Überwindung", die Wendung zum Positiven, zur Einfügung in eine bejahte Wirklichkeit als bloßes literarisches Spiel ansehen. Es ist grundsätzlich unmöglich, allein die Décadence als unverbindliches, unreifes Spiel aufzufassen und nur die Absage an sie als echt und wahr. Eine solche Unterscheidung wäre nur der Ausdruck eines Vorurteils.

Wenn Thomas Mann sagt, daß er als Chronist und Analytiker der Décadence, was für ihn offensichtlich eine gewisse Teilhabe an ihr einschließt, „gleichzeitig" den Willen zur Absage an sie habe, so gilt das nicht nur für ihn, sondern, wenn auch in verschiedenem Grade, für jeden Décadent. Es gehört zum Begriff der Décadence, daß sie nicht total bejaht wird, gerade auch von denen nicht, die sich ihr zugehörig fühlen. In der Melancholie des Décadent lebt ein schmerzliches Bedürfnis nach Gesundung, so sehr er auch Reize und Zauber des Verfalls genießt und die Sensibilisierung wie die Einsichten, die er vermittelt, schätzt. Décadence ist kein statischer Begriff, sondern ein dialektischer, der den Umschlag in sein Gegenteil in sich trägt, und auch als subjektive Erfahrung ist sie kaum je absolut, endgültig, ohne Wunsch und zuweilen erhoffte Möglichkeit der Umkehr, der Aufhebung jener Isolierung von der Wirklichkeit der Umwelt. Selbst ein so entschiedener Verteidiger der Décadence wie Paul Verlaine, der ihre „hohe literarische Kultur", ihre extreme Sensibilität rühmte, ließ beim Preis der Schönheit des Verfalls die Möglichkeit eines erneuerten Lebens anklingen. 1889 sagte er: „Ist die Abendröte eines schönen Tages nicht alle Morgenröte wert? Und wird dann nicht die Sonne, die aussieht, als ginge sie schlafen, sich morgen wieder erheben"?[34]

Aber wie transitorisch man den Begriff auch immer auffassen mag, die Literatur des Fin de siècle läßt sich nicht als bloße Vorstufe einer sie überwindenden Entwicklung nach 1900 verstehen, als flüchtiges Zwischenspiel, das hauptsächlich von der späteren Entwicklung her zu interpretieren wäre. Auch tragen die literarischen Formen ihrer „Überwindung" noch viel vom Überwundenen an sich. Schon Nietzsche wußte: „die ‚Geheilten' sind nur ein Typus der Degenerierten[35]." Daß jegliches Leben von Anfang an und selbst in seinen stärksten Momenten ein ständiges Sterben ist, das ist unbestreitbar, und diese Sehweise ist ebenso berechtigt wie die entgegengesetzte und gewährt spezifische Einsichten, vermittelt eigentümliche Reize und Schönheiten. Aber das Bewußtsein, daß sie einseitig ist, verläßt sie kaum gänzlich, und gerade auch die Erfahrung des Verfalls lenkt den Blick auf die Ganzheit des alles Einzeldasein transzendierenden Gesamtlebens, die Vergehen und Werden umfassende Einheit und Totalität, die eine grundlegende Erfahrung der Zeit um 1900 war[36].

Der Versuch, der Fin de siècle-Stimmung jeden Ernst abzusprechen, läßt sich widerlegen durch Zeugnisse, die außerhalb der Literatur stehen und die Realität jenes Zeitbewußtseins bestätigen, das sich in der dichterischen Motivwelt findet. Der Soziologe Ferdinand Tönnies hat sich in einer frühen Schrift 1897 mit Nietzsche kritisch auseinandergesetzt. Er spricht hier von der „immer sichtbarer werdenden Zerrüttung der modernen Kultur“, von einem „Prozeß der Zersetzung“. „Daß aber die alten Ordnungen des Lebens ... in ungeheuer beschleunigtem Tempo im jetzt zu Ende gehenden Jahrhundert in Zersetzung begriffen sind“, das, meint er, sei „hinlänglich deutlich“[37] Tönnies gründet sein Fin de siècle-Bewußtsein nicht allein auf die Willensschwäche des Individuums, sondern vornehmlich auf den Verfall der Ordnungen, der aber durch die individuelle Schwäche bedingt ist und sie wiederum erzeugt oder steigert. „Es ist nicht leicht, jung zu sein in einer alten, satten, regulierten Kultur, die euch vorzeitig vernünftig und altklug macht“, so redet Tönnies die Jugend an. Er gewahrt, ganz ähnlich wie die literarischen Autoren der 90er Jahre, die lähmende Wirkung der „Kulturmüdigkeit“ als Zeichen „einer kranken und alternden Kultur“. — „So hängt sich an alle Tendenzen der Verbesserung und des Fortschritts heute der lähmende Gedanke des Verfalls[38].“

Ein anderes Beispiel außerliterarischer Spätzeiterfahrung findet sich im Briefwechsel Wilhelm Diltheys mit Yorck von Wartenburg. Dilthey schreibt am 31. Dezember 1891 über die Stimmung am letzten Tag dieses Jahres in Berlin: „Nur spärliche Menschen begegnet man an diesem letzten Jahrestage auf der Straße. Den meisten kommt der Ultimo nicht bequem. Allen erscheint das Leben als eine ‚mühsame Angelegenheit‘. Niemand zerbricht sich aber darüber den Kopf, was danach sein wird, da jeder meint, genug mit ihm selber geschoren zu sein. Eine grämliche, müde und gedankenflüchtige Gesellschaft[39]!“ In einem Brief Diltheys aus dem folgenden Jahr heißt es: „Unsere Zeit hat etwas von dem Ende einer Epoche. Ein Zeichen dafür ist das Schwinden der elementaren Freude an der historischen Gegebenheit. Das Gefühl der Vergänglichkeit durchschauert wieder einmal die alte Welt[40].“

Auch Dilthey also hat selbst jenes Spätzeitbewußtsein und sieht es ebenso bei den Zeitgenossen wirksam. Ende Dezember 1896 berichtet Dilthey dem Freunde von der geistigen Unruhe in Berlin — „Der Kampf rast um Wildenbruch Hauptmann“ —, und er lädt Yorck von Wartenburg zu einem

Besuch ein. „Sehen müssen Sie. Ein paar Tage in das uferlose und formlose Meer dieser Gegenwart eintauchen. Ein Ding dergleichen seit der Renaissance nicht da war, so formlos, so chaotisch, so in den letzten Tiefen des Menschlichen bewegt, fin du siècle mit Zukunft unfaßlich gemischt[41]."

Ohne grundsätzlichen Pessimismus erblickt Dilthey doch viele Zeichen des Verfalls. So schreibt er: „... starke Staatsgefühle, wie die Zeitalter von Stein und Bismarck sie hatten, sind überall in der Abnahme begriffen, ich bemerke das auch bei den bravsten Menschen, die meisten sind infiziert von der zersetzenden Persönlichkeitsphilosophie und sehen die politische Welt als ein Schauspiel an. So angesehen kann es ja nichts Unterhaltenderes geben als diese Auflösung einer politisch gesellschaftlichen Ordnung ...[42]."

Selbstverständlich kann ich nicht alle literarischen Spiegelungen des Fin de siècle hier anführen. Nicht fehlen darf aber ein Hinweis auf den frühen Heinrich Mann, der 1896 in seinem ersten Roman „In einer Familie" mit der Hauptfigur Erich Wellkamp den Typus des Décadent zeichnet, der unfähig zum Handeln und stets wechselnden Eindrücken hemmungslos ausgeliefert ist, wie die von Bourget entworfene Figur des „Dilettanten". In diesem Roman wie in den frühen Novellen Heinrich Manns, „Das Wunderbare" oder „Contessina", — auch in dem Roman-Zyklus „Die Göttinnen" und in der „Jagd nach Liebe" — begegnen alle Züge der Décadence, die Hofmannsthal registriert hat.

Bei Rilke soll wenigstens ein Zug dekadenter Weltsicht angedeutet werden. Im „Malte Laurids Brigge" erinnert Malte an Baudelaires Gedicht „Une Charogne". „Es kann sein, daß ich es jetzt verstehe ... Es war seine Aufgabe, in diesem Schrecklichen, scheinbar nur Widerwärtigen das Seiende zu sehen, das unter allem Seienden gilt. Auswahl und Ablehnung gibt es nicht[43]." Der verwesende Tierkadaver, die krasseste Form des Verfalls, die Baudelaire zum Gegenstand eines berühmten Gedichts macht, ist — so versteht es Rilke — einbezogen in die Seinstotalität, gleichberechtigt mit allem anderen Seienden. Das widerwärtige Verwesende ist ebenso wie das Schöne, Blühende ein Teil des Ganzen und hat als solches seine volle Geltung[44]. 1921 hat Rilke wiederum in einem „Baudelaire" betitelten Gedicht[45] sich auf diese Verfallsthematik bezogen, und auch hier spürt man „Une Charogne" im Hintergrund. Der Dichter „einigt" die Welt, vereint das Schöne mit dem Schrecklichen und „reinigt" so den Verfall, den Ruin:

> doch da er selbst noch feiert, was ihn peinigt,
> hat er unendlich den Ruin gereinigt:
> und auch noch das Vernichtende wird Welt.

Noch in den Duineser Elegien, die viel stärker im Fin de siècle wurzeln, als man oft meint, wird die Deutung des menschlichen Daseins durch die

Erfahrung der Décadence mitbestimmt. Die Menschen erscheinen primär als „die Schwindendsten", die nicht etwa nur im Alter, sondern ständig das ganze Leben hindurch Abschied nehmen[46]:

So leben wir und nehmen immer Abschied.

Der Blick bleibt auf den Verfall gerichtet:

Uns überfällts. Wir ordnens. Es zerfällt.
Wir ordnens wieder und zerfallen selbst.

Aufsteigendes Leben wird nie ohne das Absterbende in den Blick gerückt[47]:

Blühn und verdorrn ist uns zugleich bewußt.

In Stefan Georges „Jahr der Seele", dessen letzter Teil „Traurige Tänze" überschrieben ist, findet sich ein Gedicht (das 28. des letzten Teils), in dem das deutliche, zwingende Bewußtsein der Spätzeit vergegenwärtigt wird[48]:

Ihr tratet zu dem herde
Wo alle glut verstarb ·
Licht war nur an der erde
Vom monde leichenfarb.

Ihr tauchtet in die aschen
Die bleichen finger ein
Mit suchen tasten haschen —
Wird es noch einmal schein!

Seht was mit trostgebärde
Der mond euch rät:
Tretet weg vom herde ·
Es ist worden spät.

Das Gedicht ist bisher, soweit ich sehe, nicht genau verstanden worden[49]. Gundolf verzichtet auf eine Deutung, hält das Gedicht für nicht interpretierbar. Es „geht hier", sagt er, „nicht um tragische Ergriffenheit oder holde Schwermut . . . all solche Stimmungen mögen mitschwingen, doch sie erklären nicht den Schauer eines in jedem Sinn ‚unverständlichen' Gedichts wie dies . . .[50]." Ernst Morwitz gibt eine bloße Paraphrase, die nichts erklärt und zudem ungenau ist[51]. Angesprochen sind offensichtlich die Zeitgenossen, die eine Lebenserneuerung erwarten und hoffen, daß die erloschene Glut des Herdes sich „noch einmal" entfalten läßt. Der Mond jedoch, mit seinem bleichem, erborgten Licht im Verlust der wärmenden Glut erfahren, rät „mit Trostgebärde", diese Hoffnung aufzugeben, sich zur Spätzeit zu bekennen:

Tretet weg vom herde ·
Es ist worden spät.

Gundolf weicht in eine Feststellung der Unverständlichkeit aus, weil er sich wohl scheut, einzuräumen, daß hier das Bewußtsein des Verfalls, der Vergeblichkeit, der spätzeitlichen Ohnmacht schonungslos ausgesprochen wird.

Daß George später ein Prophet der Erneuerung wird aus dem „geist der heiligen jugend unseres volks", ist bekannt. Auch er sucht den Weg aus der Décadence des Fin de siècle, die er erfahren hat. Aber durch die Art, wie er diese Erneuerung verkündete, hat er bei vielen an Glaubwürdigkeit verloren. Nur ein begrenzter Kreis von Jüngern und Anhängern folgte ihm auf jenem Wege, die deutsche Dichtung hat sich im ganzen keineswegs an seinen Weisungen und Winken orientiert. Die Wendung, die George vollzieht, kündigt sich im Vorspiel zum „Teppich des Lebens" an manchen Stellen bereits an. So mahnt im 5. Gedicht des Vorspiels der Engel den Dichter, auf die „lauten fahrten", den Zauber der fremden südlichen Städte zu verzichten und sich den heimatlichen Gefilden zuzuwenden. Der Dichter antwortet mit einer leichten Anspielung auf den Nibelungenhort und vielleicht auf Wagners „Rheingold"[52]:

‚Schon lockt nicht mehr das Wunder der lagunen
Das allumworbene trümmergroße Rom
Wie herber eichen duft und rebenblüten
Wie sie die Deines volkes hort behüten —
Wie Deine wogen — lebengrüner Strom!'

Für Georges eigenes Werk mag das allenfalls in gewissem Sinn programmatisch sein, aber ein Signal für die gesamte Entwicklung der deutschen Dichtung nach 1900 war es keineswegs. Im Gegenteil: erst in den Jahren nach 1899, als diese Verse gedruckt wurden, hat „das wunder der lagunen" seine größte Verlockung ausgeübt, die Darstellung Venedigs entfaltet sich gerade nach 1900 besonders reich, bei Hofmannsthal (in drei Werken), bei Rilke, sogar bei Gerhart Hauptmann („Und Pippa tanzt"), bei Heinrich Mann, Theodor Däubler und vielen anderen bis zu Thomas Manns „Tod in Venedig".

Das Phänomen des Verfalls ist, wie schon angedeutet wurde, in der Sicht des Fin de siècle doppelwertig. Es trägt die Farbe der Melancholie und Resignation, aber zugleich wird Décadence auch als etwas Erlesenes, Auszeichnendes empfunden, als Vergeistigung, Erhöhung der Sensibilität, Empfänglichkeit für künstlerische Werte, Fähigkeit der Erkenntnis. Jeder weiß, daß Thomas Manns „Buddenbrooks" gerade diese Ambivalenz der vitalen

Schwächung in der Figur des kränklichen kleinen Hanno zur Geltung bringen. Diese Zweiwertigkeit und Doppeldeutigkeit des Décadence-Phänomens ist repräsentativ für die Epoche. Mit dem Bekenntnis zur Décadence distanziert man sich sowohl von der Banalität bürgerlicher Kunstanschauung wie von der Brutalität der wilhelminischen Eroberung von wirtschaftlicher und militärischer Macht, setzt sich ab von der Fortschritts-Ideologie, der Selbstzufriedenheit technischer Beherrschung der Naturkräfte und lebensverändernder industrieller Produktion.

Eine umfassende Analyse des Fin de siècle-Bewußtseins würde auch — ich kann das hier nur andeuten — zu zeigen haben, daß die Deklarierung als Décadent nicht selten nur als kokette Attitude erscheint, als Anspruch und als hochmütige Abkehr vom Profanen. Karl Kraus hat am Beispiel der Gedichte des sehr oft zitierten Felix Dörmann diese Pseudo-Décadence eines modischen Poseurs entlarvt[53].

Das Décadence-Bewußtsein wurde entscheidend vorgeprägt von Nietzsche, der von sich sagt: „Ich bin so gut wie Wagner ein Kind dieser Zeit, will sagen ein décadent ..." Aber er fährt fort: „nur daß ich das begriff, nur daß ich mich dagegen wehrte ...[54]" Jene eigentümliche Dialektik des Décadence-Begriffs hat Nietzsche modellhaft entfaltet. In der Schrift „Ecce homo" von 1889 heißt es: „Abgerechnet nämlich, daß ich ein décadent bin, bin auch auch dessen Gegensatz[55]." „Diese doppelte Herkunft, gleichsam aus der obersten und der untersten Sprosse an der Leiter des Lebens, décadent zugleich und Anfang ...[56]", — das ist die doppelgesichtige Verfassung, die er sich selbst zuspricht. Décadence als eine Form des „Krankseins" kann „ein energisches Stimulans zum Leben, zum Mehrleben sein"[57]. — „Von der Kranken-Optik aus nach gesünderen Begriffen und Werten" auszublicken, das gehört zu Nietzsches zentraler Erfahrung[58].

„Décadent zugleich und neuer Anfang", diese Selbstbestimmung Nietzsches ist zugleich die Formel für die Bewußtseinslage am Ende des Jahrhunderts, nach Diltheys Worten „fin du siècle mit Zukunft unfaßlich gemischt". Das Décadence-Bewußtsein der 90er Jahre, als Bewußtsein der Willenslähmung und Wirklichkeitsferne, des spätzeitlichen Verfalls, ist auch zu verstehen als Folie für das hoffnungsvolle Postulat einer Erneuerung und Verjüngung, als Hintergrund, ja mehr noch: als Voraussetzung jenes Pathos, mit dem in eben diesen Jahren die Jugend als „Ver sacrum", als Aufbruch und Neubeginn gefeiert wird, wie es sich auch in der Bezeichnung „Jugendstil" manifestiert. Erst beides zusammen, Endzeitstimmung und Aufbruchswillen macht die innere Struktut des Fin de siècle aus. Das Bewußtmachen der eigenen Décadence erhöht das Gefühl für das, was fehlt und früher vorhanden war: Willenskraft, nervliche Widerstandsfähigkeit, Eingefügtsein in die Wirklichkeit und Gemeinschaft, Lebenszuversicht. Daß der Verlust dieser Werte beklagt wird, bestätigt ihre Geltung, deklariert sie als erstrebenswert. Auf der Stufe der Verfeinerung und Vergeistigung, die in der Décadence auf Kosten der Vitalität erreicht ist, kann die Rückgewinnung der lebenskräftigen Gesundheit versucht werden. Stefan George sagt: „Jede niedergangserscheinung zeugt auch wieder von höherem leben[59]."

Was für die deutsche Situation gilt, kennzeichnet auch die französische, auch z. B. den Weg André Gides, von dessen frühen Traktaten Curtius sagt, daß sie den „Zustand der Selbstanalyse als ein Getrenntsein von der Wirklichkeit" bewußt machen. „Erst die Vergegenständlichung dieses Zustandes erlaubt seine stufenweise fortschreitende Überwindung. Die einzelnen Stufen dieser Überwindung der Lebensferne . . . bedingen alle folgenden Bücher[60]." Dieser nicht nur für Gide geltende, überaus wichtige Satz begründet Sinn und Wert — auch den Eigenwert — der dekadenten Literatur.

In der Bezeichnung „Fin de siècle" für das Bewußtsein der Décadence verbirgt sich hinter der skeptischen, spätzeitlichen Komponente eine Funktion der Entlastung, der Relativierung des Negativen. Die Müdigkeit wird mit diesem Wort als Symptom eines endenden Jahrhunderts, der Spätstufe einer bestimmten Kulturepoche gekennzeichnet, die aber nicht als Ende der Kultur überhaupt verstanden werden muß. Vielmehr schafft der Ausgang des 19. Jahrhunderts Raum für einen Neubeginn, eine neue Epoche mit der Verjüngung aller Kräfte. Mit einer naiv anmutenden Ungeduld wurde das 20. Jahrhundert erwartet, so als sei mit der wechselnden Datierung schon eine ganz neue geschichtliche Phase verwirklicht. Bereits 1894 erschien eine zeitweise von Heinrich Mann geleitete Zeitschrift mit dem Titel „Das 20. Jahrhundert".

Es gab Kritiker, die die Bezeichnung Fin de siècle ablehnten, weil sie ihnen allzusehr als Ausdruck des Verfalls und der Erschöpfung erschien. Der Herausgeber der Münchner Zeitschrift „Jugend", Fritz von Ostini, eröffnete den Jahrgang 1898 mit einem zornig-aggressiven Aufsatz, betitelt „Anti-Fin de siècle". „Wir wollen zu Felde ziehen gegen die Fin de siècle-Philister und gegen die Fin de siècle-Gecken", d. h. gegen alle, die die Zustände am Ende des Jahrhunderts als unvergleichlich schlimm verleumden oder ihre geistige und sittliche „Verkommenheit" mit dem Schlagwort Fin de siècle verbrämen. Ostini spart nicht mit kräftigen Schimpfworten. „Die große allgemeine Müdigkeitsbrüderschaft der Dekadenten verunglimpft unsere Zeit fast noch mehr als die Gesellschaft der Schimpfer und Nörgler." Ostini brandmarkt moralisierend das „Laster", das sich mit dem Schalgwort Fin de siècle rechtfertigt. Er verhöhnt die Nervenschwäche der Décadence. Am Schluß wird klar, daß er kaum im Namen einer hoffnungsfreudigen geistigen Jugend spricht, sondern im Namen jenes selbstgefälligen Kraftgefühls der Wilhelminischen Epoche, gegen deren Dünkel eben die dekadente Literatur protestiert. „Weg auch mit diesen Kerls! Unsere Zeit ist nicht alt, nicht müde! Wir leben nicht unter den letzten Atemzügen einer ersterbenden Epoche, wir stehen am Morgen einer kerngesunden Zeit, es ist eine Lust zu leben[61]!" Die dekadenten Autoren des Fin de siècle erkannten in solcher Selbstgefälligkeit, die sich oft noch viel lärmender und übermütiger äußerte, die heimliche Schwäche, die laut übertönte Unsicherheit einer Welt, die nur 16 Jahre später siegesgewiß und verblendet ihrem Untergang entgegenging, wie die machtstolzen Götter in Wagners „Ring des Nibelungen". Auch aus Opposition gegen diesen blinden Fortschrittsglauben, der auf Kraft und Gesundheit pochte, muß man die Literatur der Décadence verstehen. Thomas Mann hat denn auch im Rückblick die Untergangsstimmung im Fin de siècle auf den nur wenig späteren tatsächlichen Untergang bezogen, wenn er von der Formel Fin de siècle schreibt, sie war, wenngleich „allzu modisch", doch „auf jeden Fall eine Formel des Ausklangs, die ... Formel für das Gefühl des Endes, das Ende eines Zeitalters, des bürgerlichen"[62]. Im gleichen Vortrag „Meine Zeit" von 1950 sagt Mann, er habe „Buddenbrooks" zwar geschrieben mit der Empfindung, daß etwas „Allgemeingültiges daran sei", „aber doch ohne eigentliches Bewußtsein davon, daß ich, indem ich die Auflösung eines Bürgerhauses erzählte, von mehr Auflösung und Endzeit, einer weit größeren kulturell-sozialgeschichtlichen Zäsur gekündet hatte"; er denkt daran, daß „die Weltgeschichte selbst mit ihrer groben, blutigen Hand das Ende, die Wende, die große Zäsur markierte ..."[63].

Auch andere Autoren haben sich zuweilen mit großer Entschiedenheit gegen das Schlagwort Fin de siècle gewehrt, so z. B. der später durch seine Sprachkritik bekannt gewordene Fritz Mauthner in einem Aufsatz „Fin de siècle und kein Ende" von 1891[64]. „So ist denn das leerste und sinnloseste Wort von den Pariser Boulevards nach Berlin-W herübergekommen." Mauthner empfindet es nur als Bezeichnung eines haut goût, einer Überreife. Aber: „Fin de siècle ist sicherlich auch Ibsen." Doch dessen „ironisches Resignation" sei hilfreich. „Mit ihm vor allen anderen kommen wir über die dumme Übergangsepoche hinüber und fühlen die starke Luft des 20. Jahrhunderts." Das Wort Fin de siècle sei vielleicht nützlich, weil geeignet, „uns die Übergangsjahre widerwärtig zu machen und uns mit Sehnsucht nach dem kommenden Ideal zu erfüllen".

Der österreichische Kritiker Ottokar Stauff von der March nennt in der „Gesellschaft" 1899 die Literatur der Décadence, die er bei Hofmannsthal, Schnitzler und anderen sieht, „die Poesie des absterbenden Bourgeoisgeschlechts"[65]. Er betont: „Die meisten Dekadenten sind „Semiten", und erklärt schließlich: „wie kann eine solche Poesie auf Geltung im 20. Jahrhundert Anspruch erheben, dem Jahrhundert, das zuversichtlich, wenn nicht alle, so doch einen Teil der modernen Ideale realisieren wird?!"

Die Erneuerung, die große Wende, die man erwartet, wird wesentlich durch die Wirkung der Kunst zustande kommen, so hofft man in den 90er Jahren, für die dieser Glaube an die Kunst höchst charakteristisch ist. Bei Nietzsche heißt es: „Unsere Religion, Moral und Philosophie sind Décadence-Formen des Menschen. — Die Gegenbewegung: die Kunst[66]." Auch Stefan George verkündet: „In der kunst glauben wir an eine glänzende wiedergeburt[67]." Damit ist nicht nur die Erneuerung der Kunst selbst gemeint, sondern eine gesamtmenschliche Wiedergeburt, die sich durch die Kunst vollziehen soll. Ein solcher Glauben wird immer wieder ausgesprochen. 1902 dichtet Rilke eine kleine Festspielszene, die bei der Eröffnung der Bremer Kunsthalle aufgeführt wurde. Dort sagt der Künstler im Dialog mit dem Fremden[68]:

> Und das macht diese Stätte tempelhaft,
> zu einem Ort, an dem du große Kraft
> empfangen kannst von tiefversöhnten Dingen,
> in denen Form und Inhalt nicht mehr ringen
> und so gerecht im Gleichgewichte ruhn,
> daß viele, die von diesen Bildern gingen,
> das kleine Leben größer weitertun.
> Hier *wachsen* Menschen, hier in diesem Haus
> wird mancher sehend für sein ganzes Leben,
> der sich als Blinder durchs Gedränge wand;
> und hier ist Kirche, hier wird Gott gegeben,
> und wo Du stehst, da ist geweihtes Land!

Im ersten Jahrgang der Zeitschrift „Die Insel" hat Julius Meier-Gräfe in den „Beiträgen zu einer modernen Ästhetik" die gleiche Überzeugung von der Daseinserneuerung durch die Kunst ausgesprochen. Gleichzeitig gab Meier-Gräfe ein Werk über die „Weltausstellung in Paris 1900" heraus. Im Juli 1900 wird in der „Insel" ein entscheidender Satz aus der Einleitung zu diesem Buch zitiert, in dem die Gewißheit, daß mit dem 20. Jahrhundert eine große Wende und Verjüngung einsetzt, gläubig formuliert wird: „Was wir meinen, was wir suchen wollen, ist das neue Jahrhundert, das in goldenen Zahlen auf allen Giebeln der Paläste prangt, das Neue, das nicht nur neu, sondern besser ist als das Alte, von dem wir uns Änderung versprechen für die Gegenwart und Zukunft. Daß es in dieser Zeit, in der wir leben, enthalten ist mit tiefen wachsenden Kräften, darüber lohnt es nicht zu streiten."

## ANMERKUNGEN

1. R. M. Rilke, *Sämtliche Werke,* 1. Bd., Wiesbaden 1955, S. 256 f.
2. vgl. E. R. Curtius, *Europäische Literatur und lateinisches Mittelalter,* München 1948, S. 324 ff.
3. Hugo von Hofmannsthal, *Briefe 1890—1901,* Berlin 1935, S. 10.
4. ebenda, S. 13.
5. An Gustav Schwarzkopf, 31. Juli 1892, ebenda, S. 60.
6. Zitiert nach Erwin Koppen, *Dekadenter Wagnerismus,* Berlin 1973, S. 253.
7. Oscar Wilde, *Das Bildnis des Dorian Gray.* Deutsch von Ernst Sander, München o. J., S. 179.
8. Arno Holz, *Phantasus. Faksimile der Erstfassung,* Stuttgart 1968, S. 35, 81.
9. Emile Zola, *Das Werk.* Deutsch von Hans Balzer, München 1967, S. 368.
10. vgl. H. Petriconi, *Das Reich des Untergangs,* Hamburg 1958, S. 41.
11. ebenda, S. 161.
12. Zitiert ebenda, S. 18.
13. Hans Hinterhäuser, *Nachwort zu der Ausgabe „Guy de Maupassant, Romane",* München 1974, S. 781.
14. Hugo von Hofmannsthal, *Prosa I,* Frankfurt 1950, S. 8, 9, 10.
15. Hermann Bahr, *Zur Überwindung des Naturalismus,* hg. v. Gotthart Wunberg, Stuttgart 1968, S. 150.
16. Hugo von Hofmannsthal, aaO, S. 171.
17. ebenda, S. 239.
18. ebenda, S. 171 f.
19. ebenda, S. 172.
20. ebenda, S. 174.
21. Gerhart Hauptmann, *Sämtliche Werke,* Bd. 1, Berlin 1966, S. 112.
22. E. R. Curtius, *Die Wegbereiter des neuen Frankreich,* Potsdam 1923, S. 25 f.
23. ebenda, S. 48.
24. Hugo von Hofmannsthal, *Prosa I,* Frankfurt 1950, S. 176.
25. Curtius aaO, S. 49.
26. ebenda, S. 52.
27. Ernst Stadler, *Dichtungen,* 2. Bd., Hamburg 1954, S. 13.
28. Thomas Mann, *Briefe 1889—1936,* Frankfurt 1961, S. 38.
29. ebenda, S. 11.
30. Reinhard Baumgart, *Das Ironische und die Ironie in den Werken Thomas Manns,* München 1964, S. 102.
31. Thomas Mann, *Politische Schriften und Reden,* 1. Bd., Frankfurt 1968, S. 149.
32. Thomas Mann, *Meine Zeit. Politische Schriften und Reden,* 3. Bd., Frankfurt 1968, S. 327.
33. Thomas Mann — Heinrich Mann, *Briefwechsel 1900—1949,* Frankfurt 1968, S. 103 f.
34. Zitiert bei Koppen aaO, S. 36.
35. Friedrich Nietzsche, *Werke,* ed. Schlechta, 3. Bd., München 1956, S. 779.
36. W. Rasch, *Zur deutschen Literatur seit der Jahrhundertwende,* Stuttgart 1967, S. 17 ff.
37. Ferdinand Tönnies, *Der Nietzsche-Kultus,* Hamburg 1897, S. 5, 7.
38. ebenda, S. 20.
39. *Briefwechsel zwischen Wilhelm Dilthey und dem Grafen Paul Yorck von Wartenburg,* Halle 1923, S. 132.
40. ebenda, S. 140.
41. ebenda, S. 228.
42. ebenda, S. 238.

43. R. M. Rilke, *Sämtliche Werke*, 6. Bd., Frankfurt 1966, S. 775.

44. Wilhelm Emrich hat diese Stelle aus dem Zusammenhang mit Baudelaire abgetrennt und daher mißverstanden. Er bezieht sie willkürlich auf eine ganz andere Stelle, an der Rilke von einem unbekannten Kranken spricht, den er in einer Crèmerie traf. Emrich identifiziert diesen Kranken mit Baudelaire. „Also auch bei Rilke ist die scheinbare Erkrankung gerade identisch mit der Empfindung eines dauernden Grundes, des Seienden, das unter allem Seiendem gilt." Er meint, Rilke spreche von einem Seienden, das unterhalb alles Seienden liege, als dessen „Grund", und allein „gilt". Davon ist keine Rede. Das Wort „unter" meint hier nicht „sous", sondern „entre": auch das Aas ist ein Seiendes unter allem anderen Seienden und gilt genau wie dieses andere. „Auswahl und Ablehnung gibt es nicht." Vgl. W. Emrich, *Die Literaturrevolution und die moderne Gesellschaft*, in: Protest und Verheißung, Frankfurt 1960, S. 137 f.

45. R. M. Rilke, *Sämtliche Werke*, 2. Bd., Wiesbaden 1957, S. 246.

46. Ende der ersten Elegie. Rilke aaO, 1. Bd., S. 716.

47. Vierte Elegie, Rilke aaO, 1. Bd., S. 617.

48. Stefan George, *Werke*, Bd. 1, München u. Düsseldorf 1958, S. 165.

49. Ein knapper Hinweis steht in Theodor Adornos Aufsatz *George*. In: Noten zur Literatur IV, Frankfurt 1974, S. 53. Es heißt da: „Gleichwohl speichert die Zeile ‚Es ist worden spät', gedrängt bis zum Schweigen, das Gefühl eines Weltalters auf, das den Gesang schon verbietet, der noch davon singt."

50. Friedrich Gundolf, *George*, Berlin 1920, S. 143.

51. Ernst Morwitz, *Kommentar zu den Werken Stefan Georges*, München u. Düsseldorf 1960, S. 153.

52. Stefan George aaO, S. 175.

53. Die Rezension, die auch die Gedichte von Richard Specht als Proben einer „Décadence" deklariert, „die sich die Anführungszeichen gefallen lassen muß", erschien im Magazin für Literatur, Jahrgang 62, 1893, S. 127 f. — In dieser Rezension steht auch der Satz, der dem vorliegenden Referat als Motto dient.

54. Nietzsche aaO, 2. Bd., S. 904.

55. ebenda, S. 1072.

56. ebenda, S. 1070.

57. ebenda, S. 1072.

58. ebenda, S. 1071.

59. *Blätter für die Kunst*, 2. Folge, 2. Bd., S. 33.

60. Curtius, aaO, S. 49.

61. Fritz von Ostini, *Anti-Fin de siècle*, in: Linda Koreska-Hartmann, *Jugendstil — Stil der ‚Jugend'*, dtv, München 1969, S. 233 ff.

62. Thomas Mann, *Meine Zeit*, in: Politische Schriften und Reden, 3. Bd., Frankfurt 1968, S. 327.

63. ebenda, S. 328.

64. Erschienen in: „Magazin für Literatur", Jg. 60, 1891, S. 13—17. Abgedruckt in: Literarische Manifeste der Jahrhundertwende 1890—1910, Hg. v. Erich Ruprecht und Dieter Bänsch, Stuttgart 1970, S. 298 ff.

65. Ottokar Stauf von der March, *Décadence. Randglossen*, in: Die Gesellschaft, Jg. 10, 1894, S. 226—33. Abgedruckt in der Anthologie von Ruprecht und Bänsch aaO, S. 300 ff.

66. Nietzsche aaO, 3. Bd., S. 717.

67. *Blätter für die Kunst*, 1. Folge, 1. Band, 1892, S. 2.

68. Rilke aaO, 3. Band, S. 409.

WALTER WIORA

# „Die Kultur kann sterben"
# Reflexionen zwischen 1880 und 1914

## *1. Die Kontinuität des Themenkreises im Wechsel der Situationen*

Im Jahre 1897 hielt Ulrich von Wilamowitz-Moellendorff eine Rede zu Kaisers Geburtstag über das Thema „Weltperioden"[1]. Zu Beginn und am Schluß ließ er es nicht am patriotischen Pathos fehlen, das zu dieser panegyrischen Gattung gehörte; doch was er zum Thema „Weltperioden" ausführte, paßte zum Hochgefühl und Wonneglanz Wilhelms II. weniger gut. Es paßte auch nicht zu den anderen Richtungen euphorischer Zukunftserwartung, die um 1900 weiter verbreitet war als pessimistische Fin de siècle-Stimmungen. Es stand im Gegensatz zu literarischen Programmen, in denen es um die Zukunft als emphatischen Leitbegriff ging[2], und erst recht zur damaligen Blüte des Fortschrittsstolzes in Wissenschaft, Industrie und Sozialismus. Den Glauben an Fortschritt und Zukunft der Menschheit predigte zum Beispiel ein Jahr später (1898) Ludwig Büchner, der Vorkämpfer materialistischer Weltanschauung; in seinem Rückblick auf das endende Jahrhundert bedauerte er zwar, was man später cultural lag genannt hat: daß die soziale und moralische Entwicklung mit den großartigen Fortschritten der Wissenschaft und Technik bisher nicht Schritt gehalten habe; doch er war zuversichtlich, daß „ein unbegrenzter Fortschritt auf dem Wege der Tugend, Weisheit und Glückseligkeit möglich ist"[3]. Auch Wilamowitz hat andernorts den Fortschritt der Wissenschaft und Technik gerühmt und die Hoffnung auf weiteres Wachstum der Kultur ausgesprochen[4]; in der Rede über Weltperioden aber nennt er den Glauben an unendlichen Fortschritt einen Wahn. Geschichtliche Erfahrung zeige, daß sich das Leben der Kultur „in Perioden abspielt" (S. 132); dem Aufstieg folge nicht unbegrenzt weiterer Aufstieg, wie in einer endlosen geraden Linie, sondern irgendwann Umkehr und Niedergang. Dabei könne nicht nur einzelner Gewinn verloren gehen, sondern die Kultur im ganzen. *„Die Kultur kann sterben,* denn sie ist mindestens einmal gestorben. Der Schakal heult in Ephesos, wo Heraklit und Paulus gepredigt hatten; in den Marmorhallen von hundert kleinasiatischen Städten wuchern die Dornen und kauern nur vereinzelt verkümmerte Barbaren; Wüstensand wirbelt über den Göttergarten Kyrenes" (123).

Die Kultur kann sterben — das klingt ähnlich wie der berühmte Satz: „*Nous autres, civilisations, nous savons maintenant que nous sommes mortelles*", der Satz, mit dem in einer anderen Situation, zur Zeit des Ersten Weltkrieges, Paul Valéry seine Betrachtung über die Krise des Geistes begann[5]. Ganze Welten seien verschwunden, „descendus au fond inexplorable des siècles avec leurs dieux et leurs lois, leurs académies et leurs sciences pures et appliquées, avec leurs grammaires, leurs dictionnaires, leurs classiques, leurs romantiques et leurs symbolistes, leurs critiques et les critiques de leurs critiques".

Aber auch früher schon, lange vor dem Fin de siècle und vor dem Zeitalter der Weltkriege hat man über die Sterblichkeit der Kulturen nachgedacht, so 1853 Graf Gobineau in seinem „Essai sur l'inégalité des races humaines". Auf die Überschrift des einleitenden Abschnittes „*La condition mortelle des civilisations et des sociétés . . .*" folgt als erster Satz: „La chute des civilisations est le plus frappant et en même temps le plus obscur de tous les phénomènes de l'histoire." Mit philosophischem Entsetzen erkenne man, wie streng das Wort der Propheten über die Unbeständigkeit der Dinge auch für die Kulturen gelte.

So verschiedene Autoren haben in so verschiedenen Situationen denselben Grundgedanken ausgesprochen. Aber ist es überhaupt derselbe Gedanke? Angesichts der Verschiedenheit des Kontextes könnte man daran zweifeln; vielleicht bedeuten die ähnlich klingenden Sätze im Grunde „vollkommen anderes". Doch das wäre eine rhetorische Übertreibung. In den verschiedenen Zusammenhängen erhält das Thema zwar verschiedenen Stellenwert und Einzelinhalt, aber die Übereinstimmung im rationalen Kern ist evident. a) Alle drei Texte betreffen das Sterben und damit auch das Leben der Kultur. Wilamowitz spricht von Kultur im allgemeinen in der Einzahl, Valéry und Gobineau sprechen von Kulturen (civilisations) im Sinne überethnischer historischer Komplexe, in welchen sich Kultur, als Allgemeinbegriff verstanden, verwirklicht. Kultur und Kulturen werden als Lebendes verstanden, das sterben kann. b) Das französische Wort „Civilisation" entspricht hier dem deutschen Wort „Kultur". Der besonders von Spengler her bekannte Gegensatz zwischen seelisch-geistiger Kultur und technisch-wirtschaftlicher Zivilisation spielt nicht hinein. c) Es ist nicht Dekadenz oder Verfall in einem vagen Sinn gemeint. Es geht um Untergang, nicht partiellen oder vorübergehenden Niedergang. d) Die zitierten Sätze besagen nichts unmittelbar über die Zukunft. Doch während die Formulierung „kann sterben" das Weiterleben als Möglichkeit offenläßt, bedeutet das Wort „Sterblich", wenn man es so versteht wie in dem Satz, daß alle Menschen sterblich sind, eine allgemeine Wesensnotwendigkeit, welche auch für die heutigen und künftigen Kulturen gilt.

Diese Grundgedanken sind nicht mit Allerweltsanschauungen zu verwechseln, wie der Klage über den Verfall der guten Sitten. Sie betreffen den Untergang von Kultur und Kulturen und unterscheiden sich schon dadurch von den bis in die Antike zurückreichenden Lehren über typische Ursachen für den Verfall von Staaten, über den Kreislauf politischer Verfassungen und über den Weltuntergang (zum Beispiel Heraklits Bild des Kosmos als lebendigen Feuers, das immer wieder aufflammt und verlöscht, oder in neuerer Zeit Wagners Wiederaufnahme alter Mythen in der „Götterdämmerung"). Erst seitdem sich im Zeitalter der Aufklärung die Reflexion über Kultur und ihre Geschichte zu eigener Bedeutung entwickelte, konnte sich der spezielle Themenkreis herausbilden, um den es hier geht.

1725 hat Giovanni Battista Vico in seiner Scienza nuova eine geschichtsphilosophische Kreislauflehre entwickelt, nach der in jedem Volk jedes Kulturgebiet analoge drei Stadien durchläuft. Seit Montesquieu und Gibbon war der Untergang der altgriechisch-römischen Kultur ein Anschauungsmodell, an dem sich Überlegungen über die Möglichkeit analoger Vorgänge orientierten. Im Laufe des 19. Jahrhunderts haben einige Autoren bedenkliche Zeiterscheinungen als Verfallssymptome in diesem Sinn gedeutet; sie wiesen auf bedrohliche Entwicklungszüge hin und nahmen an, daß diese in die Zukunft weitergehen würden. Lange vor den Weltkriegen haben Berthold Niebuhr, Karl Vollgraff, Ernst von Lasaulx, Nikolaj Danilewskij, Jacob Burckhardt und andere solche Reflexionen angestellt[6]. Dieser Traditionszusammenhang führte zu Oswald Spengler und weiter über Arnold Toynbee, Alfred Weber usf. in die Gegenwart.

Was man um 1900 über den Themenkreis gedacht hat, ist sowohl in diesem problemgeschichtlichen Traditionszusammenhang wie im speziellen Zusammenhang des Zeitraumes um 1900 zu sehen. Es ist ein Zeitabschnitt in einer Kette von Variationen und Weiterbildungen. In wechselndem Kontext hat sich der Themenkreis modifiziert und im Anwachsen neuer Kenntnisse und Ideen hat er sich entfaltet.

In dieser Fortsetzung des Themenkreises sind etliche genetische Einzelbeziehungen offenkundig, z. B. die ausdrückliche Bezugnahme Jacob Burckhardts auf Ernst von Lasaulx. Aber auch diesseits herkunftsgeschichtlicher Sonderfragen sind manche individuelle Übereinstimmungen evident; zum Beispiel hat Nikolaj Jakobowitsch Danilewskij (1869 ff) Wesentliches vom Geschichtsbild Spenglers vorweggenommen. Was den schlagkräftigen Titel

„Der Untergang des Abendlandes" betrifft, so klingt er an einen Titel von Otto Seeck an: „Geschichte des Untergangs der antiken Welt" (1895 ff), und dieser Titel folgt einem viel älteren: „History of the Decline and Fall of the Roman Empire" (Edward Gibbon, 1776—88). „Der Verfall der antiken Kultur" hieß ein Aufsatz von Julius Beloch, mit dem 1900 die „Historische Zeitschrift" den ersten Jahrgang des neuen Saeculum begann, statt diesem mit frohen Fanfaren zu huldigen. Manche Ideen, die wie originale Intuitionen Nietzsches oder Spenglers erscheinen, sind älteren Ursprungs, z. B. Nihilismus, Gottes Tod, „Kultur und Zivilisation". Andererseits wurden Gedanken aus Nietzsches „Unzeitgemäßen Betrachtungen" durch den erfolgreichen Dilettanten Julius Langbehn verbreitet und verwässert. Der Titel seines Bestsellers „Rembrandt als Erzieher" folgt Nietzsches „Schopenhauer als Erzieher".

Die hier zu behandelnde Zeitspanne ist nur an ihrem Ende scharf begrenzt; sie endet mit dem Ersten Weltkrieg und mit dem spektakulären Monumentalwerk über den Untergang des Abendlandes, das Spengler 1911 konzipiert hat und das seit 1918 in vielen Auflagen erschien. Am unausgeprägten Beginn stehen die „Essais de Psychologie contemporaine" von Paul Bourget (1883) und die gleichzeitigen Schriften und Entwürfe Nietzsches.

Mit den Jahreszahlen 1880 und 1914 begrenzt man die Epoche des Imperialismus und Kolonialismus, in welcher Europa den Gipfel seiner äußeren Macht über die Erde erreichte. Es war die Zeit der Hochblüte des British Empire, der großen Ausbreitung des französischen Kolonialreiches, des deutschen Kaiserreiches unter Wilhelm II. In diesem Zeitmilieu und dem entsprechenden Stadium des wissenschaftlichen, technischen und wirtschaftlichen Fortschritts gehörten Reflexionen über die Sterblichkeit der Kultur zu den abseitigen Kontrapunkten; sie waren unzeitgemäße Betrachtungen, während sie seit dem Ersten Weltkrieg eher dem Grundverlauf des Zeitgeschehens zu entsprechen schienen. Allerdings hatten auch schon vor 1900 manche Ereignisse zu besorgtem Nachdenken angeregt, so in Frankreich der verlorene Krieg 1870/71. Zudem waren schon damals manche Entwicklungszüge spürbar, welche der breiten Öffentlichkeit erst später zu vollem Bewußtsein kamen, z. B. die Konsequenzen des Bevölkerungswachstums. Doch im ganzen standen damals Gedanken über die Sterblichkeit der Kultur weit mehr im Gegensatz zum Hauptstrom des Zeitgeschehens als später. Sie konnten nicht so aktuell erscheinen und nicht so verbreitet sein wie unter dem Eindruck der beiden Weltkriege und der gegenwärtigen Krise. Um so bedeutsamer ist es, wie viele, wie wesentliche und wie glänzend formulierte Gedanken zum Thema in dieser Epoche zwischen 1880 und 1914 geäußert worden sind.

## *2. Unterscheidung vom gleichzeitigen „Kulturpessimismus"*

Die Kontinuität des Themenkreises hat darin einen Grund, wer über ihn reflektiert hat. Es waren hauptsächlich Historiker, Philosophen, Soziologen, Nationalökonomen und andere Wissenschaftler und gelehrte Einzelgänger. Sie besaßen außer Phantasie und Begriffen auch empirisches Einzelwissen, das als Tatsachengehalt in ihre Reflexionen eingehen konnte, und dank der damals relativ fortgeschrittenen Liberalität konnten sie sich den Luxus der Gedankenfreiheit gegenüber dem Zeitgeist erlauben[7]. Bei Jacob Burckhardt standen die Reflexionen im Zusammenhang mit seiner gründlichen Kenntnis der Spätantike und mit seiner souveränen wie spekulationsfeindlichen Betrachtung der Weltgeschichte. Bei Paul Bourget hatten sie eine Basis in eindringlichen Untersuchungen literarischer Oeuvres. Bei Nietzsche waren sie durch Altphilologie und virtuos scharfe Zeitdiagnosen gestützt.

Aus diesen und anderen Gründen sind die sachlichen Reflexionen, die wir hier würdigen und überblicken möchten, von Vorstellungen anderer Art zu distanzieren, welche im Fin de siècle verbreitet waren und oft unter dem Sammelbegriff „Kulturpessimismus" zusammengefaßt werden[8]. Der Themenkreis und die Grundgedanken sind schon darum nicht aus dem „Kulturpessimismus des Fin de siècle" zu erklären, weil sie viel älter sind, und ihre Variationen in dieser Epoche wurden von pessimistischen Strömungen zwar beeinflußt, haben aber sonst eigenen Gehalt und Charakter. Zwar wurden etliche Fragen behandelt, auf welche pessimistische Fragen im Umlauf waren, aber die sachlichen Reflexionen sind nicht selber pessimistisch, weder im Sinne der These, daß die Welt von Leiden, Grausamkeit und sonstigem Übel beherrscht sei, noch in einem anderen Sinne des mehrdeutigen Wortes. Daß einstige Kulturen vergangen sind, ist eine sachliche Feststellung diesseits der Ismen, und der unbeweisbare Gedanke, es könnten Kulturen auch in Zukunft sterblich sein, ist fast so wenig pessimistisch wie der Satz, daß wir als einzelne Menschen oder daß Tiergattungen sterblich sind.

Die hier gemeinten Reflexionen behandeln unter anderem den Überdruß an der Kultur, aber sie beruhen nicht auf solchem Überdruß. Sie sind auch weit entfernt von denjenigen Ansichten seit Rousseau, nach welchen Kultur nicht erst am Ende verfällt, sondern von vornherein Verfall bedeutet, nämlich einen Sündenfall aus einem utopisch verklärten Urzustand, sei es primitiver Natürlichkeit oder ungebrochener Raubtiervitalität oder Brüderlichkeit ohne Herrschaft von Menschen über Menschen. Sie liegen andererseits auf einer anderen Ebene als der literarische Ausdruck von Gram und Trübsinn; sie sind grundverschieden von lyrischem Pessimismus und seiner Nachahmung in modischen Attitüden, wie sie Nietzsche als „Musiker-

Pessimismus selbst noch unter Nicht-Musikern" geschildert hat: „Wer hat ihn nicht erlebt, wer hat ihm nicht geflucht, dem unseligen Jüngling, der sein Klavier bis zum Verzweiflungsschrei martert, der eigenhändig den Schlamm der düstersten graubraunsten Harmonien vor sich herwälzt? Damit ist man erkannt, als Pessimist . . .[9]."

Über Dekadenz der Kultur nachzudenken heißt nicht, die Dekadenz zu kultivieren. Kognitives Interesse für den Niedergang braucht nicht damit verbunden zu sein, ihm jenen Sinn und Reiz abzugewinnen, welchen ihm der décadentisme seit Baudelaire auf höchst produktive Weise verliehen hat, z. B. Mallarmé in seinem Prosagedicht Plainte d'automne: „. . . étrangement et singulièrement j'ai aimé tout ce qui se résumait en ce mot: chute . . .", den Spätsommer, die Stunde vor Sonnenuntergang und „la poésie agonissante des derniers moments de Rome"[10].

Undifferenziert gebraucht, verführen die Ausdrücke „Kulturpessimismus" und „Kulturkritik" dazu, jene kognitiven Reflexionen mit politisch reaktionären Ideologien zusammenzuwerfen[11]. Man verfehlt die Unterschiede des geistigen Ranges und denkt nicht wissenssoziologisch genug, wenn man den Leser glauben macht, Burckhardt oder Nietzsche hätten so wenig über die konservativen Seiten ihres Horizontes hinausgeschaut wie Lagarde oder Langbehn. Desgleichen ist sachliches Nachdenken nicht primär unter die literarischen Abwandlungen archaischer Mythen zu subsumieren oder als Ausweitung persönlicher Todessehnsucht zu erklären[12]. Es ist schließlich grundverschieden von vorfühlenden Visionen künftigen Unheils. Schon als Erörterung historischer Prozesse ist es von eschatologischen Erwartungen und apokalyptischen Prophezeiungen zu trennen, in welchen überirdische Mächte das Ende herbeiführen.

Daß man im Rückblick auf jene Zeit sachliche Reflexionen von pessimistischen Klagen, konservativen Ideologien und spekulativer Geschichtskonstruktion unterscheiden sollte, schließt allerdings nicht aus, daß sie sich damals im Oeuvre ein und desselben Autors vermischt haben. So stehen bei Nietzsche neben scharfsinnigen Beobachtungen damaliger Dekadenz spekulative Ausweitungen des Begriffs; Dekadenz gehöre zu allen Epochen der Menschheit, und das Christentum sei von Anfang an eine décadence-Bewegung gewesen. Bei Spengler nehmen politische Ideologie und gewalttätige Konstruktion des Geschichtsverlaufes so breiten Raum ein, daß sie im Urteil mancher Kritiker seine sachlichen Entdeckungen verstellten, von denen sich einige während der letzten Jahrzehnte partiell bewahrheitet haben. Es ist gar zu einseitig, im „Untergang des Abendlandes" nichts anderes zu sehen als einen Roman, in dem es die Welt eines Dichters sei, die zugrundegeht. Schon wegen des Erbes an wissenschaftlicher Geschichtsforschung und an

Geschichtsphilosophie, das in Spenglers Weltbild eingegangen ist, ist dieses nicht „dieselbe Klage und dieselbe Ankündigung, die die Dichter zu allen Zeiten wiederholt haben und der niemals objektive Gültigkeit zukommt, denn es ist ihre eigene Todessehnsucht, die sie in die Welt projizieren“[13]. Mit Spengler müßte das Urteil für den großen Gedankenschatz seit dem 18. Jahrhundert zutreffen, den er übernommen und weitergebildet hat.

### *3. Untergrabung der Kultur durch Beschädigung und Ausbeutung ihrer Naturbasis*

Die Kultur kann sterben, wenn ihre Lebensbedingungen in der Natur zu Schaden kommen; sie muß sterben, wenn diese vernichtet werden. Es ist heute offenkundig, daß die hochtechnisierte Industriekultur ihren Untergang riskiert, falls sich die Menschheit in bisherigem Maße vermehrt, falls man die Vorräte der Erde an Rohstoffen und Energiequellen bis zur Erschöpfung ausbeutet und falls die Verwüstung der Umwelt weiter fortschreitet. Diese Gefahren sind nun nicht etwa erst im Laufe der letzten Jahrzehnte bewußt geworden; sie wurden schon im vorigen Jahrhundert diskutiert, und schon damals wurden einige Maßnahmen gegen den Raubbau von Naturschätzen eingeleitet.

1906 erschien der erste Band des Sammelwerkes „Die Kultur der Gegenwart“; im einleitenden Teil „Die allgemeinen Grundlagen der Kultur“ stellt ein damals führender Statistiker, Wilhelm Lexis, folgende Diagnose: „Überhaupt führt die Kulturentwicklung nicht zu einem Zeitalter des Friedens und des allgemeinen Glücks. Der zunehmenden Leistungsfähigkeit der Technik stehen die zunehmenden Schwierigkeiten gegenüber, die bei einer fortwährend wachsenden Bevölkerung durch den fortwährenden Verbrauch unersetzlicher Naturstoffe und überhaupt durch die Beschränktheit der Naturgrundlagen des Wirtschaftslebens entstehen“ (S. 50). Lexis weist besonders auf die Erschöpfbarkeit von Steinkohlen und Erzen hin. Zudem entstehe mit Notwendigkeit ein Mißverhältnis zwischen dem ungeheuren Anwachsen der Menschheit und der verfügbaren Bodenfläche des Erdballs. Auch würde durch völlige Entfremdung des Menschen von der Natur ein Teil seines Wesens verkümmern. „Die Unvollkommenheit aller menschlichen Dinge hat ihre eigene Dialektik.“

Dagegen hat Spengler gerade diesen Komplex möglicher Bedrohung der Natur meistens gering geschätzt. In seiner hymnischen Darstellung der Maschinentechnik am Schluß des zweibändigen Werkes tut er Reflexionen über die Erschöpfung von Rohstoffen als materialistisch ab und stellt der

„Furcht" die Zuversicht auf künftigen Erfindungsgeist entgegen: „Man hat, ganz materialistisch, die Erschöpfung der Kohlenlager gefürchtet. Aber solange es technische Pfadfinder von Rang gibt, gibt es keine Gefahren dieser Art." Allerdings bezweifelt Spengler, daß sich die faustischen Erfinder und Unternehmer auf die Dauer gegen ihre Feinde werden durchsetzen können. Zudem schließt er sich der Reflexion über die Erschöpfung an, indem er im nächsten Abschnitt sagt: „Die Natur wird erschöpft, der Erdball dem faustischen Denken in Energien geopfert. Die *arbeitende* Erde ist der faustische Aspekt; in ihrem Anblick stirbt der Faust des zweiten Teils, in dem die unternehmende Arbeit ihre höchste Verklärung erfahren hat[14]."

Auch ohne Statistik und Geschichtsphilosophie konnte man schon damals sehen, daß fortschreitende Industrialisierung zur Schädigung der Umwelt, z. B. zur Verschlechterung von Luft und Wasser, führt[15]. Die Verwandlung grüner Landschaften in rußige Fabrikgelände war sinnfällig und ebenso die Beseitigung von Wäldern, Feldern und Gärten um kommerzieller Zwecke willen[16]. Die Umbildung der Mittelmeerküsten durch die Fremdenindustrie sagte Jacob Burckhardt zwar noch nicht im heutigen Umfang voraus, aber über die Riviera meinte er, sie werde „in wenigen Jahren nichts als *ein* vierzigstundenlanges Hotel werden"[17]. Er knüpft dies an eine (von ihm selbst bezweifelte) Voraussetzung: „Wenn die jetzigen Zeiten des Luxus der Reichen fortdauern könnten"; somit verbindet er seine Prognose nicht mit der sonst von ihm gesehenen Entwicklungstendenz, daß auch die breiten Volksmassen besser leben und vollen Anteil daran haben wollen, was die Natur dem Menschen bietet.

### *4. Verfall von innen her. Verlust der geistigen Lebenskraft und der Entwicklungsmöglichkeiten*

Die meisten der damaligen Kulturkritiker haben jedoch die Gefahren für die äußeren Lebensbedingungen der Kultur kaum erörtert. Sie dachten primär an den Verfall von innen her. Die moderne Gesellschaft trage „den Todeskeim in sich", sagt Emil Hammacher in seinem Buch „Hauptfragen der modernen Kultur"[18], das er etwa gleichzeitig konzipierte wie Spengler sein Buch über den Untergang des Abendlandes.

Als ein fumdamentaler Grund des Unterganges galt der Wille zum Untergang. Nach Schopenhauer, dem Klassiker des Pessimismus, war der Lebenswille Urkraft alles Seins (wie damit zugleich Wurzel alles Übels). Im Fin de siècle schien nun manchem, daß der Lebenswille erlösche oder sich in Widerwillen verkehre. Aus Abscheu vor der miserablen Welt lasse man sie zugrundegehen. Paul Bourget[19], den Hermann Bahr das philosophische Gewissen des (oder, wie er sagt, der) fin de siècle genannt hat[20], konstatierte in dieser Zeitströmung, wie im mal du siècle um 1830[21], als gemeinsame Grundlage „une mortelle fatigue de vivre, une morne perception de la vanité de tout effort"[22]. Aus dem Eindruck, daß jede Anstrengung vergeblich sei, entstehe allgemeiner Überdruß. Der Ekel vor dem Unzulänglichen bekunde sich in verschiedenen Formen: „Une nausée universelle devant les insuffisances de ce monde soulève le coeur des Slaves, des Germains et des Latins. Elle se manifeste chez les premiers par le nihilisme, chez les seconds par le pessimisme, chez nous-mêmes par de solitaires et bizarres névroses. La rage meurtrière des conspirateurs de Saint-Pétersbourg, les livres de Schopenhauer, les furieux incendies de la Commune et la misanthropie acharnée des romanciers naturalistes ... ne revèlent-ils pas un même esprit de négation de la vie qui, chaque jour, obscurcit davantage la civilisation occidentale?" Immer mehr werde die abendländische Kultur durch die Verneinung des Lebens verdüstert. Zwar seien wir vom Selbstmord der Erde, wie ihn die Lehrer des Unheils wünschen, noch fern. „Nous sommes loin, sans doute, du suicide de la planète, suprême désir des théoriciens du malheur." Doch wenn nicht ein neuer Elan religiöser Wiedergeburt die Menschheit von jener Müdigkeit weiterzuleben rettet, könne sich eine Überzeugung vom Bankrott der Natur herausbilden und zum finsteren Glauben des 20. Jahrhunderts werden. „Mais lentement, sûrement, une croyance à la banqueroute de la nature ne s'élabore-t-elle pas, qui risque de devenir la foi sinistre du XXe siècle?"

Bei Spengler geht es weniger darum, daß der Lebenswille im allgemeinen kraftlos und unfruchtbar wird, als um die „Seele" einer Kultur, die sich Spengler als deren Grundkraft und Entelechie vorstellt. Eine Kultur werde geboren, indem ihre Seele erwache; sie stirbt, „wenn diese Seele die volle Summe ihrer Möglichkeiten in der Gestalt von Völkern, Sprachen, Glaubenslehren, Künsten, Staaten, Wissenschaften verwirklicht hat" (I, 153). Die Kultur stirbt, wenn sie sich so entfaltet hat, daß keine weitere Entfaltung möglich wäre, und wenn andererseits ihre produktive Kraft versiegt und ihre leitenden Ideen ganz verblaßt sind. So verbindet sich Erschöpfung im Sinne des Auslebens gegebener Möglichkeiten mit Erschöpfung im Sinne von Entkräftung. Beide Arten der Erschöpfung hat Burckhardt an der Spätantike dargestellt. Die Einleitung der „Weltgeschichtlichen Betrachtungen" schließt mit dem Hinweis, daß in der Natur der Untergang nur durch äußere Gründe erfolge; in der Geschichte aber „wird er stets vorbereitet durch innere Abnahme, durch Ausleben. Dann erst kann ein äußerer Anstoß allem ein Ende machen".

Erschöpfung im Sinne von Entkräftung vieler Menschen schilderte Franklin H. Giddings als eine unheilvolle Kehrseite des zivilisatorischen Fortschritts[23]. Je größer der Fortschritt, um so mehr Menschen sinken infolge übermäßiger Tätigkeit und infolge Überbeanspruchung erschöpft am Wege nieder. Der Fortschritt werde mit moralischer und physiologischer Entartung erkauft. Diese gebe sich „in den proteusartig wechselnden Formen des Selbstmordes, des Wahnsinns, des Verbrechens, des Lasters kund, die am üppigsten in den höchsten Zivilisationen wuchern". So seien die heutigen Gefahren für die Kultur fast so schwer wie diejenigen in ihren Anfangsstadien; damals war die Kultur von Barbaren außerhalb ihrer Wälle bedroht, heute von der Unkultur im Inneren.

Ausführlich hat Max Nordau kollektive Erschöpfung als Folge des Fortschritts behandelt; sein populär geschriebenes zweibändiges Werk aus den Jahren 1892/93, das auch in Frankreich und England viel gelesen wurde, heißt: „Entartung". Der Verfasser, ein jüdischer Arzt, der seinen ursprünglichen Namen Südfeld in Nordau verändert hatte und später den Zionismus mitbegründete, meint den Ausdruck Entartung in einem medizinisch-pathologischen Sinn, nicht im Sinne einer Rassenlehre. An verschiedensten Symptomen, z. B. der Zunahme von Verbrechen und Selbstmorden, der Dekadenzliteratur, aber auch den Lehren Nietzsches und der Musik Richard Wagners, glaubt er eine „schwere geistige Volkskrankheit" zu erkennen, die mit der Pest vergleichbar sei. Demgemäß hat er das Werk Cesare Lombroso gewidmet, dem berühmten Psychiater, der dem Problem Genie und Wahnsinn und der psychischen Disposition von Verbrechern nachgegangen ist. Nordau führt die kollektive Geisteskrankheit auf die Erschöpfung des Zentralnervensystems zurück und erklärt diese aus der Überforderung durch die fortschreitende Zivilisation; die „Ermüdungs- und Erschöpfungszustände" seien die Wirkung des „Wirbels unseres rasenden Lebens, der ungeheuer angestiegenen Anzahl von Sinneseindrücken" usf. (I, 77). Holbrook Jackson nannte Nordau „the Jeremiah of the period"[24]. Alfred Egmont Hake verfaßte eine umfangreiche Gegenschrift unter dem Titel „Regeneration"[25].

### *5. Verfall der Gesittung und Religion? Der Weg zum Nihilismus*

Statt den Verfall der Sitten emphatisch zu beklagen, kann man historisch-systematisch untersuchen, was es für das Gebäude einer Kultur bedeutet, wenn ein Gerüst moralischer Normen und Gewohnheiten verfällt, ohne durch ein anderes ersetzt zu werden. Zwischen Klage und Untersuchung liegen Schriften wie „La crise morale des temps nouveaux" (1908) von Paul Bureau. Der Verfasser, ein Nationalökonom, der sich als „sociologue moral" bezeichnet, glaubt kontinuierliche Abnahme des guten Erbes konstatieren zu können, das Blütezeiten der Lebenskultur hinterlassen haben: „Chaque année, ce capital diminue et il n'est point inépuisable" (S. 439). Erneut stellt sich das Problem, ob der Fonds, aus dem wir leben, begrenzt ist und sich erschöpfen kann, der Fonds an Traditionen wie an Naturschätzen und Entwicklungsmöglichkeiten. Der Verfasser zweifelt, ob der Mensch noch genug Fähigkeiten zum guten Funktionieren des Zusammenlebens besitze: „Le désordre est si grand ... qu'il semble, à certains moments, que l'homme ait perdu l'aptitude à constituer la vie sociale" (S. 7, 436). Wenn die Normen, die eine Gesellschaft konstituieren, zu oft übertreten werden und wenn diese Übertretungen zu schwer sind, dann sei die Gesellschaft auf dem Wege zum Ruin.

Die Kirche ist auf dem Wege zum Ruin schon so weit fortgeschritten, meint Nietzsche, daß sie einer Stadt in Trümmern verglichen werden kann: „Wir Europäer befinden uns im Anblick einer ungeheueren Trümmerwelt, wo einiges noch hoch ragt, wo vieles morsch und unheimlich dasteht, das meiste aber schon am Boden liegt, malerisch genug — wo gab es je schönere Ruinen? — und überwachsen mit großem und kleinem Unkraute. Die Kirche ist diese Stadt des Unterganges: wir sehen die religiöse Gesellschaft des Christentums bis in die untersten Fundamente erschüttert ...[26]." Gesetzt, das Bild träfe zu, so bleibt doch die Frage, inwieweit mit der Kirche das Christentum im ganzen und mit dem Christentum Religion im allgemeinen vom Verfall betroffen ist. Auf die letztere Annahme deutet zum Beispiel ein Satz in der dritten der „Unzeitgemäßen Betrachtungen": „Wie sieht nun der Philosoph die Kultur in unserer Zeit an? Sehr anders freilich als jene in ihrem Staat vergnügten Philosophieprofessoren. Fast ist es ihm, als ob er die Symptome einer völligen Ausrottung und Entwurzelung der Kultur wahrnähme, wenn er an die allgemeine Hast und zunehmende Fallgeschwindigkeit, an das Aufhören aller Beschaulichkeit und Simplizität denkt. Die Gewässer der Religion fluten ab und lassen Sümpfe oder Weiher zurück ..." Auch der später zentrale Ausruf „Gott ist tot!"[27] könnte so verstanden werden, als sei damit alle Religion gemeint; doch eine einschränkende Erklärung heißt: „... daß ‚Gott tot ist', daß der Glaube an den christlichen Gott unglaubwürdig geworden ist ...[28]." Das Göttliche im nicht spezifisch christlichen Sinn lebt in Nietzsche und seiner Gedankenwelt fort. In einer seiner letzten Schriften stellt er dem „Niedergang des europäischen Theismus" die Ansicht entgegen, daß trotzdem „der religiöse Instinkt mächtig im Wachsen ist"[29]. Und im „Willen zur Macht" distanziert er sich von seinem

Zarathustra, der bloß ein alter Atheist sei und weder an alte, noch neue Götter glaube: „Und wie viele neue Götter sind noch möglich! Mir selber, in dem der religiöse, das heißt gottbildende Instinkt mitunter zur Unzeit lebendig wird: wie anders, wie verschieden hat sich mir jedesmal das Göttliche offenbart[30]!"

Insofern war Nietzsche nicht so weit von Wagner entfernt, wie er es in seiner Polemik gegen den „Parsifal" emphatisch bekundet („Denn was ihr hört, ist Rom, — Roms Glaube ohne Worte!"). Wagner hat in seinem Aufsatz „Religion und Kunst" von 1880, aus der Zeit der Entstehung des „Parsifal", sich aufs stärkste von der Kirche distanziert; er betont, daß sie verfalle und daß die Kunst, zumal seine eigene Kunst berufen sei, „den Kern der Religion zu retten". Nur durch „ihre endliche volle Trennung von der verfallenden Kirche" habe die Musik vermocht, „das edelste Erbe des christlichen Gedankens" zu erhalten. Doch von reiner Erhaltung des Christlichen in unserem Erbe war Wagners synkretistische Kunstreligion weit entfernt.

Auch ganz andere Geister erhofften damals den Ersatz alter durch neue Religion, z. B. Eduard von Hartmann in seiner Schrift „Die Selbstzersetzung des Christentums und die Religion der Zukunft" (1874). Aber der Vorstellung, daß lediglich eine von einer anderen Religion abgelöst werde, stand das Bewußtsein entgegen, daß sich der Atheismus über die Massen der Bevölkerung verbreite und zur Ferne von jeglicher Religion führe. Dieser neue Zustand wird von manchen heidnisch genannt. „La grosse masse rurale, à l'exemple de la grosse masse urbaine, est en train de redevenir païenne", sagt Hypolite Taine[31]. Doch nachchristliche Irreligion ist etwas anderes als vorchristliches Heidentum; das zeigt sich schon am Vergleich zwischen alten Sakrallandschaften und Landschaften, aus denen alle Heiligtümer und religiösen Gegenstände entfernt sind. Ideale der sogenannten Sozialreligionen, wie der Zukunftsstaat, sind nicht einer Gottheit ähnlich, auch wenn sie an die Stelle der Gottheit treten sollen. So strebte Jean Marie Guyau eine Stufe der Menschheit an, die er sich höher dachte als Religion. Von der „dissolution des religions dans les sociétés actuelles" führe der Weg nicht zur Religion der Zukunft, sondern zu dem höheren Ziel, das der Titel seines Buches bezeichnet: „L'irreligion de l'avenir[32]."

Danach wäre Religion für Kultur entbehrlich und künftig durch Besseres zu ersetzen. Ihre Verkümmerung wäre nur die spezielle Verkümmerung eines Sektors der bisherigen Kultur. Sollte sich jedoch herausstellen, daß diese Annahme nicht zutrifft, sollte Religion oder Frömmigkeit irgendwelcher Art für das produktive Leben aller höheren Kultur wesensnotwendig sein, so wäre ihr Ruin Teil eines allgemeinen Ruins dieser Kultur. Das Problem hängt mit dem Problem des Nihilismus[33] zusammen.

Nietzsche schätzte die Bedeutung der Religion für die bisherige abendländische Kultur sehr hoch ein, indem er annahm, daß ihr Ruin katastrophale Auswirkungen haben müsse. Das Ereignis sei zu groß und zu abseits vom Fassungsvermögen vieler, als daß diese bereits wüßten, was alles, nachdem der Glaube an den christlichen Gott untergraben ist, „nunmehr einfallen muß, weil es auf ihm gebaut, an ihn gelehnt, in ihn hineingewachsen war: zum Beispiel unsere ganze europäische Moral. Diese lange Fülle und Folge von Abbruch, Zerstörung, Untergang, Umsturz, die nun bevorsteht ...[34]." Der christliche Glaube wäre demnach das oder ein Fundament, auf welchem das Gebäude unserer Kultur bisher gestanden hat. Nach einer anderen Raumvorstellung bildete er eine Über-Welt leitender Ideen. Diese hätte nun nicht mehr die Kraft, dem Leben oberste Ziele zu setzen und wesentlichen Sinn zu geben. Daß die obersten Werte sich entwertet haben, ist Nietzsches Definition des Nihilismus[35]. Wenn alle Götter tot sind, sagt Maurice Barrès 1885, dann bleibe auch unser Ideal nicht am Leben, und alles werde im Grunde gleichgültig[36].

Sein Maximum an Kraft erreiche der Nihilismus „als gewalttätige Kraft der Zerstörung: als aktiver Nihilismus"[37]. Wenn die Masse der Armen in der Bevölkerung den Glauben an Gott verliert, so wird sie zur Revolution drängen. Für diese Aussicht sei Léon Bloys autobiographischer Roman „Le Désespéré" (1886) zitiert, obwohl die apokalyptische Art seiner Voraussage über den Kreis der Reflexionen, welche hier behandelt werden, hinausgeht. Bloy übt in einer Mischung von Katholizismus und Sozialismus Kritik an den Reichen und Glücklichen der Erde, die den Armen, „non satisfaits de tout posséder — ont imprudemment arraché la croyance en Dieu ... Les dynamiteurs allemands ou russes ne sont que des précurseurs ou, si l'on veut, des sous-accessoires de la Tragédie sans pareille, où le plus pauvre et, par conséquent, le plus *Criminel* des hommes que la férocité des lâches ait jamais châtiés, — s'en viendra juger toute la terre dans le *Feu* des cieux![38]."

### 6. *Auswirkungen der fortschreitenden Wissenschaft, Technik und Wirtschaft*

Im Gegensatz zu den Bereichen der Kultur, welche nach den genannten Auffassungen zu verfallen scheinen, schreiten Wissenschaft, Technik, Wirtschaft und der auf ihnen beruhende materielle Wohlstand um so mehr voran. Doch man stellt die Frage, ob sie nicht durch die Verfolgung ihrer eigenen Ziele den Zielen anderer Kulturgebiete schaden. Durch ihre Verselbständigung bis zum Selbstzweck könnten sie das Ganze in Gefahr bringen, statt sich ihm einzufügen. Die trotz ihrer Problematik auch heute noch verbreitete Auffassung von Kulturen als Organismen legte den Vergleich mit Krebszellen nahe, die sich auf Kosten des Ganzen entwickeln. So gebraucht Paul Bourget das Bild von Zellen, die sich verselbständigen und dadurch den Untergang des Organismus herbeiführen: „Si l'énergie des cellules devient indépendante, les organismes qui composent l'organisme total cessent pareillement de subordonner leur énergie à l'énergie totale, et l'anarchie qui s'établit constitue la décadence de l'ensemble. L'organisme social n'échappe pas à cette loi[39]."

Besonders seit Spengler ist es gebräuchlich, die Mächte des rational-materiellen Aufstiegs als „Zivilisation" und den Inbegriff seelisch-geistiger Gebiete alter Tradition als „Kultur" zu bezeichnen. Damit fällt bei Spengler die Vorstellung zusammen, daß eine Kultur im weiten Sinne des Wortes, z. B. die abendländische, aus einem ersten Stadium, das nun Kultur in einem besonderen Sinn heißt, in ein zweites übergeht, das den noch weniger passenden Namen Zivilisation erhält. Dieses zweite Stadium sei durch Ernüchterung, Industrialisierung, Kommerzialisierung usf. gekennzeichnet. Der Gegensatz zweier solcher Stadien gehörte der Sache nach bereits seit dem späteren 18. Jahrhundert zu den Themen literarischer Diskussion; er gewann erhöhtes Gewicht mit dem steilen Aufstieg der Naturwissenschaften, der Verstädterung usw. im späteren 19. Jahrhundert und mit dem Bewußtsein, daß Religion, Philosophie, Kunst usf. durch diesen Prozeß in Gefahr geraten. Aber auch die verunklärende Bezeichnung des Gegensatzes als „Kultur und Zivilisation" ist viel älter als Spengler[40]. Sie findet sich z. B. bei Vollgraff, Richard Wagner und Nietzsche. An hervortretender Stelle gebraucht sie Ferdinand Tönnies. Im Schlußkapitel seines berühmten Buches „Gemeinschaft und Gesellschaft" (1887) heißt es: „Und da die gesamte Kultur in gesellschaftliche und staatliche Zivilisation umgeschlagen ist, so geht in dieser ihrer verwandelten Gestalt die Kultur selbst zu Ende" S. 288). Das klingt bereits sehr ähnlich wie Spenglers Formel „Zivilisation als das Ende jeder Kultur".

Im Zeitalter der positiven Wissenschaften, das nach Comte auf die Stadien der Religion und Metaphysik folgt, war es zeitgemäß, wenn auch naiv, zu glauben, daß mit immer größerer Ausbreitung der Wissenschaft „das Glück und die Zufriedenheit der kommenden Menschheit" immer mehr wachsen werde[41]. Dagegen hat Flaubert in seinem Spätwerk „Bouvard et Pécuchet" satirisch einiges Unglück dargestellt, das die lerneifrige Beschäftigung mit Wissenschaften in den Köpfen biederer Bildungskonsumenten zur Folge haben kann. Außer konservativen Dilettanten, wie dem „Rembrandtdeutschen", nahmen verschiedenste Geister am unphilosophischen Betrieb der progressiv sich spezialisierenden Forschung Anstoß. Villiers de l'Isle-

Adam, Brunetière, Pelissier warfen ihr vor, daß sie die Welt zu nüchtern mache; sie mindere den Reiz und Charme, durch die das Leben erst lebenswert ist. Der junge Barrès meinte 1885, der Trübsinn gähne über die Welt, welche die Gelehrten ihrer Farbe beraubt haben[42]. Wagner wirft in mehreren seiner letzten Aufsätze der Wissenschaft, die er als „Abgott der modernen Welt" bezeichnet, ihre Schuld an der Vivisektion und der fortschreitenden Erzeugung höchst gefährlicher Vernichtungswaffen vor. Nietzsche sagt in der „Götzendämmerung", er sei siebenzehn Jahre nicht müde geworden, „den entgeistigenden Einfluß unseres jetzigen Wissenschaft-Betriebes ans Licht zu stellen" (S. 124). Wie die heutige Naturwissenschaft, so habe die Historie nihilistische Konsequenzen[43]. „Das Übermaß an Historie", so hatte er in den „Unzeitgemäßen Betrachtungen" ausgeführt, unterdrücke die dem Menschen notwendige Lebenskraft und Sicherheit; das Zuviel an Beschäftigung mit Produkten einstiger Kultur ersticke das eigene Produzieren, und „das rasend-unbedachte Zersplittern und Zerfasern aller Fundamente, ihre Auflösung in ein immer fließendes und zerfließendes Werden, das unermüdliche Zerspinnen und Historisieren alles Gewordenen" zerstöre den Glauben an Beharrliches und Ewiges. Beispiele sind die historische Zersetzung der Theologie, der Philosophie, der Ästhetik. So klettere der überstolze Europäer „an den Sonnenstrahlen des Wissens aufwärts zum Himmel, aber auch abwärts zum Chaos"[44].

Diese Ambivalenz gilt besonders für die Anwendung der Wissenschaft in der Technik. Daß man mit technischen Mitteln neben großen Wohltaten großes Unheil anrichten kann, wurde schon damals erörtert. Die Entwicklung ungeheurer Vernichtungswaffen schien um so bedrohlicher zu sein, als ihre Anwendung dem blinden Trieb und Zufall ausgesetzt sein könnte. Darüber hat Wagner in einem seiner letzten Aufsätze (1880) weitblickend nachgedacht. Angesichts von Panzerschiffen, Torpedos und Dynamit ahnte er, daß man noch viel schrecklichere Vernichtungswaffen erfinden werde. Die „Kriegs-Behörden" würden durch die Naturwissenschaften, namentlich Physik und Chemie, informiert, „daß in ihnen noch ungemein viel zerstörende Kräfte und Stoffe aufzufinden möglich wäre". In der „fortschreitenden Kriegskunst" werden „die rohesten Kräfte der niederen Naturgewalten in ein künstliches Spiel gesetzt, in welches trotz aller Mathematik oder Arithmetik der blinde Wille, in seiner Weise einmal mit elementarischer Macht losbrechend, sich einmischen könnte ... Man sollte glauben, dieses Alles, mit Kunst, Wissenschaft, Tapferkeit und Ehrenpunkt, Leben und Habe, könnte einmal durch ein unberechenbares Versehen in die Luft fliegen[45]." Damit erhielt das Thema der Sterblichkeit einer ganzen Kultur einen neuen Aspekt: die Möglichkeit der schnellen Selbstvernichtung mit eigenen technischen Mitteln.

Was damals über Kommerzialisierung der Kultur gesagt wurde, nimmt manche Äußerungen und Klischees aus jüngerer Vergangenheit vorweg. Es ist ein Grundgedanke des Amerikaners Brook Adams in seinem Buch „The Law of Civilization and Decay" (1895)[46], daß mit fortschreitender Zivilisation der von ökonomischen Motiven beherrschte den imaginativen Menschentypus unterdrücke und daß dies zum Verfall führe. Anzeichen des Niedergangs sah er unter anderem im Kunstbetrieb und in der kommerziellen Profanierung von Werken religiösen Ursprungs. „Der ekstatische Traum, den der Mönch des zwölften Jahrhunderts in den Steinen seines gotterfüllten Heiligtums nachbildete, wird heute zur Verzierung eines Kaufhauses benutzt" (S. 439).

Im kaiserlichen Deutschland wurde der Kapitalismus, wie Georg Steinhausen darlegt[47], von drei Richtungen als Ursache des Verfalls angesehen: von völkisch-antisemitischer Seite, vom Marxismus und von kirchlichen Kreisen. Das Geld, sagt Richard Wagner 1881, werde als „allvermögende Kulturmacht" angepriesen, obwohl es in Sage und Dichtung vom Fluch verfolgt sei. Indem er auf das Symbol im Titel seiner Tetralogie anspielt, fährt er fort: „Der verhängnisvolle Ring des Nibelungen als Börsen-Portefeuille dürfte das schauerliche Bild des gespenstigen Weltbeherrschers zur Vollendung bringen[48]." Jacob Burckhardt, der den Erwerbssinn für „die Hauptkraft der gegenwärtigen Kultur" hielt, erwartete einen katastrophalen Zusammenstoß mit dem Sozialismus: „Einmal werden der entsetzliche Kapitalismus von oben und das begehrliche Treiben von unten wie zwei Schnellzüge auf denselben Geleisen gegeneinander prallen[49]."

### *7. Ergrauen Europas oder Verfall aller Kultur?*

Wie weit reicht der Kulturverfall in Raum und Zeit? Zahlreiche Romane und Dramen, die den Untergang einer Familie darstellen, wie die „Buddenbrooks" von Thomas Mann, haben einen generellen Hintergrund, doch er ist unbestimmt. Nach marxistischer Auffassung sind es nur die bisher oberen Klassen, die verfallen, während die sozialistische Kultur einer großen Zukunft entgegengeht. Andere hielten nur einige Völker: die romanischen und zumal das französische vom Niedergang betroffen, während die germanischen robust voranschreiten; dieser Aspekt, der sich schon um die Jahrhundertmitte und dann besonders vor und nach dem Kriege 1870/71 verbreitete, dauerte teilweise weiter, z. B. in Péladans Romanserie „La

Décadence latine" (1884—1903)[50]. Wieder andere glaubten, daß in einer vorübergehenden Krise nur ein Saeculum zu Ende gehe. „Eine Menschheitsepoche sinkt in den Abgrund der Zeiten hinab", sagte 1890 Heinrich Hart; „und eine neue Geistesaera taucht empor"[51].

Doch nicht jeder tröstete sich damit, daß nur von einem Übergang und keinesfalls von Untergang die Rede sein könne. Nachdem schon der junge Herder das „Ergrauen Europas" vorausgesagt hatte, wurde die Vorstellung vom möglichen Verfall des Abendlandes auf verschiedenem Niveau das ganze 19. Jahrhundert hindurch bis Spengler weitergetragen. Außer den eingangs genannten Autoren sei hier nur der Schwarzwälder Volksschriftsteller Hansjakob erwähnt, der 1877 schrieb: „Das alte Europa ist im Absterben." „Die abendländischen Völker gehen nach meiner Ansicht ihrem Zerfall entgegen[52]."

Wenn aber Westeuropa verfallen sollte, wer wird seine Nachfolge antreten? Schon seit dem 18. Jahrhundert, schon seit Herder hat mancher an Rußland oder Amerika oder an beide gedacht[53]. Danilewskij stellte Rußland die Aufgabe, an der Spitze der slawischen Völker gegen Europa für die Sache der freien Menschheit zu kämpfen[54]. Im Westen ahnten zum Beispiel Donoso Cortès, Nietzsche und Burckhardt die wachsende Bedeutung Rußlands[55]. Daneben verbreitete sich die Annahme kommender „Amerikanisierung"[56]. Die Idee und das Wort wurden zu Gemeinplätzen, so daß Flaubert seinen bonhomme Pécuchet prophezeien lassen konnte: „L'Amérique aura conquis la terre[57]."

Doch indem sich europäische Kultur und Zivilisation mehr und mehr über den ganzen Erdball ausbreitete, zeichneten sich planetarische Zusammenhänge der künftigen Menschheit ab, welche über die Vorstellungen hinausgingen, daß das eine oder das andere Land die beherrschende Weltmacht sein werde. Es war zu erwarten, daß sich dieselben Verfallsprozesse wie bei uns früher oder später überall auf der Erde ereignen werden. So meinte Emil Hammacher, es werde sich schwerlich überhaupt ein Volk der Ausbreitung und den Auswirkungen der westeuropäischen Kultur und ihrem Endergebnis, dem Verfall, entziehen. Mindestens sei zu befürchten, „daß die Kraft des alten Europa, wenn sie in absehbarer Zeit verbraucht sein wird, nicht ersetzt werden kann"[58]. Damit hat auch Spengler gerechnet. Zudem betreffen manche Prozesse, wie das Wachstum der Bevölkerung und die Erschöpfung der Naturbasis, auch unmittelbar die Menschheit im ganzen. Damit näherte man sich Vorstellungen vom Untergang der Menschheit und der Kultur, wie sie später Herbert George Wells im letzten seiner Zukunftsbilder ausgeführt hat[59]. Zur Zeit des Gipfels europäischer und zumal britischer Herrschaft über den Globus heißt es im „Dorian Gray" von Oscar

Wilde gemäß dem Stil des décadentisme: „‚Fin de siècle', murmured Sir Henry. ‚Fin du globe', answered his hostess. ‚I wish it were fin du globe', said Dorian with a sigh. ‚Life is a great disappointment.' "

### *8. Zwischen Fatalismus und Zuversicht*

Der Sachverhalt, um den es im Thema „Die Kultur kann sterben" geht, ist ein verwickeltes Knäuel aus vielen Fäden; populäre Ideologien ziehen einige Fäden heraus und deklarieren sie als volle Wahrheit. In Entwürfen zu seinem unvollendeten satirischen Hauptwerk, das er „une revue de toutes les idées modernes" nennt[60], hat Flaubert solche Simplifikationen über Verfall und Fortschritt zusammengestellt; er verteilt sie auf die beiden Antihelden, die beiden autodidaktischen Bildungskonsumenten. Der eine sieht die Zukunft schwarz, der andere rosig. „Pécuchet voit l'avenir de L'Humanité en noir: L'Homme moderne est amoindri et devenu une machine. Anarchie finale du genre humain ... Impossibilité de la Paix ... Barbarie par l'excès de l'individualisme et le délire de la science" etc. Dagegen ist der andere zuversichtlich. Sogar für den Fall, daß einst die Erde abgenutzt sein könnte, weiß er den Ausweg: dann wird die Menschheit zu den Sternen umziehn. „Bouvard voit l'avenir de L'Humanité en beau. L'Homme moderne est en progrès ... Communion de tous les peuples ... On ira dans les astres, — et quand la terre sera usée, l'Humanité déménagera vers les étoiles[61]."

An vollständigen Verfall in allen Lebensbereichen mußte glauben, wer ihn aus einem Naturgesetz erklärte. Die Wörter für Verfall sind großenteils Naturvorgängen entnommen, z. B. Abenddämmerung, Sonnenuntergang oder Ergrauen, Greisenalter. Versteht man solche Wörter nicht nur bildlich, so wird dem Menschen freies Einwirken auf die Zukunft nur in einem eng begrenzten Spielraum zugestanden. „Jede Kultur", sagte Spengler, „durchläuft die Altersstufen des einzelnen Menschen. Jede hat ihre Kindheit, ihre Jugend, ihre Männlichkeit und ihr Greisentum[62]." Unsere Zeit gehöre zum Stadium des Niedergangs, das sei unser Schicksal. „Wir können es nicht ändern, daß wir als Menschen des beginnenden Winters der vollen Zivilisation und nicht auf der Sonnenhöhe einer reifen Kultur zur Zeit des Phidias oder Mozart geboren sind[63]." „Wir haben nur die Freiheit, das Notwendige zu tun oder nichts[64]."

Schicksal und Notwendigkeit — so sah es oft auch Nietzsche. „Ich beschreibe, was kommt, was nicht mehr anders kommen kann: die Heraufkunft des Nihilismus. Diese Geschichte kann jetzt schon erzählt werden: denn die Notwendigkeit selbst ist hier am Werke. Diese Zukunft redet schon in hundert Zeichen, dieses Schicksal kündigt überall sich an ...[65]." Aber bei Nietzsche ist der Fatalismus nur ein Teilaspekt in der gegensatzreichen Fülle seiner Ideen über Geschichte und Zukunft, und sogar Spengler, welcher reinem Fatalismus nahekommt, sieht im Rahmen der schicksalsgegebenen Situation einigen Raum für noch zu lösende Aufgaben und für Freiheit der Entscheidung. Der Glaube an unabänderliche Notwendigkeit des Untergangs und an völlige Machtlosigkeit gutwilliger Menschen war ein seltenes Extrem. Es wurden ihm Wünsche und Hoffnungen, aber auch sachliche Argumente entgegengehalten.

Ein hauptsächlicher Grund für die Erwartung, daß das Abendland untergehen müsse, war die These, seine Geschichte verlaufe analog zur Geschichte im griechisch-römischen Altertum, welche zum Untergang geführt hat. Dagegen wandte man ein, daß die Analogie erheblich einzuschränken sei. Zum Beispiel hat Theodore Roosevelt, der ältere der beiden amerikanischen Präsidenten dieses Namens, in seiner Auseinandersetzung mit Brook Adams und dessen Buch „The Law of Civilization and Decay" geltend gemacht, dieser habe nur auf solche Züge geachtet, welche unserer Zivilisation mit derjenigen des Hellenismus und der römischen Kaiserzeit gemeinsam sind, aber nicht auf die fundamentalen Unterschiede. So sei es ein entscheidender Unterschied, daß auf der Basis der modernen Gesellschaft nicht der Sklave steht, sondern der Arbeiter[66].

Auch Burckhardt wies auf Unterschiede hin. Die kulturelle Entwicklung seit dem 4. Jahrhundert v. Chr. sei doch weitgehend unabhängig von der politischen Geschichte verlaufen; während sich Griechenland politisch ausgelebt hatte, trat hellenische Bildung einen Siegeszug über große Teile Europas und des Vorderen Orients an[67]. Zudem zeigt sich gerade am Fortleben der antiken Kultur, daß im Laufe der Weltgeschichte die jeweils älteren Kulturen nicht gänzlich untergegangen sind, sondern mit bedeutenden Hinterlassenschaften und Traditionen in die späteren hineinragen. Burckhardt nannte den Hellenismus „das große Mittel der Kontinuität des Geistes zwischen der älteren und der römischen und mittelalterlichen Welt"[68]. Angesichts neuer technischer Möglichkeiten der Reproduktion bestehen erst recht Aussichten für den Fortbestand vieler Schöpfungen und Formen abendländischer Kultur, und zwar auch dann, wenn Europa seine politische Bedeutung in einem Maße einbüßen sollte wie einst das antike Griechenland. Begeistert schrieb Burckhardt 1896 an Heinrich Wölfflin: „Seit der Photographie glaube ich nicht mehr an ein mögliches Verschwinden und Machtloswerden des Großen."

Ferner war die Entfaltung des Christentums über die Zeiten der Völkerwanderung hinaus ein Argument dafür, daß die Geschichte der Religion teilweise unabhängig von der Geschichte der Staaten, der Kunst und anderer Gebiete verläuft. Es war ein Anhalt für die Möglichkeiten künftigen Fortdauerns oder Wiederauflebens von Religion. Paul Bourget und viele mit ihm glaubten darüber hinaus, daß Erneuerung der Religiosität zur Genesung der Kultur führen könne. „Le christianisme est à l'heure présente la condition unique et nécessaire de santé ou de guérison[69]."

Gegen selbstgewisse Propheten skeptisch, hat Burckhardt das Unberechenbare im geschichtlichen Werden betont. Es läßt sich nicht voraussehen, wie produktiv, wie einfallsreich, wie tatkräftig Menschen künftiger Zeiten sein und inwieweit sie sich zu gemeinsamen Aktionen vereinen werden. Vielleicht entwickelt man taugliche Mittel, um schwere Gefahren zu bewältigen, die bisher unüberwindlich gewesen wären.

Ist die Kultur seit ihren ersten Blütezeiten im Altertum fortgeschritten, und ist wirklicher Fortschritt in der Kultur überhaupt möglich? Dazu hat Nietzsche gegensätzliche Ideen entwickelt, ohne sie in ein System zusammenzufassen. An einer der hier wichtigsten Stellen spaltet er den Begriff Kultur in zwei Arten: die bisherige, die sich so unbewußt, zufällig, naturhaft entwickelt habe wie Pflanzen und Tiere, und die künftige, welche durch die Menschheit bewußt geschaffen werden wird. Dieser Unterschied zwischen alter gewachsener und künftiger herstellbarer Kultur berührt sich, ohne sich mit ihnen zu decken, mit dem Begriffspaar „Kultur und Zivilisation" und späteren Unterscheidungen zwischen Kulturen aus gewachsenem Grunde und sekundären Systemen. „Wenn ein Gelehrter der alten Kultur es verschwört, nicht mehr mit Menschen umzugehen, welche an den Fortschritt glauben, so hat er recht. Denn die alte Kultur hat ihre Größe und Güte hinter sich und die historische Bildung zwingt einen, zuzugestehn, daß sie nie wieder frisch werden kann; es ist ein unausstehlicher Stumpfsinn oder ebenso unleidliche Schwärmerei nötig, um dies zu leugnen. Aber die Menschen können mit *Bewußtsein* beschließen, sich zu einer neuen Kultur fortzuentwickeln, während sie sich früher unbewußt und zufällig entwickelten: sie können jetzt bessere Bedingungen für die Entstehung der Menschen, ihre Ernährung, Erziehung, Unterrichtung schaffen, die Erde als Ganzes ökonomisch verwalten, die Kräfte der Menschen überhaupt gegeneinander abwägen und einsetzen. Diese neue bewußte Kultur tötet die alte, welche als Ganzes angeschaut ein unbewußtes Tier- und Pflanzenleben geführt hat; sie tötet auch das Mißtrauen gegen den Fortschritt — er ist *möglich*[70]."

Wenn solche Hoffnung auf die Vernunft, die Kraftfülle und die Einigkeit der künftigen Menschheit guten Grund hat und wenn mit vollem Recht

Kultur zu nennen ist, was sich allein durch kulturpolitische Planung und Organisation zustandebringen läßt, dann hat der fortschrittsgläubige Ludwig Büchner, den wir eingangs zitiert haben, mehr recht als Nietzsches alter Widersacher Wilamowitz. Doch die Argumente, welche den fatalistischen Glauben entkräften, daß Kultur sterben müsse und werde, widerlegen nicht den vorsichtigeren Satz „die Kultur kann sterben". Dieser Satz drückt eine Möglichkeit aus, die sich nicht zu verwirklichen braucht, solange die Konstellation aller Bedingungen hinreichend günstig ist. Er läßt offen, ob in der künftigen Industriegesellschaft der fünf Erdteile oder gegebenenfalls in der nachindustriellen Gesellschaft höhere Kultur, die es wirklich ist, weiterleben oder verfallen wird.

## ANMERKUNGEN

1. Reden und Vorträge, Berlin [2]1902, S. 122 ff.

2. Darüber Gotthart Wunberg, *Utopie und fin de siècle. Zur deutschen Literaturkritik vor der Jahrhundertwende,* in: Dt. Vj f. Litwiss. u. Geistesgesch. 43, 1969, S. 689, 696—701 u. a.

3. *Am Sterbelager des Jahrhunderts,* Gießen 1898, S. 371. Belege für Fortschrittsstolz bei Oberlehrern in den Jahren 1900—1914 bringt K. H. Höfele, *Selbstverständnis und Zeitkritik des deutschen Bürgertums vor dem ersten Weltkrieg.* In: Zs. f. Religions- und Geistesgesch. VIII, 1956, S. 40—58.

4. *Rede zum Jahrhundertwechsel,* aaO, S. 167 und 170; s. a. Weltperioden, S. 134.

5. *La Crise de L'Esprit,* 1919. Oeuvres I, Bibl. de la Pléiade, 1957, S. 988. Später, am Ende des 2. Weltkriegs, notiert Valéry: „L'Europe a fini sa carrière" (Cahiers II, Pléiade, 1974, S. 1552).

6. Zur Problemgeschichte des Themenkreises und über die obengenannten Autoren s. Ed. Spranger, *Die Kulturzyklentheorie und das Problem des Kulturverfalls,* in: Sitzber. Akad. Berlin 1926, abgedr. in Ges.Schriften V, Tübingen 1969, S. 1—29; H. J. Schoeps, *Vorläufer Spenglers,* Leiden 2/1955; ders., *Gegenwart und Zukunft aus der Sicht der Geistes- und Ideengeschichte,* in: Perspektiven für das letzte Drittel des 20. Jahrhunderts, Stuttgart 1968, S. 135—162; Joseph Vogt, *Wege zum historischen Universum. Von Ranke bis Toynbee,* Stuttgart 1961, bes. S. 36 ff.; Walther Rehm, *Der Untergang Roms im abendländischen Denken. Ein Beitrag zur Geschichtsschreibung und zum Dekadenzproblem,* Leipzig 1930; Othmar F. Anderle, *Die klassische Antike als Modell in der morphologischen Interpretation der Hochkulturen,* in: Saeculum 19, 1968, S. 197—223; Wilhelm Krüger, *Das Dekadenzproblem bei Jakob Burckhardt,* Diss. Köln 1929; E. R. Curtius, *Entstehung und Wandlungen des Dekadenzproblems in Frankreich,* in: Intern. Monatsschrift 15, 1921, H. 1 u. 2; s. a. ders., *Die literarischen Wegbereiter des neuen Frankreich,* Bern 1918, Neuaufl.: *Französischer Geist im Zwanzigsten Jahrhundert,* 1952, Einleitung.

7. Dazu s. meinen Aufsatz *Zeitgeist und Gedankenfreiheit. Zur Geschichte der Musikanschauung,* in: Die Musikforschung 26, 1973, S. 4—22.

8. Über pessimistische Strömungen der Zeit s. u. a. G. Steinhausen, *Verfallsstimmung im kaiserlichen Deutschland,* in: Preuss. Jahrbücher 194, 1923, S. 153—185; F. Martini, *Dekadenzdichtung,* in: Reallexikon der Dt. Lit. gesch. I, 1958, 223—229; Hermann Bahr, *Fin de siècle,* Berlin 1891; ders., *Décadence,* in: Die Zeit, Wien 10. 11. 1894, abgedr. in: ders., *Zur Überwindung des Naturalismus. Theoretische Schriften 1887—1904,* hsg. von G.

Wunberg, Stuttgart etc. 1968, S. 167—172; A. Baillot, *Influence de la Philosophie de Schopenhauer en France (1860—1900)*, Paris 1927; Curtius, aaO (s. Anm. 6); Thomas G. West, *Schopenhauer, Huysmans and French Naturalism*, in: Journal of European Studies I, 1971, 313—324; Holbrook Jackson, *The Eighteen Nineties. A Review of Art and Ideas at the Close of the Nineteenth Century*, London 1913; Kurt Pinthus (Hsg.), *Menschheitsdämmerung. Symphonie jüngster Dichtung*, Berlin 1920; Chr. Eykmann, *Geschichtspessimismus in der deutschen Literatur des zwanzigsten Jahrhunderts*, Bern/München 1970.

9. *Der Wille zur Macht*, Ausg. Kröner, Nr. 839.

10. Bibl. de la Pléiade, S. 270.

11. Dazu Fritz Stern, *The Politics of Cultural Despair*, dt. Übers.: *Kulturpessimismus als politische Gefahr. Eine Analyse nationaler Ideologie in Deutschland*, Bern etc. 1963.

12. s. H. Petriconi, *Das Reich des Untergangs. Bemerkungen über ein mythologisches Thema*, Hamburg 1958.

13. Petriconi, aaO, S. 14 f., 129, 131 f., 148.

14. *Untergang des Abendlandes II*, S. 632. Darauf folgen die abschließenden Voraussagen von Kämpfen zwischen Industrietechnik, Hochfinanz und Caesarismus.

15. Z. B. Steinhausen (s. Anm. 8), S. 178.

16. Tschechows letztes Schauspiel (1904) betrifft die Vernichtung eines Kirschgartens und dessen, was dieser Garten an Verbindung von Natur und Kultur (nasci und colere) bezeichnet. Der Geschäftsmann, der ein verschuldetes Gut in der Versteigerung aufkauft, läßt die Kirschbäume abholzen. Das Stück schließt wortlos. Die Regieanweisung besagt, was auf die letzten Worte folgen soll: „Die Fensterläden werden von außen geschlossen und zugenagelt. Auf der Bühne wird es finster ... Die Stille bricht herein ... Und in der Tiefe des Gartens schlagen die Äxte dumpf auf das Holz der Bäume."

17. 10. 9. 81 an M. Alioth (*Briefe*, hsg. M. Burckhardt, Basel/Stuttgart VII, 1969, S. 288). Über „die Ausnützung und Erschöpfung der Erdoberfläche" durch „die materielle Bereicherung und Verfeinerung des Lebens" spricht Burckhardt in seiner *Griechischen Kulturgeschichte*, hsg. von J. Oeri, 2/1902 Bd. IV, S. 23 f.

18. Leipzig-Berlin 1914, S. 294.

19. *Essais de Psychologie contemporaine*, 1883, und *Nouveaux essais de Psychologie contemporaine*, 1885. Vereint und erweitert in: Oeuvres Compl., Critique I, Paris 1899.

20. Zur Überwindung des Nihilismus, aaO (s. Anm. 8), S. 50.

21. „Je crois avoir été un des premiers à signaler cette reprise inattendue de ce que l'on appelait, en 1830, le mal du siècle" (*Avant-Propos de 1885*, S. XVI).

22. ebenda, S. XVII.

23. *The Principles of Sociology*, New York—London 1896, dt. Leipzig 12/1911, bes. S. 312.

24. aaO (s. Anm. 8), S. 18.

25. *A Reply to Max Nordau*, Westminster 1895.

26. *Die fröhliche Wissenschaft*, 1882, Nr. 358.

27. Dazu u. a. E. Biser, *„Gott ist tot". Nietzsches Destruktion des christlichen Bewußtseins*, München 1962.

28. *Fröhliche Wiss.* Nr. 343.

29. *Jenseits von Gut und Böse*, Nr. 53.

30. Ausg. Kröner, S. 677.

31. *Les Origines de la France contemporaine. Le Régime moderne*, Paris II, 4/1894, S. 151.

32. *L'Irreligion de l'avenir. Etude sociologique*, Paris 1886, 9/1904.

33. Zu dessen Entwicklung und Wandlung s. Dieter Arendt, *Der Nihilismus — Ursprung und Geschichte im Spiegel der Forschungs-Literatur seit 1945*, in: Dt. Vierteljahrsschr. 43, 1969, S. 346—369, 544—566.

34. *Fröhliche Wiss.*, Nr. 343.

35. *Wille zur Macht*, Kröner, S. 10.
36. Dazu Curtius, *Literar. Wegbereiter* (s. Anm. 6), S. 12.
37. *Wille zur Macht*, Kröner, S. 21.
38. *L'Oeuvre Compl.* 6, 7 Paris 1948, S. 420, 422; dazu Helmut Kreuzer, *Die Bohème*, Stuttgart 1968, S. 76 f.
39. aaO (s. Anm. 19), S. 15.
40. Dazu u. a. *Kultur und Zivilisation* (Europ. Schlüsselwörter, hsg. von Hugo Moser u. a., Bd. 3), München 1967.
41. L. Büchner, aaO (s. Anm. 3), S. 371.
42. Curtius, *Wegbereiter*, aaO (s. Anm. 6), S. 12 f.
43. *Wille zur Macht*, Kröner, S. 8 f.
44. S. 172 f. und 190 ff.
45. *Ges. Schriften und Dichtungen X*, Leipzig 3/1898, S. 252.
46. Dt. Übersetzung und Erweiterung: *Das Gesetz der Zivilisation und des Verfalles. Mit einem Essay von Theodore Roosevelt*, Wien und Leipzig 1907; zu Adams s. Paul Barth, *Die Philosophie der Geschichte als Soziologie I*, Leipzig 1897, 4/1922, S. 720—727.
47. aaO (s. Anm. 8), S. 167 ff.
48. aaO (s. Anm. 45), X, S. 268.
49. 27. 12. 1890. *Briefe an seinen Freund Friedrich von Preen*, hsg. von Emil Strauß, Stuttgart und Berlin 1922, S. 271.
50. Dazu Curtius, *Dekadenzproblem* (aaO, Anm. 6), 43 ff., 154 ff.
51. *Die Moderne*, in: Der Kunstwart 4, 1890/91, S. 148 (= *Literarische Manifeste des Naturalismus*, S. 144).
52. *Reisewerk über Italien I*, S. 451 f., II, S. 144 f.; Steinhausen aaO (s. Anm. 8), S. 160.
53. Etliche Zeugnisse hat Bernhard Fabian in seiner vorzüglichen Arbeit *Alexis de Tocquevilles Amerikabild* (Heidelberg 1957) zusammengestellt.
54. s. Vogt, aaO (s. Anm. 6), S. 41.
55. s. Schoeps, aaO (Anm. 6), S. 51 f., 78, 85.
56. s. Otto Basler, *Amerikanismus. Geschichte des Schlagwortes*, Deutsche Rundschau 224, 1930, S. 144 ff. Über die Erwartung, daß die Weltherrschaft zunächst an Nordamerika gehen werde, s. auch Steinhausen, aaO (s. Anm. 8), S. 160.
57. Bibl. de la Pléiade II, 985.
58. aaO (s. Anm. 18), S. 296.
59. *Mind at the End of its Tether*, 1945; dt. Übersetzung: *Der Geist am Ende seiner Möglichkeiten*, Zürich 1946.
60. Bibl. de la Pléiade II, S. 704.
61. ebenda, S. 985 f.
62. *Untergang I*, 154.
63. ebenda, I, 62.
64. ebenda, II, 635.
65. *Wille zur Macht*, Kröner, S. 3.
66. aaO (s. Anm. 46), S. XXIII.
67. s. Krüger, aaO (s. Anm. 6), S. 41 f.
68. *Griech. Kulturgesch.*, aaO (s. Anm. 17), IV, 286.
69. Bourget, aaO (s. Anm. 19), S. XI.
70. *Menschliches, Allzumenschliches I*, Nr. 24; s. a. ebenda II, Nr. 179. Dagegen bezeichnet Nietzsche es im *Willen zur Macht* als seine Gesamtansicht, daß der Mensch als Gattung nicht fortschreite und das Niveau der Gattung nicht gehoben werde. „Höhere Typen werden wohl erreicht, aber sie halten sich nicht" (Kröner, S. 460; s. auch S. 65).

HELMUT KOOPMANN

# Entgrenzung. Zu einem literarischen Phänomen um 1900

In den Jahren um 1900, inmitten einer naturwissenschaftlich orientierten Umgebung und eines nüchternen Literatur- und Bildungsverständnisses und damit zu einer Zeit, in der sich in der Literatur der Naturalismus und mit ihm eine vom Kausalitätsdenken wie vom Glauben an das Tatsächliche bestimmte Weltsicht längst unbestritten etabliert hatten, mehren sich die Berichte über poetische Erfahrungen, die dazu in merkwürdigem Gegensatz stehen. Sie nehmen sich wie Beschreibungen neuer Freiheiten und geradezu phantastischer Einblicke und Erlebnisse aus, und an ihnen ist vor allem merkwürdig, daß sie nicht in der Literatur begegnen, sondern durch Literatur vermittelt werden. Es sind Leseerlebnisse eigener Art, die plötzlich beschrieben werden: merkwürdig phantastische Leseeindrücke, die nur wenig mit einer halbwegs normalen und nüchternen Reaktion auf Gelesenes zu tun haben, hingegen viel mit einem rauschartigen Zustand, der gewiß nicht lange vorhält, der aber einzigartige Erfahrungen beschert, wie sie Jahrzehnte zuvor allenfalls der Meskalinrausch auslösen konnte. Es bedarf dazu gar nicht einmal einer auf raffinierte Reize hin erpichten Literatur; höchst banale Geschichten können höchst subtile Reize ausstrahlen und eben jene Leseerlebnisse auslösen, die sich um 1900 häufen und die eine neue Ära in der Wirkungsgeschichte literarischer Texte einzuleiten scheinen. Die Lektüre selbst eines banalen Textes oder einer kapriziösen Darstellung vermag in dieser Zeit Kräfte freizusetzen und Erlebnisse zu bescheren, die in keinem Verhältnis mehr zum gelesenen Text stehen und die das Gelesene zu einem bloßen Anlaß degradieren, zur Initialerfahrung für Einsichten, die dieses Anstoßes bedürfen, um freigesetzt zu werden.

Die Leseerfahrungen, von denen um 1900 häufiger die Rede ist, eröffnen absolut Neues; sie gestatten Ausblicke, wie sie offenbar nur durch das Leben möglich sind. So berichtet der junge Hugo von Hofmannsthal von einem Leseerlebnis, das er 1896 in Venedig hatte, als er den damals gerade erschienenen Roman von d'Annunzio, „Le Vergini delle Rocce", las, eine schon ans Grotesk-Komische grenzende Geschichte von einem heiratswilligen jungen Edelmann, der seinem ungeborenen Sohn eine Mutter suchen will. Hofmannsthal sieht nicht die Banalität der Romanhandlung, sondern eigentlich nur das, was damit in ihm aufgetan worden ist: er spricht von dem „ungeheuren Ausblick", der sich ihm damit eröffnet habe, und er berichtet so enthusiastisch davon, als habe er ein bislang unbekanntes fernes Fabelreich betreten: „Wie ich vor ein paar Monaten mit diesem Buch in Venedig unter den Arkaden saß, war seine Kraft so groß über mich, daß mir unter dem Lesen wirklich manchmal war, als trüge mir der Dichter sein ganzes Land entgegen, als käme Rom näher heraufgerückt, das Meer von allen Seiten hergegangen, ja als drängten die Sterne stärker hernieder. — Denn noch stärker als die hochheiligen Ströme sind die ganz großen Dichter: schaffen sie nicht jenen seligen schwebenden Zustand der deukalionischen Flut, jene traumhafte Freiheit, ‚im Kahn über dem Weingarten zu hängen und Fische zu fangen in den Zweigen der Ulme'[1]?"

Für Hofmannsthal sind hier Mächte sichtbar geworden, die Welten verwandeln können. Vor allem aber vermögen sie seelische Kräfte freizusetzen, wie sie bis dahin unbekannt schienen. Die traditionelle Grenze zwischen Ich und Welt ist in diesem Leseerlebnis aufgehoben; die Dichtung hat sie gesprengt und überwunden, und was bislang in zeitloser Ruhe verharrte, hat sich nun in Bewegung gesetzt, um „von allen Seiten hergegangen" zu kommen.

Es sieht freilich nur so aus. Was sich dem lesenden Ich als Herandringen der äußeren Welt darstellt, ist eine Täuschung. Natürlich rückt Rom so wenig näher, wie die Sterne stärker herniederdrängen. Und die grammatische Struktur des Satzes, der die neue Erfahrung ja nur vergleichsweise beschreibt, läßt das auch deutlich erkennen. Sie besagt, daß es sich bei den Leseerfahrungen anläßlich der Lektüre des d'Annunzio-Romans nicht so sehr um passiv aufgenommene Eindrücke von außen handelt als vielmehr um eine aktive Verhaltensweise des lesenden Ichs: nicht die Außenwelt bewegt sich auf dieses Ich hin, es ist vielmehr die Phantasie des Lesenden, die sich gleichsam auf die Phänomene zubewegt. So muß man die dynamischen Verhältnisse, die Hofmannsthal mit der Fixierung seiner Leseerfahrungen beschreibt, im Grunde genommen umkehren, um recht zu sehen, was sich bewegt und was nicht. Nicht die Einbildungskraft des Dichters ist in Bewegung geraten, sondern vielmehr die des Lesers; aus einem bloß rezeptiven Leseverhalten ist ein eigentümlich kreativer Vorgang geworden. Die ziemlich banale Lektüre (sie ist von Hofmannsthal freilich nicht als solche erfahren worden) hat zu einer hochdifferenzierten Reaktion geführt, in der die raumzeitlichen Grenzen gesprengt erscheinen und die Unwirklichkeit einer phantastischen Vorstellung sich als das einzig Wirkliche darstellt.

Man wertete dieses eigenartige Phänomen, das Hofmannsthal beschreibt, sicherlich falsch, sähe man hier nur die „Kraft" des von Hofmannsthal fast maßlos überschätzten d'Annunzio dokumentiert. Er ist wirklich nur ein Anlaß, bloßer Katalysator für Erfahrungen, die im Grunde genommen nicht objektgebunden sind, sondern nur eines äußeren und oft nicht einmal starken Anstoßes bedürfen, um ausgelöst zu werden. Es handelt sich um Vorstöße der Phantasie in eigentümlich transphysikalische Bereiche, die sich bei Hofmannsthal bei anderer Gelegenheit wiederholen. Ganz verschiedenartige Leseerlebnisse vermögen immer wieder die gleiche Reaktion zu evozieren und Ausgangspunkt für phantastische Erkundungen zu liefern, die sich in einem Punkte aber auffällig gleichen: in der Auflösung der sonst alltäglich erfahrenen, vom Denken der Zeit jedermann verdeutlichten Grenzen von Raum und Zeit. Sie sind bei Hofmannsthal auch bei der Lektüre anderer Autoren durchbrochen.

So hat Hofmannsthal, ebenfalls im Jahre 1896, Gedichte von Stefan George besprochen, in denen er gleichfalls die Welt in Bewegung geraten sah. Wiederum will es Hofmannsthal so erscheinen, als sei es die poetische Vision Georges, die sich der gegenständlichen Welt bemächtigt habe, um ihre Teile neu zusammenzufügen und in eine bislang unbekannte und ungewohnte Relation zu bringen. Aber wiederum ist vor allem die Phantasie des lesenden Hofmannsthal in Bewegung geraten, und der Leseeindruck nach der Lektüre der George-Gedichte ist von dem nach dem Lesen des d'Annunzio-Romans nur wenig verschieden. „Als ein Schwankendes ist die Welt gefaßt", so charakterisiert Hofmannsthal seine Impressionen, „das durch Meere und düstere Gegenden auseinandergehalten, durch Schiffe und Gastfreundschaften zusammengeflochten wird. Vielfache Verhältnisse knüpfen sich schnell: mannigfache Gegenden werden durch den Dichter zusammengebunden"[2]. Hofmannsthal spricht vom „traumhaften Zustand", in den das „Buch der hängenden Gärten" versetze — „Bald über der Welt, bald wie im lautlosen Kern der Erde eingebohrt, immer fernab von den Wegen der Menschen". Es sind bislang unbekannte, die Dinge überraschend neu ordnende Zustände „in der Phantasie", die sich beim Lesen erschließen — und damit wiederum weniger im Gedicht als vielmehr im Aufnahmeprozeß des Lesers — hier des lesenden Hofmannsthal. Es gibt denn auch kaum etwas, was beim Lesen nicht seine symbolische Bedeutung bekäme. Die Landschaft wird zur Chiffre für neue Seelenzustände, die nicht anders zu beschreiben sind als durch einander neu zugeordnete Bilder; und sie werden erst beim Lesen, im Leser lebendig. Ihn versetzen die Gedichte in bislang ungeahnte Empfindungen, in ihm werden die im Gedicht niedergelegten Erfahrungen aktiviert, und ohne ihn blieben sie tote Materie, Wortgerüste und Wortgerippe, die nicht das Leben enthielten, was Hofmannsthal in ihnen pulsen sieht. Es bedarf des Lesers, um zu verwirklichen, was im Gedicht neu formiert erscheint; und auch diese Rezension Hofmannsthals zeigt ebenso deutlich wie die über den Roman d'Annunzios, wie sehr das Gelesene aus der Optik dessen gesehen ist, der alles andere ist als ein stummer Konsument von Poesie, sondern der mit der ganzen Macht seiner Phantasie auf Worte respondiert, die ohne ihn, den Leser, inhaltslose Formeln bleiben müssen.

*

Was sich hier als neue Leseerfahrung abzeichnet, leitet allerdings nicht unbedingt eine neue Phase im Verständnis dichterischer Texte ein. Was Hofmanntshal in d'Annunzios Roman und in den Gedichten Stefan Georges findet und wiederfindet, ist in erster Linie Ausdruck eines neuen Dichtungsverständnisses, wie es sich durchaus nicht nur in Rezensionen, sondern auch anderswo dokumentiert. In den Rezensionen Hofmannsthals spricht sich die Neigung aus, im Medium der Poesie die Grenzen der realen oder zumindest einer als real gesehenen Welt aufzusprengen, um diese vollkommen anders zu erfahren, als Dasein, in dem das Entfernteste nahe kommt und, wie Hofmannsthal es formuliert, „mannigfache Gegenden“ durch den Dichter „zusammengebunden“ werden. Im Gedicht vollzieht sich die visionäre Synopsis eigentlich höchst unverbundener Dinge; und Erfahrungen werden mitgeteilt, die erkennen lassen, wohin das Dichtungsverständnis zumindest Hofmannsthals vor 1900 abzielt: auf die Bestimmung der Poesie als einer autarken Macht, die sich ihre eigene, von der wirklichen Welt von vornherein andere Wirklichkeit schafft. Diese steht zu jener grundsätzlich im Widerspruch, und sie erhält ihre Glaubwürdigkeit und poetische Legitimation offenbar gerade dadurch, daß in ihr die physikalischen Gesetzmäßigkeiten aufgehoben und in ihr Gegenteil verkehrt sind.

Wirklichkeit taucht zwar in der Dichtung noch auf; aber sie steht für etwas anderes, und nirgendwo ist der chiffrenhafte Charakter der in der Dichtung verwandten Realien vielleicht deutlicher zum Ausdruck gebracht worden als in den wenigen Bemerkungen Hofmannsthals, „Bildlicher Ausdruck“ überschrieben, aus dem Jahre 1897 und in der kleinen Skizze „Dichter und Leben“, ebenfalls 1897, wo es heißt: „Das Wirkliche ist nicht viel mehr als der feurige Rauch, aus dem die Erscheinungen hervortreten sollen; doch sind die Erscheinungen Kinder dieses Rauches“[3]. Alle diese Äußerungen unterstreichen das Phantasmagorische der Dichtung. Dichtung ist kein Spiegelbild des Lebens, sondern das Gegenteil, der Versuch nämlich, über die Grenzen der Wirklichkeit hinwegzuspringen zu einer visionären, eigengesetzlich strukturierten Welt, in der das nicht einmal als möglich Vorstellbare als wirklich gegeben ist. In ihr sind die physikalischen Gesetze unwirksam oder auf den Kopf gestellt. Es handelt sich dabei aber durchaus nicht um eine unzugängliche oder esoterische Welt. Sie ist jederzeit kommunizierbar, ja sie wird offenbar erst lebendig im lesenden Nachvollzug der beschriebenen Erfahrungen, der seinerseits neue Erfahrungen freisetzt. Für die poetische Qualität der derart mitgeteilten Erlebnisse ist die Intensität der durch sie ausgelösten Vorstellungen entscheidend. Es handelt sich typologisch gesehen dabei weder um die Beschreibungen einer als gegenwärtig vorgestellten Utopie noch um die eines paradis artificiel, sondern um Träume, die im Leser ihrerseits „jene traumhafte Freiheit" freisetzen, von der Hofmannsthal spricht. Eben das macht aus, was wir Entgrenzung nannten.

*

Was sich wie die Proklamation einer neuen eigenen Kunstauffassung liest, ist freilich in erster Linie offenbar nur eine Reaktion auf naturalistische Kunstvorstellungen und Wirklichkeitsinterpretationen. Das mag bei Hofmannsthal verwundern, aber er spricht, wenn auch zumeist leicht verschlüsselt, zu häufig davon, als daß man das übersehen könnte. In der Rezension Georgescher Gedichte heißt es: „Es ist ein Hauptmerkmal der schlechten Bücher unserer Zeit, daß sie gar keine Entfernung vom Leben haben: eine lächerliche korybantenhafte Hingabe an das Vorderste, Augenblickliche hat sie diktiert. Zuchtlosigkeit ist ihr Antrieb, freudlose Anmaßung ihr merkwürdiges Kennzeichen[4]." Das ist allerdings Georgesches Vokabular, so wie auch von Georgescher Deszendenz ist, was Hofmannsthal als dichterische Gegenwelt zum „Leben" in Georges Gedichten entworfen sieht: „Wir sind in einem Hain, den wie eine Insel die kühlen Abgründe ungeheueren Schweigens von den Wegen der Menschen abtrennen[5]." Aber die Gleichartigkeit mehrerer Stellungnahmen mindert nicht die Aussagekraft der einzelnen. Und wir haben weitere, ähnlich scharf gegen den Naturalismus als eine die Wirklichkeit bloß reproduzierende Kunst gerichtete Äußerungen. In dem kleinen Aufsatz „Poesie und Leben" steht zu lesen: „Ich glaube, daß der Begriff des Ganzen in der Kunst überhaupt verlorengegangen ist. Man hat Natur und Nachbildung zu einem unheimlichen Zwitterding zusammengesetzt, wie in den Panoramen und Kabinetten mit Wachsfiguren[6]." Oder dort auch: „Die Worte sind alles, die Worte, mit denen man Gesehenes und Gehörtes zu einem neuen Dasein hervorrufen und nach inspirierten Gesetzen als ein Bewegtes vorspiegeln kann. Es führt von der Poesie kein direkter Weg ins Leben, aus dem Leben keiner in die Poesie[7]." Wie sehr dieser Aufsatz gegen die naturalistische Dichtungsauffassung gerichtet ist, zeigt sich an einer vierten Äußerung, die noch unmißverständlicher ist und die in aller Deutlichkeit zu erkennen gibt, wie der Begriff des *Lebens* hier zu interpretieren ist: „(...) ich liebe nicht, daß man gemalten Menschen elfenbeinene Zähne einzusetzen wünscht und marmorne Figuren auf die Steinbänke eines Gartens setzt, als wären es Spaziergänger. Sie müssen sich abgewöhnen, zu verlangen, daß man mit roter Tinte schreibt, um glauben zu machen, man schreibe mit Blut[8]."

Den „deutlichen Dingen", dem „Wirklichen" setzt er in den Studien über den englischen Stil eine phantastisch-wesenlose Welt entgegen, die im eigentlichen Sinne grenzenlos ist: „Nichts umgibt uns als das Schwebende, Vielnamige, Wesenlose, und dahinter liegen die ungeheuren Abgründe des Daseins. Wer das Starre sucht und das Gegebene, wird immer ins Leere greifen. Alles ist in fortwährender Bewegung, ja alles ist so wenig wirklich als der bleibende Strahl des Springbrunnens, dem Myriaden Tropfen unaufhörlich entsinken, Myriaden neuer unaufhörlich zuströmen[9]." Mag Hofmannsthal das Ausmaß und die Bedeutung der naturalistischen Literatur auch gar nicht besonders deutlich gewesen sein, so ist doch unverkennbar, daß er gegen eine Denkweise opponiert, die im Wirklichen allein etwas Verläßliches erblickte. Der naturalistischen Dichtung, die überall Determination durch Herkunft und Umwelt sah und die damit immer wieder nur die Eingegrenztheit des Einzelnen beschrieb, stehen hier Entgrenzungsversuche gegenüber mit der Absicht, die zusehends stärker als beengend und damit auch bedrohlich erfahrene Wirklichkeit poetisch-imaginativ zu erweitern. Der Lebensbegriff der Naturalisten ist nicht identisch mit dem Lebensbegriff der nichtnaturalistischen Literatur; er bezeichnet oft geradezu etwas Gegensätzliches. „Leben" war für eine naturalistisch orientierte Dichtung gleichbedeutend mit dem Aufzeigen seiner Grenzen, nicht seiner Möglichkeiten, Leben für die nichtnaturalistische Poesie gleichbedeutend mit der Sprengung der in der Wirklichkeit gesetzten Grenzen. Nicht zufällig hat Hofmannsthal ausdrücklich vom „schönen Leben" gesprochen, wenn er den Gegenbereich der Wirklichkeit charakterisieren wollte. Wir dürfen der Schärfe seiner Argumentation entnehmen, daß er hier die Substanz seiner dichterischen Existenz berührt sah.

Hofmannsthal ist sicherlich der Autor der Jahrhundertwende, bei dem das Phänomen der Entgrenzung besonders gut zu beobachten ist. In seinen frühen Gedichten gibt es kaum eine festumzirkelte Individualität und kein modernes, selbständiges, in sich geschlossenes und in sich ruhendes Bewußtsein. Viel bedeutsamer sind „Stimmungen", traumhafte, flüchtige Seelenzustände. Eben sie hat Hofmannsthal in nahezu allen seinen Gedichten und in den meisten seiner lyrischen Dramen beschrieben und sich dabei spezifischer Erlebnismedien wie des Traumes, der Sehnsucht, des Glücksgefühls der „guten Stunde", des Blickes in den Brunnen oder in den Spiegel, des Versinkens in „dämmernde Gedanken", aber auch noch des Wahnsinns und des Todes bedient, um die Individualität aufzuheben und dem Ich das Eingehen in die große, von Hofmannsthal mythisierte „Natur" zu ermöglichen. Von Voraussetzungen und Absichten dieser Art her ist es verständlich, daß Schopenhauers Philosophie in der Gesellschaft der Jahrhundertwende eine so ungeheuerliche Resonanz haben konnte, zugleich aber auch, daß bereits damals der Boden für Mythisierungen bereitet wurde, wie sie sich vor allem in der Romanliteratur der klassischen Moderne ein bis zwei Jahrzehnte später so ausgeprägt finden: von Thomas Manns „Zauberberg" und Döblins „Alexanderplatz" über Brochs „Schlafwandler" bis zu Musils „Mann ohne Eigenschaften". Nichts konnte die Entgrenzungstendenz schlechter beschreiben und zugleich besser verdecken als der unverbindliche Begriff der „Neuromantik", denn es handelte sich um alles andere als um eine blasse Restitution romantischer Vorstellungen oder um eine bloß ausschwärmende Phantasie. Wo die neue Dichtung um 1900 nicht Reaktion auf naturalistische Forderungen und Vorstellungen ist, da ist sie doch eine solche auf eine vom aufgeklärt-naturwissenschaftlichen Denken immer stärker rationalisierte, eingegrenzte, enger gewordene Welt. Diese als beengend erfahrene Wirklichkeit poetisch-imaginativ zu erweitern, ihre Elemente neu zu synthetisieren, ist das Ziel der Entgrenzungstendenzen.

Die Literatur hat überall Gegenwelten errichtet. Nicht nur die Beschreibung neuer „synthetischer" Erfahrungen, auch die stilisierte Kunst-Natur der Algabal-Welt Stefan Georges ist eine Form der Entgrenzung. An die Stelle der poetischen Deskription der Wirklichkeit, wie sie die naturalistische Prosa gelegentlich bis zur bloßen Inventaraufnahme bestimmt, ist hier eine reine Kunstwelt getreten, die sich im dichterischen Wort selbst erst konstituiert und in der es, prinzipiell darin der Hofmannsthalschen frühen Dichtung sehr verwandt, Entgrenzungen überall dort gibt, wo antike Helden und Faune, Narziß und Götterstatuen allesamt einen Bereich bevölkern, der nichts Natürliches und Wirkliches mehr enthält. Auch George drängte es in seinen Ausbruchsversuchen aus der schal gewordenen Wirklichkeit seiner Zeit in eine mythische oder doch quasi-mythische Kunstwelt hinein; auch bei ihm ist die Stilisierung, wie sie sich bereits im „Jahr der Seele" abzeichnet, in Gedichten wie „Der Herr der Insel" oder im „Algabal"-Zyklus, der erste Schritt zu einer allein noch mythisch begründeten Dichtung, wie sie etwa im „Stern des Bundes" hervortritt oder in allen Gedichten, die mit der Gestalt Maximins zu tun haben. Ganz analoge Feststellungen lassen sich übrigens in der Entwicklung des Thomas Mannschen Mythosbegriffs machen.

Die Nähe Hofmannsthalscher und Georgescher Anschauungen zueinander ist durch die anfänglich guten Beziehungen zwischen beiden und durch Hofmannsthals Mitarbeit an den „Blättern für die Kunst" freilich auch persönlich motiviert. Aber es wäre irrig, die Entgrenzungstendenzen, die sich so genau bei Hofmannsthal und bei George erkennen lassen, damit in Verbindung zu bringen. Sie prägen die neue Literatur kurz vor 1900 und um 1900 grundsätzlich. Was sich ändert, sind allein die Bereiche, die die Entgrenzung ermöglichen. So versucht Rilke, die Grenzen der modernen Wirklichkeit, die zugleich die Grenzen seines eigenen Ichs sind, ebenso zu sprengen, wie George und Hofmannsthal es versuchten. Verse wie

> Mit meinen Sinnen, wie mit Vögeln, reiche
> ich in die windigen Himmel aus der Eiche,
> und in den abgebrochnen Tag der Teiche
> sinkt, wie auf Fischen stehend, mein Gefühl

aus dem Gedicht „Fortschritt"[10] signalisieren deutlich die Entgrenzungstendenzen auch bei ihm. Die spezifische Form der Rilkeschen Entgrenzung ist allerdings nicht das Erlebnis eines rauschhaft, traumhaft oder visionär erfahrenen „schönen Lebens", sondern die Gottsuche. Die besonderen Charakteristika Gottes im „Stunden-Buch" — seine Ungreifbarkeit bei ständiger Gegenwärtigkeit, seine Vertrautheit bei gleichzeitiger Fremde — lassen allerdings den Schluß zu, daß Gott hier auch nur eine Chiffre ist. Rilke sagt Gott, wo Hofmannsthal von der „Natur" spricht; und auch er beschreibt in immer neuen Variationen offenbar nichts anderes als einen unendlichen Annäherungsprozeß an ein Gegenüber, das für Rilke nur mit Hilfe eines mystisch-religiösen Vokabulars beschworen werden kann, das aber gewiß nicht ausschließlich die theologische Macht beinhaltet, die zu beschreiben er vorgibt. Daß wir es sind, die Gott schaffen: gerade dieser Gedanke des „Buches von der Pilgerschaft" läßt erkennen, daß nicht ein im weitesten religiösen Sinne zu verstehender Gott der Gegenstand dieser Poesie ist, sondern das Andere, jenseits der eigenen begrenzten Individualität Liegende schlechthin. Daß wir es sind, die Gott suchen: darin verbürgt sich untergründig und dennoch sehr deutlich zugleich aber auch der Anspruch des *Dichters*, im Gedicht diese Einheit mit dem ganz Anderen wiederherstellen zu können. Das approximative Begreifen des an sich unbegreiflichen Gottes erfolgt im Gedicht: und eben darin spricht sich ein Glaube an die die engen Grenzen der modernen Welt transzendierende Macht der Poesie ebenso deutlich aus wie in der frühen Prosa und Dichtung Hofmannsthals und in der Kunstanschauung und Kunstpraxis des jungen George. Auch hier ist die Dichtung das im Grunde alleinige Medium der Welterfahrung, und das heißt vor 1900 stets: der Erfahrung der Welt als eines Alls, in das der Einzelne, in seiner Individualität Unglückliche und Beschränkte vor allem mit Hilfe der Dichtung und in der Dichtung eintauchen kann, um sich dort, in der „Natur", dem „schönen Leben", in der Spiritualität eines fremdartigen Kunstreichs als Teil eines größeren, nur mystisch beschreibbaren und erfahrbaren Ganzen zu begreifen.

Ähnliches gilt für die Gedichte des „Buches der Bilder". Dort sind es die Dinge, in die Rilke sich in dichterischer Imagination entgrenzt. Im Gedicht „Abend in Skåne" etwa zeigen sich die bei Rilke auch anderswo zumindest latent vorhandenen Entpersonalisierungstendenzen besonders deutlich. Sie manifestieren sich aber auch in den eigentlichen Ding-Gedichten dieser Sammlung („Von den Fontänen", „Das Lied der Bildsäule"), die eine besonders im 19. Jahrhundert lebendige Tradition (Mörike, C. F. Meyer) fortsetzen, und ebenfalls in den Rollengedichten dieser Sammlung. Es sind Gedichte über „die Dürftigen", und sie lassen in der Identifikation des Dichters mit den Rollen des Bettlers, des Trinkers, der Witwe, des Idioten, der Waise, des Zwerges die gleiche Tendenz zur Entgrenzung erkennen, die auch schon die Gedichte des „Stunden-Buches" zeigten. Wenn Rilke die engen Grenzen seiner eigenen Individualität durchbricht und sich imaginär in einer Reihe anderer Daseinsformen hineinbegibt, so ist das auch hier nicht so sehr ein Spiel der poetischen Phantasie als vielmehr einer der vielen Ausbruchsversuche des dichtenden Ichs in die normalerweise als so abseitig und unzugänglich empfundene Welt der ganz Anderen, hinaus über die engen Grenzen des Ichs und einer Existenzform, die im Zeitalter des noch als poeta laureatus herrschenden Geibel und des Geschichte und Gegenwart verklärenden Wildenbruch traditionell noch ganz gesichert erschien. Die Erfahrungsbereiche von Dichtern wie Geibel, Wildenbruch und Schack waren gerade ihrer Traditionalität wegen begrenzt; die neuere Entgrenzung des Ichs führte hingegen zu einer unerhörten Ausweitung der lyrischen Stoffe und Themen, und Dichter wie Hofmannsthal und Rilke dokumentieren diese Erweiterung der Motive und die damit möglich gewordene neue Flexibilität der lyrischen Sprache, der es gelegentlich gelingt, die im Gedicht künstlich synthetisierte Welt in raffinierter Täuschung als Natur vorzustellen. Daß diese Exkurse in ein damit neu gewonnenes lyrisches Terrain dabei an sich gar nicht einmal so revolutionär waren, sondern mit

Huysmans, aber auch mit Baudelaire und Mallarmé Vorläufer hatten, ändert nicht die Qualität dieser neuen Ich-Erfahrung und die ihrer Umsetzung in die Lyrik. Sie gelang im übrigen besonders bruchlos, vollkommen, problemlos da, wo das Ich nicht direkt über seine eigenen neuen entgrenzten Erfahrungen sprach, sondern in die Rollen anderer schlüpfte, um sie darzustellen. An der ja gleichzeitig noch weiterbestehenden traditionellen Lyrik mit ihren „großen", oft patriotisch gefärbten Themen, mit ihren Monumentalismen, der Heldenverehrung und den imperialen Gesten gemessen erscheinen die Motivbereiche der neuen Lyrik vielfach zwar ausgesprochen privat und persönlich, auch wenn bei Hofmannsthal gelegentlich der Kaiser von China spricht. Aber daneben steht eben das Lied des gefangenen Schiffskochs und das des alten Mannes im Frühling. Außenstehende und am Rande Stehende bekommen jetzt Rederecht. Das zeigt zum einen, wie wenig die neuen Erfahrungen der Entgrenzung und der Erweiterung der eigenen Erfahrungen an Äußerliches gebunden sind; es zeigt zum anderen die imaginative Kraft der neuen Poesie. Entgrenzung ist eine Erfahrung der inneren Welt, nicht der äußeren.

*

Es ist sicherlich kein Zufall, daß die so neuen Erfahrungen des Ichs und seiner neuen Grenzenlosigkeit vor allem in der Lyrik und in einigen Mischformen wie den lyrischen Dramen Hofmannsthals ihren Niederschlag gefunden haben. Ebensowenig scheint es zufällig zu sein, daß diese Entgrenzungstendenzen des Ichs dort jedoch problematisch, fragwürdig und geradezu selbstzerstörerisch wurden, wo sie mit sozialen Normen und Vorstellungen der Zeit zusammenstießen. Der literarische Niederschlag dieser Zusammenstöße findet sich vor allem in der Novellistik und der Romanliteratur, gelegentlich auch in der Dramatik des Jahrzehnts vor der Jahrhundertwende und um 1900. Natürlich ist der traditionelle Erzählbereich (und das bedeutet: der historische Roman, die historische Novelle, die schablonisierte Gesellschaftserzählung der Literaturzeitschriften) davon ebenso weitgehend unberührt geblieben wie das Schauspiel nach klassischen Mustern. Um so empfindlicher sind die Reaktionen auf derartige Entgrenzungstendenzen in den noch nicht schablonisierten „sozialeren" Literaturformen gewesen. Zumindest bei einigen bedeutenden Autoren der Jahrhundertwende werden die Darstellungen von Entgrenzungsversuchen zur Beschreibung ihrer Problematik oder auch ihres Scheiterns. Und wir können beinahe als Regel festhalten, daß in der Lyrik die Möglichkeiten der Entgrenzung sichtbar werden, in der erzählenden Dichtung hingegen ihre Unmöglichkeiten. Ein paar Beispiele: Nahezu alle frühen Erzählungen Thomas Manns etwa handeln auf letztlich gleiche Weise vom Zusammenstoß des Einzelnen mit der Gesellschaft; Kern dieses Konfliktes ist immer wieder der Versuch dieser Einzelnen, oft mit einem Übermaß an Phantasie (und das heißt hier zugleich: an Erweiterungsvermögen) Ausgestatteten, die Grenzen ihrer eigenen Existenz zu erweitern, und das Scheitern dieses Versuchs an der Gesellschaft. Dabei ist relativ gleichgültig, ob es sich um eine Liebesgeschichte handelt („Gefallen", 1894, „Der Wille zum Glück", 1896) oder um den Versuch eines Schlechtweggekommenen und vom Leben Vernachlässigten, in die Sphäre der vom Glück Begünstigten vorzudringen („Der kleine Herr Friedemann", 1897), um phantastische Bewußtseinserweiterungen („Der Kleiderschrank", 1899) oder um den (vergeblichen) Versuch, am „Leben" teilzunehmen („Der Weg zum Friedhof", 1900). Es handelt sich in jedem Fall dabei um Bemühungen, die Grenzen der eigenen Existenz aufzusprengen, Erfahrungen zu erweitern, einzugehen in und auf etwas Anderes. Alle diese Erzählungen aber zeigen zugleich das Scheitern dieser Bemühungen, bis hin zum Schicksal Aschenbachs im „Tod in Venedig".

Wie sehr die neue Interpretation des Dichterischen in den letzten Jahrzehnten vor 1900 (mit der Intention, die traditionellen Grenzen des dichtenden Ichs zu erweitern, sich zu entgrenzen) fast automatisch zu Konfliktsituationen mit der Gesellschaft führte, dokumentiert auch das Frühwerk Heinrich Manns. Heinrich Mann hat von den geistigen „Ausschweifungen" im Gefolge der ihn damals berauschenden Philosophie Nietzsches gesprochen — und es ist unschwer zu erkennen, daß damit ein Phänomen gemeint ist, das dem der „Entgrenzung" bei den anderen großen Autoren der Zeit nur zu sehr verwandt war. Heinrich Mann hat ein wenig später vor allem kurz nach der Jahrhundertwende in seiner Romantrilogie „Die Göttinnen oder Die drei Romane der Herzogin von Assy" (1903) eben diese Tendenz in aller Deutlichkeit beschrieben — nicht an und für sich, wohl aber in der Heldin dieser Trilogie, einer „freien, schönen und genießenden" Person, die die Entgrenzung an sich als renaissancehaften Rausch des Lebens erfährt. Der Satz „Alles ist ihr recht, was hohes Lebensgefühl verschafft" steht ähnlichen Bekundungen der anderen Dichter verräterisch nahe. Gemeint war das hohe Lebensgefühl des Individuums, nicht etwa das einer Menge; das Sich-ausleben-Können einer Gestalt, die derart die Grenzen der Individualität sprengt. Die „Ausschweifungen" sind allerdings auch hier die Ausschweifungen der eigenen Phantasie, und wenn sie anfangs auch eben das schufen, was Heinrich Mann „hohes Lebensgefühl" nannte, so folgte diesem auch hier nahezu zwangsläufig die Ernüchterung; diese endete bei Heinrich Mann ebenfalls in der Isolation, und wie Thomas Mann (oder wie Gerhart Hauptmann oder wie Hermann Hesse) hat auch Heinrich Mann diesen Prozeß der Vereinsamung aus einer falschen Künstler-Euphorie heraus beschrieben: im Schriftsteller Mario Malvolto in der Novelle „Pippo Spano", in der der hochgemute Renaissancekult in sich zusammenbricht. Und es spricht für das Nachhaltige dieser Erfahrung, daß Heinrich Mann sie 1906 in „Die Branzilla" noch einmal dargestellt hat.

Entgrenzung und Erweiterung der eigenen Erlebnisbereiche bleiben nichtsdestoweniger Formeln, unter denen sich die Tendenzen der neuen Literatur um 1900 am eindeutigsten fassen lassen, zugleich aber auch Bestrebungen, deren Scheitern in der Prosa immer wieder beschrieben wird. Zu den Erweiterungen des Erlebnisraumes und damit auch der poetisch neu beschreibbaren Bereiche gehört zweifellos auch das, was als „Lebensgenuß" in der Literatur um 1900 eine eigentümliche Faszination ausübte. „Lebensgenuß" ist gleichsam die trivialisierte, materialisierte Form der neuen Erfahrungen, die Dichter wie George und Hofmannsthal als spirituelle und phantastische Erlebnisse dargestellt hatten. Freilich zeigte sich sofort, daß die Erweiterung der physischen Lebenserfahrungen nahezu automatisch ebenfalls zu Konflikten mit der Gesellschaft führte, die traditionelle Normen verletzt sah und die eine derartige Emanzipation entweder radikal bekämpfte oder aber die Verfechter des neuen „Lebensgenusses" in Kriminalität und Untergrund drängte. Charakteristischer noch als einige frühe Novellen Heinrich Manns sind hierfür die frühen Dramen Frank Wedekinds. Das Thema des bislang unterdrückten Lebensgenusses und zugleich aber auch das Unverständnis der Gesellschaft den Verwirrungen gegenüber, die der neu erfahrene Lebensgenuß bringt, behandelt bereits „Frühlings Erwachen" (1890/91). Dort kollidieren die Lebenserwartungen und Hoffnungen Heranwachsender mit einer verständnislosen Umwelt, die nur das Mittel der Korrektionsanstalt kennt und die die Unverstandenen, für die sie (im Namen einer „christlichen Denk- und Empfindungsweise") „eherne Disziplin, Grundsätze" und nichts anderes übrig hat, schließlich in den Tod treibt. „Meine Moral hat mich in den Tod gejagt", stellt einer der jugendlichen Selbstmörder fest. „Moral" und „Lebensgenuß" schließen sich so aus wie die Wirklichkeit und die Entgrenzungstendenz um 1900. Geraten sie in Konflikt, siegt die Moral und mit ihr die Gesellschaft; sie läßt sich, so heißt es am Ende des Stückes, in ihrer Realität nicht leugnen. Wedekind hat dieses Thema in seinen folgenden Dramen vielfach variiert, am eindringlichsten wohl in der Lulu-Doppeltragödie. Dort ist Lebensgenuß als Leidenschaftlichkeit verstanden, mit allen Verirrungen durch Leidenschaftlichkeit. Lulu ist „das wahre Tier, das wilde, schöne Tier", und darin zugleich „die Urgestalt des Weibes". „Lebensgenuß" und „Natur" sind hier nahezu identische Werte geworden. Im ersten Drama triumphieren sie, im zweiten Stück aber endet Lulu und mit ihr das wilde Leben derer, die sich von aller Moral befreit glauben, in Untergang und schändlichem Tod: das „wilde, schöne Tier" hat in der modernen Gesellschaft keinen Lebensraum. Auch noch Wedekinds „Marquis von Keith" (1900) handelt vom „wirklichen Erleben". Keith will sich durch nichts daran hindern lassen, „den allergewichtigsten Lebensgenuß" als sein „rechtmäßiges Erbe zu betrachten". Doch auch er erleidet eine Niederlage und scheitert an der bürgerlichen Gesellschaft, in der ein „Don Quichote des Lebensgenusses" (Keith) nicht möglich ist.

Auch hierin wird man noch gescheiterte Emanzipationsversuche erblikken können: Entgrenzungsbemühungen, gegen eine immer stärker als unglaubwürdig empfundene Gesellschaft gerichtet, in denen Pfahlbürger vom Schlage eines Konsul Casimir letztlich allen Finessen des findigen Keith gegenüber triumphieren. Dieses Unbehagen wird noch zunehmen, nicht nur bei Wedekind, sondern auch bei anderen: bei Thomas Mann in seinem oft als zu „leicht" empfundenen Roman „Königliche Hoheit" (1909), in dem er hellsichtig die Morbidität eines äußerlich noch intakten Staates beschrieb, der dem Einzelnen aber allzu enge Grenzen zog; bei Heinrich Mann im „Untertan" (1918), bei Rilke in den „Aufzeichnungen des Malte Laurids Brigge" (1910). Dutzende von Namen könnten noch folgen, die alle für das gleiche stünden: für den offenbar überall unvermeidlichen Konflikt mit der Gesellschaft, zu dem die Expansionstendenzen in der neuen, nichtnaturalistischen Prosa vor und um 1900 nahezu zwangsläufig führten. Wie weit dieser Konflikt ging, zeigt sich auch bei Autoren, die offenbar gar nicht spezifische Themen der Zeit behandeln, etwa bei Arthur Schnitzler. Auch seine Dichtungen zielen auf die Erweiterung der eigenen Erfahrungen ab, auf die Entgrenzung eines vielfach gefesselten Ichs. Es sind Versuche von Einzelnen, ihre Erlebnis- und Vorstellungsbereiche aufzusprengen: und die Novellen und Romane schildern zugleich die vielfache Vergeblichkeit, ja Sinn- und Zwecklosigkeit dieser Versuche. Schnitzler führt zwar zumeist nur Figuren vor, die ein Rollendasein leben: das süße Mädel, der Offizier, der junge Herr, Er und Sie. Aber sie versuchen überall, aus ihrem Rollendasein, ihrer von der Gesellschaft so unbarmherzig eingegrenzten Existenz zu entkommen, die sie als unwirklich empfinden und die sie nur ein Scheindasein führen läßt. Sie versuchen es vor allem in ihren erotischen Beziehungen, die freilich für etwas anderes stehen: für Beziehungen zu einem Du, das die Grenzen der Rollenexistenz sprengen könnte und damit auch die Scheinhaftigkeit ihres Daseins. Diese Durchbruchsversuche, die nicht weniger Entgrenzungsversuche sind als die pantheistische Allerfahrung Hofmannsthals oder die Lebenssehnsucht in den frühen Erzählungen Thomas Manns, sind am deutlichsten abzulesen in der Sprache der Schnitzlerschen Figuren: im plötzlichen Wechsel vom Salongespräch zur vertrauteren Anrede, im Direktwerden der oft so indirekten, unbestimmten Sprache. Aber Schnitzler läßt diese Versuche, über sich und die eigene, fast schattenhafte Existenz hinauszukommen, fast immer als Versuche enden: die Grenzen der eigenen Existenz sind nicht aufzusprengen, und der jeweilige Rückfall in den Konversationston (am besten zu beobachten im „Reigen") indiziert klar das Scheitern dieser Entgrenzungsbemühungen der in Konventionalität und gesellschaftliche Klischees eingesperrten Individuen. Sie können nicht zu sich selbst kommen, weil sie auch nicht zu den Anderen kommen können, und Schnitzler wird nicht müde, die Vergeblichkeit der Ausbruchsversuche aus dem Ghetto der Rollenexistenz zu beschreiben — eine düstere Verteidigung der Individualität in einer Zeit, in der sie gefährdeter schien denn je und in einer Form, die die Angriffe auf sie deutlicher macht als ihre sehr eingeschränkten Möglichkeiten, sich zu realisieren. Hier zeigt sich aber auch, daß man mit der Kategorie der Individualität den Tendenzen der neueren Literatur um 1900 nicht gerecht wird. Bei Hofmannsthal suchen die Figuren ihrer Individualität zu entkommen, bei Schnitzler suchen sie diese gerade. Gemeinsam ist beiden nur der Wunsch nach Veränderung und Erweiterung ihres Daseins.

Der Kreis derer, bei denen sich ähnliche Tendenzen feststellen ließen, wäre relativ mühelos zu erweitern. Es gab mannigfache Versuche, neue Erfahrungen der Psyche aufzuzeigen, und man kann sich fragen, ob nicht Autoren wie Eduard von Keyserling mit seinen Erkundungen neuer Stimmungen etwa in „Schwüle Tage" oder in „Beate und Mareile" und dem Aufzeichnen auch noch der Atmosphärilien aller seiner Impressionen zum Trotz ebenso dazuzurechnen sind wie etwa Friedrich Huch mit der damals relativ neuen Darstellung kindlicher und jugendlicher Seelenerfahrungen etwa in „Mao" (1907) und mit der Darstellung des seelischen Zwischenreichs der Träume. Man würde diesen Werken kaum gerecht, sähe man hier nur impressionistische Seelengemälde. Auch frühe Erzählungen Hermann Hesses zeigen etwas von der Verlockung und zugleich von der Problematik der Entgrenzung. Selbst ein Titel wie Richard Dehmels „Erlösungen" (1891) erscheint auf dem Hintergrund der Entgrenzungsbestrebungen symptomatisch. Doch es wäre müßig, weitere Namen aneinanderzureihen. Beweiskräftiger ist vielleicht ohnehin, in welchen Themen oder Figuren sich die Tendenz zur Entgrenzung *konkretisiert*. Wir hatten gesehen, daß sich im Bereich der Lyrik die Entgrenzungstendenz vor allem in den Rollengedichten verdeutlichte, aber auch in den traumhaften Erlebnisgedichten, die jenseits aller Wahrscheinlichkeit liegende neue, synthetische Erfahrungen beschreiben. Drama, Roman und Novelle als weniger subjektiv bezogene, „sozialere" Literaturformen haben anders reagiert; dort, wo die Entgrenzungstendenzen gegen die Normen und Grenzen der Gesellschaft stießen, konkretisierte sich dieser Konflikt nicht selten im Typus des scheiternden oder gescheiterten *Abenteurers* und in dem des körperlich oder seelisch *Kranken*. Wir wollen sie abschließend kurz skizzieren, um sowohl die These von der Entgrenzung als eines auffälligen Phänomens in der Literatur der Jahrhundertwende wie auch die von der Problematisierung dieser Tendenz im Konflikt mit der Gesellschaft noch von einer anderen Seite her zu demonstrieren.

Abenteurer gibt es in der Literatur der Jahrhundertwende massenhaft. Sie symbolisieren zugleich die Möglichkeiten wie die Grenzen des Individuums, und sie sind in ihrer Existenz gewissermaßen der Stachel im Fleisch der bürgerlichen Gesellschaft um 1900. In Hofmannsthals „Der Abenteurer und die Sängerin" (1899) ist der Typus sogar zum Titelhelden geworden. Aber er tritt auch dort auf verräterische Weise zahlreich auf, wo er nicht bis in die Titel vordringt. Der Marquis von Keith in Wedekinds Drama gehört ebenso zu den Abenteurern wie der Hochstapler Felix Krull, zu dessen Biographie Thomas Mann um 1910 Studien und Entwürfe macht, wie als Spätgeborener dieser Spezies Schnitzlers Casanova auf seiner Heimfahrt. Ein Abenteurer ist Otto Julius Bierbaums „Prinz Kuckuck" (1907), der sich als erotischer Vagant versucht, ebenso wie Heinrich Manns Professor Unrat, der aus seiner beschränkten und zugleich überheblichen Oberlehrerexistenz in ein Dasein voll abenteuerlicher Exzesse ausbricht und wie Anselmo Rigardi in Schnitzlers später „Abenteurernovelle" (1928), der vor dem Tode ins Abenteuer flieht. Aber das sind nur besonders herausragende Figuren. Die Literatur um 1900 ist gerade in den Randzonen von zahllosen kleinen Abenteurern bevölkert, denen vielleicht nie das große abenteuerliche Erlebnis beschert ist, die aber die phänotypischen Züge des Abenteurers manchmal um so deutlicher erkennen lassen. In Thomas Manns „Buddenbrooks" etwa ist Christian dieser halbe Abenteurer, der sich im Grunde gerne ein Leben lang herumtreiben möchte und der sich schließlich dann doch nur als gestrandeter Bürger wiederfindet. Aber in seiner Jugend ist Christian gereist (das Reisen gehört unvermeidlich zum Abenteurertypus hinzu), und wenn er später auch nur ein höchst armseliges Dasein führt, so bleibt bei ihm doch wenigstens die Erinnerung an seine vergangenen Abenteuer, mit denen er im „Klub" renommieren kann: „(...) kein Zweifel: Christian Buddenbrook war ein ‚Suitier' —, er berichtete Abenteuer, die er auf Schiffen, auf Eisenbahnen, in St. Pauli, in Whitechapel, im Urwald erlebt hatte ... Er erzählte bezwingend, hinreißend, in mühelosem Fluß, mit leicht klagender und schleppender Aussprache, burlesk und harmlos wie ein englischer Humorist[11]." Sein Abenteuerdrang ist zwar letztlich an der Gesellschaft gescheitert. Ihm bleiben jedoch gewisse Surrogate, und Christian Buddenbrook, der schon früh eine heimliche Liebe zum Theater gefaßt hatte, hat im Klub endlich die Bühne gefunden, auf der er seinen Abenteuern noch einmal nachgehen kann — in effigie gewissermaßen. Zum echten Abenteuer hat es nicht gereicht. Um so glühender sind die Farben, in denen sich ihm seine spärlichen wirklich erlebten darstellen. Das Ergebnis ist, wenn man es abrupt einmal so formulieren darf, Theater, oder noch allgemeiner: Kunst — und diese Feststellung ist zugleich reversibel: Kunst ist ein Medium des verhinderten oder gescheiterten Abenteurers, und es ist höchst bezeichnend, daß die Entgrenzung, an der den Helden (so jedenfalls sieht sich der Abenteurer ja stets) die Gesellschaft hindert, in der Kunst (und nur dort allein) stattfindet; und wir haben hier zugleich *eine* Erklärung für das Interesse am Künstler um 1900. Künstler sind Abenteurer, die ihren Entgrenzungsbetrieb kompensiert und sublimiert haben. Das ist freilich nicht bloß negativ zu verstehen. Die Kunst bietet um 1900 einen Freiraum, innerhalb dessen die Grenzen der wirklichen Welt imaginär gesprengt werden können. Die Kunst gestattet Ausbruchsversuche, und sie erlaubt ein Abenteurerdasein im Rahmen der Phantasie, das allerdings oft seinen Surrogatcharakter nicht verleugnen kann[12] — und es scheint wiederum kein Zufall zu sein, daß die Künstler vor allem in der Prosa (und im Drama) auftreten und nicht in der Lyrik, also in der Zone, in der die Entgrenzungstendenzen auf die Schranken der Gesellschaft stoßen. Schon der kleine Graf Mölln, eingezwängt in die Regeln seines Schülerdaseins, schreibt Geschichten: „(...) kürzlich hatte er eine Dichtung vollendet, ein Märchen, ein rücksichtslos phantastisches Abenteuer, in dem alles in einem dunklen Schein erglühte, das unter Metallen und geheimnisvollen Gluten in den tiefsten und heiligsten Werkstätten der Erde und zugleich in denen der menschlichen Seele spielte, und in dem die Urgewalten der Natur und der Seele auf eine sonderbare Art vermischt, gewandt, gewandelt und geläutert wurden, — geschrieben in einer innerlichen, deutsamen, ein wenig überschwenglichen und sehnsüchtigen Sprache von zarter Leidenschaftlichkeit ...[13]." Kai teilt dieses phantastische Abenteurertum mit seinem Freund Hanno Buddenbrook, der musikalisch die Grenzen seiner Existenz durchbricht: Vorhänge zerreißen, Tore springen auf, Dornenhecken erschließen sich, Flammenmauern sinken in sich zusammen in der Beschreibung der musikalischen Exerzitien, und was an sich nur naiv nachempfundener Wagner sein mag, ist bei Hanno „eine Flucht von Abenteuern des Klanges, des Rhythmus und der Harmonie“[14], Beschreibung einer Abenteurerexistenz in der Kunst, weil sie in Wirklichkeit nicht möglich ist. Die Reihe der Abenteurer setzt sich übrigens fort, bis hin zu Gustav Aschenbach. Die Insignien des Abenteurertypus sind bei ihm so deutlich gezeichnet, daß man sich darüber wundern muß, daß man dem bislang so wenig Beachtung geschenkt hat. Die Abenteuerlust überfällt ihn am Münchner Nordfriedhof unbändig: „eine seltsame Ausweitung seines Innern ward ihm ganz überraschend bewußt, eine Art schweifender Unruhe, ein jugendlich durstiges Verlangen in die Ferne, ein Gefühl, so lebhaft, so neu oder doch so längst entwöhnt und verlernt, daß er, die Hände auf dem Rücken und den Blick am Boden, gefesselt stehenblieb, um die Empfindung auf Wesen und Ziel zu prüfen“[15]. Aschenbach identifiziert diese Empfindung anfangs als Reiselust, wobei wir noch einmal feststellen wollen, daß es nie einen Abenteurer gibt, der nicht gerne reist, bis hin zum weltreisenden Felix Krull. Wenig später diagnostiziert er seine Wanderlust aber noch genauer als „Fluchtdrang“, als „Sehnsucht ins Ferne und Neue“, als „Begierde nach Befreiung, Entbürdung und Vergessen“, als „Drang hinweg vom Werke“, und er begründet sich aus seinem allzu bürgerlichen Gewissen heraus, das allerdings durchaus nicht im Gegensatz zu seinem Künstlertum steht, seinen nicht sehr genau geplanten und doch unumgänglichen Ausbruch aus seiner Welt als „Stegreifdasein, Tagedieberei, Fernluft und Zufuhr neuen Blutes, damit der Sommer erträglich und ergiebig werde“[16]. Wir wissen freilich genauer, daß das, was sich hier als privates Schicksal darbietet, in der Literatur der Jahrhundertwende prototypisch ist wie kaum etwas anderes. Auch Aschenbachs Reise ist ein Ausbruchsversuch, auch ein Versuch, der scheitern wird.

Nur um geringe Nuancen verschieden stellt sich der Abenteurertypus übrigens auch bei Wedekind dar: bei ihm möchte der Abenteurer auf ein Land zutreiben, das nicht mehr von dieser Welt ist. Der Marquis von Keith erklärt schon zu Anfang des Stückes: „Ich lasse mich einfach willenlos treiben, bis ich an ein Gestade gelange, auf dem ich mich heimisch genug fühle, um mir zu sagen: Hier laßt uns Hütten bauen![17]“ Auch er wird dort freilich nie ankommen und bleibt letztlich der Geächtete und Ausgestoßene der Gesellschaft. Er kann freilich auch nicht zurück. Sein Satz „Mit der Vergangenheit habe ich abgeschlossen und sehne mich nicht zurück“ ist phänotypisch: Auch Anselmo in Schnitzlers Abenteurernovelle faßt den Entschluß zur Flucht, und so faßt ihn Aschenbach bei Thomas Mann und auch schon und selbst noch Felix Krull, als er seine Heimatstadt verläßt.

Das ist nicht nur eine sichtbare Umsetzung der Entgrenzungstendenz, sondern zugleich Ausdruck ihres Scheiterns. Dieses wiederum zeichnet sich noch deutlicher ab in einem anderen Phänomen, das in der Literatur der Jahrhundertwende mindestens ebenso häufig in Erscheinung tritt: in der Krankheit.

Kranke bevölkern die Welt der literarischen Jahrhundertwende nicht weniger zahlreich als die Abenteurer, vom Kranken in Hofmannsthals Gedicht „Vor Tag" über den Wahnsinnigen im „Kleinen Welttheater" und das Kind in der „Ballade vom kranken Kind" (1891?) zum kleinen Herrn Friedemann bei Thomas Mann, Paolo Hofmann im „Willen zum Glück", zur kranken Asuncion in „Der Tod", zur kranken Frau Klöterjahn und zum kranken Spinell in „Tristan" oder schließlich zum kranken Gustav Aschenbach; Scholz, der Gegenspieler und geheime Bruder des Marquis von Keith, begibt sich ins Irrenhaus, um dort (paradoxerweise) zu gesunden. In Schnitzlers Novellen ist nichts natürlicher und selbstverständlicher als der Zustand der Krankheit, von der Erzählung „Der Sohn" über „Sterben" und „Um eine Stunde" bis hin zur letzten Erzählung „Flucht in die Finsternis". Es genügt nicht, hierin nur allgemeine oder auch besondere Merkmale der Dekadenz sehen zu wollen, Äußerungsformen des Verfalls, wie sie sich am Ende des 19. Jahrhunderts als Epiphänomen eines allgemeinen kulturellen Niedergangs eben auch literarisch abzeichnen. Die Krankheit ist auch nicht bloß ein Kontrastereignis, die nicht zu verbergende Kehrseite eines allzu fraglosen Fortschrittsoptimismus im Gefolge wirtschaftlicher Prosperität, nicht bloß das schlechte Gewissen der Gesellschaft, das sich nicht übertönen läßt. Sie hat eine differenziertere Genese, und gelegentlich wird sie in der Beschreibung pathologischer Zustände auch deutlich. Sie ist alles andere als ein einschichtiges Phänomen, sondern ist das Resultat einer Entwicklung, die sich nicht durchsetzen konnte. In den hier verwandten Termini: Krankheiten sind Entgrenzungsvorgänge, die in Wirklichkeit nicht stattfinden konnten, abgebogene Tendenzen des Individuums, seine eingeschränkte Individualität aufzugeben. An den Krankheiten wird deutlich wie an den mehr oder weniger gescheiterten Abenteurern, an welche Grenzen die Tendenz zur Entgrenzung überall dort stieß, wo sich der Einzelne in einem sozial bestimmten Gefüge sah. Krankheit ist beides: Anzeichen einer durchaus noch vorhandenen Entgrenzungstendenz und zugleich der Beweis der Unmöglichkeit ihrer Verwirklichung. Sie ist der Ausweg, den die Neigung zur Entgrenzung nimmt, wenn sie sich nicht realisieren kann. Demzufolge hat der Tod als Endpunkt der Krankheit durchaus nicht immer etwas Schreckliches an sich, sondern ist gewissermaßen nur die letzte Konsequenz einer Entgrenzung, die realiter nicht stattfinden konnte — und eben von dorther ist die Wirkung der Schopenhauerschen Lehre vom Tod als Befreiung, wie sie sich in den „Buddenbrooks" so deutlich niederschlägt, nur zu verständlich; Krankheit als Krankheit zum Tode, der Tod aber als Verwirklichung einer unbändigen, immer schon dunkel ersehnten, damit aber erst möglich gewordenen Freiheit: er widerlegt und erfüllt die Entgrenzungstendenzen des modernen, gefesselten Individuums gleicherweise. Das könnte kaum besser beschrieben sein als in der Schilderung des Schopenhauer-Erlebnisses in den „Buddenbrooks", in den Reflexen Thomas Buddenbrooks auf die Herausforderung durch Schopenhauers Lehre:

„Was war der Tod? Die Antwort darauf erschien ihm nicht in armen und wichtigtuerischen Worten: er fühlte sie, er besaß sie zuinnerst. Der Tod war ein Glück, so tief, daß es nur in begnadeten Augenblicken, wie dieser, ganz zu ermessen war. Er war die Rückkunft von einem unsäglich peinlichen Irrgang, die Korrektur eines schweren Fehlers, die Befreiung von den widrigsten Banden und Schranken — einen beklagenswerten Unglücksfall machte er wieder gut. — Ende und Auflösung? Dreimal erbarmungswürdig jeder, der diese nichtigen Begriffe als Schrecknisse empfand!"[18]

Das Individuum sieht sich, so meint es Thomas Buddenbrook, im Tod plötzlich befreit aus den Gittern seiner Individualität, befreit aus den Ringmauern der äußeren Umstände; „Heimkehr und Freiheit" sind das, was den Tod wirklich bestimmt. Und so ist auch Hannos Tod nicht nur die Folge einer beklagenswerten Infektion, sondern „ganz einfach eine Form der Auflösung", sein Sterben eine Flucht „auf dem Wege, der sich ihm zum Entrinnen geöffnet hat". Tod ist Flucht und Befreiung, bis hin zu Schnitzlers letzter Novelle, in der Robert eine lange Dorfstraße hindurch in eine freie Landschaft hinausflieht, „immer fort, immer weiter, nichts in sich als den festen Willen, niemals zur Besinnung zu kommen — durch eine klingende blaue Nacht, die niemals für ihn enden durfte (...) bis in alle Ewigkeit"[19]. Der Tod ist die einzige Möglichkeit, das vollkommen zu verwirklichen, worauf sich alle Entgrenzungen richten, und zugleich das Ende aller Entgrenzungen — in diesem Doppelaspekt zeichnet sich noch einmal der unbändige Wunsch nach Entgrenzung ab wie die Unmöglichkeit, sie je realisieren zu können. Krankheiten als Vorformen des Todes aber sind Annäherungen dahin. Man braucht nicht die Freudsche Psychoanalyse zu bemühen, um die eigentliche Bedeutung der Krankheit in der Literatur der Jahrhundertwende zu erkennen.

Gewiß war der Wunsch nach Entgrenzung in vielem bloß eine Reaktion auf den Naturalismus und auf die Welt, deren literarischer Ausdruck dieser war. Aber das mindert nicht seine produktive Bedeutung. Im Bereich der Literatur gibt es kaum etwas anderes als Reaktionen. Wichtiger ist ohnehin, daß hier Probleme sichtbar werden, die die Moderne überhaupt betrafen. Die Kraft der Entgrenzungstendenz und ihren literarischen Niederschlag kann man besser noch als vom Naturalismus her von dem her abschätzen, was folgte: vom Expressionismus. Stefan Zweigs Hymnus auf das Urgedicht, die Kultivierung archaischer Haltungen und Formen, der Versuch, hinter dem Individuum etwas Urtümliches zu erkennen, ist undenkbar ohne die Entgrenzungstendenzen in der Literatur der Jahrhundertwende. Der Expressionismus bezog freilich mehr ein und sah, eine moderne Abart des rückwärts gewandten Prophetentums, in der Urzeit, im Ursprünglichen, im Urgedicht, im längst verlorengegangenen „glühenden Kontakt mit der Masse" eine Möglichkeit, der beengenden Individualität zu entkommen und eine neue „Totalität" zu erreichen. „Umspannendes Weltgefühl" (Edschmid), „Ursprüngliches", „Ewigkeit", Kunst als Versuch, „das Unendliche zu suchen" — Formeln und Formulierungen wie diese zeigen, daß sich die Tendenz zur Entgrenzung auch nach 1900 fortsetzte.

## ANMERKUNGEN

Partien dieses Vortrags berühren sich mit meinem Beitrag über gegen- und nichtnaturalistische Tendenzen in der deutschen Literatur am Jahrhundertende im „Handbuch der Literaturwissenschaft", Bd. 18, Wiesbaden 1976.

1. Hugo von Hofmannsthal, *Prosa I,* Ffm 1956, S. 241.
2. ebenda, S. 246.
3. ebenda, S. 287.
4. ebenda, S. 243.
5. ebenda.
6. ebenda, S. 262.
7. ebenda, S. 263.
8. ebenda, S. 266.
9. ebenda, S. 259.
10. Rainer Maria Rilke, *Gesammelte Gedichte,* Ffm 1962, S. 158.
11. Thomas Mann, *Buddenbrooks,* Ffm. 1965, S. 273.
12. Deutliche Aufschlüsse darüber gibt auch der 1907 entstandene Essay von Sigmund Freud *Der Dichter und das Phantasieren.*
13. Thomas Mann, *Buddenbrooks,* S. 720 f.
14. ebenda, S. 749.
15. Thomas Mann, *Erzählungen,* Ffm 1959, S. 446.
16. ebenda, S. 449.
17. Frank Wedekind, *Prosa, Dramen, Verse,* München 1960, S. 587.
18. Thomas Mann, *Buddenbrooks,* S. 656 f.
19. Arthur Schnitzler, *Die Erzählenden Schriften,* Ffm 1965, S. 984.

JENS MALTE FISCHER

# Dekadenz und Entartung
## Max Nordau als Kritiker des Fin de siècle

Max Nordau heute: ein „bornierter Polemiker"[1], sein Werk von einer „beträchtlichen, unfreiwilligen Komik"[2]? Nordaus Name, der in den letzten dreißig Jahren totaler Vergessenheit anheimgefallen schien, der höchstens eine Assoziation im Zusammenhang mit dem Begriff der ‚Entartung' bedeutete, wenn man an der Geistes- und Begriffsgeschichte des späten 19. und frühen 20. Jahrhunderts interessiert war — dieser Max Nordau ist jüngst in wichtigen Publikationen zur Literatur des Fin de siècle und der Jahrhundertwende wieder aufgetaucht, wenn auch mit schlechten Noten versehen, wie die beiden angeführten Zitate beweisen[3].

Wer war dieser Max Nordau, und wie steht es um sein wohl berühmtestes Buch „Entartung", das das Zentrum der folgenden Untersuchung bilden soll? Daß dieses Buch nicht nur berühmt, sondern auch sehr erfolgreich war, machen folgende Zahlen deutlich: der erste Band des fast 1000 Seiten starken Werkes erschien 1892 in Berlin, der zweite Band folgte 1893. Im selben Jahr wurden beide Bände zum zweiten Male aufgelegt, 1896 zum dritten Male. Die Übersetzungen bezeugen die weltweite Verbreitung: 1893 bereits erscheint die italienische Übersetzung, 1894 die französische und holländische, sowie die rumänische und russische, 1895 die englische. In England erlebte die „Entartung" 7 Auflagen in 4 Monaten — hier und in den USA wurde Nordaus Buch besonders heftig diskutiert. Bereits im Jahr der Übersetzung 1895 erschienen zwei Diskussionsbeiträge von Gewicht: „Regeneration. A reply to Max Nordau" anonym (der Verfasser war Alfred Egmont Hake) und in der amerikanischen Zeitschrift „Liberty" der Essay „The sanity of art" von George Bernard Shaw. Wenig später folgte noch William Hirsch mit „Genius and Degeneration"[4]. Für die Wirkung im deutschsprachigen Raum sei als Beispiel nur ein Brief Edgar Karg von Bebenburgs an Hugo von Hofmannsthal erwähnt, wo es heißt: „Ich lese langsam die Entartung und täte sie gern rasch, rasch durch; aber die Zeit fehlt mir und das ordentlich Wachsein[5]."

Der so erfolgreiche Autor hieß ursprünglich Max Simon Südfeld und wurde 1849 in Budapest geboren. Der Verdacht, daß der Jude Südfeld sich mit dieser nicht unwitzigen Namensänderung künstlich arisieren wollte, erweist sich angesichts Nordaus Entwicklung als unbegründet. Nach seiner eigenen Darstellung nahm er die Namensänderung bereits als vierzehnjähriger Gymnasiast vor, als er sich zum Chefredakteur einer kurzlebigen ‚Zeitschrift für Poesie, Kunst und Wissenschaft' machte[6]. Nordau schwankte zunächst zwischen einer journalistischen Karriere und dem Medizin-Studium. 1873 berichtet er aus Wien für den „Pester Lloyd", die deutschsprachige Zeitung Budapests. Für zwei Jahre geht er anschließend auf Reisen — das Material wird in dem Buch „Vom Kreml zur Alhambra" verarbeitet. Nordau schließt dann sein Medizin-Studium in Budapest ab und läßt sich 1880 als praktizierender Arzt in Paris nieder. Es bleibt ihm anscheinend noch genug Zeit und Kraft, um eine weitverzweigte literarische Tätigkeit zu entfalten. Er berichtet für die „Vossische Zeitung" aus Paris, schreibt Essays und ein Trauerspiel und kann mit seinem Buch „Die konventionellen Lügen der Kulturmenschheit" 1883 einen ersten sehr erheblichen Erfolg erringen, einer Analyse der Kulturszene und einer Attacke gegen Religion und Kirche im Namen von Wissenschaft und Positivismus. Die katholische Kirche setzte das Buch schnell auf den Index, in Österreich, Rußland und England wurde es verboten.

Die zentrale Entscheidung in Nordaus Leben war sicherlich die Zuwendung zum Zionismus (1896). Theodor Herzl, wie Nordau in Budapest geboren und wie er journalistisch tätig, überzeugte ihn von seinen Zielen. Nordau, der bei der Degradierung des Hauptmanns Dreyfus zugegen war, hatte keine Zweifel an der Gefährlichkeit des Antisemitismus. 1897 verfaßte er die Eröffnungsadresse für den ersten zionistischen Kongreß und nahm an allen folgenden Kongressen teil. Neben Herzl darf Nordau als der führende Zionist des deutschsprachigen Raumes gelten[7]. Beim Ausbruch des Ersten Weltkrieges fiel Nordau durch eine pazifistische Erklärung aus dem Rahmen des damals Üblichen. Als österreichischer Staatsbürger wurde er aus Frankreich ausgewiesen und verbrachte die Kriegsjahre schreibend in Madrid. Nach dem Krieg trat Nordau für eine starke Einwanderung der europäischen Juden nach Palästina ein, noch unter dem Eindruck der Judenverfolgungen in Polen und der Ukraine. 1920 kehrte er nach Paris zurück, wo er 1923 starb. 1926 wurde seine Leiche nach Tel Aviv überführt.

Außer den bereits erwähnten Werken sind aus seiner ausgedehnten Produktion zu nennen: das Trauerspiel „Der Krieg der Millionen" (1881), „Paradoxa" (1885), der zweibändige Roman „Die Krankheit des Jahrhunderts" (1888), die Novellen „Seelenanalysen" (1892), das Drama „Die

Kugel" (1894), das Trauerspiel „Doktor Kohn" (1898), der Roman „Zur linken Hand" (1908) und der „Sinn der Geschichte" (1909)[8].

Wenn die voluminösen Bände der „Entartung"[9] auf eine Grundthese zu reduzieren sind, dann findet sich diese in einer Art offenen Briefes, den Nordau statt eines Vorworts dem Buch voranstellt. Hier werden bereits wesentliche Positionen abgesteckt, denn er richtet sich an Cesare Lombroso, ohne dessen Arbeiten Nordaus Buch nicht hätte geschrieben werden können. Nordau behauptet nun, die Methoden Lombrosos auf das Gebiet der Kunst und des Schrifttums auszudehnen, denn: „Die Entarteten sind nicht immer Verbrecher, Prostituierte, Anarchisten und erklärte Wahnsinnige. Sie sind manchmal Schriftsteller und Künstler[10]." Die Welt, die für die Produktionen der zeitgenössischen Kunst, Musik und Literatur schwärmt, muß über deren wahre Natur aufgeklärt werden. „Ich habe es nun unternommen, die Moderichtungen in Kunst und Schriftum möglichst nach Ihrer (d. h. Lombrosos F.) Methode zu untersuchen und den Nachweis zu führen, daß sie ihren Ursprung in der Entartung ihrer Urheber haben und daß ihre Bewunderer für Kundgebungen des stärker oder schwächer ausgesprochenen moralischen Irrsinns, des Schwachsinns und der Verrücktheit schwärmen[11]." Dies mag zunächst als eine Art Grundthese gelten, die dann mit ermüdender Gründlichkeit ausgebreitet und belegt wird, so daß sich ein Panorama der Fin de siècle-Kultur ergibt, wie es in dieser Breite bis heute nicht mehr gewagt wurde. Um verständlich zu machen, was die Verbeugung vor Lombroso bedeutet und was es mit dem Begriff der ‚Entartung' auf sich hat, ist ein Exkurs nötig[12].

Die Frage nach dem Zusammenhang von Genie und Irrsinn ist bereits in der Antike bekannt. Aristoteles wird der Satz zugeschrieben: ‚Kein großer Geist ohne Beimischung von Wahnsinn'. Das 17. Jahrhundert nimmt den Gedanken von den Beziehungen zwischen ‚ingenium' und ‚dementia' wieder auf. Zu Beginn des 19. Jahrhunderts äußert Schopenhauer die Ansicht, daß geniale Individuen mehrere Schwächen zeigen könnten, die sich dem Wahnsinn nähern. In den 30er Jahren des 19. Jahrhunderts beginnt die Seelenforschung sich eine wissenschaftliche Grundlage zu geben. Der französische Arzt Jacques-Joseph Moreau läßt 1859 ein Buch unter dem Titel „La psychologie morbide dans ses rapports avec la philosophie de l'histoire ou de l'influence des névropathies sur le dynamisme intellectuel" erscheinen. Seine These ist, daß Genie Ausdruck einer Neurose sei (Neurose damals noch im Sinn einer *organischen* Veränderung), ein halb krankhafter Zustand des Gehirns. Gesteigerte Reizbarkeit des Nervensystems kann die Quelle für Genie oder für geistige Krankheit sein. Fast ebenso wichtig für die Folgezeit wurde der französische Psychiater Benedict Augustin Morel mit seinem

„Traité des dégénérescences physiques, intellectuelles et morales de l'espèce humaine et de ces causes qui produisent ces variétés maladives" von 1857. Morel bringt den Begriff der ‚Degeneration' ins Spiel, den Nordau dann nur noch als ‚Entartung' übersetzen muß. Seine Grundthese, das sogenannte ‚Morelsche Gesetz' lautet: „Les dégénérations sont des déviations maladives du type normal de l'humanité héréditairement transmissibles, et évoluant progressivement vers la déchéance."

Moreau und Morel wurden in einer breiteren Öffentlichkeit kaum noch beachtet, nachdem ihr Prophet Cesare Lombroso aufgetreten war. Das Hauptwerk des italienischen Arztes „Genio e follia" erschien 1864. Für die Resonanz dieses sich zunächst an medizinisch/psychiatrische Fachleute wendenden Werkes ist die deutsche Ausgabe ein Beweis, die 1887 als Reclamband unter dem Titel „Genie und Irrsinn" in hoher Auflage erschien. Diesem Buch folgten zahlreiche weitere aus der Feder Lombrosos, die sich in den Titeln und auch im Inhalt kaum unterschieden, denn immer geht es um ‚genio', um ‚follia', später auch um ‚degenerazione', ein Begriff, der im Spätwerk Lombrosos an die Stelle von ‚follia' tritt. Wichtig ist noch „Genio e degenerazione' von 1897 (deutsch „Genie und Entartung" 1910), in dem Lombroso Pathographien von Leopardi, Tasso, Byron, Napoleon, Zola, Poe und anderen gibt und damit zum direkten Vorläufer der psychoanalytischen Pathographien wird. Lombrosos Thesen sind, stark verkürzt, folgende: Beim Genie ist die Reizbarkeit der Nerven eventuell bis zum Krankhaften gesteigert. Eine Psychose begünstigt die künstlerische Produktion. Es gibt Gemeinsamkeiten zwischen Genies und Kranken, aber Menschen von Genie müssen keineswegs wahnsinnig sein. Genie ist eine Neurose (Neurose im Sinne Moreaus). Das geniale Schaffen ist Ausfluß einer degenerativen Form von Psychose, die zur Familie der Epilepsie gehört — davon wieder ist das moralische Irresein eine Abart (Epilepsie war damals eine psychiatrische Mode-Diagnose). Degeneration erweist sich oft als Anstoß für die Entwicklung eines gewöhnlichen Geistes zur Genialität.

Lombroso ist kein großer Entdecker und Erneuerer innerhalb seines Fachgebietes gewesen (das waren Moreau und Morel), aber der große Anreger einer weltweiten Diskussion. Daß die These von der epileptischen Psychose des Genies sich schon bald als falsch herausstellte, tat seiner Wirkung keinen Abbruch. Nicht nur die wissenschaftliche Diskussion war intensiv, lebhafter noch war die literarisch-journalistische, denn Lombrosos Ansichten trafen auf das sich ausprägende Dekadenz-Bewußtsein der zweiten Hälfte des 19. Jahrhunderts, auf Künstler, die sich mit Wonne belehren ließen, daß ihre überreizten Nerven, ihre körperlichen Hinfälligkeiten, ihre stimulierten Rauschzustände, ihre erotischen Geschmacksnuancen sie vom Bürger nicht nur negativ unterschieden, daß also (um nur Detlev Spinell anzuführen) kariöse Zähne auch das Stigma des Genies sein konnten. Max Nordaus Buch ist nur das prominenteste Beispiel für Lombrosos Wirkung.

Über die Diskussion nach Lombroso genügen wenige Stichworte. Der Auftritt der Psychoanalyse einerseits, die Fortschritte der Vererbungswissenschaft und der Psychiatrie andererseits haben innerhalb relativ kurzer Zeit das Werk Lombrosos historisch werden lassen. Daß ausgesprochene Geisteskrankheit geniale Leistungen ausschließt, darüber war man sich bald einig. Zu den Beziehungen zwischen psycho-pathologischen Erscheinungen und Genie hat Lange-Eichbaum resümierend formuliert, daß das ‚Bionegative' (worunter er Psychosen, Neurosen, Psychopathien versteht) ein Geniefaktor ist neben Begabungshöhe, Ruhm und Genieverehrung einer ‚Gemeinde': „Ursächliche Quelle des Schaffens ist beim Genialen fast immer das Bionegative, das, im Strom des Werkes fließend, in das Meer des Ruhmes mündet (...) Nicht das Genie ist ‚irrsinnig', sondern der ‚Irrsinn' wird häufiger und eher berühmt, und der mit dem Bionegativen in einer Einheit verschmolzene Ruhm führt eher zum Genie[13]."

Doch zurück zu Nordau. Wie aus dem Vorwort hervorgeht, versteht Max Nordau sich als Fortsetzer des verehrten Meisters Lombroso, der bisher seine Methode leider nur nicht auf die Gebiete der Kunst und Literatur angewandt habe, was nun er, Nordau, gewissermaßen für ihn besorge. Dies kann man nun nicht anders denn als grobe Irreführung der Leserschaft bezeichnen. Lombroso hatte sehr wohl bereits in „Genie und Irrsinn" seine Methode auf Komponisten und Dichter angewandt, wobei er allerdings nicht deren Werke, sondern nur biographische Fakten heranzog. Vor allem aber unterscheidet sich Nordau in einem zentralen Punkt ganz erheblich von Lombroso, und es ist eine der Merkwürdigkeiten dieses Buches, daß er dies nie klar zu erkennen gibt. Gleichsam beiseite gesprochen heißt es zu Anfang des Buches: „Ich bin nicht der Ansicht Lombrosos, daß die genialen Degenerierten eine treibende Kraft des Fortschritts der Menschheit sind"[14] — soviel zu entdecken ist, die einzige Distanzierung von Lombroso, die aber auch nur die halbe Wahrheit enthält. Der entscheidende, aber nie ausgesprochene Unterschied zu Lombroso ist der, daß der Italiener am Genie zwar neurotische, psychopathische und degenerative Züge aufzudecken versucht, die Bedeutung der Werke dieses Genies aber keineswegs in Frage stellt — im Gegenteil erscheinen bei Lombroso die Werke dieser Menschen vor dem Hintergrunde ihrer psychischen, physischen und nervlichen Gefährdung in nur noch strahlenderem Lichte. Für Nordau dagegen ist das Genie nur in höchster geistiger und körperlicher Gesundheit vorstellbar (sein Kronzeuge ist immer wieder Goethe). Statt zu schließen, daß Tolstoj,

Wagner und Swinburne Genies waren, weil sie psychopathische Züge hatten (im Sinne Lombrosos), schließt Nordau: Es waren geistig und körperlich Gestörte, folglich waren es keine Genies. Genau diese Unterschiede hat Lombroso selbst (da Nordau damit nicht so recht herausrücken wollte) in einer Polemik gegen Nordau scharf herausgearbeitet, die im Tone höflich (er spricht vom ‚teuren Waffenbruder' vom ‚modernsten Denker unserer Zeit'), in der Sache aber kompromißlos ist[15].

Diese Diskrepanz wird schlagend deutlich in einem Vergleich zwischen Nordaus Behandlung Dante Gabriel Rosettis und der Pathographie Rosettis, die sich in Lombrosos „Genie und Entartung" befindet. Lombroso bezieht seine Argumente aus der Lebensgeschichte Rossettis, die ja an Merkwürdigkeiten nicht arm ist, behandelt seinen Abusus von Chemikalien, schildert seinen körperlichen Verfall, betont dabei aber immer, daß sich Rossetti „mitten in diesem gesamten Zusammenbruch unversehrt den Genius" bewahrte[16]. Nordau dagegen läßt biographische Tatsachen ganz beiseite. Er geht von der ‚Interpretation' des Gedichtes „The blessed damozel" aus und möchte nachweisen, daß es sich dabei nur um sinnlose Redensarten, um mystischen Dusel handele (zum Vergleich zieht Nordau Ludwig Uhland heran, den er Rossetti positiv gegenüberstellt) und daß die stilistischen Eigentümlichkeiten des Autors wie Kehrreime, Klangassoziationen etc. nur typisch seien für die Hirnarbeit schwachsinnig Entarteter[17]. Nordaus Absicht ist es also, um dies noch einmal zu wiederholen, einen Großteil der künstlerischen Produktion der zweiten Hälfte des 19. Jahrhunderts, zeitlich eingegrenzt von Wagner, Baudelaire und den Praeraffaeliten einerseits, Bahr, Maeterlinck und anderen andererseits, als die Hervorbringung von physisch und psychisch Degenerierten zu entlarven, die nur ein verführtes, hysterisches Publikum als Genies mißverstehen könne. Wie Nordau diese Absicht verwirklicht, das soll nun ein Abriß verdeutlichen, der die Lektüre nicht ersetzen, sie aber anregen (oder vielleicht auch ersparen) kann.

Zunächst wird die Grundstimmung der Zeit, die unter dem Begriff „fin de siècle" zusammengefaßt wird, vorläufig umschrieben und in einzelnen Ausprägungen faßbar gemacht, jene „praktische Lossagung von der überlieferten Zucht, die theoretisch noch zu Kraft besteht"[18]. Nordau versucht eine Art Phänomenologie des Fin de siècle-Typus zu geben: er beschreibt seine Kleidung, seine Frisur, seine Wohnungseinrichtung, beobachtet ihn in einer Kunstausstellung, im Konzertsaal, wo er der Musik von César Franck lauscht, in der Oper, wo er sich den Wonnen von Wagners „Tristan" hingibt. Die Bücher, die plötzlich Mode sind, werden so beschrieben: „Die Klasse, die im Vordertreffen der Gesittung einherzieht, hält sich die Nase vor der Senkgrube des ungemilderten Naturalismus zu und beugt sich mit Teilnahme und Neugierde über sie erst dann, wenn mit schlauen Kanalisationskünsten auch etwas Boudoir- und Sakristeiduft hineingeleitet worden ist"[19] — ein prägnantes Beispiel für die Beobachtungs- und Formulierungsgabe Nordaus, die ihm attestiert werden muß.

Als es dann an die Diagnose dieser Zeiterscheinungen geht, fährt der Mediziner Nordau schweres fachliches Geschütz auf (er zitiert ausgiebig Morel und Lombroso), um den Nachweis zu führen, daß die Fin de siècle-Stimmung und ihre Manifestation in der künstlerischen Produktion die allerdeutlichsten Symptome der Degeneration und Hysterie zeige, wie etwa Selbstsucht, geistige Kraftlosigkeit, leere Träumerei und Mystizismus. Die Ursachen für diese schweren Störungen seien im Mißbrauch der Genußgifte, in der negativen Wirkung der Großstädte, der Überbeanspruchung der Menschen durch die Verkehrs- und Kommunikationsmittel und die Informationsflut zu suchen.

‚Mystizismus' ist für Nordau ein Hauptmerkmal der ‚Entartung', ein Geisteszustand, in dem man unerklärliche Beziehungen zwischen den Erscheinungen wahrzunehmen glaubt, hinter den Dingen geheimnisvolle Kräfte verspürt und dunkle Gewalten ahnt. Begleiterscheinungen dieses Zustandes sind Unfähigkeit zur Aufmerksamkeit, planlose Hirntätigkeit, schattenhaftes Denken, verwaschene Ausdrucksweise und überbetonte Sexualität, — letztere rühre daher „daß gewisse organische Nervenzentren, namentlich die geschlechtlichen im Rücken- und im verlängerten Mark bei Degenerierten häufig mißbildet oder krankhaft erregt sind"[20].

Diesen Mystizismus sucht Nordau in allen wesentlichen Kunstrichtungen der Zeit nachzuweisen, zunächst (damit zeitlich zurückgreifend) bei den englischen Praeraffaeliten, dann bei den französischen Symbolisten. Hier kann nun der in Paris lebende Nordau seine erstaunliche Kenntnis der französischen Literaturszene wirksam einsetzen: die Lebensführung, die Gruppenbildungen, die Zeitschriften der Symbolisten, alles wird bis in obskure Randfiguren hinein minutiös ausgebreitet. In seiner vorzüglichen Untersuchung der Rezeption des französischen Symbolismus in der deutschen Literatur der Jahrhundertwende kann Manfred Gsteiger nicht umhin, Nordau Vollständigkeit und genaue Lektüre zu attestieren: „In dieser Hinsicht nimmt Nordau in der deutschen Publizistik in der Tat eine Sonderstellung ein[21]." Einmalig ist aber sicher auch sein resümierendes Urteil über Verlaine (von dem ihm einzelne Gedichte durchaus gefallen), das als prototypisch hier zitiert sei:

„So steht nun das Bild dieses gerühmtesten Führers der Symbolisten deutlich vor uns. Wir sehen einen abschreckenden Entarteten mit asymmetrischem Schädel und mongolischem Gesicht, einen impulsiven Landstreicher und Säufer, der wegen eines Sittlichkeitsverbrechens im Zuchthaus gesessen hat, einen schwachsinnigen emotiven Träumer, der schmerzlich gegen seine bösen Triebe ankämpft und in seiner Noth manchmal rührende Klagetöne findet, einen Mystiker, dessen qualmiges Bewußtsein Vorstellungen von Gott und Heiligen durchfluten, und einen Faselhans, der durch unzusammenhängende Sprache, Ausdrücke ohne Bedeutung und krause Bilder die Abwesenheit jedes bestimmten Gedankens in seinem Geiste bekundet. Es gibt in Irrenanstalten viele Kranke, deren geistiger Verfall nicht so tief und unheilbar ist wie der dieses zu seinem eigenen Schaden frei herumgehenden ‚zirkulären' Unzurechnungsfähigen, den nur unwissende Richter wegen seiner epileptoiden Verbrechen haben verurteilen können[22]."

Zu den Erscheinungsformen des ‚Mystizismus' gehören auch der „Tolstoiismus" und der „Richard-Wagner-Dienst". Beide Kapitelüberschriften machen deutlich, daß Nordau Rezeptions- und Wirkungsforschung avant la lettre anvisiert. Das Tolstoi-Kapitel bleibt blaß und nichtssagend, das Wagner-Kapitel hingegen gehört zu den erstaunlichsten des Buches und auch zu den ausführlichsten, was so begründet wird: „Der eine Richard Wagner ist allein mit einer größeren Menge Degeneration vollgeladen als alle anderen Entarteten zusammengenommen, die wir bisher kennengelernt haben[23]." Nordau beginnt mit einer Analyse der „Bayreuther Blätter", jener Hauszeitschrift der Wagnerianer, an der unter den wachsamen Augen Cosima Wagners unter anderen Houston Stewart Chamberlain und Hans von Wolzogen mitarbeiteten — sein Urteil darüber kann auch heute bestehen bleiben. Die Untersuchung des Wagnerschen Werkes geht sehr schnell von musikalischen Fragen (zu denen Nordau nichts Wesentliches beitragen kann) auf seine Schriften über, in denen er ‚Graphomanie' am Werke sieht, auch das ein Merkmal der Entartung, und zwar die Diagnose für Leute, die, vereinfacht gesagt, die Tinte nicht halten können. Nordau ist vor allem dort frappierend, wo er die Rolle Ludwigs II. als Vorreiter der Wagner-Begeisterung untersucht und wo er mit großer Treffsicherheit Wagners bedenkliche Ideologeme aufs Korn nimmt, seinen Antisemitismus, seinen Chauvinismus, seinen Vegetarismus, seine Stellungnahme gegen die Vivisektion u. a. — in dieser brisanten Mischung sieht Nordau eine Zusammenfassung der Ideologie des deutschen Bürgertums nach 1871:

„Als daher die schwärmerische Freundschaft des Königs Ludwig von Bayern für Wagner diesem erst das nöthige Ansehen gegeben und die allgemeine Aufmerksamkeit Deutschlands auf ihn gelenkt, als das deutsche Volk Wagner mit seinen Eigenheiten kennengelernt hatte, da mußten ihm alle Mystiker des jüdischen Blutopfers, der wollenen Hemden, des pflanzlichen Küchenzettels und der Sympathiekuren nothwendig zujauchzen, denn er war die Verkörperung aller ihrer Zwangsvorstellungen. Seine Musik nahmen sie bloß mit in Kauf. Die weitaus größte Mehrheit der Wagner-Fanatiker verstand nichts von ihr. Die Gemüthserregungen, die sie bei den Werken ihres Abgottes empfanden, gingen nicht von den Sängern und dem Orchester aus, sondern zum Theil von der malerischen Schönheit der Bühnenbilder und zum größern Theil von den besonderen Delirien, die sie ins Theater mitbrachten und als deren Wortführer und Vorkämpfer sie Wagner verehrten[24]."

Wenn Nietzsche und Shaw diejenigen waren, die im 19. Jahrhundert am scharfsinnigsten über Wagner geschrieben haben, so muß man Nordau zugestehen, daß er (bei aller Vergröberung) ähnliches in bezug auf die Wagnerianer geleistet hat — das Zitat vermittelt davon einen Eindruck.

Die Nordausche Analyse des ‚Mystizismus' wird abgeschlossen durch das, was er ‚Parodieformen der Mystik' nennt, also z. B. die ausführliche Behandlung von Spiritismus und Okkultismus bei Autoren wie Stanislas de Guaita und Peladan. Hat man einmal einen Blick in die Werke Peladans geworfen, der sich Sar Merodack nannte und als Abkömmling assyrischer Magier und Könige verstand, so scheinen Nordaus Diagnosen der Wirklichkeit nahezukommen. In Maurice Maeterlinck schließlich sieht Nordau die ‚kindisch gewordene Mystik' verkörpert.

Damit ist der erste Band der „Entartung" abgeschlossen. Der zweite wird eröffnet mit der Untersuchung der ‚Ich-Sucht', eine Degenerationserscheinung, die vor allem durch die Überschätzung der eigenen Beschäftigung gekennzeichnet ist. So wie für Nordau der ‚Mystizismus' bei den Präraffaeliten einsetzte, so stehen am Beginn der ‚Ich-Sucht' die französischen Parnassiens, als deren Zentralfigur er Baudelaire interpretiert.

Nordaus Urteil über Baudelaire kann nach dem über Verlaine nicht überraschen:

„Er ‚betet sich selbst an'; verabscheut die Natur, die Bewegung, das Leben; träumt ein Ideal von Unbeweglichkeit, ewiger Stille, Ebenmaß und Künstlichkeit; er liebt die Krankheit, die Häßlichkeit, das Verbrechen; alle seine Neigungen sind in tiefer Verirrung denen der gesunden Menschen entgegengesetzt; seinen Geruchssinn erfreut Fäulnisduft, sein Auge der Anblick von Aas, Eiterwunden und fremdem Schmerz; er fühlt sich in kothigem und nebeligem Herbstwetter wohl; seine Sinne erregt nur widernatürliche Lust. Er klagt über entsetzliche Langeweile und Angstgefühle; seinen Geist erfüllen blos finstere Vorstellungen, seine Ideen-Assoziation arbeitet ausschließlich mit traurigen oder ekelhaften Bildern; das Einzige, was ihn zerstreuen und anregen kann, ist das Schlechte: Mord, Blut, Geilheit, Lüge. Er betet zu Satan und sehnt sich nach der Hölle.[25]"

Das Erbe Baudelaires treten die ‚Decadenten und Ästheten' an: Villiers de l'Isle Adam, Barbey d'Aurevilly und Joris Karl Huysmans, dessen des Esseintes aus „A rebours" Nordau als prototypische Decadence-Figur analysiert — hierin ist ihm die Forschung bis auf den heutigen Tag gefolgt. Den Dekadenten in Frankreich entsprechen die Ästheten in England mit der Hauptfigur Oscar Wilde. Daß auch Wilde negativ beurteilt wird, überrascht keinen Leser, vielleicht aber doch die Tatsache, daß Nordau einer der ersten war, die nach Wildes Verurteilung eine Protestresolution französischer Literaten unterschrieben[26].

In Ibsen sieht Nordau den Dichter der ‚Ich-Sucht', in Nietzsche ihren Philosophen. Nach dem Wagner-Kapitel, das so manche Ähnlichkeit mit der Polemik Nietzsches gegen Wagner aufweist, hätte man vermuten können, daß Nordau verwandte Züge entdecken würde, doch weit gefehlt. Der geistige Zusammenbruch Nietzsches, der gerade drei Jahre zurücklag, war ein zu verführerischer Beleg für das Endstadium der Entartung, der Nordau aber noch nicht auszureichen scheint, denn er erfindet zusätzlich mehrere Aufenthalte Nietzsches im Irrenhaus und erklärt ihn kurzerhand für von Geburt an wahnsinnig — grobschlächtiger hat Nordau kaum argumentiert.

Im Abschnitt ‚Realismus' (der das behandelt, was man ‚Naturalismus' zu nennen gewohnt ist) wendet sich Nordau zunächst Zola und dann zum ersten Male der deutschen Literaturszene zu. Autoren, die man dem deutschsprachigen Fin de siècle zurechnen kann, wie Auernheimer, Dörmann, Holitscher, Martens, Schaukal traten mit ihren einschlägigen Werken erst nach dem Erscheinen der „Entartung" auf; deshalb sind in Nordaus Blickfeld nur Autoren, die dem Grenzbereich des Naturalismus zugehören, wie Bleibtreu, Kretzer, Tovote, Holz, Schlaf, Henckell. Einzig Gerhart Hauptmann kann vor den kritischen Augen Nordaus einigermaßen bestehen, vor allem mit seinen „Webern".

Die „Entartung" schließt mit einem Ausblick ins ‚Zwanzigste Jahrhundert'. Nordau entwirft ein wahrhaft schauriges Bild der Zukunft, falls der Prozeß der ‚Entartung' weiter so voranschreite wie bisher, doch es erweist sich, daß er alles andere als ein Kulturpessimist ist, denn seine darwinistisch geprägte Prognose lautet:

„Die Zeithysterie wird nicht dauern. Die Völker werden sich von ihrer heutigen Ermüdung erholen. Die Schwachen, die Entarteten werden untergehen, die Starken sich den Errungenschaften der Gesittung anpassen oder diese ihrem eigenen organischen Vermögen unterordnen. Die Verirrungen der Kunst haben keine Zukunft. Sie werden verschwinden, wenn die gesittete Menschheit ihren Erschöpfungszustand überwunden haben wird. Die Kunst des zwanzigsten Jahrhunderts wird in allen Punkten an die der Vergangenheit anknüpfen, aber sie wird eine neue Aufgabe zu erfüllen haben: die, in die Einförmigkeit des Kulturlebens anregende Abwechslung zu bringen, eine Wirkung, die wohl erst viele Jahrhunderte später die Wissenschaft allein bei der großen Mehrheit der Menschen zu üben im Stande sein wird[27]."

Wie kann dieser Prozeß der Gesundung beschleunigt werden? Nordau schlägt eine radikale Therapie vor:

„Das ist die Behandlung der Zeitkrankheit, die ich für wirksam halte: Kennzeichnung der führenden Entarteten und Hysteriker als Kranke, Entlarvung und Brandmarkung der Nachäffer als Gesellschaftsfeinde, Warnung vor den Lügen dieser Schmarotzer[28]."

Es wird Zeit, Bilanz zu ziehen und dabei zunächst jene Seiten in Nordaus Werk zu ‚würdigen', die den zu Anfang zitierten harten Urteilssprüchen von Koppen und Gsteiger zur Bestätigung dienen können und sie sogar noch als zu mild erscheinen lassen werden.

Zunächst einmal hat Nordau die Methoden Lombrosos, auf die er sich beruft, in einem Lombrosos Intentionen verfälschenden Sinn angewandt, ohne dies dem Leser klar zu machen. Er hat jede auch nur entfernte Ähnlichkeit einer literarischen Verfahrensweise (sei sie auch noch so traditionsreich) mit Symptomen, die Geisteskranke zeigen (nach dem Wissensstand der damaligen Psychiatrie) dazu benutzt, um die ‚Entartung' ihrer Verfasser zu beweisen. Der Mantel der Wissenschaftlichkeit und der Fachterminologie verbirgt nur ein im höchsten Grade antiwissenschaftliches Verfahren. Nordau benutzt außerdem seine Belesenheit in der französischen Literatur, um den nicht so gut informierten deutschen Leser irrezuführen: er zitiert sehr viel, aber nur in den seltensten Fällen im Original, sondern gebraucht das perfide Verfahren, von symbolistischer Lyrik Prosaübersetzungen aus eigener Werkstatt wiederzugeben, die auf Lächerlichmachung des Originals angelegt sind.

Nordau macht sich über weite Strecken zum Anwalt des deutschen Bildungsbürgertums in der zweiten Hälfte des 19. Jhs., das gegenüber allem Neuen und Unverständlichen in der Literatur und bildenden Kunst und Musik zunächst Vorurteile hat, den Niedergang der Zeiten beklagt und sich am Maßstab der Weimarer Klassik orientiert. Goethe ist für Nordau das Urbild des gesunden Genies, er sieht die in der Klassik eroberte Führungsposition der deutschen Literatur als zur Zeit verloren an — sie gelte es wiederzuerobern und abzuschirmen gegen schädliche Einflüsse vor allem aus Frankreich. Die langlebige These vom ‚degenerierten Frankreich' hat in Nordau einen beredten Verteidiger (ihm voran ging der deutsche Psychiater Karl Stark mit seinem 1871 erschienenen Buch „Die psychische Degeneration des französischen Volkes, ihr pathologischer Charakter, ihre Symptome und Ursachen"[29]).

Nordau erweist sich als extrem wissenschaftsgläubiger Rationalist, der alles, was nicht in sein eindimensionales Weltbild paßt, als ‚entartet' disqualifiziert. Hinzu kommt eine ambivalente Kunsteinschätzung: Nordau war der Ansicht, daß in fernerer Zukunft Kunst und Literatur nur noch Atavismen sein würden, deren Aufgaben völlig von der Wissenschaft übernommen werden könnten. Für die Gegenwart akzeptierte er Kunst, solange sie Schönheit und Sittlichkeit transportiere (wie seiner Ansicht nach in der Weimarer Klassik). Weicht sie von diesem Pfad ab, so ist sie erbarmungslos zu verfolgen. Selbst die ‚gesunden' Genies unter den Künstlern sind für Nordau keineswegs die Blüte der Menschheit. In einem späteren Werk der „Psychophysiologie du Genie" von 1897 hat Nordau eine Rangfolge der Genies aufgestellt: 1.) Gesetzgeber und Staatsmänner, 2.) Erfinder und Entdecker, 3.) Denker und Philosophen, 4.) Dichter und Künstler.

Kann dies alles noch in den Rahmen einer bornierten Haltung eingeordnet werden, so wird dieser Rahmen spätestens im Schlußkapitel gesprengt, wo Nordau seine Vorschläge für eine Therapie unterbreitet. Es ist nötig, daraus noch einmal zu zitieren:

„Wer die Gesittung für ein Gut hält, das Werth hat und verteidigt zu werden verdient, der muß unerbittlich den Daumen auf das gesellschaftsfeindliche Ungeziefer drücken. Wer mit Nietzsche für das ‚frei schweifende lüsterne Raubthier' schwärmt, dem rufen wir zu: ‚Hinaus aus der Gesittung! Schweife fern von uns! (...) Für das lüsterne Raubthier ist bei uns kein Platz und wenn du dich unter uns wagst, so schlagen wir dich unbarmherzig mit Knüppeln todt.' Und noch entschiedener gilt es, gegen die kothlöffelnde Schweinebande der berufsmäßigen Pornographen Partei zu nehmen (...) Der Pornograph will uns um die Frucht dieser härtesten Anstrengung der Menschheit bringen. Für ihn dürfen wir keine Schonung haben[30]."

Die Empörung, die Nordaus Polemik bisher befördert hatte, ist endgültig in unkontrollierten Haß umgeschlagen. Die Ungeziefer- und Tier-Metaphorik Stalins und Hitlers scheint nicht mehr allzu fern, und daß die Aufforderung, ‚Entartete' mit Knüppeln totzuschlagen, im Kontext der Raubtiermetapher steht, mag so manchem Nordau-Leser entgangen sein. Der Schaum, der Nordau hier vor dem Mund steht, hat sich rund 40 Jahre später in dem amtlich propagierten Schlagwort der ‚Entarteten Kunst' niedergeschlagen. Die berüchtigte Münchener Ausstellung von 1937, die unter diesem Titel stand, arbeitete jedenfalls mit vergleichbaren Mitteln der Diffamierung. Ein direkter Rückgriff der NS-Kunstideologen auf Nordau ist bisher nicht nachgewiesen worden (man hätte sich natürlich offiziell nicht auf ihn berufen können.) Immerhin ist denkbar, daß die Vermittlung über den ‚Kampfbund für deutsche Kultur' der zwanziger Jahre lief. „Der Rabbinersohn und spätere Zionist hätte damit für einen der absurdesten ideologiegeschichtlichen Treppenwitze des letzten Jahrhunderts gesorgt[31]."

Daß der Begriff der ‚Entartung' auch dann noch virulent war, als die aktuelle Diskussion um Nordaus Buch bereits abgeklungen war, läßt sich leicht nachweisen. So schreibt Adolf Bartels 1909: „(...) wir fassen eine Reihe krankhafter Erscheinungen in Leben und Literatur zu dem Gesamtbegriff Dekadenz oder Entartung zusammen und wenden ihn überall dort wieder an, wo sie uns in hinreichender Anzahl und Stärke vorhanden zu sein scheinen[32]." Zwei Jahre zuvor, bei der Uraufführung der Kammersymphonie op. 9 von Arnold Schönberg in Wien benutzt der Rezensent des „Illustrierten Wiener Extra-Blatts" die Gelegenheit, Gustav Mahler, der Schönberg protegierte, eins auszuwischen: „In einer Loge stand bleich und mit verkniffenen Lippen der Hofoperndirector Gustav Mahler, der das hohe Protectorat über entartete Musik schon seit längerer Zeit führt[33]."

Diese Beispiele ließen sich sicher beliebig vermehren, in unserem Zusammenhang aber kommt es nur noch darauf an, das Einmünden dieses verhängnisvollen Schlagwortes in jenes trübe Sammelbecken zu belegen, dessen wesentliche Teile 1924 entstanden, Adolf Hitlers „Mein Kampf" (ich zitiere die wichtigsten Sätze aus einem zusammenhängenden Abschnitt von 9 Seiten):

„Dieses Reinemachen unserer Kultur hat sich auf fast alle Gebiete zu erstrecken. Theater, Kunst, Literatur, Kino, Presse, Plakat und Auslagen sind von den Erscheinungen einer verfaulenden Welt zu säubern und in den Dienst einer sittlichen Staats- und Kulturidee zu stellen.

(...) Schon vor der Jahrhundertwende begann sich in unsere Kunst ein Element einzuschieben, das bis dorthin als vollkommen fremd und unbekannt gelten durfte. Wohl fanden auch in früheren Zeiten manchmal Verirrungen des Geschmacks statt, allein es handelte sich in solchen Fällen doch mehr um künstlerische Entgleisungen, denen die Nachwelt wenigstens einen gewissen historischen Wert zuzubilligen vermochte, als um Erzeugnisse einer überhaupt nicht mehr künstlerischen, sondern vielmehr geistigen Entartung bis zur Geistlosigkeit. In ihnen begann sich der später freilich besser sichtbar werdende politische Zusammenbruch schon kulturell anzuzeigen. Der Bolschewismus der Kunst ist die einzig mögliche kulturelle Lebensform und geistige Äußerung des Bolschewismus überhaupt. Wem dieses befremdlich vorkommt, der braucht nur die Kunst der glücklich bolschewisierten Staaten einer Betrachtung zu unterziehen, und er wird mit Schrecken die krankhaften Auswüchse irrsinniger und verkommener Menschen, die wir unter den Sammelbegriffen des Kubismus und Dadaismus seit der Jahrhundertwende kennenlernten, dort als die offiziell staatlich anerkannte Kunst bewundern können.

(...) Sobald man erst von diesem Gesichtspunkte aus die Entwicklung unseres Kulturlebens seit den letzten fünfundzwanzig Jahren vor dem Auge vorbeiziehen läßt, wird man mit Schrecken sehen, wie sehr wir bereits in dieser Rückbildung begriffen sind. Überall stoßen wir auf Keime, die den Beginn von Wucherungen verursachen, an denen unsere Kultur früher oder später zugrunde gehen muß. Auch in ihnen können wir die Verfallserscheinungen einer langsam abfaulenden Welt erkennen. Wehe den Völkern, die dieser Krankheit nicht mehr Herr zu werden vermögen!

(...) Wie wäre Schiller aufgeflammt, wie würde sich Goethe empört abgewendet haben! Aber freilich, was sind denn Schiller, Goethe oder Shakespeare gegenüber den Heroen der neueren deutschen Dichtkunst[34]!"

Es ist nicht zu verleugnen und zu verniedlichen, daß Nordau in prekärer Weise Schlagworte und Argumente geliefert hat für Tendenzen, von denen er sich entrüstet distanziert hätte, wenn er ihre Folgerungen erlebt hätte. Die solchermaßen gerechtfertigte Aburteilung als ‚bornierter Polemiker' ist übrigens nicht erst jüngeren Datums. Bereits Karl Kraus hat in den ersten Jahrgängen der „Fackel" Nordau charakterisiert als „literarische(n) Metzger"[35], „anmaßenden Philister"[36] und fragte schließlich: „Gibt es einen Eckstein der Literatur- und Kunstentwicklung, an dem dieser saubere Herr nicht schon seine kritische Nothdurft verrichtet hätte?[37]"

Ist also Max Nordau nichts anderes als ein Vorläufer des unsäglichen Adolf Bartels, mit der einzigen Nuance, daß er nicht Antisemit war? So einfach liegen die Dinge nicht. Der heutige Leser der „Entartung" wird, nach Überwindung des zunächst aufkommenden Widerwillens, bemerken, daß eine Lektüre lohnend ist. Einmal besticht die außergewöhnliche Belesenheit des Autors und der stoffliche Reichtum seines Werkes. Es gibt kein vergleichbares zeitgenössisches Werk, das etwa die französische Literatur der 70er und 80er Jahre des vorigen Jahrhunderts mit ähnlicher Vollständigkeit behandelt, sowohl den Symbolismus wie auch die spezifische Fin de siècle-Literatur bis in abseitige Erscheinungen wie Peladan, Rachilde, de Guaita etc. Nordau kennt aber nicht nur die Belletristik der Zeit, sondern auch die theoretischen Werke und die Diskussionen in den diversen Zeitschriften und Cenaclen. Mit dem Abstand von Paris nimmt allerdings Vollständigkeit und Exaktheit ab. Die englische Szene wird noch einigermaßen erschöpfend behandelt, aber eine zentrale Gestalt des europäischen Fin de siècle, Gabriele d'Annunzio, wird überhaupt nicht erwähnt. Man muß Nordau allerdings zugute halten, daß die wichtigsten Werke d'Annunzios erst nach der „Entartung" erschienen sind. Ähnlich ist für die deutsche und österreichische Literatur zu bemerken, daß deren spezieller Fin de siècle-Charakter (entsprechend der Phasenverschiebung) erst in den Jahren nach der „Entartung" zur vollen Ausprägung kam. Wenn man aber der wohlbegründeten Ansicht ist, daß das Fin de siècle nur gesamt-europäisch zu verstehen ist und die deutschsprachige Literatur dabei eine mehr nachvollziehende Rolle spielt, daß außerdem der ‚Richard-Wagner-Dienst' oder der ‚Dekadente Wagnerrismus', wie ihn Erwin Koppen nennt, der entscheidende Faktor des literarischen Fin de siècle ist (Nordau hat dies als erster erkannt) — dann ist die „Entartung" auch für Germanisten heute noch ein wichtiges Buch.

Ein weiteres Argument für die Lektüre der „Entartung" sind jene Einsichten Nordaus, die, wären sie nicht so rudimentär und zwischen Unerträglichkeiten versprengt, ihm den Ehrentitel ‚Vater der deutschen Literatursoziologie' eintragen könnten, der gemeinhin Samuel Lublinski zuerkannt wird. Vergleicht man etwa das, was Lublinski in der „Bilanz der Moderne" von 1904 über die Bedeutung Wagners und Nietzsches für die geistige Situation um 1890 sagt, mit dem Zusammenhang, den Nordau zwischen Wagners und Nietzsches Erfolg und dem beginnenden deutschen Imperialismus aufzeigt, so müssen Nordau gewisse Prioritäten zugestanden werden, wenn auch Lublinskis feine Sonde dort tiefer dringt, wo Nordau nur grobe Keile eintreibt. Immerhin heißt es über die Wirkung Nietzsches:

„Nietzsches Grundgedanke der Rücksichtslosigkeit und viehischen Verachtung aller fremden Rechte, so weit sie einer selbstsüchtigen Begierde im Wege stehen, muß das Geschlecht anheimeln, das unter dem Bismarckschen System herangewachsen ist. Fürst Bismarck ist eine ungeheure Persönlichkeit, die über ein Land hinwegrast wie ein Wirbelsturm des heißen Erdgürtels: sie zermalmt alles in ihrem verheerenden Laufe und läßt eine weite Vernichtung der Charaktere, Verwüstung der Rechtsbegriffe und Zertrümmerung der Sittlichkeit als Spur zurück. Das System Bismarcks bedeutet im Staatsleben eine Art Jesuitismus im Küraß (...) Bei den Nachahmern dagegen verkrüppelt es zur ‚Schneidigkeit', das heißt zu jener niederträchtigsten und verächtlichsten Feigheit, die vor dem Stärkern auf dem Bauche kriecht, aber den gänzlich Entwaffneten, den unbedingt Harmlosen und Schwachen, von dem schlechterdings kein Widerstand und keine Gefahr zu besorgen ist, mit äußerstem Übermuthe mißhandelt. Die ‚Schneidigen' erkennen sich dankbar in Nietzsches ‚Übermenschen' wieder und Nietzsches sogenannte ‚Philosophie' ist thatsächlich die Philosophie der ‚Schneidigkeit'. Seine Lehre zeigt, wie das System Bismarcks sich im Kopfe eines Tobsüchtigen spiegelt. Nietzsche konnte in keinem andern Zeitalter heraufkommen und Anklang finden als in der Bismarckschen und nach-Bismarckschen Ära[38]."

Nordaus Mißtrauen, ja fast Haß gegenüber dem Wilhelminischen Deutschland hat ihn hellsichtig gemacht, eine Hellsichtigkeit, die auch den Roman „Die Krankheit des Jahrhunderts" kennzeichnet, der vier Jahre vor der „Entartung" erschien. Nordau sagt über den Zusammenhang beider Werke in seinen Erinnerungen:

„Das Phänomen der Entartung hat mich schon seit meinen Studienjahren beschäftigt. Geboren im Jahre 1849, gehöre ich zu der Generation, die an der ‚Krankheit des Jahrhunderts' zu kranken begonnen hat. Schon im Gymnasium, mehr aber noch an der Universität, habe ich zahlreiche Exemplare von Degenerierten unter den Augen gehabt. Ich habe sie mit Leidenschaft beobachtet. Einigen von ihnen konnte ich ins Leben und in ihre Werke folgen. Den jungen Mann, der mir als Modell für Wilhelm Einhardt gedient hat, habe ich persönlich gekannt. Von derartigen Menschen, von Naturen ohne seelisches Gleichgewicht, von Wesen, die in ihrem Gehaben seltsam sind und die Umwelt aufregen, empfing ich die Idee, mich mit Psychiatrie zu beschäftigen. Sie sind es, die mich die vielen Abarten der zerebralen und nervösen Minderwertigkeit, sei sie nun ererbt oder erworben, kennen gelehrt haben. Meiner Gewohnheit entsprechend begann ich damit, daß ich die Eindrücke vorerst in einer Dichtung zusammenfaßte, nämlich in der ‚Krankheit des Jahrhunderts', um sie dann in einem theoretischen und generalisierenden Werk zu analysieren — in ‚Entartung'[39]."

Wer aus diesen Äußerungen schließt, daß er in der „Krankheit des Jahrhunderts" gewissermaßen den Roman der ‚Entartung' vorfindet und in der Hauptfigur Wilhelm Eynhardt (so die korrekte Schreibweise im Roman) den Idealtyp des Entarteten, sieht sich angenehm enttäuscht. Wilhelm Eynhardt (der Name vielleicht eine Reverenz vor Friedrich Theodor Vischers Albert Einhart = ‚Auch Einer') trägt alle Züge eines tragischen Helden, dem die Sympathien des Autors und des Lesers gehören. Der Roman beginnt mit einer Schwarzwald-Wanderung Eynhardts 1869, als er gerade seinen Doktor in Physik gemacht hat. Bei dieser Gelegenheit lernt er eine hübsche aber oberflächliche Kommerzienratstochter aus Berlin kennen. Während des Krieges gegen Frankreich zeigt Eynhardt trotz scheinbarer Weichlichkeit überragende Tapferkeit. Sein väterlicher Freund Doktor Schrötter ist alter 48er Revolutionär. Eynhardt engagiert sich aus humanitären Gründen für verelendete Proletarier, ohne sich mit der Politik der Sozialdemokraten identifizieren zu können. Wegen eines unterlassenen Duells wird Eynhardt aus seinem Regiment ausgestoßen. Durch eine Denunziation trifft ihn die Härte des Sozialistengesetzes — er wird aus Berlin ausgewiesen. Schon vorher hat sich die Heirat mit der Kommerzienratstochter zerschlagen. Schließlich kommt Eynhardt bei dem geglückten Versuch ums Leben, den Sohn eines Freundes vorm Ertrinken zu retten.

‚Entartet' sind in diesem Roman vor allem Nebenfiguren, wie der russische Anarchist und Nihilist Barinskoi und der Philosoph Dörfling, der an einer „Philosophie der Befreiung" arbeitet und sich nach deren Vollendung umbringt. Eynhardt selbst ist allerdings von diesen schädlichen Einflüssen bereits infiziert; der unglückliche Ausgang aller seiner Unternehmungen und Pläne deutet darauf hin. Was jedoch in der „Entartung" ins Grell-Polemische überspitzt ist, bleibt hier in den Rahmen eines durchaus farbigen Zeitromans eingebettet. Die stärksten Parallelen zur „Entartung" zeigt der Roman in seiner scharfen Kritik am Wilhelminischen Deutschland, die vor allem dem skeptischen Rationalisten Schrötter in den Mund gelegt sind. In einer Unterhaltung mit Eynhardt gegen Ende des Romans finden sich eklatante Übereinstimmungen mit den zitierten Sätzen über Nietzsche und das Bismarckreich. Es heißt dort:

„Sie wissen nicht, wie unerträglich die Zustände geworden sind. (...) So ist es richtig gelungen, Deutschland die abscheulichste Form der Selbstvergötterung, den Chauvinismus, zu geben. (...) Die Zeitung, das Buch, das Bild, die Bühne, der Lehrstuhl, Alles predigt: der höchste Ausdruck des Menschentums ist der Offizier und Strammheit, Schneidigkeit, das heißt Unselbständigkeit, Dünkel, Überhebung, rohes Kraftprotzentum, sind die erhabensten Eigenschaften des Mannes und Staatsbürgers. (...) Selbst die Jugend, unsere Hoffnung, ist teilweise durchseucht. Ich finde in manchen Studentenkreisen eine Charakterlosigkeit, eine Streberei, eine niedrige Schweifwedelei vor dem Erfolg, eine feige Vergötterung der tierischen Kraft, die ohne Beispiel in unserer Geschichte ist. Instinktiv nimmt diese verfaulte Jugend in jeder Frage Partei für den Starken, gegen den Schwachen und für den Verfolger gegen den Verfolgten (...)[40]"

Es wird abschließend nötig sein, dem Mißverständnis vorzubeugen, als ob sich Max Nordau in einen guten Teil (nämlich den scharfsichtigen Literatursoziologen und Kritiker des Wilhelminismus) und in einen bösen Teil (nämlich den ‚bornierten Polemiker' und Stichwortgeber einer reaktionären, später sogar nationalsozialistischen Kunstbetrachtung) aufspalten lasse. Beides ist nicht voneinander zu trennen. Nordaus Biologismus der Geschichte und seine Pathologisierung der gesellschaftlichen Entwicklung sowie der künstlerischen Reaktionen auf sie, ermöglichen zwar einerseits die Kritik am imperialistischen Deutschland, andererseits aber rechtfertigen sie auch den Vorwurf präfaschistischer Terminologie. Hinzu kommen sein wissenschaftsgläubiger Rationalismus und sein stures Festhalten an den ästhetischen Normen der Klassik — dies alles verstellt ihm den Blick für die Zeitgenossen und läßt ihn die Zukunft nur unter der Perspektive der Gesundung oder weiteren ‚Entartung' sehen. Seine Intransigenz gegenüber dem Wilhelminischen Deutschland und dem Militarismus und Chauvinismus im Ersten Weltkrieg kann nicht vergessen machen, daß er Spießern und Banausen Argumente für ihre Kunstfeindlichkeit geliefert hat.

Zu Beginn wurden einige der Gegenschriften erwähnt, die Nordaus „Entartung" hervorgerufen hat, darunter auch George Bernard Shaws „The sanity of art" von 1895. Shaws Pamphlet ist eine temperamentvolle Verteidigung der zeitgenössischen Kunst, Literatur und Musik (Shaw hat bald darauf seinen glänzenden Wagner-Essay geschrieben) gegen Nordaus Angriffe. Shaw war später der Ansicht, daß seine Attacke den Thesen der „Entartung" den entscheidenden Stoß versetzt hätten. Das ist sicher nur zu einem kleinen Teil zutreffend. Was Nordaus Werk ebenso schnell wieder aus der Diskussion brachte, wie es in sie hineingekommen war, ist einmal die Schnelligkeit der damaligen Literaturentwicklung, die bald ganz andere Dinge wichtig fand, als über das Fin de siècle sich die Köpfe heiß zu reden, und es ist zum anderen das schon erwähnte rasche Veralten der Thesen Lombrosos (mit denen sich Nordau auf Gedeih und Verderb verbunden hatte) durch das Auftreten der Psychoanalyse und die Fortschritte der Psychiatrie sowie der Vererbungslehre. Leider scheint es so, als hätten die gefährlichen Seiten von Nordaus Werk untergründig lange weiter gewirkt. Die „Entartung" ist als kulturkritisches Pamphlet sicher so wirksam gewesen wie die Werke Langbehns, Lagardes, Chamberlains und Moeller van den Brucks. Wer sich mit dem Ende des 19. Jahrhunderts beschäftigt, wird dieses Buch künftig nicht umgehen können.

## ANMERKUNGEN

1. Manfred Gsteiger, *Französische Symbolisten in der deutschen Literatur der Jahrhundertwende (1869—1914)*, Bern/München 1971, S. 55.
2. Erwin Koppen, *Dekadenter Wagnerismus. Studien zur europäischen Literatur des Fin de siècle*, Berlin/New York 1973, S. 308.
3. Gsteiger und Koppen gebührt das Verdienst, auf Nordau nachdrücklich hingewiesen zu haben. Besonders der Behandlung Nordaus bei Koppen verdanke ich Anregungen und Hinweise.
4. Diese und andere Werke bespricht die Arbeit von Milton Painter Foster, *The Reception of Max Nordaus ‚Degeneration' in England und America*, Diss. University of Michigan 1954 (s. Diss. Abstracts XIV, 1078/79).
5. vgl. Briefwechsel Hofmannsthal/Karg von Bebenburg, hrsg. v. Mary E. Gilbert, Frankfurt/Main 1966, S. 126 (Brief v. 8. 11. 1896).
6. vgl. Elisabeth Castonier, *Seltsames Muster, Begegnungen, Schicksale*, München 1971, S. 22.
7. vgl. dazu die Ausführungen über Nordau bei: Arthur Hertzberg, *The Zionist idea; a historical analysis and reader*, New York 1959.
8. Zu Nordaus Leben und Werk vgl. auch: Max Nordau, *Erinnerungen, Erzählt von ihm selbst und der Gefährtin seines Lebens*, Leipzig, Wien 1928. Anna und Maxa Nordau, *Max Nordau*, Paris 1948. Elisabeth Castonier, aaO, S. 20—27.
9. Zitiert wird nach den 2 Bänden der 2. Auflage, Berlin 1893, also z. B.: *Entartung I*, S. 275.
10. *Entartung I*, S. VII.
11. *Entartung I*, S. VIII.
12. Der Exkurs stützt sich auf die entsprechenden Passagen bei Koppen, aaO, S. 281 ff. und auf das eminente Werk Wilhelm Lange-Eichbaums, *Genie, Irrsinn und Ruhm. Eine Pathographie des Geistes*, 4. Aufl. bearb. v. Wolfram Kurth, München/Basel 1956.
13. Lange-Eichbaum, aaO, S. 262.
14. *Entartung I*, S. 45.
15. Cesare Lombroso, *Genie und Entartung*, Leipzig o. J. (1910), S. 201—219.
16. Lombroso, aaO, S. 92.
17. *Entartung I*, S. 157 ff.

18. *Entartung I*, S. 10.
19. *Entartung I*, S. 25 f.
20. *Entartung I*, S. 112.
21. Gsteiger, aaO, S. 56.
22. *Entartung I*, S. 228.
23. *Entartung I*, S. 305.
24. *Entartung I*, S. 373.
25. *Entartung II*, S. 92 f.
26. vgl. Nordau, *Erinnerungen* (s. Anm. 8), S. 146.
27. *Entartung II*, S. 544.
28. *Entartung II*, S. 561.
29. vgl. Koppen, aaO, S. 283 f.
30. *Entartung II*, S. 556 f.
31. Koppen, aaO, S. 313, vgl. auch ebenda Anm. 108.
32. Adolf Bartels, *Dekadenz*, in: Bartels, *Deutsches Schrifttum — Betrachtungen und Bemerkungen*, o. O., 1909, S. 35. Zitiert nach Koppen, aaO, S. 53, Anm. 121.
33. Illustriertes Wiener Extra-Blatt vom 9. 2. 1907. Zitiert nach: Eberhard Freitag, *Arnold Schönberg in Selbstzeugnissen und Bilddokumenten*, Reinbek bei Hamburg 1973, S. 39 (= rowohlts monographien 202).
34. Adolf Hitler, *Mein Kampf*, 5. Aufl., 201—250. Tausend, München 1940, S. 176 ff.
35. Fackel Nr. 9, 1899, S. 21.
36. Fackel Nr. 55, 1900, S. 31.
37. Fackel Nr. 64, 1901, S. 15.
38. *Entartung II*, S. 393 ff.
39. Nordau, *Erinnerungen* (s. Anm. 8), S. 157 f.
40. Max Nordau, *Die Krankheit des Jahrhunderts*, 6. Aufl., Leipzig o. J., S. 370 f.

HELMUT ARNTZEN

# Karl Kraus als Kritiker des Fin de siècle

1892/93, als seine ersten Arbeiten, durchweg Buch-Rezensionen, erscheinen, ist Karl Kraus ein junger Literat mit dem Ehrgeiz, im literarischen Betrieb Wiens eine Rolle zu spielen. Er geht ins „Griensteidl", gehört in den Umkreis der Jungwiener, er sucht und pflegt Verbindungen, er gefällt sich in der Attitüde des strengen Kritikers. Als bemerkenswert könnte allenfalls gelten, daß er weniger die Jungwiener propagiert als den deutschen Naturalismus, vor allem Gerhart Hauptmann. Hofmannsthals „Gestern", das er im Juni 1892 in der „Gesellschaft" bespricht, rechnet er darum wohl zum Naturalismus.

Eine Rezension zweier Gedichtbände von Felix Dörmann und von Richard Specht, die im Februar 1893 im „Magazin für Litteratur" in Berlin erscheint, kritisiert die Decadence der beiden Autoren dagegen bereits als posenhaft. An Arthur Schnitzler schreibt er in diesem Zusammenhang: „Ich hasse und hasste diese falsche, erlogene ‚Decadence', die ewig mit sich selbst coquettiert; ich bekämpfe und werde immer bekämpfen: die posierte, krankhafte, onanierte Poesie! Und *dieser Haß* war das Kritikmotiv[1]!"

Das ist die erste selbständige, nämlich ganz subjektive Äußerung von Karl Kraus überhaupt, es ist auch seine erste selbständige zum Thema der Decadence der österreichischen Jahrhundertwende.

Im Mai des gleichen Jahres erscheint in der „Gesellschaft" ein längerer Aufsatz von Karl Kraus mit dem Titel „Zur Ueberwindung des Hermann Bahr". Er parodiert den des Bahrschen Essays „Die Überwindung des Naturalismus", der für Jungwien programmatische Bedeutung hat. Geht es hier auch um die Ablehnung der Auffassung Bahrs vom Symbolismus, der den deutschen Naturalismus abzulösen habe, so doch mehr um das, was für Kraus hinter dieser Auffassung steht: die intelligible Person Bahrs als problematische. Bahr hat, glaubt Kraus, eine verheerende Wirkung auf die junge Literatur, und zwar vor allem, weil Bahr Schriftsteller und Journalist zugleich sein will: „*Bahr* — der Tagschreiber, der als Litterat überhaupt nicht mehr ernst zu nehmen ist, der im Dienste eines Tagesblattes kritzeln muß, was ihm zum Kritzeln gegeben wird . . .[2]." Das Zweideutige der Position Bahrs nicht nur, sondern vieler österreichischer Schriftsteller der Zeit, ihrer Position zwischen Literatur und Journalismus begründet wesentlich Kraus' frühe Abwendung von der Literatur Jungwiens. Die journalisierte Literatur hat selbstverständlich Auswirkungen auf die Produktion der Schriftsteller, die nun viel unmittelbarer als anderwärts den Bedingungen des Marktes unterworfen ist; sie wirkt sich aber auch im literarischen Leben Wiens aus, insofern Produktion und Kritik in derselben Literatengruppe sich abspielt, die Literatur ihre Unabhängigkeit dadurch vollends verliert, die Kritik aber zur Reklame tendieren muß. Kraus wendet sich von dieser Literatur ab und einem kritischen Journalismus zu. Er schreibt für Zeitschriften, für Wiener Zeitungen, schließlich insbesondere für die „Breslauer Zeitung", an der damals auch Alfred Kerr mitarbeitet, und für die Wochenschrift „Die Wage".

In diesen Arbeiten, kritischen Korrespondentenberichten, oft unter dem Titel „Brief" oder „Chronik", stellt sich Kraus unter das Postulat genauer und selbständiger Beobachtung. Mitteilung und Ausdruck sollen sich in ihnen durchdringen. Kraus schreibt zunächst noch vorwiegend Theaterberichte, dann auch Berichte über andere Wiener Ereignisse, schließlich über politische Themen, die bei dem Chronisten der „Wage" ganz in den Vordergrund rücken. In den Theateraufsätzen der Jahre 1895/96 verteidigt er das Theater gegen ausschließliche Geschäfts- und Unterhaltungsinteressen. Aber es hat für Kraus dennoch nicht die Funktion einer bürgerlichen Bildungsstätte, es soll vielmehr die Epoche erscheinen lassen.

In den Briefen der „Breslauer Zeitung" aus den Jahren 1897/98 tritt neben das Interesse am Theater das Interesse an sozialen Vorgängen in Wien. Gleichzeitig fällt die Bemühung um literarische Darstellung auf. Kraus gibt z. B. im Oktober 1897 einen Bericht über die Hinrichtung eines als Raubmörder Verurteilten[3]. Der Text ist jedoch keine Reportage, vielmehr wird darin der offizielle stenographische Bericht von der Hinrichtung indirekt zitiert. Dieses Zitieren ist bereits von dem Bewußtsein geprägt, daß derartige Berichte eine satirische Funktion haben können. Hier sind Ansätze zur literarischen Darstellung eines zeitgenössischen Vorgangs auszumachen, die sich über den ganzen Text hin erkennen lassen.

In den Beiträgen zur „Wage", vor allem den späteren, ist der Schritt vom kritischen Meinungsjournalismus zur literarischen, nämlich satirischen Darstellung vollends getan. Aber ihren Ausgang nimmt diese Darstellung von einem aktuellen Thema, dessen Aktualität auch nicht aus den Augen gelassen wird. Doch sie selbst ist eingefügt in die satirische Transponierung des Themas oder des Zentralbegriffs, die durch deren Metaphorisierung gelingt.

Das Vorkommen von Pestfällen in Wien wird zum Beispiel für Kraus Anlaß, das Wort „Pest“ zur Metapher nicht erkannter, verdrängter Gefahr zu machen und dabei Blindheit und Verdrängung als typische Verhaltensweisen österreichischer Regierungen und Behörden zu fassen[4]. Es entsteht so eine satirische Skizze Österreichs und Wiens um die Jahrhundertwende. Auch Pest und Dummheit werden analogisiert: beide sind Krankheiten, aber diese ist als Krankheit des Bewußtseins gefährlicher, weil epidemischer denn jene. Die Abwendung von der Literatur Jungwiens als posierter Decadence führt Kraus zu einem kritischen Journalismus, dessen Entwicklung zunächst in einer Erweiterung des Themenbereichs besteht. Aber gerade in seiner journalistischen Arbeit trifft er auf das Problem der literarischen Darstellung. Damit wird Literatur für ihn aufs neue bedeutsam, und zwar als Satire.

Dieses neue literarische Bewußtsein wird gerade im Durchgang durch die journalistische Erfahrung gewonnen. Ja, der Schriftsteller Kraus macht den Journalismus als literarischen und politischen Journalismus von den Anfängen seines literarischen Schreibens an zum Gegenstand und zum Material seiner Satire. Dabei geht es ihm ebenfalls von Anfang an um die spezifische Gestalt dieses Journalismus: jenes Amalgam aus den Möglichkeiten der Literatur und den Forderungen der Presse, das ein Spezifikum des österreichischen fin de siècle ist.

Die beiden Prosasatiren „Die demolirte Literatur“ (1897) und „Eine Krone für Zion“ (1898) gewinnen aus Aspekten dieses Journalismus ihre Intention: die erste satirisiert die Literatur Jungwiens als journalisierte, die zweite den (literarisierten) Journalismus als politische Scharlatanerie. Sie sind für Kraus Abschluß und Übergang zugleich. Er befreit sich in ihnen endgültig von allen approbierten Tendenzen öffentlichen Schreibens in seiner Zeit und in seinem Lebensraum. Als satirischer Schriftsteller aber stellt er sich hier in den Traditionszusammenhang des genus der Prosasatire, läßt ihn freilich als gewissermaßen äußerlichen alsbald hinter sich. Aber er verläßt ihn nur, um die entscheidende literarische Tradition seit der Aufklärung fortzusetzen: der Zeit sich nämlich nicht zu entziehen, ihr vielmehr durch Widerspruch sich entgegenzustellen, einen Widerspruch, der über das Punktuelle kritischer Meinungen nur hinausgehen kann dadurch, daß er — und das erst macht ihn zum literarischen — das einzelne in der Darstellung (negativ) bedeutend macht.

Von der Literatur Jungwiens und vom liberalen Journalismus wendet sich Karl Kraus ab, nicht um in die politische Praxis zu gehen, sondern um die „Fackel“ zu gründen. Sie beleuchtet nicht einzelnes am fin de siècle, sondern läßt an allem einzelnen ein Gemeinsames erscheinen, das jenes als Repräsentant des Jahrhundertendes ausweist.

Am Ende der „Demolirten Literatur" hatte Kraus den Jungwienern prophezeit, daß „das Leben [. . .] die Krücke der Affectation zerbrechen"[5] werde. Am Schluß der „Krone für Zion" sieht er den Zionismus als Antwort einiger „fein organisirte[r] Naturen, blasirt von den frühen Erfolgen, die ihnen Talent und Glücksfälle überreichlich gezeitigt haben", auf die Notwendigkeit, „einen neuen, ernsteren Lebensinhalt"[6] zu gewinnen. Das Leben, das hier in Opposition zu Pose und Blasiertheit gesetzt wird, ist weniger mit der Vorstellung der Lebensphilosophie als mit Thema und Darstellung des Naturalismus bezeichnet, wie schon angedeutet wurde.

Mit dem Beginn der „Fackel" wird die Vorstellung vom Leben aus der literarischen Eingegrenztheit herausgeführt, aber gleichzeitig die Darstellung des Nichtlebens — und zwar als Negativität der Epoche im Exempel Österreichs — wichtig und immer wichtiger, nämlich als Satire der Gegenwart.

Die programmatische Einleitung zum ersten Heft der „Fackel" ist dafür sofort ein deutliches Beispiel. Daß das Wort „Leben" hier nicht mehr vorkommt, bedeutet nicht, daß diese Vorstellung nicht mehr zum Thema gehöre. Aber da es nun nicht allein um Postulate gegenüber einer Schriftsteller- und Journalistengeneration geht, sondern um die Kritik der Zeit als der Gegenwart Österreichs im ganzen, kann nur aus dem Ensemble des Nichtlebendigen und Chaotischen, von denen die Rede ist, auf jenes geschlossen werden. Und Kraus selbst als Kritiker der Zeit und als Satiriker steht dafür ein, daß es sich dabei nicht um einen *abstrakten* Schluß handelt. „In einer Zeit, da Österreich noch vor der von radicaler Seite gewünschten Lösung an acuter Langeweile zugrunde zu gehen droht, in Tagen, die diesem Lande politische und sociale Wirrungen aller Art gebracht haben, einer Öffentlichkeit gegenüber, die zwischen Unentwegtheit und Apathie ihr phrasenreiches oder völlig gedankenloses Auskommen findet, unternimmt es der Herausgeber dieser Blätter, der glossierend bisher und an wenig sichtbarer Stelle abseits gestanden, einen Kampfruf auszustoßen[7]." Langeweile, Unentwegtheit, Apathie, Wirrungen — sind die Stichworte, die das Ganze als Gegenteil des Lebens bezeichnen sollen; im „Kampfruf" beansprucht der Kritiker, der dies bisher nur in der Distanz des Glossierenden war, Statthalter des Lebens zu sein.

Doch ist der Text in Wahrheit so wenig Programm, daß Kraus es selbst ausdrücklich als dürftig erscheinendes bezeichnet, insofern es völlig in der Destruktion aufgeht. Dem „tönende[n] ‚Was wir bringen' ", das er ablehnt, wird sein „ehrliches *‚Was wir umbringen'* " entgegengestellt: statt der scheinhaften Bestätigung der Epoche als lebendiger die Zerstörung dieses Scheins versprochen, und zwar wesentlich durch das, was der junge Kraus „eine

Trockenlegung des weiten Phrasensumpfes"[8] nennt. Da die Destruktion sich so näher bestimmt, kann sie sich nicht programmatisch in einem Katalog kritisch zu behandelnder Themen zeigen, sondern als ein Sprechen, das als solches bereits gegen das gängige steht. Der kurze Text ist eine Anrede an ein (potentielles) Publikum, die, statt mit einzelnen Themen des politischen und sozialen Lebens kritisch sich zu beschäftigen, mit der Sichtweise und damit indirekt auch mit der Darstellungsweise des „Herausgeber[s] dieser Blätter" vertraut macht. Die Darstellung tendiert auf eine Konstellation, die durch den Gegensatz zwischen Zeit/Öffentlichkeit und „Herausgeber dieser Blätter" gekennzeichnet ist. Unter dem Aspekt der Darstellung tritt das Bedeutungsfeld Politik in Beziehung zu dem Bedeutungsfeld Sprache und zu dem Bedeutungsfeld Literatur. Das politische Programm realisiert sich in der literarischen, der Sprachkritik als Bewußtseinskritik. Die politischen und gesellschaftlichen wie die kulturellen Erscheinungen in Österreich sind für Kraus nicht nur dies, sondern eschatologische Indizien, die in der kritischen und satirischen Darstellung als solche erkennbar werden. Fin de siècle und der Kritiker Karl Kraus sind als eine Konstellation zu begreifen, die der Schlußsatz des Textes aufruft: „So möge denn die *Fackel* einem Lande leuchten, in welchem — anders als in jenem Reiche Karls V. — die Sonne niemals aufgeht[9]."

Eine solche kritische Darstellung kann der kritische Journalismus nach Kraus' Auffassung nicht leisten. In einem sehr persönlichen Aufsatz im ersten Heft der „Fackel" setzt er sich von den „Unabhängigen", den kritischen Journalisten der Wochenblätter ab, zu denen er selbst gehört hatte. Der Journalist, auch der kritische, nehme „Rücksicht auf tausend gesellschaftliche Machtfactoren"[10]. Gegen die setzt Kraus seine Forderung nach Rücksichtslosigkeit. Sie bewährt er in Thema und Darstellung.

In diesem ersten Heft wird zweimal ausführlicher das literarische fin de siècle thematisiert, und zwar einmal als die literarisch-theatralische Situation Wiens am Jahrhundertende, als Öffentlichkeitsphänomen also, und ein anderes Mal in Hinsicht auf literarische Texte, die selbst wiederum Bühnentexte sind. In dem langen Text „Die Vertreibung aus dem Paradiese" wird Kraus' spezifische Auffassung des fin de siècle schon in dem einleitenden Satz deutlich: „Das ist eine Welt, die zwischen Morgen- und Abendblatt lebt und sich von dem Dämmerschein des neuen Jahrhunderts nicht bange machen lässt[11]." Die Zeit und die Öffentlichkeit, die in dem Einleitungstext durch allgemeine Stichworte als leblos und chaotisch bezeichnet wurden, ist die an und durch die Presse fixierte Epoche. Wie diese Fixierung sich im kulturellen, im literarischen, im theatralischen Bereich auswirkt, wird vor allem am Beispiel einer einzigen zeitgenössischen Figur, des Kritikers und

Librettisten Julius Bauer gezeigt. Nicht weil Bauer eine besonders bedeutende Erscheinung der Zeit wäre, sondern weil er eine für die Intention des ganzen Textes geeignete Erscheinung ist, an der das zu fassende Problem besonders deutlich gemacht werden kann, nämlich das „ans Groteske streifende Missverhältnis zwischen der äußeren Macht und der wesentlichen Unbeträchtlichkeit eines Journalisten[12]“. Hier tritt zum ersten Mal bei Kraus die Funktionalität einer historischen Person für die polemische oder satirische Darstellung hervor.

Bauer ist für die literarisch-theatralische Situation Wiens am Jahrhundertende durch die Verbindung seiner Tätigkeit als Rezensent und als Operettenlibrettist bemerkenswert, die ihm für die Theatersphäre Macht verleiht. Diese Macht Bauers ist aber für die Situation im Verständnis von Kraus erst dadurch kennzeichnend, daß Bauer so durchaus mittelmäßig ist. Erst die Macht aber, die er als Theaterkritiker ausüben kann, führt wiederum seine Erfolge als Theaterautor herbei. Warum er Theaterkritiker sein kann, also als kompetent Urteilender gilt, ist für Kraus die entscheidende Frage. Bauer kann das nur sein wegen eines völlig korrumpierten Bewußtseins der Öffentlichkeit von dem, was Literatur im allgemeinen und Kritik im besonderen ausmacht. Gerade ein solcher Mann entspricht den Bedürfnissen der literarisch interessierten Händler und des Journalismus selbst. „... Herr Julius Bauer, der unverdrossene Buchstabenverwechsler, der den Franz-Josefs-Quai lachen macht, wenn er statt ‚Musentempel‘ ‚Busentempel‘, wohlgemerkt: B statt M und statt ‚Im Wein liegt Wahrheit‘ ‚Im Bein liegt Wahrheit‘, wohlgemerkt: B statt W sagt, der Routinier einer seit Heine sattsam strapazierten und längst ausgeleierten Versform, übersteigt wahrhaftig das Niveau der Genossen nicht[13].“ „Sein Witz entspringt nicht dem launigen Erfassen einer Situation und gehört somit nicht auf die Scene; sein Witz entspringt aber auch keinem Gefühl, keinem Zorn, keiner Meinung — somit gehört er nicht auf Druckpapier. [...] Welcher Laune sollte auch ein Humor gehorchen, der im Wortklang sich befriedigt und dem kein adäquater Ernst als Widerspiel entspricht? Zwischen den Wahrheiten, die dieser Satiriker lachend verkündet, und den Lügen, die er bekämpft, liegt zumeist nur ein Buchstabe, und wenn den der Setzer übersieht — ist das Erbe Heinrich Heines licitando zu vergeben. [...] der Vers — dieser notorische Hochstapler — [trägt] zur Hebung des geringen Witzgehaltes wesentlich bei [...] Nicht drei gute Prosazeilen vermöchte Herr Bauer zu schreiben, die, losgelöst von Kalauern, an und für sich zu wirken hätten[14].

Es geht in diesen Sätzen keineswegs nur um die Verurteilung von Geschmack- und Niveaulosigkeit des Produzenten und der Rezipienten. Es geht vielmehr um Geschmacklosigkeit als Indiz für die Geistlosigkeit des

Autors Bauer. Diese Geistlosigkeit ist gerade Stigma eines Witzes, der sich automatisiert hat, selbstzweckhaft und beliebig geworden ist, wie die von Kraus zitierten Beispiele es zeigen. Das Wortspiel ist zum Buchstabenwitz heruntergekommen, der Heine-Vers zum Schema erstarrt. Insofern aber der Witz hier pars pro toto für Literatur ist, bedeutet das, daß Literatur sich auf ihr Technisches reduziert, das nach Belieben gehandhabt werden kann, vor allem aber nach den Bedürfnissen eines Publikums, des kommerziellen nämlich, das Literatur nur als Mittel zu von ihm gesetzten Zwecken betrachtet, also z. B. zum entertainment. Dieses Literaturverständnis wiederum wird ständig vom Journalismus reproduziert, der den Zwecken und Bedürfnissen jenes Publikums zu entsprechen sucht. In der Person Bauer, seiner Macht und seiner Mediokrität, erscheint das Händler-Publikum und der Literaturjournalismus des Wien der Jahrhundertwende. Dieses Wien der Jahrhundertwende wird nicht primär unter lokalkritischem Aspekt gesehen, sondern ist selbst funktional, wenngleich jetzt und noch auf längere Zeit von Kraus auch auf die Veränderung der Wiener Verhältnisse gezielt wird. Wien ist aber v. a. Konzentrat einer „Welt, die zwischen Morgen- und Abendblatt lebt und sich von dem Dämmerschein des neuen Jahrhunderts nicht bange machen lässt“[15]. Die Epoche, ahnungslos und blind demgegenüber, was an Zukünftigem sich meldet, wird von Geschäft und Journalismus bestimmt; Literatur, die jene durchsichtig machen könnte, ist von diesen in den Dienst genommen.

Gewinnt in diesem langen Aufsatz die Person Julius Bauer eine Art allegorischer Funktion, nämlich gerade wegen seiner völligen Substanzlosigkeit zu einer Chiffre des Zustands zu taugen, so werden in einer Theaterrezension des ersten „Fackel“-Heftes die beiden bedeutendsten Erscheinungen des literarischen Wien der Jahrhundertwende kritisiert: Schnitzler und Hofmannsthal. Es geht um zwei Abende mit Einaktern der beiden Schriftsteller: mit Schnitzlers Stücken „Paracelsus“, „Die Gefährtin“ und „Der grüne Kakadu“, Hofmannsthals „Hochzeit der Sobeïde“ und „Der Abenteurer und die Sängerin“. Kraus urteilt von dem Anspruch her, der sich in den Anfängen der beiden Autoren zeigte: in Schnitzlers „Anatol“, in Hofmannsthals „Gestern“. Aber er streitet jenen Einaktern und damit ihren Autoren und damit dem ganzen Jungwien (endgültig) den „eigenen Ton“[16] ab. Und zwar zunächst des dramaturgischen Versagens wegen, das aber nur Indiz für die Mediokrität ist, die Kraus Schnitzler, und für das Epigonentum, das er Hofmannsthal vorwirft. Bei Schnitzler spricht er vom Bereich „anmuthige[r] Wiener Empfindsamkeiten“[17], dem dieser genügen könne, Hofmannsthal nennt er einen „Edelsteinsammler aller Literaturen“[18]. Beides sind für Kraus aber nicht so sehr Begabungs- als vielmehr Persönlichkeitsmängel. Die postulierte Personalität ist weder durch psychologische noch auch durch idealistische Kategorien wesentlich zu bestimmen, sondern ist eine, die im Werk zutage tritt, und zwar als das, was Kraus an Strindberg rühmt: als Temperament. Hier begegnen wir einem Terminus, der wieder zur Lebensvorstellung des Naturalismus gehört. Doch wird gleichzeitig davon gesprochen, daß das Temperament sich in Darstellung umzusetzen habe. Der literarische Gehalt muß, nach Kraus, fehlen, weil die Voraussetzung für die Darstellung fehlt. So wirft er dem als wichtigsten der drei Einakter Schnitzlers gesehenen „Grünen Kakadu" vor, daß darin versucht werde, „das Gewaltige [der französischen Revolution] zu einem netten Genrebildchen"[19] einzufangen. In Hofmannsthals beiden Einaktern wird jeder Gehalt vermißt, seine Verse erschöpften sich in „Costüm und Anklängen"[20]. Der Hinweis auf die dramatischen Erstlinge beider Schriftsteller ist der auf deren Entwicklungslosigkeit, auf geistige Sterilität. So taucht am Ende der Kritik und damit gegen Ende der ersten „Fackel" nicht von ungefähr wieder die Vorstellung vom Leben auf: Hofmannsthal, sagt Kraus, „flieht noch immer das Leben und liebt die Dinge, welche es verschönern"[21]. Doch ist dies eben nun nicht mehr ein Abstraktes, sondern die aktuelle historische Situation, die das herrschende Bewußtsein als falsches nicht begreift bzw. nicht begreifen will.

Die Kritik, die Karl Kraus an der literarisch-theatralischen Situation Wiens 1899 übt, läßt erkennen, daß in ihr die Kritik des frühen Kraus als die der Pose und Affektation vom Standpunkt einer naturalistischen Lebensvorstellung erweitert, weitergeführt und präzisiert wird. Jungwien ist nun Teil der ganzen literarisch-theatralischen Situation, diese zum Modell der österreichischen gesellschaftlichen Gesamtsituation am Ende des Jahrhunderts geworden. Das wiederum kann geschehen, weil das, was in der Literatur sich auswirkt, was sie unlebendig, zum bloßen entertainment, medioker und epigonal macht, eben das ist, was für Kraus die Gesellschaft am Jahrhundertende im ganzen prägt. Es ist das, was Kraus zum ersten Mal mit dem Wort „Phrasensumpf"[22] in der Einleitung zur „Fackel" anspricht. Da es sich um Sprachliches handelt, wird die Lebensvorstellung des jungen Kraus ex negativo deutlich aus jedem biologistischen Zusammenhang herausgenommen, aber es wird auch nicht ein idealistisches Konzept entwickelt, das etwa auf der Gleichung von Leben und Geist beruhte. Weil er sich als Kritiker versteht, entwirft Kraus keine eklektizistische Sprachtheorie, sondern sucht das Sprechen auf, das diesen „Phrasensumpf" vor allem hat entstehen lassen: das journalistische, insofern es sich des literarischen bedient, es wieder rhetorisiert hat. Dadurch wird er von vornherein abgelenkt von den politischen Ereignissen als solchen, aber auch von einer „immanenten"

Literaturkritik. „Ich komme wahrhaftig erst in zweiter Linie dazu, die öffentlichen Dinge zu betrachten, weil leider gar so viel Journalschmutz davor liegt [...] Ich möchte über die Verhandlungen [der Abrüstungskonferenz] im Haag sprechen und stoße auf die ,Neue Freie Presse[23]'." Das Wort vom „Journalschmutz" evoziert nicht so sehr die Vorstellung von einzelnen Korruptheiten der Presse, sondern von der Presse als „Phrasensumpf". Die aber wird für Kraus repräsentiert v. a. von der „Neuen Freien Presse" als der bedeutendsten liberalen Zeitung Wiens und Deutschösterreichs in dieser Zeit.

Warum die Phrase zu einem so zentralen und integrierenden Begriff für Kraus werden konnte, daß in der Kritik an der Phrase die Kritik am literarischen fin de siècle als dem Nichtlebendigen aufgehen und daß der Begriff der Phrase sich mit dem Fortschreiten der Krausschen Kritik an der Presse als Kritik an ihrem ganzen Sprechen entwickeln konnte, soll am Beispiel der Thematisierung des Dreyfus-Prozesses in der „Fackel" erkennbar gemacht werden. Gerade weil dieses Thema nur in der äußerlichsten Weise mit dem des fin de siècle zusammenhängt, insofern es nämlich ein bewegendes Thema eben der Jahrhundertwende ist, kann besonders deutlich gemacht werden, was Kraus an diesem Thema interessiert und inwiefern dieses Interesse zum fin de siècle als Denken und Sprechen Beziehung hat. Wohl im größten Teil der europäischen Presse wird in den Monaten Mai bis September 1899 breit über die Wiederaufnahme des Dreyfus-Prozesses in Rennes berichtet, wobei es zu Meinungspolarisierungen kommt, die keinesfalls mit den politischen Positionen der Zeitungen und der einzelnen Journalisten übereinstimmen, etwa derart, daß Liberale und Sozialisten als Progressive auf der Seite von Dreyfus gestanden hätten, Konservative als Reaktionäre seine Gegner gewesen wären. Das gilt schon für Frankreich nicht, wo beispielsweise der von Werner Kraft mit Recht als ein Vorläufer von Kraus gesehene Henri de Rochefort, der Herausgeber von „La Lanterne", der heftigste Gegner Napoleons III., ein Antidreyfusard ist im Namen eines Vaterlandes, das für ihn das der Revolution ist. Für das Ausland, für Deutschland z. B., hat diese populäre Konstellation überhaupt keine Bedeutung. Konservative erscheinen aus nationalistischen Gründen als Prodreyfusards. Maximilian Harden, der Herausgeber der „Zukunft", war dagegen ebenso ein Antidreyfusard wie Wilhelm Liebknecht, der Herausgeber des „Vorwärts" und Freund von Karl Marx. Beide aber waren es wiederum aus verschiedenen Gründen. Kraus berichtet von den Ereignissen selbst nicht, und er kommentiert sie auch nicht. Wenn er in drei Nummern der „Fackel" den Aufsatz Liebknechts „Nachträgliches zur ,Affäre' " veröffentlicht, in dem Liebknecht die Unschuld von Dreyfus bezweifelt, so gibt er damit nur einer Auffassung

Raum, die an anderer Stelle nicht erscheinen kann. Die Gründe für die Meinung Liebknechts sind schwach, aber sie sind auch für Liebknecht nicht das Zentrale. Er wendet sich v. a. gegen die sogenannte „Campagne", die er als *„Mache und Reclame. Reclame und Mache"*[24] bezeichnet und von deren Trägern in Deutschland, der deutschen Presse, er vorher gesagt hatte, sie informiere von Paris aus *„durchaus falsch"*[25]. In einer populären amerikanischen Anthologie, die Reportagen versammelt, formulieren die Herausgeber mit Bezug auf den Dreyfus-Prozeß so: „Die großen Geister der Zeit" „riefen die Journalisten der ganzen Welt [...] auf, Dreyfus zu verteidigen, indem sie die Wahrheit berichteten"[26].

Kraus selbst fällt auch kein Urteil über Dreyfus, vielmehr kommt er zu perspektivenreichen Urteilen über die Presse, indem er das, was in Liebknechts Vorwurf und in der Apologie der Reportagen-Anthologie nur Behauptung ist, nämlich Unwahrheit oder Wahrheit der Presseinformation, an dem zu erproben sucht, was ihm und jedem Leser als Dokument zur Verfügung steht: an den Berichten der Wiener Zeitungen, vor allem der „Neuen Freien Presse" über den Dreyfus-Prozeß als Texten. Das heißt: Kraus informiert über das Nächstliegende, über die Information der Wiener Presse, er fragt nach der Wahrheit ihrer Berichte vom Dreyfus-Prozeß. Aber er gewinnt sein Wahrheitskriterium und damit das Kriterium zur Beurteilung des Informationsanspruchs der Presse nicht aus anderen Informationen über den Dreyfus-Prozeß, sondern durch eine Analyse der Texte selbst und der durch diese Analyse zutage tretenden Intentionen[26a].

Im 10. Heft des ersten Jahrgangs der „Fackel" sind unter der Rubrik-Überschrift „Lapidares aus der ‚Neuen Freien Presse' " unter anderem zwei Zitate zum Dreyfus-Prozeß abgedruckt:

„Dreyfus, 2. Juli: ‚Er war nur eine Art von *passivem* Philoktet, der, *ohne eigenen Willen,* vom bösen Zufall auf eine Felseninsel verschlagen, stöhnt und ächzt.' Mythologie — schwach. Unwahr ist es, dass es je einen activen Philoktet gegeben hat, unwahr, dass er die unselige Zeit mit eigenem Willen auf der Teufelsinsel Lemnos verbrachte. Wahr dagegen ist, dass der Generalstäbler Odysseus die Deportation des mit einer eiternden Wunde Behafteten aus sanitären Gründen verfügt hat."

„Dreyfus, 5. Juli, Abendblatt: ‚Ein Anonymus, der *wie Tannhäuser* wichtige Gründe zu haben vorgibt, *anonym zu bleiben* ...'[27]."

Das erste Zitat scheint nichts anderes zu zeigen als ungenaue Kenntnis eines Bildungsdatums. Zwar ist schon das für die Zeitung, die beansprucht, richtige und genaue Information zu geben, nicht unwichtig, doch geht es wesentlich um etwas anderes. Der Vergleich von Dreyfus mit Philoktet, des Anonymen mit Tannhäuser ist als metaphorisches Sprechen ein Signal für literarisches Sprechen, das hier inmitten der Informationsrede der Zeitung erscheint. Daß die Vergleiche falsch sind, demonstriert nur massiv, daß sie in diesem Kontext keinerlei Funktion haben. Denn der metaphorische Gebrauch eines Mythologems in diesem Zusammenhang macht die Information nicht präziser, vielmehr zeigt er, daß die Zeitung ahnungslos demgegenüber ist, wovon sie zu berichten behauptet.

Wenn Kraus von der „Teufelsinsel Lemnos" und vom „Generalstäbler Odysseus" spricht, so ist das ein ironischer Hinweis auf das falsche Bewußtsein, das in dem Sprechen der Zeitung sich entdeckt. Die modernen Attribute des Mythologischen machen darauf aufmerksam, daß das zeitgeschichtliche Geschehen nicht mit mythologischen Vorstellungen erkennbar gemacht werden kann. Das zutage tretende falsche Bewußtsein erweist sich in diesem Sprechen als eines, das keine prägnanten Vorstellungen von dem Geschehen hat, von dem es spricht, und sie darum auch nicht vermitteln kann.

Mit den Details undeutlicher Vorstellung in der Zeitung beginnt aber erst die Problematisierung von deren Informationsanspruch. In einer längeren Glosse des Heftes 15 der „Fackel" (1899) zeigt Kraus, warum es für den Leser unmöglich ist, „sich von dem Gang der Verhandlungen in Rennes eine auch nur annähernd richtige Vorstellung zu machen"[28]. Statt zu informieren erzeuge die Zeitung Rührung, statt Zeitgeschichte zu schreiben, schreibe sie Romane. Die Charakterisierung der Zeugen orientiere sich ausschließlich an deren gegenwärtiger Stellung zu Dreyfus. Auf diese Vorwürfe folgt (zum ersten Mal in der „Fackel") eine Textkonfrontation. Einem Bericht der „Kölnischen Zeitung" von einer Zeugenaussage wird dessen Adaptation im „Wiener Tagblatt" (zwar noch nicht graphisch wie später) gegenübergestellt. Veränderungen und Auslassungen beurteilt Kraus so: „Es liegt also die Fälschung eines Berichtes und bewusste Irreführung seiner Leser vor . . .[29]."

Kraus berichtet nicht *auch* über den Dreyfus-Prozeß von einem anderen Standpunkt aus, sondern er fragt bei Gelegenheit des Dreyfus-Prozesses nach der Genauigkeit, Vollständigkeit und Wahrheit der Information zunächst der Wiener Zeitungen, was sich gerade dieses Konkreten wegen rasch als Problematisierung der Presse der Zeit überhaupt erweist. Aber die aus diesem Fragen hervorgehende Kritik ist wesentlich keine an den politisch-ideologischen Positionen der Zeitungen, obwohl es historisch richtig die große liberale Tagespresse ist und vor allem deren österreichische Repräsentantin, die „Neue Freie Presse", die Kraus angreift. Doch deutet sich in den zitierten Beispielen bereits an, daß es vor allem um die Information über *Presse als Redestruktur* geht[30].

Der junge Kraus, der Jungwien ganz am Anfang seiner schriftstellerischen Arbeit nahesteht und damit einer literarischen Ausprägung des fin de siècle, entfernt sich nicht eigentlich von der Literatur des fin de siècle schlechthin. Er bleibt zum Beispiel dem Impressionismus Peter Altenbergs verbunden, er schätzt und verteidigt den Ästhetizismus Oscar Wildes. Er entfernt sich von den *Jungwienern* zunächst, weil er sie für Poseure hält, für Schriftsteller, die die Decadence nur affektieren. Seine Arbeit als kritischer Journalist ist Ausdruck des Versuchs, ohne Pose sich für kulturelle, soziale, politische Probleme zu engagieren. Doch begreift er, daß der Meinungsjournalismus ihm weder die Freiheit zur Rücksichtslosigkeit gibt noch Meinung ausreichen kann, die Situation seiner Gegenwart, des Jahrhundertendes in Österreich, erkennbar zu machen. Er sieht sich vor das Darstellungsproblem gestellt, und zwar um so mehr, als die Wiener Literatur für ihn nicht leistet, was sie zu leisten hätte, weil ihre Repräsentanten als Künstler Poseure sind und weil sie die Literatur an den Journalismus verraten haben.

Kraus beginnt zu begreifen, daß das Problem des fin de siècle in diesem Verrat liegt, d. h. darin, die Literatur (als Sprechen) der Meinung und der Information des Journalismus zur Verfügung zu stellen und sie dessen Bedürfnissen vollständig anzubequemen. An die Stelle des Vorwurfs gegen die Jungwiener, Pose statt Leben zu geben, tritt die erheblich perspektivenreichere gegen die Presse, die Sache durch die Phrase zu verdecken. Kraus gewinnt damit den Ansatz für seine minutiöse Analyse des herrschenden Sprechens der Zeit, v. a. des Sprechens der Presse. Aber diese kritische Analyse ist, wie das Beispiel der Kritik an der Dreyfus-Berichterstattung zeigt, nur indirekt eine politische und soziale Kritik, sie ist schon wesentlich Kritik als Literatur, als Satire. Gerade dadurch aber kann — v. a. im Kontext der „Fackel" — das Sprechen der Zeitung als Repräsentant eines problematischen fin de siècle bewußt gemacht werden, in dem sich wiederum das Motiv des Untergangs der Epoche reflektiert. Als im November 1899 der Leoniden-Schwarm zum journalistischen Thema geworden war, schrieb Kraus: „*Die Weltuntergangsschmöcke* haben sich redlich geplagt. Dass die kritischen Tage ein ‚Stoff' waren, hatte ein jeder sofort heraus. Jetzt blieb nur noch die Frage zu entscheiden, ob man sentimental oder humorvoll werden sollte. Herr Julius *Bauer* entschied sich natürlich für das zweite und empfieng die Leoniden mit einem Bänkel. [...] Wer von der Nacht auf den 14. November den Zusammenbruch der bürgerlichen Gesellschaftsordnung erwartet hat, wurde schmählich getäuscht. [...] Dreyfus wurde wieder actuell, denn wenn so oft ‚fiat justitia, pereat mundus' betheuert worden war, so musste doch der Zeitpunkt, da die Welt wirklich zugrunde gehen sollte, für den endlichen Sieg der Gerechtigkeit ins Auge gefasst werden ... Alles kam anders. Des Räthsels Lösung ist: die Welt *durfte* nicht zugrundegehen, weil noch ein Stück von Buchbinder da war, das sonst nicht ‚volle Häuser machen' konnte."[31]

## ANMERKUNGEN

1. Reinhard Urbach, *Karl Kraus und Arthur Schnitzler. Eine Dokumentation,* in: Literatur und Kritik, Jg. 5, H. 49, 1970, S. 517.
2. *Die Gesellschaft,* Bd. 9, 1. 1893, S. 630. (Nachdruck: Nendeln/Liechtenstein 1970.)
3. Karl Kraus, *Wiener Brief,* in: *Breslauer Zeitung,* Jg. 78, Nr. 748, Morgen-Ausgabe, 24. 10. 1897, S. 2—3.
4. *Die Wage,* Jg. 1, Nr. 45, 5. 11. 1898, S. 751.
5. Karl Kraus, *Die demolirte Literatur,* Wien ²1897, S. 37.
6. Karl Kraus, *Eine Krone für Zion,* Wien ³1899, S. 31.
7. *Die Fackel,* Jg. 1, Nr. 1, 1899, S. 1.
8. aaO, S. 1 f.
9. aaO, S. 3.
10. aaO, S. 6.
11. aaO, S. 12.
12. aaO, S. 17.
13. aaO, S. 18.
14. aaO, S. 19.
15. aaO, S. 12.
16. aaO, S. 24.
17. aaO.
18. aaO, S. 25.
19. aaO, S. 24.
20. aaO, S. 27.
21. aaO.
22. aaO, S. 2.
23. *Die Fackel,* Jg. 1, Nr. 5, 1899, S. 11 f.
24. *Die Fackel,* Jg. 1, Nr. 19, 1899, S. 3.
25. *Die Fackel,* Jg. 1, Nr. 18, 1899, S. 6.
26. L. L. Snyder u. R. B. Morris (Ed.), *Hier hielt die Welt den Atem an,* deutsch: Stuttgart 1953, S. 141.

26a. Wie die Wiener Journalisten über das Engagement der Presse für Dreyfus dachten, dafür ist ein Verspaar aus der Ballspende (1899) der „Concordia", des Wiener Journalisten- und Schriftstellervereins, ein Indiz:

„Wir sind ja das einzige Blatt der Welt,
Das Nichts [!] über Dreyfus geschrieben!"

In eben diesem Heft wird eine der „Concordia" gewidmete Schnellpolka von A. Müller verzeichnet: sie heißt „Fin de siècle". S. *Jugend in Wien. Literatur um 1900. Eine Ausstellung des Deutschen Literaturarchivs,* München 1974, S. 259.

27. *Die Fackel,* Jg. 1, Nr. 10, 1899, S. 26 f.
28. *Die Fackel,* Jg. 1, Nr. 15, 1899, S. 3.
29. aaO, S. 5—7.
30. Die Seiten 120 (ab Z. 20) bis 122 sind in größerem Zusammenhang auch in meiner Studie ‚Karl Kraus und die Presse" erschienen. (München 1975. [Literatur und Presse/Karl-Kraus-Studien. 1.])
31. *Die Fackel,* Jg. 1, Nr. 23, 1899, S. 24—26.

WILLIBALD SAUERLÄNDER

# Alois Riegl und die Entstehung der autonomen Kunstgeschichte am Fin de siècle

Für Millard Meiss zum 25. 3. 1974

Eine Geschichte der Kunstgeschichte ist noch nicht geschrieben; sie existiert allenfalls in Ansätzen[1]. Die umfangreiche methodische Literatur zur Kunsthistorie oder zur Kunstwissenschaft, deren Titel inzwischen eine eigene Bibliographie füllen würden, ist systematisch, nicht geschichtlich ausgerichtet[2]. Sie sucht die wissenschaftliche Praxis theoretisch zu begründen, fragt nicht nach ihren geistesgeschichtlichen Voraussetzungen. Hingegen gibt es m. W. keine Schrift, die aufweisen würde, wie die Kunstgeschichte als selbständige Wissenschaft aus einer eigentümlichen Verbindung von normativen Kategorien der älteren Kunsttheorie und Ästhetik mit Anschauungsweisen und Arbeitsverfahren der Geschichtswissenschaft hervorgewachsen ist. Beispielhaft ließe sich das alles an der Entstehung und Entfaltung des kunsthistorischen Stilbegriffs darlegen. Stil war ja ursprünglich nichts anderes als ein Gattungsbegriff der Rhetorik und Literarästhetik und hat sich erst im Lauf der letzten zweihundert Jahre zu einem Wesensbegriff des historischen Verstehens gewandelt[3]. Aus den alten „genera dicendi" wurde dabei schließlich die uns vertraute Vorstellung vom Zeitstil. Die Anfänge dieser Verwandlung des Stilbegriffs reichen, wie bekannt ist, mindestens bis zu Winckelmann zurück. „Die Geschichte der Kunst soll den Ursprung, das Wachstum, die Veränderung und den Fall derselben nebst dem verschiedenen Stile der Völker, Zeiten und Künstler lehren", heißt es 1764 in der Vorrede zur „Geschichte der Kunst des Altertums"[4]. Schon hier ist der Stilbegriff nicht mehr eigentlich normativ verwendet, sondern in charakterisierender Weise historischen oder ethnologischen Erscheinungen, den Zeiten und Völkern zugeordnet. Der schrittweise Wandel von der normativen zur entwicklungsgeschichtlichen Auslegung des Stilbegriffs setzt sich während des ganzen vergangenen Jahrhunderts fort und bestimmt auch noch das kunsthistorische Denken jenes Mannes, dem die hier vorgetragenen Überlegungen gelten sollen: Alois Riegls, der zur Zeit des Wiener Fin de siècle eine so bedeutsame Rolle bei der Entstehung der modernen, autonomen Kunstgeschichte gespielt hat.

Die Zeit, in der Riegl gewirkt hat, also die letzten fünfzehn Jahre des 19. Jahrhunderts oder, noch genauer, die beiden Dezennien zwischen 1885 und 1905, bilden in der Wissenschaftsgeschichte der Kunsthistorie eine tiefe Zäsur. Hans Sedlmayr erblickte gerade in dieser Zeitspanne eine prägende Phase jenes Vorganges, den er als „Wissenschaftswerdung" der Kunstgeschichte bezeichnet hat[5]. Ob man sich dieser recht dezidierten und keiner Relativierung Raum lassenden Formulierung ohne Einschränkung anschließen mag, ist im Augenblick von sekundärer Bedeutung — jedenfalls wirft sie ein scharfes Licht auf die fundamentale Wende in der kunsthistorischen Fragestellung, die sich damals vollzogen hat. Ich möchte hier lediglich zur Orientierung an drei für uns besonders wichtige Aspekte dieses Vorgangs erinnern: 1) Die Kunstgeschichte löst sich aus dem Zusammenhang der allgemeinen Kulturgeschichte, wie ihn noch Jakob Burckhardt in beispielhafter Weise gewahrt hatte. Sie wird dadurch „autonom" oder, um es vorsichtiger auszudrücken, sie meint, durch diese Ablösung „autonom" zu werden. 2) Die Kunstgeschichte nimmt Abschied von einer überwiegend biographisch bestimmten Betrachtungsweise — der Geniegeschichte —, wie sie zuletzt Karl Justi und Herman Grimm eindrucksvoll vertreten hatten[6]; es entsteht die sogenannte „Kunstgeschichte ohne Namen"[7]. 3) Die Kunstgeschichte sucht ihre Urteile von normativen Wertvorstellungen ästhetischer oder ethischer Art zu säubern. Sie verbannt sowohl das Wahre wie das Schöne im traditionellen Sinne aus ihrem Gesichtskreis. Durch diese Trennung von der Kulturgeschichte, der Genievorstellung und dem Wertproblem hat die autonom gewordene Kunstgeschichte ihren Gegenstand zugleich amputiert und in einem vorher unbekannten Umfang verfügbar gemacht. Sichtbares Zeichen und triumphale Bezeugung ihrer neuen Möglichkeiten war die zwischen 1885 und 1905 sich radikal verändernde Einstellung zu den sogenannten Verfallsepochen wie der Kunst der ausgehenden römischen Antike oder des europäischen Barock.

Bevor wir zur Besprechung von Riegls Anteil an diesem Geschehen übergehen, sei an einige andere wichtige Beiträge aus jenen Jahren erinnert. 1886 erschien in München Heinrich Wölfflins Dissertation „Prolegomena zu einer Psychologie der Architektur"[8]. Ohne im eigentlichen Sinne eine historische Abhandlung zu sein, läßt sie doch wesentliche Züge der neuen autonomen Kunstgeschichte erkennen. Ich hebe nur zwei Punkte heraus: 1) Die künstlerische — oder, vielleicht zutreffender, die ästhetische — Erfahrung muß nach Wölfflin im Zeitalter der exakten Wissenschaften auf psychologische Empirie gegründet werden. Er schreibt: „Man kann erst da exakt arbeiten, wo es möglich ist, den Strom der Erscheinungen in festen Formen aufzufangen. Diese festen Formen liefert der Physik zum Beispiel die Mechanik. Die Geisteswissenschaften entbehren noch dieser Grundlage; sie kann allein in der Psychologie gesucht werden[9]." Für die Baukunst lautet das vorgeschlagene Verfahren: „Die Psychologie der Architektur hat die Aufgabe, die seelischen Wirkungen, welche die Baukunst mit ihren Mitteln hervorzurufen imstande ist, zu beschreiben und zu erklären[10]." Schon ein einziger solcher Satz macht die Chance, aber auch die Aporien dieser autonomen Kunstgeschichte sichtbar. Ihre Chance ist es, daß sie nach Beseitigung aller normativen Wertvorstellungen und durch den Rückwurf der ästhetischen Erfahrung auf die nackte psychologische Empirie eine sozusagen unbegrenzte und mindestens dem Anschein nach völlig vorurteilsfreie Aufnahmefähigkeit gewinnt. Wölfflins nächstes, schon zwei Jahre später erschienenes Buch „Renaissance und Barock" hat glänzend bewiesen, was mit der von keiner Norm mehr eingeengten, psychologisierenden Rezeptionsweise zu bewerkstelligen war, brach es doch in ganz anderer Art und in weit höherem Maße als Gurlitts gleichzeitig veröffentlichte „Geschichte des Barockstils" einer neuen Einstellung zur Baukunst des späteren Cinquecento die Bahn[11]. Die Aporien dieser psychologisierenden Einstellung werden deutlich, wo sie beispielsweise auch zur Erklärung ethnologischer Eigenarten dienen soll. So spricht Wölfflin „von der Idee einer solchen Kunstpsychologie, die vom Eindruck, den wir empfangen, zurückschließt auf das Volksgefühl, das diese Formen, diese Proportionen erzeugte"[12]. Doch kommen wir zu dem zweiten, zukunftweisenden Punkt aus Wölfflins Erstlingsschrift, den ich hier hervorheben möchte: Die neue, autonome Kunstgeschichte hebt die traditionelle Unterscheidung zwischen hoher und angewandter Kunst, zwischen gegenständlichen und ungegenständlichen Formen auf. Ja es ist ihre erklärte Auffassung, daß die ungegenständlichen Formen und die Erzeugnisse der angewandten Kunst eine reinere stilphysiognomische Aussagekraft besitzen als etwa die große Architektur oder die Darstellungen der Malerei. Wölfflin schreibt: „Den Pulsschlag der Zeit muß man anderswo belauschen; in den kleinen, dekorativen Künsten, in den Linien der Dekoration, den Schriftzeichen usw. Hier befriedigt sich das Formgefühl in reinster Weise und hier muß auch die Geburtsstätte des neuen Stiles gesucht werden[13]." Die „Prolegomena zu einer Psychologie der Architektur", mit denen der 22jährige Wölfflin 1886 promovierte, sind wohl der früheste Versuch, die geschichtliche Betrachtung der Kunst durch Anlehnung an die Psychologie zu einer Disziplin umzuformen, welche genauso exakt arbeitete wie die modernen Naturwissenschaften.

In den neunziger Jahren des vorigen Jahrhunderts wird jedoch auch bei anderen Gelehrten das Bestreben erkennbar, die Behandlung der Kunstgeschichte aus der Bindung an Reste der normativen Ästhetik zu lösen und die Unterscheidung zwischen den verschiedenen Kunstgattungen zu überwinden. „Die Kunstwerke, auch die unvollkommenen und mittelalterlichen, auffassen als Geschöpfe eines künstlerischen Geistes“, setzte sich Wilhelm Vöge 1894 in der Einleitung zu seinen „Anfängen des monumentalen Stiles im Mittelalter“ als Ziel und fragte weiter: „Woher kommt ihnen ihre seltsame Schönheit? Warum so eigenartig, so ab- oder ausgeartet? Warum — so häßlich[14]?“ Franz Wickhoff schreibt 1895 in seiner Einleitung zu der großen Ausgabe der Wiener Genesis: „Es sollen frühere Generationen nicht getadelt werden, wenn sie unter der allgemein herrschenden Vorstellung von einem Verfall der Kunst in der römischen Kaiserzeit achtlos an Werken dieser Art vorübergingen“ und meinte: „Haben wir nicht vielmehr eine einheitliche Periode der Kunst vor uns, die in Architektur, Plastik und Malerei parallele Erscheinungen bietet[15]?“ Damit war die neue positive Sicht der Spätantike postuliert. 1901 formuliert Julius von Schlosser: „Ähnlich wie noch vor kurzem das Barocco, wird die konstantinische Periode gemeinhin verächtlich als eine Zeit des ‚Verfalls‘ abgetan, in die näher einzudringen, kaum der Mühe lohne. Im Rücken dieser Anschauung baumelt das klassizistische Zöpflein[16].“ Und in derselben Abhandlung mit dem Titel „Zur Genesis der mittelalterlichen Kunstanschauung“ heißt es an anderer Stelle: „Die rein formengeschichtliche Betrachtung, die den Kunsthistorikern unserer Tage als Ideal vorschwebt, scheint sich gleich der modernen Naturwissenschaft den freilich noch weit genug gesteckten Zielen allgemeiner philosophischer Erkenntnis zuwenden zu wollen. Wir beginnen uns den Problemen einer historischen Ästhetik zu nähern und es dämmert uns die Einsicht, daß die verschiedenen durch ihre technischen und stofflichen Bedingungen differenzierten Künste nur ebensoviel Facetten eines und desselben Grundwesens sind, und daß ihre geschichtliche Entwicklung in parallelen Linien verläuft, weil in ihnen ein und derselbe Demiurgos tätig ist[17].“ Der Einklang mit Grundstimmungen des fin de siècle ist in all diesen kunsthistorischen Äußerungen deutlich vernehmbar. Die neue Einstellung zu den sogenannten Verfallsepochen hängt, wie man erkannt hat, mit der Entdeckung der „negativen Schönheit“ durch die zeitgenössische Kunsttheorie zusammen, aber sicherlich auch mit der für das fin de siècle charakteristischen Vorliebe für die „décadence“[18]. Die Ablehnung der Unterscheidung von hoher und angewandter Kunst projiziert ein Postulat der zeitgenössischen Stilbewegung auf die Kunstgeschichte. In van de Velde's Schrift „Zum neuen Stil“ liest man 1895: „Wir können in der Kunst keine

Scheidung zulassen, die darauf ausgeht, einer ihrer vielen Erscheinungsformen und Ausdrucksmöglichkeiten einen höheren Rang vor den übrigen auszuweisen[19]." 1898 wird im „Ver Sacrum', der Wiener Sezessionszeitschrift, verkündet: „Wir kennen keine Unterscheidung zwischen ‚hoher Kunst' und ‚Kleinkunst'[20]."

Wir haben bei der Frage nach der Entstehung der autonomen Kunstgeschichte am fin de siècle bisher vom Anteil Alois Riegls noch nicht gesprochen. Rieglschem Ideengut freilich sind wir bereits begegnet. Wickhoffs Einleitungstext zur Edition der Wiener Genesis und sichtbarer noch Schlossers Aufsatz „Zur Genesis der mittelalterlichen Kunstanschauung" spiegeln Gedanken Alois Riegls wider. Unter den Begründern der autonomen Kunstgeschichte ragt Riegl mit weitem Abstand als die eigenwilligste Gestalt heraus. Er hat das neue Anliegen mit einer zwanghaften Unerbittlichkeit verfochten. Vor allem ist er der Einzige gewesen, welcher die empirische, psychologisierende Einstellung zum künstlerischen Objekt mit einer umfassenden Theorie der Geschichte zu verbinden suchte.

Ganz anders als bei Wölfflin, dessen Grundgedanken schon in der Dissertation des 22jährigen erkennbar werden, verlief Riegls wissenschaftliche Entwicklung zunächst stockend und mindestens dem Anschein nach abseitig. Erst 1893, als er bereits 35 Jahre zählte, publizierte er jenes später berühmt gewordene Buch, das seine Konstruktion der Kunstgeschichte erstmals in systematischer und kohärenter Form entwickelte: „Stilfragen, Grundlegungen zu einer Geschichte der Ornamentik[21]". Und es ist charakteristisch, daß er seine Konstruktion zuerst an einem Gebiet des Kunstschaffens vorführt, das nur ungegenständliche bzw. ornamentale Formen umfaßt und das nach der damals noch üblichen Klassifizierung zu den niederen, angewandten Teilen der künstlerischen Produktion rechnete. Für das Verständnis von Riegls Konzeption der Kunstgeschichte ist es nicht ohne Interesse, an den Verlauf seines voraufgehenden wissenschaftlichen Werdeganges zu erinnern. In seiner Studienzeit war Riegl bei dem deutschen, aber an der Wiener Universität wirkenden Geschichtsforscher Max Büdinger noch mit der Vorstellung und der Praxis einer Altertum, Mittelalter und Neuzeit in gleicher Weise umspannenden „Universalhistorie" in Berührung gekommen und offenbar tief von ihr beeindruckt worden[22]. Der universalgeschichtliche Ausblick, das angespannte Bestreben, die Geschichte der Kunst von den Ägyptern bis in die jüngste Gegenwart unter einem einheitlichen Gesichtspunkt abhandeln zu wollen, ist für alle späteren Arbeiten Riegls — von den „Stilfragen" bis in das Todesjahr 1905 — charakteristisch geblieben. Und als Max Büdinger 1898 eine Festschrift gewidmet wurde, beteiligte sich Riegl mit einem Aufsatz über „Kunstgeschichte und Universalgeschichte"[23].

Weiter hatte Riegl in seiner Studienzeit bei dem Philosophen Robert Zimmermann eine Richtung der normativen Ästhetik kennengelernt, die sich im Gefolge Herbarts und im Gegensatz zu Hegel als „Formwissenschaft" verstand und die Ergebnisse der empirischen Psychologie in ihr System einzubeziehen trachtete[24]. Auch hier sind die Spuren in seinen späteren Arbeiten nicht zu übersehen. Allgemein scheint es von Bedeutung, daß Riegl durch Büdinger und Zimmermann noch mit einer Auffassung von Wissenschaft verbunden ist, welche entschieden spekulativ philosophische Züge zeigt und die historisch der Epoche vor der Tatsachenforschung, vor dem Positivismus des späteren 19. Jahrhunderts angehört. Die Aufgaben aber, vor die sich Riegl nach seiner Studienzeit gestellt sah und denen er sich mit skrupulöser Gewissenhaftigkeit unterzog, zwangen ihn dann gerade zur positivistischen Detailforschung und zwar auf einem Felde, das leicht als ein hoffnungsloses Randgebiet der großen Kunstgeschichte erscheinen konnte. 1886 trat er als Volontär in das österreichische Museum für Kunst und Industrie ein und übernahm 1887 als Kustosadjunkt die Verwaltung der Textilabteilung — ein Amt, das er dann nicht weniger als zehn Jahre innehatte und von dem er sich übrigens nur schwer getrennt haben soll[25].

Auch in seinen wissenschaftlichen Arbeiten hat er sich zwischen 1886 und 1893 fast ausschließlich mit Fragen der Textilkunst beschäftigt, wobei neben einem Buch über altorientalische Teppiche zahlreiche Abhandlungen über die Textilindustrie oder den textilen Hausfleiß der verschiedenen Regionen der Donaumonarchie, ja auch ein Bericht über die Ausstellung der k. und k. Stickereifachschule zu Dornbirn stehen[26]. Alle diese Beiträge zeichnen sich durch eine außerordentliche Detailgenauigkeit, durch sorgfältige Erörterung gerade auch der handwerklichen und technischen Fragen aus. Aber nun ist es die Größe Riegls — und bezeichnet seine singuläre wissenschaftsgeschichtliche Position —, daß er sozusagen das Eine tun und das Andere nicht lassen wollte. Während er mit größtem Eifer Materialbearbeitung im Sinne der exakten Wissenschaften betreibt, sucht er gleichzeitig die so ermittelten Tatsachen in ein universalhistorisches Korsett zu zwängen, das seine Herkunft von den großen geschichtsphilosophischen Systemen des vorpositivistischen Zeitalters nicht verleugnen kann. Empirie und Theorie, auf Fakten fixierte Deskription und konstruierende Spekulation sind in Riegls Schriften auf eigensinnige Weise miteinander verbunden. Der Gang des Weltgeistes — so könnte man überspitzt formulieren — wird ihm an den Veränderungen von Rankenformen oder dem wechselnden Verhältnis von Muster und Grund ablesbar. Aus einer sehr eigentümlichen wissenschaftsgeschichtlichen Konstellation heraus hat Riegl so den kühnsten, aber wohl auch bizarrsten Entwurf einer autonomen Kunstgeschichte geschaffen.

Versuchen wir, diesen Entwurf Riegls näher zu beschreiben, wobei besonderes Augenmerk auf seine Zeitgebundenheit am fin de siècle gerichtet werden soll. Zugrundegelegt sind die Schriften Riegls aus den Jahren zwischen 1893 und 1905, vor allem seine großen Veröffentlichungen — also die „Stilfragen“, die „Historische Grammatik der bildenden Künste“, die „Spätrömische Kunstindustrie“ und „Das Holländische Gruppenporträt“ —, aber auch die gleichzeitigen kleineren Arbeiten. Ohne Überzeichnungen wird es bei diesem Versuch nicht abgehen können. Riegls wissenschaftliches Werk ist stofflich weit gespannt und sehr viel komplizierter als das auf wenigen Grundgedanken aufgebaute System Wölfflins. Über Riegls Schriften gibt es zwar eine umfangreiche exegetische, gelegentlich auch polemische Literatur, nicht aber eine distanzierte historische Würdigung[27]. Ohne umfangreiche Vorstudien, welche weit in die Wissenschaftsgeschichte des vorigen Jahrhunderts ausgreifen müßten, in die Geschichtsphilosophie wie in die Geschichte der Ästhetik und der Psychologie ist eine einigermaßen abschließende historische Behandlung des „Problems“ Riegl nicht möglich. Was hier vorgetragen wird, kann daher nicht mehr als eine vielfach nur assoziierende Skizze sein.

Wie Wölfflin und die zeitgenössische Kunsttheorie, welche die Entstehung des Jugendstils begleitet, lehnt auch Riegl die Unterscheidung von hoher und angewandter Kunst ab und macht Ornamentik und Kunstgewerbe zu Hauptfeldern der kunstgeschichtlichen Beobachtung. Er, der ja in seiner amtlichen Tätigkeit vom Kunstgewerbe ausging, ist darin weit entschiedener als Wölfflin. 1893 fordert er in der Einleitung zu den „Stilfragen“: „auch die bloß ornamentalen Formen in der Kunst vom Standpunkte einer stufenweisen Entwicklung, also nach den Grundsätzen historischer Methodik zu betrachten“[28] oder sagt noch programmatischer: „Jener fortwährende kausale Zusammenhang im menschlichen Kunstschaffen aller bisherigen Geschichtsperioden, der sich uns bei der historischen Betrachtung der antiken Kunstmythologie und der christlichen Bildertypik offenbart: er läßt sich nicht minder für das ornamentale Kunstschaffen herstellen[29].“ Abermals schroffer bekannte er sich sechs Jahre später in seiner „Historischen Grammatik der Bildenden Künste“ zu den gleichen Anschauungen. Dort schreibt er: „Wie in allen Kunstperioden, fand auch in der spätrömischen dasjenige, was die Kunst bewegte, seinen einfachsten und elementarsten Ausdruck an den Arbeiten des sogen. Kunstgewerbes, d. h. an den Flächenverzierungen der gebrauchszwecklichen Werke[30].“ Je ungegenständlicher und unliterarischer die Kunstgegenstände sind, um so geeigneter scheinen sie Riegl für die stilgeschichtliche Beobachtung. 1901 in der „Spätrömischen Kunstindustrie“ ist diese Auffassung bereits zum dogmatischen Lehrsatz geworden. Dort nämlich heißt es: „Architektur und Kunstgewerbe offenbaren die leitenden Gesetze des Kunstwollens oftmals in mathematischer Reinheit[31].“

Der offensichtliche Zusammenhang mit den zeitgenössischen Kunstbestrebungen geht aber noch weiter. So wie im Jugendstil dieselben ornamentalen Grundmuster alle Erzeugnisse des Kunstschaffens von Gerät, Möbel und Mode bis zum Bauwerk unterwandern, erkennt Riegl im ungegenständlichen Ornament die eigentliche Signatur eines Zeitstiles[32]. Sie liegt auch den mächtigsten Schöpfungen der großen Kunst zugrunde, ist in ihnen nur durch den Darstellungsinhalt verdeckt. So kann es in der „Spätrömischen Kunstindustrie“ bei der Besprechung winziger durchbrochener Bronzefibeln heißen: „Gegenüber der klassischen Wellenranke fehlt es aber an der gleichsam selbstverständlichen Verbindung und Motivierung: und daran liegt es, daß diese Kompositionen den Eindruck gewaltsamer Bewegung hervorrufen. Wir erkennen darin vielmehr dasjenige Kompositionsprinzip, das der Laokoongruppe oder dem Borghesischen Fechter zugrunde liegt[33].“ Und an anderer Stelle desselben Buches fordert er eine Kunstarchäologie, „die an den Dingen nicht bloß die antiquarischen und ikonographischen Interessen des Philologen, Epigraphikers und Chronisten wahrnimmt, sondern jene andere, welcher die Zukunft gehört und welche in der Formgebung des kleinsten gebrauchszwecklichen Gerätes dieselben leitenden Gesetze des jeweiligen Kunstwollens zu erkennen trachtet, die in der gleichzeitigen Skulptur und Malerei die Dinge in Ebene und Raum dem Betrachter zu erlösendem Gefallen gestaltet haben[34].“

Diese Zitate machen aber auch klar, daß es Riegl um mehr und anderes geht als nur um eine Einebnung des Gefälles zwischen hoher und angewandter Kunst. Der wichtigste Punkt scheint mir hier folgender zu sein. Riegls Einstellung zum künstlerischen Gegenstand, seine Art des Sehens, ist durch ein vorher nicht bekanntes Maß an Abstraktion gekennzeichnet. Wenn in seinem „Holländischen Gruppenporträt“ bei der Besprechung einer Anatomie von Aert Pietersz folgender Satz fallen kann: „die Leiche bildet zwar ein vollkommen geschlossenes Raumzentrum wie der Tisch im Bilde des Dirck Barendsz von 1566“, so scheint hier zunächst nur die gleiche Indifferenz gegenüber dem Darstellungsgegenstand zu walten wie sie aus gleichlautenden Äußerungen impressionistischer Maler bekannt ist[35]. Tatsächlich geht aber bei Riegl die Abstraktion von der Gegenständlichkeit, von der darstellenden Seite des künstlerischen Objektes noch erheblich weiter. In einer berühmt gewordenen Formulierung aus der Einleitung zur „Spätrömischen Kunstindustrie“ bestimmt er den „rein künstlerischen Charakter“ der Denkmäler schlechthin nur noch als „Umriß und Farbe in Ebene oder Raum“[36]. Auch hier ist der Zusammenhang mit der zeitgenössischen Kunsttheorie nicht zu übersehen. Schon elf Jahre zuvor hatte Maurice Denis formuliert: „Se rappeler qu'un tableau — avant d'être un cheval de bataille, une femme nue, ou une quelconque anecdote — est essentiellement une surface plane recouverte des couleurs en un certain ordre assemblées[37]."

Doch verfolgen wir diese Gedankenrichtung noch weiter. 1897/98 notierte Riegl in seiner „Historischen Grammatik": „Nur im anorganischen Schaffen erscheint der Mensch völlig ebenbürtig mit der Natur, schafft er rein aus innerem Drange, ohne alle äußeren Vorbilder; sobald er diese Grenzen überschreitet und organische Schöpfungen der Natur wiederzuschaffen beginnt, gerät er in äußere Abhängigkeit von der Natur, ist sein Schaffen kein völlig selbständiges mehr, sondern ein imitatives[38]." Oder: In Architektur und Kunstgewerbe „ist der Mensch selbst schöpferisch. Hier hat er gar kein Vorbild, hier schafft er ganz aus sich selbst heraus ... Insofern sind Architektur und Kunstgewerbe in höherem Grad Kunst als jede andere[39]." Die Konsonanz mit Äußerungen, die sich zu gleicher Zeit in den apologetischen Schriften der Jugendstilkünstler finden, ist unüberhörbar. So schreibt annähernd gleichzeitig August Endell in seinem Aufsatz „Vom Sehen": „daß wir nicht nur am Anfang einer neuen Stilperiode, sondern zugleich im Beginn der Entwicklung einer ganz neuen Kunst stehen, der Kunst mit Formen, die nichts bedeuten und nichts darstellen und an nichts erinnern[40]."

Machen wir uns die Konsequenzen dieser Einstellung für Riegls Entwurf der Kunstgeschichte klar. Nachdem einmal der „rein künstlerische Charakter" als „Umriß und Farbe in Ebene oder Raum" definiert war, konnte Riegl sein stilgeschichtliches Urteil von äußeren Bedingungsfaktoren nahezu völlig entlasten. Die Stilfrage ließ sich nun beantworten, indem von den darstellenden und funktionalen Zügen eines Objekts ebenso abstrahiert wurde wie von seiner möglichen Bedingtheit durch einen besonderen Werkstoff. Die Nivellierungspotenz des Stilbegriffs war dadurch so sehr gesteigert worden, daß — wie wir hörten — eine Leiche und ein Tisch gleichermaßen als Raumzentrum oder eine monumentale Säulenstellung und ein winziges Stoffstück in gleicher Weise als Beispiel für ein bestimmtes Verhältnis von Muster und Grund zitiert werden konnten. Indem Riegl an die Objekte nur noch die eine Frage nach der Erscheinungsweise von Umriß und Farbe in Ebene oder Raum richtet, destilliert er aus Gebäuden, Statuen, Bildern und Ornamenten die abstrakte Vorstellung von einer „art pure" oder, um nochmals eine Wortprägung Endells zu gebrauchen, eine „reine Formkunst"[41].

Soweit wir Riegls Methode bis jetzt beschrieben haben, war sie eindeutig empirisch-deskriptiv. Auffallend an ihr war lediglich das hohe Maß an Abstraktion, welches in der zunehmenden Entgegenständlichung der Kunst am „fin de siècle" eine unverkennbare Parallele hat. Nun aber hat Riegl schon 1893 in den „Stilfragen“ die Grenzen der Empirie überschritten und sich auf das Gebiet der Spekulation begeben, indem er die Frage nach dem verursachenden Prinzip der jeweiligen Erscheinungsweise von Umriß und Farbe in Ebene oder Raum aufwarf. Die in der zweiten Hälfte des 19. Jahrhunderts unter dem Einfluß des naturwissenschaftlichen Materialismus übliche Antwort auf solche Frage lehnt er ab. So heißt es 1903 in dem Aufsatz „Zur Entstehung der altchristlichen Basilika“: „im Zeitalter des Kunstmaterialismus galt ja das Schöne als eine notwendige Folgeerscheinung des Zweckmäßigen, das Kunstwerk als mechanisches Produkt aus Zweck, Rohstoff und Technik“[42] und schon in der Einleitung zu den „Stilfragen“ wandte er sich zehn Jahre zuvor gegen die „materialistische Auffassung von dem Ursprunge alles Kunstschaffens, wie sie sich seit den sechziger Jahren unseres Jahrhunderts herausgebildet und fast mit einem Schlage alle kunstübenden, kunstliebenden und kunstforschenden Kreise für sich gewonnen hat“[43]. Er nennt sie schmähend „die Übertragung des Darwinismus auf ein Gebiet des Geisteslebens“[44].

Riegl selbst kann an die Stelle dieser mechanistischen Erklärungen nur die Annahme einer rational nicht weiter auflösbaren Potenz setzen. Er spricht von „jenem Etwas im Menschen, das uns am Formschönen Gefallen finden läßt, und das die Anhänger der technisch-materiellen Deszendenztheorie der Künste ebensowenig wie wir zu definieren imstande sind“[45]. Oder er sagt, daß „der Mensch augenscheinlich einem immanenten künstlerischen Schaffungstriebe“ folge[46]. Schon in der Einleitung zu den „Stilfragen“ findet sich für dieses letzte verursachende Prinzip jene Bezeichnung, die in der späteren kunsthistorischen Methodenliteratur eine lange Kette von umständlichen und umfänglichen exegetischen Bemühungen nach sich gezogen hat. Dort wirft Riegl den Nachfolgern Gottfried Sempers vor, sie hätten „einen wesentlich mechanisch-materiellen Nachahmungstrieb“ an Stelle des „frei schöpferischen Kunstwollens“ gesetzt[47]. Diese hier mit der erläuternden Zufügung „frei schöpferisch“ noch sehr offen gefaßte Benennung der letzten Ursache künstlerischer Phänomene als „Kunstwollen“ wird in Riegls späteren Arbeiten eine immer zentralere Stelle einnehmen und sich schließlich zu einer Art unausweichlicher mythischer Urkraft steigern. Geistesgeschichtlich steht sie offensichtlich in Zusammenhang mit der sich damals vollziehenden allgemeinen Wendung vom Materialismus zu neuidealistischen Auffassungen und zur Lebensphilosophie. So bewegt sich das Gedankengut von Henri Bergsons „L'Evolution créatrice“ mit dem Zentralbegriff des „élan vital“ in ähnlichen Bahnen[48]. Auch Hans Drieschs 1905 erschienenes Buch „Der Vitalismus als Geschichte und als Lehre“ entstammt vergleichbaren Impulsen[49]. Älter sind die willenspsychologischen Darlegungen von Ferdinand Tönnies, der schon 1887 in „Gemeinschaft und Gesellschaft“ von dem „organischen Wesenswillen“ der Gemeinschaft gesprochen hatte, dem u. a. auch die künstlerische Tätigkeit entspringe[50]. Diese Zusammenhänge hat früh schon Julius von Schlosser betont, dessen kurze Würdigung Riegls sich aus dem ganzen einschlägigen Schrifttum überhaupt durch eine ebenso distanzierte wie noble Souveränität des Urteils heraushebt. „Tatsächlich“, so schreibt er 1934, in seinem Rückblick auf die Wiener Schule der Kunstgeschichte, „bricht in Riegls Geschichtskonstruktion etwas wie ein Neuvitalismus hervor“[51].

Nun macht dieser Satz Schlossers bereits klar, daß das „Kunstwollen“ für Riegl zwar in jedem einzelnen Kunstwerk gegenwärtig ist, eigentlich aber als eine letzte Ursache — eine Energeia — allen künstlerischen Erscheinungen einer Epoche gemeinsam zugrundeliegt. Wo alle Kunstwerke vom Tempel bis zur Gürtelschnalle nur noch als Umriß und Farbe in Ebene oder Raum wahrgenommen werden, kann auch von den geschichtlichen Veranlassungen und Widersprüchlichkeiten, von Größe und Tragik der Historie auf ein einziges verursachendes Prinzip abstrahiert werden. So wird es neun Jahre nach Erscheinen der „Stilfragen“ in dem großen, denkwürdigen Aufsatz über das „Holländische Gruppenporträt“ heißen: Gegeben sei nur „das oberste Kunstwollen, das im letzten Grunde die Dinge psychisch und physisch isoliert oder verbunden sehen und so im Kunstwerk wiedergeben will“[52].

An dieser Stelle müssen wir nun mit unseren Überlegungen noch einmal neu ansetzen. Indem er das heuristische Prinzip des Kunstwollens einführte, versuchte Riegl nämlich eine Brücke von der psychologischen Empirie zur spekulativen Konstruktion der Universalgeschichte zu schlagen und damit Anschluß an die großen geschichtsphilosophischen Systeme des vorpositivistischen Zeitalters zu gewinnen. Riegl hat seine „Theorie vom Kunstwollen als dem treibenden Element alles bildenden Kunstschaffens für die Kunstgeschichtsforschung“ interessanterweise als „positivistisch“ bezeichnet und gemeint: „für die Philosophie hätte sie aber das Ergebnis, daß es dann in der Tat zu einer empirischen Ästhetik kommen könnte[53]“. Dieser Passus scheint mir fundamental für ein geschichtliches Verständnis der wissenschaftlichen Position und der Leistung Riegls. Er hat den kühnen Versuch unternommen, das Modell der alten geschichtsphilosophischen Entwürfe mit ihren letzten Endes vorempirischen Entwicklungsvorstellungen in die auf exakter Empirie basierende psychologisierende Kunstwissenschaft einzubringen. Den geschichtsphilosophischen Systemen des deutschen Idealismus ist das allen Arbeiten Riegls zugrundegelegte Entwicklungsmuster mit den Polen des „Objektiven“ und des „Subjektiven“ entnommen. So heißt es im „Holländischen Gruppenporträt“: „Die bisherige Geschichte der Menschheit läßt in dieser Hinsicht zwei extreme Grundsätze erkennen: am Anfange die Auffassung, daß jedes Subjekt zugleich ein Objekt sei und daß hiernach im Grunde bloß Objekte existieren; heute die entgegengesetzte, wonach es gar keine Objekte und nur ein einziges Subjekt gebe. Die Geschichte der klassischen Antike, des christlichen Mittelalters, der Renaissance und Barockkunst läßt uns den Übergang von der ersteren zur letzteren Auffassung schrittweise verfolgen[54]." Die bekannten Begriffspaare Riegls — haptisch/optisch, Ebene/Raum — sind, sieht man von ihrer unbezweifelbaren empirischen Gültigkeit ab, nichts anderes als heuristische Mittel, welche das geschichtsphilosophische Entwicklungsmuster — objektiv/subjektiv — auf den Spezialfall der Kunsthistorie anzuwenden erlauben, so wie andererseits die Vorstellung vom „Kunstwollen" in die Rolle eintritt, welche die Geschichtsphilosophie einst dem „Weltgeist" oder der „Idee" zugewiesen hatte.

So erweist sich, was Riegl beziehungsvoll der Philosophie als Gewinn verheißen hatte: die Entstehung einer empirischen Ästhetik in Wahrheit als nichts anderes denn die Widerspiegelung des alten geschichtsphilosophischen Entwicklungsmodells an den Veränderungen der Erscheinungsweise von Umriß und Farbe in Ebene oder Raum. Die alte normative Ästhetik ist überwunden, an ihre Stelle ist die Ästhetisierung der Geschichte getreten. Denn in Riegls reifen Arbeiten wird das Kunstwollen vollends an die sichtbare Emanation der alle geschichtlichen Erscheinungen einer Epoche in sich begreifenden Weltanschauung aufgefaßt. So heißt es gegen Ende der „Spätrömischen Kunstindustrie": „Unsere Überzeugung von der Richtigkeit der also gewonnenen Anschauung vom Wesen der spätantiken Kunst läßt sich aber noch weiter befestigen, indem wir uns die Tatsache klar machen, daß das Kunstwollen des Altertums und insbesondere seiner letzten abschließenden Phase mit den übrigen Hauptäußerungsformen des menschlichen Willens während der gleichen Zeitperiode im letzten Grunde schlechtweg identisch gewesen ist." „Der Charakter dieses Wollens ist beschlossen in demjenigen, was wir die jeweilige Weltanschauung (abermals im weitesten Sinne des Wortes) nennen: in Religion, Philosophie, Wissenschaft, auch Staat und Recht[55]." So bietet sich dieser extrem abstrahierenden Betrachtungsweise schließlich die Geschichte als Ganzes nur noch in der Gestalt eines Stilphänomens dar — sie ästhetisiert sich zu einer historischen Morphologie der Weltanschauungen. Der gute alte Stilbegriff, einst nur eine der Normen der längst abgesungenen Rhetorik und Literarästhetik, hat sich zur dynamischen Urkraft, zum Demiurgos einer völlig ästhetisierten Geschichtsauffassung ausgewachsen, und damit scheint sich der Kreis unserer Überlegungen zu schließen. Daß aber diese Anschauungen Riegls, an wie vielfältige geistesgeschichtliche Voraussetzungen sie immer gebunden sein mögen, doch zutiefst den Zeichen und Stimmungen des „fin de siècle" entsprechen, mag zum Schluß ein genau an der Jahrhundertwende niedergeschriebener Satz von Peter Behrens beleuchten. Er lautet: „Der Stil ist das Symbol des Gesamtempfindens, der ganzen Lebensauffassung einer Zeit und zeigt sich nur im Universum aller Künste[56]."

## ANMERKUNGEN

1. Siehe etwa D. Frey, *Probleme einer Geschichte der Kunstwissenschaft,* in: *Deutsche Vierteljahresschrift für Literaturwissenschaft und Geistesgeschichte* XXXII, 1958, S. 1 ff. Freys nur skizzenhaft angelegter Versuch greift wesentlich breiter aus als der kurze Abriß, den H. Sedlmayr unter dem Titel *Die Wissenschaft der Kunstgeschichte historisch betrachtet* in: *Kunst und Wahrheit,* Hamburg 1958, S. 189 ff. veröffentlicht hat. Bis heute unentbehrlich ist W. Waetzoldt, *Deutsche Kunsthistoriker,* Leipzig 1924, 2 Bde. Hier ist aber das Problem einer Historie der Kunstgeschichte weniger nach ideengeschichtlichen Leitmotiven als unter biographischen Gesichtspunkten abgehandelt und zudem zeitlich auf die „Vorstufen" und das 19. Jh. beschränkt. Auch eine Einzelschrift wie J. v. Schlossers geistvolle Abhandlung *Die Wiener Schule der Kunstgeschichte,* in: *Mitteilungen des österreichischen Instituts für Geschichtsforschung* Erg.-Bd. XIII/2, Innsbruck 1934 ist mehr anekdotisch-biographischer Rückblick als stringente Wissenschaftsgeschichte. Für eine allgemeine Orientierung siehe W. Hofmann, *Kunstwissenschaft,* in: *Bildende Kunst* II, Frankfurt (1960), S. 184 ff. Wenig brauchbar ist U. Kultermann, *Geschichte der Kunstgeschichte. Der Weg einer Wissenschaft,* Wien/Düsseldorf 1966.

2. Auch das Buch von L. Dittmann, *Stil, Symbol, Struktur,* München 1967, ist trotz vieler wichtiger historischer Einzelerkenntnisse nicht eigentlich eine geschichtliche Abhandlung, da es die behandelten „Kategorien der Kunstgeschichte" nicht nur in ihrem zeitlichen Kontext deutet, sondern von einem eigenen, stark ontologisch bestimmten Standpunkt aus richtet und verurteilt.

3. vgl. hierzu H. G. Gadamer, *Wahrheit und Methode, Grundzüge einer philosophischen Hermeneutik,* Tübingen 1965, S. 469 ff. Bei L. Dittmann (Anm. 2) findet man weitere bibliographische Hinweise. Zur Genesis des kunsthistorischen Stilbegriffs bereitet Verf. eine eigene Untersuchung vor.

4. J. J. Winckelmann, *Geschichte der Kunst des Altertums,* Darmstadt 1972 (Lizenzausgabe der Wissenschaftlichen Buchgemeinschaft), S. 9.

5. H. Sedlmayr (Anm. 1) S. 195 ff.

6. vgl. hierzu W. Waetzoldt (Anm. 1), Bd. 2, S. 211 ff.

7. vgl. H. Wölfflin, *Gedanken zur Kunstgeschichte*, Basel 1942[4], S. 15.

8. Ich benutze den Abdruck in H. Wölfflin, *Kleine Schriften,* Basel (1946), S. 13 ff.

9. H. Wölfflin (Anm. 8), S. 45.

10. H. Wölfflin (Anm. 8), S. 13.

11. H. Wölfflin, *Renaissance und Barock,* München 1902[2]. — C. Gurlitt, *Geschichte des Barockstils, des Rococo und des Klassizismus,* Stuttgart 1887—1889.

12. H. Wölfflin (Anm. 8), S. 46.

13. H. Wölfflin (Anm. 8), S. 46.

14. W. Vöge, *Die Anfänge des monumentalen Stiles im Mittelalter,* Straßburg 1894, S. XX f.

15. W. Ritter von Hartel / F. Wickhoff, *Die Wiener Genesis,* Wien 1895, S. 32 und S. 10.

16. J. v. Schlosser, *Zur Genesis der mittelalterlichen Kunstanschauung,* in: *Präludien,* Berlin 1917, S. 189.

17. J. v. Schlosser (Anm. 16), S. 200.

18. vgl. für den Begriff der „negativen Schönheit" das Zitat aus van de Velde und seine Bedeutung in diesem Zusammenhang bei W. Hofmann, *Von der Nachahmung zur Wirklichkeit* (1970), S. 65.

19. H. van de Velde, *Zum neuen Stil.* Aus seinen Schriften, ausgewählt und eingeleitet von H. Curiel, München (1955), S. 37.

20. *Ver Sacrum. Organ der Vereinigung bildender Künstler Österreichs,* Januar 1898, S. 6.

21. A. Riegl, *Stilfragen. Grundlegungen zu einer Geschichte der Ornamentik,* Berlin 1923$^{2}$.

22. vgl. hierzu J. v. Schlosser, *Die Wiener Schule der Kunstgeschichte, Rückblick auf ein Säculum deutscher Gelehrtenarbeit in Österreich,* Innsbruck 1934, S. 182. — Siehe auch M. Büdinger, *Die Universalhistorie im Altertum,* Wien 1895, und ders., *Die Universalhistorie im Mittelalter,* Wien 1898.

23. A. Riegl, *Kunstgeschichte und Universalgeschichte,* in: *Festgabe zu Ehren Max Büdingers,* Innsbruck 1898. Wiederabgedruckt in A. Riegl, *Gesammelte Aufsätze,* hg. von K. M. Swoboda, Augsburg/Wien 1929, S. 4 ff.

24. vgl. beispielsweise R. Zimmermann, *Ästhetik als allgemeine Formwissenschaft,* Wien 1865.

25. vgl. hierzu M. Dvořák, *Alois Riegl,* in: *Gesammelte Aufsätze zur Kunstgeschichte,* München 1929, S. 279 ff. Zu Dvořák soll er nach seinem Ausscheiden aus dem österreichischen Museum für Kunst und Industrie geäußert haben, „er habe nun eigentlich keinen Beruf mehr", vgl. J. v. Schlosser (Anm. 1), S. 184.

26. vgl. die von H. Sedlmayr zusammengestellte Bibliographie in A. Riegl, *Gesammelte Aufsätze* (Anm. 23), S. XXXIV ff.

27. Das Fehlen einer solchen Würdigung beklagte bereits H. Jantzen, A. Riegl. Gesammelte Aufsätze, in: *Kritische Berichte zur kunstgeschichtlichen Literatur* 3, 1930/31, S. 65 ff.

28. A. Riegl (Anm. 21), Einleitung S. V.

29. A. Riegl (Anm. 21), S. XIII.

30. A. Riegl, *Historische Grammatik der bildenden Künste,* Graz/Köln 1966, S. 175.

31. A. Riegl, *Spätrömische Kunstindustrie,* Wien (1927), S. 19.

32. Das ist nachdrücklich betont bei W. Hofmann (Anm. 18), S. 65. Überhaupt hat W. Hofmann als einziger in verschiedenen Arbeiten immer wieder auf die Verbindung zwischen Riegl und der zeitgenössischen Kunst hingewiesen. Vgl. etwa *Studien zur Kunsttheorie des 20. Jahrhunderts,* in: *Zeitschrift für Kunstgeschichte* 18, 1955, S. 136 ff.; *Grundlagen der modernen Kunst,* Stuttgart (1966), S. 33 und verschiedentlich. Weiter: *Gustav Klimt und die Wiener Jahrhundertwende,* Salzburg (1970), S. 40 ff. Diese Stelle von besonderer Wichtigkeit. Unsere eigenen Überlegungen zur Zeitgebundenheit der Rieglschen Anschauungen verdanken den Schriften W. Hofmanns Entscheidendes.

33. A. Riegl (Anm. 31), S. 267.

34. A. Riegl (Anm. 31), S. 282.

35. A. Riegl, *Das holländische Gruppenporträt,* Wien 1931, S. 133. Die Abhandlung erschien zuerst im Jahrbuch der Kunsthistorischen Sammlungen des Allerhöchsten Kaiserhauses 23, 1902.

36. A. Riegl (Anm. 31), S. 6.

37. M. Denis, *Théories 1890—1910,* Paris 1912, S. 1.

38. A. Riegl (Anm. 30), S. 76.

39. A. Riegl (Anm. 30), S. 254.

40. Zitat nach R. G. Köhler, *Programmatische Künstlerschriften,* in: *Jugendstil. Der Weg ins 20. Jahrhundert,* hg. von H. Seling, München/Heidelberg 1959, S. 423. Der Aufsatz *Vom Sehen* erschien 1905. Ähnliche Auffassungen hatte Endell jedoch schon 1896 in seiner Schrift *Um die Schönheit* vertreten.

41. R. G. Köhler (Anm. 40), S. 422.

42. A. Riegl, *Zur Entstehung der altchristlichen Basilika,* in: *Gesammelte Aufsätze* (Anm. 23), S. 91 ff., bes. S. 92. Der Aufsatz erschien zuerst im Jahrbuch der Zentralkommission NF I, 1903.

43. A. Riegl (Anm. 21), S. VI.

44. A. Riegl (Anm. 21), S. VII.

45. A. Riegl (Anm. 21), S. 32.

46. A. Riegl (Anm. 21), S. XII.

47. A. Riegl (Anm. 21), S. VII.

48. H. Bergson, *L'Evolution créatrice,* Paris 1907.

49. H. Driesch, *Der Vitalismus als Geschichte und als Lehre,* Leipzig 1905.

50. F. Tönnies, *Gemeinschaft und Gesellschaft,* Leipzig 1887.

51. J. v. Schlosser (Anm. 1), S. 190.

52. A. Riegl (Anm. 35), S. 261.

53. A. Riegl, *Naturwerke und Kunstwerk,* in *Gesammelte Aufsätze* (Anm. 23), S. 64. Der Aufsatz war ursprünglich 1901 in der Beilage zur Münchner Allgemeinen Zeitung erschienen.

54. A. Riegl (Anm. 35), S. 280 f.

55. A. Riegl (Anm. 31), S. 400 f.

56. Zitiert nach: *Peter Behrens (1868—1940). Gedenkschrift mit Katalog aus Anlaß der Ausstellung 1966/67,* S. 31.

# B. VORBILDER

EDUARD HÜTTINGER

# Leonardo- und Giorgione-Kult
# Materialien zu einem Thema des Fin de Siècle

Walter Bernet zum 5. August 1975

*Vorbemerkung:* Der folgende Text wurde an der Tagung vom 15./16. März 1974 in München vorgetragen. Da es mir nicht möglich war, ihn bis zur Drucklegung in eine mehr oder weniger definitive, essayistisch ausgefeilte Form zu bringen, erscheint er hier als nach allen Richtungen offenes, fragmentarisches Exposé: über weite Strecken hinweg bietet er, „more geometrico", nichts anderes als eine reine, der eigentlichen Interpretation erst noch harrende Materialsammlung — auf diesen Umstand nimmt der Untertitel Bezug. Ich hoffe, zu einem späteren Zeitpunkt auf das Thema zurückkommen und das jetzt Versäumte nachholen zu können.

„Leonardo- und Giorgione-Kult" oder, neutraler gesagt, „Leonardo- und Giorgione-Rezeption um 1900": es handelt sich um ein in besonderem Maße kritisches und symptomatisches Phänomen im europäischen Fin de Siècle und weit darüber hinaus; stärker, als man sich gemeinhin Rechenschaft gibt, spielen die damals gewonnenen Einsichten, die damals gefällten Urteile für das Leonardo- und Giorgione-Bild bis heute, in Anziehung und Abstoßung, eine bedeutsame Rolle. Man kann sich höchstens wundern, daß diese Dinge noch nie zusammenhängend untersucht worden sind.

Die Darstellung gliedert sich in sechs Hauptkomplexe. Sie resultieren aus der Sache selber und überschneiden sich mannigfach, wobei der Giorgione betreffende zweite Teil vollends bloß flüchtig andeutend und anmerkungsweise zur Sprache gelangt: I, 1) Vorgeschichte: Leonardo-Ikonographie im 19. Jahrhundert; I, 2) Interpretationen der „Mona Lisa" von Pater bis Freud; I. 3) Reaktion auf die kultisch-hermetische, esoterische und psychoanalytische Deutung der „Mona Lisa" im Futurismus und Dadaismus; II, 1) Giorgione-Kult des Fin de Siècle; II, 2) Dessen Auswirkungen in der kunsthistorischen Forschung; II, 3) Spuren des Leonardo- und Giorgione-Kultes in der Bildkunst.

## *I, 1) Vorgeschichte: Leonardo-Ikonographie im 19. Jahrhundert*

1778 stellte Angelica Kauffmann ein (heute verschollenes) Gemälde in der Royal Academy zu London aus; dessen Titel lautete: „Der Tod Leonardo da Vincis in den Armen König Franz I". In den folgenden Jahren wurden in England, Frankreich und Italien zahlreiche Bilder mit dem gleichen Sujet gemalt — die literarische Quelle ist Vasari[1]. Vasaris Erzählung gilt heute allgemein als Fabel; es offenbart sich der Drang, den Meister und seine Kunst zu nobilitieren: Leonardos Tod sei in Anwesenheit des Königs von Frankreich erfolgt[2].

Die berühmteste Fassung unter den frühen Schilderungen der Szene ist François-Guillaume Ménageots Bild „Léonard de Vinci mourant dans les bras de François Premier", gezeigt im Salon von 1781 (Musée de l'Hôtel de Ville, Amboise). Bei Ménageot — wie dann auch gelegentlich bei späteren Vergegenwärtigungen des Motivs — ist der trauernde König kompositionell die eigentliche Hauptperson, nicht der sterbende Leonardo. Das Gemälde zelebriert eher königliche Patronage, königliches Mäzenatentum als den künstlerischen Genius. In diesem Sinne hat der Maler und Schriftsteller Anne-Louis Girodet-Trioson (1767—1824), in dessen Oeuvre sich verschiedene Zeichnungen zum Leben von Raffael, Michelangelo, Poussin und anderen Künstlern finden, in Versen das Thema als einen für Maler besonders geeigneten Vorwurf gepriesen[3]:

„Que je puisse admirer dans une heureuse image
L'illustre Léonard comblé de gloire et d'âge
Dans les bras de François satisfait de mourir,
Le grand homme au grand roi rend son dernier soupir".

Totenbett- und Sterbeszenen erlangten, bis weit in die erste Hälfte des 19. Jahrhunderts hinein, eine ungemeine Popularität. Sie alle besitzen als Ausgang Poussins „Tod des Germanikus" (Art Institute, Minneapolis), ein Werk, dem für die David-Schule gleichsam Inkunabelwert eignet und das seinerseits eine vielschichtige griechisch-römische und christliche Tradition zusammenfaßte und neu prägte.

Ménageots „Tod Leonardos" steht am Beginn einer Reihe ähnlicher Figurationen[4], die sich zumal in Frankreich nach der Bourbonischen Restauration häufen. Ich begnüge mich, wenige Beispiele zu nennen: Ingres, 1818; spätere Repliken, um 1860, und Jean-François Gigoux, 1835[5]. In Deutschland: Julius Friedrich Schrader, 1838[6]. In Italien: Cesare Mussini, 1828, und A. Antonione, 1838[7].

Doch nicht nur der „Tod Leonardo da Vincis in den Armen König Franz I." wird beschworen, wenn das auch zu den beliebtesten und häufigsten Episoden der Leonardo-Ikonographie zählt. Hans Makart etwa zeigt 1884 „Leonardo, eine Bacchantin zeichnend" — es ist eine der letzten konventionellen Huldigungen des 19. Jahrhunderts an Leonardo (Lünette im Treppenhaus des Kunsthistorischen Museums, Wien). Leonardo konterfeit eine entkleidete Wienerin in der Allüre einer Bacchantin[8].

Dabei indessen verharrt die Leonardo-Ikonographie keineswegs. Zum Beleg erwähne ich, rein aufzählend, ein paar weitere Themen, aus deren Gesamtheit so etwas wie eine gemalte Biographie Leonardos sich formiert: „Die Jugend Leonardos" (Mosè Bianchi, 1873); „Leonardo im Atelier Verrocchios" (E. Fara Forni, 1869); „Leonardo am Hofe Ludovico il Moros" (F. Gonin, 1845, und F. Podesti); „Leonardo porträtiert Cecilia Gallerani in Gegenwart von Ludovico Sforza" (L. Cornienti); „Leonardo zeichnet Karikaturen" (L. Scaffori, 1869); „Leonardo malt das Bildnis von Beatrice d'Este" (G. Bertini); „Leonardo und Fra Luca Pacioli di San Sepolcro vor Ludovico il Moro" (N. Cianfanelli, 1849); „Leonardo arbeitet am ‚Abendmahl' " (R. Casnedi, 1860); „Leonardo wird von Ludovico il Moro und dessen Familie im Refettorio delle Grazie besucht" (G. Cornienti); „Leonardo läßt Tauben frei, um deren Flug zu studieren" (F. Colombo, 1867); „Leonardo zeigt einem Bauern das Gemälde ‚La Medusa' " (A. Ducros, 1864)[9]. Zu berücksichtigen wäre auch das Auftreten der Gestalt Leonardos im Kontext der „Museums-Ikonographie"[10].

Das Gemeinsame aller dieser Darstellungen: es liegt malende Milieuforschung vor. „Selten ist der Maler allein, fast immer beschäftigt er seine Umwelt oder diese ihn. Das Dialogmotiv ist nahezu unentbehrlich. Es rückt Maler, Dichter und Philosophen in sympathische Nähe, es vermenschlicht ihre Dimensionen und macht sie zu bedeutenden, aber keineswegs unbegreiflichen Persönlichkeiten. Der Große Mensch wird in sein Milieu eingebettet, von den Zeitumständen getragen und seßhaft gemacht. Er ist kein Außenseiter, sondern ein prominentes Glied der menschlichen Gesellschaft"[11]. Die begegnenden Malernamen sind fast ausnahmslos solche, welche die offizielle Kunst der Ecoles des Beaux-Arts, der Akademien repräsentieren; es sind Künstler, die historisierend den Großen Menschen in seiner vergangenen Epoche wiedergeben und darob die eigene Gegenwart verfehlen. Die Geschichtsillusion aber bleibt, als anekdotische Erzählung, äußerlich und leer. Davon hebt sich aufs schärfste das Verfahren der „Avantgarde"-Maler ab: ihnen, den Realisten und Impressionisten, gelang es, das „modernistisch"-zeitgenössische Grundpostulat „être de son temps" in direktem Erlebnisbezug zur eigenen Epoche zu erfüllen[12].

Die künstlerische und psychologische Aktualisierung der Leonardo-Ikonographie passierte nicht in der Bildkunst; vielmehr ereignete sie sich durch die Literatur, die Dichtung, und zwar zuerst bei Théophile Gautier, dem Vorläufer des Symbolismus des Jahrhundertendes, und alsdann bei Walter Pater. Medium, Vehikel dieser Aktualisierung ist in hohem Grade die „Mona Lisa".

*I, 2) Interpretationen der „Mona Lisa", von Gautier und Pater bis Freud*

Auch das Thema „Leonardo malt die Mona Lisa" erscheint im Rahmen der bisher gestreiften anekdotisch-historistischen, „vulgären" Leonardo-Ikonographie, zum Beispiel: Mme Aimée Brune, „Léonard de Vinci peignant la Joconde", Salon 1845; Andrea Appiani, „Leonardo ritrae Mona Lisa", 1844 und 1859, desgleichen C. Cornienti, 1859, L. Nezzo und A. Tominz jr., 1845[13].

Literarische Quelle ist wiederum Vasari; sein Bericht ist rund drei Jahrhunderte hindurch maßgeblich für die Auffassung der „Mona Lisa" gewesen. Er lautet (mit einigen Kürzungen)[14]:

„Prese Lionardo a fare per Francesco del Giocondo il ritratto di mona Lisa sua moglie; e quattro anni penatovi, lo lascio imperfetto [Diese Behauptung entspricht nicht den Tatsachen]; la quale opera oggi è appresso il re Francesco di Francia in Fontanableo: nella qual testa chi voleva vedere quanto l'arte potesse imitar la natura, agevolmente si poteva comprendere; perchè quivi erano contraffatte tutte le minuzie che si possono con sottigliezza dipignere. Avvengachè gli occhi avevano que'lustri e quelle acquitrine che di continuo si veggono nel vivo, ed intorno a essi erano tutti que'rossigni lividi e i peli, che non senza grandissima sottigliezza si possono fare (...) La bocca, con quella sua sfenditura, con le sue fini unite dal rosso della bocca, con l'incarnazione del viso, che non colori, ma carne pareva veramente. Nella fontanella della gola chi intentissimamente la guardava, vedeva battere i polsi; e nel vero si può dire che questa fussi dipinta d'una maniera da far tremare e temere ogni gagliardo artefice, e sia qual si vuole. Usovvi ancora questa arte: che essendo madonna Lisa bellissima, teneva, mentre che la ritraeva, chi sonasse o cantasse, e di continuo buffoni che la facessino stare allegra, per levar via quel malinconico che suol dar spesso la pittura a'ritratti che si fanno: ed in questo di Lionardo vi era un ghigno tanto piacevole, che era cosa più divina che umana a vederlo, ed era tenuta cosa maravigliosa, per non essere il vivo altrimenti".

Ich gehe im folgenden nicht auf die sachlich kunsthistorische Würdigung der „Mona Lisa" und auf die Stellung des Werkes im Schaffen Leonardos ein; zuletzt hat es Kenneth Clark unter dieser Blickbahn behandelt, in einem vom Burlington Magazine veranstalteten Vortragszyklus über berühmte Porträts[15]. Vasaris in der Mimesis-Theorie der Renaissance wurzelnde Bemerkungen bildeten bis zu Gautier die Grundlage jeder Äußerung über das Porträt. Père Dan, der 1642 einen Katalog der Gemälde in Fontainebleau verfaßte, nennt es „le premier en estime, comme une merveille de la peinture", und ähnlich argumentieren, um aus einer großen Zahl von Stimmen bloß zwei Namen zu apostrophieren, Félibien in den „Entretiens..." (1685/88, I, S. 193 f.) und Lanzi in der „Storia pittorica dell'Italia" (1789) — immer wird die „Mona Lisa" aus vorromantischer Sicht, der noch keine Erlebnisästhetik zur Verfügung steht, nur eben als das gut gelungene Porträt einer schönen Frau bewundert. Das änderte sich im 19. Jahrhundert: in dem Moment, als ein neuer Frauentypus in die Geistesgeschichte eingeführt wurde — la femme fatale[16].

Erstmals geschah das mit Bezug auf die „Mona Lisa" bei Gautier. 1858 schrieb Gautier einen Artikel über Leonardo; dieser Artikel erschien 1863 in dem Band „Les Dieux et les demi-dieux de la peinture"; er wurde, fast wörtlich, in Gautiers „Guide de l'amateur au Musée du Louvre..." aufgenommen[17]:

„Comment expliquer... le charme singulier, presque magique, qu'exerce le portrait de Monna Lisa sur les natures le moins enthousiastes. ... Sous la forme *exprimée,* on sent une pensée vague, infinie, *inexprimable,* comme une idée musicale; on est ému, troublé; des images *déjà vues* vous passent devant les yeux, des voix dont on croit reconnaître le timbre vous chuchotent à l'oreille de langoureuses confidences; les désirs réprimés, les espérances qui désespéraient s'agitent douloureusement dans une ombre mêlée de rayons, et vous découvrez que vos mélancolies viennent de ce que la Joconde accueillit, il y a trois cents ans, l'aveu de votre amour avec ce sourire railleur qu'elle garde encore aujourd'hui".

Dieser Ton, den Gautier als erster anschlägt, wird sich nicht mehr verlieren; er begegnet fortan in den meisten Äußerungen über „Mona Lisa", zunächst im französischen Schrifttum, selbst bei Taine, der, von nüchtern-intellektuellem Gehaben, ja im übrigen kaum ein Opfer der „Romantic Agony" war, und schließlich bei Kunsthistorikern wie Charles Blanc, Paul Mantz, Arsène Houssaye und Charles Clément. Ich muß verzichten, Einzelheiten aufzurufen — beständig wird jetzt die von der „Mona Lisa" ausströmende Stimmung als eine diabolische und mysteriöse Aura begriffen und umkreist. Für Clément, bekannt als Biograph von Géricault, der 1861 ein Buch „Michel-Ange, Léonard de Vinci, Raphael" veröffentlichte, ist die Gioconda die Geliebte Leonardos; er spinnt einen Liebesroman zwischen dem Meister und seinem Modell aus[18].

So bereitete sich das Klima vor, das bei Walter Pater kulminierte. Pater indessen verbinden, wie die anglistische Forschung gezeigt hat, mannigfache Fäden, über Swineburne zumal, mit Gautier und dem französischen Frühsymbolismus. Sein Aufsatz über Leonardo ist 1869 entstanden; Resonanz bekam er als Kapitel des Buches „The Renaissance, Studies in Art and Poetry“ von 1873. Hier findet sich die mit Abstand berühmteste literarisch-dichterische Paraphrase über die „Mona Lisa“[19]:

"'La Gioconda' is, in the truest sense, Leonardo's masterpiece, the revealing instance of his mode of thought and work. In suggestiveness, only the "Melancholia" of Dürer is comparable to it; and no crude symbolism disturbs the effect of its subdued and graceful mystery. We all know the face and hands of the figure, set in its marble chair, in that circle of fantastic rocks, as in some faint light under sea. (...) All the thoughts and experience of the world have etched and moulded there, in that which they have of power to refine and make expressive the outward form, the animalism of Greece, the lust of Rome, the mysticism of the middle age with its spiritual ambition and imaginative loves, the return of the Pagan world, the sins of the Borgias. She is older than the rocks among which she sits; like the vampire, she has been dead many times, and learned the secrets of the grave; and has been a diver in deep seas, and keeps their fallen day about her; and trafficked for strange webs with Eastern merchants; and, as Leda, was the mother of Helen of Troy, and, as Saint Anne, the mother of Mary; and all this has been to her but as the sound of lyres and flutes, and lives only in the delicacy with which it has moulded the changing lineaments, and tinged the eyelids and the hands. The fancy of a perpetual life, sweeping together ten thousand experiences, is an old one; and modern philosophy has conceived the idea of humanity as wrought upon by, and summing up in itself, all modes of thought and life. Certainly Lady Lisa might stand as the embodiment of the old fancy, the symbol of the modern idea".

Pater macht aus der „Mona Lisa“, indem er Leda- und St. Anna-Allusionen — also Eindrücke von andern Werken Leonardos — montagehaft einblendet und das Gemälde überhaupt als Schnittpunkt uralter und auch moderner Menschheitserfahrungen wahrnimmt, aus ihm eine Symbolgestalt von komplexem Verweischarakter[20]. Pater leistet ungleich mehr als eine Beschreibung; das Bild ist ihm Anstoß und Abstoß für eine weitverzweigte Kette von Erlebnissen, die den eigentlichen Gegenstand „Mona Lisa“ transzendieren und vor einen Horizont schweifender Beziehungsvielfalt rücken, für die das Porträt lediglich auslösender Vorwand bildet: es wandelt sich zum Symbol der Pater'schen Sehnsucht. In literaturgeschichtlichem Betracht handelt es sich um die behutsame Antizipation einer literarischen Technik, die Eliot und Joyce dann verwirklicht haben[21].

Mit einem Wort: Paters Leonardo-Essay, überhaupt seine Aufsatzsammlung „The Renaissance", die auch Giorgione berührt, wird zum wesentlichsten Auslöser jener „Interprétation ésotérique de l'art de la Renaissance à la fin du siècle dernier"[22], welche unter anderm in Huysmans „perverser Deutung der Primitiven" (Mario Praz) gipfelt, beispielsweise in seiner Deskription von Bartolomeo Venetos „Frauenporträt" im Städel zu Frankfurt, oder die in Ser Péladan gerade in Hinsicht auf Leonardo einen wichtigen Hauptrepräsentanten besitzt (Péladan, „L'Androgyne", Paris 1891) — ich kann, einmal mehr, diese Dinge nicht näher artikulieren. Hier müßten die Reflexe der von Pater inaugurierten „exotistischen" Renaissance-Deutung in der Dichtung, die sich immer wieder von der „Mona Lisa" aufregen ließ, gestreift werden: Schilling verfaßte ein Drama „Mona Lisa", D'Annunzio die Tragödie „La Gioconda" (1899), und Loris, der junge Hugo von Hofmannsthal, der Pater verehrte, bringt in „Der Tor und der Tod" (1893) ein „Pater'sches" Gedicht auf die Gioconda[23]:

„Gioconda, du, aus wundervollem Grund
Hervorleuchtend mit dem Glanz durchseelter Glieder,
Dem rätselhaften, süßen, herben Mund,
Dem Prunk der träumeschweren Augenlider:
Gerad so viel verrietest du mir Leben,
Als fragend ich vermocht dir einzuweben!"

Rilkes „Weiße Fürstin" (erste Fassung 1898), Maeterlincks „Monna Vanna" (1902), Schnitzlers „Schleier der Beatrice" (1899) sind in diesem Bereich angesiedelt — Beatrice nähert sich dem Typ der Gioconda; sie ist die Frau „pur sang", die „ungetreue, ewig eine, ewig neue", Inkarnation der „femme fatale" der Décadence; sie ist die Frau voll Wissen und Rätsel, triebhaft in ihrem ganzen Sein und kindlich unbefangen bei aller Bewußtheit und von unbegrenzter Lebenssucht, wenn ihr der Tod nahetritt. Traum und Trieb verschlingen sich in ihr, wie überhaupt im ästhetizistischen Renaissancebild des Fin de Siécle, das man liebt und sehnsüchtig erstrebt als ein Traumland wie hinter Schleiern[24].

Die Spielform der dämonischen Frau (mit seinen räumlichen und zeitlichen Perspektiven und dem Lächeln der Gioconda) wurde durch Paters Evokation so populär, daß es während der achtziger Jahre in bestimmten Pariser Kreisen bei den Animierdamen als Mode galt, das rätselhafte Lächeln zur Schau zu tragen; die dämonische Frau in Péladans „Vice suprême" (1884), die teilweise dem Vorbild der Princess Belgiojoso angeglichen ist, pflegte einer Liebeserklärung durch ein „Lächeln der Mona Lisa" kurzerhand ein Ende zu bereiten[25].

In dieses Wirkungsfeld hinein gehört auch noch Dmitry Sergejewitsch Mereschkowskis „Leonardo da Vinci, Historischer Roman aus der Wende des 15. Jahrhunderts". Mereschkowski, laut Thomas Mann „der genialste Kritiker und Weltpsycholog seit Nietzsche"[26], ist einer der Begründer des russischen Symbolismus; sein Leonardo-Roman von 1902 (deutsch 1903) ist Teil einer Romantrilogie „Christ und Antichrist" („Julian Apostata", 1895, deutsch 1903; „Peter und Alexej", 1905, deutsch 1905), der die philosophische These zugrunde liegt, die europäische Kultur und Geschichte sei ein ständiger Kampf zwischen Christentum und Heidentum, zwischen Geist und Leib; die Trilogie deutet die europäische Geschichte von der Antike über die italienische Renaissance bis zum petrinischen Rußland als Kampf dieser Prinzipien. Es ist mir jetzt nicht möglich zu zeigen, wie sich das in Mereschkowskis Veranschaulichung von Leonardo und der „Mona Lisa" auskristallisiert; festgehalten sei lediglich, daß Mereschkowskis Leonardo-Roman ein außerordentliches Echo gezeigt hat; im deutschen Sprachgebiet huldigten ihm vor allem Richard Muther und Hermann Bahr in ausführlichen, enthusiastischen Besprechungen[27].

Mereschkowski nun ist auch eine Hauptquelle für Sigmund Freuds Schrift „Eine Kindheitserinnerung des Leonardo da Vinci" von 1910, in der sich die hermetisch-okkulte, esoterisch-symbolistische Sicht zur psychoanalytischen Sicht wandelt[28]. Unter der Zunft der Fachkunsthistoriker, namentlich der Leonardo-Forscher, ist Freuds Schrift ungebührlich vernachlässigt worden; Meyer Schapiros und Gombrichs und, neuerdings, Jack Spectors Auseinandersetzungen[29] fixieren noch immer die Ausnahme von der Regel. Bei allen sachlichen Irrtümern, die Freuds Studie enthält, bietet sie an gültigen Aufschlüsselungen eine ganze Menge: eine generelle Diskussion über Wesen und Wirken der Psyche des schaffenden Künstlers, eine Skizze der Entstehung eines bestimmten Typs der Homosexualität und — was besonders für die Geschichte der psychoanalytischen Theorie von Interesse ist — den voll entwickelten Narzißmus-Begriff. Daneben verfolgt Freud das Seelenleben Leonardos von seiner frühesten Kindheit an, die Spannung zwischen seinen künstlerischen und seinen wissenschaftlichen Antrieben, und er versucht, seine psychosexuelle Lebensgeschichte zu analysieren. Zudem knüpft Freuds Diskussion androgyner Muttergottheiten unmittelbar an bei der zentralen Rolle, welche die androgyne Gestalt in der bildenden Kunst und der Literatur der Décadence einnimmt; der sexuell neutrale, eben androgyne Zauber der Schöpfungen Leonardos wird durch Freud psychologisch und psychoanalytisch erklärt — der Androgyn, der Hermaphrodit, ist übrigens, wie die Sphinx, eine Leit- und Schlüsselfigur der Fin de Siècle-Ikonographie; sein Faszinosum beruht im Doppelaspekt von Schönheit und Sterilität; leicht ließen sich Exempel beibringen aus der Kunst der Jahrhundertwende, von Franz von Stuck bis Lévy-Dhurmer[30].

Noch 1934 hat Fritz Wittels, ein Freud-Schüler, in Freuds Zeitschrift „Imago" einen Aufsatz veröffentlicht des Titels[31]: „Mona Lisa und weibliche Schönheit, Eine Studie über Bisexualität". Ausgehend von Leonardos Neigung zur Androgynie findet Wittels, völlig zutreffend, auch in der „Mona Lisa", „hinter strengen, zwangsneurotischen Linien verborgen", androgyne Züge, bevor er dann einige klinisch-pathologische Krankheitsfälle aus seiner Arztpraxis vergegenwärtigt und exemplifiziert.

Was aber die „Mona Lisa", und zumal ihr Lächeln, betrifft, heißt es bei Freud[32]: „... so sind die lächelnden Frauen nichts anderes als Wiederholungen der Caterina, seiner Mutter, und wir beginnen die Möglichkeit zu ahnen, daß seine Mutter das geheimnisvolle Lächeln besessen, das er verloren hatte und das ihn so fesselte, als er es bei der Florentiner Dame wiederfand". Ein derartiger Erklärungsversuch hat mehr für sich als, um aus einer Masse von zumeist trivialen zeitgenössischen Äußerungen eine einzige herauszugreifen, Muthers Passage über die „Mona Lisa"[33]: „Was den Betrachter namentlich bannt, ist der dämonische Zauber dieses Lächelns. Hunderte von Dichtern und Schriftstellern haben über dieses Weib geschrieben, das bald verführerisch uns anzulächeln, bald kalt und seelenlos ins Leere zu starren scheint, und niemand hat ihr Lächeln enträtselt, niemand ihre Gedanken gedeutet. Alles, auch die Landschaft, ist geheimnisvoll traumhaft, wie in gewitterschwüler Sinnlichkeit zitternd."

Die Reaktion auf solche Exaltiertheiten konnte nicht ausbleiben. Zunächst freilich brachte, gerade in jenen Jahren, der Diebstahl der „Mona Lisa" 1911 eine neue Welle der Gioconda-Faszination[34]. Vorab in Georg Heyms Erzählung „Der Dieb" hat das Ereignis einen grandiosen dichterisch-visionären Niederschlag gefunden; Heym protokolliert mit atemberaubender Teilnahme Manie und Zusammenbruch eines Geistesgestörten, der einem Gemälde verfallen ist, eben der „Mona Lisa"[35]: „... es war ihm, als tauchte sie in die geheimnisvolle Landschaft hinter ihr zurück wie in den Schleier eines grünen und stillen Wassers".

### *I, 3) Reaktion auf die kultisch-hermetische, esoterische und psychoanalytische Deutung der „Mona Lisa" im Futurismus und Dadaismus*

Die Reaktion auf den „Mona-Lisa"-Kult ist von diesem Kult selber nicht zu trennen; eben in der radikalen Negation verweist sie auf das Phänomen. Nur ein paar Andeutungen. Paul Valéry, in der ersten größeren

Arbeit, dem Essay „Introduction à la méthode de Léonard de Vinci" (1894), beschäftigt sich weniger mit dem Künstler als mit seiner Methode, seinem geistigen und künstlerischen Anspruch, mit dem — wie er es sieht — glücklichen Austausch zwischen Analyse und Handlungen. Vom Lächeln der „Mona Lisa" sagt er[36]:

„Je ne pense pas pouvoir donner un plus amusant exemple des dispositions générales à l'égard de la peinture que la célébrité de ce ‚sourire de la Joconde', auquel l'épithète de mysterieux semble irrévocablement fixée. Ce plis de visage a eu la fortune de susciter la phraséologie, que légitiment, dans toutes les littératures, les titres de ‚Sensations' ou ‚Impressions' d'art. Il est enseveli sous l'amas des vocables et disparaît parmi tant de paragraphes qui commencent à le déclarer *troublant* et finissent à une description d'*âme* généralment vague. Il mériterait cependant des études moins enivrantes. Ce n'est pas d'imprécises observations et de signes arbitraires que se servait Léonard. La Joconde n'eût jamais été faite. Une sagacité perpétuelle le guidait."

Das ist eine frühe entschiedene Distanzierung von allen spätromantisch-hermetischen Anschauungen des Fin de Siècle und der Décadence.

1914 schrieb der junge Roberto Longhi, der sich dann zum bedeutendsten italienischen Kunsthistoriker des 20. Jahrhunderts entwickeln sollte und dessen Anfänge an den Futurismus geknüpft sind, für die Zeitschrift „La Voce" einen kurzen Beitrag von polemischer, ätzender Schärfe: „Le due Lise"[37]. Der „Mona Lisa" wird der Prozeß gemacht zugunsten von Renoirs „Lise" von 1867, unter anderm folgendermaßen:

„Che dire, infatti, del paesaggio filaccioso e verdastro, questa piatta fantasia antartica, dove non si può che rimpiangere il velluto di Baldovinetti e il feltro delle toppate pianure di Pollaiuolo? meglio non dirne nulla. E v'è un'altra Lisa ... A vedere questa seconda Lisa, rubata, poi ritrovata, dieci persone non si muoverebbero. Pure, fra le due, essa soltanto vale nell'Arte. È di Renoir".

Oder Ardengo Soffici, ein futuristischer Maler und Schriftsteller, der aus der antipassatistischen, antimusealen Ideologie des Futurismus heraus wiederum die „Mona Lisa" attackiert[38]:

„In tram. Vedo scritto su un muro a grandi lettere bianche su fondo blu: Gioconda: Acqua purgativa italiana. E più giù la faccia melensa di Monna Lisa. Finalmente. Ecco che si comincia anche da noi a fare della buona critica artistica".

Fortan hält sich diese Abwehrattitüde; es sind zumal zwei Tendenzen zu unterscheiden, eine humoristisch-parodierende und eine bös destruktive. Auf beide jedoch trifft, wenn auch ins Gegenteil verkehrt, der in der Blütezeit der Décadence formulierte Satz von Gruyer zu[39]: „Voilà quatre siècles bientôt que Monna Lisa fait perdre la tête à tous ceux qui parlent d'elle, après l'avoir longtemps regardée". Die erste Linie hat einen Exponenten in Kurt Tucholsky und seinem Gedicht „Das Lächeln der Mona Lisa" (1928)[40]:

> „Ich kann den Blick nicht von dir wenden.
> Denn über deinem Mann vom Dienst
> hängst du mit sanft verschränkten Händen
> und grienst.
> Du bist berühmt wie jener Turm von Pisa,
> dein Lächeln gilt für Ironie.
> Ja . . . warum lacht die Mona Lisa?
> Lacht sie über uns, wegen uns, trotz uns, mit uns, gegen
> uns — oder wie —?
> Du lehrst uns still, was zu geschehen hat.
> Weil uns dein Bildnis, Lieschen, zeigt:
> Wer viel von dieser Welt gesehn hat —
> der lächelt, legt die Hände auf den Bauch und schweigt.

Demgegenüber bekundet sich bei dem Engländer Somerset Maugham, der zu Paters Mona-Lisa-Beschreibung, ihrer Abgelöstheit vom tatsächlichen Gegenstand, die feinsinnig-ironische Bemerkung machte: „Walter Pater is the only justification for Mona Lisa" — in einer Episode von Maughams Novelle „Christmas Holydays" also bekundet sich eine ungleich zartere Reserve angesichts der Gioconda. Ein junger Engländer, aus guter Familie, in Oxford erzogen, kommt nach Paris, um seine ersten Liebesabenteuer zu erleben. Er verliebt sich in eine junge russische Aristokratin, welche sich in den erbärmlichen Umständen der Emigration, die der Revolution folgte, ihren Broterwerb suchte, wo sie ihn fand. Eines Vormittags geht das Paar in den Louvre. Der Mann verweilt selbstverständlich vor der „Mona Lisa" und zitiert aus dem Gedächtnis Pater. Die Russin zeigt sich von der Rhetorik Paters unberührt; sie führt ihren Begleiter zu einem Stilleben Chardins mit Brot und Wein und interpretiert es als religiöses Symbol . . .

Ähnlich reizvoll, aber ins spielerisch Heitere gewandelt, das Drehbuch zu einem (nie realisierten) Film von Curt Goetz, entstanden 1937, publiziert 1966[41]: charmanter Mummenschanz zwischen Historie und Gegenwart, in dem die Mona Lisa und König Franz I. von Tizian aus ihren Bilderrahmen steigen und sich in den Pariser Carneval mischen, der mit den Klängen des Mona-Lisa-Walzers seinen rauschenden Höhepunkt erreicht und bei dem Franz I. gelegentlich fragt: „Warum lächeln Sie, Madame? Darf man das wohl erfahren?". Worauf Mona Lisa antwortet: „Ich lächle, Sire, wenn es beliebt, seit 450 Jahren!"

Das klassische Beispiel eines „bösen" Angriffs auf den „Mona-Lisa"-Kult ist aber natürlich „Die Mona Lisa mit Spitzbart und Schnurrbart", wie sie Marcel Duchamp 1919 einem entrüsteten Publikum vorstellte. Auf dem unteren Bildrand befinden sich die Buchstaben „L. H. O. O. Q."[42]. In französischer Aussprache ergibt sich das obszöne Wortspiel „Elle a chaud au cul". Wer Pater und seinesgleichen gelesen hatte, empfand vor der „Mona Lisa" nichts als „heilige Schauer, tief in der Brust" — sie war zum Inbild alles dessen geworden, was weiblich-geheimnisvoll, lockend und gefährlich ist, wie in Befolgung eines Satzes aus Kants „Anthropologie": „Der Mann ist leicht zu erforschen, die Frau verrät ihr Geheimnis nicht", la femme fatale, la belle dame sans merci par excellence, Urweib und Urmutter in einem. Kunst als Ersatz- und Quasireligion — dagegen wandte sich Duchamps dadaistischer Verfremdungsakt. Ein kleiner Schnurrbart genügt — und die „Mona Lisa" ist nicht mehr geheimnisvoll, sondern lächerlich; eine dreckige Unterschrift — und die „Mona Lisa" ist eine Frau wie viele andere auch[43].

Noch 1965 edierte Duchamp eine Serie unveränderter „Mona-Lisa"-Reproduktionen — jetzt hingegen zeigen sie die Unterschrift „Rasée L. H. O. O. Q.". „Mit diesem Vorgang hat die Mona Lisa sozusagen durch die Wiederherstellung ihrer Identität ihre Identität erst vollends verloren. Triumph der Aporie — Späße, aber ernste"[44]. Es mutet nur konsequent an, daß ausgerechnet die „Mona Lisa", mithin das neben Rembrandts „Nachtwache" „berühmteste Gemälde der Welt", an dem sich der Ästhetizismus des Fin de Siècle wie an keinem andern Kunstwerk entzündet und bestätigt gesehen hatte, 1919 der dadaistischen Kunsttheorie als Paradigma eines Antikunstwerks diente, um die Kunst im traditionellen Sinn zu destruieren, gemäß der Definition Hans Arps, die dieser in dem von ihm und El Lissitzky herausgegebenen Buch „Die Kunst-Ismen" lieferte. Danach „hat der Dadaismus die schönen Künste überfallen. Er hat die Kunst für einen magischen Stuhlgang erklärt, die Venus von Milo klistiert und Laokoon & Söhnen nach tausendjährigem Kampf mit der Klapperschlange ermöglicht, endlich auszutreten"[45].

Duchamps „Attentat" auf die „Mona Lisa" hat denn auch enorme Folgen gezeigt; der Exempel wäre Legion: Whistlers „Mutter des Künstlers" auf einem Skilift sitzend, Michelangelos „David" im strömenden Regen mit einem Regenmantel um die Schultern — die Reihe ließe sich beliebig verlängern, besonders am Leitfaden der „Mona Lisa" selber: es entwickelte sich, neben der noch immer virulenten und zählebigen, aber fast stets banalen „Giocondolatrie", eine eigentliche „Giocondoklastik" destruktiver Art[46].

Mit Duchamps „Mona Lisa L. H. O. O. Q." ist der extremste Gegenpol zu jeder Überhöhung des Bildes ins kultisch Feierliche und Esoterische abgesteckt. Im weiten Spektrum dazwischen bewegt sich, ob wir es uns klar machen oder nicht, unser „Mona-Lisa"-Verständnis (und, darüber hinaus, unser Leonardo-Verständnis) bis zum heutigen Tag[47].

### *II, 1) Giorgione-Kult des Fin de Siècle*

Wenige Anmerkungen müssen genügen. Eine eigentliche Giorgione-Ikonographie, wie im Falle Leonardos oder auch Tizians, gibt es im 19. Jahrhundert nicht. Das hängt damit zusammen, daß Giorgiones Leben und Werk schon spätestens seit dem Seicento zur Legende oder zum Mythos geworden waren. Unsicherheit herrschte, was überhaupt an Gemälden von ihm stamme[48]. Dazu paßt, in den „Reisebildern III" von Heine (1828), die Satire auf den Giorgione-Attributionismus[49]: Heine mokiert sich, daß der Kustode im Palazzo Durazzo zu Genua mehrere Bilder als von Giorgione gemalt bezeichnet, zuletzt das Porträt eines Mannes in schwarzem Mantel, von dem Heine ironisch bemerkt: „... es ist sehr gut getroffen, totschweigend getroffen, es fehlt nicht einmal der Schmerz im Auge, ein Schmerz, der mehr einem geträumten als einem erlebten Leide galt, und sehr schwer zu malen war. Das ganze Bild ist wie hingeseufzt auf die Leinwand ..." Als symptomatisch für die relative Unkenntnis Giorgiones im 19. Jahrhundert erweist sich auch, daß im Manifest der Präraffaeliten, verfaßt um 1849, das „die großen Unsterblichen" aufzählt, Giorgione zwar mitfiguriert, aber ohne Sternchen, wogegen Leonardo gleich mit zwei Sternen herausgehoben ist — Raffael bloß mit einem, Christus indessen, absoluter Rekord, mit vier Sternen[50]. Schilderungen aus dem Leben Giorgiones sind demnach im 19. Jahrhundert äußerst rar; ich kenne ein einziges Beispiel, das Bürger-Thoré im Salon von 1844 lobte und das nur in einer Lithographie übermittelt zu sein scheint: Henri Baron, „Giorgione faisant le portrait de Gaston de Foix" (1844). Ebenso selten erscheint Giorgione in der „Museumsikonographie"[51].

Taine („Voyage en Italie", 1866) erwähnt zwar Giorgione, aber er behandelt kein Werk von ihm, und bei Gautier verhält es sich ähnlich[52]: „Quand on pense a l'école vénitienne, trois noms se présentent invicïblement à l'esprit: Titien, Paul Véronèse, Tintoret ... A côté d'eux se placent Jean Bellin et Giorgione, et c'est tout". Doch hatte Gautier schon 1835 Giorgione in „Mademoiselle de Maupin" genannt; er wird durch das traumhaft Visionäre des Künstlers angezogen, zu dessen beredtstem Verkünder sich Pater macht, indem er mit seiner Botschaft erneut die europäische Décadence narkotisiert. Paters Essay „The School of Giorgione“ (1877) erfüllt in bezug auf Giorgione die gleiche Funktion wie sein Leonardo-Essay hinsichtlich der „Mona Lisa“. „All art constantly aspires towards the condition of music“ — diesen Topos sieht Pater durch Giorgione und seine Schule am reinsten verwirklicht.

"I have spoken of a certain interpenetration of the matter or subject of a work of art with the form of it, a condition realised absolutely only in music, as the condition to which every form of art is perpetually aspiring. In the art of painting, the attainment of this ideal condition, this perfect interpenetration of the subject with the elements of colour and design, depends, of cours, in great measure, on dexterous choice of that subject, or phase of subject; and such choice is one of the secrets of Giorgione's school“.

Für Pater verkörpert sich Venedig in Giorgione[53]: „Giorgione thus becomes a sort of impersonation of Venice itself, its projected reflex or ideal, all that was intense or desirable in it crystallising about the memory of this wonderful young man“ — ein Konzept von enormer Folgeträchtigkeit für die künftige Giorgione-Sicht. Des Meisters Malerei erhält mystisch dunkelnde und geheimnisvolle Qualitäten attestiert, die in die „Seele der Renaissance“ einzuführen vermögen und die „feineren Geister“ seltsam anziehen.

D'Annunzio vor allem umkreist Giorgione häufig[54]; in „Fuoco“ (1900) ist er ihm ein zweiter Prometheus, „portatore di fuoco“, und, Pater'sches Erbe, Schlüssel zum Wesen Venedigs. Der italienische Ästhet Angelo Conti schrieb 1894 eine Abhandlung über Giorgione; als Anhänger Schopenhauers, Wagners und Paters erblickt er in Giorgiones Werken „die Trauer der Wollust“; er nennt Giorgione „den Dichter der Qual und der wunderlichen Launen, hinter denen sich der Schmerz verbirgt“. Contis Giorgione-Buch ist eine wesentliche Quelle für D'Annunzio in Sachen Giorgione geworden, der die Schrift rezensierte und dem Verfasser in der Figur des Daniele Glàuro in „Fuoco“ ein Denkmal setzte. Stelio Effrena aber, neben der Foscarina der Hauptprotagonist des Romans, welcher grausam genau, bis in Einzelheiten reichend, die Liebesaffäre zwischen D'Annunzio und Eleonora Duse ausschlachtet — Stelio ist es, der, stellvertretend für D'Annunzio, über Giorgione bemerkt: „Egli appare piuttosto come un mito che come un uomo“[55]. Im übrigen wäre zu zeigen, daß D'Annunzio, nicht nur hier, die Prämissen der Décadence überschreitet auf den von Nietzsche übernommenen, in sinnlich-pathetischer Bildersprache stilisierten schwelgerischen Kult des „Übermenschen“, der „maniera grande“ hin.

Genau um die Jahrhundertwende erwachte derweise eine allgemeine Begeisterung für den Meister von Castelfranco, der süchtig-schwärmerische Züge innewohnen[56] — den dominanten Ton schlug als einer der ersten der als Schriftsteller dilettierende Museumsmann Adolph Bayersdorfer an[57]:

„Seine Bilder sind wie Träume von einem anderen Dasein, voll hoher Ahnung, als Gegenstand nur halb verständlich. Sie klingen wie alte Weissagungen, die man nicht mehr versteht, wie Musik von einem andern Sterne, als wären in ihnen die verblichenen Erinnerungen des Menschengeschlechts zusammenhangslos zum Bewußtsein erwacht und riefen nach Erklärung. Sie erwecken Ahnungen in der Brust des einzelnen, die der Gesamtheit gehören".

Und jetzt begann die Kunsthistorie, von biographischen Dichtungen begleitet, sich Giorgiones zu bemächtigen; in den Jahren zwischen 1900 und 1910 häufen sich Giorgione-Publikationen verschiedenster Observanz[58]. Der Namen Giorgione wurde zum Synonym für Kunst überhaupt. Richard Schaukal entfaltet in „Giorgione oder Gespräche über die Kunst" (1907) mittels ästhetischen und kunstphilosophischen Dialogen, die sich nicht bloß mit venezianischer Malerei beschäftigen, seine Vorstellung von Giorgione. Das „Gespräch des Künstlers und der malenden Dame" sucht Giorgione als den selbst Tizian überragenden Künstler zu verdeutlichen, „weil seiner Kunst die Kraft eignet, früher — schweben zu machen". „Giorgione bedrückt mein künstlerisches Empfinden mächtiger als Tizian, belädt meine Seele reicher mit Ewigkeitsahnungen, mit Glück."

„Er ist still-süß wie der Duft der Orange (...) Und das Blau im Braun des Alten. Diese leisen Übergänge. — Beachten Sie den Himmel, den Himmel Giorgiones, wie er mit dem Felsen da vorn zum Akkord ertönt. Die Dinge sind in Licht, im Raum nur als angeschlagene Töne der großen Weltenharfe (...) Merken Sie, wie es dämmert!? Man möchte sagen, das Bild überziehe sich von innen heraus mit Farbe, es atme Farbe ..."

Schaukals Beschwörung Giorgiones vollendet sich im Erlebnis eines musikalischen Farbenrausches. Aber dies bedingt „Gehör für die Kunst"[59] — es ist die romantische, in Betracht Giorgiones durch Pater erneuerte Poetik und Synästhesie der vertauschten Sinne, die Farben hört und Töne fühlt, welche bei Schaukal kitschig-penetrant Urständ feiert.

In der deutschsprachigen Dichtung wird das Giorgione-Erlebnis schließlich zu einem Teilaspekt des Venedig-Erlebnisses[60]. Hermann Hesses Gedicht „Giorgione" (1899/1902) gehört in den Umkreis der „Venezianischen Gondelgespräche"[61]:

„So müssen Künstler von der Erde scheiden!
Kein Todestag, kein Grab und kein Bericht
Von Alter, Welke, Niedergang und Leiden!
Wie eine Fabel klingt, wie ein Gedicht
Dein Dasein uns herüber: lustverklärt,
Von keines Jammers herbem Duft beschwert.
Vielleicht aus Jugendlust und Leidenschaft
Hat dich die schwarze Pest hinweggerafft,
Vielleicht bei Nacht aus festbekränztem Boot
Hat dich hinabgeholt der kühle Tod.

Wir wissen's nicht. Es blieb uns nichts von dir
Als wenig Bilder, deren süße Macht
Uns ungebrochen in der alten Zier
Zeitlos und unverstaubt entgegenlacht,
Und eine Sage, die mit altem Glanz
Siegender Jugend dein Gedächtnis schmückt
Und auf die schönen Locken dir den Kranz
Geheimnisvoller Liebesabenteuer drückt.
Du hast kein Grab. Dein Dasein war unbändig.
Es welkt nicht. Wir wissen dich lebendig."

Hofmannsthals Venedig-Verhältnis ist das komplexeste. *Ein* Hinweis nur im Zusammenhang des Giorgione-Kultes: das Traumhafte, Flüssige, Schwebende von Hofmannsthals Frühdichtung paßt wie kein zweiter Sprachstil zum „Venezianischen", zum „Giorgionesken". Wunderbar, wie die „Sommerreise" (1903) unvermerkt in eine Beschreibung des „Concert champêtre" überleitet, ohne Änderung des Tons, ohne es überhaupt zu sagen[62]. Zuerst zaubert die Sprache die Gegend bei Castelfranco hervor; dann nennt sie den Maler,

„... der vier oder fünf Gestalten auf den weichen Rücken eines (...) Hügels hinlagerte, und alle tun sie nichts anderes, als die unsägliche Süßigkeit dieser Landschaft auskosten, aussaugen wie eine Frucht, diese süße Vermischung von Weite und Nähe, von Dunkel und Helle, von Tag und Traum ...."

Auf den Giorgione-Kult des Fin de Siècle ist nicht, wie im Falle von Leonardos „Mona Lisa", eine polemische Reaktion erfolgt — es sei denn, man sehe beispielsweise den Umstand, daß Rauschenberg, allerdings erst zwischen 1950 und 1960, „alte" Werke verfremdend zitiert, darunter auch Giorgione, unter dieser Perspektive.

Hingegen hat eine Reihe von Giorgione-Romanen das schönheitlich verklärte Giorgione-Bild des Symbolismus ins handgreiflich Platte trivialisiert: Max Glass, „Giorgione, Ein Roman aus der italienischen Renaissance",

Leipzig 1914; E. Weill, „Venezianische Sonne, Der Roman des Malers Giorgione", Wien 1926; A. de Nora, „Giorgione", Roman, Leipzig 1929; Franz Spunda, „Giorgiones Liebeslied, Roman eines Künstlerlebens", Wien-Stuttgart 1955. Klischees bestimmen die Darstellung, auf die näher einzutreten sich kaum lohnt, so die Begegnung Giorgione — Dürer als Konfrontation venezianisch-sinnlichen und deutsch-geistigen Künstlertums — dieser Topos erscheint auch, in breiter Ausspinnung, in Kosels berühmt-berüchtigtem dreibändigem Dürer-Roman „Ein deutscher Heiland" (Berlin 1923/24)[63]. Noch am meisten Profil besitzt A. de Noras (= Anton A. Noder) Buch; es identifiziert, einmal mehr, Venedig mit Giorgione und Giorgione mit Venedig. Wer Giorgione versteht, versteht auch Venedig[64]:

„Und auf ging ihm das ewige Geheimnis des Zaubers dieser Stadt: die farbige Bewegtheit der Kontraste, die nirgends so wie hier dem Lebens- und Straßenbilde ihr Gepräge gab. Stadt des ‚Chiaroscuro' wollte er sie nennen, des unendlich reizvollen Ineinanderflutens und Auseinanderrinnens von Licht und Finster, Flüssig und Steinern, Eng und Unendlich, Stadt im Monde, die geisterhafte, hundertmal verhexte Fata-morgana Stadt ... Er begriff, daß dies ihr Wesen auch das Wesen venetianischer Kunst bedeute".

## *II, 2) Auswirkungen des Giorgione-Kultes der Jahrhundertwende auf die kunsthistorische Forschung*

Die esoterisch-dichterischen Giorgione-Paraphrasen des Fin de Siècle haben vergleichsweise spät, aber auf überraschende Art im Bereich der kunsthistorischen Forschung so etwas wie eine Fortsetzung gefunden, nun in einem vermeintlich wissenschaftlich abgesicherten Raum. In Frankreich: Louis Hourticq, „La jeunesse de Titien", Paris 1919, und „Le problème de Giorgione", Paris 1930; in Italien: Arnaldo Ferriguto, „Attraverso i misteri di Giorgione", Castelfranco 1933; in Deutschland: G. F. Hartlaub, „Giorgiones Geheimnis", München 1925[65].

Namentlich die Interpretationen Hartlaubs, die Giorgione als den Maler geheimer Kultgenossenschaften der Renaissance und ihres mysterienhaften Rituals zu beleuchten trachten, stießen auf starke Zustimmung[66]; noch die Giorgione-Ausstellung in Venedig 1955 stand im Banne von Hartlaubs verführerischen Thesen, nach denen es sich bei den profan-thematischen Bildern, an ihrer Spitze die „Tempesta", um Zeugnisse verschlüsselter Geheimlehren und alchemistischer Naturmystik handle, um Verkörperungen „romantisch-gnostischer Ideenkomplexe", um eine „Welt typisch orphisch-hermetischer Legenden- und Traditionsbildungen"[67].

Inzwischen, das heißt erst in jüngster Zeit, sind diese Thesen als unhistorische Rückprojektionen freimaurerischer Gedanken und sogar einer mit dem Mythos-Kult des George-Kreises verwandten Ideologie entlarvt worden. Die neuen Ansätze etwa von Auner, Battisti, Patricia Egan, Fehl, Friederike Klauner, Klein, Verheyen, Wind und Wittkower besitzen den Vorteil, daß sie, anhand der ikonologischen Methode, unter Benützung der humanistischen Emblematik, Concetti und Bildungsliteratur eine konkrete geschichtliche, soziologische und kunsthistorische Dimension zu eröffnen vermögen[68] — manches in Giorgiones Ikonographie und Formenwelt hat aufgehört, im Sinne der Décadence der Jahrhundertwende oder Hartlaubs ein „Geheimnis" zu sein.

### *II, 3) Spuren des Leonardo- und Giorgione-Kultes in der Bildkunst*

Das ist weitaus der schwierigste und heikelste Teilsektor meines Themas. In der Sphäre der Bildkunst sind verschiedene Kategorien der Rezeption zu unterscheiden. Um mit venezianischer Malerei zu argumentieren: 1) Kopien (Beispiel: Manet kopiert Tintorettos „Selbstbildnis" im Louvre). 2) Vorbilder werden als Ganzes umgesetzt (Beispiel: Manets „Olympia" — Tizians „Venus von Urbino"). 3) An Stelle ganzheitlicher „Wiederholung" werden die Vorbilder zum Substrat eigenschöpferischer, partieller Lösungen (Beispiel: die Akte des greisen Renoir; gewisse Werke des reifen und späten Cézanne sind in ihrem Kolorismus „venezianisierend"). Es handelt sich um Sachverhalte, mit denen sich die Forschung am ehesten befaßt hat[69].

Aus offensichtlichen Gründen erscheinen mehr oder minder „exakte" Leonardo-Metamorphosen vornehmlich bei Künstlern, die Repräsentanten der Ecoles des Beaux-Arts sind; Giorgione indes war vor 1900 noch zu wenig bekannt — er bleibt am Rande. Die Kunstgeschichte hat jedoch erst in jüngster Zeit die offizielle akademische Kunst des 19. Jahrhunderts wieder zu entdecken und zu würdigen begonnen, der auch die hier in Frage kommenden „symbolistischen" Maler angehören. Demnach mangelt, in bezug auf unser Thema, noch die volle Materialpräsenz.

Somit bin ich gezwungen, mich auf wenige dürre Hinweise, Angaben und Stichworte zu beschränken, wobei ich bewußt auf Kommentierung verzichte:

Armand Point, „Tête de Mme Berthelot", 1895 (French Symbolist Painters, Hayward Gallery, London/Walker Art Gallery, Liverpool, Juni—September 1972, Nr. 196): von „Leda"-Zeichnungen Leonardos inspiriert.

Henri-Léopold Lévy-Dhurmer, „Le Silence", 1895 (French Symbolist Painters, Nr. 113: „Mona-Lisa"-Paraphrase, durchsetzt von Savoldo-Anklängen.
Lévy-Dhurmer, „Circe", 1895 (French Symbolist Painters, Nr. 112): „Mona-Lisa"-Paraphrase.
Lévy-Dhurmer, „Eve", 1896 (French Symbolist Painters, Nr. 115): „leonardesk".
Alexandre Séon, „Le désespoir de la chimère", 1890 (French Symbolist Painters, Nr. 322): Sphinx-Ideologie à la Paters Leonardo-Interpretation. Heranzuziehen wären die vielen Werke gleicher Thematik von Stuck.
Gustave Moreau, „Venise", um 1870 (French Symbolist Painters, Nr. 159): Mischung von Leonardo- und Carpaccio-Anregungen.
Gustave Moreau, „Orphée", 1865 (French Symbolist Painters, Nr. 140): „leonardesk" im Sinne der Leonardo-Deutung der Décadence.
Charles Sellier, „Deux anges", um 1865/70 (French Symbolist Painters, Nr. 319).

Sellier ist undenkbar ohne die englischen Präraffaeliten; bei diesen, zumal bei Dante Gabriel Rossetti — „Monna Vanna (Venus Veneta)", „Regina Cordium", 1866, „Bruna Brunelleschi", 1878 — und E. Burne-Jones — „Sidonia von Bork" — stößt man, besonders in ihrer „Venetian phase", auf Entlehnungen venezianischer und leonardesker Herkunft. Diese Brechung präraffaelitischer Malerei hat die symbolistische Kunst der Jahrhundertwende maßgeblich angeregt[70].

*

Am Ende dieser Abhandlung halte ich mich an eine Äußerung Erich Auerbachs, die dessen Aufsatz „Entdeckung Dantes in der Romantik" einleitet[71]; ich adaptiere sie, indem ich den Text meinen Zwecken und Umständen anpasse: Nicht die Maler selber — Leonardo und Giorgione — sprechen zu lassen, ja nicht einmal über die beiden Maler zu sprechen, sondern von denen zu sprechen, die ihrerseits über die Maler gesprochen haben — das scheint gewiß ein wenig lebendiges, mittelbares und etwas trübseliges Unternehmen. Allein auch die Geschichte der Meinungen, die Wechselfälle eines Ruhmes, in denen sich die Meister und Werke stets wieder anders und doch immer wieder ähnlich manifestieren, sind für sich selbst geformtes Leben, unabhängig letztlich von den Werken Leonardos und Giorgiones, die den Anlaß boten: ein Spiegel der Wechselfälle geschichtlicher Überlieferung. Eine solche Betrachtung mag auf produktive Weise skeptisch machen gegen unsere eigenen Meinungen: sie reizt zur Prüfung, was daran vorurteilsvoll und vergänglich und was daran eigenständig haltbar sei.

## ANMERKUNGEN

1. Vasari, ed. Milanesi, IV, S. 49.

2. Leonardo starb am 2. Mai 1519, im Alter von 67 Jahren. In dem Brief, in welchem Francesco Melzi den Brüdern Leonardos Mitteilung von seinem Ableben macht, ist der Umstand, er sei in den Armen des Königs gestorben, nicht erwähnt. Vgl. Vasari, ed. Gronau, VI, S. 24, Anm. 55. Zudem hielt sich Franz I. damals mit dem Hof in Saint Germain-en-Laye auf; Leonardo aber starb in Cloux bei Amboise.

3. vgl. Francis Haskell, *The Old Masters in Nineteenth-Century French Painting,* in: *The Art Quarterly* 34, 1971, S. 57/58.

4. vgl. Robert Rosenblum, *Transformations in Late Eighteenth Century Art,* Princeton 1967, S. 35 f.

5. Ingres, „Der Tod Leonardo da Vincis", 1818: der Aufenthaltsort des Bildes ist heute unbekannt; vgl. Georges Wildenstein, *Ingres,* London 1954, Nr. 118, Fig. 64. Spätere Replik: Smith College Museum, Northampton (Mass.); ebenso Privatbesitz, London; Wildenstein Nr. 119 und Nr. 267, Fig. 65/66. — Gigoux, „Der Tod Leonardo da Vincis": Richard Muther, *Geschichte der Malerei im 19. Jahrhundert,* München 1893, I, S. 333.

6. J. F. Schrader, 1815—1900, Zeichnung „Der Tod Leonardo da Vincis", Kunsthalle Karlsruhe (ich verdanke die Kenntnis des Blattes Dr. Rudolf Theilmann). Bild laut Thieme-Becker 30, 1936 in der Galerie Ravené, Berlin.

7. vgl. *Romanticismo storico,* Katalog der Ausstellung, Firenze, Palazzo Pitti, Dez. 1973 / Febr. 1974, Nr. 96, S. 388.

8. Die übrigen elf Lünetten zeigen andere große Maler der Vergangenheit als Ahnherren der Geschichtsmalerei, darunter „Raffael und die Madonna" und „Tizian malt eine Venus". Vgl. Erik Forssman, *Venedig in der Kunst und im Kunsturteil des 19. Jahrhunderts,* Stockholm 1971, S. 33; Gerbert Frodl, Hans Makart, Salzburg 1974, Nr. 434/6, Tafel 101.

9. vgl. *Romanticismo storico,* aaO (Anm. 7), S. 106/107.

10. vgl. Volker Plagemann, *Das deutsche Kunstmuseum 1790—1870,* München 1967, S. 87, 193, 391/92.

11. Werner Hofmann, *Das irdische Paradies, Kunst im 19. Jahrhundert,* München 1960, S. 195.

12. vgl. Hofmann, aaO (Anm. 11), S. 195 f.

13. vgl. *Romanticismo storico,* aaO (Anm. 7), S. 213 f.

14. Vasari, ed. Milanesi, IV, S. 39 f.

15. Kenneth Clark, *Mona Lisa,* in: *The Burlington Magazine* 115, 1973, S. 144—155. Monographische Behandlungen des Bildes in selbständigen Publikationen: Maurice Sérullaz, *La Joconde, Léonard de Vinci,* Paris 1947, und René Huyghe, *Léonard de Vinci, La Joconde,* Fribourg (Suisse) 1974. Besonders wichtig ferner: Charles de Tolnay, *Remarques sur la Joconde,* in: Revue des Arts 1952, S. 18—26; Nicola Ivanoff, *Remarques sur la Joconde,* in: Revue d'esthétique 1952. — Kurios und skurril das Buch von Henry F. Pulitzer, *Where is the Mona Lisa?,* London 1966, das nachzuweisen versucht, die Mona Lisa des Louvre sei nicht das Original, sondern eine in Amerika befindliche Fassung. — H. Steen, *Mona Lisa, Geheimnis eines Bildes,* Hannover 1946, war mir nicht zugänglich (vermutlich populär).

16. vgl. George Boas, *The Mona Lisa in the History of Taste,* in: Journal of the History of Ideas 1, 1940, S. 207—224, zumal S. 215.

17. Théophile Gautier, *Guide de l'amateur au Musée du Louvre, suivi de la vie et les œuvres de quelques peintres,* Paris 1882, S. 222 f.

18. Charles Clément, *Michel-Ange, Léonard de Vinci, Raphael,* Paris 1861. S. 220 f.; vgl. Boas, aaO (Anm. 16), S. 217 f.

19. Walter Pater, *The Renaissance, Studies in Art and Poetry,* London 1971, S. 121 und 122/23.

20. vgl. Lothar Hönnighausen, *Präraphaeliten und Fin der Siècle*, München 1971, S. 117.

21. vgl. Wolfgang Iser, *Walter Pater, Die Autonomie des Aesthetischen*, Tübingen 1960, S. 60/61.

22. André Chastel, *L'interprétation ésotérique de l'art de la Renaissance à la fin du siècle dernier*, in: Umanesimo e esoterismo, Padova 1960, S. 439—448.

23. Hugo von Hofmannsthal, *Gedichte und lyrische Dramen*, Stockholm 1963, S. 202/03. Ferner: Hugo von Hofmannsthal, *Prosa I*, Frankfurt a. M. 1956, S. 198 *(Über moderne englische Malerei)* und S. 202—206 *(Walter Pater)*. Zum Verhältnis Hofmannsthal — Pater: Penrith Goff, *Hugo von Hofmannsthal and Walter Pater*, in: Comparative Literature Studies 7, 1970, S. 1—11; Winfried F. Weiss, *Ruskin, Pater, and Hofmannsthal*, in: Colloquia Germanica 1973, S. 162—170. — Zur Deutung von *Der Tor und der Tod* und von *Der Tod des Tizian* (dieses Stück wäre hier selbstverständlich ebenfalls heranzuziehen) vgl. zuletzt: Peter Szondi, *Das lyrische Drama des Fin de Siècle*, herausgegeben von Henriette Beese, Frankfurt a. M. 1975.

24. vgl. Walther Rehm, *Der Renaissancekult um 1900 und seine Überwindung*, in Zeitschrift für deutsche Philologie 54, 1929, wiederabgedruckt in: Walther Rehm, *Der Dichter und die neue Einsamkeit, Aufsätze zur Literatur um 1900*, Göttingen 1969, vor allem S. 59—61.

25. Mario Praz, *Liebe, Tod und Teufel, Die Schwarze Romantik*, München 1963, S. 175.

26. Thomas Mann, *Schriften und Reden zur Literatur, Kunst und Philosophie I*, Frankfurt a. M. (Fischer Bücherei) 1968, S. 114 *(Russische Anthologie* 1921).

27. Richard Muther, *Der Roman des Leonardo da Vinci*, in: Aufsätze über bildende Kunst III, Berlin 1914, S. 88—94; Hermann Bahr, Essays, Leipzig 1912, S. 7—25.

28. Sigmund Freud, *Eine Kindheitserinnerung des Leonardo da Vinci*, in: Studienausgabe Band X: Bildende Kunst und Literatur, Frankfurt a. M. 1969, S. 87—159.

29. Meyer Schapiro, *Leonardo and Freud: An Art-Historical Study*, in: Journal of the History of Ideas 17, 1956, wiederabgedruckt in: Renaissance Essays, Edited by P. O. Kristeller and P. P. Wiener, New York/Evanston 1968, S. 303—336; Ernst H. Gombrich, *Freud's Aesthetics*, in: Encounter 26, n. 1, 1966, italienisch in: E. H. Gombrich, *Freud e la psicologia dell'arte*, Torino 1967, S. 11—40; Jack Spector, *Freud und die Aesthetik. Psychoanalyse, Literatur und Kunst*, München 1973. Vgl. ferner: R. S. Stites, *A Critique of Freud's Leonardo*, in: College Art Journal 1947/48.

30. vgl. Abschnitt II, 3. — Androgyne Züge in höchstem Maße charakterisieren Leonardos „Johannes" im Louvre. — Starke Impulse auf die moderne Konzeption des androgynen Schönheitsideals rühren von Winckelmann her; vgl. dazu: Max. L. Baeumer, *Winckelmanns Formulierung der klassischen Schönheit*, in: Monatshefte für deutschen Unterricht, deutsche Sprache und Literatur (Madison) 65, 1973, S. 61—75, vor allem S. 72/73.

31. Fritz Wittels, *Mona Lisa und weibliche Schönheit. Eine Studie über Bisexualität*, in: Imago 20, 1934, S. 316—329.

32. Freud, *Eine Kindheitserinnerung . . .*, aaO (Anm. 28), S. 136.

33. Richard Muther, *Geschichte der Malerei*, I, Leipzig 1909, S. 314. — Am wichtigsten und am erhellendsten unter der kunstwissenschaftlichen Literatur „strenger" Observanz zum „Lächeln" der Mona Lisa: Heinrich Wöfflin, *Die klassische Kunst*, 1. A. 1899, 7. A. München 1924, S. 32—37 (überzeugend der Hinweis auf Polizianos „Giostra": „lampeggiò d'un dolce e vago riso"); Woldemar von Seidlitz, *Leonardo da Vinci, Der Wendepunkt der Renaissance*, 1. A. 1909, A. letzter Hand Wien 1935, S. 217 f. und 510; Max Dvořák, *Geschichte der italienischen Kunst im Zeitalter der Renaissance*, I, München 1927, S. 192; Wilhelm Worringer, *Das Lächeln der Mona Lisa* (1949), in: Fragen und Gegenfragen, München 1956, S. 164—176; André Chastel, *Art et Humanisme à Florence au temps de Laurent le Magnifique*, Paris 1961, S. 432—435 („Le sourire et la fureur"). Zur Nachwirkung in der Kunst des 20. Jahrhunderts: Hans Roosen, *Zum Problem der Inhaltsdeutung von Werken bildender Kunst — Methodologische Anmerkungen zu Bildern*

*von Tom Wesselmann und Manfred Garstka,* in: Visuelle Kommunikation, Köln 1971, S. 112: „Der halbgeöffnete Mund im zurückfallenden Kopf, der Mund der Lust, der Mund eines nicht eindeutigen Lächelns. (Die Tradition des unbestimmten Lächelns: Leonardos Gioconda.)“

34. vgl. Milton Esterow, *Mit Mona Lisa leben, Die großen Kunstdiebstähle unserer Zeit,* Oldenburg-Hamburg 1967, S. 107—176.

35. Georg Heym, *Gedichte und Prosa,* Frankfurt a. M. (Fischer Bücherei) 1962, S. 131—151, Zitat S. 136.

36. Paul Valéry, *Œuvres,* I, Paris 1962, S. 1187. Zu Valéry und Leonardo da Vinci: Werner Weisbach, *Gedanken Paul Valérys zur bildenden Kunst,* in: Neue Schweizer Rundschau Februar 1947, S. 579—599, besonders S. 585; Gotthard Jedlicka, *Paul Valéry und die bildende Kunst,* in: Überlieferung und Gestaltung, Festgabe für Theophil Spoerri, Zürich 1950, S. 163—186, besonders S. 164 f.; René Huyghe, *Léonard de Vinci et Paul Valéry,* in: Gazette des Beaux-Arts 1953, II, S. 183—198.

37. Roberto Longhi, *Le due Lise* (1914), in: Scritti Giovanili 1912—1922, I, Firenze 1961, S. 129—132, zitierte Stelle S. 131—132. Daß Longhi gerade Renoirs „Lise“ (Folkwang Museum, Essen) gegen die Mona Lisa ausspielt, hängt nicht nur am Namen. Renoir selber empfand dieses Werk als das Programmbild seines frühen Schaffens. Vgl. Emil Waldmann, *Das Folkwangmuseum,* in: Kunst und Künstler 1913/14. Vgl. zu Longhi: Eduard Hüttinger, *Pluralismo di stili nell'opera di Roberto Longhi, Un tentativo di storiografia dell'arte,* in: Paragone no. 311, gennaio 1976, S. 12—39.

38. Ardengo Soffici, *Giornale di Bordo,* 1915; vgl. Boas, aaO (Anm. 16), S. 223, Anm. 39.

39. Zitiert nach Woldemar von Seidlitz, *Leonardo da Vinci, Der Wendepunkt der Renaissance,* Ausgabe letzter Hand, Wien 1935, S. 510.

40. Kurt Tucholsky, *Ausgewählte Werke,* I, Hamburg 1965, S. 88.

41. Curt Goetz, *Carneval in Paris, Eine seltsame Begebenheit,* Stuttgart 1966, vor allem S. 81, S. 110 f.

42. Reproduktion in einer Auflage von 35 Exemplaren numeriert und signiert.

43. Johannes A. Gaertner, *Der grimmige Spaß, Anmerkungen zum Phänomen der „Debunking art“,* in: Neue Rundschau 83, 1972, S. 683/84.

44. Max Imdahl, *Vier Aspekte zum Problem der ästhetischen Grenzüberschreitung in der bildenden Kunst,* in: Die nicht mehr schönen Künste (Poetik und Hermeneutik III), München 1968, S. 494.

45. Zitiert nach Imdahl, aaO (Anm. 44), S. 495.

46. vgl. *L'opera completa di Leonardo pittore,* Presentazione di Mario Pomilo, Apparati critici e filologici di Angela Ottino della Chiesa, Classici dell'Arte 12, Milano 1967, S. 105: 37 Beispiele von „Giocondolatria e Giocondoclastica“, darunter Fernand Légers „Gioconda mit Schlüsseln“ (1930; Biot, Musée Léger); „Stalin als Mona Lisa“; „Fernandel als Mona Lisa“ usw. — 1954 hat sich Salvador Dali als Mona Lisa gemalt (vgl. Katalog *Marcel Duchamp,* The Museum of Modern Art, New York, and Philadelphia Museum of Art, Edited by Anne d'Harnoncourt and Kynaston McShine, 1973, S. 195. — Hier auch, S. 204/05, abgedruckt: Allan Kaprow, *Doctor MD,* 1972 (u. a. Äußerung über „Mona Lisa L.H.O.O.Q.“). — Andy Warhol verfertigte 1963 Serigraphien der Mona Lisa; die Aura des Einmaligen ist da dem Werk geraubt, die ihm die Technik durch massenhaftes Erzeugen ohnehin schon entzogen hatte (Benjamin); doch es taucht eine neue Aura auf: die potentielle Multiplizierbarkeit der Effekte (vgl. Eduard Hüttinger, *Aspekte heutiger „Kunst“,* in: Kunst heute, Bern 1974, S. 105—128, besonders S. 117).

Ein eigenes Kapitel wäre „Mona Lisa in Witz-Zeichnungen, in Karikaturen“. Ein Beispiel: Loriot — ein Museumswächter fügt die Mona Lisa aus Puzzles zusammen. Unterschrift: „Luxus Puzzles, aus wertvollen Original-Ölgemälden handgefertigt, sind schon ab 195 000 Mark bei allen staatlichen Kunstsammlungen erhältlich. Gegen Aufpreis in echter Kunstledertasche.“ Beispiel eines Witzes: „Ein britischer Kunsthistoriker schreibt in einem Artikel, das rätselhafte Lächeln der Mona Lisa sei der Reflex einer Schwangerschaft. Ein Kollege protestiert in einem Leserbrief: ‚Es gibt für dieses zufriedene und verstohlene Lächeln nur eine Erklärung: Mona Lisa hat soeben entdeckt, daß sie *nicht* schwanger ist'."

In den Kontext gehört die Mona-Lisa-Reproduktion mit dem Text: „Sicherheit in kritischen Tagen", in: *Tizian macht's möglich, Reklame in Öl von Sebastian Sattelschlepper,* Bergisch Gladbach 1967, Abb. 61

Die vorläufig letzte Versammlung von Mona-Lisa-Paraphrasen heutiger Künstler fand 1974 in London statt, mit rund 30 Beispielen: *The Mona Lisa Show, An Exhibition of Recent Works Inspired by Leonardo da Vinci's „The Mona Lisa"*, Nicholas Treadwell Gallery, London (mit Katalog, in dem die Werke reproduziert sind). Vgl. dazu: Play men, gennaio 1975. — Originell die Mona-Lisa-Paraphrasen des jungen Winterthurer Künstlers Martin Schwarz (1974): Mona Lisa entschwindet aus dem Bild; zurück bleibt die in Dunkel gehüllte Landschaft.

47. Die letzten Etappen in der Ruhmesgeschichte der „Mona Lisa" unter reinen Idolatrie-Aspekten sind die Ausstellungen des Werkes in Washington und New York im Winter 1962/63 (vgl. Georges Heard Hamilton, *Painting and Sculpture in Europe 1880—1940,* Harmondsworth 1967, S. 551, Anm. 24 zu S. 386 — mit Hinweis, wo die wichtigsten Presse-Kommentare erschienen) und in Tokio und Moskau im Frühjahr und Sommer 1974. Im Nationalmuseum Tokio besichtigten während sieben Wochen anderthalb Millionen Personen das Werk ...

48. vgl. Nicola Ivanoff, *Giorgione nel Seicento,* in: Venezia e l'Europa, Atti del XVIII Congresso internazionale di Storia dell'Arte, Venezia 1956, S. 323—326.

49. Heinrich Heine, *Sämtliche Werke,* IV, Leipzig 1912, S. 314.

50. vgl. *Le salon imaginaire,* Ausstellungskatalog, Akademie der Künste, Berlin 1968, S. 88.

51. vgl. Plagemann, aaO (Anm. 10), S. 392.

52. Zitiert nach: Anna Laura Momigliano Lepschy, *Taine and Venetian Painting,* in: Saggi e memorie di storia dell'arte 5, 1966, S. 146 und Anm. 77.

53. Pater, aaO (Anm. 19), S. 129, 140, 139.

54. vgl. vor allem: Gino Damerini, *D'Annunzio e Venezia,* Verona 1943; Bianca Tamassia Mazzarotto, *Le arti figurative nell'arte di Gabriele D'Annunzio,* Milano 1949 (hier eine Zusammenstellung der Äußerungen D'Annunzios zu Giorgione). Mario Praz, *Museo Dannunziano,* in: La casa della fama, Milano-Napoli 1952, S. 284—287 (zum Buch von B. Tamassia Mazzarotto).

55. Gabriele D'Annunzio, *Il Fuoco,* Milano 1970, S. 92.

56. vgl. Thea von Seuffert, *Venedig im Erlebnis deutscher Dichter,* Köln-Stuttgart 1937, S. 120 f.

57. Adolph Bayersdorfer, *Leben und Schriften,* 2. A. München 1908, S. 101 (die Stelle niedergeschrieben vermutlich in den siebziger Jahren).

58. Vor allem: Paul Landau, *Giorgione,* Berlin 1903; Max von Boehn, *Giorgione und Palma Vecchio,* Bielefeld 1908; Ludwig Justi, *Giorgione,* Berlin 1908 (erste Auflage des großen zweibändigen Werkes, das in umgearbeiteter Form 1926 erneut erschien).

59. Richard Schaukal, *Giorgione oder Gespräche über die Kunst,* München-Leipzig 1907, S. 142, 138, 157 f., 153. Vgl. Thea von Seuffert, aaO (Anm. 56), S. 120 f. Vgl. zuletzt zu Schaukal: Reinhard Urbach, *Leibhaftiges Dilemma der Jahrhundertwende,* Bemerkungen zu Richard Schaukal, in: Neue Zürcher Zeitung, 26./27. April 1975, Nr. 96, S. 57.

60. vgl. Eduard Hüttinger, *Immagini e interpretazioni della Venezia dell'800,* in: Paragone no. 271, Settembre 1972, S. 26—50.

61. Hermann Hesse, *Die Gedichte,* Berlin 1953, S. 139.

62. Hugo von Hofmannsthal, *Prosa II,* Frankfurt a. M. 1959, S. 43—62, zitierte Stelle S. 58. Vgl. dazu: Werner Vordtriede, *Das schöpferische Auge: Zu Hugo von Hofmannsthals Beschreibung eines Bildes von Giorgione,* in: Monatshefte für deutschen Unterricht, deutsche Sprache und Literatur (Madison) 48, 1956, S. 161—168; Jost Kirchgraber,

*Meyer, Rilke, Hofmannsthal, Dichtung und bildende Kunst,* Bonn 1971, S. 111 f.; Hüttinger, aaO (Anm. 60), S. 32 f.

63. vgl. Eduard Hüttinger, *Dürer — „ein deutscher Heiland"*, in: Neue Zürcher Zeitung, 23. Mai 1971, Nr. 234, S. 51.

64. A. de Nora, *Giorgione,* Roman, Leipzig 1929, S. 247.

65. Ferner von Hartlaub Aufsätze über Giorgione, vor allem: *Giorgione und der Mythos der Akademie,* in: Repertorium für Kunstwissenschaft 48, 1927; *Zu den Bildmotiven des Giorgione,* in: Zeitschrift für Kunstwissenschaft 7, 1953; *Der Mythos des erwählten Kindes bei Giorgione,* in: Fragen an die Kunst, Stuttgart o. J. (um 1950).

66. vgl. Michael Auner, *Randbemerkungen zu zwei Bildern Giorgiones und zum Brocardo-Porträt in Budapest,* in: Jahrbuch der Kunsthistorischen Sammlungen in Wien 54, 1958, S. 151.

67. Hartlaub, *Repertorium für Kunstwissenschaft* 48, 1927, S. 239 (vgl. Anm. 65), zitiert bei Auner, aaO (Anm. 66), S. 160.

68. Ich verzichte darauf, die Arbeiten der genannten Autoren hier nachzuweisen; man findet die meisten verzeichnet in der Bibliographie bei: Terisio Pignatti, *Giorgione,* Venezia o. J. (1969). Vgl. ferner Herbert von Einem, *Giorgione der Maler als Dichter,* Akademie der Wissenschaften und der Literatur, Mainz, Abhandlungen der geistes- und sozialwissenschaftlichen Klasse, 1972, Nr. 2, Wiesbaden 1972.

69. vgl. namentlich: Michel Florisoone, *Giorgione et la sensibilité moderne française,* in: Venezia e l'Europa, aaO (Anm. 48), S. 249—252; Paul Fierens, *Le Giorgionisme de Corot,* in: Venezia e l'Europa, S. 382—384; Erik Forssman, *Venedig in der Kunst und im Kunsturteil des 19. Jahrhunderts,* Stockholm 1971; Francis Haskell, *Giorgione's „Concert Champêtre" and its Admirers,* in: Journal of the Royal Society of Arts, 1971, S. 543—555; Hüttinger, aaO (Anm. 60), passim.

70. vgl. vor allem: John Christian, *Burne-Jones Studies,* in: The Burlington Magazine 115, 1973, besonders S. 105 f.

71. Erich Auerbach, *Gesammelte Aufsätze zur romanischen Philologie,* Bern-München 1967, S. 176.

## *Nachtrag (März 1976)*

Zwischen der Abfassung des vorstehenden Textes und seiner Drucklegung verstrich eine lange Zeit. Deshalb sind in Form eines Nachtrages ein paar Ergänzungen, vorab bibliographischer Natur, zusammengestellt. Denn mehr noch als kunsthistorische Untersuchungen im engeren Sinne, das heißt solche, die sich primär auf die Werke selber richten, sind motivgeschichtlich geartete Themen, zu denen ja auch der hier abgehandelte Fall zählt, materialmäßig ihrem Wesen nach stets ergänzungsbedürftig und nie „abgeschlossen", besonders, wenn sie sich im Grenzgebiet von bildender Kunst und Literatur bewegen.

Zunächst ist in Betracht des Leonardo-Kultes und der „Mona Lisa" auf eine Neuerscheinung zu verweisen (sie und der Umstand, daß das Lehmbruck-Museum Duisburg für den Herbst 1976 eine „Mona-Lisa"-Ausstellung vorbereitet, illustrieren die Aktualität des Vorwurfs — er liegt gleichsam in der Luft): Roy McMullen, „Mona Lisa. The Picture and the Myth", Boston 1975 und London 1976. In feuilletonistischer Manier schildert der Journalist McMullen sozusagen die „Lebensgeschichte" des Bildes, von seiner Enstehung bis heute. Einen guten Teil des

Buches widmet McMullen, wie das Georges Boas schon in seinem wichtigen Aufsatz von 1940 (vgl. Anm. 16) getan hatte, der „vormythologischen" Auswirkung des Gemäldes. Sie beginnt bereits um 1505 mit Raffaels „Bildniszeichnung einer Florentinerin" (Paris Louvre): die Komposition ist von der „Mona Lisa" abgeleitet, und sie erlaubt, was schon lange bekannt ist, Schlüsse auf das ursprüngliche Aussehen von Leonardos Werk, das man, vermutlich im 17. Jahrhundert, seitlich links und rechts beschnitt, wobei die Loggiensäulen in Wegfall gerieten. Schon früh hat ein anonymer Nachfolger Leonardos die Gioconda um 1513 als nackte Halbfigur gemalt (Chantilly, Musée Condé) — das Gemälde wurde zum Vorbild der diversen allegorischen Kurtisanendarstellungen der Schule von Fontainebleau. Hier gibt sich McMullen zu wenig Rechenschaft, daß diese und weitere Gestaltwandlungen der „Mona Lisa" keineswegs exzeptionell anmuten; vielmehr gehören sie ins Kapitel einer quasi „normalen" Rezeptionsgeschichte bedeutender Bildprägungen. Ähnlich verhält es sich mit weiteren Schöpfungen Leonardos, so dem „Abendmahl", und bei anderen Künstlern, gerade der Renaissance, stößt man auf Verwandtes; es genügt, Giorgiones Dresdener „Venus" zu nennen, die zu einer Inkunabel, einem Prototyp wird, deren Strahlkraft bis ins 19. Jahrhundert reicht. Erst die mit Gautier und Pater erfolgende „Verfremdung" im Sinne von „Literarisierung" machte aus der „Mona Lisa" ein Phänomen sui generis, in diesem Stärkegrad völlig singulär in der europäischen Geistesgeschichte. Doch darf man anderseits nicht außer acht lassen, daß die „Mona Lisa" von den Künstlern auch noch im 19. Jahrhundert bisweilen ohne jede mystifizierende Absicht einfach kopiert oder dann frei umgesetzt worden ist. Das können etwa Carpeaux's „Zeichnung des Gesichts der Joconde" (vgl. „Sur les traces de Jean-Baptiste Carpeaux", Katalog der Ausstellung, Paris, Grand Palais, März—Mai 1975, Nr. 260), zumal aber Corots „Femme à la perle" (um 1869) in ihrer malerisch verzuständlichten Blickruhe bezeugen (vgl. zuletzt „Hommage à Corot", Orangerie des Tuileries, Paris, Juni—September 1975, Nr. 113). Vgl. ferner C. Veltens „Mona Lisa"-Kopie (1859) in der Kunsthalle Karlsruhe.

Zum Gesamtthema der „Mona Lisa"-Mythologisierungen ist an Literatur nachzutragen: die Spezialnummer des Magazins „Bizarre", Mai 1959, mit Beiträgen von J. Margat und anderen; „Der Spiegel", Jahrgang 13, Nr. 41, 7. Oktober 1959, S. 59—72, und J. Suyeux, „Jeux Joconde", Paris 1969.

Zu Ménageots Bild (I, 1): Boris Lossky, „Léonard de Vinci mourant dans les bras de François Ier, Peinture de François-Guillaume Ménageot au Musée de l'Hôtel de Ville d'Amboise", in: Bulletin de l'Association Léonard de Vinci, no. 6, juin 1967. S. 43—52.

Zu I, 2: Zweifellos unter dem Eindruck von Paters Leonardo-Essay hat Oscar Wilde 1894 eine Erzählung veröffentlicht: „Die Sphinx ohne Geheimnis. Eine Radierung". Da heißt es: „Sie ist eine Gioconda im Zobel. Ich möchte alles über sie erfahren!" (Oscar Wilde, Werke in zwei Bänden, herausgegeben von Rainer Gruenter, München 1970, I, S. 379—384, zitierte Stelle S. 380). Vgl. ferner Wilde, aaO, S. 482 f. („Der Kritiker als Künstler"): Wilde zitiert zustimmend verschiedene Stellen aus Paters „Mona Lisa"-Interpretation.

Zu I, 2 und I, 3 (Gedichte von Hofmannsthal und Tucholsky auf die „Mona Lisa"): weitere Bildgedichte auf das Werk: vgl. „Gedichte auf Bilder, Anthologie und Galerie", herausgegeben von Gisbert Kranz, München 1975, S. 124—139 (Gedichte von Dowden, Field, Vrchlicky, Machado, Fröding, Claudius, McGreevy, Klinkenbijl, Herbert, Arnback, Bjørnvig). Zum Grundsätzlichen: Gisbert Kranz, „Das Bildgedicht in Europa, Zur Theorie und Geschichte einer literarischen Gattung, Paderborn 1973.

Zu Anm. 21: Vgl. neuerdings ferner Richard L. Stein, „The Ritual of Interpretation, The Fine Arts As Literature in Ruskin, Rossetti, and Pater", Cambridge (Mass.) and London 1975. Stein zeigt, daß die Wechselwirkungen zwischen bildender Kunst und Literatur im englischen Viktorianismus außerordentlich eng sind und im Werk der drei angezogenen Exponenten Ruskin, Rossetti und Pater, so sehr bei ihnen allen die Behandlung sowohl der alten wie der neuen Kunst unter der Perspektive von Aesthetizismus und Moral, Realität und Vision, Vergangenheit und Gegenwart als ästhetisch-literarisierendes Ritual erfolgt, je verschiedene und eigentümliche, künftige Möglichkeiten der Dichtung und Kunstkritik antizipierende Formen annehmen. Exemplarisch zumal die Deutung der Beschreibung, welche Ruskin Turners „The Slave Ship" angedeihen läßt, von Rossettis Sonett auf Giorgiones „Fête champêtre" und von Paters Prosagedicht über die „Mona Lisa" und des Fiktions-Charakters der Pater'schen Renaissance-Sicht.

Zu Anm. 23: Ein direkter „Pater-Mona Lisa-Reflex" ist ferner Hofmannsthals Gedicht „Manche freilich" (um 1895/96), zumal die vierte Strophe („Gedicht . . .", aaO, S. 19). Vgl. dazu zuletzt: Hanspeter Zürcher, „Stilles Wasser, Narziss und Ophelia in der Dichtung und Malerei um 1900", Bonn 1975, S. 57 f.

Zu Anm. 29: Heinz Ladendorf, „Zur Frage der künstlerischen Phantasie", in: Mouseion, Studien aus Kunst und Geschichte für Otto H. Förster, Köln 1960, S. 21—35, besonders S. 28 und S. 34, Anm. 104; Otto F. Gmelin, „Anti Freud, Freuds Folgen in der bildenden Kunst und Werbung", Köln 1975.

Zu Anm. 30/31: Zum Problem von Androgyn-Gestaltungen in Literatur und bildender Kunst des Fin de Siècle vgl. ferner: Gert Mattenklott, „Bilderdienst, Aesthetische Opposition bei Beardsley und George", München 1970, S. 72 und S. 328, Anm. 76, S. 78 und S. 380, Anm. 90, S. 144; Hönnighausen, aaO (Anm. 20), S. 353 f. (der Hermaphrodit).

Zu Anm. 33: Verblüffend der Bezug auf das „Lächeln der Mona Lisa" bei Brecht im Gedicht „Beim Anhören von Versen" (1953). Vgl. Bertold Brecht, Gesammelte Werke in 20 Bänden, Frankfurt/Main 1967, Bd. 10, S. 1018.

Zu Anm. 46: Zu registrieren wäre ferner die Verwendung der „Mona Lisa" in der Werbung, zum Beispiel: „Mona Lee", Plakat für Lee Jeans, 1974. Vgl. Erik Forssman, „Die Kunstgeschichte und die Trivialkunst", Sitzungsberichte der Heidelberger Akademie der Wissenschaften, phil.-hist. Klasse, 1975, 2. Abhandlung, Heidelberg 1975, S. 25 und Abb. 14.

Zu I, 3: Im Januar 1903 gründeten Giovanni Papini und Giuseppe Prezzolini die Zeitschrift „Leornardo". Der Name, das zugleich italienische und universale Genie Leonardo da Vinci, verkörperte ein bestimmtes Programm: pagan orientierter Aesthetizismus, Individualismus, kultureller Nationalismus und Idealismus, mit einem Wort: eine D'Annunzio verwandte Ideologie, welche die Renaissance, im Zeichen Nietzsches, als heroische Epoche erblickte. Die Zeitschrift wurde, da es mehr gemeinsame Abneigungen als gemeinsame Ziele waren, welche die Mitarbeiter zusammenführten, bald aufgegeben (vgl. Giovanni Carsaniga, „Geschichte der italienischen Literatur, Von der Renaissance bis zur Gegenwart", Stuttgart 1970, S. 255). — Nur nebenbei sei bemerkt, daß seit 1968 eine englischsprachige, in Headington Hill Hall, Oxford, erscheinende Zeitschrift des Namens „Leonardo" existiert, mit dem Untertitel: „International Journal of the contemporary Artist, Art, Science, Technology".

Zum Übergang von I, 3 zu II, 1: Warum in meinem Beitrag neben Leonardo gerade Giorgione behandelt wird, mag aus der Sache selber resultieren. Eine vom Geist des Fin de Siècle tingierte Äußerung von Auguste Rodin exponiert indessen treffend den inneren Zusammenhang. Sie steht in Rodins Buch „L'Art", Entretiens réunis par Paul Gsell, Paris 1911. Ich zitiere nach der deutschen Ausgabe München 1937, S. 138: „Jedes Meisterwerk hat diesen geheimnisvollen Charakter. Man findet darin immer etwas, das ein wenig schwindelig macht. Denken Sie an das Fragezeichen, das über allen Bildern Leonardos schwebt! Aber ich will als Beispiel nicht diesen großen Mystiker wählen, an dem meine Behauptung sich gar zu leicht nachweisen ließe. Nehmen wir lieber das prächtige „ländliche Fest" von Giorgione. Alles auf diesem Bild atmet Lebenslust und heitere Freude und doch mischt sich eine leise Betäubung durch Melancholie hinein: was ist nun die menschliche Freude? Woher kommt sie? Wohin geht sie? Ihr Dasein ist und bleibt rätselhaft."

Zu II, 1 (Giorgione im 19. Jahrhundert): Der englische Maler Richard Dadd hat seinem Bild „Titania Sleeping" (um 1841), neben Anregungen Füsslis, kompositionell Giorgiones „Anbetung der Hirten", die sogenannte „Allendale Nativity" (seit 1939 Samuel H. Kress Collection, National Gallery of Art, Washington) zugrunde gelegt. Vgl. Patricia Allderidge, „The Late Richard Dadd, 1817—1886", London, The Tate Gallery, 1974, Nr. 57, S. 59—61. Da die — heute zumeist akzeptierte — Zuschreibung an Giorgione allem Anschein nach freilich erst 1871 erfolgte (durch Cavalcaselle), besagt der Bezug freilich nicht viel, es sei denn, es ließe sich zeigen, daß der Name Giorgione schon früher an dem Werk haftete.

Zu II, 1: Bildgedichte auf das „Concert champêtre" und andere Giorgione zugeschriebene Werke. Erwähnenswert vor allem Dante Gabriel Rossettis „For a Venetian Pastoral by Giorgione" (1850), ferner Platen, Schack, Treitschke, Heyse, Field, Lopez-Pico, Brechbühl. (Vgl. Gisbert Kranz, aaO, S. 140—143.)

Zu II, 3: Bei einer — noch ausstehenden — Geschichte der Giorgione-Forschung wären jeweils nachdrücklich die Besprechungen heranzuziehen, die durch die Schriften über Giorgione provoziert wurden. In ihnen bekundet sich von Fall zu Fall die wechselnde Art der Rezeption besonders deutlich. Einige Rezensionen sind verzeichnet in der nützlichen Giorgione-Bibliographie bei Antonio Morassi, „Giorgione", Milano 1942, S. 201—214.

LEA RITTER SANTINI

# Maniera Grande

## Über italienische Renaissance und deutsche Jahrhundertwende

> Wir sind fast alle in der einen oder anderen Weise in eine durch das Medium der Künste angeschaute, stilisierte Vergangenheit verliebt.
> (Hugo von Hofmannsthal. Walter Pater)

M. Jacques Arnoux, Besitzer de *l'Art industriel,* boulevard Montmartre, war kein treuer Ehemann. Frédéric, der junge Student der Rechte, der seine „Education sentimentale" der zarten und sensiblen Mme. Arnoux verdankte, betrachtete ihn in der Restaurationsepoche unter Louis Philippe als Millionär, Dilettant und Mann der Tat, außerdem als sehr tüchtig und sehr schlau in seinen kommerziellen Unternehmungen. Er schenkte seiner Frau einen kleinen Schrein mit silbernen Verschlüssen aus der Renaissance-Zeit. Von ihrem „boudoir" *„paisible, honnête et familier"* wandert dieser Gegenstand ehelicher Zuneigung ohne die geringsten Bedenken von seiten des Schenkenden in den kleinen Salon der maîtresse des Geschäftsmannes Arnoux. Die Kunst auf Bestellung von Pariser Malern für *„l'Art industriel"* hatte er schon mit dem erfolgreichen Handel mit Fayencen getauscht. Dies erlaubte ihm die Großzügigkeit in der Austauschbarkeit von Gegenständen und Gefühlen —

„Que voulez-vous faire dans une époque de décadence comme la notre? La grande peinture est passée de mode[1]!"

Er produziert Teller, Suppenterrinen, Fliesen mit mythologischen Motiven im Renaissancestil. Der mediocre Maler, der die „Maréchale", die Geliebte des M. Arnoux malen soll, findet die einzige Möglichkeit, diese gutmütige demi-mondaine in ein Salonbild zu verwandeln: im Tizianstil, gehoben noch durch reicheren Dekor à la Veronese. Die karierte Robe wird zu rotem Samt, eine Sardinenbüchse zur kostbaren Schatulle, ein Messer zum Dolch. Perlen ließen sich besonders gut mit rötlichem Haar flechten, doch das ist eine Verwandlung, die auf Widerstand stößt: die Dame der Halbwelt hat kein rotes Haar.

„Laissez donc! Le Rouge des peintres, n'est pas celui des bourgeois[2]!"

Auch die Bürger liebten damals das Rot, ihr Rot, wenn man Flaubert glauben will. Und das nicht nur in der Hauptstadt des Seconde Empire. Hermann Bahr beschreibt in seiner „Secession 1900" fast schon mit der Verfremdung, mit der man die eben erkannten Mängel durch Neuerungen auszugleichen versucht, ein Wiener Interieur Weihnachten 1885 . . .

„Ein hoher Saal in einem vagen venetianischen Stil. Die vermummten Fenster lassen den Tag nicht herein. Ein Wiederschein von tiefem Rot auf gebräuntem Gelb . . . alte Waffen, . . . alte Geigen, alter Schmuck. Rot der Teppich, rote Stoffe auf dem ungeheuren Divan ausgebreitet, rote Gehänge an den Fenstern. In einer Vase Feuerlilien, Türkenbund und Tigerlilien . . . Als Supraport eine nackte Frau auf einem Throne ein rotes Tuch unter den Füßen . . . Und rings Copien nach Tizian und Giorgione. In der Ecke unter der *‚Himmlischen und irdischen Liebe'* ein Harmonium auf dem ein paar Wiener Witzblätter liegen, mit ihren grellen lasziven Figuren . . .[3]."

Rot war das römische Atelier Franz Lenbachs, bevor er geadelt wurde, Makart-Rot war das dunkle Rot eines Samtstoffes, der Damen wie Pleureusen polstern sollte. Rot, karmesin, purpurrot die seidenen Kissen, um Bett oder Thron zu bilden, in Gabriele d'Annunzio's römischer garçonnière[4]. Rot die warme Farbe, die gegen das Weiße — das Rohe, Unfertige — kämpfen sollte, um den richtigen Hintergrund für das Renaissance Zimmer zu bilden. Denn:

„Zum dritten Male seit hundert Jahren wird ein ernster Anlauf genommen, um aus alten Quellen eine neue Dekorationskunst zu schöpfen. Diesmal mit entschieden richtigerer Wahl *der Vorbilder,* mit inniger Vertiefung und größerem Geschick. Der Anschluß an die Renaissance, jene wundervolle Kunst, welche noch zu Ludwig von Bayerns-Zeiten — also vor kaum 30 bis 40 Jahren — als ‚Zopf' verachtet war, hat unsere Bestrebungen auf einen gesunden und fruchtbaren Boden gebracht. Wie die Renaissance selbst die breite, von mächtigen Pfeilern und Bogen getragene Kulturbrücke zwischen alten und neuen Weltanschauungen bildet, so finden wir von ihr aus, rückwärtsschreitend auch die sicheren Pfade zu dem — und das ist nicht wenig — was wir aus der Gotik und selbst aus dem Romanischen in die Gegenwart herübernehmen können . . .

Aber noch etwas anderes ist es, das uns die neue Geschmacksrichtung als eine glückliche erscheinen lassen muß.

Wenn wir alle vorausgegangenen Kunstepochen auf die Frage hin prüfen, welche von ihnen im großen und ganzen unserer Naturauffassung und unserem sozialen

Gemüt am meisten sympathisch sei, so stoßen wir immer wieder auf die Renaissance, eben gerade deshalb, weil wir in ihr auch eine hohe nationale Kunstentwicklung auf dem Boden wesentlich schon moderner Weltanschauung finden[5]."

So argumentiert 1898 einer der Autoren, dessen Werk den Erzähler der Novelle „Gladius Dei", den jungen Thomas Mann ärgerlich stimmte, als er diese bibliographisch geschmückte Renaissance-Mode aus den Schaufenstern der Münchner Basare für moderne Luxusartikel prangen sah. Die Fenster und Schaukästen des großen Kunstmagazins „des weitläufigen Schönheitsgeschäftes von Herrn Blüthenzweig", im leuchtenden Isar-Florenz, enthielten um 1900 nur zeitliche und regionale Variationen jener Bilder und Gegenstände, die Jahrzehnte früher, in der Boutique von M. Arnoux, im Zentrum von Paris zu kaufen waren. Das „Künstlervölkchen da und dort"; in Paris freut man sich, wenn man ein Malermodell in einer reichen Equipage vorbeifahren sieht, in München wirkt die Übersetzung eines ebenfalls bekannten Maler-Modells in eine aphrodisische Madonna sündig und pikant. Ein Werk „ruchloser Unwissenheit oder verworfener Heuchelei?" M. Arnoux, wie auch später dieser Herr Blüthenzweig, hatten erkannt, daß die Zeit gekommen war, das Geschäft mit der Schönheit an den Bürger zu bringen:

*„D'ailleurs, on peut mettre de l'art partout! Vous savez, moi, j'aime le Beau! Il faudra un de ces jours que je vous mène à ma fabrique[6]."*

In das Geschäft von M. Arnoux zieht es den jungen Frédéric immer wieder: um seine Leidenschaft für Marie Arnoux zu vergessen, beschließt er, eine „Histoire de la Renaissance" zu schreiben. Er versucht Machiavelli, den kühlen Politiker zu verstehen: Indem er sich in die Persönlichkeit anderer versetzt, vergißt er die eigene. In das Geschäft von Herrn Blüthenzweig tritt auch ein junger Mann, gar nicht bemüht um die Renaissance: Hieronymus. Er verlangt vom Besitzer, daß er das ausgestellte Madonnenbild unverzüglich aus dem Fenster „entferne", und zwar für immer. Das Madonnenbild, die Siebenzig-Mark-Reproduktion in Altgold eingerahmt, macht schlichte und unbewußte Münchner Leute an dem Dogma der unbefleckten Empfängnis irre ... Auf die Antwort, es handele sich um ein Kunstwerk, vom Staat bereits angekauft, spricht der bayrische Hieronymus verdammende Worte:

„Kunst! ... Genuß! ... Schönheit ... Hüllt die Welt in Schönheit ein und verleiht jedem Ding den Adel des Stiles! ... Geht mir, Verruchte! Denkt man, mit prunkenden Farben das Elend der Welt zu übertünchen? Glaubt man, mit dem Festlärm des üppigen Wohngeschmacks das Ächzen der gequälten Erde übertönen zu können? ... Die Kunst ist kein gewissenloser Trug, der lockend zur Bekräftigung und Bestätigung des Lebens im Fleische reizt! ...[7]."

Verfremdet in den Sätzen eines sittlich empörten bajuwarischen Jünglings braucht Thomas Mann nicht nur die abgewandelten Klagen der Predigten Gerolamo Savonarolas in der Wiedergabe Pasquale Villaris, den er damals, gerade um 1900 las und studierte[8]. Er vermischt auch noch die von Jacob Burckhardt erlernte Renaissance-Bildung[9] mit dem Geist Schopenhauers und mit der Treue zu Friedrich Nietzsche; verschlüsselt parallelisiert er das Ende des heidnischen, toskanischen Quattrocento mit der Münchner Jahrhundertwende[10]. Die Renaissance der Pariser Maler um Jacques Arnoux, die Tizian-Inszenierung und die Begeisterung Frédérics bleiben bei Flaubert in einer Dimension, die gleich entfernt von den romantischen Grausamkeiten auf der Bühne Musset und der farbigen, sinnlicheren Entdeckung Stendhals war. Sie zeigte jedoch die ironische Distanz zum Geschäft „Kunst" und zu einer ihrer einträglichsten und dauerhaftesten Stilrichtungen, dem Renaissance-Revival[11]. Sie wurde als Nachfolge verstanden, für den Bürger erhältlich bei M. Arnoux, für den Künstler ein Vorbild, das nachahmenswert nur dann war, wenn der Bürger es verlangen sollte.

Die deutsche Literatur der Jahrhundertwende gewinnt eine andere Art von Distanz von den französischen Modellen der Romantik.

„Die Renaissance ist die Kunst des schönen ruhigen Seins. Sie bietet uns jene befreiende Schönheit, die wir als allgemeines Wohlgefühl und gleichmäßige Steigerung unserer Lebenskraft empfinden."

So definiert Heinrich Wölfflin 1888 die Kunst der Renaissance, den Stil, dem er, mit einem Worte Vasaris, die *„maniera grande"* zuschreibt, die Absicht jener Wirkung, die „teilweise schon von selbst den großen Stil" fordert[12].

Die Literatur folgt der neuen Vorliebe der bildenden Kunst, die schon Hallen und Theater in Renaissancebauten verwandelt hatte, und wählt immer wieder Renaissance-Themen, auch wenn — sollte man einer Äußerung Hugo von Hofmannsthals Glauben schenken — gerade diese Epoche „jeden dichterisch Schaffenden zu Unlust und sicherem Widerwillen" reizt. „Die Stoffe aus der Renaissance" — schreibt er 1906 an Richard Strauß, der ihm ein Renaissance-Thema vorgeschlagen hatte — „scheinen dazu bestimmt, die Pinsel der unerfreulichsten Maler und die Federn der unglücklichsten Dichter in Bewegung zu setzen[13]."

Doch sie setzten sie in Bewegung, selbst die Hugo von Hofmannsthal's. Die Kritik gibt Auskunft über die anhaltende Wahl eines historischen Ambiente, über die Dauer eines Revivals, das schon ermüdend wirken konnte für diejenigen, die nur auf seine Formen, nicht aber auf die veränderte Intention eines ausgesuchten Anachronismus und seiner literarischen Verwendung aufmerksam wurden. Statt das Mittelalter der Romantik, glaubte man die fortschrittlichste Epoche im Leben der Menschheit als Spiegel benutzen zu dürfen[14]. Zweideutigkeit begleitet vielleicht noch deutlicher als in der ersten Hälfte des Jahrhunderts — dieses Phänomen der bewußten Wiederkehr, der absichtlichen Hinwendung zur Kunst und Geschichte der Vergangenheit, die man in der Gegenwart wieder lebendig machen will. Eine Haltung, die das kritische Urteil ablehnt, von Verzicht gegenüber den echten Realitäten wie Politik oder Ökonomie zeugt und eine Wirklichkeit schafft, die nicht mehr mit der zeitgenössischen Geschichte übereinstimmt. Die unwichtigste Wahl in der Rezeption der Gegenwart ist die Wahl der Vergangenheit, die zur ästhetischen Dimension wird, um Geschichte zu reflektieren[15]. Die ferne Erinnerung des historischen Vorgangs wird von der Imagination adaptiert und vergrößert. Sie ist Fiktion, aber die Glaubwürdigkeit wird ihre geheime Feder. Der historischen Person soll das historische Ambiente entsprechen. Der Rückgriff auf die Vergangenheit zwingt zur Nachahmung, die auch Bewahrung ist. Weder Reaktion noch Restauration bestimmen diese Wahl, die eine Flucht in eine vermeintliche ideale Heimat ist und nur Exil bedeuten kann; Ambiguität und Unentschlossenheit, Desorientierung vor der Zukunft begleiten die Formen dieser Wiederkehr. Der industrielle Pragmatismus findet sich zuerst im mittelalterlichen Handwerkertum, dann in der sicheren Meisterschaft der Renaissance-Herrscher sublimiert, während der Bürger an die Aufgabe der eigenen Klasse glaubt; beide sehen in der Nachahmung des Alten eine ganz neue, angemessenere Verhaltensweise.

*

„Die naive Moral, der Indianer-Egoismus des Renaissance Italiens schwimmt in den Bechern, aus denen am Ausgang des Jahrhunderts die Romantiker der klassischen Walpurgisnacht trinken. Auch sie möchten wieder Kind sein und träumen von der Erde unserer Knabenzeit, da wir noch Räuber spielten und die Poesie des Prügels in tiefen Zügen genossen, als der Stärkste ‚principe‘ war, König, General, Indianerhäuptling. Ein toller ungebärdiger Knabe war auch jener Mensch des sechzehnten Jahrhunderts und mit naiver Knabenleidenschaft griff er nach der Erde, die plötzlich, so jung, so neu und ungekannt wieder hinter den Himmelswelten des Mittelalters auftauchte[16].“

Wer aber Räuber spielen kann und das Prügeln genießt, wer im Spiel die Rangordnung der Aristokratie und der Macht reproduziert, hat starke, tyrannische Väter, mit denen er nachahmend konkurrieren möchte. Wer später passiv von der Poesie des Prügelns träumt, sehnt sich, in seiner Unsicherheit, wieder nach Autorität. Die Herrscher des italienischen sechzehnten Jahrhunderts, Malatesta, Cesare Borgia oder der Herzog Bentivoglio werden anziehende Identifikationsgestalten, Sicherheit bietende Beispiele, deren Kraft dem Lebensspiel die alten Regeln wiedergeben könnte. Es sind die Regeln, die, wie sie in restriktiver Weise die unmittelbare Vergangenheit reproduzieren, eine Charakteristik des Kitsches sein können. Doch die typische Väterwelt des Kitsches[17], in der alles gut und richtig war, die Flucht ins historisch-idyllische, in dem feste Konventionen gelten sollen, scheint ihre Modifikation ins Exotisch[18]-Heraldische erlebt zu haben. Es scheint fast ein Vorgang, nicht unähnlich dem der Gotterhebung des Helden wie in den antiken Kulturen, der eine neue Zivilisation begründet hat, und in der nächsten Phase, in der Phase der Ausübung seiner Macht, sich zum Gott deklarieren oder krönen läßt, um sie zu festigen. Die römischen Kaiser, die ein neues Reich gegründet hatten, rekonstruierten ihre Abstammung genauso, eine göttliche, eine auserwählte, entweder in der Konstellation der Gestirne oder in der Generation der Trojanischen Könige. Die Fürsten der italienischen Renaissance ahmten sie nach, wie Ludovico il Moro, der von Anglo, dem Gefährten des Aeneas abstammen wollte. Der Übermensch der Gründerzeit brauchte, nachdem er sich als Träger einer neuen Form der Kultur, der industrialisierten Welt gesehen hatte, wieder die Legitimation einer Sonderstellung, die ihm die Privilegien der erkauften Macht einrahmten und in feierlicher Dekoration zur Repräsentation seiner Größe dienen sollte. Dieses Zeremoniell scheint aber typisch für die zweite Phase der Macht, die der Dekadenz vorangeht.

*„Le malheur de ce temps est grand. Ils n'ont point de père[19].“*

Claudels Zitat wird von dem „unpolitischen“ Thomas Mann übernommen und als bezeichnend verstanden. Sie haben keinen Vater. „Ist nicht dies die Stimme der Zeit?[20]“ Diese Stimme war schon hörbar, als die aufbauende Kraft und der verzichtvolle Fleiß der ersten Väter-Piero de'Medici oder Johann Buddenbrook, Bartolomeo Colleoni oder der ehrgeizigen Parvenues unter der dritten Republik nachlassen mußten und die Söhne die Last der erreichten Macht zu bewahren hatten.

„Je suis âpre et volontaire. C'est dans le sang. Je tiens de mon père[21] ...“

Eine der faszinierenden weiblichen Gestalten in der Romanliteratur der Jahrhundertwende, jene Mme Martin, die in Anatole France's „Le lys rouge“ ihre Liebe mit dem Künstler Dechartre in Florenz erlebt und mit ihm die Werke der Florentiner Meister entdeckt[22], erklärt ihrem Freund, welcher Art ihre Gier nach Leben ist:

„Je suis une enfant de parvenue ou de conquérant, c'est la même chose... Mon père a volue gagner, posséder ce qui se paie, c'est à dire tout... Moi, *je veux gagner et garder,* ... quoi? Je suis cupide à ma manière, cupide de rêve, d'illusion."

Ihr Vater, ein Baumeister[23], hatte das alte französische Schloß Jonville gekauft, um der Familie nachträglich den Glanz der Tradition zu verleihen[24]. Das Streben nach den Sitten der oberen, auch wenn verarmten Klassen, bleibt aber nicht nur bei der bloßen Nachahmung von Stil und Verhalten: das Bedürfnis nach Kompensation greift nach den unsichtbarwichtigen Zeichen, den gefährlicheren der Abstammung, des Blutes, der Rasse.

*„Den Erben laß verschwenden an Adler, Lamm und Pfau"*, Hugo von Hofmannsthals „Lebenslied" könnte man auch anders hören: wie eine verführerische Einladung, die bannende Kraft heraldischer, emblematischer Wappentiere der Zeit aus der Starrheit ihres Feldes zu befreien, um ihren Reichtum nicht mehr zu bewahren, sondern zu genießen. Denn nur reiche Vorväter erlauben die Verschwendung, nur eine lange Reihe von Ahnen rechtfertigt, — ist geradezu die fatale Vorbedingung für den Verfall[25] —. Die bürgerliche Klasse, in Europa an die Macht gekommen, „träumte" in Deutschland das Reich und wußte die Grenzen der eigenen Tugenden der neuen „Tüchtigkeit" nicht besser zu definieren und zu veredeln, als sie im rückgewandten Spiegel mit den alten „virtus" des italienischen Quattrocento und Cinquecento zu belegen[26]. Es war eine *„doppelte Anleihe"*; die deutschen Emporkömmlinge, die Industriellen und reich gewordenen Kaufleute in ihren Renaissance-Salons, die Schriftsteller und die Künstler mit ihrer, meistens aus der französischen Romantik und aus Nietzsche-Verehrung übernommene Thematik, suchten sich Ahnen und Väter[27]. Sie waren ihre Kreditgeber. Diese historische Garantie der eigenen Macht bedarf jedoch einer Überprüfung: die Kreditgeber werden genannt, wie es sich gehört. Sie sind erkennbar und bekannt: die literarische Darstellung zeigt sie in ihrer Größe, als Fürsten, als Führer, als Künstler der Renaissance. Nicht alle waren Söhne von Herrschenden: eher Capitani di ventura, Condottieri wie Francesco Sforza, wie die Bentivoglios, oder Bürger wie die Medici. Sie hatten ihre Fortuna erzwungen. Sie alle aber hatten in dem „giardin dell' imperio" gelebt, nicht in den germanischen Wäldern. Deren Kultur, die Form ihrer Bauten, die prunkvolle Einrichtung ihrer Häuser, einen ganzen Kodex von Verhaltenshinweisen sich wieder zu eigen zu machen, ließ erneut die typischen ambivalenten Reaktionen erscheinen, die dieses Phänomen in Deutschland zu begleiten pflegen.

„Wem ich ins Ohr flüsterte, er solle sich eher nach einem Cesare Borgia als nach einem Parsifal umsehen, der traute seinen Ohren nicht", merkte schon F. Nietzsche[28].

„*Gut deutsch sein, heißt sich entdeutschen*" drückte die wiederkehrende *malaise* vieler deutscher Intellektueller der eigenen Nationalität gegenüber ihrem Hang nach fremdländischen Korrektiven aus.

„*Die Wendung zum Undeutschen ist immer das Kennzeichen der Tüchtigen unseres Volkes gewesen*",

notiert Nietzsche in ‚Menschliches, Allzumenschliches', doch die Tüchtigen im Lande werden gewarnt. Zwischen Cesare Borgia und Parsifal als idealen Führer- und Identifikationsgestalten soll man nicht schwanken. Der deutsche asketische Geist sollte führen. Beißend und verhöhnend, auch wenn sicher nicht weniger gefährlich in seinem Zorn, warnte Julius Hart 1898 immer noch vor dieser fremden, von Nietzsche und Burckhardt provozierten, von Dilettanten übernommenen Travestie:

„Aber Ihr guten deutschen Schwachköpfe, seht Ihr nicht, daß Ihr Euren erbittertsten Feind in Euer Haus eingelassen habt? Wollt Ihr Euch ewig von den Fremden führen lassen, die Euer Eigenstes und Ursprünglichstes nicht verstehen können und stets suchen müssen, es zu zerstören und zu vernichten? Seht Ihr nicht, daß der Individualismus, wie ihn Nietzsche verkündigt, ein durch und durch ausländisches Gewächs ist, daß Euer Übermensch durch seine ganze Bildung verwelscht wurde, und als ein romantischer Geist und Denker unter Euch auftrat[29]."

Das ist die andere Seite der Condottiere-Medaille, der Antagonist, wie Thomas Mann später G. Savonarola dem Lorenzo de'Medici gegenüberstellte. Beide kämpfen um eine Führerschaft, beide greifen nach der Macht, doch bleiben sie fremde Kreditgeber; sie wirken immer noch mit der Kraft ihres Namens. Sie sind mächtig und berühmt, sie haben ihre Zeit geprägt, eine Zeit, der sie alle gemeinsam, mit geringen Unterschieden, angehören: der Spätrenaissance.

Jakob Burckhardt war überzeugender gewesen als Henri Thode, der den Anfang der Renaissance in der monastischen Bewegung des Heiligen Franziskus die „Neue Zeit" sah[30].

„Das Vergehen der Renaissance fesselt uns an ihr vielleicht am stärksten",

bekennt Karl Brandi 1899 in seiner ganz an Burckhardt angelehnten Analyse der Renaissance:

„Florenz und Rom verhalten sich sehr ungleich... Florenz geht unter mit Würde: zuletzt noch Bewunderung erregend durch die alte Schärfe des Verstandes und die Größe des Empfindens. Die große Naturforscherin endet wie ein Arzt, der seine Krankheit kennt und sorgfältig beschreibt[31]."

Das Vergehen einer Epoche, die schon verblüht[32], wird einer Krankheit gleichgesetzt, aber keiner vorübergehenden. Diese ausgeliehenen Väter, Ahnen und Vorbilder werden literarisch in einer Phase dargestellt, in der ungebrochene Tatkraft, „ruchlose" Vermessenheit, fürstliches Herrschen, die sie ruhmreich machten, schon Erinnerung sind. Sie leihen ihre historische Autorität in der letztmöglichen Phase, der ihres Sterbens[33]; der Zeitspanne des Übergangs, der erzwungenen Machtübergabe, oder einfach der physischen Ohnmacht oder der ästhetischen Unzulänglichkeit.

Selbst bei C. F. Meyer, dem Autor, für dessen Werke die deutschen Historiker den „barbarischen" Namen *Renaissancismus* geprägt haben[34] und den sie zum Repräsentanten dieses Stils erhoben, erscheinen die großen männlichen Figuren der Renaissance in der letzten Phase ihrer „ruchlosen" oder verirrten Größe. Pescara, Feldherr Karls des V. wird erst *„nach"* der Schlacht von Pavia zum Protagonisten der Novelle von C. F. Meyer.

„Aber seltsam", — schreibt Meyer am 12. November 1887 —, „daß dieser Pescara so stark wirkt, trotz der mangelnden Handlg u. seiner einzigen Situation: dem Hervortreten der Wunde. Und seltsam daß er mit der Krankheit des Kronprinzen zusammentrifft[35]."

Friedrich III., Sohn Kaiser Wilhelm I., der im Mai 1888 todkrank auf den Thron kam und am 15. Juni starb, gab den Lesern mit seinem Schicksal, dem Herrschaft oder Macht nichts anhaben konnten, eine aktualisierte Identifikationsstütze; er schaffte die Erwartung und das Verständnis für die Rezeption der Novelle.

„Wäre Pescara ‚lebend', *vielleicht* widerstünde er *nicht*" — schreibt Meyer an seinen potentiellen Rezensenten: (und meint die Versuchung des Verrats) „denn er ist gleichfalls ein Renaissancemensch, aber er ist gefeit und *veredelt* durch die von ihm von Anfang an *„erkannte Todesnähe"*. Er ist vielleicht von Hause aus, wie Guiccardin ihn characterisirt, „falsch, grausam, und karg, aber die Umwandlung durch die sich nähernde Todesstunde hat begonnen"[36].

Pescara stirbt. Das Land, das sich vor dem Untergang zu retten glaubte, indem es sich an einen sterbenden Helden wandte, geht der Zerstörung entgegen: der „Sacco di Roma", die Plünderung Roms, bedeutet das Ende einer Epoche. Vittoria Colonna wird als liebende Ehefrau, nicht als Freundin Michelangelos, von einem deutschen Autor für einen Renaissance-Stoff gewählt. — Sie ist die treue, sich aufopfernde Gattin eines sterbenden Helden. Sie darf um so reizvoller und um so faszinierender sein, weil sie schließlich nur Buße tut für ihren Gatten und für Italien:

„Für dieses seiner stolzen Frevel und ungewöhnlichen Sünden wegen, an denen es zugrunde gehen wird ...“

Im ersten Kapitel der Novelle werden zwei hellfarbige Fresken beschrieben, die die Wände eines Saales in dem mailändischen Kastell der Sforza bedecken:

„Links von der Tür hielt Bacchus ein Gelage mit seinem mythologischen Gesinde, und rechts war als Gegenstück die Speisung in der Wüste.“

Auch wenn dieses Gemälde einer „flotten aber gedankenlosen, den heiligen Gegenstand bis an die Grenzen der Ausgelassenheit verweltlichten Hand“ bemalt wurde, bleibt trotzdem ein Gegenstück, eine Speisung in der Wüste. Bacchus und „der göttliche Wirt“, eine Gegenüberstellung, die kaum reale Mahnung für die italienischen Herzöge gewesen sein kann. Der strenge Thomas Mann der „Betrachtungen eines Unpolitischen“ erwähnt mit besonderem Lob ein Buch über C. F. Meyer, eben das Buch von Franz Ferdinand Baumgarten, in dem das *„barbarische“* Wort *Renaissancismus* zum ersten Mal auftauchte[37]. Er nannte es ein „schönes Buch“, weil der Autor darin als ein *„verirrter Bürger und ein Künstler mit schlechten Gewissen“* definiert wurde. Das kritisch angewandte Tonio Kröger-Zitat gefiel ihm.

„Die im Blut sitzenden Vorurteile des Bürgers verdarben ihm die Künstlerfreiheit und die Verführungen des Künstlerblutes machten dem Bürger das Gewissen schwer ... er habe die *Leidenschaft,* die Brutalität, die Gewissenlosigkeit abgelehnt, wie der Pescara, wie Angela Borgia“,

paraphrasiert Thomas Mann weiter.

„Nie ist der eigentümliche Reiz, der von dem Werke des Schweizers ausgeht, feiner empfunden und bestimmt worden: dieser Reiz beruht auf einer besonderen und persönlichen Mischung von Bürgerlichkeit und Künstlertum, auf der Durchdringung einer Welt schöner Ruchlosigkeit mit protestantischem Gebiet. Wenig glich Conrad Ferdinand den durch Nietzsche hindurchgegangenen Renaissance-Ästheten von 1900[38], welche Nietzsche's theoretische Antichristlichkeit mechanisch übernahmen ... Er war Christ, indem er sich nicht verwechselte mit dem, was darzustellen er sich sehnte: dem ruchlos schönen Leben; er währte Treue dem Leiden und dem Gewissen[39].“

Das ruchlos schöne Leben hoffte, wie bei allen guten Christen, daß ihm verziehen wird, wenn man genügend, mindestens genausoviel entgegen hält. Man schmuggelt es im Erwarteten, man versteckt es im antagonistischen Detail, man verkleidet es im Überlieferten, im historisch Belegten[40]. Der Titel der letzten Novelle C. F. Meyers erwähnt nur Angela, nicht Lucrezia

Borgia, das schöne Leben. Getreu dem Modell konstruiert C. F. Meyer 1891 eine Novelle, die aufgeschlagen auf das Harmonium im roten Salon von H. Bahrs „Intérieur" gehört: „das Gegenüber zweier Frauen nach Art der Italiener (z. B. Tizian *Himmlische* und [Göttl] *Irdische* Liebe.) Hier: Zu wenig und zuviel Gewissen." (Brief an Haessel 22.—25. Dez. 1891)[41].

Das „zuviel Gewissen" soll beispielhaft sein, belehrend und um so verwerflicher die Präsenz des „zu wenig". Ohne die ikonographische Gegenüberstellung Tizians auch nur im geringsten zu beachten, wird nun die „irdische" Liebe dämonisiert, dieses Mal aber erlaubterweise, denn die Heldin ist eine sittlich strenge Protagonistin. Die Antagonistin jedoch hat sich in eine emblematische Figur verwandelt, die — in der Kostümierung der Renaissance — auch diese Zeit mit ihrer ewigen Existenz belegt:

„Eine zarte Pflanze, aufwachsend in einem Treibhaus der Sünde, eine feine Gestalt in den schamlosen Sälen des Vatikans, den ersten Gatten durch Meineid abschüttelnd, einen anderen von ihrer Brust weg in das Schwert des furchtbaren und geliebten Bruders treibend ... Mit der von ihrem unglaublichen Vater ererbten Verjüngungsgabe erhob sie sich jeden Morgen als eine Neue vom Lager, wie nach einem Bade völligen Vergessens[42]."

Nicht anders als den Menschen Unheil bringendes weibliches Geschöpf, des mythologischen Trostes für das menschliche Geschick, besitzt diese historische Lucrezia von C. F. Meyer dieselbe Verjüngungsgabe, die an Goethes Pandora denken läßt, wenn sie ihren Vater Prometheus fragt, wie der Tod sei.

„Wenn alles — Begier und Freud und Schmerz —
Im stürmenden Genuß sich aufgelöst,
Dann sich erquickt in Wonneschlaf, —
Dann lebst du auf, aufs jüngste wieder auf,
Aufs neue zu fürchten, zu hoffen und zu begehren![43]"

Der Tod als Höhepunkt des Lebens kann aber in diesem Kontext als eine erotische Erfüllung verstanden werden, als die *„Petite morte"*, wie Georg Bataille sie nennt. Doch sie kann in dieser Zeit grausamer und schrecklicher sein als der typische Tod der Renaissance durch Dolch und Gift.

Oskar Panizza, der wie C. F. Meyer an das Ende Ulrich von Huttens dachte, läßt in seiner Himmelstragödie „Das Liebeskonzil" (1893) den Teufel, die einzige Kreatur, die „keine Ahnen und Vergangenheitsregister" braucht, ein neues süßes Gift erfinden, „zum hinunterschlucken wie Sirup", um die schamlosen Sünder in den vatikanischen Gemächern mit dem Keim eines schleichenden, fürchterlichen Todes anzustecken. *„Das Weib"*, ein junges blühendes Wesen mit schwarzen Haaren, mit tiefliegenden Augen, in denen „eine verzehrende, aber noch nicht aufgeschlossene Wollust verborgen liegt“, in ganz weißem Gewand, die Tochter des Teufels, ist die Beauftragte des Himmels, diese eine giftige Krankheit am päpstlichen Hofe Alexander des VI. Borgia zu verbreiten. Ihre Mutter hatte der Teufel in den ihm zugehörenden Gefilden zu wählen:

„Welche von diesen wähl ich mir, jetzt als Mutter für mein glorioses Geschöpf? Schön? Verführerisch? Sinnlich? Giftig? Hirn und Ader verbrennend! Ahnungslos! Tollpatsch! Grausam! Berechnungslos! Seelenschmutzig! Naiv![44]“

Wie in einer literarisch-historischen Überschau läßt er Helena von Sparta, Pyhrne aus Athen, Héloise, Latinistin des 12. Jahrhundert, Agrippina, Mutter, Gemahlin und Mörderin von Kaisern bedenklich auferstehn: er entscheidet sich aber, der Zeit und dem „Zeitgeist“ seines Autors getreu und verbunden, für die letzte in seinem Reiche, für Salomé, Tochter des Herodias, die sich den Kopf eines Lebenden wünschte. „Das Weib“ Panizzas wird dem päpstlichen Hof mit ihrem Gift, der Syphilis, das Verderben bringen, Alexander und Cesare Borgia, Vater und Sohn in demselben Fluch halten, das bacchantisch genüßliche Treiben der Mächtigen zugrunde richten.

Oskar Panizza wurde von der Staatsanwaltschaft München wegen Vergehens wider die Religion zu einem Jahr Haft verurteilt. Er verteidigte seine Sache am 30. April 1895 vor dem königlichen Landgericht:

„Sie wissen, meine Herren, daß Ende des fünfzehnten Jahrhunderts in Italien, und später auch in Deutschland, eine Krankheit epidemisch auftrat, die die furchtbarsten Zerstörungen am menschlichen Körper verursachte... die alle Stände, Hoch und Nieder, ergriff, und die man die ‚Lustseuche‘ nannte. Man wußte nicht woher sie kam... Es war in gewissem Sinne schlimmer als beim ‚schwarzen Tod‘[45].“

Wäre Oskar Panizza dem ästhetischen und ethischen Gebot der Zeit gehorsam gefolgt, hätte er den Kostümzwang respektiert und sein „Weib“ historischer in der Kleidung einer dämonisierten Lucrezia, oder dem topos noch treuer, einer verderbten venezianischen Kurtisane auftreten lassen, vielleicht wäre das Urteil des königlichen Landgerichtes milder, sicher nicht härter als für Gemeinverbrecher ausgefallen. Aber Panizza brach die Gesetze, den Kode der Entschlüsselung, entkleidete sein Prinzip, nahm ihm die Brokatrobe und das Makart-Rot des Salonfähigen; er stellte es so dar: von der Geschichte ungeschützt, ohne Abschirmung durch eine historische Realität. „Das Weib“ war unerwartet weiß gekleidet und wiederholbar. Die Tochter des Teufels und der Tänzerin Salomé blieb ohne bestimmbare Identität, ohne Namen: „Das Weib“, emblematisch und zeitlos neben dem einmaligen, verderbten, verdammten, aber historisch sicheren Alexander und

Cesare Borgia. Die Demaskierung war geschehen, die Historie als ein Teil aufgebauter Mystifikation erkannt und gebraucht. Das Weib hätte auch Lulu heißen können.

> „Auch sie ward geschaffen, Unheil anzustiften,
> Zu locken, zu verführen, zu vergiften,
> Zu morden, ohne daß es einer spürt[46]."

C. F. Meyer nannte es statt dessen „zu wenig Gewissen", gab ihr die bekannte Renaissancetracht Tizians „irdische Liebe" und wurde zur Schullektüre.

Gabriele d'Annunzio, der den wiedererzählten Luxus und die nachgedichtete sakral-weltliche Pracht der Renaissance als literarisch vererbtes Eigentum empfand[47], nutzte den historischen Dekorationsrahmen als sinnlichen Anreiz für eine Steigerung seiner dichterischen Lust, die Gegenwart durch die Vergangenheit zu genießen[48]. Er wagte, was deutsche Schriftsteller nur der Sphäre der „sündigen Vorstellung" überließen, den offenen Vergleich zwischen geschichtlichem Vorbild und eigener Realität[49]. In seinen Gedichten „Isaotta Guttadauro" dient Giulia Farnese, die Geliebte des Papstes, nur als idealer Beleg für den eigenen Wunsch:

> „Mentre Lucrezia Borgia, in nuziale
> pompa venia con piano
> incedere (la veste liliale
> risplendea di lontano)
> tra i cardinali principi in vermiglia
> cappa che con ambigui
> sorrisi riguardavan la figlia del papa . . .[50]"

Die Anfangssituation ist dieselbe wie in den ersten Zeilen von C. F. Meyers Novelle; doch während C. F. Meyer Lucrezia Borgia den „deutschen Professoren" wegnehmen will[51],

— „die würdigen Männer schritten feierlich je vier an seiner Seite des Baldachins, neben welchen andere acht gingen" —

aktualisiert D'Annunzio, in dem zweideutigen Gefolge der lüsternen Curie-Höflinge, mit derselben subtilen Ambiguität Dante Gabriele Rossettis (Abb. A 2) die weibliche Figur seiner Geliebten und Muse, Isaotta, die er auf den historischen Namen der sanften Herrin des Condottiere Sigismondo Malatesta umgetauft hat.

> „Allora Giulia Farnese, un suo lascivo
> balen degli occhi fuora
> mettendo . . .
> il sen nudo porse

> … Ma prima Isaotta la Musa,
> quella ch'io piu' cantai, con un baleno
> tra i cigli e con protese
> le bellissime braccia, offre il suo seno
> come Giulia Farnese[52]"

Gabriele D'Annunzio wurde für seine Isaotta weder verurteilt noch in den Rang eines Schulautors erhoben. Er mußte sich mit der ironischen Parodierung seiner erhabenen Sinnlichkeit begnügen.

*

Schlimmer als der „schwarze Tod" hatte Panizza die neue Zerstörung genannt, die weder Adel noch Macht respektierte und die in der Spätrenaissance auftrat. Die Zeit war fortgeschrittener: schwüle Luft, buntes Buschwerk werden die Zeichen des ästhetischen Hintergrundes, mit denen die meisten Autoren eine Jahreszeit, den Spätsommer, mit *ihrer* Renaissance verbinden[53]. Das Frühlingshafte, das Leichte, das Zarte und Spröde der Frührenaissance bleibt einer subtileren Prüderie vorbehalten, allegorischer Garten für den neuen lichten Stil. Der Tod ist dort wie die natürliche Vollendung einer Phase, die nicht aus der Schönheit austreten will, keine lauernde Gefahr. „Die Hilfe des ‚Ästheten' ", wie H. Bahr sie definierte; „um die Gegenwart zu vergessen, und die Vergangenheit zu wecken", wirkt allgemein und undifferenzierter:

> „Alte blasse, schlanke Webereien, gotische Möbel und danteske Trachten, Lilien, Wappen und die laute Pracht der Pfauen-Gewänder von Mantegna und botticellisch ernste Frauen"

sind unbestimmte, vage Requisiten geworden. Sie färben und verändern sich wie im Untergehen eines langen Tages. *„Die sinkende Renaissance"* der lyrischen Dramen Hugo von Hofmannsthals, die fiebernde Lagune, die glühende, panische Hitze die H. Manns Herzogin von Assy zerrüttet, die „Epiphanie" des Feuers, wie sie Gabriele d'Annunzio in der Rede über die venezianischen Maler verkündigt, wollen nicht mehr nur die edle Strenge, die anmutige neue verführerische Grazie des frühen Quattrocento wiederfinden und verherrlichen. Ihr Zeichen könnte eher das grünlich-dunkle Haupt der Medusa, Leonardo zugesprochen, als das sinnlich-pikante Lächeln von Botticcellis „Primavera" sein. Das deutlichste Beispiel dieser Verschiebung in dem Verständnis einer Epoche, deren Datierungen nicht nur gelehrte Auseinandersetzungen, sondern ideologisch-kritische Haltungen bestimmte, zeigt Rainer Maria Rilkes „Weiße Fürstin". Walter Rehm bezeichnet „das Italienische vom Ende des 16. Jahrhunderts" dieser lyrisch-dramatischen

Szene nur als allgemeinen Stimmungshintergrund, ohne auf Inhalt und Thematik des Stückes einzugehen. Die erste Fassung, wahrscheinlich Sommer/Herbst 1898 geschrieben, erschien in der Zeitschrift „Pan" 4, *1899/1900*. Die Bühnenanweisung der ersten Fassung lautet:

„Die Hinterbühne: ein weißes Schloß im Stile der *reinen Frührenaissance.* Loggien. Vor den Loggien die Terrasse aus weißem Marmor, welche sich in breiten, weißen Stufen langsam zu dem Garten niederläßt."

Dieses vage *„Im Stile der reinen Früh-Renaissance"*, das die ganze Atmosphäre unbestimmt neoromantisch, fast präraffaelitisch färbt, ist 1904 in der zweiten, in die Gesammelten Werke aufgenommenen Fassung klar fixiert:

„Eine fürstliche Villa *(gegen Ende des XVI. Jahrhunderts).* Auf offener Loggia von fünf Bögen ein einfaches, geschlossenes Pilastergeschoß. Davor eine von Statuen eingefaßte Terrasse, von der sich eine Treppe mit breiten Stufen nach dem Garten niederläßt[54]."

Der „Stimmungshintergrund" scheint sich noch mehr an das malerische Vorbild der italienischen „Villa am Meer" von A. Böcklin anzulehnen (Abb. A 3); die Entgrenzung in der Zeit ist aber aufgehoben. Es ist nun das Ende des XVI. Jahrhunderts, die Figuren werden durch diese Fixierung in einer historischen Dimension eingeschlossen. Der in dunkelroten Samt gekleidete Bote war in der ersten Fassung vages evokatives Element, das dem Dekor zwar etwas historisierende Stimmung der „lebenden Bilder" gab, ohne aber im Zusammenhang mit Handlung und deren Intention zu stehen. Der Bote sollte das Kommen des von der weißen Fürstin „Erwarteten", den Höhepunkt ihres nicht erblühten Lebens verkünden; er berichtet aber von der Not, die über das Land herrscht.

„Das ganze Thal ist nur ein Schrei,
Weit aus dem Osten kam ein fremder Tod,
der Hunger hat.
Er geht von Stadt zu Stadt
und bricht wie Brot,
wen er bedroht,
entzwei.
Schon ist er nah[55]."

Eine Not, die allgemein und zeitlos erscheint, die aber, in der Erzählung des Boten, in der zweiten Fassung, in ihrer Intention deutlicher und näher wird. Das Tal ist geographisch bestimmt, die kleinen Dörfer aus der Provinz Lucca

. . . „Grau ist die Stadt. Wie dieser Staub so grau.
Sie steht, als stünde Frohes nicht bevor.
Sie war ganz ohne Stimme, nur am Tor
Da rauften sich die Wachen" . . .[56]

Eine Stadt, die nicht nur „Die Ferne weise verhüllt", wie die trübe, ekelhafte Stadt Venedig, die schon die Häßlichkeit und die Gemeinheit erleidet. Der Tod geht um, ohne die „hohen schlanken Gitter im Garten von Meistern", das „üppig blumende Geranke", oder die Loggien der Renaissance-Villa zu meiden. Der Tod, erzählt vom Boten der weißen Fürstin, schreitet durch die engen Straßen italienischer Dörfer: aus den engen Türen schreien Frauen, wie auf einem der letzten Bilder A. Böcklins „Die Pest" (Abb. A 4).

„Ihr habt das nicht gesehen, wie der Tod
da kommt und geht, ganz wie im eignen Haus;
und ist nicht *unser* Tod, ein fremder, aus . . .
aus irgendeiner grundverhurten Stadt,
kein Tod von Gott besoldet . . ."

Der „fremde Tod" aus dem Osten der ersten Fassung erhält in der zweiten eine ethische Abstammung: eine *grundverhurte* Stadt hat ihn hervorgebracht, einen Tod, der keine Vollendung, sondern Strafe ist.

„Ein fremder Tod, sag ich, den keiner kennt, er aber ist bekannt mit einem jeden."

Der schreckliche und erschreckte Bericht des Boten fixiert die Lebensbedrohung jedes einzelnen: „*A peste, fame et bello libera nos Domine*", das christliche Gebet, das die existentiellen Gefahren der Menschen bannen helfen sollte, scheint in dieser lyrischen Szene des jungen Rilke um Erbarmen zu bitten:

„— — aber morgen, erst morgen
das Erbarmen,
heute das Blindsein,
heute . . ."

Die weiße Fürstin, für die die Worte des Boten ferne klangen, „wie ein Instrument", erscheint auf dieser Bühne der Jahrhundertwende erst nach dem Bericht des vom Tode bedrohten Menschen, „geblendet vom Leben". Dem Leben „Leben" gibt auch der an der Pest sterbende Tizian, wie ihn Hugo v. Hofmannsthal 1891 in seiner venezianischen Villa während der historischen Epidemie von 1576, sterbend zeigt[56a]. Die Pest wird die notwendige historische Metapher für die unentrinnbare Lebensbedrohung, unausweichliches Ende und Legitimation zugleich für den Wunsch und das

Recht zu leben. Es ist aber die Pest der sinkenden Renaissance, die Krankheit einer zu Ende gehenden Epoche, nicht die literarisch noch mittelalterlich erlittene Pest, die im Florentiner Trecento und in Europa die Lust zum Erzählen weckte, um sie zu fliehen und somit den Tod zu überlisten. Die Spätrenaissance und die ihr gleichende Jahrhundertwende, die sie für sich selbst stellvertretend darstellte, hatten keinen Glauben und keine Mittel mehr, den Tod zu überlisten.

Man stirbt, „en buvant et au son de la musique", hatte schon der junge Flaubert in seiner „La Peste a Florence" erzählt, „C'est l'executé qui s'enivre avant son supplice"[57]. Der Verurteilte, der sich betrinkt, ist kein Edelmann, der an die Macht seiner Skepsis glaubt. Hans Makart hatte sie gemalt, diese Pest um 1870, in rötliches Licht getaucht, mit jenen „Herrlichkeiten des Hochsommers, die ordentlich überreif am nächsten Tag zu verwelken drohen", die Nietzsche traurig stimmten. Jahre nach seiner Entstehung schwankte man immer noch zwischen den Titeln „Pest in Florenz" (Abb. A 5), „Die sieben Todsünden" und „Aprés nous le déluge". Angeblich war die letzte die von Makart gewählte Benennung. Die Sintflut, aus der nur eine Arche sich retten könnte, von der aber jeder weiß, daß sie ihm keinen Platz bieten wird. Jens Peter Jacobsen glaubte auch an diese Sünde, die „aus einer heimlichen, schleichenden Seuche zu einer boshaften und offenbaren, rasenden Pest geworden" war[58], und beschrieb sie in den Mauern einer mittelalterlichen italienischen Stadt. Der nordischen „Pesten i Bergamo" fehlt aber die Lust zur Sünde sowie die subtile, perverse Anziehung der Herausforderung, der Gefahr.

Fritz Erlers „Pest", 1900 gemalt, (Abb. A 6—8) begleitet wie kein anderes Bild dieser Zeit die Idee einer faszinierenden Bedrohung, der man sich nicht zu entziehen vermag:

„Er malte nicht die Furie, nicht das Entsetzen, nicht die Gottesgeißel. Sondern er malte die triumphierende Pest, stellte sie dar im Mittelstück eines Dreiflügelbildes und malte in zwei Seitenflügeln ihre Wirkung auf die von der Furcht zum Wahnwitz getriebenen Menschen: eine Orgie und eine Flagellantenszene[59]."

Diese schöne faszinierende Pest, die durch die Straßen einer menschenleeren Stadt schreitet, scheint fast eine Illustration des Traumes zu sein, der einem Roman der Jahrhundertwende „Erinnerungen von Ludolf Ursleu dem Jüngeren" nicht nur als symbolistische Ausschmückung dient:

„. . . Ich hatte in der Nacht einen gräßlichen Traum, von dem ich noch dies weiß, daß ich alle Straßen unserer Stadt überblicken konnte und daß sie mondhell und ganz still und leer waren bis auf eine einzige hin- und herwedelnde Gestalt, von der ich wußte, daß es die Pest war. Sie sah aus, wie ich es einmal auf einem Bilde gesehen hatte, orientalisch angetan, mit einem feuerroten Turban über dem fahlen Gesicht, fürchterlich schön, tödlich aus bösen Augen blickend. In vielen Türen malte sie ein seltsames Zeichen, und ich wußte, daß alle sterben mußten, die in einem solchen Hause lebten[60]."

Das Zeichen auf den Türen entspricht noch der biblischen Tradition, wie in dem Bild, das Théophile Gautier mit *„ce petit frisson dont parle Job"* erschaudern ließ, „La Peste à Rome" (Abb. A 9). Hinter den Türen des deutschen fin-de-siècle aber harrt man nicht im Gebet, sondern man inszeniert — rote Rosen im Haar[61], — die Fiktion einer „bacchantischen Ungebundenheit", fordert die Angst vor dem Tode heraus, indem man das „heilige Leben" zelebriert. Die Anonymität einer menschenleeren Straße hat die topographische Realität der italienischen Szene in einem Land verschoben, wo die Häuser gezeichnet werden und wo die seltsamen Zeichen das Ende der Menschen bedeuten. Die Stadt, das Land zu verlassen, werden nur diejenigen können, die passive Zuschauer geblieben, den Ekel der Todesorgien und die Öde nach der Heimsuchung nicht überwinden können. *„Et ce qui nous a fait partir, c'est plutôt l'odeur insupportable des cadavres."* André Gide gibt in seiner „Voyage d'Urien" der allgemeinen Bedrohung und Gefahr der Seuche seine ganze Ambivalenz:

„Notre delivrance vint d'une plus tragique manière. Déjà naissait, grandissait dans la ville, mais doucement d'abord, la peste horrible et lamentable qui laissa tote l'ile, aprês, morne et comme un immense désert. Déjà les fêtes étaient troublées[62]."

Wenn die Pest das Reich des Genusses und der Freude zerstört, ohne Strafe zu sein, kann sie die ersehnte Kraft bedeuten, sich aufzulehnen, um die Schwäche zu überwinden[63]. Sie bleibt aber immer die Voraussetzung, die Vorbereitung für einen neuen Zustand, wenn man nicht sinnlos in der Todesorgie oder in der Wollust der Selbstbuße endet.

Isidore Ducasse, Comte de Lautréamont hatte schon 1869 in seinen „Chants de Maldoror" die zufällige Begegnung mit dem absolut Neuen von der *„peste asiatique"* vorbereiten lassen: *„Un malheur se prépare"*, schreit die Eule über die Madeleine, nachdem die Uhr bei der Börse acht geschlagen hatte[64]. Die kühne Modernität des ersten der Surrealisten verfremdete das Motiv: das Unglück, das man nahe fühlt, ist kaum noch romantisch-dekadente Vorahnung. Die Zerstörung der Requisiten der bürgerlichen Welt brauchte keine Metapher der Tradition; Relikte, objets trouvées, — zwischen ihnen auch historische Fragmente — werden das Neue sein und auch die Erbschaft der Toten. Die deutschen Schriftsteller hatten noch nicht die Uhr der Börse schlagen hören, und die vage Bedrohung, die sie fühlten, bedurfte der historischen Begründung, jener *„Rückneigung“* — wie Thomas Mann sie später nennen wird — zu vergangenen Epochen, die ein aufkommendes Schicksal verstehen helfen. Die Idee des Todes wurde gebraucht, um das kompensatorisch gesteigerte Lebenspathos glaubwürdig zu machen und die Lust zu erlauben; den Grund des *„égarement“* einer Gesellschaft zu vermitteln, die sich danach sehnte und ihn nur historisch-anachronistisch zuließ. Sie glaubte das Lied Lorenzo de Medici zu singen, doch seine weise, heidnische Einladung:

> chi vuol essere lieto sia,
> del doman non v'e certezza,

war maskiert mit der nationalen Tracht des verbotenen Wunschtraumes, mit der Zensur des Gewissens, die nur die Ausnahmesituation durchbrach. Es ist nicht mehr allein die Unsicherheit des Morgens, das allzeitige Vergänglichkeitsgefühl, das zum heiteren genießenden *„Carpe diem“* überredet, sondern das Wissen einer sicheren bevorstehenden Bedrohung, der man im großen Stil entgegentritt. Als Lorenzo de Medici 1903 auf der Bühne Thomas Manns auftritt, ist sein Lied verhallt: es ist der 8. April 1492, der Tag seines Todes. Wie Hofmannsthals Tizian, der seine Schüler verloren und verwirrt allein läßt, hinterläßt Lorenzo eine Schar Künstler und Humanisten, ohne den sicheren, heiteren Schutz seines Hofes. Wie beim Tode des Senators Buddenbrook, leiten Desorientierung und Machtwechsel den Verfall ein; in allen diesen Renaissancestücken wird nicht etwa ein tapferer Condottiere-Tod oder ein exemplarisches Leben zelebriert: Die Renaissance dient in ihrer letzten Phase schließlich dazu, eine menschliche Grenzsituation entstehen zu lassen, in der jede alltägliche Lebensregelung aufgehoben wird, die historische wie die zeitgenössische. Hugo von Hofmannsthal hatte die Bedeutung einer solchen historischen Wahl erkannt, als er die Pestepidemie in Alessandro Manzonis „Promessi Sposi“ „eine düstere und furchtbare Episode“ nannte, die das Pathos der Stadt hervorrief.

„Ein Ereignis der Art, daß es die ganze Stadt betraf, alle Leben zugleich bedrohte, sonderbare und furchtbare Verkettungen und Auflösungen schuf ...“ Er wählte sie auch in einer Variation, der aber die lombardische Intensität fehlte.

„Im Winter 1892 entstand „Tod des Tizian“ ... — schreibt Hugo v. Hofmannsthal an Walter Brecht ... — „so wie das Fragment jetzt da ist ... Es hätte ein viel größeres Ganzes werden sollen. Es sollte diese ganze Gruppe von Menschen (Die Tizianschüler) mit der Lebenserhöhung, welche durch den Tod (die Pest) die ganze Stadt ergreift, in Berührung gebracht werden. Es lief auf eine Art Todesorgie hinaus. Das Vorliegende ist nur ein Vorspiel — alle diese jungen Menschen stiegen dann, den Meister zurücklassend, in die Stadt hinab und erlebten das Leben, in der höchsten Zusammendrängung ... Diese Welt (Venedig und die Tizianschüler) war anstelle einer anderen Welt plötzlich eingesprungen; denn etwa einen Monat vorher wollte ich das Gastmahl der verurteilten Girondisten so darstellen[65]."

Ein Gastmahl der Verurteilten, nicht das Problem der ästhetischen Ohnmacht, der Gleichsetzung der Kunst mit Leben. Die existentielle Todesangst läßt nichts verstummen oder verdammen, sondern die große Puppe, Pan, als letzten Gott anbeten. Todesorgie oder Lebensfest: draußen wartet nicht der Alltag, sondern das Außergewöhnliche, das Große.

Spätestens mit Stendhal und J. Burckhardt gab es in der italienischen Renaissance keinen Alltag, sondern die Zusammendrängung ungewöhnlicher Zustände. Neben der sich zum Kreis schließenden Epidemie erscheint noch eine andere Form allgemeiner Bedrohung: die Belagerung der Stadt durch den Feind, den Hunger, das Feuer:

„Nous sommes isolés du reste de la terre, et livrés sans défense à la haine de Florence, ... Mes hommes n'ont plus rien: une flèche, plus une balle[66]."

Die Fabel von Maeterlincks „Monna Vanna" brauchte die existentielle Not der Belagerung Pisas, um die Figuren gegeneinander auszuspielen und sie von jeder ethischen und gesellschaftlichen Hemmung zu befreien. Die historische Grenzsituation wirkte als literarisches Mittel und als Prüfstein für menschliches Verhalten. Wie in Maeterlincks „Monna Vanna" (1901) droht in Arthur Schnitzler's „Schleier der Beatrice" (1901) der Stadt Bologna der Einbruch des Feindes, die schrecklichste aller Belagerungen.

„Wie eine rote Schlange glänzt es fern
und regt und windet sich und schleicht
herbei
...
und unter ihnen ist Cesar Borgia selbst ...[67]"

Eine Frist ist jedem Leben gesetzt, draußen wartet der Tod „und Stunden gelten Tage, Tage-Jahre". Treu der Farbe der Zeit, erschreckt der Tod nicht:

„Zu seltenem Fest lädt Euch der Herzog ein
Umglüht von roten Fackeln der Gefahr ...[68]"

Der Herzog Bentivoglio, der großzügige, liberale, künstlerliebende Herzog Lionardo — den es übrigens in der Geschichte Bolognas nicht gab —[69] war bis zur vorletzten Phase der Bearbeitung des Stückes ein griechischer Bankier: der Dichter, sein Antagonist in der Liebe um Beatrice ein „verabschiedeter, etwas verlumpter österreichischer Offizier".

Die ursprüngliche Umwelt, das Wien vom Anfang des 19. Jahrhunderts, verwandelte sich durch die „intuitive Gewalt des Autors“ (um Schnitzler selbst zu zitieren, der nicht die „künstlerische Wertung, sondern nur den psychologischen Vorgang“ notiert) in die Zeit der Renaissance[70]. Die spätere geschichtliche Verankerung, die den Figuren die notwendige, noch fehlende individuelle Lebendigkeit geben sollte, klärt die interne Mechanik einer dramatischen Invention, die mit mäßigem Erfolg — dem Wiener Publikum nicht unwidersprochen ein Kostümstück aus dem XVI. Jahrhundert vorspielte[71]. Der griechische Bankier — Nikolaus Dumba hatte in jenen Jahren in seinem Palais mit dem von Makart bemalten Beacchantenzug im Arbeitszimmer am Wiener Parkring gelebt —, wird zum Renaissance-Fürsten. Cesare Borgia bedroht seine Macht und die Existenz der Stadt, gönnt ihm aber, was ein Börsenkrach dem Bankier kaum erlaubt hätte: in einer Nacht jede Konvention zu brechen, im roten Licht der angezündeten Festfeuer vor der Schlacht einen Reigen von Begegnungen und ungewöhnlichen Ereignissen zu veranstalten. Die Zeit der Renaissance und ihre Attribute, diese präzise sich wiederholende Situation der Gefahr ist kein ästhetischer Prätext oder modische Laune mehr: sie bietet vielmehr ein notwendiges Instrument, eine gesellschaftliche Realität so zu reproduzieren, daß sie aus der Fiktion die Bestätigung der eigenen Existenz erhielt. Aus der Geschichte wurde die Stütze zur Täuschung, aus der ästhetischen Deformation die Bestätigung einer immer noch ruhmreichen und großartigen Gegenwart entliehen. Seiner Herausforderung antwortete — beschwichtigend — die Geste im historischen Kostüm. Für Krankheit und Not sollte der freie Geist dankbar sein: Nietzsche hatte es schon in „Jenseits von Gut und Böse“ gelehrt, weil „sie uns immer von irgendeiner Regel und ihrem ‚Vorurteil‘ “ losmachten. Pest und Stadtbelagerung sind Wirklichkeiten, die von jeder Regel befreien; sind Stimulans zum Leben. Wer sich retten wird, wird ein homo novus sein, immun, oder im Kampf geboren, ein Gezeichneter oder am Rande Vergessener, ein Einzelner, der den neuen Anfang machen oder erleben wird. Wie ein Signal lange anhaltender Verdrängung ist dieses Zeichen der Anfangssituation im allgemeinen ästhetischen oder historischen Überlegungen kritisch unbewertet geblieben. Erst als Thomas Mann den Tod nach Venedig brachte, auch einen Tod aus dem fremden Osten, auch einen epidemischen, bedrohlichen Tod, „aufgestiegen mit dem mephitischen Odem einer üppig-untauglichen Urwelt“, schien bei diesem modern belegten Tod hinter der glitzernden Oberfläche venezianischer Paläste, die Verknüpfung frei: der Kritiker der italienischen Renaissance hatte nur auf die zeitliche Umsetzung verzichtet, die Kostümierung abgelehnt, die Situation jedoch übernommen.

Als noch eine Epoche zu Ende ging, schrecklich ernüchtert, so daß sie nicht mehr die dämpfende Vermittlung fremder Geschichte brauchte, um zu der eigenen Entwicklung Analogien zu finden, kehrten die Zeichen wieder: Albert Camus übersetzte die Grenzsituation französischer Städte unter der deutschen Besatzung mit der Allegorie von „La Peste". Die Pest als absurde „*conditio humana*", als unentrinnbare Situation eines jeden einzelnen, wie ein „*Etat de siège*", ein *Belagerungszustand*, der Mythos, allen Zuschauern von 1948 verständlich, den sich Jean Louis Barrault schon 1941 wünschte, als er „Le Journal de l'année de la peste" von Daniel Defoe für die Bühne bearbeiten wollte. Albert Camus wählte für seine „Pest" einen Gedanken Defoes:

„Il est aussi raisonnable de représenter une espèce d'emprisonnement par une autre que de représenter n'importe quelle chose qui existe réellement par quelque chose qui n'existe pas[72]."

*

Die Figur, die in dem deutschen Rückgriff auf die italienische Renaissance gewählt wurde und kaum deutlicher und aktueller die Konflikte, die Ambivalenzen und die spätere Entwicklung dieser Epoche auszudrücken vermag, war die des Ferrareser Mönchs Girolamo Savonarola[73]. Hätte man nur den rebellischen Häretiker gebraucht, um ihn, als Verteidiger einer Doktrin gegen die korrumpierte Macht der Kirche[74], die Gefahr eines verfeinerten Lebensgefühls zu zeigen, hätte ein anderes italienisches Vorbild aus dem ausgehenden XVI. Jahrhundert — sogar mit Nietzsche-Färbung — als Gegenspieler dienen können: Giordano Bruno. Seine Darstellung hätte aber einen fortschrittlicheren politischen Geist gebraucht und nicht die konservative Einstellung, die von Halbe bis zu Gobineau, von Weigand und Isolde Kurz bis Thomas Mann sich als progressiv dachte. Obwohl Giordano Brunos Parallelisierung zu Luther einfacher als bei dem Frate von S. Marco hätte sein können, obwohl echter Zeitgenosse der Spätrenaissance, der „*Zeit der großen Maler*", Veronese, Tintoretto Tizian, wurde ihm kein literarisches Glück zuteil. Gerolamo Savonarola, der doch einen finstereren, engeren, einseitigeren Geist besaß, wurde statt dessen Protagonist, ein Pater, dessen apokalyptische Mahnungen und Warnungen eben zu der „unfröhlichen" Apokalypse gehörten. Das „fratzenhafte, phantastische Ungeheuer" Goethes, der Gewissensmahner am Sterbebett Lorenzos, wie in Lenaus Gedicht, der Künstler-Bekehrer, der Held Gobineaus, erlebt um die Jahrhundertwende, die literarischen und ideologischen Verzerrungen, die nur im Spiegel des Antagonisten ihre Bedeutung finden und die kaum mehr als einige Anhaltspunkte aus der Geschichte entnehmen.

„Könnte man Euch vereinen, dich Lorenzo und Savonarola. Das gäbe erst den ganzen Menschen",

spricht Valori zu Lorenzo de Medici in einem Drama von Helene von Wellemoes-Suhm (1902), das wie in Weigands Drama „Savonarola" (1899) nach einer Versöhnung der Extreme sucht. Thomas Mann übernimmt auch dieses Modell, wandelt es fast biographisch um:

„Denn jene beiden Cäsaren und feindlichen Brüder — Lorenzo und der Prior — sie sind nur allzusehr der Dithyrambiker und der asketische Priester ..., daß allerlei Versuche, Weiteres, Eigneres, weniger Theoretisches zu geben, ihre psychologische Typik zu intimeren und brennenderen Problemen in Beziehung zu setzen, begreiflicherweise übersehen würden[75]."

„Zivilisationsliterarisch" ist der Antagonismus sicher persönlich zu verstehen, wie Thomas Mann auch immer wieder angedeutet hat. *„Der Rest ist Nietzsche"*, notiert er selber. Als Gegenstück zu Heinrich Manns Roman „Die Göttinen" spielt „Fiorenza" die empörte, brüderliche, ethische Mahnung „mit wiedergebender Unbefangenheit", so daß der Satz aus dem „Savonarola" von Helene von Willemoes-Suhm den anderen, späteren, berühmteren zu antizipieren scheint:

„Die dummen Deutschen müssen uns immer gegeneinander ausspielen und streiten wer der Eigentliche sei. Der Eigentliche wäre wohl der Mann gewesen, den die Natur aus uns beiden hätte formen sollen" (Thomas Mann an Kantorowicz).

Dieser Kontrast, der Antagonismus bleibt eine typisch deutsche Widerspiegelung der Konflikte: Ästhetentum und Moral. In der neuen Rundschau, 16. Jahrgang 1905, beschließt Emil Schäffler einen langen Artikel mit dem Titel „Das moderne Renaissance-Empfinden", nach einer thematischen Aufzählung von Renaissance-Dramen, mit diesem Bedauern: „Auch jenes große Ringen der Geister im Quattrocento, das so mächtig anzieht, der Kampf zwischen Askese und Weltfreude, zwischen den Medici und Savonarola, harrt noch eines Dichters, der ihn zu schildern vermochte."

Man blättert um, und die nächsten Seiten bringen den ersten Teil von Thomas Manns „Fiorenza". Doch das Ringen der Geister — das Quattrocento war am Ende — war ein Ringen, dem die Macht nicht fremd war. Der bürgerliche Aufstieg und der Fall der Medici — in denen sich Thomas Mann wiedererkennen mußte — sowie der Anspruch auf die geistige Macht über die Seelen, die Savonarola anstrebte, waren politische Ereignisse. Seine gefährliche Erscheinung, die mit Massenverführung Faszination ausübte, wurde seit je von entgegengesetzten Parteien in Anspruch genommen. Einige Seiten von Savonarolas Predigten standen bis zum vorigen Jahrhundert auf dem kirchlichen Index, während die unmittelbaren Nachfolger von Papst Alexander VI. schon an seine Heiligsprechung dachten. Savonarola erschien den einen wie ein Vorbote der Reformation, den anderen wie der erste Vertreter der Gegenreformation. Er besaß das Genie, Prozessionen zu inszenieren, gebrauchte Jugendliche und Kinder, um über deren Eltern Aufsicht ausüben zu können, mißtraute den Intellektuellen, verfolgte die Juden, ließ Bücher, die ihm heidnisch erschienen, verbrennen: genug um einen ersten „präfigurierten" Entwurf des intellektuellen Faschismus zu sehen.

„*Ich wußte wohl, daß der christliche Politiker* Girolamo gegen den *sündig in die Grube fahrenden Ästheten* Lorenzo das Neue, das Allerneueste vertrat — Dinge, die zehn Jahre später in Deutschland große intellektuelle Mode sein, von denen jugendlich-spröde Stimmen ein Geschrei machen sollten, daß uns die Ohren grellen[76]."

Der unpolitische Thomas Mann wußte es, doch seine geheime „intellektuelle Parteilichkeit und Neugier" galt damals dem Prior, mit seinem Wunsch nach „theokratischer" Demagogie. Doch die Demagogie wurde anders, die Stimmen immer schreiender, die Bücher wurden verbrannt, die Jugendlichen als Aufseher mißbraucht. Der „barbarische" Renaissancismus war nicht nur ein Name gewesen, eine literarische Attitüde, eine Künstlermode[77], eine Form von Revival, wie die der Gotik oder des Barocks, sondern eine Vorbereitung, viel wichtiger, viel tiefgreifender, viel gefährlicher als jede andere Art von Nachahmung, von Genuß am raffinierten Anachronismus, der den großen Stil[78] wieder entdeckte. Der historische Wunsch nach Größe, nach der maniera grande, wurde schließlich als nationale Wiedergeburt vor der isar-florentinischen Feldherrnhalle inszeniert.

## ANMERKUNGEN

1. Gustave Flaubert, *L'éducation sentimentale,* in: G. Flaubert *Œuvres complètes,* Paris, Editions du Seuil, 1964, S. 47.

2. Elle aurait une robe de velours ponceau avec une ceinture d'orfévrerie et sa large manche doublée d'hermine laisserait voir son bras nu qui toucherait à la balustrade d'un escalier montant derrière elle. A sa gauche, une grande colonne irait jusq'au haut de la toile rejoindre des architectures, décrivant un arc ... Sur le balustre couvert d'un tapis, il y aurait, dans un plat d'argent, un bouquet de fleurs, un chapelet d'ambre, un poignard et un co ret de vieil ivoire un peu jaune dégorgeant des sequins d'or ... Il alla chercher une caisse à tableaux, qu'il mit sur l'estrade pour figurer la marche; puis il disposa comme accessoires sur un tabouret en guise de balustrade, sa vareuse, un bouclier, une boite de sardines, un paquet des plumes, un couteau ... G. Flaubert, *L'éducation sentimentale,* aaO, S. 62/63.

3. Hermann Bahr, Secession, Wien 1900, S. 251. Trotz seiner ironischen Beschreibung eines trivialen Renaissancestils muß sich Hermann Bahr doch vorwerfen lassen, er sei auch in diesem ideologischen Ambiente gefangen. Wer ihn anklagt, ist Hugo von Hof-

mannsthal, der *Die Mutter* von Bahr so rezensiert: „Wie die anderen mit der Lebensverneinung, kokettiert er mit der Lebensbejahung. Er kann aus der Renaissance nicht herauskommen, nicht über eine Phase seines Entwicklungsprozesses hinweg. Es ist etwas Unüberwundenes in ihm, etwas, wovon er sich nicht gesundschreiben kann: daß dieses Leben eigentlich etwas Großes, etwas Wirkliches ist, ein unbegreiflich hohes Wunder: diese Erkenntnis des lebendigen Lebens, die eine Wiedergeburt ist aus dem Feuer und dem heiligen Geist, die hat Bahr erfahren und seitdem hat er nichts erfahren." Hugo von Hofmannsthal, *Prosa I* (Gesammelte Werke, hg. H. Steiner), Frankfurt 1956, S. 15.

4. Matilde Serao beschreibt, mit der teilnehmenden Befriedigung der armen parvenue in der römischen Gesellschaft des fin-de siècle die garconnière, die, in allen Nuancen von Rot, Traum und Modell der provinziell-kosmopolitischen Avantgarde werden wird.„Dei cuscini di piume larghi, di seta rossa, rosea, scarlatta, porporina, rosa secca, in tutte le gradazioni del rosso, dal seno della rosa bianca al tetro color vino erano ammucchiati in un angolo: se ne poteva formare un sedile, un letto, un trono." Ein wichtiges Kapitel für die „storia del gusto". Vgl. M. Praz, *D'Annunzio arredatore,* in: M. Praz, *Il patto col serpente,* Milano 1973, S. 341.

5. Das deutsche Zimmer der Gotik und Renaissance, Anregungen zu häuslicher Kunstpflege von Georg Hirth, München und Leipzig: Georg Hirth's Verlag 1886, S. 125 49.

6. Gustave Flaubert, *Œuvres Complètes,* Paris: Editions du Seuil (L'Intégrale) 1964, S. 47.

7. Thomas Mann, *Erzählungen,* Fischer Gesamtausgabe, Frankfurt 1958, S. 211. Die Handlung der Novelle weist erstaunliche Parallelen mit den ersten Kapiteln des Romans *Leonardo Da Vinci* von Dmitrij S. Merezkovskij (1901) auf, der allerdings (die deutsche Übersetzung erschien erst 1903) eher für Atmosphäre und ähnlich gelagerte Konfliktsituation eine Rolle für Thomas Manns „Fiorenza" gespielt haben könnte.

8. Vgl. Brief Thomas an Heinrich Mann vom 8. Januar 1901. In: Thomas Mann, *Briefe,* I, Fischer Ausgabe, Frankfurt 1961, S. 23.

9. „Vergessen wir nicht" — schreibt Lavinia Mazzucchetti, die alte Freundin Thomas Manns, „daß es damals für einen Deutschen leicht war, in der italienischen Renaissance ein von höchster Aktualität erfülltes Problem zu sehen. Wenn Gobineaus *Renaissance* auch in Thomas Manns Geburtsjahr entstand, so brauchte es doch einige Jahrzehnte, bis das Buch in Deutschland entdeckt und gefeiert wurde (die Gobineau-Vereinigung wurde 1894 gegründet, Kretzers Arbeit über Gobineau ist von 1902, Seillière's von 1903). Jakob Burckhardt war gegen Ende des neunzehnten Jahrhunderts gestorben, und das zwanzigste Jahrhundert begann eben erst sein großes Erbe anzutreten." Lavinia Jollos Mazzucchetti: *Thomas Mann und das Theater,* in: Sinn und Form, Sonderheft Thomas Mann 1965, Berlin 1965, S. 268.

10. Karl Kerényi, in seiner Gedenkrede (gehalten in Zürich am 13. Juni 1965, veröffentlicht in der „Neuen Zürcher Zeitung" Nr. 2, 850, 4. Juli 1965 Bl. 4 mit dem Titel *Thomas Mann zwischen Norden und Süden)* widmet gerade dieser Problematik der Novelle *Gladius Dei* sein Interesse und erklärt den kleinen Münchner Skandal der Entfernung einer zu sinnlichen Madonna aus dem Schaufenster für ein zeittypisches, fortschrittliches Phänomen: „Das alles spielte sich im Rahmen der Bildung des alten Europas ab, an der Nord und Süd zusammengewirkt hatten. Geschehen oder glaubhaft gefunden werden konnte es aber nur, weil Grenzen hingefallen waren und früher getrennte Elemente durcheinander gerieten. Nicht nur die Grenze zwischen Kunst und Religion, sondern auch die Grenze *zwischen dem Historischen und dem für die Gegenwart Wünschbaren."*

11. Das Wort *„Revival"* lehnt sich weniger an die Formulierung von Kenneth Clark: *„The Gothic Revival"* an, der bereits 1928 diese englische Kunst- und Modetendenz beschrieb, als an die allgemeinen theoretischen Betrachtungen über ein europäisches Phänomen des 19. Jahrhunderts, das Carlo Giulio Argan erstmals in seinen Vorlesungen *I Revival* (Venedig, September 1974) analysierte. Carlo Giulio Argan untersucht nicht die Formen

des allgemein verbreiteten historischen Rückgriffs auf die Renaissance — für ihn war die Renaissance in dem Florenz der Medici bereits das erste Revival, ein Versuch, das Athen des Perikles wiederauferstehen zu lassen —, sondern die politischen, sozialen und geistigen Zusammenhänge, die zum Phänomen „Revival" überhaupt führten. Für die Problematik in der Kunstgeschichte, vgl. Carlo Giulio Argan, *I Revival*, Milano 1975, und Erwin Panowsky, *Renaissance and Renascences in Western Art*, Almquist e Wiksell, Stockholm 1960.

12. „Gegensatz: die *maniera gentile*", notiert Wölfflin, der gleichzeitig Rumohr kritisiert, wenn er die „*maniera grande*" einfach mit dem „malerischen Stil" identifiziert. Heinrich Wölfflin, *Renaissance und Barock*, München: Bruckmann 1907², S. 22/23. Die Zitate aus den Werken Wölfflins oder Brandis sollen der Dekodierung des Begriffs „Renaissance" in der deutschen Jahrhundertwende dienen. Wichtig erscheint, was das fin-de siècle von der und wie es die italienische Renaissance zitiert, was antikes Zitat und was Zitierung im parallelisierten Kontext bedeutet.

13. „Sie sprachen von einem Stoff aus der Renaissance. Lassen Sie mich darauf, verehrter Herr, offen antworten: ich glaube, daß nicht nur ich, sondern jeder dichterisch schaffende Mensch unserer Zeit keine Epoche mit so präziser Unlust, ja mit sicherem Widerwillen aus seinem Schaffen ausschließen wird, wie diese Epoche ... Trotz umlaufender Phrasen — die übrigens seit ein paar Jahren schon im Verstummen sind — glaube ich, daß uns keine Epoche in ihrem Lebensinhalt so völlig fern ist als diese — und daß sogar keinem Kostüm auf der Bühne eine geringere Suggestionskraft innewohnt (nicht einmal die Allongeperückenzeit) als jener bis zum Grausen abgebrauchten Lieblingsdrapierung der sechziger bis achtziger Jahre: Renaissance!" Hofmannsthal an Richard Strauß, in: R. Strauß—H. v. Hofmannsthal, *Briefwechsel*, hg. Willi Schuh, Zürich 1964, S. 20.

14. Dieselbe Meinung vertrat noch Friedrich Engels, der die Renaissance die größte progressive Umwälzung nannte, die die Menschheit bis dahin erlebt hatte. Zu diesem Problem und für die einseitige Rezeption der Renaissance von seiten der bürgerlichen Geschichtsschreibung vgl. Ernst Bloch, *Vorlesungen zur Philosophie der Renaissance*, Frankfurt 1972.

15. Die Wahl des Anachronismus — die früh-mittelalterliche Strenge des gotischen Revivals, die Wiederentdeckung des Barocks, die Faszination der Rokoko-Zeit sowie die Lust am großen Stil der Renaissance — determiniert die spezifische Form, jene „nostalgie d'un autre siècle" die schon Huysmans als die nötige Daseinserinnerung des Künstlers definierte, der seine Zeit „plate et bête" findet. Diese aristokratische Zurückgezogenheit, die sich der augenblicklichen Laune anpaßt, um danach die Kostümierung zu wählen, könnte auch nur als Zeichen des modischen Dillettantismus verstanden werden. „— *Se prêter à toutes ces formes sans nous donner à aucune* —", wenn die Interpretation nicht zu einseitig und oberflächlich bliebe. Die Wahl des Renaissance-Anachronismus gibt Auskunft nicht nur über den unmittelbar erklärten oder verdrängten Aristokratismus der Wähler, sondern auch über die interne Dynamik einer nicht nur ästhetischen Rezeption, die stark und bedeutend genug war, um soziale und politische Verhaltensweise zu beeinflussen.

16. Julius Hart, *Individualismus und Renaissance-Romantik*, in: *Der neue Gott*, Florenz und Leipzig 1899, S. 79.

17. Für diese Verflechtung von psychologischem Bedürfnis und Vorbilderwahl in diesem Zusammenhang vgl. Hermann Broch, *Die Kitschromantik*, in: *Das Böse im Wertsystem der Kunst* und *Einige Bemerkungen zum Problem des Kitsches*, in: H. Broch *Dichten und Erkennen*, Essays, Band I, hg. H. Arendt, Zürich 1955, S. 295—358.

18. Exotik im doppelten Sinne, wenn man dieser Kategorie die ganze Ambivalenz jener „*nostalgie de l'obêlisque*" verleiht, die Gautier und nach ihm die französischen Décadents und Symbolisten gesucht haben: „C'est ... que Sainte Beuve ne saisit pas — erzählt E. de Goncourt nur die Worte Gautiers zitierend — Il ne se rend pas compte

que nous sommes tous quante des malades ... ce qui nous distingue: c'est l'exotisme. Il y a deux sans de l'exotique: le premier vous donne le goût de l'exotique dans l'espace, la goût de l'Amerique, ... Le goût plus raffiné, une corruption plus suprême; c'est ce goût de l'exotique à travers des temps." E. et J. De Goncourt, *Journal* Paris: Fasquelle 1935, S. 135—136.

19. „Et certes le malheur de ces temps est grand. Ils n'ont point de père. Ils regardent et ne savent plus où est le Roi et le Pape." Paul Claudel *L'Annonce faite à Marie,* in: Paul Claudel, *Théâtre* II, Paris: Gallimard 1965, S. 193.

20. Thomas Mann, *Betrachtungen eines Unpolitischen,* Fischer Gesamtausgabe, Frankfurt 1956, S. 507.

21. „Meines Vaters Name war Bartholomeus Colleoni" — schreit Madonna Dianora in Hugo von Hofmannsthals *Frau im Fenster* und rechtfertigt auch sie, im Namen des Vaters, die eigene Härte und Würde: „Du kannst mich ein Vaterunser und den englischen Gruß sprechen lassen und mich dann töten, aber nicht so stehen lassen wie ein angebundenes Tier!" Hugo von Hofmannsthal, *Dramen I* (Gesammelte Werke, hg. H. Steiner), Frankfurt 1964, S. 242.

22. Der Reiz, den diese Werke und die Persönlichkeit der Künstler, die sie geschaffen haben, auf die französischen Betrachter ausüben, ist ganz anderer Art als die schwärmerische Begeisterung für triumphierende Größe, die Deutsche nachzuempfinden versuchen. Sie werden anders bewundert: — Pour louer convenablement ces hommes, qui, de Giotto à Masaccio, travaillèrent d'un si bon cœur, je voudrais que la louange fût modeste et précise. Il faudrait d'abord les montrer dans l'atelier, dans la boutique où ils vivaient en artisans. C'est là, en les voyant à l'ouvrage, qu'on goûterait leur simplicité et leur génie. Ils étaient ignorants et rudes. Ils avaient lu peu de chose et vu peu de chose. Les collines qui entourent Florence fermaient l'horizon de leurs yeux et de leur âme. Ils ne connaissaient que leur ville, l'Ecriture sainte et quelque débris de sculptures antiques, étudiés, caressés avec amour. „— Bienheureux temps, où l'on n'avait pas soupçon de cette originalité que nous cherchons si avidement aujourd'hui. L'apprenti tâchait de faire comme le maître. Il n'avait pas d'autre ambition que de lui ressembler, et c'était sans le savoir qu'il se montrait différent des autres. Ils travaillaient non pour la gloire, mais pour vivre." Anatole France, *Le lys rouge,* in: *Œuvres complètes illustrées de Anatole France,* Tome IX, Paris, Calmann-Lévy 1948, S. 135—136.

23. „Joinville; vous avez vu le château, les plafonds des Lebrun, les tapisseries faites au Maincy pour Fouquet, vous avez vu les jardins dessinés sur les plans de Le Nôtre, le parc, les chasses." Ebenda, S. 65 f.

24. Mit derselben Absicht dieser literarischen Figur ließ Alfred Krupp 1873 sein „Großes Haus" errichten. Seinen Baumeister hatte er nach Italien entsandt, um die Bauten zu studieren, die ihm vorschwebten. Das Steinmaterial wurde aus Frankreich bezogen. Vgl. T. Frh. v. Wilmowsky, *Der Hügel,* Essen, 1967. Nicht Bilder von modernen Künstlern oder von großen deutschen Malern der Vergangenheit sollten den Gartensaal zieren, sondern Gobelins aus Kartons von Raffael ließen den Glanz der Tradition erstrahlen. Papst Leo X. hatte dem italienischen Maler den Auftrag gegeben, die Capella Sixtina zu schmücken, die Kaiserin Maria Theresia ließ in Brüssel die Gobelins anfertigen, die Gustav Krupp später für sein Haus erwarb. In demselben Geschmack verhaftet, in demselben Willen, das eigene Reich mit der Tradition zu verbinden, wählte Hitler einen prunkvollen Gobelin im Stile der italienischen Renaissance, um die kalte, monumentale Marmorwand seines Zimmers in der Berliner Reichskanzlei noch grandioser erscheinen zu lassen (Abb. A 1). Neben Feuerbach und Makart galt seine Vorliebe der italienischen Renaissance, der Tizian-Schule. Vgl. Joachim Fest, *Hitler, eine Biographie,* Frankfurt 1973, S. 727.

25. „Verschwenden können, vielmehr verschwenden müssen macht somit das Glück des Erben aus, seine ‚schenkende Tugend'. Und auch seine Gefahr insofern er in jedem

Sinne leicht das Ende der Reihe bleibt, an einen Abgrund gerät, über den keine Brücke mehr ins Künftige führt, es sei denn die des Wunsches und Wahns." Ernst Bertram interpretiert die Legende seines Nietzsche — das Buch, das Thomas Mann als das ihm verwandte erkannte —, indem er schon die Bedeutung der Herkunft, der Tradition mit dem Sinn der Verschwendung verbindet. „Aber alle Menschen des Wortes, alle Propheten und alle Künstler insgleichen die Redner, Prediger, Schriftsteller" sind für Nietzsche Erben; Erben und aufgehäuftes Erbteil zugleich: „alles Menschen, welche immer am Ende einer langen Kette kommen, Spätgeborene jedesmal ... und ihrem Wesen nach Verschwender ... Sie verschwenden den in Rassen und Geschlechterketten langsam gesammelten Überschuß, ein Vermögen, das sich allmählich aufgehäuft hat und nun eines Erben wartet, der es verschwenderisch ausgibt." Die Erbschaft ist Voraussetzung: die Ahnen sind maßgebend, und diesem Gedankengang folgend, zitiert Ernst Bertram weiter Nietzsches *Götterdämmerung:* „Die guten Dinge sind über die Maßen kostspielig und immer gilt das Gesetz, daß, wer sie hat, ein anderer ist, als wer sie erwirbt. Alles Gute ist Erbschaft: was nicht ererbt ist, ist unvollkommen, ist Anfang." Diese Gedanken waren im Geiste der George-Schülerschaft ausgesprochen; das Bewußtsein, ein Ende und nicht ein Anfang zu sein, ist wiederkehrendes Motiv, sei jenem „*Je suis l'empire à la fin de la décadence*", das Lust und Legitimation zugleich für das artistische Gewissen wurde. Friedrich Nietzsche führte wieder, auch in seinem Respekt vor der Tradition: „Die einzige der Alten Tafel, die während gewisser radikaler Perioden sein mühsam und künstlich gehärteter Hammerwille unzertrümmert ließ, war die Ahnentafel." Vgl. Ernst Bertram, *Nietzsche, Versuch einer Mythologie,* Berlin 1918, S. 14 und 20/22.

26. Der Vorgang war typisch für die obere Gesellschaftsschicht, ein Phänomen, das schon Kenneth Clark in Zusammenhang mit dem Bau von historischen Burgen gesehen hatte: „For one thing admiration for Gothic was common only among the upper classes. They alone had leisure to cultivate a new taste and indulgence the dramatic sense; and they built Gothic as a parvenue buys family portraits — to suggest that their pedigree stretched to remote antiquity." Kenneth Clark, *The Gothic Revival: An Essay in the History of Taste,* London 1962, S. 93 f.

27. *L'imitazione del Padre,* ist der Titel einer Sammlung von *Saggi sul Rinascimento,* die Giovanni Papini 1942 veröffentlichte. (Firenze: Lemonnier 1942).

Der Leitsatz des Evangelisten „*Estote ergo vos perfecti, sicut et Pater vester caelestis perfectus est* (Mattheus V, 48), wird in einem streng nationalen Kontext analogisch entwickelt. Die platonische „*Orazione a Dio,* die im Sinne Marsilio Ficinos die *Altercazione* von Lorenzo de'Medici beschließt, vereint den Sinn für die „grandezza" des Menschen mit dem für die „devozione" an den Herrn. Die im Buch aufgenommenen Vorträge wurden Ende der dreißiger Jahre gehalten, als Rinascimento und Risorgimento zusammen helfen sollten, die erneut nationale Bewußtseinslage der italienischen Bürger zu formen und sie von ihren historischen Aufgaben zu überzeugen: „Non gesta di antenati famosi, non investiture imperiali, al principio, e neanch imprese guerresche. Per molto tempo non furono che semplici banchieri e, in apparenza, nulla piu' che privati cittadini" (S. 69).

28. Friedrich Nietzsche *Warum ich so gute Bücher schreibe,* in: Friedrich Nietzsche, *Werke in drei Bänden,* hg. K. Schlechta, München 1966. II. S. 1101.

29. Julius Hart, aaO, S. 89.

30. Die Rezeption von Burckhardts *Kultur der Renaissance in Italien* war von derjenigen Stendhals und Hugos vorbereitet worden und hinterließ viel deutlichere literarische Spuren als das Buch Heinrich Thodes *Franz von Assisi und die Anfänge der Kunst der Renaissance in Italien,* das aber — seinerseits — eine andere Form von Revival vorbereitete und beeinflußte: die Wiederentdeckung der „*Primitiven*", die z. B. bei Gabriele D'Annunzio sich mit fast ähnlicher Intensität mit dem „gusto rinascimentale" vermischte. Für diesen Themenkomplex vgl. vor allem: *Burckhardt and the modern Concept* in Wallace F. Ferguson, *The Renaissance in Historical thought,* Cambridge Mass. 1948,

S. 180 ff. Noch wichtiger für die Beziehungen zwischen Geschichte und ihrer literarischen Darstellung ist der Beitrag von Fritz Schalk zum Thema Dargestellte Geschichte: *Über Historie und Roman im 19. Jahrhundert,* in: *Dargestellte Geschichte in der europäischen Literatur des 19. Jahrhunderts,* hg. W. Iser u. Fritz Schalk, Frankfurt 1970, S. 39—70. Für die Rezeption ästhetischer Kunstbetrachtung vgl. André Chastel *L'Interpretation esoterique de la Renaissance à la fin-du siècle dernier, in:* Umanesimo e Esoterismo, Padua 1960, S. 439—448. A. Chastel *L'Antéchrist à la Renaissance,* in: *Christianesimo e Ragion die Stato,* Atti den II Congresso internazionale du studi umanistici, Roma 1953, S. 177—186, A. Chastel, *L'Apocalypse en 1500,* Bibliothèque d'Humanisme et Renaissance, t. XIV, Genève 1952, S. 124—140.

31. K. Brandi, *Die Renaissance in Florenz und Rom,* Leipzig: Teubner 1899, S. 219. Für die Bedeutung Brandis in der ideengeschichtlichen Entwicklung des Begriffes sei vor allem: Wallace K. Ferguson, *The Renaissance in Historical Thought,* Cambridge Mass. 1948, S. 355, genannt. Das Bild der Krankheit für das Italien der Renaissance wird auch von einem anderen, in anderer Hinsicht wichtigen Analytiker der Epoche gebraucht: Houston Stewart Chamberlain. Seine Variation erweist sich als noch treffender, wenn man sie — analog — auf das spätere Revival anwendet: „Offenbar hatte die hastig errungene Kultur, die heftige Aneignung einer wesensfremden Bildung, dazu im schroffen Gegensatz die plötzliche Offenbarung des seelenverwandten Hellenentums, vielleicht auch beginnende Kreuzung mit einem für Germanen giftigen Blute . . . offenbar hatte dies alles nicht allein zu einem mirakulösen Ausbruch des Genies geführt, sondern zugleich Raserei erzeugt. Wenn je eine Verwandtschaft zwischen Genie und Wahnsinn dargethan werden soll, weise man auf das Italien des Tre-Quattro und Cinquecento! Von bleibender Bedeutung für unsere neue Kultur, macht dennoch diese ‚Renaissance' an und für sich eher den Eindruck des Paroxismus eines Sterbenden, als den einer Leben verbürgenden Erscheinung. Wie durch einen Zauber schießen tausend herrliche Blumen empor, dort, wo unmittelbar vorher die Einförmigkeit einer geistigen Wüste geherrscht hatte; alles blüht auf einmal auf; die eben erst erwachte Begabung erstürmt mit schwindelnder Eile die höchste Höhe: Michelangelo hätte fast ein persönlicher Schüler Donatello's sein können, und nur durch einen Zufall genoss Raffael nicht den mündlichen Unterricht Leonardo's. Von dieser Gleichzeitigkeit erhält man eine lebhafte Vorstellung, wenn man bedenkt, daß das Leben des einen Tizian von Sandro Botticelli bis zu Guido Reni reicht! Doch noch schneller als sie emporgelodert war, erlosch die Flamme des Genies. Als das Herz am stolzesten schlug, war schon der Körper in voller Verwesung."

H. S. Chamberlain, *Die Grundlagen des XIX. Jahrhunderts.* Bd. II: *Die Germanen als Schöpfer einer neuen Kultur,* München [10]1912, S. 829.

32. Rainer Maria Rilke dichtet denselben Vorgang, in dem er als letzter Vertreter der maniera grande Michelangelo wählt:

Das waren Tage Michelangelo's,
von denen ich in fremden Büchern las.
Das war der Mann, der über einem Maß,
gigantengroß
die Unermeßlichkeit vergaß.

Das war der Mann, der immer wiederkehrt,
wenn eine Zeit noch einmal ihren Wert,
da sie sich enden will, zusammenfaßt.
Da hebt hoch einer ihre ganze Last
und wirft sie in den Abgrund seiner Brust.

. . . . . . . . .

Der Ast vom Baume Gottes, der über Italien reicht,
hat schon geblüht,
Er hätte vielleicht

sich schon gerne, mit Früchten gefüllt, verfrüht,
doch er wurde mitten im Blühen müd,
und er wird keine Früchte haben.

Rainer Maria Rilke, *Das Stundenbuch,* in: *Sämtliche Werke,* Bd. I, Frankfurt/Main: Inselverlag 1955, S. 270—271.

33. Krankheit und Tod eines alten Königs haben für C. G. Jung einen archetypischen Charakter, sie gehören zum Werdegang des Helden. „Diesen Anfangszustand schildern viele Mythen und Märchen in der Form, daß der regierende König alt und krank ist, das Königspaar keine Kinder bekommt, daß ein Ungetüm alle Frauen, Kinder, Pferde oder Schätze des Reiches stiehlt, daß der Teufel des Königs Heer oder Schiff festbannt oder Finsternis über die Erde ausbreitet, die Quellen versiegen, Fluten, Dürre oder Kälte das Land heimsuchen." C. G. Jung, *Man and his Symbols,* London 1964, S. 167. In dem Bilde eines alten und sterbenden Königs wird das kranke Bewußtsein einer Gesellschaft ausgedrückt, die ihre Sicherheit verloren hat. Erst diese Atmosphäre eines sich nahenden Endes schafft die Erwartung der Ankunft eines Helden oder Retters.

„Die Könige der Welt sind alt
und werden keine Erben haben.
Die Söhne sterben schon als Knaben,
und ihre bleichen Töchter gaben
die kranken Kronen der Gewalt.

Der Pöbel bricht sie klein zu Geld,
der zeitgemäße Herr der Welt
dehnt sich im Feuer zu Maschinen,
die seinem Wollen grollend dienen,
aber das Glück ist nicht mit ihnen."

R. M. Rilke hatte schon in dem *Stundenbuch* die Metapher der kranken Könige mit dem Bild der glücklosen Zukunft verbunden.

R. M. Rilke, Das *Stundenbuch,* in: Sämtliche Werke, Bd. I, aaO, S. 328/29.

34. „To the vogue of Hellenism and Romanticism there thus succeeded something like a new intellectual movement, to which the German historians have given the barbarous name of *Renaissancismus.*" In: Wallace F. Ferguson, *The Renaissance in Historical Thought.* aaO, S. 180.

35. Conrad Ferdinand Meyer, *Sämtliche Werke,* hg. Hans Zellen und Alfred Zäch, Bern 1962, 13. Bd., S. 377.

36. C. F. Meyer wiederholt in fast jeder Äußerung seine Grundidee der Gleichsetzung eines sterbenden Landes mit einem sterbenden Helden. An Haessel 7. Nov. 1888: „Es ist sicher; die Renaissance-Menschen sind dem deutschen Gefühle unsympathisch. Dazu kommt aber noch ein zweites: die Täuschung seiner Versucher und das allmählige Hervortreten seiner tödlichen Verwundung ... Die wichtigen, großen Momente sind ... Die Aufregung und leidenschaftliche Bewegung seiner ganzen Welt um einen „schon nicht mehr Verwundbaren" ... 5) Die Symbolik. Das sterbende Italien bewirbt sich - unwissentlich — um einen sterbenden Helden", vgl. noch C. F. Meyer an Frick Forrer, 2. Dez. 1887, vgl. Aussagen des Dichters über Pescara in C. F. Meyer, *Sämtliche Werke,* 13. Bd., aaO, S. 377.

37. Es handelt sich für Ferguson wie für Thomas Mann um das Buch von F. F. Baumgarten, *Das Werk C. F. Meyers: Renaissance-Empfinden und Stilkunst,* München 1917. „Unmittelbarkeit und Unbekümmertheit und Bodenständigkeit des instinksicheren Renaissancemenschen sind in Meyers Gestalten durch Wissen und Gewissen übertrübt. Seine Gestalten sind Enkel der historischen Modelle ... Meyer kündet immer das débacle der Renaissance: das débacle des Individualismus in der Hochzeit des Mönchs, das der Leidenschaft in Angela Borgia, das des Macchiavellismus im Pescara. In Meyers Bild ist die Renaissance von der Reformation angekränkelt und beseelt". aaO, S. 52/53. Wieder — wie bei Brandi — das Bild der Krankheit, die der Renaissance anhaftet.

Diese Betonung einer schon „angekränkelten Renaissance“ erscheint als wichtige zeittypische Variation des Renaissancebildes in der Tradition der deutschen Literatur. Vom sogenannten Immoralismus Heinse's Ardinghello's bis zur Dämonisierung Italiens bei Eichendorff und E. T. Hoffmann, verändert sich das Italienbild der Romantik bis zur Thematik des Verfalls und des Todes in Platens Sonetten. Vgl. zu diesem Thema vor allem Walther Rehm, *Das Werden des Renaissancebildes in der deutschen Dichtung vom Rationalismus bis zum Realismus,* München 1924. Für die spezielle Thematik der Beziehung Thomas Manns zur italienischen Renaissance vgl. *Thomas Mann und die Renaissance,* in: *Thomas Mann und die Tradition,* hg. von Peter Pütz, Frankfurt 1971.

38. Vier Jahrzehnte später wird Thomas Mann in seinem *Dr. Faustus* noch dieses Ästheten gedenken und ihn in der mediocren, langweiligen kränklichen Figur des Dr. Institoris — des bloßen Dozenten des Schönen — verdammen: „Institoris war in der Tat kein starker Mann, was sich auch an der ästhetischen Bewunderung erkennen ließ, die er für alles Starke und rücksichtslos Blühende hegte ...... hinter der goldenen Brille blickten die blauen Augen mit zartem edlem Ausdruck, der es schwer verständlich — oder gerade eben verständlich — machte, daß er die Brutalität verehrte, natürlich nur, wenn sie schön war. Er gehörte dem von jenen Jahrzehnten gezüchteten Typ an, der ... während ihm die Schwindsucht auf den Wangenknochen glüht, beständig schreit ‚Wie ist das Leben stark und schön!‘

Nun, Institoris schrie nicht, er sprach vielmehr leise und lispelnd, selbst wenn er die italienische Renaissance als eine Zeit verkündete, die ‚von Blut und Schönheit geraucht‘ habe.“

Thomas Mann, *Doktor Faustus,* Fischer Gesamtausgabe, Frankfurt 1958, S. 280.

39. Thomas Mann, *Betrachtungen eines Unpolitischen,* Fischer Gesamtausgabe, Frankfurt 1958, S. 593.

40. „Je lis dans Taine ... le récit des fêtes et de mœurs de la Renaissance. Peut-être était-ce là la vraie beauté; toute physique. Il y a quelque temps, tout ce déploiement de richesses m'eût laissé froid. Je le lis au bon moment: ce lui où cela peut m'intoxiquer le plus.“

André Gide, *Journal* (1891), Paris: Bibliothèque de la Pléiade 1948, S. 21.

41. C. F. Meyer, *Sämtliche Werke,* aaO, 14. Bd., S. 160.

42. ebenda, S. 6.

43. Wenn aus dem innerst tiefsten Grunde
Du ganz erschüttert alles fühlst,
Was Freud und Schmerzen jemals dir ergossen,
Im Sturm dein Herz schwillt,
In Tränen sich erleichtern will und seine Glut vermehrt,
Und alles klingt an dir und bebt und zittert

Johann Wolfgang von Goethe, *Prometheus,* in: Goethes Werke, Hamburger Ausgabe, Bd. 4, Hamburg 1953, S. 187.

44. Oskar Panizza, *Das Liebeskonzil und andere Schriften,* hg. Hans Prescher, Neuwied 1964, S. 118 f.

45. In Sachen *Das Liebeskonzil vor dem Königlichen Landgericht München* am 30. 5. 1895 in: O. Panizza, *Meine Verteidigung in Sachen Liebeskonzil,* aaO, S. 140/41.

46. Frank Wedekind, *Erdgeist,* in: Frank Wedekind, *Dramen I,* hg. M. Hahn, Berlin 1969, S. 237.

Die Szenerie der Räume um Lulu entspricht auch dem Zeitgeschmack: „Prachtvoller Saal in deutscher Renaissance mit schwerem Plafond in geschnitztem Eichenholz. Die Wände bis zur halben Höhe in dunklen Holzskulpturen. Darüber an beiden Seiten verblaßte Gobelins.“ Erdgeist, Vierter Aufzug, aaO, S. 298.

47. Hugo von Hofmannsthal evoziert in seiner Gegenüberstellung der zwei Arten der „Römischen Elegien", — die von Goethe und die von Gabriele d'Annunzio —, diese „süße Bezauberung, die der Seele Unerlebtes als erlebt, Traum als Wirklichkeit vorspiegelt. Auch in den ‚Römischen Elegien' des Heutigen, des Italieners, wandeln die Grazien. Aber der Dichter hat sie erst in das Atelier des Tizian geschickt, sich umzukleiden. Sie wandeln beim Plätschern der Renaissancefontänen durch die Laubgänge der mediceischen und farnesischen Villen: farbige Pagen warten ihnen auf, und im smaragdgrünen Boskett spielen weiße Frauen im Stil des Botticelli auf langen Harfen. Zu diesen Elegien hat Rom all seine Erinnerungen hergegeben: die herrischen, die sehnsüchtigen, die prunkenden, die mystischen, die melancholischen."

Hugo von Hofmannsthal, *Gabriele d'Annunzio* (1), in: H. v. Hofmannsthal, aaO, Prosa I, S. 154.

48. Der Unterschied zwischen einer hölzernen und strengen deutschen Art und der lateinischen betont Gabriele d'Annunzio selbst: „Nulla aveva ed ha della eguale disciplina alemanna il mio passo di combattente e di assalitore, cosi' come un disegno del mio Pisanello non somiglia a uno di Hans Holbein. Non imita l'automa ligneo e metallico, ma rivaleggia colla pantera e col leopardo."

Auch wenn Metallautome und Leoparden beide eben „Angreifer" sind. Gabriele d'Annunzio, *Il libro ascetico della giovane Italia,* in: *Tutte le opere,* a cura di E. Bianchetti, Mondadori Verona [4]1966, Prose di ricerca, di lotta ecc. I, S. 552. Für sehr bedeutende Zusammenhänge zwischen figurativen Vorbildern und literarischer Wiedergabe im Werke d'Annunzios vgl. Bianca Tamassia Mazzarotto, *Le arti figurative in Gabriele d'Annunzio,* Milano Bocca 1949.

49. In dem Spiel der historisch-ästhetischen Brechungen, die Gegenwart und Vergangenheit im Wiedererkennen und gleichzeitiges Ahnen vermischt, nimmt Lucrezia Borgia die Züge einer Rivalin der mondänen Isabella, der Protagonistin des Romans *Forse che si Forse che no.* Die maniera grande der Bilder Tizians wird Liberty-Mode: „Lucrezia Borgia, la tua rivale, dovette rivolgersi a te per avere un ventaglio di bacchette d'oro con piume nere di struzzo, dopo aver cercato invano di imitare quella tua „capigliara" a turbante che porti nel ritratto tizianesco."

Gabriele d'Annunzio, *Forse che si forse che no,* in: G. D'Annunzio, *Tutte le opere,* a cura di E. Bianchetti, Mondadori Verona [8]1968, Prose di romanzi II, S. 897. Arthur Schnitzler hatte in *Die Frau mit dem Dolche,* mit den theatralischen Mitteln der Rückblende, zwei junge Leute der guten Wiener Gesellschaft um 1900, vor einem Renaissance-Bild in die Wirklichkeit einer gemeinsam erlebten Prä-existenz, in die Zeit der Pagen und der Dolche versinken lassen. Die Identifikationskraft zwingt sie zur schicksalhaften Nachahmung des in der Geschichte „Erlaubten". Schnitzlers Thematik wirkt aber viel zeitgemäßer als das virtuose Spiel d'Annunzios.

50. „Während Lucrezia Borgia in hochzeitlicher Pracht langsam schritt (das lilienhafte Kleid erglänzte von weitem), zwischen den fürstlichen Kardinälen in purpurnem Umhang, die mit zweideutigem Lächeln die Tochter des Papstes anschauten . . ."

51. Die Antwort auf die deutschen Professoren ist zeitgemäß. Das berühmte Buch *Lucrezia Borgia* von Ferdinand Gregorovius war 1874 erschienen. Seine blutleere Rehabilitierung der sündigen Lucrezia baute auf eine italienische Untersuchung (Giuseppe Campori, *Una vittima della storia,* La nuova Antologia 1866) und fügte ihr seine puritanische Schwere hinzu. Die Lucrezia Borgia von Gregorovius besitzt weder die Verantwortung der eigenen Schuld noch ein eigenes Leben. C. F. Meyer reagiert als deutscher Schriftsteller seiner Zeit und konstruiert den Antagonismus „Zuviel-zuwenig Gewissen", der historisch sicher weniger überzeugend sein dürfte. Vgl. zu dieser Problematik der erzählten Lucrezia das Buch von Maria Bellonci, *Lucrezia Borgia,* Milano [12]1974.

52. Giulia Farnese, mit einem lasziven Blick ihrer Augen . . . die nackte Brust bot . . . aber vorher Isaotta, die Muse, jene, die ich mehr besungen habe, mit einem Blitz der

Augen und mit den wunderschönen gestreckten Armen, ihre Brust bietet, wie Giulia Farnese-Gabriele D'Annunzio, *Isaotta Guttadauro, Versi d'amore*, Roma 1912, S. 23.

53. Über den Aspekt dieser protheusartigen, von der Imagination der Nachkommen modifizierten Renaissance vgl.: J. Huizinga, *Das Problem der Renaissance. Renaissance und Realismus*, Tübingen 1953. Für die Rezeption eines wissenschaftlich-ästhetischen Renaissance-Begriffes vgl. vor allem H. W. Eppelsheimer, der in seinem Essay *Das Renaissance-Problem*, Deutsche Vierteljahresschrift, Band XI, 11. Jg., 1933, S. 478—500, sich auch mit den Gedanken Huizingas auseinandersetzt: „Der „Renaissanceismus" beherrscht die europäische Bildung des ausgehenden Jahrhunderts fort — in Michelet den Voltairescher, in Burckhardt den Goethescher Färbung. Womit auch sein Urteil, die Renaissance selbst unserer klassisch gerichteten Kulturabschnitte zugeordnet ist." Huizingas Interpretation ist auch Anlaß für weitere Diskussion auf kunst-kultur-historischem Gebiet, das Feld der Unruhe in den dreißiger Jahren. Vgl. G. Weise, *Der doppelte Begriff der Renaissance*, in: Deutsche Vierteljahresschrift, Band XI, 11. Jg., 1933, S. 500—529.

54. Rainer Maria Rilke, *Sämtliche Werke*, hg. Rilke-Archiv, Bd. I, Frankfurt: Insel 1955, S. 203.

55. ebenda, S. 214.

56. ebenda, S. 217.

56a. Peter Szondi macht in seiner Interpretation des lyrischen Dramas Hugo von Hofmannsthals auf das Stück von Maurice Maeterlinck *Intérieur* aufmerksam, das zwei Jahre nach dem „Tod des Tizian" erschienen ist: denselben Schauplatz, die Terrasse vor dem Hause, in dem Tizian die Todesstunde erwartet, stellt die Bühne dar.

Szondi erwähnt auch die „fast divinatorische Sensibilität" Stefan Georges, der im Manuskript Hugo von Hofmannsthals in dem Satz „da Tizian neunundneunzigjährig an der Pest starb" das Wort *„an der Pest"* strich mit der Bemerkung: „damit brächten Sie eine schädliche Luft in Ihr Werk und augenscheinlich ungewollt".

Vgl. Peter Szondi, *Das lyrische Drama des Fin de siècle*, Frankfurt 1975, S. 221.

57. G. Flaubert, *La Peste à Florence*, in Flaubert, *Œuvres Complètes*, Paris 1964, S. 78.

58. Jens Peter Jacobsen, *Die Pest in Bergamo*, in: J. P. Jacobsens *Sämtliche Werke*, Leipzig: Inselverlag o. J., S. 678.

59. „Die Pest schreitet in asiatischer Erscheinung, schwefelgelb angestrahlt, im Hauptbilde durch die Straßen einer menschenleeren Stadt. Schreitet mit Riesenschritten, deren Maß weit über Menschliches hinausgeht. Bis zum Gürtel ist sie nackt, ihr Kopfputz sind Flammen, weit der Rock, wehend die bauschigen Ärmel — sie ist eigentlich eine Schwester jenes Dämons des Tanzes im Reißerschen Musiksaal. An ihrem Arm hängt eine Geißel, die Vögel der Verwerfung umflattern dunkel die Gestalt. Sie ist nicht häßlich, abstoßend, eher von dämonischer Schönheit, prall ist ihr Leib, ein drohendes Lachen zeigt ihr Mund, weitaufgerissen sind die Augen. Links ein Bacchanal, zeitlos und unwirklich. Es schildert jenen Taumel der Sinneslust in bösen Tagen, von denen alte Chroniken oft zu erzählen wissen; da nun doch einmal das Leben nicht mehr zu retten war, wurden seine letzten Stunden in orgiastischen Festen genossen, und man starb im Rausch, im Arm der Wollust ...

Auf dem rechten Flügel der Gegensatz: Flagellanten, in rhythmischer Bewegung, mit Geißeln sich die Rücken zerfleischend, ziehen an einem goldleuchtenden Madonnenaltare vorbei.

So sind die beiden Pole der Empfindung, die das unabwendbare Unheil in den Menschen erzeugt, in Erlers Triptychon ausgedrückt — der sinnlose Trieb, den letzten Rest des Lebens auszugenießen, und die ebenso sinnlose Aszese, die durch Selbstpeinigung den Himmel milder stimmen will."

Fritz von Ostini, Fritz Erler, Bielefeld und Leipzig 1921, S. 47—48.

60. Ricarda Huch, *Erinnerungen von Ludolf Ursleu dem Jüngeren*, Stuttgart/Berlin 1920, S. 221.

Walter Rehm in seinem immer noch wichtigen Aufsatz: *Der Renaissancekult um 1900 und seine Überwindung,* in: Zs. f. Deutsche Philologie, Bd. 54, 1929, S. 323, erwähnt jene Szene von *Ursleu* von der kleinen Flore Lelallen, die gleich den Florentinern in Boccaccios Decamerone erst recht in die Lebensfreude hinabsteigt, als die Pest wütet, und ihre Freunde jeden Abend zu heiterem Spiel und Gesang um sich versammelt. Er nennt die Szene „gesteigert renaissancemäßig". Jene *Bande vom heiligen Leben,* die mit der zarten Flore in dem zu großen und leeren Hause feiert, ist ein typisches Beispiel für die psychologisch-ästhetische Dimension, die um 1900 der Renaissance verliehen wurde.

61. Im Zeichen Nietzsches steht der dionysische Lebensrausch der immer wieder Figuren und Situationen im Wirbel des gesteigerten Lebensgefühls ergreift. „Gott Dionysos führen sie im bacchantischen Zug einher. Weinlaub haben sie ins Haar geflochten und als bockfüßige Faunen sich verkleidet. Gott Dionysos: der neue Gott ist." Julius Hart, aaO, S. 77. In keinem anderen Werk dieser Zeit sind Renaissance-Verkleidung und dionysische Nietzsche-Atmosphäre so deutlich erkennbar wie in Ricarda Huchs Jugendwerk: *Evoe! Ort der Handlung ist Rom zur Zeit Leos X.* In: Ricarda Huch, *Gesammelte Werke,* Band V, S. 465 ff.

62. André Gide, *Le voyage d'Urien,* Paris 1929, S. 77.

63. „Les vrais chevaliers du *Voyage d'Urien* refusent de les manger et la peste ravage le royaume des jouissances. Gide se souvient que celles-ci sont périssables, ‚concrétions qui, sitôt que les doigts les present, n'y laissent plus que cendre'. La suspicion et la crainte ramènent le jeune homme par un mouvement de reflux, au refuge de la pensée et du rêve:

> Ce voyage n'est que mon rêve,
> nous ne sommes jamais sortis
> de la chambre de nos pensées.
>
> (Le Voyage d'Urien)"

Claude Lebrun, „La naissance des thèmes dans les premières œuvres d'André Gide", *Cahiers André Gide 1: Les débuts littéraires,* Paris 1969, S. 216.

64. „Une femme s'évanouit et tombe sur l'asphalte. Personne ne la relève: ... Les volets se referment avec impêtuosité, et les habitants s'enfoncent dans leurs couvertures. On dirait que la peste asiatique a révélé sa présence. Ainsi, pendant que la plus grande partie de la ville se prépare à nager dans les réjouissances des fêtes nocturnes, la rue Vivienne se trouve subitement glacée par une sorte de pétrification. Comme une cœur qui cesse d'aimer, elle a vu sa vie éteinte. Mais, bientôt, la nouvelle du phénomène sa répand dans les autres couches de la population, et un silence morne plane sur l'auguste capitale. Ou sont-il passés, les becs de gaz? Que sont-elles devenues, les vendeuses d'amour? Rien ... la solitude et l'obscurité! Une chouette, volant dans une direction rectiligne, et dont la patte est cassée, passee audessus de la Madeleine, et prend son essor vers la barrière du Trône, en s'écriant: ‚Un malheur se prépare'."

Isidore Ducasse, *Comte De Lautréamont,* Œuvres complètes, Les chants de Maldoror, Poésies — Lettres, Bibliographie, Paris 1963, S. 326—327.

65. Brief an Walther Brecht, in: *Briefwechsel zwischen George und Hofmannsthal,* 2. erg. Aufl. München und Düsseldorf 1953, S. 234 f.

66. Maurice Maeterlinck, *Monna Vanna,* Paris 1928, S. 10.

67. Arthur Schnitzler, *Gesammelte Werke,* 2. Abt., 2. Bd., Berlin 1922, S. 187 f.

68. ebenda, S. 147 f.

69. Lionardo, der Name des idealisierten Universalkünstlers der Renaissance, sollte der historischen Wirklichkeit von *Giovanni II* Bentivoglio, der der Valentino 1503 vor den Toren seiner Stadt lagern sah, die ganze „magnificenza" des Fürsten seiner Zeit geben. Giovanni Bentivoglio war sicher ein echter Herrscher seiner Zeit, der Name war aber für A. Schnitzler wichtiger als der Lobgesang der Untertanen, in Bologna 1501, für den „Signor Giovanni":

Chi vuol veder ventura e uom felice
Miri il signor Zoanne Bentivoglio,
Che navigando il mar ha rotto scoglio
e trovato del triumpho la radice

Per donne, a li Signor da' le figliuole
Li conti e cavalier vi fanno corte
Senza dinari ha quanti amici el vole

Dal suo palazzo a ogn'omo apre le porte,
Signuri e Cardinali quivi alberga
De' barbari e scudier tien d'ogni sorte,

E fa fabbricar forte;
E' liberal benigno e grazioso,
Bello, sano, ricco, forte e virtuoso.

Mehr ein Erbauer aber als ein Freund der Kunst. Vgl. Albano Sorbelli, *I Bentivoglio*, Bologna 1969, S. 84.

70. „Das Stück wird nach dem neuen Plan bis zur Mitte des zweiten Aktes geführt, und hier ereignet sich folgendes: die eine der Figuren scheint in geheimnisvoller Weise ihre Maske abzuwerfen oder besser: die intuitive Gewalt des Autors (was hier keine künstlerische Wertung, sondern nur den psychologischen Vorgang bedeuten soll) bewirkt, daß sich die betreffende Figur zur Gestalt emporspricht, emporhandelt und — von diesem Augenblick an auch den Gesetzen menschlicher Wahrheit untertan — sich als das zu erkennen gibt, was sie eigentlich ist, als „einen Fürsten aus der Renaissance". Arthur Schnitzler, *Als Beispiel einer komplizierten Schaffensart*, in: *Zur Physiologie des Schaffens*, in: Arthur Schnitzler, *Gesammelte Werke*, Bd. 3: *Aphorismen und Betrachtungen*, Frankfurt 1967, S. 383.

71. Vgl. Paul Goldmann, *Der Schleier der Beatrice von A. Schnitzler*, in: *Aus dem dramatischen Irrgarten. Polemische Aufsätze über Berliner (Theater)aufführungen*, Frankfurt 1905, S. 109—124.

72. Albert Camus, *La Peste*, in: *Théâtre, récits, nouvelles*, Paris: Bibliothèque de la pléiade 1962, S. 1215.

73. Eine materialreiche Arbeit über die Figur des italienischen Mönchs ist die Untersuchung von Alfred Teichmann, *Savonarola in der deutschen Dichtung*, Berlin-Leipzig 1937. Für die spezielle Thematik des Konflikts Savonarola-Lorenzo de' Medici in Thomas Manns „Fiorenza", vgl.: Egon Eilers, *Perspektiven und Montage. Studien zu Thomas Manns Schauspiel „Fiorenza"*, Marburg 1967.

74. Eine interessante italienische Interpretation des Abenteuers Savonarolas, die sich Thomas Mann nähert, findet sich in den schon erwähnten Essays von Giovanni Papini: „Als Savonarola, der mittelalterliche Apokalyptiker, zusammen mit den *„vanita"* auch Kunstwerke verbrennen ließ, war er — vielleicht — nicht nur vom Wunsche beseelt, mögliche Instrumente der Korruption zu vernichten, sondern auch von einem dunklen Ressentiment bewegt, gegen die neuen Rivalen, die Künstler, die das Primat und Monopol der Propheten und Theologen bedrohten"; Giovanni Papini, *L'Imitazione del Padre*, Firenza 1942, S. 18.

André Gide sieht dagegen in Savonarola den Bilderstürmer, in dessen Nähe kein Kunstwerk überhaupt Platz finden kann: „L'an précédent, j'avais mal compris l'Angelico; je pensais ne trouver en lui, qu'un beautré toute pieuse, morale-et que sa peinture était que comme un moyen de prière et le plus efficace possible. L'histoire de Savonarola, qui m'occupait en ce moment, me paraissait l'histoire de l'iconoclastie dans tout ce qu'elle a de plus redoutable, et je n'admettais pas que, du convent de Saint Marc, eût pu sortir une œuvre d'art."

André Gide, *Feuilles de route*, 16. décembre 1895, in: *Journal* Paris: Bibliothèque de la Pléiade 1948, S. 60.

75. Thomas Mann, *Betrachtungen eines Unpolitischen,* Fischer Gesamtausgabe, Frankfurt 1958, S. 86/87.

Richard von Schaukal hatte im Zeitgeist unter dem Titel *Thomas Mann und die Renaissance* einen vernichtenden Artikel über Fiorenza veröffentlicht. Heinrich Mann nahm seinen Bruder in Schutz *(Mache,* Die Zukunft, Berlin 31. 3. 1906). Richard Schaukal antwortete mit einem öffentlichen Brief in der „Zukunft" vom 14 4. 1906. Vgl. Thomas Mann, *Notizen,* hg. von Hans Wysling, Beihefte zum Euphorion, Heidelberg 1973, S. 22.

76. *Betrachtungen eines Unpolitischen,* Fischer-Gesamtausgabe, Frankfurt 1958, S. 89.

77. Die Interpretation kannte durchaus politische Implikationen. Hier, stellvertretend für andere zahlreiche Beispiele: „Or, l'Italie de la Renaissance aspirait à l'immortalité et ne l'attendait que de l'esthétique. Ces grands et *beaux tigres humains,* les condottieri, dont le dernier fut empereur des Francais, rachetaient leurs crimes par une passion sublime des chefs — d'œuvre: c'est ici parler le langage ordinaire. Une critique profonde montrerait que la moralité des cruels porte-couronnes ne diffère, que par les formes, de la scéleratesse quattrocentiste." S. Péladan, *La dernière leçon de Léonard de Vinci,* Paris 1892, S. 19.

78. „Nota bene: Dante, Michelangelo, Napoleon" merkt Friedrich Nietzsche in dem Nachlaß aus den achtziger Jahren an, in dem er das Urteil von Taine über Napoleon aus der *Revue des deux mondes,* 15. Februar 1887, abgeschrieben hatte. „Man erkennt ihn wieder als das, was er ist: der posthume Bruder des Dante und des Michelangelo ... il est un des trois esprits souverains de la renaissance italienne."

F. Nietzsche, *Werke in drei Bänden,* hg. K. Schlechta, III, S. 857 — Die italienische Renaissance blieb nicht bei Napoleon stehen.

ROGER BAUER

# Die Wiederkunft des Barock und das Ende des Ästhetizismus

Seit Beginn dieses Jahrhunderts ist das Wort „Barock" allmählich in den allgemeinen Sprachschatz eingedrungen. Auf diese Weise wurde es, gleichzeitig, einer progressiven Abnutzung ausgesetzt. Angesichts dieses unvermeidlichen Präzisionsverlustes empfiehlt es sich, wie im Falle anderer „abgenutzter" Kategorien der Literaturwissenschaft, die ursprüngliche Bedeutung — genauer: *die* Bedeutung*en* des Wortes neu zu überlegen, sie sich ins Gedächtnis zu rufen. Denn nicht anders als die meisten Epochen- und Stilbezeichnungen entstand auch diese unter einer gewissen Konjunktur, von der sie geprägt wurde und die sie, umgekehrt, wieder zu beleuchten vermag.

Der oder das Barock (zuerst sagte man sogar „die Barocke", ähnlich wie „die Gothik") verdankte seinen außergewöhnlichen Erfolg der Tatsache, daß er, bzw. es fähig war, Probleme zu lösen, die sich in einer gegebenen Situation einer neuen Generation von Künstlern und Gelehrten stellten.

Wir sagten „Probleme", im Plural, um gleich gründlich die heute geläufige Meinung zu relativieren, nach der dem erwähnten Begriff vornehmlich und vielleicht sogar ausschließlich die Funktion zugefallen wäre, die lange Zeit verkannte und mißachtete Literatur des 17. Jhdts. (v. a. die deutsche) in ein neues und helleres Licht zu stellen. (Hiermit sollen natürlich keineswegs die Verdienste jener Forscher geschmälert werden, die — wie Fritz Strich und Oskar Walzel — als die ersten die seit Heinrich Wölfflin in der Kunstgeschichte erprobte Kategorie systematisch für die Literaturgeschichte nutzbar zu machen versuchten)[1].

Historisch, d. h. aus der nachprüfenden Retrospektive gesehen, diente jedoch der Begriff „Barock" (und dies ist sogar zum Teil noch heute der Fall) noch anderen Zwecken als dem einer Charakterisierung der genannten Epoche. Bei Friedrich Nietzsche, um nur ein hervorragendes Beispiel zu nennen, bezeichnet „Barock" bereits einen zeitlosen, d. h. im Laufe der Geschichte mehrmals auftretenden Stil. Wie sein Freund Jakob Burckhardt sieht auch er im Barock die Stil- oder Kunstform, die gesetzmäßig der Klassik, jeder Klassik folgt und diese ablöst: „Das Barock entsteht jedesmal (!)

beim Abblühen jeder großen Kunst". Im selben Kontext verweist Nietzsche auf Michelangelo, den „Vater und Großvater der italienischen Barockkünstler", und, wie zu erwarten, auf den verhaßten und doch geliebten Richard Wagner. Bemerkenswert ist weiterhin, daß im selben Zusammenhang von Literatur die Rede ist: „Gerade jetzt, wo die Musik in die letzte [i. e. barocke] Epoche übergeht, kann man das Phänomen des Barockstils in seiner besonderen Pracht kennenlernen und vieles durch Vergleichung daraus für frühere Zeiten lernen: denn es hat von den griechischen Zeiten ab schon oftmals einen Barockstil gegeben, in der Poesie, Beredsamkeit, im Prosastile, in der Skulptur ebensowohl als bekanntermaßen in der Architektur[2]." In diesen Sätzen aus „Menschliches, Allzumenschliches" (1878) ist praktisch die These von Ernst Robert Curtius und seinen Schülern von einem ewigen, mehrmals wiederkehrenden Asianismus vorweggenommen[3].

Hier und heute soll jedoch vornehmlich von einer dritten und noch weniger beachteten Bedeutung oder „Funktion" des Barockbegriffes die Rede sein, genauer von einer Entwicklung, die dazu führte oder die es ermöglichte, daß manche, z. T. bedeutenden Geister, im „Barock" ein ausgeprägt süddeutsches, besser katholisch-bajuwarisches Phänomen sehen konnten. Die nun zu erläuternden Gedankengänge überschneiden in mancher Hinsicht die vorher skizzierten: das gesamt-bajuwarische, d. h. auch österreichische Barock, das man zu rehabilitieren versuchte, kannte ja seine erste Akme im Zeitalter der Gegenreformation, und außerdem handelt es sich um ein ebenfalls ewiges, weil Stamm- und Landschaft-eigenes (um hier bereits auf die Lieblingsformulierung Josef Nadlers anzuspielen).

Daß diese „dritte" Bedeutung oder Funktion des Barockbegriffes in der geläufigen Sekundär- oder Tertiärliteratur kaum beachtet wird, erklärt sich wohl damit, daß sie unabhängig, oder fast unabhängig von der großen, umfassenden systematischen Barocktheorie entstanden ist, und außerdem im abgelegenen, katholischen Österreich. Damit kommen wir zur eigentlichen Demonstration, genauer zum ersten Punkt:

## *I. Die Verherrlichung des österreichischen Barock im Rückblick der Kritiker und Literarhistoriker*

Im besten Fall zweitrangig als Dichter, ist Hermann Bahr für den Historiker auch heute noch eine interessante und sogar anziehende Figur. Wie ein Seismograph hat er alle Schwankungen und Erschütterungen des literarischen Terrains, v. a. des österreichischen genau registriert.

Bereits in seinem „Wien"-Buch von 1907 gebraucht er den Begriff „die Barocke". Das sichtlich damals sich im Prozeß der Einbürgerung befindliche Wort bringt er, nach dem Kunsthistoriker Albert Ilg, in Zusammenhang sowohl mit verschiedenen kirchlichen Bauten in Wien (der Karmeliterkirche in der Leopoldstadt und der Peterskirche) wie auch — und diese Erweiterung der Perspektive ist bemerkenswert — mit der Literatur und Ideologie der Gegenreformation. Er verweist in diesem Zusammenhang auf die „geistlichen Übungen" der Jesuiten und auf das Theater Calderóns. In „La vida es sueño" sieht er „ein Kompendium aller Barocke", denn in diesem Stück gelingt auf exemplarische Weise die Vermittlung zwischen „Weltverschuldung, Weltverleugnung, Weltverneinung" und „Weltbejahung": „Das ist der Sinn der Barocke. Der zornigste Haß des Lebens, seinen Wahn erkennend, es als sinnlos, unwirklich, leeren Schein überwindend, dann aber eben als leeren Schein erst neu genießend, mit einer unsäglichen Zärtlichkeit und in der atemlosen Furcht des Künstlers, der weiß, daß es nur ein Spiel ist, und doch auch weiß, daß dieses Spiel sein einziger Ernst ist . . ."; „. . . das Leben ist ein Traum, träumen wir es stolz! Entsagend zu genießen, asketisch üppig zu sein, Böses fromm zu tun, war jetzt möglich. Das Leben ist ja bloß ein Traum[4]."

Sätze wie die vorigen lesen sich wie ein verspäteter Kommentar zu Loris' Anatol-Gedicht oder sogar zum „dekadenten" Katholizismus so vieler Franzosen des „fin de siècle". Interessanter und für die zukünftigen Entwicklungen bedeutender ist jedoch die ebenfalls schon 1907 (im „Wien"-Buch) vorgetragene These von der Fremdheit (man ist versucht zu sagen der „Artfremdheit") der importierten bürgerlich-aufgeklärten Bildung, durch welche jene barocke Kunst- und Weltanschauung überlagert und verdeckt wurde[5].

Einige Jahre später — inzwischen hat der Weltkrieg die Notwendigkeit einer Wiederfindung der eigenen nationalen Identität noch dringender erscheinen lassen — wird die Rückkehr zum Barock als der alleinige Weg zur Gesundung angepriesen. „Barock" wird nun zum Zauberwort, mit dessen Hilfe bestimmt und umschrieben werden kann, was einst Österreichs Größe und Substanz ausmachte und was, vielleicht, eine Erneuerung ermöglichen könnte. Barock war, nach Hermann Bahr, barock war Österreich vor den denaturierenden Einwirkungen des Josephinismus, d. h. vor einer engrationalistischen, alle tieferen, echteren Bindungen zerstörenden Aufklärung: „Seit Kaiser Joseph ist unsere ganze Geschichte ein ewiger Kampf zwischen dem papierenen Österreich und dem wirklichen[6]."

Auf dem Gebiete des Theaters — für Bahr ist es von primärer Bedeutung — wird derselbe Kontrast so beschrieben: „Ein Einbruch war das

Burgtheater als es entstand. Als Protest ist es entstanden, als Widerspruch einer handvoll unösterreichischer Intellektueller, gegen den Geist der großen österreichischen Tradition. Aber auf den Aufstand folgt der Aufstand gegen den Aufstand ..." „... aus dem Unwirklichen stammend, [mußte dieses Theater] erst vergewaltigt sein ..., um überhaupt wirklich zu werden" ... Schreyvogel (!), der Wagnerianer Gustav Mahler und zuletzt Max Reinhart haben — so die These Bahrs — diesen richtigen Weg beschritten und gewiesen. D. h. trotz jener josephinischen Herkunft bedeutet „die ganze Geschichte des Burgtheaters ... ein fortwährender Aufstand des barocken gegen den ihn niederhaltenden theoretischen Menschen"[7].

In seinen späteren Schriften — auch dort soll mit Hilfe der „Barocke" das authentische Österreich wiederentdeckt und rehabilitiert werden — beruft sich Bahr auf einen neuen Gewährsmann: Josef Nadler. (Der in unserem Zusammenhang besonders wichtige dritte Band der „Literaturgeschichte der deutschen Stämme und Landschaften", nach Aussage des Autors bereits 1914 im Manuskript abgeschlossen, trägt das Datum 1918, war aber schon früher den Freunden zugänglich)[8].

Bahrs „Burgtheater"-Büchlein von 1920 beginnt mit folgender eloquenter Widmung: „Professor Josef Nadler, dem Schliemann unserer barocken Kultur, in dankbarer Verehrung, Salzburg, Weihnachten 1919". Wieder zehn Jahre später, 1929, im glorifizierenden Rückblick, heißt es dann sogar, erst Nadler habe ihm — Bahr — das österreichisch-bayrische Barock „in seiner strahlenden Herrlichkeit erscheinen lassen"[9]. Aber auch Hofmannsthal pilgerte nach Fribourg — Freiburg im Uechtland —, um nach der Lektüre des „österreichischen Barockkapitels" Nadler zu begrüßen und ihm zu danken[10]. Ein Blick in die erste Ausgabe von Nadlers „grand œuvre" erlaubt denn auch interessante Feststellungen. Erst im schon erwähnten dritten Bande von 1914/1918 bedient sich Nadler des Begriffs Barock, um „das Geistesleben des Bairischen Volkes" zu kennzeichnen, „das ohne Fuge, einheitlich und geschlossen, neben die klassische Kultur des Südwestens und die romantische des Nordostens tritt". Und Nadler fügt hinzu: „Zum Glück [hat es] noch keinen Namen, obwohl es sich klarer ausdrückte, einheitlicher und folgerichtiger bestimmte als die beiden andern[11]." Die Vermutung drängt sich auf, daß das Zauberwort Barock einfach an die nicht besetzte Stelle der Stiltriade Klassik / Romantik / *X* / eingesetzt wurde: wie die Klassik (die Kunst des Südwestens) und die Romantik (die Kunst des kolonisierten Nordostens) stellt auch das Barock — die Kunst des bajuwarischen Südens und Südostens — eine substantielle Konstante dar. Ein Beweis hierfür: nach Nadler bedeutet die „Hochblüte" des Wiener Barockdramas nur ein Stadium einer Entwicklung, die spätestens mit Conrad Celtis — also schon im Zeitalter der Renaissance — begonnen hat: „Aus der Antike war durch die Renaissance der Barock geworden: die Kunst des bairischen Volkes, dessen Heimat die Massen gewaltiger Berge waren, das nach dem Prunke tönender Formen fieberte; die Kunst der Habsburger, die mit Erdteilen und Völkersippen bauten[12]."

In seiner „Literaturgeschichte Österreichs" — von 1948 — führt dann Nadler für die späteren Perioden den Begriff eines Eigenstils ein, z. B. in folgendem Kontext: Durch Vermittlung der Maria-Theresianischen und Josephinischen Epoche wurde — so Nadler — „aus dem Vermächtnis des Barocks das barocke Drama und die humanistische Latinität an ein künftiges Geschlecht [weitergegeben]" und dieses hat „daraus den österreichischen Eigenstil gebildet"[13]. Dieser Eigenstil, von dem — so Nadler — auch die Meisterwerke Grillparzers und Raimunds geprägt sind, hat dann eine letzte Blüte durch und bei Hofmannsthal gekannt: „Der Barock selbst hat kein Kunstwerk fertiggebracht das sich mit „Ariadne" vergleichen ließe. Und es wird keine Dichtung mehr geben, die wie Hofmannsthals „Ariadne" so genau den Ton und den Stil treffen wird, der dem spätbarocken Bühnenkünstler vorgeschwebt hat[14]."

Bereits 1919/1920 aber hat auch Hermann Bahr den Bogen geschlossen. Er berichtet damals von einer „Beleuchtungsprobe von Jaakobs Traum", während der er angeblich folgende Frage an Richard Beer-Hofmann richtete: „ ‚Und wissen Sie denn aber, was eigentlich der Roller da treibt?' Richard, ganz in den Feuerzauber (!) verschaut, schwieg; ich antwortete mir also selber: ‚Jesuitenstil' . . .". Anschließend werden Roller, Mahler, Reinhardt als echte „Nachkommen des Barock" gepriesen und es wird die Tatsache unterstrichen, daß ihnen allen Richard Wagner den Weg gewiesen hat: „Bayreuth nimmt das Jesuitentheater wieder auf . . . Eigentlich nur in Goethe [Bahr denkt an Faust II], Raimund, Grillparzer und Richard Wagner blieb ein Abglanz, ein Nachklang des Barocktheaters lebendig, aber da [d. h. selbst bei Wagner] nur als Intention". Das eigentliche Barocktheater — „Gebet, Lobgebet, Dankgebet, Bittgebet" —, das Theater Bidermanns und Avancinis findet erst jetzt, bei Richard Beer-Hofmann und, so darf man hinzufügen, bei Hugo von Hofmannsthal eine ihm gemäße Nachfolge[15].

Und somit kommen wir zum zweiten Punkt unserer Beweisführung.

Daß der Weg zurück zum Barock über Wagner führt, ist, wie aus den gebrachten Zitaten hervorgeht, eine damals geläufige Erkenntnis. In „Wien, Geschichte der Kaiserstadt und ihrer Kultur" von Richard Kralik und Hans Schlitter, d. h. bereits 1912 (allerdings ohne daß das Wort „Barock" schon gebraucht werde) wird Wagners Gesamtkunstwerk als spätes Pendant zu den ludi caesarei aus der Zeit Leopolds I. angesehen: „[Die Spiele] stellen in der Tat das Gesamtkunstwerk wirklich dar, das Richard Wagner nur gewollt hat: Musik, Tanz, Chor, Malerei, Plastik, aber auch — und das ist der wesentliche Vorzug vor der Oper — gesprochener Dialog, Monolog, Rede, die nicht nur auf die Sinne, sondern auf den ganzen seelischen Menschen wirken . . .[16]". Derselbe Richard Kralik, Gründer und Zentrum des Wiener „Gralbundes", der sich eine Erneuerung der Kunst durch die Wiederbelebung der Antike, des Volkstums und des katholischen Christentums zum Ziel setzte, Kralik verfaßte bereits in den neunziger Jahren Mysterienspiele (mit Gesang und Musik), die in einer Kontinuität stehen, die schon deshalb hier erwähnt werden darf, weil auch sie zurück nach Bayreuth und über Bayreuth hinaus auf das ältere religiöse Drama verweist.

Schon 1876 wurde von Breitkopf und Härtel in Leipzig „Der entfesselte Prometheus. Eine Dichtung in fünf Gesängen" des jungen Siegfried Lipiner verlegt.

Lipiner, 1856 in Jaroslav bei Lemberg geboren, Jude, ließ sich erst 1891 taufen. Er starb 1911. Um so interessanter der Hinweis des Herausgebers einiger seiner späteren Werke aus dem Nachlaß. Nach dessen Bericht „[empfing] Richard Wagner . . . von dem Werk [i. e. dem „Entfesselten Prometheus"] einen so starken Eindruck, daß er den jungen Dichter in sein Haus nach Bayreuth einlud, wo [er] eine Zeitlang weilte". Und Gustav Mahler soll seinerseits über „Adam" (das Vorspiel zu einer Christus-Trilogie) geschrieben haben, es „gehöre zu den schönsten Besitztümern der Welt".[17] Entscheidend für uns ist jedoch folgende Tatsache. Lipiners großangelegte Tragödien (eigentlich Opern-Libretti)[18] nehmen die Tradition des allegorisch-philosophischen Dramas wieder auf. Wichtig ist weiterhin, daß Lipiners Helden — ob Prometheus oder Merlin — aktive Helden sind, die handelnd eingreifen in den Lauf der Geschichte. Prometheus bleibt Sieger über den „Schmerz" und nach diesem Sieg kann ein neues Lied ertönen: „Weltfreude heißt das Lied".[19] Dieser eigentümliche Wagnerismus ist ein umgekehrter Wagnerismus, weit entfernt von jeder Melancholie, von jedem Schopenhauerianismus; ein Wagnerismus aus der Zeit nach Parzivals Bekehrung und Erhebung . . .

Zu ähnlichen Bemerkungen geben auch die „allegorischen" Dramen von Christian Ehrenfels (1852—1923) Anlaß[20]. „Der Kampf des Prometheus" (1893) ist ein mythisches Drama, in dem ohne Bedenken antike und biblisch-christliche Motive miteinander verwoben werden. Die Vorrede zu dieser „dramatischen Dichtung" beginnt so: „In einen Kirchenraum rufe ich die Zuschauer meines Dramas, auf daß sie dort, an der Stätte ehrwürdiger Erinnerung, in dem trauten Heim ihres Väterglaubens, den ‚Kampf des Prometheus' noch einmal durchdringen"[21]. Die Personen des ersten Teils — „Der Tempelbau" — heißen Prometheus, Gaja, Jesaias, Elam. Wir haben es also mit einem eklektischen Weihefestspiel zu tun, und mit einem visionären: „Was zu schauen ich ersehnt, sucht ich nachzubilden"[22]. Das Drama ist für „musikalische Composition und dramatische Darstellung in vier Tagen" bestimmt, und es versteht sich von selbst, daß in der Einführung zu dieser neuen Tetralogie der Name Wagners nicht fehlen darf. Es ist sogar die Rede vom „Tristan" als der „Hochzeitsnacht der deutschen Musik"[23]. Noch bezeichnender ist aber vielleicht Ehrenfels' Überzeugung, nur die „spezifisch katholische Erziehung der Phantasie, aus der jene Dichtung entsprungen", habe die erreichte „anschauliche, farben- und formenfreudige Ausgestaltung der christlichen Vorstellungswelt" ermöglicht[24].

Von Richard Kralik (1852—1934) war bereits die Rede, und von dessen Mysterienspielen. Die Nennung einiger Titel dürfte hier zur Illustration der angedeuteten Konstante genügen: „Das Mysterium von der Geburt des Heilands. Ein Weihnachtsspiel nach volksthümlichen Überlieferungen" (1894). „Das Mysterium vom Leben und Leiden des Heilands. Ein Osterfestspiel in drei Tagwerken nach volksthümlichen Überlieferungen. I. Die frohe Botschaft. II. Die Passion. III. Die Auferstehung." (Die drei Bändchen und die dazugehörigen Notenheftchen sind 1895 erschienen. Zur Erläuterung der Formel „volksthümliche Überlieferungen" sei noch vermerkt, daß im „Weihnachtsfestspiel" u. a. „O du fröhliche" und „Stille Nacht, heilige Nacht" gesungen werden . . .)[25].

Zur richtigen Einschätzung der späteren Entwicklung muß man diese stark katholisch gefärbte Tradition des allegorischen Dramas und Mysterienspiels im Auge behalten. Das heißt, nicht so sehr die geringe ästhetische Qualität der genannten Werke ist von Bedeutung, als eben die Tatsache der Kontinuität: ein direkter Weg führt von Lipiner, Ehrenfels und Kralik zu Hofmannsthals „Jedermann" (1911), zu Beer-Hofmanns „Jaakobs Traum" (1918), zu Anton Wildgans' „Kain" (1921) und zu Max Mells „Apostelspiel" (erste Fassung: 1923).

Bemerkenswert ist weiterhin, daß der Hofmannsthalsche Calderón-Kult bei Kralik eine Entsprechung hat. Von Kralik besitzen wir folgende Bearbeitungen Calderón'scher Vorlagen: „Die Ähren der Ruth" (1905), „Die Geheimnisse der Messe" (1906), „Die eherne Schlange" (1926). Gewiß, Hofmannsthals „Kleines Welttheater" datiert bereits von 1897; „Das Salzburger große Welttheater" entstand jedoch erst 1922 und die erste Fassung von „Der Turm" trägt das Datum 1925 . . .

Im selben Zusammenhang darf noch daran erinnert werden, daß Beer-Hofmanns „Graf von Charolais" — nach „The Fatal Dowry" von Philipp Massinger und Nathaniel Field (1632) — zuerst 1904 erschien, im selben Jahr wie Hofmannsthals „Gerettetes Venedig" — nach Thomas Otways „Venice Preserved" (von 1681). Auch hier ist eine richtige Zeittendenz erkennbar und greifbar.

Eine weitere Voraussetzung für die theoretischen Konstruktionen Nadlers und Bahrs, und v. a. für deren Erfolg und Anklang, war die Reaktualisierung der österreichischen Literatur des frühen 19. Jahrhunderts, die Volksdramatik miteinbegriffen. Dies führt uns zum dritten Punkt unserer Darlegung.

## *III. Die Wiederentdeckung und Reinterpretation der österreichischen Literatur des frühen 19. Jahrhunderts*

Im Grunde hatte man an Ort und Stelle, z. B. in den Lehrbüchern für den Schulgebrauch, nie aufgehört, in österreichischen Kategorien zu denken. Die monumentale und heute noch unentbehrliche „Deutsch-Österreichische Literaturgeschichte" von Nagl-Zeidler-Castle — eine Kollektivarbeit, entstanden unter der Leitung dieser Gelehrten — ist aus dieser Tradition erwachsen. Sie hat sie weder begründet noch abgeschlossen. Zu erwähnen ist hier ebenfalls die Wirkung August Sauers in Prag. Wie man weiß, verdankt Nadler diesem seinem Lehrer die Konzeption einer stammesgebundenen Literatur. Sauers richtungsweisende Prager Rektoratsrede „Literaturgeschichte und Volkskunde" wurde bereits 1907 gehalten[26].

Um die Jahrhundertwende erscheinen — z. T. angeregt von Sauer — die ersten kritischen und manchmal sogar nicht kritischen Ausgaben der österreichischen Klassiker der sogenannten Biedermeierzeit. Rudolf Fürsts Sammlung „Raimunds Vorgänger" trägt das Datum 1907. Die „historisch-kritische Gesamtausgabe" von Grillparzers Werken, zuerst von August Sauer selbst betreut, erscheint ab 1909.

Die „Deutsch-österreichische Klassiker Bibliothek" Otto Rommels — auch er ein Sauer-Schüler — erscheint ebenfalls ab 1909. Die sieben Bändchen „Alt-Wiener Volkstheater", die zu dieser Reihe gehören, bilden eine Art

Vorstufe zu den sechs Bänden „Barocktradition im österreichisch-bayrischen Volkstheater“ von 1935—1939[27].

Eine wichtige Konsequenz oder Begleiterscheinung dieser editorischen Vorarbeit ist diese: die zeitgenössischen Autoren lernen, sich im Zusammenhang zu sehen mit der autochtonen Tradition. D. h., gewisse Eigentümlichkeiten ihrer Werke werden ihnen erst jetzt — retrospektiv — wirklich bewußt. Von nun an, genauer: unter dem komplementären Eindruck der nationalen Krise, v. a. seit dem Ausbruch des Krieges, häufen sich z. B. die Schriften Hofmannsthals, die eine solche Rückbesinnung illustrieren: 1915, „Grillparzers politisches Vermächtnis“ und „Österreichische Bibliothek“; 1916, „Österreich im Spiegel seiner Dichtung“ (mit interessanten Aperçus über Grillparzer)[28]. Ein Jahr später, 1917 also, verfaßt Hofmannsthal seine „Phantasie über ein Raimundsches Thema: Der Sohn des Geisterkönigs“[29]. Und ungefähr um die selbe Zeit — in den ersten Kriegsjahren — erfährt „Die Frau ohne Schatten“ (das Libretto, nicht die später entstandene Novelle) ihre endgültige Ausprägung: die einstweilige Verwandlung des „zweiten Paares“ — Arlekin und Smeraldine — in „Wiener Figuren“ wurde, so scheint es, bereits 1914 beschlossen, und zwar unter dem Einfluß der „Zauberflöte“ sowie der Zauberspiele Raimunds[30].

Bemerkenswert ist weiterhin, daß ein Autor, den man gemeinhin nicht neben Hofmannsthal zu nennen pflegt, Franz Werfel nämlich, sich ebenfalls auf Raimund beruft, sich seines Vorbilds erinnert beim Versuch, eines seiner eigenen Werke historisch einzureihen. In einem zuerst 1921 gedruckten Kommentar zum Drama „Spiegelmensch“ (1920) wird dieses Werk ein „Zauberspiel“ genannt, was einem Rückverweis auf Raimunds eigene Zauberspiele gleichkommt[31]. Zugleich aber stellt Werfel Verbindungen her mit den mittelalterlichen Mysterienspielen. Folgende Stellen des genannten Aufsatzes sind hierfür bezeichnend wegen der nebeneinander genannten Werke und Autoren: „Das Mysterium (Passionsspiele, autos sacramentales, Faust, Der wundertätige Magus, Traum ein Leben, Alpenkönig und der Menschenfeind (!), Parsifal, Peer Gynt, Traumspiel) ist seinem Wesen nach episch“[32], oder: „Die gesegnete Stunde des modernen Theaters . . . hieß Lope de Vega, Calderón, Molière, Shakespeare“[33]. Und fast wie ein Kommentar zu Raimunds Zaubermärchen oder zu Hofmannsthals „Frau ohne Schatten“ liest sich noch folgende Anmerkung: „Die Welt der älteren Dramen ist meist dreistufig: Die Griechen, Shakespeare, Calderón, Raimund (!), Mozart, Don Juan u. a. m. I. Geister und Götter, II. Helden und Heroinen, III. Bediente, Spaßmacher und Volksfiguren“[34].

Dieses Sich-Wiedererkennen und Wiedererkennen-Wollen im Spiegel des „barocken“ Zauberspiels Calderónscher oder Raimundscher Prägung, und bezeichnenderweise sowohl bei Hofmannsthal wie beim „Expressionisten" Werfel, muß jedoch — und dies war zu zeigen — als Schlußpunkt einer langen Entwicklung angesehen werden. Die literarische Entdeckung des verschollenen Kontinents „Barock" und die Entstehung einer neuen Literatur nach dem Ästhetismus und nach dem neo-romantischen-Subjektivismus bilden die beiden Seiten der einen und selben Medaille. Im Licht dieser Wiederbesinnung erscheinen aber selbst frühere Stufen der literarischen Entwicklung in einem neuen Lichte, womit wir zum vierten und letzten Punkt unserer Demonstration gelangt sind.

### *IV. Die Überwindung des Naturalismus und des Ästhetizismus*

Um 1890 lauteten die literarischen Stichworte „Überwindung des Naturalismus", und — im Anschluß an den Barrès des „culte du moi" — „nervöse Romantik" (beide Formeln wurden von dem allgegenwärtigen Hermann Bahr geprägt bzw. importiert)[35]. Das Wort Ernst Machs vom „unrettbaren Ich" macht die Runde, d. h. „die scheinbare Beständigkeit [d. h. Substanzialität] des Ich" wird zur Illusion erklärt[36].

Dem kritischen Auge des jungen Karl Kraus entgeht es nicht, daß die „heimlichen Nerven", daß die Flucht vor dem „Leben" in den Traum der Schönheit nur „Affektation", nur „Manieriertheit" bedeuten[37]. D. h. er sieht genau, daß mit solchen Stimmungen und Attitüden nur „gespielt" wird. Dem nachprüfenden Kommentar bleibt nur noch hinzuzufügen, daß dieses Spiel kein freies war, sondern ein notgedrungenes, ein von Zeit und Umständen gefordertes.

Einleuchtend ist die Interpretation, die Carl Schorske von der damaligen Konjunktur gab, als er jenes Sich-identifizieren-wollen mit einer ererbten, erlesenen Schönheit einen ästhetischen Narzißmus nannte. Denn im Grunde handelte es sich um eine Ersatzhandlung. Da den Wiener Intellektuellen, bürgerlichen und oft genug jüdischen Ursprungs, eine reelle Assimilation an die aristokratische Oberschicht verwehrt war, verblieb ihnen nur der Ausweg einer Als-ob-Assimilation, im Geistigen und Künstlerischen. Indessen erwies sich bei dieser Gelegenheit, daß jene Oberschicht selbst in einer obsoleten Vergangenheit lebte. Die Bewunderung mußte in stilisierte Träumerei umschlagen[38].

Nichts anderes meinen im Grunde die Formulierungen Hermann Brochs: von der „fröhlichen Apokalypse Wiens um 1880", von Wien als dem „Zentrum des europäischen Wert-Vakuums". Broch stellt fest: „ein Minimum an ethischen Werten sollte durch ein Maximum an ästhetischen überdeckt werden ..." Hieraus ergibt sich dann die Definition von Hofmannsthals Dichtung als einem „Ritual der Sittlichkeit". Hofmannsthals literarischer (allerdings nicht nur literarischer) Zweck war und mußte sein „das Emporheben des Lebens, in die Formen der großen Tradition", was gleichbedeutend ist mit „Emporheben des Naturalistischen und Psychologischen in die Region der ethischen Motive"[39].

Brochs Formulierungen — sie datieren von 1950— sind das Resultat von retrospektiven Überlegungen. Ihr dokumentarischer Wert wird dadurch nicht geschmälert. D. h., erst die Kenntnis des späteren und späten Hofmannsthal verleiht der — zugegebenerweise sich früh einstellenden — Meinung ihre Kraft und Wahrheit, nach der, um es mit Richard Alewyn zu formulieren, „Hofmannsthal gewiß auch Claudio [war], aber ... außerdem sein Dichter und — Richter"[40].

Versuchen wir nun aber — endlich — die literarischen Techniken zu identifizieren, mit deren Hilfe die lyrisch-poetische Aussage zugleich eine Kritik des Poetisch-Ästhetischen als Lebensprinzip zu leisten vermochte, so treffen wir auf ausgesprochen rhetorisch-barocke. (Bereits Nietzsche hat, wie wir sahen, die rhetorische Komponente jeder barocken Kunst hervorgehoben).

Sein Dramolett „Gestern" (von 1891) hat Hofmannsthal selbst einen „proverbe" genannt[41].

„Der Tod des Tizian" von 1892 wird in der ersten Fassung — in den „Blättern für die Kunst" — als „Moralität" bezeichnet[42], und in einer neueren Untersuchung über „Der Tor und der Tod" konnte sogar, mit überzeugenden Argumenten, eine Verbindung hergestellt werden zwischen dieser „Parabel" und dem auf die Antike zurückgehenden, dann im Mittelalter florierenden „Streitgespräch zwischen Leben und Tod" (so Hinrich C. Seeba)[43].

Was die Form betrifft, fordern die genannten Gedichte weiterhin zum Vergleich auf mit anderen zeitgenössischen Repristinierungen mittelalterlicher Gattungen: des Mysteriums und, ganz allgemein, des allegorischen Denkspiels. Die Nähe zu der von Lipiner, Ehrenstein und Kralik vertretenen Tradition ist nicht zu übersehen.

Ähnliche Bemerkungen ließen sich sogar bei Schnitzler machen[44], der in einigen seiner besten und berühmtesten Stücken — „Anatol", „Der Reigen" z. B. — die mittelalterliche wie auch barocke Reihenstruktur übernimmt.

In allen diesen Stücken ist die Wiedergabe der äußeren Realität (nach dem realistisch-naturalistischen Prinzip) wie die der inneren Realität (mit Hilfe der psychologischen oder sogar tiefenpsychologischen Analyse) durch „exemplarische" Aussagen abgelöst und auf jeden Fall einer moralischen, moralisierenden Intention untergeordnet: einer Lektion, die demonstriert, zu deren Annahme der Leser oder Zuschauer überredet werden soll[45].

Denn noch wichtiger als die Form der neo-barocken Moralitäten, proverbes und anderen allegorischen Spielen ist die Lehre, die Wahrheit, die sie illustrieren sollen. Diese Lehre — von der notwendigen Ablösung des „Automatischen" durch das „Allomatische", um eine spätere Formulierung Hofmannsthals zu gebrauchen — steht im krassesten Gegensatz zur prinzipiellen Melancholie sowohl der meisten Naturalisten (mit der von ihnen dargestellten Verlorenheit des Einzelnen in einer verdorbenen Welt und Gesellschaft) wie der Meister des Symbolismus und der Décadence. Die Flucht in das Reich der Schönheit — das Losungswort Flauberts oder Mallarmés, Swinburnes und Paters — wird nun, von einem noch nicht Zwanzigjährigen, als unmöglich und unmoralisch verurteilt. Oder anders ausgedrückt: der Übernahme von „barocken" Formen (von Ausdrucksformen aus älteren Stadien der christlich-katholischen Literatur) kommt dieselbe Bedeutung zu, wie der Abkehr Barrès' von seinem ursprünglichen Egotismus, wie seiner Besinnung auf die lothringischen Wurzeln seines Ich. Oder wie der Rückkehr Stefan Georges — nach der Algabal-Krise — in die Heimat, zu den Ufern des „lebengrüne[n] Strom[s]"[46].

In Frankreich, wo das „l'art pour l'art" lange Zeit die hohe Dichtung bestimmte, nimmt diese Abkehr notgedrungen noch andere und komplexere Formen an[47]. Erinnern wir uns an einige Daten.

Die „Hérodiade"-Fragmente sind um 1865 entstanden, aber erst um 1888—89 scheint die damals von Mallarmé ausgestreute Saat aufgegangen zu sein, mit Gabriele d'Annunzios „Sogno di un mattino di primavera" (1888), mit Van Lerberghe's „Les Flaireurs" und Maeterlincks „La Princesse Maleine" (beide 1889): alles lyrische Dramen, von der Form her vergleichbar mit denen Hofmannsthals, drei oder vier Jahre später, oder mit Stefan Georges „Manuel" dessen drei Fassungen 1886, 1888 und 1894/95 datiert sind)[48].

Was aber die „Kleinen Dramen" Hofmannsthals von denen der französischen Symbolisten trennt, ist — von der „rhetorischen" Struktur abgesehen — die Lektion: die Aufforderung zum „Allomatischen" ...

Gewiß, die Rückkehr zu älteren, mittelalterlichen eher als „barocken" Formen (aber wer dachte damals — und wer denkt heute noch — in Frankreich in dieser Kategorie?), diese Rückkehr lockt auch dort. Selbst der alte Mallarmé spricht — 1886 — davon, seine „Hérodiade" endlich abzuschließen, sie zu einem „mystère" auszugestalten: „Les noces d'Hérodiade" ...

Erst Paul Claudel — er kommt von Wagner und Mallarmé her — wagt den großen Schritt (ohne natürlich von der Wiener Entwicklung eine Ahnung zu haben).

Sein erstes Drama „Tête d'Or" (Erstdruck 1891) ist, um mit Ernst Robert Curtius zu sprechen, „ein üppig wucherndes Jugendwerk . . ., unwahrscheinlich, ungebändigt", „ein Hymnus auf den heldischen Mann, der der Welt Gesetze gibt und tragisch untergeht". Am wichtigsten, für uns, ist dieses „der Welt-Gesetze-geben" . . .[49].

Zwei Jahre später, 1893, erscheint die erste Ausgabe von „La Ville": abermals eine Parabel, die beweisen will, „daß das Leben der Menschen auf dieser Erde ein elendes ist, unter welcher Gesellschaft es auch sei, wenn die Menschheit die göttlichen Gesetze zurückstößt" (abermals wurde Curtius zitiert)[50]. 1892/93, fast gleichzeitig mit „Der Tod des Tizian" und „Der Tor und der Tod", entsteht die erste Fassung von „La Jeune Fille Violaine": „die Verherrlichung des christlichen Opfergedankens und die Ausfaltung seiner ganzen Schönheit"[51].

Die ersten Dramen Claudels sind allesamt Lehrstücke: eigenwillige Interpretationen und Illustrationen der Wahrheiten der post-tridentinischen katholischen Kirche. Den Abschluß dieser Entwicklung bildet eine abermalige Annäherung an die eigentliche Mysterientradition.

In der zweiten Fassung — von 1901— wird die Handlung von „La Ville" in ein stilisiertes Mittelalter verlegt. Die dritte Fassung von „La Jeune Fille Violaine", von 1912, trägt den endgültigen Titel: „L'Annonce faite à Marie": „Die Verkündigung". Zeit der Handlung: die Jahrhunderte der Kathedralen[52] . . .

Inzwischen sind auch die beiden Mysterienspiele von Charles Péguy erschienen: „Le Mystère de la Charité de Jeanne d'Arc" (1910) und „Le Porche du Mystère de la deuxième Vertu" (1911). Im selben Jahr 1911 publiziert D'Annunzio sein „Mystère" in französischer Sprache: „Le Martyre de Saint Sébastien" . . .

Im Vergleich mit Österreich geschieht also die bewußte Annäherung an die mittelalterliche Mysterienform relativ spät und auf eine eigenwillige, ungestüme, fast wilde Weise: irgendwie kündigen sich dort bereits das gewollt Unbändige und das Pathetisch-Explosive des expressionistischen Dramas an: noch in Werfels Kommentar zu seinem „Spiegelmensch" wird die Rede sein von „Umkehr, Konversion, Wiedergeburt"[53]: Begriffe und Vorstellungen, die stärker an Claudel mahnen als an den um „contenance" besorgten Hofmannsthal . . .

Natürlich bieten sich in der europäischen Literatur der Jahrhundertwende noch andere Vergleiche an. D. h. die Chronologie legt abermals sonderbare

Zusammenhänge bloß. Sieht man ab vom katholischen Österreich und vom katholischen Frankreich, ist der neue moralisch-religiöse Einschlag erst relativ spät festzustellen. „Der Weg nach Damaskus“ ist von 1898/1904; „Der Todestanz“ von 1901 und „Ein Traumspiel“ sogar von 1903: aus dieser Perspektive gesehen und in dieser Sparte ist Strindberg ein Nachzügler, genau so wie der alte Ibsen: „John Gabriel Borkman“ trägt das Datum 1896, „Wenn die Toten erwachen“ das Datum 1899 . . .

Vielleicht ist denn auch die — keineswegs neue — Hypothese nicht abwegig, daß die österreichische Sonderentwicklung sich damit erklären läßt, daß dort die katholisch-„barocke“ Tradition leichter zu erneuern war, weil sie in der Tat nie ausgestorben, nie ganz aus der Erinnerung geraten war. Zu dieser Erneuerung oder Wiederbelebung genügte es, daß eine andere, z. T. fremde, überlagerte Formen- und Ideenwelt ihre Lebenskraft und Aktualität einbüßte . . . Daß zur Deutung dieses komplexen Sachverhaltes Broch und Schorske bessere Argumente und „Schlüssel“ liefern als Bahr oder Nadler, steht für uns heute außer Zweifel. Als Zeugen ihrer Zeit und selbst, zum Teil wenigstens, als deren befugte Interpreten, verdienen jedoch auch Bahr und Nadler heute noch ernst genommen und gewürdigt zu werden.

Der allgemeine Übergang jedoch, in ganz Europa, von einer „automatischen“ zu einer „allomatischen“ Literatur und die Wiederkunft alter „barock-rhetorischer“ Ausdrucksformen beweisen, daß um 1890 der Kult des „décadence“ nur noch als Relikt einer vergangenen Epoche anzusehen ist. (In Paris hat bereits um 1885 — ein Beispiel unter anderen — das ironisch-bissige Pamphlet von Vicaire und Beauclère „Les déliquescences, poèmes décadents d’Adoré Floupette“ diese Wende proklamiert). Lange vor dem „eigentlichen“ (historischen, kalendermäßigen) „fin de siècle“ hat eine neue literarische Epoche: ein neues Jahrhundert begonnen.

## ANMERKUNGEN

1. Zum Problem der Einführung des Barockbegriffes in die Literaturgeschichte, cf. v. a. Fritz Strich, *Die Übertragung des Barockbegriffs von der bildenden Kunst auf die Dichtung*, in: *Kunstformen des Barockzeitalters*, 14 Vorträge ... hrsg. v. R. Stamm, Sammlung Dalp, Bd. 82, Bern 1956, S. 243—265. Cf. auch ibidem S. 13—91, den Aufsatz von Hans Tintelnot, *Gewinnung unserer Barockbegriffe*. NB. Tintelnot trifft — im Bereich der Architektur — folgende wichtige Feststellung: „Der Geschmack des europäischen Publikums am Barock, nicht nur des deutschen allein, war früher in der Auseinandersetzung mit dem Barocken begriffen als die Kunstwissenschaft.“ D. h. die Wissenschaft hat nur nachvollzogen: sortiert, geordnet, katalogisiert, was bereits bei Künstlern, Kunstliebhabern und sogar Kunstkonsumenten Leben gewonnen hatte. Ein ähnlicher Vorgang läßt sich auch auf dem Gebiet der Literatur feststellen.

2. F. Nietzsche, *Menschliches, Allzumenschliches*, II. Band Nr. 144 (= F. N., *Werke* in drei Bänden, ed. K. Schlechta, München 1954 f., I, S. 791 ff.). Auf diese Stelle hat kürzlich

auch Willfried Barner aufmerksam gemacht: *Barockrhetorik. Untersuchungen zu ihren geschichtlichen Grundlagen,* Tübingen 1970, S. 3—7. In der „Einführung" zu diesem Buch, die die Grundlage liefert für die anschließend erfolgreich durchgeführte Herausstellung des „Rhetorischen" als Merkmal des Literaturbarock (vornehmlich des deutschen), wird neben Burckhardt, Gurlitt, Wölfflin auch Nietzsche genannt, der — so Barner — wohl als erster den neuen oder, besser, rehabilitierten Barockbegriff auch auf die Literatur übertrug.

3. Cf. die von Barner hervorgehobene Stelle, wo Nietzsche zur Charakterisierung des neuen Stils (NB. bei Michelangelo) hinweist auf die „Beredsamkeit der starken Affekte und Gebärden, des Häßlich-Erhabenen, der großen Massen, überhaupt der Quantität an sich" (ibidem).

4. Hermann Bahr, *Wien,* Stuttgart 1907, S. 45, 54 ff., 62, 65 ff. Cf. — S. 132 — folgende Bemerkung: „Klar ist mir der Geist der Barocke geworden durch Wagner ..." Auf Ilg (dessen grundlegendes Buch, *Leben und Werke Joh. Bernh. Fischer's von Erlach des Vaters* 1895 in Wien erschienen war) wird S. 132 verwiesen.

5. Zu Nadler und Sauer, cf. infra Anmerkung 8.

6. Hermann Bahr, *1919,* Wien 1920, S. 306. NB. Bahrs Wunschtraum von der Wiederherstellung der alten barocken Einheitskultur nimmt hier gelegentlich abstruse Formen an. Im Prag Masaryks — es ist trotz allem ein „barockes" geblieben — stellt er sich die Frage, ob nicht gerade hier ein „zweites" Barock Gestalt gewinnen könnte: „Synthese von Ost und West [nicht mehr wie einst von Nord und Süd], von Liebe und Eigensinn, von Slawen und Angelsachsen. Und wenn jenes [erste barocke] Österreich ein deutsches Ostreich war, wird dieses Österreich vielleicht ein slawisches Westreich sein", ibidem, S. 21.

7. Hermann Bahr, *Burgtheater,* Wien 1920, S. 47 ff.

8. J. Nadler, *Literaturgeschichte der deutschen Stämme und Landschaften,* Bd. III, Regensburg 1918, S. 309. August Sauer besprach das Werk seines ehemaligen Schülers in der *Österreichischen Zeitschrift für Geschichte* vom Oktober 1917 (I. Jg., 1. Heft, S. 63—68). Sauer lobt Nadler dafür, daß er die österreichische Literatur aus der „Aschenbrödelrolle" erlöste, zu der sie bisher verurteilt war in einer „Literaturgeschichtsschreibung ..., die meist einseitig vom norddeutschen, preußischen, protestantischen Gesichtspunkte" aus verfaßt wurde. Bei Sauer heißt es weiterhin: „Nadler erlöste uns vom Fluche des Provinziellen, des Hinterwäldlerischen", indem er den „unverlierbare[n] Schatz" des „altbayrische[n] Erbe[s]" wiederentdeckte.

9. H. Bahr, *Labyrinth der Gegenwart,* Hildesheim 1929, S. 7—14: „Barock"; S. 58—63: „Josef Nadler". Unser Zitat S. 8.

10. Cf. J. Nadler, *Zu Besuch in der Schweiz,* in: H. A. Fiechtner, *Hugo von Hofmannsthal. Die Gestalt des Dichters im Spiegel der Freunde,* Wien 1949, S. 202—206; H. v. Hofmannsthal, *Zu Josef Nadlers ‚Literaturgeschichte'* (1924—28), in: *G. W. Prosa* IV, Frankfurt/M. 1955, S. 492—497.

11. Nadler, *Literaturgeschichte ...,* S. 11.

12. Nadler, aaO, S. 11, 16, 17.

13. Nadler, *Literaturgeschichte Österreichs,* Linz 1948, S. 172, 176.

14. Ibidem, S. 472.

15. H. Bahr, *1919,* S. 120, 121, 125, 126.

16. Richard v. Kralik und Hans Schlitter, *Wien. Geschichte der Kaiserstadt und ihrer Kultur,* Wien 1912, S. 309 ff.

17. Siegfried Lipiner, *Der entfesselte Prometheus. Eine Dichtung in fünf Gesängen,* Leipzig 1876; *Adam. Ein Vorspiel. Hippolytos. Tragödie,* Stuttgart 1913 (mit einem Vorwort von Paul Natorp: hier die biographischen Angaben).

18. Cf. z. B. S. Lipiner, *Merlin, Operndichtung in 3 Akten* (Musik von *Carl Goldmark,* Leipzig [1886].)

19. Lipiner, *Der entfesselte Prometheus ...,* S. 174.

20. Christian v. Ehrenfels, *Allegorische Dramen für musikalische Composition gedichtet,* Wien 1895. Hier S. 36 ff. die „Tetralogie" *Der Kampf des Prometheus.* Von diesem Stück

existiert ebenfalls ein Einzeldruck: *Der Kampf des Prometheus* (als Manuskript gedruckt) [Wien 1895].

21. Christian v. Ehrenfels, *Vorrede zur dramatischen Dichtung: Der Kampf des Prometheus.* (In: *Freie Bühne für den Entwicklungskampf der Zeit,* IV. Jg. III. Heft, März 1893, S. III). Der Text geht so weiter: „... durchdringen — den Kampf des erdenentstammten Menschenstolzes gegen die Willkür einer überweltlichen Gottesverkündigung — den Kampf, welchen die Geisteshelden unserer Zeit voraneilend schon siegreich bestanden, während hinter ihnen die Woge noch wechselnd brandet und weicht ..."

22. Ibidem, S. V.

23. Ibidem, S. VII, IX. Cf. *Allegorische Dramen,* S. 318, 319.

24. *Allegorische Dramen,* S. 357/8 (in: „Nachschrift").

25. Richard Kralik, *Das Mysterium von der Geburt des Heilands. Ein Weihnachtsspiel nach volksthümlichen Überlieferungen,* Wien 1894; *Das Mysterium vom Leben und Leiden des Heilands. Ein Osterfestspiel in drei Tagewerken, nach volksthümlichen Überlieferungen,* Wien 1895.

26. August Sauer, *Literaturgeschichte und Volkskunde,* Prag 1907.

27. Rudolf Fürst, *Raimunds Vorgänger. Bäuerle-Meisl-Gleich. Eine Auswahl,* hrsg. v. ... (= *Schriften der Gesellschaft für Theatergeschichte,* Bd. X), Berlin 1907.

Grillparzer, *Sämtliche Werke. Gesamtausgabe. Im Auftrage der Stadt Wien,* hrsg. v. A. Sauer (1909 ff.), R. Backmann (1926 ff.).

Otto Rommel, *Alt-Wiener-Volkstheater,* 7 Bde., Wien-Teschen-Leipzig [1913].

Otto Rommel, *Barocktradition im österr.-bayrischen Volkstheater* (in: *Deutsche Literatur in Entwicklungsreihen. Reihe Barock),* 6 Bde., Leipzig 1935—9.

Cf. auch Ferdinand Raimund, *Sämtliche Werke. Nach den Original- und Theaterhandschriften,* hrsg. v. August Sauer und Karl Glossy, 3 Bde., Wien 1881.

Johann Nestroy, *Ges. Werke,* hrsg. v. V. Chiavacci und L. Ganghofer, 12 Bde., Stuttgart 1891.

28. Hugo von Hofmannsthal, *Ges. Werke in Einzelausgaben. Prosa III,* Frankfurt a. M. 1952, S. 252—259; 279—289; 320—323; 333—349.

29. H. v. Hofmannsthal, *Ges. Werke. Lustspiele III,* Frankfurt a. M. 1956, S. 163—225.

30. Cf. R. Bauer, *Hugo v. Hofmannsthal et le théâtre populaire viennois: Die Frau ohne Schatten* (in: *Un dialogue des Nations. Albert Fuchs zum 70. Geburtstag,* München-Paris 1967, S. 175—187). Cf. auch H. v. Hofmannsthal, *Ges. Werke. Prosa III,* S. 471—478: *Ferdinand Raimund. Einleitung zu einer Sammlung seiner Lebensdokumente.*

31. Franz Werfel, *Spiegelmensch. Magische Trilogie,* München 1920 (wiederverlegt in: F. Werfel, *Die Dramen,* Frankfurt/M. 1959; = *Ges. Werke,* Bd. VII—VIII; VII, S. 135—250).

Franz Werfel, *Dramaturgie und Deutung des Zauberspiels Spiegelmensch,* München (Kurt Wolff) 1921, 47 S. Nun in: *Zwischen Oben und Unten. Prosa. Tagebücher,* München 1975, S. 222—260. Nur Fragmente dieses Textes erreichten damals ein breites Publikum:

a) *Theater. Aus einem noch unveröffentlichten dramaturgischen Buche über das Zauberspiel Spiegelmensch,* in: *Die Neue Rundschau,* 1921, S. 571—577.

b) Fragmente, die nur zum Teil mit dem vorigen Text übereinstimmen, in: Soergel, *Dichter im Dichter der Zeit. Neue Folge: Im Banne des Expressionismus,* Leipzig 1925, S. 493—6. Cf. auch Roger Bauer, *Kraus contra Werfel: Eine nicht nur literarische Fehde in: Sprache und Bekenntnis. Sonderband des Literaturwissenschaftlichen Jahrbuchs. Hermann Kunisch zum 70. Geburtstag,* Berlin 1971, S. 315—334, v. a. S. 324.

32. Werfel, *Dramaturgie und Deutung ..., S.* 32. Von Wagner ist natürlich beim Verdi-Liebhaber Werfel nicht die Rede. Nach Werfel fehlt Wagner die Ironie: er ist Priester, nicht Zauberer, aber „Theater ist Zauberei" (S. 36).

33. Ibidem, S. 13.

34. Ibidem, S. 8.

35. H. Bahr, *Die Überwindung des Naturalismus. Als zweite Reihe von ‚Die Kritik der Moderne'*, Dresden und Leipzig 1891. — Zitat nach: Hermann Bahr, *Zur Überwindung des Naturalismus,* Hg. Gotth. Wunberg (Stuttgart 1968), S. 87:

„Ich glaube [...], daß der Naturalismus überwunden wird durch eine nervöse Romantik; noch lieber möchte ich sagen: durch eine Mystik der Nerven."

36. In: Ernst Mach, *Die Analyse der Empfindungen und das Verhältnis des Physischen zum Psychischen,* 7. Auflage, Jena 1918, S. 19 ff.: „Die scheinbare Beständigkeit des Ich ... Nicht das Ich ist das Primäre, sondern die Elemente (Empfindungen) ... Das Ich ist unrettbar."

37. Karl Kraus, *Die demolirte Literatur,* 3. Auflage, Wien 1899 (1. Ausgabe = 1897), S. 35.

38. Carl E. Schorske, *Politics and the Psyche in Fin de siècle Vienna. Schnitzler and Hofmannsthal* (in: *American Historical Review,* LXVI, July 1961, S. 930—946), speziell S. 931 ff..

39. Hermann Broch, *Hofmannsthal und seine Zeit. Eine Studie.* (in: *Dichten und Erkennen. Essays, Bd. I,* Zürich 1955, S. 43—181), S. 105, 125, 131.

40. Richard Alewyn, *Der Tod des Ästheten* (in: *Über Hugo von Hofmannsthal,* Göttingen 1958, S. 64—77), S. 66.

41. Cf. den Brief an Marie Herzfeld vom 5. 8. 1892 (über *Gestern*): „Meine Lieblingsform von Zeit zu Zeit, zwischen größeren Arbeiten, wäre eigentlich das Proverb in Versen mit einer Moral." Als Vorbilder nennt er Musset und Grillparzer.

42. In der ersten Ausgabe (= *Blätter für die Kunst* 1892) steht die Angabe: „Diese Moralität spielt im Jahre 1576, da Tizian neun und neunzigjährig starb." Dieser Text ist in den späteren Ausgaben durch folgenden ersetzt: „Spielt im Jahre 1576, da Tizian ..."

43. Hinrich C. Seeba, *Kritik des ästhetischen Menschen. Hermeneutik und Moral in Hofmannsthals ‚Der Tor und der Tod'*, Bad Homburg v. d. H. 1970, S. 160 ff., 178 ff., 185. Cf. Richard Alewyn, *Hofmannsthals Anfang: „Gestern"* (1949) (in: *Über H. v. Hofmannsthal,* S. 46—63), S. 60: „Dieses Stück ist [eine] dramatisierte Parabel."

44. Cf. Gerhart Baumann, *Arthur Schnitzler. Die Welt von Gestern eines Dichters von Morgen,* Frankfurt/M. 1965, S. 15—16, 18—19. William H. Rey, *Arthur Schnitzler. Die späte Prosa als Gipfel seines Schaffens,* Berlin 1968, S. 16, 22—25.

45. Daß das Wort „Barock" noch fehlt, ist zugleich belanglos — es ist eben noch nicht geläufig — und bezeichnend: die Realität ist da vor dem Begriff. Von hier aus ist auf jeden Fall der Übergang leicht zu den fast gleichzeitigen Calderón-Bearbeitungen und zu den erneuerten „morality plays" vom Typ *Jedermann.*

46. *Teppich des Lebens. Vorspiel* V. Cf. Roger Bauer, *Nero de inferno levatus* (in: *Euphorion* 1972, S. 238—257), S. 257.

47. Bereits in *Le jardin de Bérénice* (1891) wird von Barrès die Macht der Vergangenheit, des „enracinement" erkannt: die Entwicklung, die dann zu den „romans de l'énergie nationale" führen wird, hat bereits begonnen. Auf Huysmans' *A rebours* (1884) — zugleich das Handbuch und der Abgesang der „décadence" — folgt 1891 *Là bas:* ein letzter Abstieg in die Hölle des Ästhetizismus und zugleich ein sehnsuchtsvoller Blick auf den noch verbotenen Himmel, und dann — 1895 — *En route:* ein Halleluja nach der geglückten Rückkehr in den Hafen der Kirche.

48. Cf. Haskell M. Block, *Mallarmé and the symbolist Drama,* Detroit 1963, und neuerdings Peter Szondi, *Das lyrische Drama des Fin de Siècle,* Frankfurt/M. 1975.

49. E. R. Curtius, *Die literarischen Wegbereiter des neuen Frankreich,* Potsdam o. D., S. 141—2.

50. Ibidem, S. 145.

51. Ibidem, S. 154.

52. Ibidem, S. 154. NB. Das Stück wird im Untertitel *mystère* genannt!

53. Werfel, *Dramaturgie und Deutung ...,* S. 6.

LOTHAR HÖNNIGHAUSEN

# Der Abenteuerroman und die Dekadenz

## *1. Die Modifikation von Abenteuermotiven: R. L. Stevenson, Rider Haggard, J. London*

Der Abenteuerroman ist eine von Coopers „Lederstrumpf"-Zyklus bis zu Burroughs Tarzanromanen verbreitete und trotz zahlreicher Grenzfälle und Mischformen klar definierbare Gattung[1]. Diese durch thematische, motivliche und strukturelle Merkmale gekennzeichnete Form der Unterhaltungsliteratur durchläuft eine historische Entwicklung und erlebt im englischen Bereich bei Stevenson („Treasure Island", 1883) und Rider Haggard („King Solomon's Mines", 1885) einen vorläufigen Höhepunkt. Die Beliebtheit des Abenteuerromans im späten neunzehnten Jahrhundert hat recht komplexe geistesgeschichtliche, soziologische und literaturimmanente Ursachen, die hier nicht ausführlich erörtert werden können, die sich aber nach der Behandlung einiger Zentralmotive andeuten lassen. Ohne Rücksicht auf akademische wie weltreformerische Kritiker vermitteln Autoren wie Rider Haggard dem neuen Massenpublikum[2] mit viel Phantasie und wenig künstlerischer Anstrengung Entspannung in einer aufregenden, aber problemlosen Traumwelt. Der nach wie vor recht populäre Erfolgsautor[3] der Wilde-Ära versichert seinem Leser „that the ancient chivalry has not completely disappeared ... Not all is daily drudgery ... narrow living yoked by political intrigue and high finance"[4].

Zu den historischen Besonderheiten des spätviktorianischen Abenteuerromans gehört auch der Einfluß des Dekadenzerlebnisses, das zu Spiegelung oder Gegenbewegung führt. Die Beziehung zwischen Krankheitserfahrung und Abenteuersehnsucht, dem Interesse an seelischen Spaltungserscheinungen und ästhetizistischer Formstrenge wird in Person und Werk Robert Louis Stevensons greifbar. „Kidnapped" (1886) trägt alle Merkmale des Abenteuerromans, und so nimmt es nicht wunder, daß der Held nach Entführung und Seefahrt mit Meuterei und Schiffbruch auf eine einsame Insel verschlagen wird. Was vielmehr sonderbar erscheint, ist die Tatsache, daß sich

David Balfour nicht so verhält, wie man das bei Abenteuerhelden in solchen Situationen von Robinson Crusoe bis zu Lord Greystoke, Tarzans Vater, gewohnt ist.

I stood in the rain, and shivered, and wondered what to do ...[5] The time I spent upon the island is still so horrible a thought to me that I must pass it lightly over. In all the books I have read of people cast away, they had either their pockets full of tools, or a chest of things would be thrown upon the beach along with them, as if on purpose. My case was different. I had nothing in my pockets but money and Alan's silver button; and being inland bred, I was as much short of knowledge as of means[6].

Das klassische Abenteuermotiv der Robinsonade wird verwendet, erfährt aber eine spätzeitlich bewußte, ironisch dekadente Inversion. Der Held handelt nicht, er hungert. Obwohl schon auf der ersten Seite von Jack Londons „Sea-Wolf" (1904) Nietzsche und Schopenhauer erscheinen und der sozialdarwinistische Wolf Larsen mehr ideologische Fracht an Bord hat als dem Kurs der „Ghost" gut tut, bleibt das Werk motivlich und strukturell ein Abenteuerroman. Aber mit der Robinsonade hat es auch hier eine besondere Bewandtnis. Der Autor stellt das Motiv in den Dienst seiner lehrhaften Absicht. Humphrey Van Weyden steht zwar nicht untätig herum wie Stevensons David Balfour, aber die Arbeit auf der einsamen Insel fällt ihm schwer. Sie wird zu einer vitalistisch existenziellen Bewährungsprobe, deren Bestehen man dem Helden am Anfang gar nicht zugetraut hätte. Der hochkultivierte Sohn reicher Eltern, der Poe analysiert, aber nie gearbeitet, nie gekämpft und daher — wie es Larsen erscheint — auch eigentlich nie wirklich gelebt hat, wird in „The Sea-Wolf" hart gemacht. Wenn in dem Stevenson-Beispiel die Spiegelung dekadenter Lebensuntüchtigkeit erkennbar ist, so wird in dem Beleg aus Londons Buch die vitalistische Reaktion auf das dekadente Lebensgefühl greifbar. Daß sich für diese Zwecke der Abenteuerroman in besonderem Maße eignete, erkannte nicht nur Stevenson, sondern auch der Autor der Tarzan-Romane.

Ehe durch die Behandlung einiger Themen und Motive, vor allem dem der Ruinenstadt[7], die Erörterung des Problems Abenteuerroman—Dekadenz eingeleitet wird, ist kurz an die gegenwärtige Situation auf dem Gebiet der *Fin de Siècle*-Forschung zu erinnern. Da das Interesse für das Phänomen in den letzten Jahren auffallend gewachsen ist, sind wissenschaftsgeschichtliche Reflexionen angebracht, von denen man sich eine wechselseitige Erhellung des ausgehenden neunzehnten Jahrhunderts wie unserer an Übergangsmerkmalen nicht minder reichen Zeit versprechen darf. Die in England oft als *Nineties* oder *Yellow Nineties* bezeichnete Phase der europäischen Spätromantik ist mit einer Vielzahl von Termini belegt und entsprechend unter ganz verschiedenen Gesichtspunkten *(aesthetic movement, l'art pour l'art,* Dekadenz, symbolistische Tendenzen) betrachtet worden, deren Nebeneinander gerade bei der Epoche berechtigt erscheint, die durch den *relative spirit* (Pater) und die Entwicklung der perspektivischen Betrachtungsweise charakterisiert ist. In diesem Rahmen kann nicht auf die verwickelte Definitionsproblematik eingegangen werden, es ist aber festzuhalten, daß man bisher — welcher Perspektive man sich auch bedient hat — fast immer bestrebt war, das Augenmerk allein auf die Frage der *aesthetic movement, l'art pour l'art* etc. zu richten. Verständlicherweise trat bei dem Versuch, entsprechende Wesenszüge zu fixieren, eine Isolation des Untersuchungsobjektes ein, deren man jetzt vielerorts inne zu werden scheint.

Auch die Frage nach dem „Abenteuerroman und der Dekadenz" ergibt sich aus diesem Ergänzungsbedürfnis. Sie ist im Sinne des Wildeschen „There are always new attitudes for the mind and new points of view[8]" als Versuch zu betrachten, die Einseitigkeit der immanenten Betrachtung der Dekadenzliteratur durch eine Außenansicht vom Abenteuerroman her zu überwinden.

Der Zusammenhang des scheinbar Unzusammenhängenden offenbart sich, wenn man etwa beim Studium der Abenteuerromane des spätviktorianischen Bestseller-Autors Henry Rider Haggard (1856—1925) die Implikationen seines Lebenslaufs im Bewußtsein hält, der wie der Prototyp spätfeudaler bzw. imperalistischer Biographien des Englands während und nach den Zulu- und Burenkriegen wirkt. Ehe man in der Spannung seiner Bücher eine Möglichkeit des ‚escape' findet bzw. in ihnen barbarischen Kulten („King Solomon's Mines", 1885), Ruinen und Nekrophilie („She", 1887) oder der *femme fatale* („Cleopatra", 1889) begegnet, ist es aufschlußreich zu wissen, daß Haggard englischem Landadel aus Norfolk entstammte, zwei landwirtschaftliche Bücher verfaßte, in mehreren Royal Commissions über die Sozialfunktion und die entsprechende Unterstützung der Landwirtschaft mitwirkte, 1877 zur Zeit der Annexion von Transvaal im Colonial Service in Natal tätig war und auch, als er mit „King Solomon's Mines" die Serie seiner Erfolgsromane begann, wie sein Freund Kipling dem Glauben an „England's Imperial Mission and Destiny" ‚treu blieb'[9].

Verschiedene große Reisen können in der Biographie eines Autors von Abenteuerromanen nicht überraschen, eigenartig bleibt jedoch, daß die Fahrten nach Ägypten, Island[10] und Mexiko für Haggard die Bedeutung einer ‚mystisch-mysteriösen' „quest" gewinnen, wie er sie in „She" (1887) schildert. Nicht minder merkwürdig erscheint es, daß der unermüdliche Schilderer von Schiffbruch und Großwildjagd, Kampfszenen und Schatzsuche zeitlebens von Phänomen der Parapsychologie fasziniert war und sich „with extra-sensory faculties of experience" begabt glaubte[11]. Das Nebeneinander von Abenteuer- und Dekadenzmotiven ist in dem Roman „She" besonders auffallend.

Leo Vincey und sein Vormund Horace L. Holly, ein Cambridger Dozent, begeben sich auf eine abenteuerliche Fahrt nach Afrika, um der in Leos Familie tradierten Aufforderung einer Urahnin, der ägyptischen Pharaonentochter Amenartas, nachzukommen. Die Prinzessin war in den Tagen des Nectanebo II., im vierten vorchristlichen Jahrhundert, mit dem Isispriester Kallikrates, der ihretwegen sein Gelübde gebrochen hatte, nach Afrika geflohen und zu der Königin Ayesha und ihrem in einer Felsengrabstadt lebenden Volk der Amahagger gelangt. Ayesha verliebte sich in Kallikrates, und als es ihr nicht gelang, ihn zu bewegen, mit ihr in der Höhle der ‚rollenden Lebenssäule' Unsterblichkeit zu gewinnen und Amenartas aufzugeben, tötete sie ihn. Amenartas floh nach Griechenland, gebar Tisithenes (the Mighty Avenger)[12], auf den die Familie der Vinceys, mit einiger etymologischer Anstrengung, ihren Namen zurückführt. Die wundertätige Wirkung des Bads im Lebensfeuer ist so groß, daß noch Leo und Holly Ayeshas *femme fatale*-Schönheit zum Opfer fallen. Aber Ayesha, die Leo als Wiedergeburt ihres Kallikrates erlebt, und, um ihm die Angst vor dem Unsterblichkeit verleihenden Bad zu nehmen, selbst noch einmal ins Feuer taucht, erfährt nach augenblickhafter Steigerung ihrer Schönheit eine schreckliche, an ‚The Picture of Dorian Gray' erinnernde Verwandlung, sie altert plötzlich, verkümmert mumienhaft und stirbt[13].

Mit Recht erscheint dem Erzähler die für das spätromantische Lebensgefühl symptomatische Geschichte Ayeshas, die in der Totenstadt lebt, die der Zeitlichkeit enthoben war und, als sie dem Geliebten zur Unsterblichkeit verhelfen will, doch stirbt als „some gigantic allegory of which I could not catch the meaning"[14]. Morton Cohen hat die möglichen ethnologischen Vorbilder für Ayesha, die Zulugöttin Nomkubulwana und die weiße Zauberin und Herrscherin des Lovedu-Stammes[15], aber auch die englischen Vertreterinnen der *femme fatale*-Tradition von Swinburnes Atalanta bis zu Wildes Salome berücksichtigt[16]. Von Interesse ist daneben die von ihm referierte Interpretation Jungs[17], der in „She" ein klassisches Beispiel der *anima,* der unbewußten männlichen Vorstellung idealer Weiblichkeit, sieht und damit die Einordnung Ayeshas in die romantisch-spätromantische Tradition der idealen Geliebten nahelegt. Die individualpsychologische Deutung Haggards durch Cohen, der ihn als „insecure person" und das „She-"Erlebnis als „his search for psychological peace, his quest for success, the meaning of life, and immortality"[18], versteht, ist plausibel, aber nur so lange völlig befriedigend, wie man unbeachtet läßt, daß es sich um einen in der Zeit weit verbreiteten und daher auch aus komplexeren geistesgeschichtlichen und literatursoziologischen Ursachen zu erklärenden Typ handelt.

## 2. *Die mystizistisch-symbolistische Zentralthematik in Haggards „She"*

Eine Zeit, der trotz aller Wiederbelebungsversuche (z. B. Morris, „Earthly Paradise") das Epos unmöglich blieb, deren Sehnsucht nach epischer Größe sich aber schon in Carlyles „On Heroes and Hero-Worship" (1841) ankündigt und M. Arnold im „Preface" (1853) die Nachahmung der großen Aktionen der Griechen fordern läßt, mußte am Abenteuerroman besonderes Interesse zeigen, aber gleichzeitig dessen vordergründiges Handeln zu transzendieren trachten. Melvilles „Moby Dick" (1851) blieb nicht das einzige Abenteuerbuch, das zum symbolischen Roman wurde. In „She" (1887) wird zwar keine recht überzeugende Beziehung zwischen den Abenteueraktionen und der mystisch-symbolistischen Zentralproblematik geschaffen, aber die Darstellung der Thematik ist auch hier ambitioniert und von der Erfüllung eines mythischen Patterns bestimmt „... could it be that *Leo* was the man that *She* was waiting for — the dead man [Kallikrates] who was to be born again"[19].

Der Rückgriff auf Wiedergeburtsmythen ist in Verbindung mit den religionswissenschaftlichen Interessen[20] wie dem religiösen Eklektizismus der Zeit zu sehen[21]. In einem tieferen Sinne erklärt er sich aus dem gesteigerten Erlösungsbedürfnis einer lebensuntüchtigen Spätzeit, die im Romanthema ‚Sterben und Leben' ihr Dekadenzgefühl vitalistisch zu überspielen versuchte.

Der Struktur und ihrem Pattern der mythischen Wiederholung, bei der sich in der Beziehung der eifersüchtigen Ayesha zu Leo und dem ihn liebenden Eingeborenenmädchen Ustane das ursprüngliche Verhältnis Ayesha-Kallikrates-Amenartas widerspiegelt, und der symbolistischen Thematik der Überwindung der Zeitlichkeit entspricht der Versuch, wie Swinburne und Wilde durch Rückgriff auf den Bibelstil ein symbolistisches Air zu erzeugen.

> Love is like a flower in the desert.
> It is like the aloe of Arabia that blooms but once
> and dies; it blooms in the salt emptiness of Life,
> and the brightness of its beauty is set upon the waste
> as a star is set upon a storm[22].

Diese Stilelemente finden sich ausschließlich in den Reden und Gesängen Ayeshas. Das ist insofern verständlich, als die anderen Figuren zum normalen Abenteuerpersonal gehören, denen ein solcher Sprachstil nicht angemessen wäre. Ein Bruch kommt in dem Roman dadurch zustande, daß die um die Titelheldin konzentrierte symbolistische Thematik verhältnismäßig breit ausgeführt und dem eigentlichen Abenteuerablauf oft hinderlich ist. Wie sehr es jedoch Haggard gelingt, eine attraktive Mischung aus Abenteuerspannung, dekadentem Raffinement und Mysteriösität zu erzeugen, zeigt der dem sogenannten gebildeten Leser unverständlich große buchhändlerische Erfolg des Romans. Neues Licht fällt auf das spätviktorianische Publikum wie auf das Phänomen der Dekadenz-Literatur, deren Esoterik bisher meist zu ausschließlich betont worden ist, — wenn man bedenkt, daß nicht nur Haggards ‚reiner' Abenteuerroman „King Solomon's Mines" (1885), sondern auch „She" (1887) mit seinem merkwürdigen Pseudomystizismus ein Bestseller war. Der Parallelfall Wildes, dem die Dekadenz-Pose zum Publikumserfolg verhalf, bestätigt, wie wichtig es bei der *Fin de Siècle*-Forschung ist, sowohl produktions- als rezeptionsästhetisch zu berücksichtigen, auf welch verschiedenen Niveaus sich das Dekadenz-Erlebnis vollzieht.

Über der Beschäftigung mit der um Ayesha zentrierten Thematik „Tod—Leben—Zeit" könnte in Vergessenheit geraten, daß „She" ein Abenteuerroman ist. Schon die Vorbereitung der Reise[23] nach Afrika wird von klassischen Abenteuermotiven bestimmt, wie sie aus Stevensons „Treasure Island" (1883) bekannt sind. In einer Kiste[24] finden die Helden Dokumente, die sie zur Ausfahrt (*quest*-Motiv) bewegen. Gleichzeitig beginnt das im Abenteuerroman wegen seiner ‚unerhörten Begebenheiten' wichtige Spiel mit der Wahrscheinlichkeit[25]; der Erzähler äußert selbst Zweifel, um die des Lesers zu entkräften. Ebenso typisch ist das viele Abenteuerromane durchziehende Hin und Her zwischen Abenteuerdrang und Warnung vor dem Abenteuer[26], zwischen Sehnsucht nach der Heimat und dem Wunsch, sich von ihr abzusetzen[27]. Um die Helden zum eigentlichen Schauplatz zu bringen, wird das Seefahrtmotiv verwendet[28], das wie in Stevensons „Kidnapped" (1886) mit dem Schiffbruch seinen rechtzeitigen und effektvollen Abschluß findet. Die beliebten Strapazenbeschreibungen werden durch eine Tierkampf-Schilderung[29], die schon auf die Tarzanromane vorausdeutet, aufgelockert. Der Begriff ‚adventure' erscheint häufig[30]; Holly und Leo glauben wie die meisten Abenteuer-Helden die ersten und einzigen in der Wildnis zu sein[31], sie haben ein ausgeprägtes Bewußtsein der Abenteuerlichkeit ihrer Erlebnisse und vollbringen die „üblichen" außergewöhnlichen Leistungen. Das Beispiel der Überquerung eines Felsenabgrundes auf dem Weg zur Höhle des Lebensfeuers illustriert[32], wie Haggard das mystizistisch-symbolistische Thema der Lebenserneuerung mit den Abenteuerelementen der Spannung und der außergewöhnlichen Leistung und beide mit dem aus der Tradition des Schauerromans stammenden Motiv der sublimen Felsengebirgslandschaft zu vereinen weiß. Die Schauerromanmotive, die im Abenteuerroman oft übernommen werden, sind in „She" funktionalisiert und stehen im Dienst des dekadenten Todesthemas und der symbolistischen Suggestion des Mysteriösen.

### *3. Das Kampfmotiv: Haggard, „King Solomon's Mines", H. E. Wells, „The Time Machine"*

Bei den Kampfszenen, die in einem Abenteuerroman nicht fehlen dürfen, lassen sich Rückschlüsse auf die Ursachen der zeitgenössischen Vorliebe für Abenteuerromane ziehen. Der Erzähler spricht von der „awful lust for slaughter which will creep into the hearts of the most civilised of us when blows are flying" und erfreut sich seiner „great physical power"[33]. Die nachdrückliche Kontrastierung mit der College-Welt, die Holly hinter sich gelassen hat, und die emphatische Stilgebung legen die Vermutung nahe, daß im Kampfmotiv zeitgenössische Inhibitionen und Frustrationen vitalistisch überspielt werden sollen.

My arms were round the two swarthy demons, and I hugged them till I heard ribs crack and crunch up beneath my grip. They twisted and writhed like snakes, and clawed and battered at me with their fists, but I held on. Lying on my back there, so that their bodies might protect me from spear thrusts from above, I slowly crushed the life out of them, and as I did so ... I thought of what the amiable Head of my College at Cambridge ... and my brother Fellows would say if by clairvoyance they could see me ...[34]

In diesem Zusammenhang ist an die auffallend breiten Beschreibungen von Schlachtgemetzel und Einzelkampfszenen in „King Solomon's Mines" zu erinnern, wo auch der Erzähler plötzlich „a savage desire to kill" verspürt[35] und die Kampfeslust der Krieger als sexuelles Enthemmungserlebnis schildert. Wie das Bad im Lebensfeuer („I seemed to live more keenly ... I was another and most glorified self")[36] scheint auch der Kampf für Haggard und seine Zeitgenossen eine Erneuerung und Steigerung der Person zu ermöglichen. Besonders deutlich wird das, wenn Sir Henry Curtis, der Superheld in „King Solomon's Mines", sich für die Schlacht wie ein eingeborener Krieger mit Leopardenfell, Straußenfedern und Ochsenschwänzen drapiert. Es handelt sich nicht nur um eine imperialistische Verbrüderungsgebärde oder um dekadent-ästhetizistische Koketterie mit dem Barbarismus, sondern, wie der bewundernde Kommentar des Erzählers zeigt, um die spätzeitliche Sehnsucht nach einer frühzeitlich naiven, großen Existenz. „There he stood, the great Dane ... all red with blood ... he shouted, ‚O-hoy! O-hoy!' like his Bersekir forefathers"[37]. Daß dabei ein Bild melodramatischer Blutrunst und Hysterie, nicht das epischer Dignität entstand, war zum Teil Haggards Schuld, aber ebensosehr die Folge eines besonderen gebrochenen Lebensgefühls, das die Entstehung des Bewußtseinsromans begünstigte, den kämpfenden und handelnden Helden jedoch problematisch werden ließ. Er zog sich in die Trivialliteratur zurück, wo er als Tarzan und

Superman bis heute, von der ‚seriösen' Literaturwissenschaft weitgehend unbeachtet, einem Millionen-Publikum die Erlebnisse vermittelt, die ihm in der hohen Literatur formalistischen oder gesellschaftskritischen Zuschnitts vorenthalten werden. Die Art, in der in „King Solomon's Mines" die Abenteuerhelden Kolonialpolitik machen[38], spiegelt die zeitgenössische Sehnsucht nach Aktion und imperialistischem Elan wie das heimliche Wissen, daß es nur eine Bewegung ins Leere sein konnte. Beides ergibt sich aus einem allgemeinen, nicht nur esoterische Künstlerkreise bestimmenden Dekadenz-Erlebnis. Es erscheint selbst wiederum als Folge der seit den siebziger Jahren in England feststellbaren ökonomischen Krise (the great depression), der politisch das Schwanken zwischen Liberalismus und Imperialismus, geistesgeschichtlich der Relativismus Paters entspricht. In welchem weltanschaulichen Kontext das Kampfmotiv zu sehen ist, verraten die Reflexionen des Helden unter dem Sternenhimmel.

Here was a glorious sight by which man might well measure his own insignificance! Soon I gave up thinking about it, for the mind wearies easily when it strives to grapple with the Infinite, and to trace the footsteps of the Almighty ... Such things are not for us to know. Knowledge is to the strong, and we are weak[39].

Diese sowohl für den Hintergrund des spätviktorianischen Abenteuerromans wie der Dekadenz-Bewegung — man denke an die zahlreichen katholischen Konvertiten in der *aesthetic movement* — aufschlußreiche Flucht in einen weltanschaulichen Konservatismus ergibt sich nur scheinbar aus der Demut der christlichen Orthodoxie. In Wirklichkeit handelt es sich um ein Zurückweichen des Autors in der Maske des Erzählers vor dem Ayesha in den Mund gelegten Sozialdarwinismus, Relativismus und dem Weltbild der Inversionen[40], das dem zeitgenössischen Krisenerlebnis und der Dekadenz-Tradition von Swinburne bis Wilde entspricht.

... day by day we destroy that we may live ... the earth is to the strong, and the fruits thereof ...

... for out of crimes come many good things, and out of good grows much evil.

[Man]knows not what end his moral sense doth prompt him; for when he strikes he is blind to where the blow shall fall, nor can he count the airy threads that weave the web of circumstance[41].

Die letzte Formulierung verdeutlicht, in welchem Maße das dekadente Lebensgefühl auch als Reaktion auf die Unhaltbarkeit des positivistischen Optimismus und seines Anspruchs der totalen Welterklärung zu verstehen ist.

Wenn in Haggards Verwendung des Kampfmotivs primär die darin wirksamen politischen Impulse greifbar werden, manifestiert sich in H. G.

Wells' „The Time Machine" (1895) stärker die sozialdarwinistische Komponente des Aktionismus („Strength is the outcome of need; security sets a premium on feebleness"[42]; „Hardship and freedom: conditions under which the active, strong, and subtle survive and the weaker go to the wall . . .[43]." Aber auf der Grundlage des zeitgenössischen Evolutionismus ergibt sich unvermeidbar der Übergang vom Aktionismus zum handlungsfeindlichen Kontemplationsideal des Ästhetizismus bzw. der Dekadenz.

Even in our own time certain tendencies and desires, once necessary to survival, are a constant source of failure. Physical courage and the love of battle . . . are no great help . . . to a civilised man . . . This has ever been the fate of energy in security; it takes to art and eroticism, and then come languor and decay. Even this artistic impetus would at last die away . . . Even that would fade in the end into a contented inactivity[44].

Es entbehrt nicht der Ironie, wenn sich dieser Theorie ungeachtet in „The Time Machine" die gleiche Kampfeslust wie in „King Solomon's Mines" verrät: „I felt his bones grind under the blow of my fist"[45]; „The strange exultation that so often seems to accompany hand fighting came upon me[46]." Nicht nur die sich im Kampfmotiv entladende Aggressivität der Zeit des Londoner Dockarbeiter-Streiks und der Hauptphase des Imperialismus verbindet die beiden Romane und deutet auf Affinitäten zwischen den Gattungen Abenteuerroman und *Science Fiction,* sondern auch das im Ruinenstadtmotiv („That would account for the abandoned ruins")[47] manifeste Dekadenzbewußtsein.

### *4. Haggards Beitrag zur Motivtradition der Ruinenstadt*

Die besondere historische Ausprägung des Ruinenmotivs um die Jahrhundertwende ist inhaltlich durch das romantisch-spätromantische Todeserlebnis gekennzeichnet. Petriconi und Hinterhäuser bringen das dadurch zum Ausdruck, daß sie vom „Reich des Untergangs" oder von „toten Städten" sprechen[48]. Trotz der engen Beziehung zwischen den drei Bezeichnungen ist doch jeweils ein anderer Aspekt des gleichen thematischen Zentrums angesprochen; nicht alle Totenstädte sind ruinös, in vielen Ruinenstädten geht es, wie die Belege zeigen werden, nur indirekt um die Vermittlung des Todesthemas.

Im Gegensatz zu der Darstellung pittoresker Einzel-Ruinen etwa in Lorrain-Landschaften wird im späten neunzehnten Jahrhundert unter dem Eindruck der neuen Großstädte stärker betont, daß es sich um Ruinen-*Städte* bzw. Nekro-*Polen* handelt. Die Ruinen vermitteln nicht mehr wie in früheren Phasen der *ubi sunt qui ante nos*-Tradition *Vanitas*-Erlebnisse oder beim Anblick malerischen Verfalls empfindsame Melancholie und Erhabenheits-Schauer, sondern bringen als Folge des darwinistischen Traumas und der sozialen Umbrüche Degenerations- und Zukunfts-Ängste zum Ausdruck.

Da die Literatur der Dekadenz von ‚elitären' Autoren in anspruchsvollen Formen produziert wurde, bestand bisher allgemein die Auffassung, daß es sich auch bei den gestalteten Inhalten um esoterische, dem großen Publikum fernliegende Erlebnisse handle. Sie bleibt berechtigt, wenn man an Huysmans' Des Esseintes, Aleister Crowleys „Jezabel" oder ähnliche Erscheinungen denkt. Für weite Gebiete der dekadenten Thematik scheint jedoch eine Korrektur angebracht, denn bei der Beschäftigung mit der Unterhaltungsliteratur der Zeit stießen wir nicht ohne Überraschung auf zahlreiche Motive (z. B. *femme fatale*, die unglücklich liebende priesterliche Herrscherin, exotische Kulte und gigantische Ruinenstädte) und Themen (die Beziehung Schönheit — Liebe — Tod, die Sehnsucht nach Aufhebung der Zeit, mystizistisch-okkulte Neigungen), denen wir bei der Beschäftigung mit den symbolistischen Tendenzen in der gehobenen Literatur begegnet waren.

Angesichts der Tatsache, daß die wissenschaftlichen Erfahrungen auf dem Gebiet der Beziehungen zwischen Unterhaltungsliteratur und ‚Dichtung' noch recht begrenzt sind, erschien es ratsam, sich auf ein Motiv zu konzentrieren, das nicht in erster Linie durch schwer greifbare thematische Implikationen, sondern durch eine klar faßbare äußere Erscheinung bestimmt und deshalb auch relativ leicht durch verschiedene Schichten der Literatur zu verfolgen ist. Wenn aus diesen Gründen die Ruinenstadt im Zentrum steht, so bilden die Todes- und Nachtstädte Poes, De Quinceys, J. Thomsons und anderer englischer Autoren[49] ebenso wie die von Hinterhäuser interpretierten Belege: Rodenbachs „Bruges-la-Morte" (1892), Barrès „La mort de *Venise*" (1903), D'Annunzios „Le vergini delle rocce" (1895), vor allem die Ruinenvorstellungen in den Toledo-Büchern von Marañón und Barrès[50] den weiteren Bezugsrahmen.

Der Übergang vom Abenteuer- zum Dekadenzroman vollzieht sich bei Haggard in der fiktiven Ruinen- und Felsengrabstadt Kôr („She"). Ein Hinweis auf ein reales Vorbild wird mit „those buried cities that the consul showed us at Kilwa . . . on the East Coast of Africa, about 400 miles south of Zansibar" suggeriert[51]. Haggards Interesse am Motiv der Ruinenstadt — in „King Solomon's Mines" greift er wie später Burroughs auf Bergwerksanlagen und Schatzkammer des biblisch legendären Ophir zurück — hat komplexe Ursachen. Angesichts des regen zeitgenössischen Interesses an Archäologie und spannenden Ausgrabungen (Schliemann, Layard) — ein

Phänomen das selbst wiederum kulturhistorisch recht aufschlußreich ist —, empfahl sich ein solcher Schauplatz dem Bestsellerautor[52]. Außerdem lebte im Abenteuerroman das durch den Schauerroman vermittelte Ruinenmotiv des achtzehnten Jahrhunderts fort, das selbst wiederum an den von Spenser übersetzten „Ruines of Rome: by Bellay" und den Renaissance-Beiträgen anknüpfte. Das kunst- und literaturhistorisch-traditionsreiche Ruinenmotiv erfährt infolge der spezifischen historischen Situation sowohl beim Übergang vom achtzehnten zum neunzehnten als auch vom neunzehnten zum zwanzigsten Jahrhundert besonders nachdrückliche Behandlung: in der *Gothic Novel*[53] und in ihrem ungefährlicheren Ableger, dem Abenteuerroman.

In Haggard's Totenstadt Kôr („She") verlieren die Helden ihren ursprünglichen Abenteuerelan[54] und treffen Ayesha, die unter einem Baudelaireschen *ennui* leidet „for two thousand years ... yet I am weary of my thoughts ... for surely the food that memory gives to eat is bitter to the taste"[55].

In seiner Symbolbedeutung erinnert Haggards Schauplatz an die von Baudelaire in „Spleen" (LXXVI) entwickelte Bilderszenerie

> C'est une pyramide, un immense caveau,
> Qui contient plus de morts que la fosse commune.
> — Je suis un cimetière abhorré de la lune.

We ... walked up the enormous and, indeed, almost interminable cave. All the way its walls were elaborately sculptured, and every twenty paces or so passages opened out of it at right angles, leading ... to tombs, hollowed in the rock by the „people who were before"[56].

Eines der Ziele Haggards ist es offensichtlich, durch den Barbarismus der jetzt in der Grabstadt lebenden Amahagger, denen in Burroughs „Tarzan and the Jewels of Opar" die degenerierten Oparier entsprechen, die Höhe der alten Kultur zu unterstreichen und damit dem melancholischen Grunderlebnis einer sich selbst als dekadent empfindenden Spätzeit Ausdruck zu verleihen. Da das tradierte Menschenbild das spätviktorianische Krisenerlebnis nicht übersteht, sind spekulative Orientierungs- und Bestimmungsversuche mit Hilfe der damals entstehenden Anthropologie und Erbbiologie verständlich. Ihr Zusammenhang mit dem Dekadenz-Erlebnis, seinem Zeit-, Schönheits- und Degenerationsaspekt, tritt zutage, wenn Ayesha von den taubstummen Dienerinnen und ihren anderen Menschenzüchtungen spricht.

I bred them so — it has taken many centuries and much trouble; but at last I have triumphed. Once I succeeded before, but the race was too ugly, so I let it die away; but now, as thou seest, they are otherwise. Once, too, I reared a race of giants, but after a while Nature would no more of it, and it withered[57].

Der Umstand, daß die Amahagger in den alten Grabhöhlen hausen und sich sogar der Grabbeilagen in ihrem Alltagsleben bedienen, aus den Grabvasen Kaffern-Korn-Schnaps trinken und die alten Leichentücher als Gewänder brauchen, ist nicht nur deshalb als Dekadenz-Phänomen anzusehen, weil es die Unfähigkeit der ‚Felsenleute' zur Entwicklung einer eigenen Zivilisation und ihren Barbarismus belegt, sondern auch insofern, als es die Absicht des Autors erkennen läßt, die Faszination des Makabren zu vermitteln.

Den besonderen *Fin de Siècle*-Charakter erhält diese Todeslust durch ihre Verbindung mit Schönheit und Liebe. Es entspricht dem spätromantischen Krisenerlebnis und dem Weltbild der Inversionen, wenn Zentralwerte wie Schönheit und Liebe nur in Spannungsverhältnissen oder Verkehrungen des traditionellen Wertgefühls möglich scheinen. Als Folge ergeben sich Baudelaires Schönheit des Häßlichen aber auch die prononcierte Polarität von Schönheit und Häßlichkeit in Wildes „The Picture of Dorian Gray". In „She" besteht dieses Spannungsverhältnis zwischen dem jungen, schönen Leo Vincey, der immer wieder einem griechischen Gott verglichen wird, und dem Erzähler Holly, der, ‚Baboon' genannt, als sein äffisches Zerrbild erscheint, es zeigt sich vor allem in der plötzlichen tödlichen Verwandlung der schönen Ayesha in eine abstoßende Mumie.

Seit Praz haben die Literaturwissenschaftler fiktionale und reale Fälle der Nekrophilie kulturhistorisch deuten gelernt, und so wird man es nicht als individualpsychologische Störung betrachten, wenn Ayesha — wie die Prinzessin Belgiojoso ihren toten Sekretär[58] — den Leichnam des Kallikrates bei sich verwahrt und liebt: „There was something so horrible about the sight of this awe-inspiring woman letting loose her passion on the dead"[59]. Den „taste for dead bodies, and everything like mummy", von dem in Beckfords Schauerroman „Vathek" (1786)[60], die Magierin Carathis spricht, teilt in „She" sogar der biedere Alte Billali. Er erzählt Holly, wie er als Knabe in der Grabkammer, in der sie sich jetzt befinden, die Leiche einer schönen Frau gefunden habe. „I learned to love that dead form ... I would creep up to her and kiss her cold face[61]." Neben dem erotischen Aspekt der Nekrophilie wird der weltanschauliche greifbar: „I learned wisdom from that dead one, ... it taught me of the littleness of life, and the length of Death". Als seine Mutter ihm die tote Geliebte verbrennt — die Episode hat nicht nur einen psychologischen, sondern auch einen unfreiwillig komischen Aspekt —, flüchtet er sich in den Fetischismus und rettet wenigstens jenen „beautifully shaped and almost white woman's foot"[62], den er Holly zeigt.

Haggard beweist ein auffallendes Interesse für Mumien und äußert sich detailliert über die verschiedenen Konservierungstechniken[63]. Einer der Gründe ist ohne Zweifel das Bedürfnis, der Welt des neunzehnten Jahrhunderts mit ihren unabsehbaren, individuell nicht mehr beeinflußbaren Umwälzungen zu entfliehen und in der Aufhebung der Zeitlichkeit Geborgenheit zu finden.

Nearly all the bodies, so masterly was the art with which they had been treated, were as perfect as on the day of death thousands of years before. Nothing came to injure them in the deep silence of the living rock: they were beyond the reach of heat and cold and damp, and the aromatic drugs with which they had been saturated were evidently practically everlasting in their effect[64].

Im Anschluß an die Beschreibung des konservierten Liebespaares wird klar, daß Haggard mit der Mumifizierung die gleiche Symbolbedeutung zu suggerieren sucht, die Christina Rossetti in „The Dead City" und James Thomson B. V. in „The Doom of a City" durch die Erstarrung und Verwandlung ihrer Figuren in Steinplastiken anstreben. Keats, den Wilde in „The English Renaissance" als Vater der *aesthetic movement* bezeichnet, hatte in „Ode on a Grecian Urn" das Thema der Aufhebung der Zeitlichkeit in der Unvergänglichkeit des Kunstwerks, die aber auch Erstarrung bedeutet, vorbildlich gestaltet. In Haggards Roman nähert sich die Tradition ihrem epigonalen Ende.

I withdrew the grave-cloths, and there, clasped heart to heart, were a young man and a blooming girl. Her head rested on his arm, and his lips were pressed against her brow ... What was the life-history of these two, who of a truth, were beautiful in their lives, and in their death were not divided? I closed my eyelids, and imagination ... weaving a picture ... I could almost for a moment think that I had triumphed o'er the past, and that my spirit's eye had pierced the mystery of Time[65].

In Verbindung mit der Kunstsymbolik der Mumifizierung und Versteinerung sind auch Elemente der Kunststadt zu sehen, deren schreckliche Schönheit Haggard — wie Poe in „The City in the Sea" und Baudelaire in der stilisierten Szenerie des „Rêve Parisien" — wenn auch nicht mit dem gleichen Erfolg —, zu vermitteln versucht.

Court upon dim court, row upon row of mighty pillars — some of them, especially at the gateways, sculptured from pedestal to capital — space upon space of empty chambers that spoke more eloquently to the imagination than any crowded streets. And over all, the dead silence of the dead, the sense of utter loneliness, and the brooding spirit of the Past! How beautiful it was, and yet how drear! We did not dare to speak aloud[66].

Als Prototyp für diese besonderen Städte darf wohl die Toten- und Teufelsstadt Istakhar („the vast ruins of Istakhar[67]") in Beckfords einflußreichem, zwischen *Arabian Tales* und *Gothic Novel* schwankendem Roman „Vathek" (1786) betrachtet werden. Bei der Gestaltung des Ruinenmotivs manifestiert sich hier nicht nur die noch zu erörternde Vorliebe für den Eindruck des Großen und Endlosen, sondern auch schon ein Teil der besonderen Stilisierungsmittel der Baudelaireschen Kunststadt, Stille („A death-like stillness reigned[68]") und die Verbannung des „végétal irrégulier[69]": „. . . the terrace, which was flagged with squares of marble, and resembled a smooth expanse of water, upon whose surface not a blade of grass ever dared to vegetate[70]."

Haggards Stadt Kôr ist als Symbolort mehrdeutig. Neben dem Kunstaspekt betont Haggard seinem eigenen spätzeitlichen Lebensgefühl entsprechend das Alter Kôrs. Das geschieht besonders nachdrücklich durch die Worte der nicht alternden Ayesha, die im Zentrum der Zeitthematik steht.

this people founded the city, of which the ruins yet cumber the plain yonder, four thousand years before this cave was finished. Yet, when first mine eyes beheld it two thousand years ago, it was even as it is now. Judge, therefore, how old must that city have been! . . .[71]

Die Inschrift des Priesters Junis, des letzten Bewohners der Stadt, der über das Peststerben berichtet[72], ergibt sich aus dem Interesse des *Fin de Siècle* an Schlußphasen der Geschichte, beispielsweise der römischen Kaiserzeit. Wie so oft in der Dichtung der Dekadenz wird auch im Zusammenhang mit Kôr an die großen Städte der Vergangenheit Babylon und Theben erinnert. Wenn von der ehedem mächtigen Stadt gesprochen wird, „whereof nought but ruins and the name of Kôr yet remaineth"[73], klingt nur scheinbar die christliche *Vanitas*-Thematik an. Das Ruinenerlebnis der Dekadenz vollzieht sich nicht im Bewußtsein der Beständigkeit transzendenter Werte. Die Hingabe an die Verfallsmelancholie ist Selbstzweck, Ausdruck eines erschütterten Weltbildes. Das Bild der Ruinenstadt im Licht der untergehenden Sonne dürfte einprägsam genug sein, um die dekadente Empfindungsfähigkeit auch weiter Leserkreise zu erreichen. „There, all bathed in the red glow of the sinking sun, were miles upon miles of ruins — columns, temples, shrines, and the palaces of kings, varied with patches of green bush[74]."

Der gewaltigen Ausdehnung des Ruinenfeldes entspricht auch die Gigantik der eigentlichen Grabeshöhle.

We were standing in an enormous pit, or rather on the brink of it, for it went deeper — I do not know how much . . . So far as I could judge, this pit was about the size of the space beneath the dome of St. Paul's in London, and when the lamps were held up I saw that it was nothing but one vast charnel-house, being literally full of thousands of human skeletons[75].

Die Ursprünge dieser von der Romantik bis zum Symbolismus häufigen Großvorstellungen — die Beschreibung des großen Tempels der unerreichbaren Wahrheit[76] ließe sich etwa mit der Halle von Eblis in Beckfords „Vathek" vergleichen[77] — liegen in den von Piranesi beeinflußten Szenerien der Schauerromane[78]. Die Verbindung von Großvorstellungen mit dem Motiv der Totenstadt findet sich schon in De Quinceys Traumfuge

suddenly we became aware of a vast necropolis rising upon the far-off horizon — a city of sepulchres, built within the saintly cathedral for the warrior dead that rested from their feuds on earth. Of purple granite was the necropolis; yet, in the first minute, it lay like a purple stain upon the horizon, so mighty was the distance. In the second minute it trembled through many changes, growing into terraces and towers of wondrous altitude, so mighty was the pace[79].

In manchen Aspekten der Symbolbedeutung berühren sich die architektonischen Großvorstellungen mit solchen der sublimen Landschaft des Schauerromans. Neben der Sehnsucht nach und der Angst vor neuen Möglichkeiten, wie sie auch im Exotismus zum Ausdruck kommen, spiegelt sich in ihrer traumhaften Unbestimmtheit und Größe jene Ungewißheit, die das Zentrum des spätromantischen Lebensgefühls prägt.

### *5. Die Ruinenstadt und die Wildnis: Kipling, London, Karl May und E. R. Burroughs*

Offensichtlich verkörpern große Bauten der Vergangenheit für Haggard und seine Zeitgenossen Grunderfahrungen ihrer eigenen Epoche, denn schon in „King Solomon's Mines" (1885), einem ganz vordergründigen Abenteuerroman, finden sich Wesenszüge der in „She" dominierenden Motive „the hall of the vastest cathedral . . . enormous cave[80]"; „Death himself, shaped in the form of a colossal human skeleton"[81]. Zwar spielt hier beim Stadtmotiv wie später in Burroughs „Tarzan and the Jewels of Opar" die Schatzsuche die Hauptrolle, aber das Schatzhaus der Minen des König Salomon ist gleichzeitig das Mausoleum der Könige des Kukuanalandes. Neben Schauerromanelementen (die Gefahr, lebendig begraben zu werden; die Vorstellung des unterirdischen Labyrinths) gibt es — was Licht auf das Verhältnis Abenteuerroman — hohe Literatur wirft — auch das ästhetizistische Motiv der Versteinerung: die Königsleichen werden zu diesem Zweck in einer

Tropfsteinhöhle beigesetzt. Ebenso auffallend ist schließlich die sich aus dem Dekadenzerlebnis ergebende starke Betonung des Gegensatzes zwischen einer vergangenen Hochkultur und einer degenerierten Gegenwart: „None can make such roads now, but the king lets no grass grow upon it“[82]. Kein Wunder, daß die Kukuaner über die den Abenteuerhelden auffallenden ‚Egyptian-like‘ Bildschriften und Skulpturen nichts zu sagen wissen. Die Koketterie mit dem spätzeitlichen Bewußtsein ist kein Privileg esoterischer Lyriker der Dekadenz, wie man in der *Fin de Siècle*-Forschung anzunehmen scheint. „Oder willst du den Enkel eines Herrschers beneiden, dessen Macht vergangen ist und dessen Reich in Trümmern liegt?“ fragt in Karl Mays „Schloß Rodriganda“ (1882) einer der „letzten Abkömmlinge der Mixtekas“[83]. Freilich gibt es angesichts der Ruinen der Sonnentempel von Kuzko und Tschukito und des Schatzes des verfallenen Inkareiches auch forschere Reaktionen. „Die Geschichte meines Volkes ist zu Ende; die Vergangenheit geht mich nichts mehr an, [der Inkaschatz soll ihm in Deutschland zu einer Ausbildung verhelfen] und ich will nur noch vorwärts blicken[84].“

Auf die Beziehung zwischen verschiedenen Schichten der Literatur wie auf die Zusammenhänge von Abenteuerroman und *Science Fiction* fällt neues Licht, wenn man bedenkt, daß bei Wells nicht anders als bei Kipling, in Burroughs' Marsromanen wie in seinen Tarzanbüchern das Ruinenmotiv als eines der Zentralsymbole erscheint. Im „Jungle Book“ (1894) und in „The Time Machine“ (1895) sind die Bauten der Vergangenheit bedeutend und schön. Ihr ruinöser Charakter wird durch die Lebendigkeit der Tiere bzw. der Vegation unterstrichen[85]. Auch die epigonalen Nachfolger der beiden Helden, Tarzan und John Carter, stoßen auf die Ruinen einer großen Vergangenheit: „. . . the grim and silent cities of the dead past; great piles of mighty architecture tenanted only by age-old memories of a once powerful race[86] . . .“.

Der Kontrast zwischen alter Zivilisation und gegenwärtiger Barbarei tritt besonders deutlich in Kiplings „Jungle Book“ (1894) hervor, wo in der alten Königsstadt das Affenvolk lebt, das wie die Kukuaner in Haggards „King Solomon's Mines“, die Amahagger in „She“ oder die Oparier in Burroughs „Tarzan and the Jewels of Opar“ nicht wissen, „what the buildings were made for nor how to use them“[87]. Alle Tiere verachten die Affen, weil sie das „Law of the Jungle“ mißachten, sich immer wieder wechselnden Impulsen überlassen, ohne Führer, geschwätzig und prätenziös sind[88]. Dadurch, daß die Affen in der Ruinenstadt hausen, erscheint das Motiv hier im Gegensatz zu „She“ in einem negativen Licht: „The monkeys called the place their city, and pretended to despise the Jungle-People because they lived in the forest“[89]. Mowgli, der bis zu der Entführung in die jetzt von den Affen bewohnten Ruinen noch keine alte indische Königsstadt gesehen hatte, erlebt voll Bewunderung die Reste des alten Sommerhauses.

There was a ruined summer-house of white marble in the centre of the terrace, built for queens dead a hundred years ago. The domed roof had half fallen in and blocked up the underground passage from the palace by which the queens used to enter; but the walls were made of screens of marble tracery — beautiful milk-white fretwork, set with agates and cornelians and jasper and lapis lazuli, and as the moon came up behind the hill it shone through the open-work, casting shadows on the ground like black velvet embroidery[90].

Es besteht kein Zweifel, daß Kipling hier wie in der ausführlichen Beschreibung des Schatzes und der kostbaren Elefantengeißel, die in „The King's Ankus", einer anderen Mowgligeschichte, von der weißen Kobra gehütet werden, auf das ästhetizistisch-symbolistische Motiv der Kunststadt mit seinen Edelsteinkatalogen und Prachtschilderungen zurückgreift, das Baudelaire („Rêve Parisien") und viele Spätromantiker nach dem Vorbild des himmlischen Jerusalem gestalten. Es ist dies im Motiv der Kunststadt implizierte Element der Formung, durch das sich die symbolistischen Darstellungen von den Schatzbeschreibungen in Abenteuerromanen wie Karl Mays „Schloß Rodriganda" (1882) oder „Das Vermächtnis des Inka" (1891) unterscheiden, mit denen sie an sich die spätromantische Sehnsucht nach Fülle und Pracht verbindet.

Da gab es Götterfiguren, in Kindergröße aus blinkendem Gold hergestellt, Herrscherstatuen, in derselben Größe aus massivem Silber gearbeitet, Gefäße in den verschiedensten Formen und Größen, Waffen aller Art, Schmucksachen, Sonnen, Monde und Sterne. Ja, das war ein Reichtum, der nur von einem Inka oder einem königlichen Prinzen abstammen konnte, . . .[91]

In Lee Hamiltons Sonetten mit dem sprechenden Titel „The Wreck of Heaven" wird wie bei Kipling, dem ästhetizistisch-dekadenten Mischgefühl entsprechend, das Prunkstadtmotiv mit dem der Ruinen verbunden.

naught for miles and miles
But shattered columns, shattered walls of gold,
And precious stones that from their place had roll'd
And lay in heaps, with litter'd golden tiles[92].

Im Gegensatz zu „She" erscheint die Ruinenstadt in Kiplings „The King's Ankus" nicht in der nostalgischen Perspektive der Dekadenz. Mowgli enthüllt kaltblütig, daß die Giftzähne der weißen Kobra, deren Äußeres sich dem von ihr gehüteten Schatz anverwandelt hat (old-ivory white . . . eyes . . . red as rubies[93]) degeneriert sind (the terrible poison-fangs . . . black and withered in the gum[94]) und wirft die wertvolle Elefantengeißel, deretwegen sich mehrere Menschen umbringen, verächtlich fort. Auch für Karl May liegt einer der Vorzüge des Naturmenschen darin, daß er gegen die Versuchungen des Reichtums gefeit ist. „Bewunderung“ und „ein wenig Neid“ erfassen ihn, wenn er in „Winnetou I“ (1892) an den edlen Apachenhäuptling und dessen Vater denkt. „Diese Menschen wußten das kostbare Metall in Menge liegen und führten, anstatt es zu benutzen, ein Leben, welches fast keinen Anspruch ... kannte[95].“ In Kiplings Erzählung „Kaa's Hunting“ wird die alte Königsstadt als „Lost City“[96] bezeichnet und von der Dschungel-Vegetation überwuchert. „Trees had grown into and out of the walls;... wild creepers hung out of the windows of the towers on the walls in bushy hanging clumps[97].“ In „The King's Ankus“ bleibt schließlich von der alten Kultur nur der den Menschen gefährliche und von den Tieren ignorierte Schatz „the sifted pickings of centuries of war, plunder, trade, and taxation“[98], wie er kritisch charakterisiert wird. Der Ausgang der Geschichte gibt nicht der den Schatz sinnlos bewachenden alten Kobra (the great city of the forest whose gates are guarded by the King's towers — can never pass)[99], sondern der Riesenpython (there is neither king nor city! The jungle is all about us[100]!) Recht. Im Sieg des Dschungels über die Ruinenstadt spiegelt sich die Sehnsucht nach einer vitalistischen Überwindung der Dekadenz.

Für die Frage nach dem Zusammenhang zwischen Schauer- und Abenteuerroman ist es aufschlußreich, daß dieser Zug unter dem Einfluß romantischer Zivilisationsfeindlichkeit und Naturbegeisterung schon in Maturins Schauerroman „Melmoth the Wanderer“ (1820) vorgeprägt wird. Wenn in Radcliffs „Udolpho“ (1794) beim Anblick der Bauwerke einer großen Vergangenheit der Gegensatz zwischen ihrem „present state of silence and solitude with that of their former grandeur and animation“[101] nur empfindsam ausgekostet wird „that pensive luxury“, so zeichnet sich in den vom Dschungel überwucherten Tempelruinen der Insel, wo Maturins Immalee, eine weiblich romantische Präfiguration des trivialliterarischen Tarzan bis zum Eintreffen des dämonischen Helden eine friedliche Naturexistenz führt, schon die Möglichkeit zu Kiplings vitalistischer Fortführung des Motivs (the eternal triumph of nature amid the ruins of art) ab[102].

Burroughs' Opar, in „The Return of Tarzan“ (1913) wie in „Tarzan and the Jewels of Opar“ (1916) ein wichtiger Schauplatz, läßt sich eindeutig in den Motivbereich Ruinenstadt einordnen. „Opar, the enchanted city of a dead and forgotten past. The city of the beauties and the beasts. City of horrors and death; but — city of fabulous riches[103].“ Der Name verweist zurück auf das alttestamentliche Ophir „And the navy also of Hiram, that brought gold from Ophir, brought in from Ophir great plenty of almug trees, and precious stones" (1 Kings, 10.11), obwohl Burroughs Opar als Kolonie und Bergwerk des versunkenen Atlantis ausgibt. Die Entdeckung und Freilegung von Tempelstadt und vorchristlichen Bergwerksanlagen an der südrhodesischen Grenze von Mozambique durch Mauch 1864 und Steinberg 1879 machen verständlich, warum Burroughs' Vorgänger Haggard 1885 seine Helden „King Solomon's Mines" suchen und finden ließ. Eine Motivverwandtschaft zwischen Abenteuerroman und Dekadenzliteratur zeigt sich auch im Falle des legendären Ophir Solomons und der Königin Sheba, denn Lee-Hamilton gebraucht als Gegenbild zu einem Symbolort spätromantischer Frustration („In the Wood of Dead Sea Fruit") Ophir neben der wegen ihrer Palastruinen und Grabmoscheen berühmten Stadt Golconda als Metapher der großen verpaßten Gelegenheiten (With all the wasted chances that life has; / And there all Ophir, all Golconda, lies)[104].

Burroughs betont wie seine Vorgänger die Größe der Stadt (a mighty city, its great walls, its lofty spires)[105], ihren ruinösen Charakter und ihre Schönheit (Tarzan was yet too far away to note the marks of ruin — to him it appeared a wonderful city of magnificent beauty). Wie Kipling schildert er das Vordringen der Vegetation (Upon the crumbled débris along the face of the buildings trees had grown, and vines wound in and out of the hollow, staring windows)[106]. Zwar werden manche Elemente des Motivinhalts, z. B. der Aspekt der eigentlichen Totenstadt, nur noch zu atmosphärischen Zwecken eingesetzt (for living things seemed out of place in this weird dead city of the long dead past)[107], aber das zentrale thematische Spannungsfeld, der Kontrast zwischen der Hochkultur des vergangenen Atlantis und der körperlichen und geistigen Degeneration der gegenwärtigen Bewohner von Opar, bleibt erhalten. Tarzan erscheint der Priesterin wie ein Vertreter des alten Kulturvolkes.

You are such a man as I imagine the forbears of my people must have been — the great race of people who built this mighty city in the heart of a savage world that they might wrest from the bowels of the earth the fabulous wealth for which they had sacrificed their far-distant civilization[108].

Slowly we have dwindled in power, in civilization, in intellect, in numbers, until now we are no more than a small tribe of savage apes.

In fact, the apes live with us, and have for many ages. We call them the first men — we speak their language quite as much as we do our own; only in the rituals of the temple do we make any attempt to retain our mother tongue. In time it will be forgotten, and we will speak only the language of the apes; in time we will no longer banish those of our people who mate with apes, and so in time we shall descend to the very beasts from which ages ago our progenitors may have sprung[109].

Tarzan als Symbolfigur ist mehrdeutig, aber eine seiner Funktionen ist es, in seiner tierhaften Gesundheit wie in seiner menschlichen Überlegenheit als Gegenbild zu dem in den Opariern verkörperten Degenerations-Trauma zu wirken.

### 6. *Die Unbrauchbarkeit der Schätze und die Hintergründe des Heldentums*

Vielleicht läßt sich die Zentralbedeutung dieser Symbolfigur von einem spezifischen Zug des Schatzmotivs her erschließen. Tarzan ist an sich — wie alle guten und bösen Abenteuerfiguren — an Schätzen interessiert, aber als er bei seinem zweiten Besuch infolge einer Verletzung das Erinnerungsvermögen verliert[110], sind ihm wie Mowgli und Winnetou Gold und Edelsteine gleichgültig. Dieser Umstand ermöglicht wirkungsvolle Kontrastszenen mit geldgierigen Abenteurern, aber die oben erwähnten Parallelen bei Kipling und Karl May lassen vermuten, daß es Burroughs auch um das inhaltliche Moment geht, daß Schätzen etwas Unmoralisches anhaftet. Bestätigen läßt sich das durch den Schluß von „King Solomon's Mines", wo die in der Schatzkammer eingeschlossenen Helden die Diamanten unbeachtet zurücklassen, als es ihnen gelingt, wieder ans Tageslicht zu kommen. In Jack Londons „The Call of the Wild" (1903) findet die idyllisch-sentimentale Beziehung zwischen Thornton und dem Schlittenhund Buck ein moralisierendes Ende, als der Goldsucher Indianern zum Opfer fällt und der Hund zur Ursprünglichkeit des Wolfslebens zurückkehrt. „Here a yellow stream flows from rotted moose-hide sacks and sinks into the ground, with long grasses growing through it and vegetable mold overrunning it and hiding its yellow from the sun[111]." Mit Genugtuung wird in Karl Mays „Das Vermächtnis des Inka" vermerkt, daß nach der Explosion niemand mehr „in die Schatzkammer ... den Fuß zu setzen vermag"[112] und auch in seinem Roman „Schloß Rodriganda" wird schließlich „der Zugang zu den Schätzen der Könige der Mixtekas"[113] verschüttet. Die Auffassung, Schätze seien unmoralisch und deshalb gefährlich, oder — um an den Kontext der Jungle-Books wie der Tarzanbücher zu erinnern — ‚unnatürlich', wird in Verbindung mit Burroughs' spezifischer Zivilsationskritik erklärbar[114].

His civilisation was at his best but an outward veneer which he gladly peeled off with his uncomfortable European clothes ... It was a woman's love which kept Tarzan even to the semblance of civilization ... He hated the shams and the hypocrisies of it and with the clear vision of an unspoiled mind he had penetrated to the rotten core of the heart of the thing — the cowardly greed for peace and ease and the safeguarding of property rights. That the fine things of life — art, music and literature — had thriven upon such enervating ideals he strenuously denied, insisting, rather, that they had endured in spite of civilisation[115].

Daß Burroughs mit der Lautstärke und Klarheit des zweitrangigen Autors spricht, hat in diesem Fall den Vorteil, die Analyse zu erleichtern. Die Abwendung von der Handfestigkeit der Werte, die sich auf der Grundlage des wirtschaftlichen Liberalismus ergeben hatten, und der Übergang zur Wertwelt des Imperialismus mit seiner sozialdarwinistisch-vitalistischen Aggressivität und jenem idealistischen Grundzug, der bei der ausschließlich ökonomisch-politischen Betrachtung dieser Zeitströmung durchweg ignoriert wird, tritt in Tarzans Worten deutlich zutage.

„Show me the fat, opulent coward, „he was want to say, „who ever originated a beautiful ideal. In the clash of arms, in the battle for survival, amid hunger and death and danger, in the face of God as manifested in the display of Nature's most terrific forces, is born all that is finest and best in the human heart and mind[116]."

Der hier zutagetretende Wesenszug ist nicht nur aus der besonderen historischen Situation der Jahrhundertwende herzuleiten, sondern entspricht gleichzeitig einer variantenreichen angelsächsischen Tradition des neunzehnten Jahrhunderts, in der nicht nur Kingsleys Abenteuerroman „Westward Ho!" (1855) mit seinem Expansionsdrang und Chauvinismus, sondern auch das frühimperialistische Denken Carlyles zu sehen sind. Beide bei Burroughs festgestellte Tendenzen, der Aktionismus wie der dem Profitdenken des ökonomischen Liberalismus gegenüber gestellte ‚heroische' Idealismus, finden sich schon bei Carlyle „all deep talent, is a talent to do"[117] und „The measure of a Nation's greatness, of its worth under this sky to God and to man, is not the quantity of cotton it can spin the quantity of bullion it has realised; but the quantity of heroism it has achieved ..."[118]. Wenn sich Tarzans Abneigung gegen Denken und Reden „never ... accustomed to pause in argument with an antagonist"[119], politologisch im Zusammenhang mit antidemokratischen Strömungen — auch in dieser Hinsicht sind Carlyles „Latter-Day-Pamphlets" der *locus classicus* — des neunzehnten Jahrhunderts erklären läßt, so muß sie geistesgeschichtlich als Manifestation jener Sehnsucht nach Ungebrochenheit verstanden werden, die weltanschaulich und soziologisch bedingt, das Thema ‚contemplation' bzw. ‚reflexion' — ‚action' von Coleridges für die Romantik zentraler Hamlet-Interpretation bis zu Wildes symbolistischer Forderung des „contemplative life"[120] bestimmt. Der Abenteuerroman des neunzehnten Jahrhunderts und seine Blütezeit im Spätviktorianismus ist in diesem Kontext zu sehen. Die Unreflektiertheit und Handlungsfreude Tarzans und anderer Abenteuerhelden „the joy of unfettered action his principle urge"[121] steht der Isolation und Funktionslosigkeit der Ruinenstadt gegenüber, in der sich die durch den *relative spirit* verursachte melancholische Untätigkeit der Dekadenz niederschlägt. Ihr ist an subtiler Seelenpflege, nicht mehr an Heldentum gelegen: „We might make ourselves spiritual by detaching ourselves from action, and become perfect by the rejection of energy[122]." Die Ruinen der großen Vergangenheit werden einer vom positivistischen Fortschrittsoptimismus ernüchterten Zeit zum zentralen Ausdrucksmittel von Dekadenzgefühl und Zukunftsangst[123]. In der vitalistischen Unschuld der Dschungel-Existenz soll das Leiden an Zeitlichkeit und Bewußtheit aufgehoben werden[124].

The ape-man's mind was untroubled by regret for the past, or aspiration for the future. He could lie at full length along a swaying branch, stretching his giant limbs, and luxuriating in the blessed peace of utter thoughtlessness, without an apprehension or a worry to sap his nervous energy and rob him of his peace of mind[125].

## ANMERKUNGEN

1. Die Mischformen entstehen vor allem durch Assimilation von Elementen des Reiseberichts, des historischen Romans und der Schauerliteratur. — Der Begriff ‚Abenteuerroman' wird von Armin Ayrenschmalz *(Zum Begriff des Abenteuerromans.* Eine gattungstheoretische Untersuchung, Ms. Diss. Tübingen 1962) sehr weit gefaßt und bei der Erörterung von Schelmenroman, Simpliziade, Avanturierroman und Lügenroman verwendet. Auf eine terminologisch-gattungsphänomenologische Grundsatzdiskussion muß bei dieser Untersuchung eines Einzelaspekts verzichtet werden. — Zum üblichen Verständnis der Gattung: Hans Plischke, *Von Cooper bis Karl May* (Düsseldorf 1951). Volker Klotz, „Durch die Wüste und so weiter — Über Karl May", in: *Trivialliteratur,* ed. G. Schmidt-Henkel, H. Enders, F. Knilli, W. Maier, Literarisches Colloquium Berlin (Berlin 1964), S. 33—51. Ingrid Brüning, *Die Reiseerzählungen K. Mays als literaturpädagogisches Problem* (Düsseldorf 1973).

2. Morton Cohen, *Rider Haggard. His Life and Work* (London, Melbourne, Toronto [2]1968), ([1]1960), S. 128 (zitiert als ‚Cohen'). — Vgl. auch: Richard D. Altick, *The English Common Reader.* A Social History of the Mass Reading Public 1800—1900 (Chicago, London [3]1967) ([1]1957).

3. vgl. die von Cohen S. 14 und S. 17 ausgewerteten Unterlagen.

4. ebenda, S. 220.

5. Robert Louis Stevenson, *Kidnapped,* The Works of Robert Louis Stevenson — Vailima Edition (London 1922/23), 26 Bde., Bd. 9, S. 145.

6. ebenda, S. 146.

7. Zahlreiche andere Motivvergleiche zwischen Abenteuerroman und Dekadenzliteratur sind denkbar: z. B. der Typ der unglücklich liebenden priesterlichen Herrscherin, die opernhafte Darstellung prächtiger Zeremonien und exotischer Kulte, das Interesse an mystischen bzw. okkulten Erlebnissen.

8. *The Works of Oscar Wilde,* with an introduction by G. F. Maine, ed. (London, Glasgow, repr. 1963) ([1]1948): „The Critic as Artist", S. 994 (zitiert als ‚Wilde').

9. H. Rider Haggard, *She.* A History of Adventure. With an introduction by Stuart Cloete (London, Glasgow, repr. 1969) ([1]1887) (Collins), S. 6 (zitiert als *She*).

10. Vor der Reise nach Island 1888, die zur Vorbereitung des Romans *Eric Brighteyes* diente, suchte Haggard Morris auf; s. Cohen, S. 129.

11. *She*, S. 6.

12. ebenda, S. 27.

13. Angesichts der noch zu erörternden Zusammenhänge zwischen Schauer- und Abenteuerroman ist darauf zu verweisen, daß der Titelheld in Godwins *St. Leon* (1799) das Lebenselixier trinkt und wieder jung wird, während der in dieser Hinsicht Wildes *The Picture of Dorian Gray* beeinflußende Held in Maturins *Melmoth the Wanderer* (1820) plötzlich altert. — Das Motiv des Jungbrunnens ist eine Variante des Motivs des Lebenselixiers, dessen in der Schauerliteratur häufiges Vorkommen — z. B. bei Hawthorne: *Septimius Felton, The Dolliver Romance, Dr. Heidegger's Experiment, The Birthmark* — von Dorothea Scarborough, *The Supernatural in Modern English Fiction* (New York, London 1917), S. 182 f., beschrieben wird.

14. *She*, S. 21.

15. Cohen, S. 105 f. und S. 109.

16. ebenda, S. 112.

17. ebenda, — S. daneben den Aufsatz von Evelyn J. Hinz, „Rider Haggard's *She:* An Archetypal ‚History of Adventure' ", in: *Studies in the Novel,* 4 (1972), S. 416—431, in dem die Struktur des Romans auf „archetypal principles" zurückgeführt wird. — Für den weiteren Zusammenhang aufschlußreich ist: Graham Greene, *Rider Haggard's Secret,* in: *Collected Essays* (London 1969).

18. Cohen, S. 114.

19. *She*, S. 168.

20. Z. B. Max Müllers *Lectures on the origin and growth of religion as illustrated by the religion of India* (1878).

21. vgl. in dieser Hinsicht *She*, S. 157 f.

22. ebenda, S. 236. — Für die Verwendung des Aloe-Motivs in anspruchsvoller Lyrik der Dekadenz vgl. etwa O'Shaughnessys *Music and Moonlight.*

23. Zum Phänomen der Bewegung im Abenteuerroman s. Volker Klotz, *Durch die Wüste und so weiter,* aaO. Die auf Karl-May-Belegen fußenden Aussagen müßten bei Berücksichtigung Haggards und Stevensons etwas modifiziert werden; die Bewegung ist in *King Solomon's Mines* oder *Treasure Island* keineswegs so willkürlich wie in Karl-May-Romanen.

24. Für dieses traditionelle Abenteuermotiv: *She,* S. 27 f.; zum *quest*-Motiv: S. 28; S. 43 f.; S. 61.

25. ebenda, S. 30; S. 60 f.

26. Abenteuerdrang: ebenda, S. 77. Warnung vor dem Abenteuer: ebenda, S. 63 und S. 69. — Diese Motive finden sich auch in Stevensons klassischem Abenteuerroman *Treasure Island* (1883).

27. Für ein stark ausgearbeitetes Beispiel der Korrelation Ferne und Heimat s. den viktorianischen Abenteuerroman *Westward Ho!* (1855) von Charles Kingsley.

28. *She*, S. 66 f.

29. ebenda, S. 82, Kampf Löwe — Krokodil.

30. ebenda, S. 84; S. 103 und S. 316.

31. ebenda, S. 86.

32. ebenda, S. 277 und S. 304.

33. ebenda, S. 114. In dieser Hinsicht ist das Beispiel des einflußreichen Literaturkritikers und Lyrikers Henley symptomatisch, der wie sein Freund Stevenson die Krankheit, sein Gebrechen durch Aktionismus zu überspielen versuchte. Der labile ‚Kampfszenen-Regisseur' Haggard, der mit Henley bekannt war, bemerkte: „Henley was extremely fond of war and fighting." Cohen, S. 218.

34. *She*, S. 114.

35. H. Rider Haggard, *King Solomon's Mines* (Harmondsworth, Middlesex 1971) (Penguin) ([1]1885), S. 181 (zitiert als *KSM*).

36. *She*, S. 291.

37. *KSM*, S. 182 f.

38. In dem Zusammenhang wäre ein Vergleich mit Haggards Schilderung der Zeit des Zulukrieges, *Cetywayo and His White Neighbours* (1882), und seinen außerdem in zahlreichen Leserbriefen skizzierten ‚Lösungsvorschlägen' — Cohen (S. 76) spricht von „enlightened imperialism" — aufschlußreich.

39. *She*, S. 128.

40. S. dazu die Arbeit des Verfassers, *Präraphaeliten und Fin de Siècle* (München 1971), S. 325 ff.

41. *She*, S. 210. Vgl. mit den Inversionen Ayeshas die Wildes in *The Critic as Artist* (Wilde, S. 962): „... who call themselves good would be sickened with a dull remorse, and those whom the world calls evil stirred by a noble joy ... grind our virtues to powder and make them worthless, or transform our sins into elements of a new civilization ...", — Zu „web of circumstance" in dem Beleg aus *She* vgl. Bernard J. Paris, *Experiments in Life.* George Eliot's Quest for Values (Detroit 1965), S. 30 f. Zur Vorstellung des Gewebes als einer durch den Positivismus nahegelegten Metapher.

42. H. G. Wells, *The Time Machine*, in: *The Complete Short Stories of H. G. Wells* (London, repr. 1966) ([1]1927), S. 35.

43. ebenda, S. 36.

44. ebenda, S. 37.

45. ebenda, S. 74.

46. ebenda, S. 75.

47. ebenda, S. 38.

48. H. Petriconi, *Das Reich des Untergangs* (Hamburg 1958). H. Hinterhäuser, *Tote Städte in der Literatur des Fin de Siècle*, in: *Archiv*, 206 (1970), S. 321—344.

49. *Präraphaeliten und Fin de Siècle*, S. 240 ff.: Formen der Schreckenslandschaft.

50. Gregorio Marañón, *Elogio y nostalgia de Toledo.* Maurice Barrès, *Greco ou le secret de Tolède.* Dazu: Hinterhäuser, S. 329 f.

51. *She*, S. 76. — Cohen vermerkt nicht, ob Haggard tatsächlich die Ruinen von Kilwa gekannt hat. Die Ähnlichkeiten Kôrs mit den Ruinen von Zimbabwe ergaben sich jedenfalls nicht aufgrund genauer Kenntnisse; erst 1914 besuchte er die hier inzwischen erfolgten Ausgrabungen. „Earlier, when Haggard was in Africa, stories about Zimbabwe could have been no more than legends, tales about a strange prehistoric city in the north, perhaps built by ancient white men, that would certainly appeal to the young Englishman's imagination." Cohen, S. 109.

52. Als Beispiel für im Abenteuerroman wichtige Ausgrabungen s. Friedrich Behn, *Ausgrabungen und Ausgräber* (Stuttgart 1961).

53. In Mary Shelleys *Frankenstein* (1818) wird Volneys *Les Ruines ou meditations sur les révolutions des empires* (1719) gelesen. — Zum Ruinenmotiv im achtzehnten Jahrhundert: R. Haferkorn, *Gothik und Ruine in der englischen Dichtung des 18. Jahrhunderts* (Leipzig 1924). — J. Haslag, *„Gothic" im siebzehnten und achtzehnten Jahrhundert.* Eine wort- und ideengeschichtliche Untersuchung (Köln, Graz 1963). Zur Ruine in der bildenden Kunst: Paul Zucker, *Fascination of Decay.* Ruins: Relic — Symbol — Ornament (Ridgewood, New Jersey 1968).

54. „We came to find new things ... We are tired of the old things." *She*, S. 91.

55. ebenda, S. 195. Vgl. auch S. 153: „I have lived ... with my memories, and my memories are in a grave that mine hands hallowed". Daß Ayesha an der Last der Erinnerungen und an Schuldgefühlen leidet, entspricht einer spätromantischen Zentralerfahrung. Vgl. Baudelaires „Spleen": „J'ai plus de souvenirs que si j'avais mille ans" und „Où comme des remords se traînent de longs vers". Charles Baudelaire, *Les Fleurs du Mal*, ed. A. Adam (Paris 1959), S. 79, LXXVI — „Spleen".

56. Baudelaire, ebenda. — *She*, S. 179.

57. *She*, S. 163.

58. M. Praz, *Liebe, Tod und Teufel.* Die schwarze Romantik (München 1963) ([1]1930), S. 98.

59. *She*, S. 175.

60. William Beckford, *Vathek* [London o. J.] ([1]1787), S. 67.

61. *She*, S. 122.

62. ebenda, S. 123.

63. ebenda, S. 190.

64. ebenda, S. 192.

65. ebenda, S. 193.

66. ebenda, S. 266.

67. *Vathek*, S. 167.

68. ebenda, S. 168.

69. Baudelaire, *Rêve Parisien*, in: *Les Fleurs du Mal*, S. 114.

70. *Vathek*, S. 169.

71. *She*, S. 186.

72. ebenda, S. 187.

73. ebenda, S. 262. — Vgl. D. G. Rossetti, *The Burden of Niniveh* (Rome, Babylon, Niniveh), F. Thompson, *The Heart II* (Babylon), J. Barlas, *Dreamland* (Babylon), Le Gallienne, *A Ballad of London* (Babylon, Rome, Sidon, Tyre).

74. *She*, S. 262. — Vgl. in dieser Hinsicht auch Wells, *The Time Machine*, S. 35: „It seemed to me that I had happened upon humanity upon the wane. The ruddy sunset set me thinking of the sunset of mankind."

75. *She*, S. 189.

76. ebenda, S. 263.

77. *Vathek*, S. 171 f.

78. Zu Piranesis Bedeutung für die Architektur des Schauerromans: M. Praz, „Introductory Essay" zu *Three Gothic Novels*, ed. Peter Fairclough (Harmondsworth, Middlesex 1968) (Penguin), S. 7—34.

79. *The Collected Writings of Thomas De Quincey*, ed. D. Masson (Edinburgh 1889/90), 14 Bde., Bd. 13, „Dream-Fugue", S. 323 f.

80. *KSM*, S. 211.

81. ebenda, S. 215.

82. ebenda, S. 100.

83. Karl May, *Schloß Rodriganda* (Bamberg 1951) ([1]1882, in: *Das Waldröschen)*, Gesammelte Werke Bd. 51, S. 68.

84. ders., *Das Vermächtnis des Inka* (Radebeul bei Dresden 1892) (1891), Gesammelte Werke Bd. 39, S. 549.

85. Wells, *The Time Machine*, S. 30 f.: „The building had a huge entry, and was altogether of colossal dimensions... My general impression of the world I saw over their heads was of a tangled waste of beautiful bushes and flowers, a long-neglected and yet weedless garden ... its dilapidated look. The stained-glass windows, which displayed only a geometrical pattern, were broken in many places, and the curtains ... were thick with dust ... the corner of the marble table ... was fractured. Nevertheless, the general effect was extremely rich and picturesque." — Vgl. damit den Kipling-Beleg weiter unten.

86. Edgar Rice Burroughs, *The Gods of Mars* (New York repr. 1972) (Ballantine) ([1]1913), S. 121.

87. Rudyard Kipling, *The Jungle Book* (London, repr. 1969) ([1]1894) (Papermac), S. 46.

88. ebenda, S. 47.

89. ebenda, S. 46.

90. ebenda, S. 48.

91. May, *Schloß Rodriganda*, S. 68. Vgl. auch: *Das Vermächtnis des Inka*, S. 556.

92. Eugene Lee-Hamilton, *Sonnets of the Wingless Hours* (London 1894), S. 83: „The Wreck of Heaven".

93. Rudyard Kipling, *The Second Jungle Book* (London, repr. 1971) (Papermac) ([1]1895), „The King's Ankus", S. 102.

94. aaO.

95. Karl May, *Winnetou I* (Radebeul bei Dresden 1892), Gesammelte Werke Bd. 7, S. 482. — Vgl. auch *Schloß Rodriganda,* S. 66: „Der Weiße vermag den Anblick des Reichtums nicht zu ertragen, nur der Indianer ist stark genug dazu".

96. Kipling, *The Jungle Book.* „Kaa's Hunting", S. 45. — Das Vordringen der Vegatation in die Ruinen hat bei Kipling und seinen Zeitgenossen spezifisch-historische Ursachen, gleichzeitig handelt es sich um einen festen Bestandteil der Ikonographie des Ruinenmotivs. Vgl. etwa Piranesis, *Hadrian's Villa* (Zucker, S. 130), J. M. Turner, *Tintern Abbey* (ebenda, S. 167), Sir William Chambers, *Gardens and Buildings. Artificial Ruin of a Roman Arch* (ebenda, S. 224).

97. Kipling, *The Jungle Book,* S. 46.

98. Kipling, *The Second Jungle Book,* S. 105.

99. ebenda, S. 102.

100. ebenda, S. 106.

101. Ann Radcliffe, *The Mysteries of Udolpho,* ed. Bonamy Dobrée (London, Oxford, New York 1970), S. 206.

102. Charles Robert Maturin, *Melmoth the Wanderer,* ed. Douglas Grant (London, Oxford, New York 1972), S. 277.

103. Edgar Rice Burroughs, The Return of Tarzan (New York, repr. 1972) ([1]1913) (Ballantine), S. 188.

104. Eugene Lee-Hamilton, *Sonnets of the Wingless Hours:* „In the Wood of Dead Sea Fruit", S. 68.

105. Burroughs, *The Return of Tarzan,* S. 161.

106. ebenda, S. 162.

107. aaO.

108. ebenda, S. 172.

109. ebenda, S. 173.

110. Burroughs läßt ganz offensichtlich seinen Helden nur deshalb das Erinnerungsvermögen verlieren, um ihn wieder in den attraktiven Zustand des zivilisationsfernen Naturmenschen versetzen zu können. — Burroughs, *Tarzan and the Jewels of Opar* (New York, repr. 1973) ([1]1916), S. 43.

111. Jack London, *The Call of the Wild* (1903) and selected stories (New York, Toronto, London 1960) (Signet), S. 88.

112. May, *Das Vermächtnis des Inka,* S. 577.

113. ders., *Schloß Rodriganda,* S. 91. — Zum Schatzmotiv vgl. auch: May, *Der Schatz im Silbersee* (Radebeul bei Dresden 1891) (1890), Gesammelte Werke Bd. 36, S. 590; S. 605; S. 616; S. 621.

114 Klotz („Durch die Wüste und so weiter", S. 46), der auch auf den Verlust des Schatzes eingeht („Am lange erstrebten Ziel angelangt, verlieren jedoch die Beteiligten, die Guten wie die Bösen den Schatz"), scheint diesen Umstand aber für einen nicht historisch erklärbaren, sondern gattungsimmanenten Zug des Schatzmotivs im Abenteuerroman zu halten: „Dieser Verlust gereicht sowohl der Moral wie der poetischen Fiktion zum Nutzen. Denn auf dem Golde liegt, seit der Nibelungen Zeit her, ein Fluch, und der Besitzer eines Riesenschatzes, einmal aus dem köstlich unwahrscheinlichen Spannungsfeld von Exotik und Abenteuer in den Alltag entlassen, wäre kaum denkbar".

115. Burroughs, *Tarzan and the Jewels of Opar,* S. 15.

116. aaO.

117. *The Works of Thomas Carlyle,* ed. H. D. Traill, Centenary Edition, 30 Bde. (London 1896—99), Bd. 20, *Latter-Day Pamphlets,* S. 185, „Stump-Orator" (1. V. 1850).

118. ebenda, S. 327, „Jesuitism" (1. VIII. 1850).

119. Burroughs, *Tarzan and the Jewels of Opar,* S. 103.

120. Wilde, S. 980, „The Critic as Artist".

121. Burroughs, *Tarzan and the Jewels of Opar,* S. 142.

122. Wilde, S. 981, „The Critic as Artist".

123. Wells, *The Time Machine,* S. 91: „He, I know ... thought but cheerlessly of the Advancement of Mankind, and saw in the growing pile of civilization only a foolish heaping that must inevitably fall upon and destroy its makers in the end".

124. Das gelingt freilich nur teilweise. — Mowgli wie Tarzan sollen durch Abgrenzung nicht nur vom zivilisationskranken Menschen, sondern auch vom Tier [„Behind him crept Chulk and Taglat, grotesque and shaggy caricatures of their godlike leader", Burroughs, *Tarzan and the Jewels of Opar,* S. 95 (zwei Menschenaffen folgen Tarzan)] ein neues Ideal der Natürlichkeit verkörpern. Aber beide fühlen sich mehrfach von Tier- und Menschenwelt ausgeschlossen und leiden an dieser Grenzsituation. Wie die verschiedenen Ganzheitsideale Coleridges oder Carlyles und die Bemühungen Ruskins bzw. Morris' Hand und Geist zu versöhnen, erklären sich Projektionen wie Mowgli und Tarzan („so perfectly were mind and muscles coordinated in this unspoiled, primitive man", ebenda, S. 62) aus den mannigfaltigen Spaltungserlebnissen des neunzehnten Jahrhunderts.

125. Burroughs, *Tarzan and the Jewels of Opar,* S. 61.

HANS HINTERHÄUSER

# Präraffaelitische Frauengestalten in romanischer Prosa

Seit einigen Jahren häufen sich, besonders in deutscher Sprache, die Studien über das Frauenbild des Fin de siècle. Bei all diesen Bestandsaufnahmen bedingt die Eigenart der Objekte eine enge Zusammenarbeit von Kunst- und Literaturwissenschaft: Vertreter der ersteren wie H. H. Hofstätter oder Ph. Jullian zitieren ausgiebig aus der zeitgenössischen Literatur, Vertreter der letzteren wie L. Hönnighausen, J. Hermand oder A. Thomalla „untermalen" ihre Darlegungen mit zahlreichen Reproduktionen aus der parallelen bildenden Kunst[1].

Der — zunächst einsame — Pionier dieser Forschungen war bekanntlich M. Praz, dessen mehrere Jahrzehnte altes Standardwerk über die „schwarze Romantik" nicht nur bis heute unüberholt, sondern durch die späte Übersetzung von 1963 eigentlich erst cum dato für den deutschen Sprachraum aktuell geworden ist[2]. Praz war es, der den Typus der *femme fatale* erkannt, benannt, psychologisch gedeutet und durch eindrucksvolle Beispiele aus der englischen, französischen und italienischen Literatur (und Kunst) belegt hat. Die schöne Männerzerstörende faszinierte nun für eine geraume Weile alle Historikerblicke[3], so daß es schien, als sei überhaupt nur diese weibliche Symbolfigur im Fin de siècle der Beachtung und des Studiums wert.

Erst viel später begann man, z. T. im Zusammenhang mit dem plötzlich rege gewordenen Interesse für die präraffaelitische Malerei[4], auf einen mindestens ebenso häufigen Antitypus zur *femme fatale* aufmerksam zu werden: auf die zerbrechliche, ätherische, vergeistigte, des Heiligseins verdächtige Fin de siècle-Frau. Den einstweiligen Schlußstrich unter diesen neuen Sichtungsvorgang zog A. Thomalla mit ihrer Arbeit über die *femme fragile.*

Es ist eine gute und griffige Bezeichnung, die sich da der Verfasserin — nach ihrem eigenen Eingeständnis — „aufgedrängt" hat, ein glückliches lautliches Pendant zur *femme fatale.* Das von Thomalla untersuchte Einzugsgebiet ist die deutsche und französische Literatur; die „Blütezeit" reiche — so stellt sie fest — von 1890 bis 1906: vorher tauchten fragile Wesen nur sporadisch, nachher nur noch in der Trivialliteratur auf[5]. Die Herkunft des Typus von den englischen Präraffaeliten wird vorausgesetzt, allerdings hätten die Fin de siècle-Schriftsteller und -Künstler ihn sich und ihrer dekadenten Vorstellungsweise „anverwandelt“:

„Die *femme fragile* ist zwar präraffaelitischer Herkunft: das Fin de siècle verstand sie jedoch seinen geheimen Wünschen und Vorstellungen entsprechend zu assimilieren und damit auch mit einer zum Teil neuen Physiognomie und Ausstrahlungskraft zu versehen[6].“

Begriffen und belegt wird diese „neue Physiognomie“ in Thomallas Buch als eine der Ausprägungen des „dekadenten Schönheitskults der Jahrhundertwende“:

„Es besteht kein großer Unterschied zwischen einem fragilen lyrischen Vers, einem duftigen Aquarell, seltenen, ‚verblichenen Gobelins‘, hauchzarten Gläsern von Tiffany oder Gallet und diesem delikaten weiblichen Geschöpf . . .“

Man wird der Entdeckerin der *femme fragile* gern bestätigen, daß sie dem Flaneur durch die weibliche Fin de siècle-Landschaft wertvolle Orientierungshilfen gegeben hat. Doch will uns scheinen, daß zur Frage des Eindringens der Präraffaeliten in die Literatur der Jahrhundertwende das letzte Wort bei weitem noch nicht gesprochen ist. Ungeklärt sind nach Thomallas Arbeit z. B. die Verhältnisse in der italienischen, der spanischen und der hispanoamerikanischen Literatur; problematisch scheint die vorgeschlagene zeitliche Begrenzung, vor allem zur Gegenwart hin; man erfährt nichts über die Filiationen im einzelnen und im ganzen; vor allem aber fehlen in dieser Erhebung ein paar Beispiele und in der Analyse ein paar Züge, die wir für wesenhaft „präraffaelitisch“ halten möchten. So scheint sich, zunächst subjektiv, diese weitere Studie über ein nicht mehr neues Thema zu rechtfertigen. In ihr sollen vier Beispiele aus verschiedenen romanischen Literaturen so einläßlich wie möglich analysiert werden, und zwar Beispiele, die — für das betreffende Land in der betreffenden Zeit — als literarische Kunstwerke gelten können, was zur Folge hat, daß sich hier die ironische Überlegenheitspose ebenso verbietet wie die penetrante Befragung der Biographie der Autoren mit dem Ziel, „verursachende Potenzstörungen“ zu entdecken[7].

Das erste unserer Zeugnisse stammt aus D'Annunzios erstem und bestem Roman „Il Piacere“[8]. Möglich, daß wie E. de Michelis meint[9], die Kenntnis des englischen „movimento estetico“ dem jungen und modebewußten Dichter durch die Artikel vermittelt wurde, die der Kritiker Enrico Nencioni seit Februar 1884 in Zeitungen und Zeitschriften veröffentlichte; doch stand

D'Annunzio in seiner Eigenschaft als Journalist und „cronista mondano" in einem so dichten Netz von Beziehungen, und in den Kreisen, in denen er verkehrte, war die Anglomanie so verbreitet, daß er seine Informationen über die Präraffaeliten aus vielen anderen Quellen bezogen haben kann und schwerlich aus dieser einzigen bezogen haben wird. Die ersten Spuren und Erwähnungen finden sich jedenfalls in den Berichten über das römische Gesellschaftsleben, die D'Annunzio für die Zeitungen „La Tribuna" und „Cronaca bizantina" schrieb[10]. Am 25. 1. 1885 identifiziert er eine englische Dame als „Beata Beatrix", ein Jahr später imaginiert er die gleiche „balzata fuori da un sonetto di Dante Gabriele Rossetti", im November 1886 berichtet er begeistert von einem Besuch im Atelier des Malers Sartorio, der damals gerade der präraffaelitischen Mode huldigte, im März 1887 verbindet er „una fanciulla assai giovine, forse di tredici anni, alta e sottile come uno stelo" mit den Namen von Holman Hunt, Burne Jones und Millais, im Oktober des gleichen Jahres schreibt er im Rahmen eines Artikels über den (vielleicht imaginären) englischen Dichter Adolphus Hannaford eine knappe Chronik der Bewegung[11], und im darauffolgenden Monat liefert er eine Art Pastiche im Geschmack der „Vita nuova" („Il mistico sogno"). Aber bereits seit Januar 1885 begann der Gedicht-Zyklus „Isaotta Guttadàuro" zu entstehen, dessen Luxusausgabe (1886) Sartorio und Cellini präraffaelitisch illustrierten[12].

„Il Piacere" wurde von Juli bis Dezember 1888 niedergeschrieben. Inhalt und Handlung des Romans fallen zusammen mit der Charakterisierung des Protagonisten Andrea Sperelli und seinem Verhältnis zu Elena Muti einerseits und zu Maria Ferres andererseits: die erstere ist *femme fatale,* die letztere eine präraffaelitisch stilisierte Frauengestalt — Ehegattin und Mutter, jedoch mit starken Revirginisierungstendenzen. Es werden hier also die beiden Hauptausprägungen des künstlerischen und literarischen Frauentypus im Fin de siècle beinahe systematisch vorgeführt und einander gegenübergestellt.

Erste Verständnissignale bieten die Namen. „Elena" — dahinter steht natürlich die schöne Helena, die historisch prominenteste aller *femmes fatales.* Aber nicht die geschichtliche Grundierung zählt in „Il Piacere", sondern die bildkünstlerische: alle weiblichen Gestalten des Romans (auch die Chargenfiguren) wirken stets „wie Geschöpfe von ...". So wird von Elena mit starker Akzentuierung gesagt:

„Aveva negli occhi e nella bocca ... quell'espressione passionata, intensa, ambigua, sopraumana, che solo qualche moderno spirito, impregnato di tutta la profonda corruzione dell'arte, ha saputo infondere in tipi di donna immortali come Monna Lisa e Nelly O'Brien"(25).

Ihr Mund läßt Sperelli an „la bocca della Medusa di Leonardo" denken (48). Und frühzeitig spricht eine gastgebende Marquise das große Wort selbst unverblümt aus:

„Bada di non mancare, Andrea, domani. Abbiamo tra gli invitati una persona *interessante*, anzi *fatale* (Hervorhebungen vom Autor). Premunisciti però contro la malia . . ." (42).

Die Kennzeichnungen der Person Elenas sind nicht statisch, sondern dynamisch, sie handeln vor allem von den Wirkungen von Stimme, Blick und Gang[13].

„Aveva la voce così insinuante che quasi dava la sensazione di una carezza carnale; e aveva quello sguardo involontariamente amoroso e voluttuoso che turba tutti gli uomini e ne accende d'improvviso la brama" (44). — „Ella saliva (la scala) d'innanzi a lui, lentamente, mollemente, con una specie di misura. Il mantello foderato d'una pelliccia nivea come la piuma de' cigni . . . le si abbandonava intorno al busto lasciando scoperte le spalle. Le spalle emergevano pallide come l'avorio polito, divise da un solco morbido" (42). — „Di tratto in tratto . . . ella aveva una movenza o una posa o una espressione che nell'alcova avrebbe fatto fremere un amante. Ciascuno, guardandola, poteva . . . involgerla d'imaginazioni impure . . . L'aria ch'ella respirava era sempre accesa dai desideri sollevati intorno . . ." (54). —

Sie selbst aber bleibt kalt — kalt im Ehebruch, eiskalt in der Zurückstoßung des Geliebten (333):

„Nella sua mobilità, ondeggiante e carezzante come l'onda, c'era sempre la minaccia del gelo inaspettato. Ella era soggetta a rigidità subitanee. Andrea tacque, non comprendendo" (68). Und noch einmal, gleichsam resümierend: „Ella portava . . ., nella comedia umana, elementi pericolosissimi; ed era occasion di ruina e di disordine più che s'ella facesse pubblica professione d'impudicizia" (268).

Ist die Darstellung Elenas dynamisch (und kommentierend), so die ihres Gegenbildes mit dem gleichfalls sprechenden Namen Maria statisch und beschreibend — „malend". Maria Ferres ist die Frau eines guatemaltekischen Botschafters[14], aber geboren und aufgewachsen ist sie in Siena, der „vecchia città della Vergine", der Stadt der präraffaelitischen Maler des Tre- und Quattrocento, „i semplici i nobili i grandi Primitivi" (200). So hat auch sie ihre bildkünstlerische Grundierung, wobei sich jedoch die alten und die neuen Meister die Hand reichen. Einmal zeigt Maria sich in einem Kleid

„d'uno strano color di ruggine, d'un color di croco, disfatto, indefinibile; d'uno di que' colori cosiddetti estetici che si trovano ne' quadri del divino Autunno, in quelli dei Primitivi, e in quelli di Dante Gabriele Rossetti" (175).

(Aber die „seltsame Rostfarbe“ gehört eher Burne Jones als Rossetti.) Ein andermal wird sie beobachtet, während sie ihr (wundervolles) Haar trocknet:

„La tenda di tela, a metà sollevata, d'un vivo colore arancione, le metteva sul capo il bel fregio nero del lembo nello stile de' fregi che girano intorno gli antichi vasi greci della Campania; e, s'ella avesse avuto intorno le tempie corona di narcisi e da presso una di quelle grandi lire a nove corde che portano dipinta a encausto l'effigie d'Apollo e d'un levriere, certo sarebbe parsa un'alunna della scuola di Mitilene, una lirista lesbiaca in atto di riposo, ma quale avrebbe potuto imaginarla un prerafaelita“ (172).

Wir bemerken, daß D'Annunzio sich hier (und sonst) nicht damit zufrieden gibt, bei der Gestaltung seiner Person Reminiszenzen an die italienischen Maler vor Raffael mit solchen an die Präraffaeliten zu verknüpfen, sondern daß der Bezugskreis bis zur (präraffaelitisch gesehenen) griechischen Kunst eklektisch zurückreicht: es herrscht in diesem Roman eine ständige „ebbrezza d'arte“.

Marias äußere Erscheinung wird in mehreren Porträts eindringlich festgehalten:

„Aveva un volto ovale, forse un po' troppo allungato . . ., di quell'aristocratico allungamento che nel XV secolo gli artisti ricercatori d'eleganza esageravano. Ne' lineamenti delicati era quell'espressione tenue di sofferenza e di stanchezza, che forma l'umano incanto delle Vergini ne' *tondi* fiorentini del tempo di Cosimo. Un'ombra morbida, tenue, simile alla fusione di due tinte diafane, d'un violetto e d'un azzurro ideali, le circondavano gli occhi . . . I capelli le ingombravano la fronte e le tempie, come una corona pesante . . . Nulla superava la grazia della finissima testa che pareva esser travagliata dalla profonda massa, come da un divino castigo . . . Nella sua bocca socchiusa il labbro di sopra avanzava un poco quel di sotto . . ., e gli angoli si chinavano in giù e nel loro incavo lieve accoglievano un'ombra. Queste cose creavano un'espressione di tristezza e di bontà, ma temperata da quella fierezza che rivela l'elevazion morale di chi ha molto sofferto e saputo soffrire“ (166).

Maria pflegt mit einer „leggera esaltazione spirituale“ zu sprechen; sie inspiriert einen „senso di devozione e sommessione, altissimo“; als ihr Kind sie küßt, zittern ihre Lippen, „e gli occhi le si empivano d'un gaudio indescrivibile tra i cigli palpitanti, come gli occhi d'una beata in assunzione . . .“ (181). Großen Wert legt D'Annunzio auch auf den stilgerechten Bildhintergrund; Maria, auf das Murmeln eines Springbrunnens lauschend:

„Ella stava in mezzo del sentiere, un po' china verso le fontane, attratta più dalla melodia, con l'indice sollevato verso la bocca . . . Andrea, ch'era più presso alle vasche, la vedeva sorgere sopra un fondo di verdura gracile e gentile quale un pittore umbro avrebbe potuto metter dietro un' Annunciazione o una Natività" (184).

In Marias sittlichem Wesen ist der entscheidende Zug die zugleich heroische und müde Bereitschaft zu Opfer und Entsagung. Ins Aktive gewendet, macht sie dies, zusammen mit ihrer hohen Geistigkeit, zur potentiellen Erlöserin ihres charakterschwachen und brutalen Verführers. Sperelli selbst hatte schon bei der ersten Begegnung mit ihr „il presentimento d'una nuova vita" gehabt (259); und viel später, als er längst in den Strudel des gewissenlosen „piacere" zurückgefallen ist, gesteht er ihr, nach seiner Art halb aufrichtig und halb unaufrichtig:

„Non saprò mai dirvi il brivido di felicità, la sollevazione di tutto il mio essere verso la speranza, se per un momento io osava pensare che il ricordo di me forse ancóra viveva nel vostro cuore" (283).

Von sich selbst gesteht Maria:

„Pensavo: L'impuro l'ha macchiato; s'io bastassi a purificarlo! Sarei felice d'esser l'olocausto della sua rinnovazione ..."

— worauf es, erzählend und kommentierend, heißt:

„Ella proferì queste ultime parole con tale elevazion spirituale in tutta la figura, che Andrea fu invaso da un'onda di gaudio quasi mistico; e il suo unico desiderio, in quel momento, era di prenderle ambo le mani e d'esalare l'ineffabile ebbrezza su quelle care delicate immacolate mani" (284).

Auf diesen Tagtraum Marias von der Selbstaufopferung für den Geliebten antwortet dessen Vision vom Vollzug dieser Opferung („L'adorata va ad immolarsi") inmitten der symbolischen Weiße einer römischen Schneenacht. Indessen hatte es schon vorher, unmerklich desillusionierend, geheißen:

„La povera creatura credeva di salvare un'anima, di redimere un'intelligenza, di purificare con la sua purità un uomo macchiato ... E questa fede ... la inebriava d'una specie di misticismo voluttuoso in cui ella effondeva tesori di tenerezza, tutta l'onda raccolta de' suoi languori, il fior più dolce della sua vita ..." (298).

Was nun diese Erlösungstat Marias illusorisch macht und die Erlöserin selbst zerstört, ist dies: Andrea möchte die beiden Geliebten, den Typus und den Antitypus, die *femme fatale* und die *virgo preraffaelita,* zu einer höchste Lust gewährenden coincidentia oppositorum, zu einer „terza Amante ideale" (297) verschmelzen. Dieser Wunsch ist übrigens vom Autor mit einiger Sorgfalt vorbereitet worden: es gibt Randzonen im Persönlichkeitsbild von Elena und Maria, die einander berühren. Maria kann gelegentlich den Bannkreis ihrer Vergeistigung verlassen und (unfreiwillige) Kompromisse mit der römischen „snobiety“ schließen:

„Nell’uscire, ella camminava con sovrana eleganza, mentre qualcuna delle signore sedute volgevasi a guardarla. E per la prima volta Andrea vide in lei, nella donna spirituale, nella pura madonna senese, la dama di mondo“ (293).

Und andererseits kann Elenas Schönheit auch „un’espressione di sovrana idealità“ annehmen und zur zögernden Materialisierung einer Seele werden:

„Elena ... gli sorrise d’un sorriso così tenue, direi quasi così immateriale, che non parve espresso da un moto delle labbra, mentre gli occhi rimanevan tristi pur sempre, e come smarriti nella lontananza d’ un sogno interiore“ (62).

Beider Stimme endlich klingt täuschend (und verwirrend) ähnlich; in Bezug auf Maria heißt es, seltsam genug:

„Era una voce ambigua, direi quasi bisessuale, duplice, androgìnica; di due timbri[15].“

Was bedeutet das? Hat auch D’Annunzio, wie die englischen Spätromantiker, jene von L. Hönnighausen so scharfsinnig herausgearbeitete „Gemeinsamkeit zwischen der *femme fatale* und der idealen Geliebten“ realisiert — eine Gemeinsamkeit, die darin begründet ist, „daß es sich um Symbolfiguren handelt, die komplexe sensuell-spirituelle Komplementärerfahrungen verkörpern“[16]? Wenn Andrea Sperelli von zwei (von ihm verfaßten) „berühmten“ Sonetten spricht,

„ne’ quali come in un dittico ambiguo egli aveva lodato una bocca diabolica e una bocca angelica, quella che perde le anime e quella che dice *Ave*“ (105),

so wird diese Vermutung beinahe zur Gewißheit. Nur widerrufen dann die zahlreichen moralisierenden Passagen des Romans, kraft deren der Autor den ihm allzu nahe verwandten Helden von sich wegdiskutieren möchte, mit ihrer eindeutigen Parteinahme für die Maria „angelica“ solch typologischen Tiefsinn immer aufs neue.

Szenenwechsel nach Kolumbien: Bogotá, 1896. In der Schreibtischlade des Dichters José Asunción Silva findet man nach dessen Freitod ein umfangreiches Manuskript mit dem Titel „De sobremesa“. Das postum veröffentlichte Werk ist eines der (bekannten) Beispiele für die Ausstrahlung des Huysmansschen „A rebours“ nach Lateinamerika[17]. Aber wie überall, wo diese Bibel des Dekadentismus Ableger hervorrief, überlagerten und bereicherten, veränderten auch hier verschiedene spätere Erfahrungen das dennoch stets erkennbar bleibende Urbild. Silva hatte D’Annunzio gelesen (dessen „Piacere“ seinerseits „A rebours“ voraussetzt), Barrès’ „Culte du

Moi" hatte seine Entwicklung mitgeprägt, er hatte Bekanntschaft mit Nietzsche gemacht; aber zu seinen Lieblingen erklärt er, durch den Mund seines Protagonisten, Poe, Baudelaire, Dostojewski, Wagner, Rossetti, Swinburne, Morris, Burne Jones, Crane, Marie Bashkirtseff[18]. Wie bei D'Annunzio ist der Protagonist, hier Träger des Allerweltsnamens José Fernández, ein halbes, übersteigerndes Selbstporträt des Autors, und wie bei D'Annunzio und Huysmans ist dieser tagebuchartige (vielleicht auch aus verschiedenen, ursprünglich selbständigen Erzählungen zusammengestückte) Quasi-Roman „una novela de la evasión y de la compensación"[19]. Schließlich ist noch zu signalisieren, daß unser Held als Ästhet, Kunstsammler, Dichter, Millionär, Reisender, Utopist einer konservativen Revolution, und nicht zuletzt als ein *robuster* Décadent vorgestellt wird, der zwar von den Zusammenbrüchen der Überfeinerten nicht verschont bleibt, aber dank des Wiegengeschenks einer unbesiegbaren Vitalität alle Prüfungen durch Erotik, Rauschgifte usw. übersteht.

José Fernández ist ein Zerrissener, der bis zur Neurose am Materialismus, am Idealitätsverlust und am „leeren Himmel" leidet, die er als Zeichen des Fin de siglo erkennt. Er reagiert mit selbstmörderischen Verzweiflungsmitteln. Nach einem solchen Ausbruch — einer Orgie mit einer „Mesalina comprable" und anschließendem Opiumrausch — wird ihm eine (unverdiente) Erscheinung zuteil. Während er im Séparé eines Genfer Hotels speist, treten zwei weitere Gäste ein, ein weißhaariger Herr und eine junge Dame, und nehmen ihm gegenüber Platz. Selbstverständlich beobachtet er die beiden, und sein Bildeindruck von dem jungen Mädchen ist der folgende:

„El perfil de ella, ingenuo y puro como el de una virgen de Fra Angélico, de una insuperable gracia de líneas y de expresión, se destacaba sobre el fondo sombrío del papel del comedor, iluminado de lleno por la luz del candelabro. Completaban su belleza los cabellos, que se le venían y le caían sobre la frente estrecha en abundosos rizos, las débiles curvas del cuerpecito de quince años, con el busto largo y esbelto, vestido de seda roja, las manos blanquísimas y finas. Al bajar los párpados, un poco pesados, la sombra de las pestañas crespas le caía sobre las mejillas pálidas... De repente sacudió la cabeza hacia atrás, y agitando los sedosos bucles de la cabellera castaña, la volvió en dirección de mi asiento y los clavó en mí mirándome fijamente, con expresión severa ... (Sus) miradas se posaron en mí como las de un médico en el cuerpo de un leproso ... Por primera vez en mi vida bajé los ojos ante una mirada de mujer. ... Al mirarla de nuevo me encontré con sus pupilas fijas en mí, y habría bajado las mías, si no hubiera visto en el azul de las suyas, en la curva de los labios finos, en toda la dulce fisonomía una expresión de lástima infinita, de suprema ternura compasiva, más suave que ninguna caricia de hermana. Aquella mirada derramó en mi espíritu la paz que baja sobre un corazón de cristiano después de confesar sus faltas y de recibir la absolución; una paz profunda y humilde, llena de agradecimiento por la piedad divina que leía en sus ojos" (187 f.).

„Ihr Profil, das kindhaft und rein war wie das einer Jungfrau des Fra Angelico, und von einer unübertrefflichen Anmut der Linien und des Ausdrucks, hob sich vor der dunklen Tapete des Speiseraums ab, der vom hellen Licht des Kandelabers erleuchtet war. Ihre Schönheit wurde durch ihr Haar vervollständigt, das in reichlichen Locken über der schmalen Stirn spielte, durch die zarten Rundungen ihres Mädchenkörpers im roten Seidenmieder, und durch die weißen und feinen Hände. Wenn sie die etwas schweren Lider senkte, fiel der Schatten ihrer dichten Wimpern auf die bleichen Wangen ... Plötzlich warf sie den Kopf zurück, und die Locken ihres braunen Haares schüttelnd, wandte sie ihn in die Richtung, wo ich saß, und heftete mit Festigkeit und Strenge ihre Augen auf mich. Ihre Blicke ruhten auf mir wie die des Arztes auf dem Körper eines Leprakranken ... Zum ersten Mal in meinem Leben senkte ich die Augen vor dem Blick einer Frau ... Als ich den Kopf wieder hob, hielt sie noch immer ihre Pupillen auf mich geheftet, und ich würde die meinen niedergeschlagen haben, wäre ich nicht im Blau ihrer Augen, in der Schwingung der feinen Lippen, in ihren sanften Gesichtszügen dem Ausdruck eines unermeßlichen Erbarmens begegnet, einer mitleidsvollen Zärtlichkeit, die linder war als jede schwesterliche Liebkosung. Dieser Blick goß in mir den Frieden aus, der sich auf das Herz eines Christen herabsenkt, nachdem er seine Sünden gebeichtet und die Lossprechung erlangt hat; es war ein tiefer und demütiger Friede, voller Dankbarkeit für das göttliche Erbarmen, das ich in ihren Augen las ..."

Ein stummer Dialog entspinnt sich zwischen den beiden.

„Si erré antes", betet der Debauché, „fue porque no sabía que existieras sobre la tierra, criatura de pureza y de luz. Tóquenme otra vez tus miradas y mi alma será salva ..."

„Wenn ich einst irrte, so deshalb, weil ich nicht wußte, daß es dich auf der Erde gab, du reines, leuchtendes Geschöpf. Noch einmal sollen dich meine Blicke treffen, und meine Seele wird erlöst sein ..."

Und die Angebetete antwortet:

„Descienda la paz sobre tí, pero no te alejes de mi camino, pobre alma oscura y enferma, yo seré tu conductora hacia la luz, tu Diotima y tu Beatriz ..." (189).

„Der Friede möge sich auf dich herabsenken, doch entferne dich nicht von meinem Weg, arme, dunkle und kranke Seele, ich werde deine Führerin zum Licht, ich will deine Diotima und deine Beatrice sein!"

Als Fernández in später Nacht noch Licht im Zimmer des Mädchens sieht, improvisiert er aus Blumen des Gartengebüschs einen Strauß und wirft ihn durchs offene Fenster. Die Antwort ist eine rituelle Geste. Das Mädchen tritt auf den Balkon,

„y con la cabeza alzada hacia el cielo, levantó la mano derecha a la altura de los ojos, trazando con ella lentamente una cruz en la sombra, mientras que la izquierda arrojaba con fuerza algo que atravesó el espacio y vino a caer a mis pies — blanco como una paloma — sobre el suelo sombrío . . ." — „Era", berichtet der Tagebuchschreiber, „un ramo de pálidas rosas té que levanté para besarlo. Volví los ojos a la fachada del hotel que estaba ya oscura y muerta, y por cuyos balcones cerrados no filtraba un solo rayo de luz" (193 f.).

„Und den Kopf zum Himmel gerichtet, hob sie die Rechte bis zur Höhe der Augen und zeichnete mit ihr langsam ein Kreuz ins Dunkel, während die Linke kraftvoll etwas hinausschleuderte, das den Raum durchquerte und wie eine weiße Taube zu meinen Füßen auf den dunklen Boden niederfiel. — Es war ein Strauß blasser Teerosen, den ich aufhob, um ihn zu küssen. Ich wandte den Blick zur Fassade des Hotels, die schon dunkel und wie tot dastand, und durch deren geschlossene Balkone kein einziger Lichtstrahl mehr drang."

Am nächsten Morgen sind Vater und Tochter abgereist; was José Fernández bleibt, sind der Name des Mädchens, Helena[20], eine Kamee, die sie am Abend im Speisezimmer verloren hatte — und die Erinnerung an die beiden „apariciones".

Aber sein Dichten und Trachten hat nun ein Ziel, sein Leben einen geheimnisvollen Inhalt bekommen. Verzehrt von einer „incurable nostalgia de las pupilas azules" (200), versucht er sich in immer neuen, verzweifelten Beschwörungen:

„Digo . . . su nombre en alta voz como una fórmula evocatoria que hubiera de hacerla surgir y aparecérseme, allá en el fondo sombrío de la estancia . . . e irse acercando, acercando, sin tocar la alfombra hasta detenerse en el círculo de luz de la lámpara y mirarme con sus ojos dominadores" (196).

„Laut spreche ich ihren Namen aus wie eine Beschwörungsformel, die sie herbeirufen und zum Erscheinen zu bringen vermöchte — dort in der dämmernden Tiefe des Raums; die sie, über dem Teppich schwebend, näher und näher kommen und in den Lichtkreis der Lampe treten ließe, um mich mit ihren gebieterischen Augen anzuschauen."

Wieder und wieder unterbricht Fernández die Aufzeichnungen seines ferneren Lebens, um seine „angustia" durch Anrufungen der Erlöserin zu lindern:

„Oh! ven, surge, aparécete, Helena! Lo que queda de bueno en mi alma te reclama para vivir. Estoy harto de lujuria y quiero el amor; estoy cansado de la carne y quiero el espíritu" (224). — „¿En dónde estás? Surge, aparécete. Eres la última creencia y la última esperanza. Si te encuentro será mi vida algo como una ascensión gloriosa hacia la luz infinita" (305).

„Oh komm, tritt hervor, erscheine mir, Helena! Alles, was gut in mir geblieben ist, ruft nach dir, um zu leben. Ich bin der Ausschweifungen überdrüssig und will

Liebe; ich bin des Fleisches müde, mich verlangt nach Geist. — Wo bist du? Tritt hervor, erscheine! Du bist mein letzter Glaube und meine letzte Hoffnung. Wenn ich dir begegne, wird mein Leben zu einem glorreichen Aufstieg werden — dem unendlichen Licht entgegen."

Er lebt im Geiste mit ihr, er verdeutlicht sich und sublimiert ihr Bild durch Dichtung und Kunst, er liest die „Vita nuova" und zitiert aus ihr, er liest die Dichter des Dolce stil novo und Shelley, Tennyson, Rossetti, er erwirbt ein Gemälde von Burne Jones, er studiert die Präraffaeliten — und er sucht das Rätsel ihrer Person unermüdlich, in London und in Paris, und durch Mittelsmänner in der weiten Welt, zu ergründen. Spuren beginnen sich abzuzeichnen. Sein Londoner Arzt besitzt ein Porträt („obra de uno de los miembros de la cofradía prerafaelita"!), auf dem Helena lebenswahr zu sehen ist (später stellt sich heraus, daß es sich um ein Bildnis ihrer Mutter handelt); sein Pariser Arzt vermittelt ihm wichtige Informatoren. Umsonst, die Suche bleibt erfolglos, die neue Beatrice verschollen. Es kommt schließlich zu einer etwas ungeduldigen Lösung. Nach einer neuen, schweren Krise beschließt Fernández, nach New York überzusiedeln und im „hard work" der Neuen Welt seine „nervios de artista" zu stählen; doch bevor er abreist, entdeckt er noch auf einem Pariser Friedhof . . . Elenas Grab. Seine abrupte Reaktion:

„¿Su tumba? ¿Muerta tú, Helena? . . . No, tú no puedes morir. Tal vez no hayas existido nunca y seas sólo un sueño luminoso de mi espíritu; pero eres un sueño más real que eso que los hombres llaman la Realidad. Lo que ellos llaman así, es sólo una máscara tras de la cual se asoman y miran los ojos de sombra del misterio, y tú eres el Misterio mismo" (310).

„Ihr Grab? Du wärest tot, Helena? Nein, du kannst nicht sterben. Vielleicht hast du niemals gelebt und bist nur ein lichtvoller Traum meines Geistes. Doch bist du ein Traum, der wirklicher ist, als was die Menschen Wirklichkeit nennen. Was sie so nennen, ist nur eine Maske, hinter der die Schattenaugen des Geheimnisses hervorschauen, und *du* bist das Geheimnis in Person."

So wäre alles nur Traum und Geheimnis, und die liebliche Erlöserin nur ein „fantasma" und eine „autosugestión" gewesen, wie bereits Fernández' Londoner Nervenarzt („fisiólogo materialista"!) vermutet hatte? – Man denkt einen Augenblick weiter und stellt sich eine andere, eine radikal präraffaelitische Auflösung und Deutung der Erscheinung vor, in der Art etwa, wie sie Dante Gabriel Rossetti (neben und vor anderen „Brüdern") in seiner Erzählung „Hand and Soul" erprobt hatte: die geheimnisvolle Erscheinung einer (d e r) Frau als Personifikation der Seele dessen, dem sie erscheint („I am an image, Chiaro, of thine own soul within thee. See me, and know me, as I am . . ."[21]). Dies wäre auch in „De sobremesa" die eigentlich „verinnerlichte“, die mediävisierende Lösung im Sinne der Brotherhood gewesen; Silva hat das Grab der Allegorese vorgezogen, das Ganze als Traum ausgegeben und sich damit für das sicherlich banalere spätromantische Klischee entschieden.

Die erste präraffaelitische Spur in Spanien finde ich in einem „Discurso sobre la poesía“, den der Dichter Gaspar Núñez de Arce 1888 im Madrider Ateneo vortrug[22]. Der Redner hält die Lyrik für die auszeichnende unter den dichterischen Gattungen und die englische Lyrik für die bedeutendste des Jahrhunderts; eine besonders rühmende Behandlung läßt er Tennyson, Swinburne und Rossetti angedeihen. Rossetti steht stellvertretend für die „escuela prerafaelista o estética“[23], und sein Gedicht „La doncella bienaventurada“ bildet die Mitte der ihm gewidmeten Ausführungen. Bezeichnend für die Aus- und Umdeutung, die der präraffaelitische Frauentypus in der literarischen Ästhetik des ausgehenden 19. Jahrhunderts erfuhr[24], ist die Art, wie Núñez die Blessed Damozel und ihre Schwestern nachzeichnet:

„¿Cómo no habrían de maravillar, no obstante su sentido arcaico, aquellas figuras de mujer, diáfanas como las imágenes pintadas en los vidrios de las catedrales, casi incorpóreas, ceñidas de blancas túnicas flotantes como ráfagas, con la frente orlada de flores místicas y los largos cabellos, parecidos a la espiga madura, cayendo en rizadas ondas por sus espaldas, suaves, esbeltas, y como para ocultar sus angélicas perfecciones a los ojos profanos, medio envueltas en nubes de incienso? El sentimiento de amor que despiertan estas formas indecisas, es tan puro como el sueño de un niño; nada hay en él que estimule los apetitos de la materia, y más que el ardiente deseo de los sentidos, es como una tibia evaporación del alma[25].“

„Wie hätten, trotz ihrer Altertümlichkeit, diese Frauengestalten keine Verwunderung hervorrufen sollen — durchscheinend wie die Bilder auf den Glasfenstern der Kathedralen, fast körperlos, in weiße, wie vom Wind bewegte Gewänder gehüllt, die Stirnen von mystischen Blumen bekränzt, während ihr goldgelbes Haar in endlosen Locken auf ihre Schultern fällt; lind, schlank und — als gelte es, ihre engelhafte Vollkommenheit vor profanen Augen zu verbergen — halb in Weihrauchwolken gehüllt? Die Liebesempfindung, die diese unbestimmten Formen erwecken, ist so rein wie Kinderträume; nichts gibt es in ihr, das körperliche Gelüste hervorrufen könnte, und eher als glühende Sinnengier spürt man ein lauliches Verdampfen von Seelischem.“

Auf diesen „Discurso“ hat Clarín noch im gleichen Jahr eine Entgegnung geschrieben[26], aus der hervorgeht, daß auch er, der Vielbelesene, über die Brotherhood informiert ist, daß er die Artikel und Übersetzungen des Franzosen Gabriel Sarrazin kennt und sogar von der präraffaelitischen Epigonin Vernon Lee weiß. Sein Standpunkt der „ästhetischen Schule“ gegenüber ist allerdings von dem des „Vorredners“ grundverschieden: pries Núñez die Lyrik, so bricht Clarín — mit Argumenten, die man heute in eine

Soziologie des Lesers einordnen würde — eine Lanze für den Roman; und für ebenso poetisch und künstlerisch rein wie die Blessed Damozel erklärt er die „demütige und sehr erdverbundene“ Dienstmagd Félicité in Flauberts „Un cœur simple“.

Valle-Inclán ist der spanische Schriftsteller und Dichter, bei dem sich (während seiner modernistischen Phase) die dauerhafteste Spur präraffaelitischer Inspiration beobachten läßt. Ihr Auftreten[27] reicht von den „cuentos“ *Beatriz* und *Rosarito* in „Jardín umbrío“ (1903) über die „Sonata de Otoño“ und die „Sonata de Primavera“ zu „Flor de santitad“ und zum Gedichtzyklus „Aromas de leyenda“ (1907); und noch in dem 1916 veröffentlichten ästhetischen Brevier seines modernistischen Schaffens, in „La lámpara maravillosa“, schwärmt er von den „primitivos italianos“ und zeichnet ein Bild des frühen Raffael, das deutlich jenseits der Grenzlinie liegt, die die Präraffaeliten für ihr Verständnis und ihre Bewunderung gezogen hatten[28]. Allerdings muß nun präzisierend gesagt werden, daß die genannten Werke nicht allesamt „massiv“ präraffaelitisch sind; sie gehören vielmehr zunächst einmal zu jener mystischen, marianischen, eucharistischen Motivik, die für den Modernismus generell kennzeichnend ist; aber auf dieser Linie kommt es dann verschiedentlich zu genuin präraffaelitischen Verknotungen.

Auf Grund welcher Lese- oder Bildeindrücke oder über welche Vermittler Valle-Inclán mit den Präraffaeliten bekannt geworden ist, läßt sich noch nicht mit Sicherheit sagen. Eine bis zur Gewißheit gehende Wahrscheinlichkeit besteht lediglich im Hinblick auf eine (vielleicht nur bestärkende) Unterrichtung durch den bewunderten Rubén Dario, der 1899 selbst nach Spanien gekommen und mit Valle-Inclán bekannt geworden war. In seinen Berichten für die Zeitung „La Nación“ in Buenos Aires beschäftigt sich Darío auch mit unserem Thema, und was er sagt, ist für unsern Zusammenhang interessant genug. Man lese in der spanischen Presse, heißt es unter dem 28. November 1899, ständig Angriffe auf die „modernistas“, „decadentes“, „estetas“ und „prerafaelistas“, und dabei finde sich doch in Madrid und im restlichen Spanien — mit Ausnahme Kataloniens[29] — weit und breit nichts, was auch nur entfernt an die Brotherhood erinnere!

„El formalismo tradicional por una parte, la concepción de una moral y de una estética especiales por otra, han arraigado el españolismo que, según D. Juan Valera, no puede arrancarse ‘ni a veinticinco tirones’. Esto impide la influencia de todo soplo cosmopolita, como asimismo la expansión individual, la libertad, digámoslo con la palabra consagrada, el anarquismo en el arte, base de lo que constituye la evolución moderna o modernista[30].“

„Der traditionelle Formalismus auf der einen und eine besondere Auffassung des Sittlichen und des Ästhetischen auf der anderen Seite haben ein wurzelfestes Spaniertum geschaffen, das sich nach den Worten von D. Juan Valera auch mit Pferdekräften nicht mehr herausreißen läßt. Dieses verhindert, daß der geringste kosmopolitische Einfluß an Boden gewinnt, wie daß die Selbstverwirklichung des Individuums, die Freiheit, oder sagen wir es mit dem heute geläufigen Wort: der Anarchismus in der Kunst sich durchsetzen — die Grundlage dessen, was die moderne oder modernistische Entwicklung darstellt."

Ein Diagramm, das ex negativo all das enthält, was der junge Valle-Inclán an Neuem und Belebendem in die spanische Literatur einbringen wird.

Hier kann nur von den beiden Großerzählungen oder Kurzromanen „Sonata de Otoño" und „Sonata de Primavera" die Rede sein, die in dieser Reihenfolge im Abstand von zwei Jahren, 1902 und 1904, d. h. für die Chronologie des literarischen Präraffaelitismus ziemlich spät, erschienen sind[31]; im Hinblick auf unser Thema verhält sich das erste zum zweiten Werk wie ein Entwurf zur vollen Ausführung.

Die „Sonata de Otoño" spielt zur Jahreszeit des Abschieds in einem einsamen Schloß in Galizien — „a lo lejos los cipreses del cementerio" (40). Protagonistin ist „la pobre Concha", wie sie stereotyp genannt wird — eine nicht mehr junge, todkranke Frau, die von ihrem Gatten und ihren Kindern getrennt lebt und ihren Jugendfreund und heimlichen Geliebten, den Marqués de Bradomín, zu sich eingeladen hat, um ihn in der Todesstunde an ihrer Seite zu haben (38). Die Krankheit hat sie vergeistigt und ihre starke natürliche Religiosität zu einer schmachtenden Mystik übersteigert. Ihre Gesichtsfarbe ist „de blancura eucarística", „de la palidez delicada y enferma de una Dolorosa" (27), ihre Hände „pálidas, delicadas, exangües, casi frágiles" (46). Ihr Porträt in Liegestellung:

„La cabeza descansaba sobre la almohada, envuelta en una ola de cabellos negros que aumentaba la mate lividez del rostro, y su boca, sin color, sus mejillas dolientes, sus sienes maceradas, sus párpados de cera velando los ojos en las cuencas descarnadas y violáceas, le daban la apariencia espiritual de una santa muy bella consumida por la penitencia y el ayuno. El cuello florecía de los hombros como un lirio enfermo, los senos eran dos rosas blancas aromando un altar, y los brazos, de una esbeltez delicada y frágil, parecían las asas del ánfora rodeando su cabeza. Apoyado en las almohadas, (el Marqués) la miraba dormir rendida y sudorosa" (26).

„Ihr Kopf ruhte auf dem Kissen, von einer Woge schwarzen Haars umgeben, das die matte Blässe des Gesichts noch stärker hervortreten ließ, und ihr bleicher Mund, ihre abgezehrten Wangen, ihre eingesunkenen Schläfen, die wächsernen Lider über den violetten Schatten der Augen verliehen ihr die vergeistigte Erscheinung einer sehr schönen, von Buße und Fasten verzehrten Heiligen. Wie eine kranke Lilie wuchs der Hals aus den Schultern hervor, die Brüste blühten und dufteten wie zwei weiße Rosen auf einem Altar, und die Arme, von zarter und zerbrechlicher Schlankheit, umgaben ihren Kopf wie die Griffe einer Amphore. Auf die Kissen gestützt, schaute (der Marquis) ihr zu, wie sie erschöpft und schweißgebadet schlief."

Bis hierher befinden wir uns sicherlich innerhalb der generellen, modernistisch-mystizistischen Vorstellungs- und Stilisierungsweise. Ein Fenster zum ausgesprochenen Präraffaelitismus scheint sich nur an einer einzigen Stelle zu öffnen. Concha vor einem Gartenhintergrund:

„Sobre aquel fondo de verdura grácil y umbroso, envuelta en la luz como en diáfana veste de oro, parecía una Madona soñada por un monje seráfico[32]."

„Vor jenem Hintergrund von anmutigem und schattenreichem Grün, vom Licht wie von durchscheinendem Goldbrokat umflossen, schien sie eine Madonna, wie ein seraphischer Mönch sie sich erträumt."

Das ist vielleicht eine Bildzuschreibung an die Adresse des in solchem Kontext obligaten Fra Angelico.

Eine besonders bedeutungsstarke Stelle fordert in dieser „Sonata" noch unsere Beachtung. Der Marqués erzählt:

„Quité el alfilerón de oro que sujetaba el nudo de los cabellos, y la onda sedosa y negra rodó sobre sus hombros: — Ahora tu frente brilla como un astro bajo la crencha de ébano. Eres blanca y pálida como la luna. ¿Te acuerdas cuando quería que me disciplinases con la madeja de tu pelo? . . . Concha, cúbreme ahora con él. — Amorosa y complaciente, echó sobre mí el velo oloroso de su cabellera. Yo respiré con la faz sumergida como en una fuente santa, y mi alma se llenó de delicia y de recuerdos florecidos. El corazón de Concha latía con violencia, y mis manos trémulas desabrocharon su túnica, y mis labios besaron sobre la carne: — Mi vida (23)!"

„Ich löste die goldene Nadel, die den Knoten ihres Haars zusammenhielt, und die seidige schwarze Woge ergoß sich über ihre Schultern: — Jetzt leuchtet deine Stirn unter dem Scheitel aus Ebenholz wie ein Stern. Du bist weiß und bleich wie der Mond. Erinnerst du dich an die Zeit, als ich verlangte, du solltest mich züchtigen mit den Strähnen deines Haars? Concha, decke mich jetzt mit ihm zu. — Liebevoll und willfährig warf sie den duftenden Schleier über mich hin. Mein Gesicht darin vergraben, atmete ich wie an einer heiligen Quelle, und meine Seele füllte sich mit Entzücken und mit blühenden Erinnerungen. Conchas Herz schlug heftig, mit zitternder Hand knöpfte ich ihr Gewand auf, und meine Lippen irrten über ihr Fleisch: — Mein Leben!"

Auf diesen wenigen Zeilen trifft sehr viel tief Bezeichnendes zusammen: der Fin de siècle-Fetischismus mit dem weiblichen Haupthaar (das hier auch zu — gleichnishaften — sado-masochistischen Verrichtungen beansprucht wird); eine Andeutung der Erlösungsidee; die hervorbrechende Sinnlichkeit des Marqués, der schon jetzt zu erkennen gibt, daß er nicht gekommen ist, um Concha, auf ihre religiösen Ängste Rücksicht nehmend, sterben zu helfen, sondern um in morbider und „gotteslästerlicher" Wollust zu schwelgen. Conchas letzte und von der charakterologischen Anlage des Geliebten her richtige Erkenntnis lautet deshalb: „¡ Es Satanás! ¡ Es Satanás!" (79).

Von der „Sonata de Primavera" schreibt der italienische Hispanist F. Meregalli zusammenfassend: „La ‚Sonata de Primavera' è il testo valleinclanesco in cui sono più evidenti gli influssi letterari, che in qualche caso rasentano senz'altro il plagio"[33]. Seit Casares[34] Entnahmen aus den Memoiren von Casanova und dem Roman „Le vergini delle rocce" von D'Annunzio nachwies, hat man noch Anleihen aus den „Diaboliques" von Barbey d'Aurevilly („Le plus bel amour de Don Juan") und einer Novelle von Mérimée („Il viccolo de Madama Lucrezia") aufgedeckt. Zu diesen „handfesten" literarischen Quellen fügt sich jetzt die präraffaelitische Bildinspiration als unabweisbares weiteres Ingrediens; nur ist zu verdeutlichen, daß Valle-Inclán sich nicht wie D'Annunzio oder Silva auf die Präraffaeliten Rossetti oder Burne Jones beruft, sondern daß seine Verweise sich unmittelbar auf deren Muster, d. h. die „primitiven" Maler vor Raffael selbst richten.

Dem Kritiker, der die „Sonatas" nach der Chronologie ihrer Entstehung liest, also die Herbstsonate vor der Frühlingssonate, fällt sofort auf, daß in der letzteren ein dichtes Netz von kunsthistorischen Bezügen ausgespannt ist, das in der ersteren vollkommen fehlt. Auch hier erinnern (wie bei D'Annunzio) weibliche Personen sofort an geschichtlich existente Modellporträts, die Namen von Botticelli, Del Sarto, Raffaello, Rubens begegnen wie selbstverständlich in Gesprächen oder Erzählerkommentaren. Die aktive Bildspenderin aber ist die Protagonistin der Erzählung, María del Rosario, ein zwanzigjähriges, hochadliges, zum baldigen Eintritt ins Kloster bestimmtes Mädchen. Valle-Inclán zeigt Rosario bald in Gruppenbildern mit den vier Schwestern, bald allein, und oft mit der Zugabe der präraffaelitischen Requisiten Rose, Lilie und Taube — der (auch marianischen) Symbole von Reinheit, Jungfräulichkeit und Heiligkeit. Da wir inzwischen die Topoi des präraffaelitischen Frauentypus weitgehend kennen, mag es mit zwei besonders aussagekräftigen Zitaten sein Bewenden haben.

Der Marqués sieht und erzählt:

„Yo escuchaba distraído, y desde el fondo de un sillón, oculto en la sombra, contemplaba a María Rosario: Parecía sumida en un ensueño: Su boca, pálida de ideales nostalgias, permanecía anhelante, como si hablase con las almas invisibles, y sus ojos inmóviles, abiertos sobre el infinito, miraban sin ver. Al contemplarla, yo sentía que en mi corazón se levantaba el amor, ardiente y trémulo como una llama mística. Todas mis pasiones se purificaban en aquel fuego sagrado y aromaban como gomas de Arabia“ (29).

„Zerstreut hörte ich zu, und in einen Lehnstuhl vergraben, im Schatten verborgen, betrachtete ich María Rosario: sie schien in einen Traum versunken. Ihr Mund, bleich von idealen Nostalgien, bebte sehnsuchtsvoll, als spräche sie mit unsichtbaren Seelen, und ihre Augen, unbeweglich aufs Unendliche geöffnet, schauten blicklos vor sich hin. Ich betrachtete sie und fühlte, wie in meinem Herzen die Liebe emporstieg, glühend und zag wie eine mystische Flamme. Alle meine Leidenschaften wurden rein in diesem heiligen Feuer und dufteten wie arabische Wohlgerüche.“

Ein andres Mal „erscheint“ María Rosario in Ausübung der Nächstenliebe, und dennoch fast ohne Bewegung; und nun erfolgt auch jene Transposition ins Mittelalter, die für präraffaelitisches Assoziieren so charakteristisch ist:

„María Rosario era una figura ideal que me hizo recordar aquellas santas hijas de príncipes y reyes: Doncellas de soberana hermosura, que con sus manos delicadas curaban a los leprosos. El alma de aquella niña encendíase con el mismo anhelo de santitad... María Rosario lloraba en silencio, y resplandecía hermosa y cándida como una Madona, en medio de la sórdida corte de mendigos que se acercaban de rodillas para besarle las manos. Aquellas cabezas humildes, demacradas, miserables, tenían una expresión de amor. Yo recordé entonces los antiguos cuadros, vistos tantas veces en un antiguo monasterio de la Umbria, tablas prerrafaélicas, que pintó en el retiro de su celda un monje desconocido, enamorado de los ingenuos milagros que florecen la leyenda de la reina de Turingia...“ (35—6).

„María Rosario war eine ideale Gestalt, die mich an jene heiligmäßigen Töchter von Fürsten und Königen denken ließ: Edelfräulein von unvergleichlicher Schönheit, die mit ihren zarten Händen die Leprakranken pflegten. Die Seele dieses Kindes entbrannte im gleichen Verlangen nach Heiligkeit... María Rosario weinte still vor sich hin und leuchtete schön und rein wie eine Madonna inmitten der schmutzigen Schar von Bettlern, die auf den Knien zu ihr heranrutschten, um ihre Hände zu küssen. Jene demütigen, abgezehrten, elenden Köpfe wurden durch einen Ausdruck von Liebe verschönt. Unwillkürlich dachte ich an die alten Gemälde, die ich so oft in einem alten umbrischen Kloster gesehen hatte — Tafeln aus der Zeit vor Raffael, in der Einsamkeit seiner Zelle von einem unbekannten Mönch gemalt, der in die kindlichen Wunder verliebt gewesen war, welche die Legende der Königin von Thüringen durchblühen.“

Der Marqués aber entwickelt sich von seiner anfänglichen „mystischen“ Beeindruckbarkeit rasch und vollständig zur Ruchlosigkeit fort, er wird schließlich zum satanischen Rivalen Gottes im Kampf um die Gottesbraut, welche den Verführer — nicht ohne im verschwiegensten Innern fasziniert zu sein — entsetzt zurückstößt, aber schließlich am Tod der kleinen Schwester schuldig wird und darüber in Wahnsinn fällt[35]. Im Kampf zwischen Weiß und Schwarz[36] mußte die wehrlose Lilie brechen, der schwarze Satan triumphieren.

Am frühesten unter allen „kontinentalen" Ländern wurde die Kunst der Brotherhood in Frankreich bekannt, und hier gab es denn auch die dichteste Folge von Informationen und literarischen Anverwandlungen[37]. Bereits 1855 konnte man im Nouveau Palais des Beaux-Arts Bilder von Holman Hunt und Millais (dessen Ophelia) sehen; in seinem Tagebuch rühmt Delacroix unter dem 17. 6. 1855 die „Ecole anglaise" und ihre „Ehrlichkeit in der Imitation alter Bilder"; im Salon von 1859 wird Baudelaire auf die Präraffaeliten aufmerksam. Präraffaelitische Spuren finden sich in den siebziger Jahren bei Rimbaud und Verlaine — beide übrigens England-„Reisende". Aber die modische Breitenwirkung des Präraffaelitismus beginnt auch in Frankreich erst in den achtziger Jahren. Zu Anfang des Jahrzehnts veröffentlichte Gabriel Sarrazin seine Artikel über zeitgenössische englische Dichtung, die 1885 in das Buch „Poètes modernes de l'Angleterre" münden. Bourget schreibt präraffaelitisch stilisierte Erzählungen und Gedichte. Debussy arbeitet 1887—89 an der Kantate „La Damoiselle Elue". Im fernen Berlin vergißt Laforgue über der Betrachtung von Reproduktionen aus der PRB seine Einsamkeit — und sieht seine englische Verlobte Leah Lee durch ein präraffaelitisches Prisma:

> „Elle n'a pas pour moi d'organes sexuels; je n'y songe pas ... Elle est tout *Regard,* un regard *incarné* emprisonné dans une forme diaphane s'écoulant par les yeux ..."[38]

Ende der achtziger Jahre blüht der literarische Präraffaelitismus auch in Belgien auf, in der Lyrik („Entrevisions" von Lerberghe) und in den frühen Dramen von Maeterlinck; kennzeichnend scheint hier einerseits eine naive Schwärmerei:

> „Bruxelles est illuminé d'Anglaises, c'est la seule chose qui me console de vivre. J'en ai admiré une hier soir, botticellienne, sur un fond de feuillage et de musique",

berichtet Charles van Lerberghe dem Freunde Mockel; andererseits erkannten nun die flämisch-frankophonen Autoren Belgiens eine Möglichkeit, im Anschluß an die englische Malerei und nicht zuletzt an die großen flämischen Künstler des 15. Jahrhunderts eine Alternative zur „lateinischen" Kultur zu schaffen. Denkbar aufschlußreich die Sätze Maeterlincks:

> „Voilà donc le but du préraphaélisme, l'instinct (conscient ici) retournant à la source originelle, essentielle et primitive, en s'éloignant de la source artificielle latine ..."[39].

Der Höhepunkt des französischen Präraffaelitismus liegt zwischen 1885 und 1895. Aber es gab hier noch einen seltsamen Nachläufer (das Wort chronologisch und nicht wertend zu verstehen), und da gerade bei ihm sich die präraffaelitische Beeinflussung als echtes, psychologisches und ästhetisches Problem stellt, soll er unsere Beispielreihe beschließen: gemeint ist Alain-Fournier mit seinem Roman „Le grand Meaulnes"[40].

Die „Geschichte" beginnt mit einer in die Aura religiöser Geheimnishaftigkeit getauchten Begegnung — einer jener den Heilsplan auf die persönliche Ebene übertragenden Erweckungsbegegnungen, deren Vorbild Dante in der „Vita nuova" ein für allemal gestaltet hat. Der achtzehnjährige Henri Fournier wird am Himmelfahrtstag 1905 auf dem Pariser Cours-la-Reine eines jungen Mädchens ansichtig, dessen Erscheinung ihn in Bann schlägt. Die Begegnung wiederholt sich am darauffolgenden Pfingsttag und führt nun auch zu einem einsilbig-scheuen Gespräch — aber damit ist alles zu Ende. Fournier sieht das Mädchen niemals wieder[41], aber er feiert mit Inbrunst die Jahrestage — auch nachdem er erfahren hat, daß die Angebetete nunmehr verheiratet ist. Die Begegnung hat ihn für die Dauer seines Lebens geprägt, sie hat sein Trachten und Träumen fixiert, und sie hat schlummernde schöpferische Kräfte in ihm entbunden.

Im Juli des gleichen Jahres fährt Fournier für ein paar Monate nach London, wo er eine Ferienbeschäftigung gefunden hat[42]. Im August besucht er die mit Präraffaeliten reich bestückte Tate Gallery und schreibt darüber an den Freund Jacques Rivière:

„Surtout *Tate Gallery*. J'y avais été juste la veille de ta lettre et j'en étais revenu charmé. Je ne savais pas où j'allais. J'y suis retourné le soir même. J'ai des notes et un croquis même, et des emballements, te parlerai de Burne Jones, Rossetti, *Watts,* de Leslie, de Walker, de Orchardson, de Millais, de Mason, de Graham, de *Watts* surtout ... J'ai hâte de t'envoyer mon croquis, petit croquis d'un admirable Saint Jean d'un admirable tableau de Ford Madox Brown que j'ai découvert ..."[43].

Diese Bildeindrücke fallen nun in eine Zeit, da sich Henri Fournier — nach eigenem Eingeständnis — die Züge der Geliebten in der Erinnerung zu verwischen beginnen. Kunstwerke sollten ihm im Kampf gegen das Vergessen helfen, haben ihn aber wohl auch abgelenkt, zerstreut und gestört. In einem Brief an Rivière bekennt er sein Dilemma:

„O mes efforts de mémoire, les soirs! Yeux d'une Madone de Botticelli, de Londres; ailleurs, un peu le sourire, un peu la bouche, un peu la chevelure, comment se rappeler"?[44]

Später im gleichen Sinn an die Schwester und Vertraute Isabelle:

„Chaque jour . . . *l'art froid et trop beau* (Hervorhebung von mir) me la rappelle: Botticelli, ses yeux. Ibsen, son regard. Dante-Gabriele Rossetti, son profil. Watts, son profil . . . Et je cherche, parmi mes souvenirs, avec ces parcelles d'âme, à retrouver complètement son visage et — suis-je donc déchu, ne suis-je plus assez grand pour ce souvenir? — Je ne peux pas, je ne peux pas. Douce mélancolie . . .“[45].

Ist also das berückende Mädchenbild, das ihm immerfort im Sinne steht, gar nicht mehr real, sondern eine Schöpfung seiner Phantasie, eine Projektion seiner Sehnsucht (wie Silvas Helena)?

„Je me suis dit . . ., avec mélancolie, que j'avais créé en moi et seulement en moi, du jour où j'ai oublié son visage. Et lorsqu'un hasard ou un grand effort me le rappellent, je redeviens incapable de douter et je sens qu'il y a tout autour de moi, hors de moi, au-dessus, une vie merveilleuse que je n'aurai peut-être pas la force d'atteindre“[46].

Nur dies eine weiß er mit Bestimmtheit: „Auprès d'elle, on ne pensait pas à son corps“[47] — aber wie sich das Leibliche der Seele vergegenwärtigen?

Inzwischen ist in Fournier die Idee „seines“ Romans aufgekeimt und gewinnt zögernd festere Umrisse. Er begreift allmählich, daß das Werk nur in seiner Kindheitslandschaft, an den Ufern des Flusses Cher spielen kann, und daß sein Mädchen vor diesem Hintergrund gestaltet werden muß. Und dabei erinnert er sich noch einmal an Rossetti (von dem er unterdessen — nicht ohne Mühe — ein paar Gedichte übersetzt hat[48]): er träumt davon, den „regard idéal“ der Beata Beatrix zu verbinden mit „cette odeur sauvage et unique et brutalement réelle“ der mittelfranzösischen Landschaft. Das Prinzip des „réalisme magique“ ist gefunden, und das „Magische“ wird sich vor allem auf die Person des Mädchens Yvonne konzentrieren.

Wir kennen zwei Beschreibungen ihrer Gestalt vor dem „Grand Meaulnes“: die erste ist identisch mit dem noch im Sommer 1905 entstandenen Gedicht „A travers les étés“, die zweite bildet den Hauptteil eines Briefes an den Freund René Bichet vom 6. September 1908. Das Gedicht[49] ist noch ein direkter Nachhall der großen Begegnung: die als „Vous“ Angesprochene und Gefeierte ist Personifikation schwärmerischen Sommerglücks und Châtelaine einer „maison d'été“, in der sich des Dichters Kinderträume erfüllen: physische und physiognomische Hinweise fehlen (mit Ausnahme der blonden Haarfarbe) ganz; bemerkenswert ist der religiöse Akzent — die Vorstellung, „sie“ beträte vom Garten her das Haus auf einer von Blütenblättern übersäten Allee „wie auf einem Fronleichnamspfad“[50].

Im Brief an Bichet dagegen ist Henri Fournier in seinen Angaben recht konkret. Die Details, an die er sich erinnert, sind: „Visage immobile“; „bouche légèrement mordue“; „corps mince et grand“; „taille invraisemblable"; „chevilles si fines qu'on craignait toujours de les voir plier sous son corps"; und: „Elle était hautaine (et noble)"[51]. Schließlich:

„Je n'ai jamais rien vu de si enfantin et de si grave à la fois. Quoique je l'aie vue sourire, une fois, il y avait dans ses yeux cette désolation convenable, insondable et bleue de la mer, sur les plages de la côte d'Argent ou de la Méditerranée — d'où elle venait..."

Der Rest des Briefes besteht aus sittlich-religiösen Konnotationen.

„Le mot pureté est celui qui lui convient toujours... Notre rencontre fut extraordinairement mystérieuse... Cet amour, si étrangement né et avoué, fut d'une pureté si passionnée, qu'il en devint presque épouvantable à souffrir... C'était en tout cas l'âme la plus féminine et la plus blanche que j'aie connue; c'était une dame de village à la procession des Rogations; c'était une hampe de lilas blanc..."[52].

Was ist an dieser Personenbeschreibung (über drei Jahre nach jenem flüchtigen Ansichtigwerden!) Dichtung — u. a. Überlagerung durch Kunstreminiszenzen — und was Wahrheit? Unentwirrbares Rätsel. Sehen wir einstweilen zu, ob und wie sich Yvonne im Verlauf der nächsten Jahre durch die Verwandlung in eine Romanperson verändert hat. Augustin Meaulnes erblickt sie am Morgen nach der Fête étrange, mit einer „vieille dame" auf die Anlegestelle der Boote zuschreitend.

„Meaulnes eut le temps d'apercevoir, sous une lourde chevelure blonde, un visage aux traits un peu courts, mais dessinés avec une finesse presque douloureuse. Et comme déjà elle était passée devant lui, il regarda sa toilette, qui était bien la plus simple et la plus sage des toilettes... Lorsqu'elles descendirent sur l'embarcadère, elle eut ce même regard innocent et grave qui semblait dire: — Qui êtes-vous? Que faites-vous ici? Je ne vous connais pas. Et pourtant il me semble que je vous connais... Il s'accouda sur le pont... et il put regarder à l'aise la jeune fille... Elle ... posait doucement ses yeux bleus sur lui, en tenant sa lèvre un peu mordue... Il avait regardé ce profil si pur, de tous ses yeux, jusqu'à ce qu'ils fussent près de s'emplir de larmes... Vous êtes-belle, dit-il simplement... Ses chevilles étaient si fines qu'elles pliaient par instants et qu'on craignait de les voir se briser... Ensuite elle reprenait son visage immobile.. et ses yeux bleus regardaient fixement au loin... Mon nom?... Je suis Mademoiselle Yvonne de Galais. Et elle s'échappa ... Ils parlèrent lentement, avec bonheur, — avec amitié. Puis l'attitude de la jeune fille changea. Moins hautaine et moins grave, maintenant, elle parut aussi plus inquiète. On eût dit qu'elle redoutait ce que Meaulnes allait dire et s'en effarouchait à l'avance. Elle était auprès de lui toute frémissante, comme une hirondelle un instant posé à terre et qui déjà tremble du désir de reprendre son vol... — Je vous attendrai, répondit-elle simplement... La jeune fille, dans le lointain, au moment de se perdre à nouveau dans la foule des invités, s'arrêta et, se tournant vers lui, pour la première fois, le regarda longuement. Etait-ce un dernier signe d'adieu? Etait-ce pour lui défendre de l'accompagner? Ou peut-être avait-elle quelque chose encore à lui dire[53]?"

Es ist nicht schwer zu erkennen, daß Alain-Fourniers ideale Geliebte seit jenem biographischen Bekenntnisbrief von 1908 im wesentlichen unverändert geblieben ist. Nur ihr Haar ist inzwischen (präraffaelitisch?) „schwer" geworden; ihre Kontaktscheu verdeutlicht der Autor jetzt durch das (neuplatonisch zu verstehende) Schwalbengleichnis. Aber im Gegenzug unterstreicht er die schlichte Alltäglichkeit der Toilette, auch läßt er sie, allzu vernünftig, nach dem „Nutzen" der Begegnung fragen — und holt sie so auf die Erde und zu deren Wirklichkeiten zurück.

Erst über zweihundert Seiten später tritt Yvonne wieder auf, fortan durch das Prisma des „Schildknappen" Seurel[54] gesehen. Geändert hat sich am Gesamtbild nichts: „taille mince", „lourde chevelure blonde", „gravité", „fragilité", dazu das feststehende Requisit des „grand manteau marron"[55]. Indessen, *ein* Novum gibt es doch — die bisherigen Symptome der Zerbrechlichkeit erscheinen nun, Vorboten des Schicksals, durch solche des Krankseins vertieft[56]:

„Je ne remarquai qu'un défaut à tant de beauté: aux moments de tristesse, de découragement ou seulement de réflexion profonde, ce visage si pur se marbrait légèrement de rouge, comme il arrive chez certains malades gravement atteints sans qu'on le sache. Alors toute l'admiration de celui qui la regardait faisait place à une sorte de pitié d'autant plus déchirante qu'elle surprenait davantage ..."(230).

Im Gespräch mit Seurel äußert sie den Wunsch, wie er und seine Mutter „die kleinen Buben" zu unterrichten: „Je les aime beaucoup", sagt sie mütterlich. Und dann, mit deutlicher Anspielung auf den großen Meaulnes und seine Unrast:

„Je leur enseignerais à trouver le bonheur qui est tout près d'eux et qui n'en a pas l'air ... Et sans sourire, elle reprit sa pose songeuse et enfantine, son regard bleu, immobile" (232 f.).

Einmal mehr scheinen das weltimmanente kleine Glück und die Ahnung der Transzendenz eng miteinander verknüpft.

Was die weibliche Hauptgestalt betrifft, so sind damit alle Prämissen für die Schürzung und Lösung der Romanhandlung gegeben. Auf einer ländlichen Lustpartie begegnen Yvonne und Meaulnes sich aufs neue. Am Ende hält er um ihre Hand an. Ruhige Monate des Verlobtseins. Doch wenige Tage nach der Hochzeit treiben konstitutionelle Unrast und sittliche Verstrickung — eine fatale „impuissance à être heureux" — ihn wieder hinaus. Yvonne fällt in schweres Fieber und bleibt von nun an „fiévreuse"; die

Solveig-Züge an ihr verdichten sich[57]. War es ihr nicht vom Schicksal aufgegeben, den „Seelenvagabunden"[58] Meaulnes durch ihre still beharrende Geistigkeit zu erlösen? Die Frage wird im Gespräch mit Seurel ausdrücklich erörtert. Aber Yvonne:

„Il n'y a que nous — il n'y a que moi de coupable. Songez à ce que nous avons fait ... Nous lui avons dit: voici le bonheur, voici ce que tu as cherché pendant toute ta jeunesse, voici la jeune fille qui était à la fin de tous tes rêves! Comment celui que nous poussions ainsi par les épaules n'aurait-il pas été saisi d'hésitation, puis de crainte, puis d'épouvante, et n'aurait-il pas cédé à la tentation de s'enfuir? — Yvonne, dis-je tout bas, vous saviez bien que vous étiez ce bonheur-là, cette jeune fille-là. — Ah! soupira-t-elle. Comment ai-je pu un instant avoir cette pensée-là qui est cause de tout? ..." (313).

Erlösenwollen — ein Akt des Hochmuts? Auf dieser Stufe beseelten Zartgefühls gibt es kein Wirken für den andern mehr, sondern nur noch unerbittliche Vereinzelung.

Es ging uns darum, zunächst das Material unseres Themas mitzuteilen — ausreichendes und möglichst „farbiges" Material: zur Vergegenwärtigung von (dichterischen) „Bildern" bedarf es umfänglicherer Zitate als bei den meisten anderen literaturwissenschaftlichen Aufgabenstellungen. Welche Folgerungen ergeben sich nun aus dieser Stoffsammlung?

Präraffaelitische Frauengestalten aus der Malerei in erzählende Prosa zu verpflanzen, bedeutet an sich, sie in einer artfremden Gattung anzusiedeln: das ihnen allenfalls gemäße literarische Genus wäre das Gedicht — das reinlyrische oder das Erzählgedicht. Immerhin: die Möglichkeit, im Roman Fuß zu fassen, stand derart beschaffenen Kunstwesen so lange offen, als die Romanästhetik das „Porträt" als Strukturelement vorsah oder wenigstens zuließ; dazu bestand in der Epoche der Jahrhundertwende aus heutiger Perspektive die letzte unbestrittene Möglichkeit.

In bezug auf ihre (ebenfalls überwiegend in Erzählungen vorkommenden) *femmes fragiles* stellt A. Thomalla fest: „Meist ist weniger die innere Entwicklung ihrer Person oder der Handlung von Bedeutung als vielmehr der ‚optische Eindruck' ... Die Gestalt der *femme fragile* wird gleichsam von Situation zu Situation neu ausdekoriert und in Szene gesetzt, so daß sich ihre Geschichte manchmal fast wie eine Bilderfolge ausnimmt"[59].

Unter den von uns vorgestellten Beispielen gilt diese Beobachtung sicherlich für die Helena aus Silvas „De sobremesa", aber nur für sie. Schon die María Rosario in Valle-Incláns „Sonata de Primavera" ist funktional und strukturell — über das bloße Erscheinen hinaus — dadurch stärker in der Erzählung verankert, daß sie den einen Pol des thematischen Schwarz-

Weiß-Verhältnisses ausmacht. Bei der Maria in D'Annunzios „Il Piacere" aber wird man ohne Zögern von einer seelischen Entwicklung sprechen; diese wird dadurch herbeigeführt, daß die Frau aus Siena ihre Liebe zu Andrea Sperelli als Schuld (Ehebruch) empfindet und alle Beseeligungen und Entmutigungen durchlaufen muß, bis sie sich ihm — im genauen Wortsinn — „hingibt": in ausführlichen Tagebucheintragungen läßt der Autor sie selbst ihren Konflikt bekennen und überdenken. Freilich scheint diese psychologische Austiefung seiner Präraffaelitin nicht D'Annunzios alleiniges Verdienst, vielmehr zeigt die Analyse des Romans ziemlich unzweideutig, daß der Anleihenfreudige sich über einige Strecken von Laclos' „Liaisons dangereuses" inspirieren ließ: auf Maria fällt der Schatten der Présidente de Tourvel (so wie auf Sperelli der Valmonts); aber man muß sagen: die Integration ist künstlerisch gelungen, die Kontamination war ein glücklicher Einfall.

Eine ganz eigene Problematik bietet, wie früher angedeutet, Alain-Fourniers Yvonne. Hier hat der Weg einmal nicht von präraffaelitischen Bildeindrücken und der Faszination durch sie zur Herstellung einer mehr oder weniger „synthetischen" Kunstfigur geführt, sondern ein (wie immer stilisiertes) biographisches Faktum — die Begegnung des Dichters mit einer unbezweifelbar realen Person — stand am Anfang und wurde dann erst durch Reminiszenzen und Assoziationen aus der Welt der Kunst (besonders der präraffaelitischen Malerei) angereichert, vielleicht umgestaltet. Die Verwandlungen der Romangestalt Yvonne de Galais von der ersten Konzeption bis zur Endfassung — die Übergänge von der biographischen zur Symbolfigur, zur mythisierten Geliebten — sind uns nicht bekannt; möglich, daß der Autor während der Jahre der Arbeit ursprüngliche Bezugnahmen auf den Präraffaelitismus tilgte: wir wissen es nicht. Die Endform jedenfalls weist — ganz im Gegensatz zu den drei anderen, hier vorgestellten Werken — keinerlei kunstgeschichtliche Anspielungen (mehr) auf — das Mädchen, die junge Frau Yvonne leben ganz aus sich selbst, d. h. dank der Gestaltungskraft eines Autors, der offensichtlich unter der Einwirkung einer nachhaltigen persönlichen Emotion stand. Das macht Yvonnes Stärke aus; die suggestive Aufrichtigkeit dieser Emotion ihres Schöpfers ist es, die ihre Gestalt als eine „lebendige" wirken läßt[60]. — Aber kann denn die Heldin des „Grand Meaulnes" überhaupt als präraffaelitisch gelten? Ich denke, ja. Wenn auch die erklärten Bezugnahmen fehlen — die typologischen Eigentümlichkeiten, die ihr von Alain-Fournier mitgegeben worden sind, gehen durchaus in die Richtung einer solchen Zuordnung, und aufs Ganze gesehen wäre der vergeistigt-beseelte weibliche Idealtyp, in der Art, wie ihn Alain-Fourniers Geschöpf repräsentiert, ohne die präraffaelitische „Vorarbeit" einfach undenkbar.

Wenn man den Gründen für das Aufkommen und die Ausbreitung dieses Frauentypus auf die Spur zu kommen sucht, so stellt sich zunächst Erstaunen darüber ein, daß eine „ästhetische Bewegung", die 1848 begründet wurde, bis über die Jahrhundertwende hinaus unvermindert vorhalten konnte, ja in der Literatur erst in den achtziger Jahren eigentlich wirksam zu werden begann. Doch vermindert sich dieses Erstaunen, wenn man bedenkt, daß Rossettis „Poems" nicht früher als 1870, seine „Ballads and Sonnets" erst 1881 in Buchform erschienen; und weiter, daß es neben Rossetti als Maler ja gerade Burne Jones war, der die Popularität der ehemaligen Brotherhood auf dem Festland begründete — mit Werken, die in den siebziger und frühen achtziger Jahren entstanden und die beispielsweise Hofmannsthal (Loris) erst 1894 in einer Ausstellung des Wiener Künstlerhauses entdeckte und in einem schwärmerischen Artikel pries[61]. Wertvoll ist in diesem Zusammenhang auch der Hinweis in einem Brief Henri Fourniers, am Lycée Louis-le-Grand in Paris halte (1906) der Englischprofessor einen Kurs „sur Rossetti et les P.R.B."[62].

In seinem jüngst erschienenen Buch „Die Präraffaeliten"[63] deutet G. Metken deren Kunst als geboren aus „Lebensangst und Melancholie", als eine Flucht vor dem beginnenden Industriezeitalter der viktorianischen Ära ins Mittelalter (eine Evasion, die sich jedoch mit einem utopischen Künstlersozialismus vertragen konnte), und er nennt mit einer glücklichen Formulierung Rossettis Bilder „Ikonen der Entfremdung zwischen dem Künstler und der Realität". Die Wahrnehmung einer „unheilbaren" Entfremdung zwischen dem künstlerisch schaffenden Subjekt und der (herrschenden bürgerlichen) Gesellschaft war in der Tat vielerorts ins Bewußtsein der Künstler gedrungen, und deren emotionale Reaktion darauf verschärfte sich, besonders in Frankreich, zusehends. Die letzten Jahrzehnte des 19. Jahrhunderts zeitigten dort eine ausdrückliche, zum Teil aggressive „Exil"-Ideologie: die Kongruenz mit der präraffaelitischen Weltanschauung ist in dieser Hinsicht vollkommen. Andererseits kann nicht übersehen werden, daß es im Fin de siècle ein Wuchern bestimmter Mythen gibt, das sich von den historisch-soziologischen Bedingtheiten des Ursprungs vielfach losgelöst hat; diese Mythen gehören zu einer wort- und bildkünstlerischen Koiné dieses Zeitraumes, deren Strahlkraft (auch) immanent ist, und die unabhängig von oft krassen Unterschieden in der Gesellschaftsstruktur, von den jeweiligen geschichtlichen Errungenschaften und vom jeweiligen Wirtschaftsniveau gesprochen wird.

Ein Hauptthema dieser Koiné ist seit der Mitte der achtziger Jahre die Verdammung des materialistischen Naturalismus und das Streben nach einer spiritualen Überhöhung der Lebenswirklichkeit. In diesem polemischen

Kontext finden unsere präraffaelitischen Frauengestalten ihre erste und allgemeinste Erklärung. Sie sind idealistische Repliken auf die vererbungsbedingten, triebbesessenen und interessengebundenen Weibsgestalten der Naturalisten; dem niederziehenden Eros sollte der „hinanziehende" siegreich gegenübergestellt werden.

Dieses Streben nach Beseelung des Leibes und Vergeistigung der Materie knüpft durchweg — nicht selten uneingestanden — an die platonisch-neuplatonische Tradition an, die ja niemals ganz ausgestorben war (am allerwenigsten in England), aber im Fin de siècle ein neues Aufblühen erlebte. Neuplatonische Denk- und Bildmotive waren, um uns auf unsere Beispiele zu beschränken, bei Silva und Alain-Fournier „mit Händen zu greifen"; bei Valle-Inclán wurden neuplatonische Inhalte vor allem in „La lámpara maravillosa" nachgewiesen[64].

Hinzu kommt der in einer Zeit des „Renouveau catholique" mit neuer Strahlkraft ausgestattete Madonnenkult: die alte Vermischung von Neuplatonismus und Christentum geht im Fin de siècle vor allem in diese Richtung und trägt Entscheidendes zur Konzeption des weiblichen Idealtypus bei, der hier analysiert wird. Ihre „Unbeflecktheit" und die Nähe zum, die mögliche Fürsprache beim Erlöser — das war es, was die Gottes-Mutter für viele in besonderem Maße anziehend machte.

Auf dieser Grundlage konnte nun ein mythologisierendes Kraftfeld entstehen, zu dessen Protagonistin die Beatrice des Präraffaeliten Dante[65] wurde. V. Engelhardt hat eine „Literaturgeschichte des Beatricethemas" geschrieben — von Dante bis zur Gegenwart —, was nicht ganz ohne Pressungen und Wunderlichkeiten abging[66]. Für das Fin de siècle ist indessen keinerlei Gewaltanwendung vonnöten, im Gegenteil: Engelhardts Beispiele lassen sich durch viele weitere, überzeugungskräftige vermehren, unter anderem durch die unsern.

In allen Fällen haben wir versucht, das — angedeutete oder ausgebildete — Erlösungsmotiv herauszuarbeiten. Hier knüpften unsere Autoren an eine bis zur Obsession gehende Empfindungs- und Denkrichtung des 19. Jahrhunderts, vor allem seiner zweiten Hälfte, an: das spiritualistische Pendant zu den immer konkreter werdenden politischen Heilsvorstellungen. Von Wagners „Tannhäuser" zu Ibsens „Peer Gynt", Dostojewskis „Schuld und Sühne" und „Der Idiot" bis zu Strindbergs „Nach Damaskus": immer und überall Gestaltungen eines — sehr oft neurotischen — Erlösungsdranges! Im Fin de siècle wird dieses Rufen nach Erlösung vollends zum brausenden Akkord. Der Gedanke kann sich nun mit eschatologischen Erwartungen verbinden und durch sie dramatisiert werden — so bei Léon Bloy; er spricht sich aber vor allem in der Christussuche der Epoche aus — sowohl in neuen Interpretationen der Christusgestalt wie in zahlreichen literarischen Inkarnationen Christi[67]. Erst vor diesem Hintergrund gewinnt auch die Beatrice-Thematik ihre volle Erklärung und erscheint gleichzeitig in ihrer thematischen (und historischen) Verhältnismäßigkeit.

Nun fällt es allerdings den meisten der hier direkt oder indirekt genannten Autoren sehr viel leichter, vom Wovon als vom Wozu der erträumten Erlösung zu sprechen. Die Gründe des Erlösungsbedürfnisses gehen im allgemeinen aus den persönlichen Verstrickungen der Autoren und aus der Zeitlage — den Spannungen zwischen dem Individuum und einer aus den Fugen geratenden, unfreundlich gewordenen Welt — mit selbsttätiger Evidenz hervor; aber das Ziel der Erlösung bleibt im Unbestimmten, es hat sich von den alten christlichen Gnaden- und Heilsvorstellungen weitgehend gelöst, ist zu einem subjektiven Problem geworden, bleibt in manchen Fällen, als Sehnsucht nach „Ruhe und Frieden", eine Therapie für das Nervensystem, beschränkt sich bei ernsthafteren Personen auf die Vorstellung einer weltimmanenten Sittlichkeit, ohne Aufblicke zur Transzendenz oder doch nur mit einer unbestimmten metaphysischen Überwölbung. Lediglich ein genuin christliches Relikt behält auch in der säkularisierten Moderne zunächst noch starke Suggestivkraft: die Tabuisierung der Frau und ein Reinheitsideal, das sich auf sexuelle Askese stützt und beruft.

Dies die allgemeine Lage. Wird man daraus folgern, daß die religiöse Unruhe, von der so viele Werke des Fin de siècle zeugen, nichts als Pose, Dilettantismus und Mode war[68]? Ich meine nicht. Viele Quellen scheinen vielmehr dafür zu sprechen, daß sich in der letzten Jahrhundertwende — entsprechend der allgemeinen Rhythmik und Dialektik des Geschichtsablaufs — die Empfindung des Religiösen tatsächlich regeneriert hat; Anschlußphänomene wie die pseudoreligiöse Metaphorik des Modernismus in Spanien und Lateinamerika waren bei dem modernen Öffentlichwerden innerer Vorgänge unvermeidlich und können kein ernstzunehmendes Gegenargument darstellen. Um bei unseren Beispielen zu bleiben: bei Alain-Fournier kann die religiöse Betroffenheit als authentisch gelten — um so mehr, als er sich jeder vorschnellen (dogmatischen) „Parteinahme" enthält; bei Silva läßt sich aus Mangel an Unterlagen kaum etwas Verläßliches sagen; am entferntesten von dem, was wir hier als „echt" ansetzen wollen, scheint D'Annunzio zu sein, bei dem religiöse Stimmungen und Aspirationen ganz offensichtlich nur ein Stimulans der Sinnlichkeit und ein ästhetizistisches Plaisir gewesen sind. Aber gerade er hatte ein zeitgeschichtliches Gegenüber in Giulio Salvadori, der wie der Autor des „Piacere" beim modischen Stilnovismo (sogar als Mitarbeiter-Kollege der „Cronache bizantine") begann, um später den Weg einer aktiven und kompromißlosen Spiritualität zu finden.

Wir wollen also annehmen, daß es eine religiöse Aufbruchsbewegung im Fin de siècle wirklich gegeben hat; anders als es hier geschehen ist, sollte diese in einer neuen Studie wohl zuerst in ihrem Kern aufgesucht und geprüft werden, bevor man die Konsistenz ihres Erscheinens in Kunst und Literatur beurteilt. Bei einem solchen Vorgehen könnten sich die präraffaelitischen Frauengestalten als „Symbole" (im C. G. Jungschen Sinn) unter anderen Symbolen des Fin de siècle erweisen; auch sie wären Verdichtungen eines „komplizierten Tatbestandes" — nämlich einer prekären und flüchtigen Lösung im menschlichen Ringen zwischen Sexualität und Reinheitsideal; aber auch ihre künstlerische Gestaltung bliebe — wie die der anderen „Symbole" des Fin de siècle — „unterhalb der Höhe des durch sie bezeichneten Mysteriums"...[69].

Was schließlich die rein ästhetische Seite bei der Gestaltung der idealen Geliebten präraffaelitischer Observanz betrifft, so liegt es wohl im Wesen jenes Stils, daß hier je und je eine Gratwanderung über den Abgründen des Kitschs gewagt werden mußte[70]. Einigen Autoren ist dieser Balance-Akt einigermaßen gelungen; für das Abgleiten der Epigonen ins Triviale sind sie nicht verantwortlich. Geraten scheint es jedenfalls, sich hier einmal ganz an die (relativ) „Großen" zu halten; zusätzliche Erkenntnisse gibt es bei den „Kleinen" nicht — es sei denn die Provokation zu jener altklug-banausischen Neugierfrage nach den Potenzverhältnissen, von der eingangs die Rede war.

## ANMERKUNGEN

1. Gemeint sind Hans H. Hofstätter: *Symbolismus und Kunst der Jahrhundertwende*, Köln 1965; Philippe Jullian: *Esthètes et magiciens*, Paris 1969 — dt. Übers.: *Mythen und Phantasmen in der Kunst des Fin de siècle*, Berlin 1971; Lothar Hönnighausen: *Präraphaeliten und Fin de siècle*, München 1971; Jost Hermand: *Undinenzauber. Zum Frauenbild des Jugendstils*, in: *Der Schein des schönen Lebens. Studien zur Jahrhundertwende*, Frankfurt 1972; Ariane Thomalla: *Die „femme fragile". Ein literarischer Frauentypus der Jahrhundertwende*, Düsseld. 1972.

2. Mario Praz: *La carne, la morte e il diavolo nella letteratura romantica*, Firenze 1930 u. viele weitere Auflagen — dt. Übersetzung: *Liebe, Tod und Teufel — Die schwarze Romantik*, München 1963.

3. „Wir sind reif, am Weibe zugrunde zu gehen", glaubte Lothar Brieger-Wasservogel in einer sehr frühen, auf dem Höhepunkt der literarisch-künstlerischen Frequenz der *femme fatale* geschriebenen Studie feststellen zu können *(Die Darstellung der Frau in der modernen Kunst*, Leipzig 1906, passim).

4. Ein Interesse, das sich in verschiedenen Ausstellungen bekundete bzw. durch sie neue Nahrung erhielt, von Il *sacro e il profano nell'arte dei Simbolisti* (Turin 1969) über mehrere Pariser Ausstellungen bis zur Präraffaeliten-Schau von Baden-Baden (1973). Ent-

sprechend angewachsen ist die Zahl der Studien über die P. R. B. und ihre Nachfolger, so daß hier nur die allerneuesten und besten in Betracht gezogen werden konnten.

5. Als Beispiel für diese triviale Nachblüte nennt Thomalla den Roman *Die Heilige und ihr Narr* von Agnes Günther; es wird sich aber zeigen, daß gerade in dessen Erscheinungsjahr 1913 mit Alain-Fourniers *Le grand Meaulnes* noch einmal eine keineswegs ‚triviale' Gestaltung dieses Frauentypus gelungen ist.

6. A. Thomalla, aaO, S. 21.

7. Eben darauf läuft der letzte Teil der Arbeit von A. Thomalla hinaus, in dem die „Fiktion der *femme fragile*" als symbolische Befriedigung eines verdrängten Sexualtriebs gedeutet und nach den „Potenzschwächen" von Poe, Péladan, Altenberg und anderen Ausschau gehalten wird. – Viel ansprechender ist die Erklärung von Wolfdietrich Rasch (*Thomas Manns Erzählung ‚Tristan'*, 1964, jetzt in: *Jugendstil*, Darmstadt 1971). Rasch interpretiert die femme fatale und den Typus der gebrechlichen Frau als dialektische Ausprägungen des „Lebenspathos der Epoche": „Der Typus der überzarten Frau ist um 1900 deshalb so bevorzugt, weil er gleichzeitig den heftigen Lebenswillen, der gerade in den schwächlichen Wesen triumphiert, und die Relativierung der bloßen Vitalsphäre repräsentiert, ihre Erweiterung durch das Bewußtsein des großen, überindividuellen Zusammenhanges . . ." (S. 417 f.)

8. Im folgenden zitiert aus Gabriele d'Annunzio: *I Romanzi della Rosa I*, Milano [4]1953, Seitenzahlen hinter den Zitaten.

9. *Un poeta d'autunno*, in: *D'Annunzio a contraggenio*, Roma 1963.

10. Umfangreiche Auszüge aus diesen Artikeln bringt Alighiero Castelli in dem Band *Pagine disperse. Cronache mondane — Letterature — Arte di Gabriele d'Annunzio*, Roma 1913; dies ist bisher der einzige (wie gesagt, unvollständige) Nachdruck dieser Artikel.

11. Es fällt auf, daß die Hauptpunkte des Exposés D'Annunzios genau denen eines Artikels entsprechen, den Gabriel Sarrazin ein paar Jahre zuvor in einer verbreiteten Pariser Zeitschrift veröffentlicht hatte (*L'Ecole esthétique en Angleterre*, in: „La Revue indépendante", 1884). Ein bisher unbekanntes „Plagiat" D'Annunzios?

12. Über D'Annunzio — Sartorio s. P. P. Trompeo, *Sartoriana* (1932) in: *Carducci e D'Annunzio*, Roma 1943.

13. Sie richten sich also nach dem gleichen Prinzip wie die (bekanntlich in Lessings *Laokoon* XII gerühmte) Darstellung der trojanischen Helena bei Homer. Lektürefrucht oder intuitiver Kunstverstand?

14. Bei der Charakterisierung dieses Herrn tritt D'Annunzios „Rassismus" unverhüllt zutage: „Nella sua persona era qualcosa di ibrido e di subdolo . . . quell'indefinibile aspetto di viziosità che portano in loro le generazioni provenienti da un miscuglio di razza imbastardite, crescenti nella turbolenza" (aaO, S. 164).

15. S. 169. Offensichtlich hat sich D'Annunzio hier an Gautiers Gedicht *Contralto* aus den *Emaux et Camées* inspiriert; vom Ganzen des Gautierschen Textes her verstärkt sich übrigens Marias (vorübergehende) Ausrichtung auf die „beauté maudite" sehr viel erheblicher, als es der bare Wortlaut des Romans vermuten läßt.

16. L. Hönnighausen, aaO, S. 305 ff.

17. Ein anderes wäre die Erzählung *El Extraño* des Uruguayers Carlos Reyles. — Im folgenden wird Silva zitiert nach *Obras completas* de José Asunción Silva. Edición realizada por el Banco de la República a la memoria del poeta bogotano en el primer centenario de su nacimiento, Bogotá 1965.

18. Anspielungen und Bezugnahmen auf diese „Autoren" (im weitesten Sinn) bilden das kulturelle Grundmuster des Buches. Mit Marie Bashkirtseffs *Journal* war Silva sicherlich über Barrès bekannt geworden.

19. Rafael Maya: *Los orígenes del modernismo en Colombia*, Bogotá 1961, S. 85. Bei Maya, S. 55—93, eine gute Gesamtanalyse von *De sobremesa* — „novela poco leída, mal interpretada y peor publicada". Die Quellenfrage beantwortet Maya durch den Hinweis auf die (die gesamte junge Modernistengruppe in Bogotá betreffende) Mentor-

Tätigkeit von Baldomero Sanín Cano: „José Asunción Silva (léase *José Fernández*), desarraigado de su medio social y domiciliado espiritualmente en el París de fines del siglo, leyó, *en compañía de Sanín Cano* (Hervorhebung von mir), como consta, a los autores de quienes se ocupa Bourget en sus *Ensayos*, y su conciencia moral y su pensamiento estético se asimilaron esas enseñanzas" (S. 78). Allerdings muß hinzugefügt werden, daß Silva sich von 1883 bis 85, also von seinem 18. bis zu seinem 20. Lebensjahr, in Paris aufgehalten hatte. – Zu Silva und seinem Roman s. neuerdings den vorzüglichen Aufsatz von Klaus Meyer-Minnemann: *„De sobremesa" von José Asunción Silva*, in: „Romanistisches Jahrbuch", XXIV/1973.

20. Im Vergleich zur Symbolhaftigkeit des Namens Elena bei D'Annunzio wird „Helena" von Silva „uneigentlich" gebraucht.

21. S. auch L. Hönnighausen, aaO, S. 104.

22. Abgedruckt in Gaspar Núñez de Arce: *Gritos de combate*. Octava edición, aumentada con un *Discurso sobre la poesía contemporánea*, Madrid 1891.

23. Im Spanischen kommen die Formen prerrafaeli*t*a und prerrafaeli*st*a nebeneinander vor. (Silva bevorzugte die erstere.)

24. Bei der Umdeutung des Frauentypus der präraffaelitischen Maler zum Ätherischen und „Fragilen" dürften die andersartigen Vergegenwärtigungsmöglichkeiten des Mediums Sprache eine entscheidende Rolle gespielt haben.

25. Núñez de Arce, aaO, S. 296 f.

26. Clarín (Leopoldo Alas): *Folletos literarios IV. Mis plagios. Un discurso de Núñez de Arce*. Madrid 1888.

27. Es ist nicht leicht (und bei dieser Gelegenheit nicht möglich), die Chronologie des Auftretens dieser Spuren genau festzulegen, da Valle-Inclán Publikationsgepflogenheiten hatte, über die man früher oft gespottet hat und die jetzt von einer modernen Forscherin mit ruhiger Objektivität so beschrieben werden: „Valle-Inclán solía publicar, aun antes de tener idea precisa del plan definitivo de una obra, algunos fragmentos de ella. Son tanteos previos que, después de una serie de retoques, se incorporan al trabajo. Y lo normal es que el pulimento no se detenga en la primera edición del libro, sino que continúe a través de todas o casi todas las siguientes" (Emma Susana Speratti-Piñero: *De ‚Sonata de Otoño' al Esperpento. Aspectos del arte de Valle-Inclán*. London 1968, S. 3).

28. Verschiedene Hinweise auf präraffaelitische Züge bei Valle-Inclán gibt Mariateresa Cattaneo im zweiten Teil ihres Buches *M. J. Quintana e R. Del Valle Inclán*, Milano 1971.

29. Über den „fervor modernista de Barcelona", wie er sich in den Zeitschriften der 80er und 90er Jahre bekundete, s. Guillermo Díaz-Plaja: *Modernismo frente al Noventa y Ocho*, Madrid 1951, S. 318 f. — Díaz-Plajas Hinweise sind jetzt vervollständigt worden von Lily Litvak in *A Dream of Arcadia. Anti-Industrialism in Spanish Literature, 1895—1905*. Univ. of Texas Press, Austin u. London 1975, S. 200—204.

30. Rubén Darío: *España contemporánea*, París (Garnier Hermanos) 1921, S. 311.

31. Weitere „frutos tardíos" des spanischen Präraffaelitismus boten J. R. Jiménez in *Poemas impersonales* (IX), 1911 und *Sonetos espirituales* (1915) sowie R. Goy de Silva in *La Reina Silencio, Misterio en tres actos* (1918).

32. Ein Vergleich dieser Stelle mit einer Stelle bei D'Annunzio (S. 254 f. dieses Aufsatzes, *Il Piacere*, S. 184) zeigt eine bis zur Wörtlichkeit gehende Übereinstimmung: auch der literarische Präraffaelitismus hatte seine Topoi!

33. Franco Meregalli: *Studi su Ramón del Valle Inclán*. Venezia 1958, S. 14 f. Über die psychologische Motivation Valles sagte Meregalli Ähnliches wie Maya über die Silvas: „*Le Sonatas* son la rivincita di un reietto" (17).

34. Julio Casares: *Crítica profana*, Madrid 1915, später Colección Austral 1944.

35. Hierzu s. auch Rosco N. Tolman: *Dominant Themes in the ‚Sonatas' of Valle-Inclán*, Madrid 1973, Kap. IV: *Satanism*. Kurioserweise spricht Tolman zwar von der „fatal woman" in den *Sonatas*, bemerkt aber nicht ihr präraffaelitisches oder fragiles

Gegenbild. Über „dekadente Grausamkeit“ in der deutschen und französischen Literatur berichtet A. Thomalla im 4. Kapitel ihres Buches: willkommene Ausweitung des „Sonaten“-Themas ins West- und Mitteleuropäische!

36. Tatsächlich dominiert dieser Kontrast innerhalb der Farbensymbolik der *Sonata.* Unser scheinbar pathetischer Satz ist übrigens als Pastiche zu verstehen.

37. Der folgende Überblick erhebt keinerlei Anspruch auf Vollständigkeit. Einige der folgenden Daten stammen aus J. Lethèves Aufsatz *La connaissance des peintres préraphaélites anglais en France (1855-1900),* in: „Gazette des Beaux Arts 101 (1959), S. 315—328, andere aus Günter Metken: *Die Präraffaeliten,* Köln 1974. Ein besonderes (hier nicht zu leistendes) Kapitel der französischen Rezeption des Präraffaelitismus beträfe die empfangende und gebende Rolle von Puvis de Chavannes.

38. Zitiert aus Laforgues „Cahiers“ bei Marie Brunfaut: *Jules Laforgue, les Isaye et leurs temps,* Bruxelles 1961.

39. Zitate nach Hubert Juin: *Charles van Lerberghe.* Poètes d'aujourd'hui Nr. 186, Paris 1969.

40. Erschienen 1913 (s. auch Anm. 5); im folgenden zitiert nach der Ausgabe der Ed. Emile-Paul Frères. Paris 1943.

41. Das heißt — als Frau und Mutter sieht er sie (1913) noch einmal wieder, in einer Weise und Stimmung, die an gewisse Begegnungen von Frédéric Moreau und Mme Arnoux in Flauberts *Education sentimentale* erinnert. S. auch Albert Fournier: *Qui était Yvonne de Galais?* („Europe“, janv. 1969, S. 193—199).

42 Einzelheiten über den London-Aufenthalt in der Biographie von Jean Loize: *Alain-Fournier, sa vie et le Grand Meaulnes,* Paris 1968, S. 69—85. Wichtige Daten und Deutungen für das Folgende bei Fernand Désonay: *Le Grand Meaulnes. Essai de commentaire psychologique et littéraire,* Paris 1963 (geschrieben 1940).

43. Jacques Rivière et Alain-Fournier: *Correspondance (1905—1914),* Paris 1926—28, I, S. 65. Zu Watts eine aufschlußreiche Deutung (s. unsre späteren Ausführungen über das Erlösungsmotiv) in einem Artikel des Katalanen Raimond Casellas von 1906, es handle sich bei ihm um „a mysticism of the inherited, of the humble, of the sick, consoled by Charity“ (L. Litvak, aaO, S. 204).

44. *Correspondance* I, aaO, S. 253.

45. *Lettres d'Alain-Fournier à sa famille,* Paris 1930, S. 92.

46. *Correspondance* II, aaO, S. 138 f.

47. *Correspondance* III, S. 100. — Vgl. damit die S. 267 zitierte Äußerung Laforgues über seine Verlobte: „Elle n'a pas pour moi d'organes sexuels; je n'y songe pas . . .“ Jünglingsidealismus jener Zeit! Und noch ist in diesem Zusammenhang auf Alain-Fourniers Essai *Le corps de la femme* hinzuweisen („La Grande Revue“ 1913, dann in Alain-Fournier: *Miracles,* Paris 1924). Hier rückt der Autor ausdrücklich von der „nudité sculpturale“ der Neo-Hellenen ab und stimmt einen Hymnus an auf die bekleidete, mütterliche, keusche und dennoch (oder gerade deshalb) anmutige, „feminine“ Frau.

48. Alain-Fournier: *Lettres au petit B.,* Paris 1930, S. 83 und 95.

49. Erstdruck in *Miracles,* aaO, S. 99—103.

50. In der Renaissance hätte man bei dieser Gegebenheit den (heidnischen) Aphrodite-Mythos evoziert und Blumen unter den Füßen der schönen Frau emporsprießen lassen.

51. Die bei Fournier (auch in den persönlichen Zeugnissen) stereotype Formel von der „hautaine jeune fille“ läßt auf Minderwertigkeitsgefühle des „Lehrersbuben“ gegenüber der in einem vornehmen Pensionat erzogenen Tochter eines hohen Marineoffiziers schließen. Vielleicht erklärt sich von daher auch die im *Grand Meaulnes* vorherrschende Konzeption einer geschlechtsfeindlichen und *unerfüllbaren* Fern-Liebe; es wäre eine Wiederkehr der mittelalterlichen Idealkonstellation.

52. *Lettres au petit B.,* aaO, S. 135—140.

53. *Le Grand Meaulnes,* Auszüge aus den Seiten 99—106.

54. Daß man in Meaulnes, Seurel und Frantz Projektionen des Autor-Ichs zu sehen hat, ist heute communis opinio der Kritik. In seiner psychoanalytischen Studie *Inconscient et imaginaire dans le Grand Meaulnes* (Paris 1964) präzisiert Michel Guiomar diese Auffassung dahin, daß Meaulnes das „Ich der Vergangenheit", Frantz das „chimärische Ich", Seurel das „alltägliche und soziale Ich" des Autors darstelle.

55. Ein Vierteljahrhundert nach D'Annunzios Maria wird also Yvonne noch einmal und immer noch in Braun als einen präraffaelitischen „colore estetico" gehüllt.

56. Zum Motiv der Krankheit und tödlichen Mutterschaft bei der *femme fragile* s. auch die Beispiele von A. Thomalla, aaO, S. 25 und 38.

57. In den *Lettres au petit B.*, aaO, S. 94 f. heißt es: „J'aime *Peer Gynt.* Quel charme! Habiller ainsi des abstractions et les faire vivre avec tant de bonhomie, de vie et de folie. Mêler ainsi la vie symbolisée, le symbole et la vie du symbole ..." Es sei vor allem an die zit. Stelle in dem Brief an die Schwester Isabelle erinnert: „Botticelli, ses yeux. Ibsen, son regard ..." Hier kann nur Solveig gemeint sein. Schließlich schlägt Yvonnes Versprechen: „Je vous attendrai, dit-elle simplement" *(Le Grand Meaulnes,* S. 106) geradezu das Solveig-Motiv an (bei Ibsen, gegen Ende des 3. Aktes: „S. nickt ihm zu: Ich warte!"

58. Wortprägung von Jost Hermand im Aufsatz: *Der neuromantische Seelenvagabund,* in: *Der Schein des schönen Lebens,* aaO., S. 129—146. Tatsächlich läßt sich der Typus des Augustin Meaulnes, mutatis mutandis, in die deutschsprachige Literatur, in Richtung auf Gestalten wie Peter Camenzind, Knulp, Bartschs Landstreicher verlängern: auch die so ganz französische Sologne liegt also in Europa.

59. Die *femme fragile,* aaO, S. 54.

60. Das ist zugegebenermaßen ein subjektives und intuitives Urteil — eines jener Urteile, die in der Literaturkritik und in der Literaturwissenschaft unvermeidbar scheinen. Gibt es Kriterien einer allgemeineren Glaubwürdigkeit? Vielleicht die Gegenprobe und Feststellung, daß nicht alle Figuren des Romans in gleicher Weise gelungen sind. Yvonnes Bruder Frantz z. B. „wirkt" mit seiner dick aufgetragenen neuromantischen Sentimentalität sehr „unwahr".

61. *Über moderne englische Malerei,* jetzt in: Hugo v. Hofmannsthal, *Prosa I,* Frankfurt 1950, S. 194—201. Man beachte Hofmannsthals (wahrscheinlich aus Entdeckerfreude übertriebene) Bemerkung: „Hier fanden sich beiläufig dreißig Photogravüren von nicht zu übersehender Eigentümlichkeit, Nachbildungen der vornehmen Werke eines Edward Burne Jones, *den nicht viele kannten*" (Hervorhebung von mir).

62. *Lettres au petit B.,* aaO, S. 107.

63. Köln 1974. Metken ist auch der Autor des Katalogs der Baden-Badener Präraffaeliten-Ausstellung.

64. Guillermo Díaz-Plaja: *Las estéticas de Valle Inclan,* Madrid 1965, hier *La visión mítica,* S. 96—121. Díaz-Plaja berücksichtigt neben den neoplatonischen auch die kabbalistischen und gnostischen Elemente und kommt zum Schluß, *La lámpara maravillosa* befände sich in einer „situación fronteriza, entre lo religioso, lo cabalístico y lo meramente estetizante" (S. 102).

65. In der zitierten Besprechung arbeitet Hofmannsthal sehr schön das Dante-Verständnis des Fin de siècle heraus: „Das Seltsamste ist, daß Dante hier wirkt wie ein Maler. Er ist in der Tat in unglaublicher Weise von malerischen Elementen durchsetzt. An tausend Stellen der ‚Divina Commedia', mehr noch der ‚Vita Nuova' hat man den Eindruck, Schilderungen aus zweiter Hand zu lesen, geschilderte Bilder. Ich meine nicht nur die fast immer malerisch, direkt im Stile des Giotto und Fiesole beschriebenen allegorischen Figuren, Aufzüge, Gruppierungen und so weiter ...; aber die Gestalt der Beatrice, jedes Schreiten, Neigen, Grüßen und Winken an ihr ist in seiner subtilen Expressivität dem Stil der primitiven Madonnen entnommen, nur noch raffinierter ..." (*Über moderne englische Malerei,* aaO, S. 196 f.)

66. Viktor Engelhardt: *Eros, Gnade, Erlösung.* Bonn 1956. Der Verf. führt u. a. einen Typus der A-Beatrice ein — der Frau, die „schon in der Frühzeit" nicht „in Seinshaftigkeit" auf das „Hindurchleuchten der Gnade" wartet, sondern die „bekehren" will (S. 138): im Gegensatz zur „wahren" Beatrice! Das Buch ist streng konfessionell-katholisch („vor André Gide warnt die Kirche ..."), möchte in der Gegenwart in Claudel gipfeln und überhaupt „das Wirken eines göttlichen Prinzips im Erleben und Dichten der Menschen aufzeigen": die „gewonnenen Resultate" seien daher „theologisch zu beurteilen" — was uns einer weiteren Stellungnahme enthebt.

67. Vgl. hierzu meinen Aufsatz: *Die Christusgestalt im Roman des Fin de siècle,* in „Archiv f. d. Studium der neueren Sprachen und Literaturen", 1962.

68. Auch Ph. Jullian (*Mythen und Phantasmen in der Kunst des Fin de siècle,* aaO) meint, im Fin de siècle sei die Spiritualität „in Mode gekommen", und seine Kapitelüberschrift *Die Chimäre der Mystik* ist für seine skeptische Auffassung sprechend genug. Wie Díaz-Plaja (Anm. 64) gewahrt auch er unter der Rubrik Spiritualität ein enges Nebeneinander von traditionell-religiösen und okkultistischen Neigungen. Trotzdem erwähnt auch er einige Beispiele „echter" Religiosität, wenn auch in der zeittypischen Variante einer „Leidenschaft für die Schönheit des Religiösen".

69. Diese Formulierungen von C. G. Jung werden zitiert bei Jolanda Jacobi: *Vom Bilderreich der Seele. Wege und Umwege zu sich selbst,* Olten-Freiburg 1969, S. 206. Das Buch der Jung-Schülerin vereinigt und kommentiert Malversuche von seelisch Gestörten.

70. Schon die präraffaelitischen Maler im Ursprungsland England waren gegen die Gefahr von Abstürzen nicht immer gefeit gewesen. Mit Recht spricht Jullian angesichts des zu seiner Zeit ungeheuer(-lich) beliebten Bildes von Holman Hunt *Das Licht der Welt* von „magischer Vulgarität" und Kitsch (aaO, S. 78).

## C. DER SYMBOLISMUS UND SEINE MOTIVE

H. L. C. JAFFÉ

# Der Symbolismus in Belgien und den Niederlanden

Die Quelle des belgischen *und* des niederländischen Symbolismus liegt zweifellos in Brüssel, und sie entspringt dort lange bevor Jean Moréas sein berühmtes Manifest des Symbolismus im Figaro, am 18. September 1886, publiziert hatte, aus dem ich Ihnen einige Zeilen zitieren darf: „Ennemie de l'enseignement, de la déclamation, de la fausse sensibilité, de la description objective, la poésie symboliste cherche: à vêtir l'Idée d'une forme sensible qui, néanmoins, ne serait pas son but à elle-même, mais qui, tout en servant à exprimer l'Idée, demeurerait sujette. L'Idée, à son tour, ne doit point se laisser voir privée des somptueuses simarres des analogies extérieures; car le caractère essentiel de l'art symbolique consiste à ne jamais aller jusqu'à la conception de l'Idée en soi. Ainsi, dans cet art, les tableaux de la nature, les actions des humains, tous les phénomènes concrets ne sauraient se manifester eux-mêmes: ce sont là des apparences sensibles destinées à représenter leurs affinités ésotériques avec des Idées primordiales[1]." Und wenn im Jahre 1891 Albert Aurier, auch wieder in Frankreich, „Le symbolisme en peinture" (im Mercure de France, März 1891) mit folgenden Worten definiert: „Ecrire sa pensée, son poème, avec des signes, en se rappelant que le signe, pour indispensable qu'il soit, n'est rien en lui-même, et que l'idée seule est tout[2]", — dann sind dieser Definition in Belgien und den Niederlanden schon eine Reihe von Werken vorangegangen, die Aurier's Umschreibung bereits verwirklicht hatten. Denn er fordert von dem symbolistischen Kunstwerk folgende Eigenschaften: „1) *Idéiste,* puisque son idéal unique sera l'expression de l'Idée. 2) *Symboliste,* puisqu'elle exprimera cette Idée par des formes. 3) *Synthétique,* puisqu'elle écrira ces formes, ces signes, selon un mode de compréhension générale. 4) *Subjective,* puisque l'objet n'y sera jamais considéré en tant qu'objet, mais en tant que signe d'idée perçu par le sujet. 5) (C'est une conséquence) *décorative.* Car la peinture décorative proprement dite, telle que l'ont comprise les Egyptiens, très probablement les Grecs et les Primitifs, n'est rien autre chose qu'une manifestation d'art à la fois subjectif, synthétique, symboliste et idéiste[3]."

Diese Umschreibung der Ziele des Symbolismus habe ich Ihnen geben dürfen, um Ihnen zu zeigen, daß die Werke der frühen Meister, die ich Ihnen zeigen möchte, bereits vollkommen in diesen Rahmen passen. Das Quellgebiet des Symbolismus in Belgien liegt schon vor der Gründung der berühmten Künstlervereinigung „Les XX", die im Jahre 1883 gestiftet wurde, und zwar in der belgischen Spätromantik, bei einem so „phantastischen" Maler (ein Kennwort des Symbolismus) wie Antoine Wiertz. Wenn ich Ihnen sein Gemälde „La belle Rosine" von 1847 zeige, so kann ich Ihnen dazu ein Briefzitat aus dem selben Jahre geben: „Zwei Mädchen! Wo ist das zweite? Das zweite ist die Sammlung von Gebeinen, die man an der Wand aufgehängt sieht[4]." Die Wiedergabe einer Idee also, und zwar in Zeichen, die ihre Eigenbedeutung überschreiten. Dieser Nachdruck auf den Zeichenwert der Formen findet seine Erklärung in der Reaktion gegen die Photographie, über die Wiertz schreibt: „Die Kunst fällt, wie man weiß, in zwei Teile auseinander: den materiellen und den geistigen Teil. Gewisse Maler haften nur am materiellen Teil, und geben auf bewundernswerte Weise ein Kleid aus Satin wieder. Andere wenden sich dem intelligenten Teil der Kunst zu; sie erfinden, komponieren, entwerfen, und scheinen das Dargestellte zu ignorieren[5]." Wiertz rechnet sich zu den zweiten und arbeitet also — im Geiste von Blake — aus freier Erfindung; er — der Visionär der Romantik, fast wie Baudelaire, der auch seine letzten Jahre in Belgien verlebte — hat dann auch in seinen Aphorismen niedergeschrieben: „Auf ideale Vorwürfe zu verzichten, bedeutet auf eine Himmelsgabe verzichten[6]."

Früh im Jahrhundert liegt auch das Werk eines anderen Vorläufers des Symbolismus, Félicien Rops, der 1833 geboren ist und in dessen Werk schon früh die Hauptthemen des Symbolismus — die verführerische femme fatale und der Tod als Gast unter den Menschen — erscheinen. Das Bild „Der Tod auf dem Ball"[7] (Abb. B 1) datiert aus dem Jahre 1870 und deutet bereits ein Thema an, das in Belgien später von Ensor bis zu Paul Delvaux seine Gültigkeit nicht verloren hat. Aber auch die Stilmittel dieses Bildes deuten voraus: der Gegensatz des dunklen Kopfes und der Füße des Gerippes mit dem hellen, lebendig gemalten Umhang läßt das Bild flächig erscheinen zu einem Zeitpunkt, als die Raumtiefe noch ein malerisches Ideal war.

Ein spätes Werk — die berühmte Radierung „Pornocratès" — entstand wohl viel später, der Entwurf muß freilich schon aus dem Jahre 1879 stammen, denn aus diesem Jahre ist ein Brief an Henri Liesse datiert, in dem Rops schreibt: „J'ai cru l'occasion de voir et de baiser les bas de soie noire à fleurs rouges d'une belle fille. Je l'ai mise nue comme une déesse; j'ai ganté de longs gants noirs ces belles mains longues et là-dessus, je l'ai coiffée d'un de ces grands Gainsborough en velours noir, orné d'or, qui donnent aux filles de notre époque la dignité insolente des femmes du XVII siècle. Je voudrais te faire voir, mon cher Liesse, cette belle fille nue, chaussée, gantée, coiffée de noir, soie, peau, velours et les yeux bandés, se promenant sur une frise de marbre rose, conduite par un cochon à queue d'or à travers un ciel bleu. J'ai fait cela en quatre jours dans un salon de satin bleu. Voilà l'œuvre, et elle a pour titre „Pornocratès" . . .[8]."

Ein Brief des Sâr Péladan an Rops kann sich wohl, aus chronologischen Gründen, nicht auf diese Radierung beziehen, aber er charakterisiert sehr wohl, was der Rose + Croix im Werk von Rops so bewundert und geschätzt hat: „J'ai vu de vous des eaux fortes magistrales et d'une perversité si intense que moi qui prépare le „Traîté de la perversité", je me suis épris de votre extraordinaire talent[9]." Hier finden wir also, sehr früh, die entscheidenden Züge des Symbolismus bereits vor: stilistisch die meisterhafte Beherrschung der Fläche und thematisch die Perversität und den Schauer der Todesnähe. Wir finden auch, daß diese Themen jetzt schon, bei Wiertz und Rops, zeichenhaft und subjektiv behandelt werden, also in dem Sinne, den Aurier Jahre nachher formuliert hat.

Zwischen Rops und dem späteren Symbolismus in Belgien und den Niederlanden steht die Gründung der Künstlergesellschaft „Les XX" im Jahre 1883, und damit Fernand Khnopff, einer ihrer Mitgründer. Auf der ersten Ausstellung der XX machte sein Bild „Die Versuchung des Hl. Antonius"[10], nach Flauberts Werk, den tiefsten Eindruck auf Emile Verhaeren, und so tritt er in den Kreis gleichgesinnter Dichter und Literaten ein. Daß Flaubert sein Schutzpatron war, kennzeichnet seine Verbindung zur Spätromantik und gleichzeitig auch seine wache Intelligenz. Verhaeren, der sein stets eifriger Verteidiger war, schreibt 1886 über ihn: „Fernand Khnopff est séduit par la perversité de certain lys: Leonora d'Este; par le nocturne et séculaire mystère de certains sphinx: Le Pape. Mais ici encore dans l'interprétation de ces symboles, son tempérament se prouve par la minutieuse profondeur de sa vision, et la si calculée entente de l'effet juste et précis[11]." Und aus dem selben Artikel Verhaerens stammen folgende Worte: „Aussi bien c'est au symbole qu'il devait aboutir fatalement: c'est à ce résumé suprême de sensation et de sentiment . . .[12]."

Das packendste Symbol seiner Kunst sind zwei einander polar gegenüberstehende Frauentypen: die Sphinx auf der einen Seite, die Schwester auf der anderen. Merkwürdig und typisch zugleich ist es, daß manche Kennzeichen dieser so ungleichartigen Schöpfungen einander ähneln: die Kühle, die Lautlosigkeit, die seine Sphinx charakterisiert, ist auch eine der treffendsten Eigenschaften des Porträts seiner Schwester, aus dem Jahre 1887[13], das so sehr an die kühle Strenge Whistlers erinnert. Mit Whistler verbindet ihn auch die Abneigung gegen den sichtbaren Farbauftrag — darum gebraucht er gerne Pastell, Aquarell und sogar getönte Photographie, um dem Gegensatz zwischen körperlicher und gedanklicher Welt noch mehr Nachdruck zu verleihen. Khnopff's Werk pendelt zwischen den verschiedenen Möglichkeiten des Symbolismus — innerhalb seiner Grenzen darf er als Eklektiker gelten, denn neben Whistler ist die Nähe zu Burne Jones nicht zu verkennen, und dann und wann — wie in seinem Bild „Memories" — steht er nahe bei Maurice Denis. Stets sind seine Bilder aber geladen von jener Spannung, die den Betrachter befällt, weil er sieht und erkennt, daß der Gegenstand des Bildes dessen Inhalt nicht erschöpft, daß hinter dem Dargestellten ein — oft rätselhafter — Gehalt an Ideen auftaucht, der oft zu Titeln wie „Schweigen", „die Kunst" (Abb. B 2) oder ähnlichen führt. Das Rätsel, als Kernsubstanz des Symbolismus, wird bei Khnopff deutlich spürbar — so wie Mallarmé es formuliert hat: „nommer un objet, c'est supprimer les trois quarts de la jouissance du poème, qui est faite du bonheur de deviner peu à peu[14]."

Khnopff ist aus der Schule von Xavier Mellery hervorgegangen — Mellery, der Zeit seines Lebens nach einer Allegorie gestrebt hat, die dem Betrachter die Seele der Dinge enthüllen sollte. Hier wird sichtbar, wie die Allegorie zum Symbol führen kann — aber der Unterschied zwischen der geeichten Allegorie und dem persönlichen Symbol, wie der Symbolismus es verstand, bleibt spürbar. Bei Mellery ist das Licht, sein Vergleiten und Flackern der persönliche Beitrag, der dem Symbol nahe kommt: wie Camille Lemonnier in einem Brief an Mellery schreibt: „car le mystère, l'inquiétude des ombres, la méditation repliée et le silence sont les formes mêmes de la pensée[15]." Und in einem Brief aus späteren Jahren schreibt Mellery an Lemonnier: „C'était cette vie intérieure, cette vie psychique que je voyais dans les choses, dans ta tête, partout et que je croyais fermement réalisable. Ce problème est encore le mien aujourd'hui, et je n'ai pas quitté un instant la nature de l'art pour en découvrir les secrets[16]." Geheimnis, Rätsel, diese Stichworte des Symbolismus kehren stets wieder zurück, und wenn Mellery Bilder schafft wie „Vers l'idéal" oder „La ronde des heures"[17], so ist in der allegorischen Darstellung stets dieses Geheimnis verschlüsselt. Vor allem in seinen Zeichnungen, die in ihrer Faktur an Seurat erinnern, gibt das Licht Rätsel auf, und webt das Geheimnis im Schatten.

Von diesem Gesichtspunkt aus liegt die Versuchung nahe, auch James Ensor dem belgischen Symbolismus zuzurechnen. Gewiß, er war Mitglied der „XX", er hat mit Toorop und mit den Engländern nahen Kontakt unterhalten — er war mit Emile Verhaeren eng verbunden. Und doch steht seine Kunst außerhalb des Bereichs des Symbolismus, wenn auch nahe an der Grenze. Seine Vorliebe für Edgar Allen Poe — die ihr großartiges

B 5 Thorn Prikker: Die Braut

Monument gefunden hat in Ensor's „Rache des Hop Frog" — bringt ihn den symbolistischen Literaten nahe, aber seine Farbigkeit, seine Palette ist explosiver Art, und daher dem Symbolismus fremd. Allerdings kommt oft, im Schillern der Farbe, im Flackern des Lichts, ein geheimnisvoller Effekt zur Geltung, der mehr ahnen läßt, als er ausdrückt. Zwei Themen freilich bringen ihn direkt in den Wirkungskreis des Symbolismus: der Karneval und die Masken. In seinen Karneval-Bildern treten die Figuren „verkleidet" auf, sie stellen etwas anderes dar als sie sind, sie werden also zu Symbolen ihrer eigenen Wahl. Und in den Masken-Bildern tragen alle Gestalten ein „zweites Gesicht", ein Gesicht, das das eigene verhüllt und zum Rätsel werden läßt, während die Maske ein anderes Wesen vortäuscht und zum zweiten Wesen wird. Maske wird bei Ensor zum Spuk und dadurch zur unfaßbaren Metapher — in dieser Hinsicht steht er den Symbolisten nahe.

Die Generation der sechziger Jahre — der Zeitgenossen Khnopff's und Ensor's — ließ in Belgien Künstler wie Léon Frédéric (1858), Constant Montald (1863), Emile Fabry (1865) und Henri de Groux (1867) aufkommen. In ihrem Werk ist die Verwandtschaft mit den französischen Meistern — vor allem mit Gustave Moreau — am stärksten. Zwar ist Frédéric deutlich von den flämischen Primitiven beeinflußt — vor allem in seiner etwas harten Technik —, aber das phantastische Element überwuchert diese Quelle der Inspiration. Montald erinnert in seinen Bildern, deren lineare Stilisierung ihnen oft den Charakter von farbigen Zeichnungen gibt, oft an Maurice Denis — seine besten Bilder sind aber jene Bildnisse, die eher den Intimismus der Nabis als Vergleich aufrufen.

Bei Fabry wird die symbolische Haltung deutlicher, vor allem in Bildern wie „Le Sentier", und es wird begreiflich, daß „L'Art moderne", das Avantgarde-Blatt der Zeit, über ihn schreibt: „... on est attiré et retenu par le mystère des énigmatiques figures, si graves et si recueillies, qui vous emportent dans les au-delà inquiétants et tragiques[18]." Und schließlich De Groux: sein Pastell „Lohengrin" stammt zwar schon aus dem Anfang des neuen Jahrhunderts, es zeigt aber die ganze schwärmerische — und etwas verstiegene — Mystik, die auch schon in den 90er Jahren viele symbolistische Künstler — nicht zuletzt Sâr Péladan und seinen Orden der Rose + Croix — inspirierte. Das wagnerianische Gleichnis stand ja schon am Anfang des Symbolismus bei Baudelaire, der als erster die suggestiven Möglichkeiten des Gesamtkunstwerks in der Richtung eines Symbolismus erfaßt und interpretiert hat.

Einer der packendsten belgischen Künstler dieser Generation, neben Khnopff und Ensor, ist gewiß Jean Delville (1867). Er ist es auch, der in Bildern wie „L'Ange des splendeurs"[19] Gustave Moreau's Symbolismus am nächsten steht. Auch hat er am engsten mit dem Kreis des Sâr Péladan Fühlung gehabt — er ist unter dessen Einfluß eine Zeit lang nach Paris gezogen und hat dort seine „satanischen" Bilder gemalt. In seiner Autobiographie schreibt er, der lange zwischen Literatur und Malerei geschwankt hat: „C'est à ce moment que me vint brusquement l'idée d'un art plus idéaliste, plus symbolique. De même qu'en littérature j'avais assisté aux funérailles du Naturalisme, je renonçai au Réalisme en peinture[20]." Und seine mystische, erhabene Auffassung von seiner Kunst kommt in den Worten zum Ausdruck, die er — allerdings erst 1899 — in L'Art Moderne geschrieben hat: „Comprise dans son sens métaphysique, la Beauté est une des manifestations de l'Etre absolu. Emanée des harmonieux rayonnements du plan divin, elle traverse le plan intellectuel pour rayonner encore à travers le plan naturel où elle s'enténèbre dans la matière[21]." Die Hierarchie dieser Worte — in ihrer hier aufgezählten Reihenfolge — läßt deutlich das symbolistische Weltbild erkennen, in dem die — hier platonische — Idee sich spiegelt, um sich schließlich in den Dingen selbst zu trüben. Darum malt er auch seine „vergeistigten" Porträts, wie das von Mme Stuart Merill[22], mit den zum Himmel erhobenen Augen, und mit dem Buch des Lebens in den Armen, umstrahlt von rotglänzendem Haar — als ein Symbol des Menschen, der das Überirdische sucht. So will er dann auch die große Tradition der idealistischen Kunst fortsetzen — „depuis les maîtres anciens jusqu'aux maîtres contemporains"[23]. Sein Symbolismus will — ebenso wie der seiner Freunde — zeitlos sein, auch wenn wir ihn heute als ein besonders zeitgebundenes Phänomen betrachten, als eine Form der Flucht aus gerade jener Zeit.

Genau gleichaltrig ist William Degouve de Nuncques, 1867 geboren. Seine frühe Laufbahn ist eng mit Jan Toorop verbunden, mit dem er seit 1883 befreundet war; seine Beziehungen zu den Niederlanden sind später noch verstärkt durch die Tatsache, daß er die Jahre des ersten Weltkrieges in Holland verbracht hat. Aber auch Paris hat ihn inspiriert — Puvis de Chavannes und Maurice Denis; großen Einfluß auf sein Werk hat auch die enge Verbindung mit den Dichtern des Symbolismus gehabt: er war der Schwager von Emile Verhaeren, und durch diesen wieder befreundet mit Maurice Maeterlinck.

Verhaeren hat dann auch seine Kunst am treffendsten gedeutet, wenn er über den „Jungen mit dem Uhu"[24] schreibt: „Si l'on examine ses portraits, comme celui du gamin au hibou, dont la tête est construite avec une solidité et une science supérieure, et que l'on en extrait les qualités de caractère et de force silencieuse, une très vive admiration s'en va vers ce peintre concentré et textuel[25]." Und im selben Artikel spricht Verhaeren, als eine verwandte Seele, über Degouve's Landschaften, die den Landschaftsbeschreibungen in

Verhaeren's Werk oft merkwürdig ähneln, da ja beide dem gleichen Ziel zustreben: „William Degouve de Nuncques est aussi un découvreur d'âme des choses. Ce n'est pas un peintre de surface, satisfait de la seule couleur. Il scrute ... Degouve est un artiste de rêve. Ne lui demandez pas le charme de la couleur. C'est pour lui chose matérielle et son art d'intellectualité s'envole au-delà, dans les domaines de l'irréalité et des songes[26]." Unwirklichkeit und Traum — das sind die Hauptthemen Degouves, nicht nur in der verzauberten Vision des „Nächtlichen Besuchs des Brüsseler Parks[27], sondern ebenso in seinem „Kanal"[28]. Manches Bild, wie das „Haus der Geheimnisse"[29] (Abb. B 3) geht in dieser Verzauberung der Wirklichkeit so weit, daß er damit schon hart an die Grenzen des Surrealismus vorstößt — man denkt dabei unwillkürlich schon an Magritte. Am deutlichsten offenbart sein Symbolismus sich wohl in dem Bilde von 1896, „Engel in der Nacht"[30], wo die entstofflichten Figuren seliger Geister schwerelos durch die Landschaft mit stämmigen Bäumen schweben. Stets sehen wir in Degouve mehr den großen Meister des belgischen Symbolismus, der wohl am deutlichsten dem eigenen Charakter Belgiens als Treffpunkt zweier Kulturen Gestalt verliehen hat.

In dieser Hinsicht, und auch in der Stille seiner Werke, ähnelt er Joris Minne, dem wichtigsten Bildhauer des belgischen Symbolismus, und außerdem dem bewußten Gegenpol zum Naturalismus eines Meunier. Noch zu Anfang des neuen Jahrhunderts sind seine Figuren Träger jener symbolistischen Forderungen wie Rätsel, Traum, Hingabe an überirdische Mächte. Minne ist nicht der einzige Bildhauer des belgischen Symbolismus: Charles van der Stappen steht als Älterer neben ihm, und seine phantastischen Büsten und Figuren scheinen eher mit der Welt eines Khnopff verwandt als mit der Minne's.

Sie werden, bei meiner Aufzählung der belgischen Symbolisten, einen Namen vermißt haben, den ich mit Absicht nicht in den Kreis dieser Meister einbezogen habe: Henry van de Velde. Denn sein Symbolismus beschränkt sich auf eine kurze Zeit: er kam aus der Sphäre des Neoimpressionismus, und hat sich bald den Idealen der Arts and Crafts zugewandt. Aber ein Werk wie die „Engelwache"[31], von 1893, steht für einen Augenblick auf der Höhe der symbolistischen Kunst; es verleugnet seine Herkunft von Gauguin nicht, und hat doch — auch in seiner Textiltechnik — nahe Beziehungen zu Maurice Denis. Und es war wohl gerade jener symbolistische Idealismus, der Van de Velde dazu befähigt hat, das Kunstgewerbe aufs Neue zu beseelen, und diese neue Kunst über die Grenzen Belgiens hinauszutragen.

Bis jetzt haben unsere Betrachtungen sich auf Belgien konzentriert. Aber die symbolistische Kunst der nördlichen Niederlande hat auch in Brüssel ihren Ursprung gefunden: der Hauptmeister des niederländischen Symbolismus, Jan Toorop, hatte in 1882 die Amsterdamer Kunstakademie verlassen und ließ sich im Herbst des gleichen Jahres an der Akademie in Brüssel einschreiben. Schon 1885 wurde er Mitglied der XX, und in diesem Kreise waren dann auch seine nächsten Kameraden Künstler wie Ensor, Khnopff, Finch und Henri de Groux; aus dieser Zeit datiert auch seine enge Bekanntschaft mit Emile Verhaeren. Mit Ensor reiste er nach Paris; durch seine Heirat mit einem irischen Mädchen kam er nach London und dort in Kontakt mit Whistler und mit dem Werk der Praerafaëliten.

Erst 1890 allerdings zeigt sich bei Toorop die symbolistische Haltung der Wirklichkeit gegenüber, nachdem er in früheren Jahren Bilder sozialen Inhalts in einer etwas divisionistischen Technik gemalt hatte — etwa wie Maximilien Luce. 1890 erscheint sein erstes symbolistisches Bild „Die Hetäre — Venus der See“[32], ein Bild, das in Zusammenhang gebracht werden kann mit Redon, das aber in seiner irrealen Auffassung auch andere Horizonte eröffnet: vielleicht die Assoziation mit Ibsen's „Meerfrau“, von 1888; jedenfalls kommt hier, in noch fast impressionistischer Farblichkeit, zuerst die Gestalt der femme fatale bei Toorop vor. Und sein symbolistischer Stil setzt im gleichen Jahre ein, als Willem Kloos, im Gids, fordert: „. . . literarische Kunst ist die im Schall des Wortes wiedergegebene Erregung des Individuums . . . im allgemeinen kann man nur wissen, daß Kunst der aller-individuellste Ausdruck aller-individuellster Erregung sein muß[33].“ Eine der Grundforderungen Aurier's ist hier umschrieben, und von Toorop erfüllt — die anderen werden sich im Laufe der nächsten Jahre ergeben.

„Mutterschaft“[34], eine Wachskreide-Zeichnung aus dem Jahre 1891, ist ein nächster Schritt: eine Fischersfrau aus Katwijk, mit dem Kleinsten auf dem Schoß, und umgeben von den anderen Kindern. Hier ist durchaus nicht eine Episode, sondern eine Idee, ein Gedanke — und dieser Idee der Mutterschaft hat Toorop eine hieratische, symbolische Form gegeben.

Noch ein Jahr später ist „Les Rôdeurs“[35] entstanden, nach einem Entwurf von 1889. Und hier, wo ein Mädchen in violettem Gewand auf einem Rosenbett liegt, vor einem Hintergrund von Kirchhof, Trauerweide und See, und wo lüsterne Arme sich nach ihrem Körper ausstrecken, kommt eines der holländischen Hauptthemen des Symbolismus auf: die jungfräuliche Unschuld, von grober Sinnlichkeit bedroht; die reine Seele, personifiziert in der Figur der Nonne, betrachtet voll Schrecken die Szene, die eine moderne „vanitas“ darstellt. Der Dichter Frederik van Eeden hat diese Zeichnung erworben — und die junge Dichterin Henriëtte van der Schalk, später die Gemahlin von R. Roland Holst, hat Toorop besucht unter dem Eindruck dieser Zeichnung.

Den Höhepunkt von Toorop's Symbolismus zeigt seine Zeichnung „Die drei Bräute“[36] (Abb. B 4), von 1893. In einer Erläuterung des Werks spricht Toorop über „die verschiedenen Arten des Zusammenbringens des großen Seins, des Tuns, von Gefühlen und Ideen der All-Natur zu einer großen Form, streng und sprechend in Linien, Form und Farbe, die ich Symbol nenne. Die drei Bräute nun sind Symbole, zu einander gebracht durch Kombinationen von Farbe und Ton (hier vor allem Ton)[37].“ Von links nach rechts entwickelt sich ein Zyklus des weiblichen Lebens, von der „blank-reinen mystischen Braut, mit bang weit offenen Augen voll Schreck“[38], über die Mittelfigur „das innerliche hohe Schönheitsverlangen“[38], zur Figur rechts „tiefsinnlich, falsch, materiell begehrend“[38].

All diese Figuren sind linienhaft gestaltet, und ihre Flächigkeit erinnert an die Figuren der indischen Schattenspiele — Toorop war im früheren Niederländisch-Indien geboren. Linien gestalten alles — nicht nur die Figuren, auch die typisch symbolistische Empfindung der Synaesthesie: Klanglinien erscheinen auf dem Blatt, ebenso wie Duftlinien, genau so wie Van Eeden eine Flötenmelodie beschreibt: „Schlangengeschmeidig, voll und weich, spritzt sie . . . in festgezogenen Linien dem Bogen des Firmaments entlang[39].“ Auch hier laufen Parallelen zwischen Maler und Dichter.

Toorop's Symbolismus wird am deutlichsten in einem Plakat, und zwar für Delfter Salatöl. Daß er dieses Thema den drei Schönheiten anvertraut hat, die Salat anmachen, zeigt mehr als seine freie Arbeiten, wie sehr er die Wirklichkeit in eine überwirkliche, immaterielle Traumwelt transportiert hat.

Johan Thorn Prikker steht neben Toorop als Meister des holländischen Symbolismus und als Vermittler dieser Kunst nach Deutschland. Prikker's Symbolismus ist religiöser geladen. Schon 1892 zeigt seine „Kreuzabnahme“[40] eine strenge flächige Stilierung, und hier werden die Linien nicht, wie bei Toorop, als Ausdruck von Tönen oder Düften gebraucht, sondern als visuelle Alliterationen, als Reimformen. In seiner „Madonna im Tulpenland“[41] geht seine Linienschrift bis nah an die Abstraktion: seine Linien haben eine emotionelle Bedeutung, ähnlich jener, die Seurat in seinem berühmten Brief an Maurice Bauburg angedeutet hat. So schreibt er dann auch: „den Eindruck, den gewisse Linien auf mich machen, will ich den Leuten erzählen, sie merken lassen, daß eine einfache gerade Linie mich anders berührt als eine wild gebogene[42].“ In seiner „Braut“[43] (Abb. B 5, nach Seite 288) vom Jahre 1893 wird diese Linienführung deutlich und überzeugend sichtbar: die Linien verbinden die Braut mit der Christusfigur zu einer symbolischen Einheit. Prikker schreibt über dieses Bild: „gerade die ganz sanfte Bewegung der Linien, unterstützt durch die Musik der Farben, helle Violette und ganz heftige Stückchen Blau, geben den großen Schlag,

— das rechte Wort dafür weiß ich nicht — das, was einem entgegenfliegt aus dem Bild. (...) Aber Du kannst doch wohl sehen was ich damit beabsichtige, das ganz reine, die Abendstille einer hohen Empfindung ...[44]." Und in einem vorhergehenden Brief finden wir die charakteristischen Sätze: „Ich finde, daß die Form, oder was man in der Natur gesehen hat, umgearbeitet wird durch die Seele dessen, der es gesehen oder gefühlt hat; je inniger und feiner sein Gefühl ist, um so schöner wird seine Äußerung[45]." Thorn Prikker hat diese Innigkeit, diesen typisch symbolistischen Subjektivismus, verwirklicht im Reim seiner Linien und Farben.

Zwei holländische Symbolisten stehen am Gegenpol dieses Subjektivismus: Antoon der Kinderen und Richard Roland Holst. Beide haben „Gemeinschaftskunst" gesucht, der erste auf Grund seines katholischen Glaubens, der zweite aus seiner sozialistischen Überzeugung. Schon in der ersten Wand für das Rathaus in Den Bosch, 1892, und noch stärker in der zweiten, 1896, übersetzt Der Kinderen historische Geschehnisse in symbolische Gestalten. Er notiert schon 1891: „Denk daran, daß mein Werk kein Gemälde ist. Du kannst es häßlich oder schön finden, aber ich wünsche, daß Du die Absicht kennst. Ein Gemälde schließt man in einen Rahmen; in seiner goldenen Umwallung lebt es für sich selbst, apart. Mein Werk lebt in einer Gemeinschaft[46]." Darum legt er den Nachdruck gerade nicht auf das Individuelle, sondern auf das allgemein Verbindliche: „das durch die Wirklichkeit hindurch Suchen nach dem Abstrakten"[47]. In seinen Illustrationen zu Vondel's Gijsbrecht kommt er zuerst in Kontakt mit Berlage — und in Berlage's Amsterdamer Börse hat dieser Zweig des Symbolismus, der ausging auf Gemeinschaftskunst, seinen Höhepunkt erreicht.

Dort hat auch Richard Roland Holst, der jüngste der Symbolisten Hollands, mitgearbeitet. Eine seiner ersten selbständigen symbolistischen Arbeiten ist der Umschlag des Katalogs der ersten Van Gogh-Ausstellung von 1892 (Abb. B 6): eine Sonnenblume, von einer Aureole umgeben, versinnbildlicht Vincents Größe und Tragik. Und deutlich geht der Künstler hier von einem Gedanken aus, nicht von einer Gefühlsaufwallung — so wie er auch schreibt: „que les artistes seront des philosophes et des hommes de science, et que cette base intellectuelle, grâce à leur sensation artistique plus intense, sera la féconde terre nourricière où fleurira la prestigieuse fleur de notre art jeune[48]." So wollte Holst eine Gemeinschaftskunst schaffen ganz im Sinne von jenem Brief Vincent van Gogh's an Emile Bernard: „Le mal est — vois-tu, mon cher copain Bernard — que Giotto, Cimabue, ainsi que Holbein et Van Dijck, vivaient dans une société obélisquale — passe-moi donc le mot — échafaudée, construite architecturalement, où chaque individu était une pierre, toutes se tenant et formant société monumentale. Cette société, lorsque les socialistes construiront — ce dont ils sont passablement éloignés — logiquement leur édifice social — on en reverra — je n'en doute point — une incarnation. Mais, tu sais, nous sommes en plein laisser aller et anarchie. Nous, artistes, amoureux de l'ordre et de la symétrie, nous nous isolons et travaillons à définir une seule chose[49]." Holst hat an der Verwirklichung dieses Gedankens gearbeitet, wie auch Der Kinderen, und vor allem der große Baumeister Berlage, in seiner Börse.

Damit sind wir aber im 20. Jahrhundert angelangt, in einer Periode also, in der dem Symbolismus keine Tragkraft mehr zugeschrieben wird. Trotzdem — oder vielleicht gerade darum — möchte ich Ihnen zum Schluß zwei Spätblüten des Symbolismus zeigen: das Werk des belgischen Malers Léon Spilliaert und einige Bilder Piet Mondrian's aus der Periode um 1911. Spilliaert, 1881 geboren, hat sich, als Autodidakt, erst nach 1902 dem Symbolismus zugewandt, und zwar auf dem Wege über die Literatur, über seine Freundschaft mit Verhaeren. Dieser hat ihm geschrieben: „Vous êtes un être profond, charmant et exalté. Vous ferez un jour une oeuvre forte pour laquelle il faut ménager votre santé. Une vie comme la vôtre doit être dédiée à l'art et je vous aime pour toute la beauté d'intelligence et de coeur dont vous faites preuve[50]." Hier kommen wieder die gleichen Stichworte des Symbolismus auf — aber Spilliaert verwirklicht diese Gedanken in anderer, festerer Form, einer Form, die schließlich zum Expressionismus führt.

Treffend ist es zu sehen, wie nahe Spilliaert's Werke von 1913 denen von Mondrian aus dem Jahre 1911 stehen. Und außerdem ist es wichtig, um — wie Robert P. Welsh[51] es getan hat — den Zusammenhang zu unterstreichen zwischen Mondrian's Triptychon „Evolution"[52] (Abb. B 7) und Toorop's „Drei Bräuten". Beide Bilder stellen den gleichen Inhalt — das Aufsteigen zur Verklärung — dar, und bei Mondrian kommt noch hinzu ein deutlich theosophisch gerichtetes Weltbild, das von Schriften wie Mme Blavatsky's „Isis unveiled" und Schuré's „Les grands initiés" inspiriert ist. Mondrian freilich hält sich nicht an den linearen Stil Toorop's, er ist durch seine Experimente mit Farbe und Fläche in ein Stadium geraten, daß die Linie überspringt. Aber die „Evolution" — als symbolistisches Thema — ist in seinen Skizzenbüchern deutlich belegt; er schreibt: „Die Lehre der Evolution zeigt uns dann die Art, wie diese zwei Dinge sich entwickeln. (...) Weibliches und männliches Prinzip kommen so in Ruhe zur Einheit[53]." Es ist diese kosmische Einheit, die Mondrian stets gesucht hat; die Ähnlichkeit zwischen Triptychon und der „Roten Mühle"[54], vom gleichen Jahr 1911, zeigt schon etwas von diesem Weltbild, das erst einige Jahre später zur vollen Entwicklung gekommen ist.

So wird aus den Beispielen, die ich Ihnen aus der Fülle der Monumente hier habe zeigen können, deutlich, daß der Symbolismus in Belgien und den Niederlanden nicht nur eine kurze Episode war, sondern eine Periode, die für die folgende Entwicklung der Kunst im 20. Jahrhundert — zum Surrealismus in Belgien, zur abstrakten Kunst in Holland — von wesentlicher Bedeutung war durch den Nachdruck auf eine neue Geistigkeit, die der Symbolismus brachte.

## ANMERKUNGEN

Mit Absicht ist in den Fußnoten der Quellennachweis auf wenige Werke beschränkt geblieben, die allgemein zugänglich sind: vor allem auf den Katalog der Ausstellung „Peintres de l'imaginaire, Symbolistes et surréalistes belges", Galeries nationales du Grand Palais, Paris, 1972; der Katalog ist von Frau Dr. Fr. C. Legrand, der vorzüglichen Kennerin des belgischen Symbolismus, bearbeitet worden; für den Holländischen Symbolismus nimmt Frau Dr. B. H. Polak's „Het symbolisme in de Nederlandse schilderkunst 1890—1900" 's Gravenhage 1953, (und die hier zitierte zweite Auflage dieses Buches „Het fin-de-siècle in de Nederlandse schilderkunst, 's Gravenhage, 1955) ebenso wie die Autorin den gleichen Platz ein. Verwiesen sei noch auf: F. C. Legrand, Le symbolisme en Belgique, Brüssel, 1971.

1. Le Figaro, 18. X. 1886, auch zitiert bei B. H. Polak, *Het fin-de-siècle in de Nederlandse schilderkunst; De symbolistische beweging 1890—1900,* 's Gravenhage 1955, S. 7.
2. G. Albert Aurier; *Le symbolisme en peinture;* Mercure de Franc, mars 1891, S. 155; zitiert in Polak, o. c. S. 16.
3. G. Albert Aurier; o. c. S. 162/3, cf. Polak, o. c. S. 16.
4. *Peintres de l'imaginaire; symbolistes et surréalistes belges,* Galeries nationales du Grand Palais, Paris, 4. I — . IV. 1972, Katalog, S. 36.
5. *Peintres de l'imaginaire,* S. 36.
6. *Peintres de l'imaginaire,* S. 36.
7. Rijksmuseum Kröller-Müller, Otterlo; *Peintres de l'imaginaire,* Kat. nr. 63.
8. Brief von F. Rops an H. Liesse, 8. I. 1879, in: *Peintres de l'imaginaire,* S. 34.
9. Undatierter Brief von Péladan an Rops, in: *Peintres de l'imaginaire,* S. 34.
10. Sammlung A. M. Gillion-Crowet, Brüssel; *Peintres de l'imaginaire,* Kat. nr. 29.
11. E. Verhaeren in „L'art moderne", Brüssel 12. IX. 1886; in: *Peintres de l'imaginaire,* S. 29.
12. E. Verhaeren in „L'art moderne", Brüssel 12. IX. 1886; in *Peintres de l'imaginaire,* S. 29.
13. Sammlung B. T. de Maisières, Brüssel; *Peintres de l'imaginaire,* Kat. no. 21.
14. Mallarmé, zitiert in: B. H. Polak, o. c. S. 9.
15. Brief von C. Lemonnier au X. Mellery, 9. I. 1899; in: *Peintres de l'imaginaire,* S. 31.
16. Brief von X. Mellery au C. Lemonnier, 5. XI. 1905; in: *Peintres de l'imaginaire,* S. 31.
17. Sammlung A. M. Gillion-Crowet, Brüssel; *Peintres de l'imaginaire,* kat. nr. 59.
18. „L'art moderne", Brussel, 13. I. 1895; in: *Peintres de l'imaginaire,* S. 24.
19. Sammlung A. M. Gillion-Crowet, Brüssel; *Peintres de l'imaginaire,* Kat. nr. 19.
20. J. Delville, in: *Peintres de l'imaginaire,* S. 23.
21. J. Delville, in: „L'art moderne", Brussel, 30. IV. 1899; in: *Peintres de l'imaginaire,* S. 23.

C 3 Jacek Malczewski: Selbstbildnis mit lila Hyazinthe

22. Sammlung E. Janss, jr., Thousand Oaks, Cal.; *Peintres de l'imaginaire,* Kat. nr. 16.

23. J. Delville in *1er Salon d'Art Idéaliste,* Brussel 1896; in: *Peintres de l'imaginaire,* S. 23.

24. Sammlung A. de Glas, Mortsel; *Peintres de l'imaginaire,* Kat. nr. 1.

25. E. Verhaeren in „L'art moderne", Brüssel, 24. III. 1895; in: *Peintres de l'imaginaire,* S. 20.

26. E. Verhaeren in „L'art moderne", Brussel, 24. III. 1895, in: *Peintres de l'imaginaire,* S. 21.

27. Sammlung G. Hostelet, Brussel; in A. de Ridder, *W. Degouves de Nunques,* Abb. 7.

28. Rijksmuseum Kröller-Müller, Otterlo; in: *Peintres de l'imaginaire,* Kat. nr. 3.

29. Rijksmuseum Kröller-Müller, Otterlo: in: *Peintres de l'imagenaire,* Kat. nr. 2.

30. Rijksmuseum Kröller-Müller, Otterlo; in: *Peintres de l'imagenaire,* Kat. nr. 6.

31. Kunstgewerbemuseum, Zürich.

32. Sammlung Chr. van Spaendonck-Dreesmann, Tilburg; Polak, o. c. Kat. 7.

33. W. Kloos, in: *Veertien Jaar Literatuurgeschiedenis,* zitiert in Polak, o. c. S. 7.

34. Rijksmuseum Kröller-Müller, Otterlo; Polak, o. c. kat. 23.

35. Rijksmuseum Kröller-Müller, Otterlo; Polak, o. c. kat. 29.

36. Rijksmuseum Kröller-Müller, Otterlo; Polak, o. c. kat. 51.

37. Brief von J. Toorop (1894) zitiert in Polak, o. c. S. 120.

38. Brief von J. Toorop (1894) zitiert in Polak, o. c. S. 120/121.

39. F. van Eeden, *De Broeders,* Amsterdam 1894, p. 214, zitiert in: Polak, o. c. S. 133.

40. Rijksmuseum Kröller-Müller, Otterlo, Polak, o. c. kat. 138.

41. Rijksmuseum Kröller-Müller, Otterlo; Polak, o. c. kat. 139.

42. Brief von J. Thorn Prikker, 9. XII. 1892, zitiert in Polak, o. c. S. 164.

43. Rijksmuseum Kröller-Müller, Otterlo; Polak, o. c. kat. 157.

44. Brief von J. Thorn Prikker, 1. II. 1893, zitiert in Polak, o. c. S. 174.

45. Brief von J. Thorn Prikker, 10. I. 1893, zitiert in Polak, o. c. S. 173.

46. Brief von A. Der Kinderen, 21. VII. 1891, zitiert in Polak, o. c. S. 201.

47. R. N. Roland Holst, *De beteekenis van Derkinderens nieuwe muurschilderkunst in onze schilderkunst;* De Nieuwe Gids, 1892, I p. 321–24, zitiert in Polak, o. c. S. 204.

48. R. N. Roland Holst in „L'art Moderne" 28. VIII. 1892; zitiert in Polak, o. c. S. 244.

49. Vincent van Gogh, Brief an E. Bernard, B 14 (9), in: *Verzamelde Brieven van Vincent van Gogh,* Amsterdam, 1959, IV, S. 221.

50. Undatierter Brief von E. Verhaeren an L. Spilliaert, in: *Peintres de L'imagenaire,* S. 35.

51. R. P. Welsh, *Mondrian and theosophy* in: *Piet Mondrian, Centennial exhibition,* the Solomon R. Guggenheim Museum, New York, 1971, S. 35–51.

52. Gemeentemuseum, Den Haag; M. Seuphor: *P. Mondrian,* N–Y. 1956, kat. 324, Abb. S. 237.

53. R. P. Welsh, J. M. Joosten, *Two Mondrian sketchbooks 1912–1914;* Amsterdam 1969, S. 64, 65.

54. Gemeentemuseum, Den Haag; Seuphor, o. c. kat. 293, Abb. S. 240.

WLADYSLAWA JAWORSKA

# Probleme des Symbolismus in der polnischen Malerei

Bei der Besprechung des Symbolismus in der polnischen Kunst sind chronologische Grenzen zu ziehen, was ganz selbstverständlich ist. Geographische Grenzen verlangen dagegen einen Kommentar.

Wie immer werden die zeitlichen Zäsuren konventionaler Natur sein. Ohne größere Irrtümer zu riskieren, darf jedoch angenommen werden, daß alle oder fast alle künstlerischen Erscheinungen, die unter dem Terminus Polnischer Symbolismus zusammengefaßt werden können, sich in den Jahren 1890 bis 1910 abgespielt haben, und zwar sowohl in der Bildenden Kunst wie auch in Theater, Literatur und Musik.

Der polnische Symbolismus wurde oft auch Modernismus genannt. Damals — und auch heute noch — wurde er jedoch besonders gern als Kunst des „Jungen Polen“ bezeichnet.

Die künstlerische Bewegung und ihre dynamische Entwicklung konzentrierten sich fast ausschließlich auf Krakau. Dort entstanden auch die hervorragendsten Werke. Es soll daran erinnert werden, daß dies zu einer Zeit geschah, als Polen auf der Landkarte Europas nicht existierte und seine Bevölkerung in drei Staatsbürgerschaften aufgeteilt war. Unter diesen drei verschiedenartigen Gebieten wurde Galizien, obwohl in ökonomischer Hinsicht rückständiger und vom politischen Leben abgesondert, von der österreichischen Regierung liberaler behandelt. Es ging hierbei um den Zustrom west-europäischen Gedankengutes und um die Möglichkeit eigener künstlerischer Manifestationen. Daraus resultiert, daß Krakau einen Ausgleich in der Entfaltung von Philosophie, Literatur und Kunst fand und zur geistig-dynamischen, intellektuellen und künstlerischen Metropole des nichtbestehenden Polens wurde.

Es war auch eine an Talenten reiche Epoche! Sie waren da, fast alle zu gleicher Zeit: Künstler einer Generation und verschiedenartiger Ideologie. Als neue Menschen traten sie ein, kühn, andersartig, und sie gaben dem von der Gotik und der Renaissance geprägten Bild Krakaus, mit seinem bürgerlich-ruheständlerischen Tempo, die spezifische Exotik der Bohème und weckten mit schockierendem Lebensstil die Stadt aus ihrer Lethargie auf. Unter den Gewändern und Requisiten — Hut, Krawattenschleife, Pelerine — blieb die tragische Wirklichkeit der gesellschaftlichen Vereinsamung, der politischen Unfreiheit, der psychischen Zerrissenheit verborgen. Deshalb ist es nötig, sich nochmals an die Ideologie des Eskapismus und ihre verschiedenen Erscheinungsformen zu erinnern.

Was die künstlerische „Basis" betrifft, so stand die Generation, die um das Jahr 1890 das „Spielfeld" betrat und ungestüm die Bande zerriß, unmittelbar im Banne der Persönlichkeit des bejahrten Meisters Jan Matejko, der als Rektor der Krakauer Kunstschule, als Professor und Erzieher, einen überwältigenden Einfluß auf seine zahlreichen Schüler ausübte. Selbst ein zeitwidriger Romantiker, „erzog" er mit riesigen historischen Bildern, die die Glanzperiode Polens zur Zeit der Piasten und Jagiellonen illustrierten. Seine Devise war: „Die Kunst darf von der Liebe zum Vaterland nicht getrennt werden"[1].

Auch wenn sich Matejkos Zöglinge von der Lehre ihres Meisters losrissen, auch wenn sie sich Formeln verschrieben, die im Kontrast zu seinen expressiven „historischen Illustrationen" standen, — denn zu dieser Art „Revolution" mußte es schließlich kommen —, so hinterließ die ihnen eingeprägte pathetische Idee von der nationalen „Funktion der Kunst" doch ein unüberhörbares Echo. Es mußte nicht unbedingt das Thema, das Motiv sein, es genügt eine Allusion, irgendein latentes, nostalgisches Klima, um diesen romantisch-patriotischen Resonanzboden schwingen zu lassen. Es scheint, daß ästhetische und stilistische Wandlungen, die zu dieser Zeit in der polnischen Kunst vor sich gehen, nicht nur intellektuelle Spekulation und nicht nur ästhetisches Spiel sind, wie man es anderswo zu dieser Zeit beobachten kann. Man muß dies erwägen, um das Wesen und die Eigenartigkeit der polnischen Kunst des besprochenen Zeitraums zu verstehen. Denn sogar vom Ausland eindringende künstlerische Formeln wurden unter der Wirkung örtlicher Kräfte so verwandelt, daß sie ihren Vorbildern kaum noch ähnlich sahen. Sowohl die Tatsache des Fehlens einer normalen Verbreitung westlicher Kunst als auch die bereits erwähnte vorherrschende naturalistische Lehre Matejkos bewirkten zwangsläufig Störungen in der polnischen Kunstentwicklung. So ist z. B. der französische Impressionismus mit siebzehnjähriger Verspätung nach Krakau „vorgedrungen". Fast gleichzeitig mit dem Modernismus übernommen, war er eigentlich nur eine kurze Episode[2]. Dagegen erschien der Symbolismus in Polen fast zur gleichen Zeit, als sich seine ersten Symptome im Westen zeigten. Man kann somit sagen, daß sich der polnische Symbolismus — die „impressionistische Phase" übergehend — am Berührungspunkt des Naturalismus mit dem frühen Expressionismus befand, daß er im Naturalismus wurzelnd und zum Expressionismus vorgreifend die Merkmale dieser gegensätzlichen Richtungen vereint.

Der Charakter des polnischen Symbolismus ist keineswegs einheitlich. Gegensätze, die das zeitgenössische Europa erschütterten, fanden hier dadurch ihren Nachklang, daß sie auf einen ausnehmend emotionellen und immer noch romantischen Boden trafen. Einerseits Sehnsucht nach Ursprünglichkeit, nach Folklore, nach der natürlichen Umwelt des Menschen, andererseits Krankhaftigkeit, Narzißmus, Dekadenz. Der biologische Determinismus „funktioniert" neben dem Bedürfnis mystischer Kontakte mit der Natur — dagegen aber auch Flucht in die „Unnatürlichkeit", in die Maske, das Kostüm des Bohemien, des Vaganten: sie sollen gesteigerte Authentizität bringen, jedoch auch tödliche Verzweiflung und Nirwana als Hoffnung auf eine Auferstehung. Die Rückkopplung zwischen Verneinung und dem Bedürfnis nach Bejahung erklärt die Vieldeutigkeit und die Vielschichtigkeit der polnischen Kunst jener Epoche.

Ende Januar 1891 veröffentlichte Zenon Przesmycki (Pseudonym Miriam), ein hervorragender Schriftsteller sowie Kenner der Literatur und Malerei, im Krakauer Blatt „Šwiat" (die Welt) den Artikel „Maurice Maeterlinck und seine Position in der zeitgenössischen Poesie", in dem er eine eingehende Auslegung der modernistischen Kunsttheorie gab[3]. Ausgehend von den monistisch-pantheistischen Naturauffassungen verneint er den Wert der Relationen Kunstwerk — Natur und behauptet, daß die naturalistische Kunst oberflächlich und fragmentarisch ist, da sie lediglich beschreibt, nicht aber in das Innere dringt. Er fordert schöpferische Kunst, die imstande ist, auf dem Weg einer Synthese gleichzeitig sowohl den sinnesgemäßen wie auch den transzendenten Wesenszug der Wirklichkeit zu umfassen. Aus dieser Synthese leitet Przesmycki den Begriff „Symbolismus" her. Er verbindet *objektivistische* Sachlichkeit mit dem verborgenen Wesen der Dinge, das sich nur in der Phantastik und in der Sphäre der *Subjektivierung* der Wirklichkeit erschließt. Przesmyckis Studie ist auf polnischem Boden zum Manifest der Neuen Kunst geworden.

Eine philosophische Auslegung des Modernismus gab die Abhandlung von Edward Abramowski „Die Kunst, was ist das?" (1898), die an die Studie von Leo Tolstoi „Die Kunst, was ist das?" anknüpft[4]. Er verkündet den antiintellektuellen Charakter der Kunst und die maximale Rolle der künstlerischen Einbildungskraft. In diesem Bereich spielte auch Stanislaw Przybyszewski eine große Rolle, der auf der Grundlage der Philosophie Nietzsches die Theorie der „nackten Seele" und die „L'Art pour l'Art-Parole" in seinem Manifest „Confiteor"[5] vertrat. Seine Tätigkeit als Redakteur der modernistischen Zeitschrift „Życie" (Leben), in Zusammenarbeit mit Stanislaw Wyspianski als „art director“ dieser Zeitschrift, fällt in die Jahre der lebendigsten intellektuellen und künstlerischen Bewegung in Krakau[6].

Den Boden für das Eindringen des Modernismus in Polen bereiteten, wie gesagt, Theoretiker vor. Es muß aber hinzugefügt werden, daß bei der Rezeption dieser Richtung das Theater (damals unter Pawlikowskis, später unter Kotarbińskis Direktion) eine besondere Rolle spielte. Auf der Bühne des Krakauer Theaters (fügen wir hinzu, des einzigen in der Stadt) zogen der Reihe nach feierlich vorüber: Ibsen, Björnson, Strindberg, Hauptmann, Curel, Courteline, Ostrowski, Tschechow, Gorki, Oscar Wilde, Maeterlinck. Dabei sollte nicht unerwähnt bleiben, daß oft Woche für Woche Premieren stattfanden.

*

Für den Symbolismus in der Malerei kann Jacek Malczewski (1854—1929) als Vertreter des mimetischen Symbolismus gelten, unter dem Vorbehalt, daß die Klassifikation, wenn auch meist konventioneller Art, niemals die Typen des Symbolismus in gänzlich „reiner“ Form umfassen kann. Entscheidend für die Klassifikation ist das Übergewicht von Elementen eines bestimmten „Typus“.

Jacek Malczewski, in den Traditionen der polnischen Romantik und der Schule Matejkos aufgewachsen, erachtete die Kunst als nationale Mission. Bis an sein Lebensende blieb er dieser Idee treu, nur die Form seiner Aussage änderte sich radikal. Von naturalistischer Narration — in den Szenen mit der Darstellung nach dem Aufstand von 1863 — entwickelt sich seine Malerei zur symbolischen Vision. Sie verbleibt jedoch in derselben semantischen Sphäre mit ihrer Evokation des nationalen Schmerzes, der nun allerdings mit dem „Abstrakt“ des Gefühls ausgedrückt wird. Mit der Zeit legen sich auf diese Schicht — nennen wir sie die symbolisch-patriotische — vielgestaltige Versinnbildlichungen philosophischer Natur, existentialer Probleme von Fragen des Daseins, der Tragödie des Todes und des Schicksals.

Der Künstler bezeichnet sich selbst als Medium zwischen dem Geheimnis des menschlichen Fatums und dessen fragmentarischen Enthüllungen im Leben. Und er bleibt kein anonymes Medium, sondern erscheint in seiner, Jacek Malczewskis, porträtierter Gestalt.

Daher eine Obsession zum Selbstbildnis in vielartigen symbolischen und *symbolisierenden,* übrigens nicht immer eindeutigen Situationen. Vor dem Hintergrund polnischer Landschaften sehen wir ihn in verschiedenartiger Verkleidung und wechselnden Kopfbedeckungen als Heros, Histrione (Abb. C 1), Pilger, Christus. Fremdartige Gestalten umgeben ihn: Schimären, Nymphen, Faune, Engel, Zentauren, Harpyien. Hier sei bemerkt, daß jene Schimären und Harpyien, obwohl ihre Zugehörigkeit zum Jenseits unbestreitbar ist, vom Künstler naturalistisch, somatisch, wirklichkeitsnah behandelt sind.

Im Zyklus „Nymphen" führt Malczewski einen persönlichen, lyrischen Monolog über das Thema seiner jugendlichen Jagd nach dem Glück, dem der Name „Künstler und Kunst" gegeben werden kann. Dabei wird der Casus Malczewski-Maler zum Symbol eines Künstlers überhaupt. Als Künstler, ein Sklave der Kunst, für die Kunst leidend und für die Kunst verfolgt, wie Christus in der Dornenkrone bespuckt (Analogie zu Gauguin), hat er Macht höheren Ranges — die Macht der Entdeckung der innersten Wahrheit — den Sinn des Lebens[7].

Auf die Gestaltung der symbolischen Kunst Malczewskis konnten einerseits die bereits erwähnte Übertragung der Idee des Symbolismus von Belgien auf Polen Einfluß haben, andererseits der Aufenthalt Malczewskis 1892 in München, das zu dieser Zeit unter dem Zeichen der Opposition gegen den Naturalismus stand. Damals kam Malczewski mit der Malerei von Arnold Böcklin, Hans Thoma und Franz Stuck in Berührung, und außerdem scheint ihn Fritz von Uhde beeinflußt zu haben.

Der Zeitpunkt der Wendung Malczewskis vom Naturalismus zum Symbolisten wird von zwei Bilder-Manifesten bestimmt. Das erste, „Melancholie", stammt aus dem Jahre 1894. Der hier vorherrschende Ton der Melancholie versinnbildlicht die tragische und hoffnungslose Situation Polens — im weiteren Sinne die Resignation vor dem fatalistischen Determinismus der Geschichte. Das Fenster wird zum Symbol der Freiheit, aber die schlafenden Gestalten sind vom Fenster abgewandt. Das andere Bild, „Trugschluß" (Abb. C 2), — dynamisch-ungestüm, dissonant, disharmonisch —, ist seinem Titel angemessen.

Diese hier kurz angeführten Beispiele für Malczewskis künstlerische Aussagen bewegen mich zu folgenden Reflexionen: Während der ganzen Zeit seines Schaffens in der naturalistischen Formel verbleibend, ist Malczewski Symbolist. Seine symbolistische Malerei beruht auf:

1. der Anwendung eines oder mehrerer gängiger Symbole, semantisch ablesbar; z. B. ist die Fessel an den Händen einer Frau das Symbol der Unfreiheit Polens, die Sense das Symbol des Todes;

2. der „Spaltung der Wirklichkeit" durch Einfügung imaginativer Elemente in die aus realen Dingen aufgebaute Struktur (z. B. Bilder mit Nymphen oder Harpyien);

3. einer stark dynamisierten Bildgestaltung durch Einführung „natürlicher" Gestalten in naturwidriger, wirrer, im Widerspruch zum Gesetz der

Gravitation stehender Bewegung, wie in den Bildern „Melancholie“ und „Trugschluß“;

4. einem zu dem letzteren gegensätzlichen Verfahren: ein beunruhigendes „Ausklingen“ der natürlichen Struktur des Bildes, das analog zum Magnetfeld ein „symbolisches“ Feld erzeugt. Im Bereich dieses Feldes erhebt die Konzentration auf einen einzigen, kleinen Gegenstand — der kein gängiges mimetrisches Symbol ist — diesen in den Rang eines mehrdeutigen Sinnbildes. Dies kann eine in der Hand gehaltene Heuschrecke, Libelle oder Blume sein. Ein Bild dieser Art mehrschichtiger Interpretation ist das „Selbstbildnis mit der lila Hyazinthe“. (Abb. C 3, nach Seite 296).

Malczewski bediente sich oft der Form eines Triptychons, und eben diese Form bedingt zusätzliche surreale Spannungen mit Anspielungen auf Sakrales, auf Reinkarnation und Metapsychose.

Diese für Malczewski so charakteristische Stimmung der Versunkenheit, der Reflexion, der Melancholie, des Schmerzes, ist eine neoromantische — in der polnischen Malerei dieses Zeitraums dominierende Strömung und Bindestoff für die vielseitigen Versuche auch anderer Künstler des Jungen Polens.

*

Wenn wir annehmen, daß an der Jahrhundertwende die europäische Kunst in allen ihren Bereichen durch Versuche gekennzeichnet ist, eine Stilsynthese zu finden, verdient die Gestalt Stanislaw Wyspiańskis (1869—1907) besondere Beachtung. Seine Vielseitigkeit schien unter seinen Zeitgenossen nicht ihresgleichen zu haben. Als Maler, Graphiker und Szenograph, als Lyriker und Dramatiker war er auch Reformator des Theaters, der Buchverzierung und der Typographie sowie Begründer eines neuen Dekorationsstils in der Gebrauchskunst. Man kann sagen, daß er allein, in einer Person, das wichtigste Postulat seiner Epoche erfüllte — von Ruskin und Morris, über die École de Nancy bis zu den Nabisten, Maeterlinck und Craig —, das Postulat der Integration der Künste.

Bei der Verfassung eines Dramas entwarf er gleichzeitig Dekoration und Kostüme, versah das „Autorenexemplar“ mit detaillierten Bemerkungen in Wort und Zeichnung; er nahm persönlich an Theaterproben teil. Sein visionäres Talent erlaubte diese besondere „doppelte Schau“ des Theaters, dramatisch und plastisch, das in derartiger Symbiose dem Bühnenwerk höchsten Ausdruck verleiht. Als Beispiel gelte die 1901 von ihm persönlich geleitete Vorstellung „Die Hochzeit“, eine sittenpolitische Komödie, die in visionär-symbolische Überschichtung das Problem der Freiheit Polens stellt[8].

Wyspiański war für das polnische Theater das, was für Deutschland Peter Behrens und Adolf Appia bedeuteten — ein stilvolles Theater par excellence, das Künstlertheater. In seinen theatralischen Ideen näherte er sich den reformatorischen Konzeptionen Eduard Gordon Craigs, der vom Regisseur verlangte, er solle zugleich Schauspieler, Dichter, Maler, Architekt und Dekorateur sein. Das eben war Wyspiański, und dem ist Craigs Interesse für ihn zuzuschreiben, der ihn als „einen der größten Künstler um die Zeit der Jahrhundertwende" betrachtete[9].

Wyspiańnski griff zusammen mit Mehoffer (von dem noch die Rede sein wird) zum ersten Mal in Polen die breitangelegte Idee der Innendekoration auf, vor allem im Bereich der Wandmalerei und der Kirchenfenstergestaltung. Sein bestes Werk dieser Art sind die in den Jahren 1896—1902 ausgeführten Glas- und Wandmalereien in der Franziskanerkirche in Krakau. Er stellte die Ordenspatrone, die Heiligen Salomea und Franziskus dar, expressiv, aber statuarisch und umrahmt sie mit stilisierten, riesigen Blumen und Blättermotiven. Den Höhepunkt bildet eine Vision Gott Vaters in flammender Gestalt, der die Welt aus dem kosmischen Chaos mit einer pathetischen Bewegung der erhobenen Hand — „Es Werde" — erschafft. (Abb. C 4).

Im Entwurf zur Komposition des Farbfensters „Polonia" (1892—94) fällt die kühne Linienführung auf, die das architektonische Gerüst der Fenstersprossen überlagert: Pflanzenformen — riesig, wuchernd, dornig — wiederholen die Geste der gequälten Hände. Eine Art Sezessions-Stil steigert die dramatische Symbolik der polnischen Pietà — „Polonia".

Während der Arbeiten an den Fenstern der Franziskanerkirche schrieb Wyspiański an seinen Freund Lucjan Rydel: „Das wird Kunst sein! Ich freue mich auf dieses Werdende. Das ist von Grund auf mein Eigen und heimisch, es ist unser. Das wird und muß etwas Wunderbares werden. Gemalte und auf sonderliche Weise versinnbildlichte Dramen, Romane, Poeme. Manchmal fürchte ich mich fast vor dem, was mir mein Vorstellungsvermögen zu tun gebietet"[10].

Wir fragen: was für Anregungen konnten es sein, die auf seine Vorstellungskraft einwirkten; welche Ideen und künstlerischen Formen waren es, von denen diese vielseitige und zugleich homogene, integrale Kunst Wyspiańskis ausging? Hier muß wieder Krakau erwähnt werden, diese von mittelalterlichen Mauern umringte Stadt, deren typischer Sohn Stanislaw Wyspiański war; hier muß auf das spätgotisch-expressive Marien-Retabel von Veit Stoß, auf Matejkos Schule und auf die immer noch lebende romantische Literatur verwiesen werden. Sie gehören zur künstlerischen Atmosphäre, zur kulturellen Überlieferung, zur Tradition dieser Stadt.

C 5 Stanislaw Wyspiański: Bildnis von Eliza Pareńska

Eine andere Strömung, eine frische Blutzufuhr war die polnische Folklore. Obwohl sie seit jeher in die professionelle polnische Kunst einsickerte, wurde ihr doch niemals ein so hoher Rang zuteil wie zur Zeit „Jung Polens". Das in großem Umfang wiederentdeckte Erbe der polnischen Volkskunst sollte nun eine Rolle übernehmen, ähnlich der, die einst die dekorative und sakrale byzantinische Kunst spielte. Im Volk, in der Volkskunst und in der volkstümlichen Phantastik sah Wyspiański die eigentliche authentische Quelle eines Ur-Polentums. In seinen Dramen ließ er Könige und ihren Hof als Bauern in Volkstrachten vor der Kulisse dörflicher Katen und Scheunen erscheinen, und in seinen Glas- und Wandmalereien griff er zu ornamentalen Motiven der Dekorationskunst, deren Anwendung zur Grundlage einer neuen antiillusionären Ästhetik wurde. Hier muß auf Wyspiańskis Vorliebe für Pflanzen- und Blumenformen seit Kindesjahren hingewiesen werden: auf Ausflügen zeichnete er Blumen in sein Schulskizzenbuch; von dieser Vorliebe zeugt beredt sein sogenanntes Pflanzenbuch, aus dem er später Motive zu seinen floristischen Ornamenten schöpfte. Dieses Detail mag nebensächlich erscheinen, ist aber doch erwähnenswert in Hinsicht auf den triumphalen Einzug floraler Motive in die Kunst des Jugendstils, des Art Nouveau, gleichzeitig fast überall in Europa. (Abb. C 5, nach Seite 304).

Urslawische Anregungen vereinen sich bei Wyspiański mit der Liebe zur Antike. Wäre das Neoklassizismus? Nein — eher ein Anzeichen dafür, daß er alle künstlerischen Impulse seinem Stil unterordnen will. In seinen „antiken" Dramen transponiert er den Leitfaden ideologisch und überträgt ihn auf die aktuelle polnische Wirklichkeit — der Wawelberg wird zur Akropolis, und in seinen Illustrationen zur Iliade vergegenwärtigt er die homerischen und griechischen Helden mittels geschmeidiger, ornamentaler, „modernistischer" Linienführung der Zeichnung.

Im Zusammenhang mit einer formalen Analyse Wyspiańskis Kunst darf seine Berührung mit Paris, wo er in den Jahren 1891—1894 mit einigen Unterbrechungen weilte, nicht unbeachtet bleiben. Nach Briefen an seine Freunde bezogen sich seine Eindrücke vor allem auf Puvis de Chavannes, den er wegen seiner „natürlichen und einfachen Kompositionen" besonders hochschätzte, sowie aufgrund seiner „ruhigen und phantasievollen Ideen, die nicht einfach der Natur entnommen, sondern aus dem Geist des Künstlers entstanden sind"[11]. In Paris begegnete er auch Alfons Mucha und seinem Landsmann Wladyslaw Slewiński, dem er, nach seiner Äußerung, viel verdankte[12].

Unterlag Wyspiański französischen Einflüssen? Ja gewiß, aber vielleicht nur in der Form, wie er es voller Bescheidenheit in einem Brief an seinen Freund selbst zugab: „Es ist gut, die heutige französische Malerei zu sehen und kennenzulernen, um zu der Überzeugung zu gelangen, daß es richtig ist, was man so manchmal denkt, und daß andere auf gleiche Weise verfahren; man muß nur den Mut haben, unabhängig zu sein"[13]. Diese mit voller Zufriedenheit, aber auch mit Distanz gemachte Feststellung „weil andere auf gleiche Weise verfahren" ist für die komparative Kunstwissenschaft ein weiteres Signal für die Durchdringung und Wechselwirkung gewisser Ideen, Formen und Strömungen gleichzeitig an verschiedenen Punkten Europas. Es geht nur darum, „den Mut zur Unabhängigkeit zu haben".

War Wyspiański Symbolist? Ja, er war es, sowohl dann, wenn die Semantik seiner symbolischen Formen eindeutig ist, wie in der Gestalt der „Polonia", oder auch mehrdeutig, wie im Bild „Strohpuppen" (Abb. C 6). Er ist aber auch Symbolist im weitesten Sinne dieses Begriffes, denn sein gesamtes künstlerisches Schaffen war als solches Symbol, ein Schaffen, das in synthetischer Sprache große nationale Ideen zum Ausdruck brachte und mit diesen gleichbedeutend war[14].

*

Ein Altersgenosse Wyspiańskis und sein Studienkollege an der Krakauer Kunstschule war Józef Mehoffer (1869—1946). Beide gehörten zu den Lieblingsschülern Matejkos, und dieser wählte beide dazu aus, ihm bei der Ausführung der Wandmalereien in der Marienkirche von Krakau 1889—1891 behilflich zu sein. Die Möglichkeit, neue, starke Effekte durch die Anwendung einheitlicher von Konturen eingefaßter Farbflächen hervorzurufen — ohne Perspektive, Modellierung, lokale Farbtönung, Licht- und Schattenwirkung —, stellte für beide ein neues, fruchtbringendes Element dar. Diese Aufgabe war entscheidend für die Ausdehnung der Interessengebiete beider Künstler auf außerhalb der Tafelmalerei liegende Bereiche der dekorativen Kunst im allgemeinen.

Man kann annehmen, daß dem 52jährigen Matejko angesichts dieses Neuen nicht zum Bewußtsein kam, daß er in der gotischen Marienkirche mit ihrem Veit Stoß-Retabel eine Idee aufgriff und seinen Schülern vermittelte, die im Mittelpunkt des Interesses der zeitgenössischen Kunst Europas stehen sollte: die Idee der Wiedergeburt der monumentalen Kunst auf moderner Grundlage (hierbei soll nur an Puvis de Chavannes, Gauguin und an die Nabis erinnert werden).

Bei der Behandlung der Kunst Wyspiańskis war die Rede von dessen Dynamik und potenzierter Ausdruckskraft. Im Vergleich zu ihm ist Mehoffer ruhiger, weniger expressiv, gemäßigter und dekorativer. Aber darin ist er Meister.

Die dekorative Wandmalerei Mehoffers läßt die traditionelle Perspektive gegenstandslos werden; durch die Anwendung einheitlicher Farbflächen wirkt sie dimetrisch. Die Form ist synthetisch, vereinfacht, das Kolorit ausdrucksvoll und kräftig, mit einer Vorliebe für Goldtöne. Das ornamentale Repertoire Mehoffers basiert hauptsächlich auf Pflanzen- und Blütenmotiven; daneben treten Pfauenfedern, Fischschuppen, Vogelschwingen und Schnecken in Erscheinung. Es ist also nicht weiter verwunderlich, daß im Zusammenhang mit Mehoffer oft an die Einwirkung der Volkskunst erinnert wird, als sei diese äußerlich einer sezessionistischen Stilisierung unterworfen worden. Man könnte jedoch den Eindruck gewinnen, als ginge es hier um eine kompliziertere Erscheinung — nämlich um das Phänomen, daß die Stilisierung Mehoffers die in der polnischen Folklore enthaltenen Sezessions-Linienführung übernimmt, gleich einem Echo auf die neuen formalen Experimente in der mitteleuropäischen Kunst, und daß erst diese beiden Anregungen, Folklore und Modernismus, volkstümliche „Natürlichkeit" und modernistische „Künstlichkeit" die Resultate ergeben, die die Eigenwilligkeit von Mehoffers Stil ausmacht.

Zu den repräsentativen Wandmalereien Mehoffers gehören u. a. die Dekorationen der Schatzkammer (1901) und der Schafraner-Kapelle in der Kathedrale auf der Wawelschloßanhöhe, die Malereien und Vertäfelungen im Sitzungssaal der Industrie- und Handelskammer in Krakau (1906—07) sowie die Kompositionen in musivischer Arbeit in der Kuppel der Armenischen Kathedrale in Lwów. Er schuf noch viele andere Entwürfe, nur gelangten sie wegen ihres avantgardistischen Charakters nicht zur Ausführung.

Im Jahre 1895 errang Mehoffer einen bedeutenden Erfolg, als ihm der erste Preis unter den 47 Entwürfen der zum Internationalen Wettbewerb eingesandten Arbeiten für die geplanten Glasmalereien in der St. Nikolaus-Kathedrale (damalige Stiftskirche) in Freiburg in der Schweiz zuerkannt wurde. Es war das opus magnum seines Lebens, an dem er 40 Jahre lang arbeitete. In dieser Zeit stellte er für das Presbyterium fünf Fenster von zwölf Meter Höhe sowie acht Doppelfenster von sieben Meter Höhe für das Mittelschiff fertig. In diesen Glasmalereien zeigte der Künstler eine Virtuosität, die in seinem hervorragenden Gefühl für die unter der Lichtwirkung veränderliche Farbtönung des Glases zum Ausdruck kam, sowie in der kühnen, modernistischen Anwendung einer welligen, flammenden Linienführung, die scheinbar im Widerspruch zum technischen Charakter des benutzten Materials steht.

Im Zusammenhang mit unseren Erwägungen über den „Fin de Siècle-Stil" verdienen drei Doppelfenster besondere Beachtung: „Notre Dame des Victoires" 1897, „Anbetung der Heiligen Drei Könige" 1904 sowie die

„Märtyrerinnen" 1899. In den beiden ersten sind polnische Folklore-Elemente unmittelbar in die Komposition aufgenommen. Die hl. Jungfrau mit dem Jesuskind in der „Anbetung der Heiligen Drei Könige" ist als polnische Bäuerin dargestellt, und das ganze Thema der Anbetung ist vom Künstler als volkstümliche polnische Weihnachtskrippe wie in Krippenspielen behandelt, wo nicht allein die traditionelle Form des Volksbrauches angewandt wurde, sondern auch volkstümliche Symbolik in ihrer ganzen Buchstäblichkeit und Naivität.

Die am stärksten im Geiste der Sezessionsbewegung realisierte Komposition ist das Martyrium der hl. Katharina und der hl. Barbara aus den Fenstern der Märtyrer und Märtyrerinnen (Abb. C 7, nach Seite 312). Der bleiche Körper der hl. Katharina, den Torturen auf dem Rad ausgesetzt (dieses sichtbar in einem Fragment), wurde mit nach unten hängendem Kopf inmitten eines satten bunten Geflechts amethystfarbener und saphirblauer Phantasieblüten dargestellt, deren Formen botanisch nicht identifizierbar sind. Das offene, goldblonde, wie in einem Wirbel fortgerissene Haar der Heiligen bildet, gleich der Erde entrissener, biegsamer Wurzeln, die Fortsetzung des Pflanzenornaments. Die andere Märtyrerin, die hl. Barbara, ist in Gemeinschaft mit der hl. Katharina in diesen Wirbel von Körpern, Haaren und amorphen Blütenformen einbezogen. Der quer verlaufende Mittelfries, der aus deutlich erkennbaren gelben Irisblüten besteht, trennt zwei Welten: die untere zusammengeballte, irre, dramatische von der oberen, in mystische Andacht versunkene statische Welt, auch wieder dargestellt von zwei Frauengestalten (den gleichen Heiligen vor ihrem Martyrium), wobei stabile Wirklichkeit immer mehr die Oberhand gewinnt und ihre Krönung findet in einem ganz deutlich lesbaren städtischen Landschaftsbild mit gotischem Turm (Teilstück der Stadtmauern Krakaus), das den rechten Scheitelpunkt des Fensters einnimmt.

Diese „Invasion" polnischer Motive in die Glasmalereien der Freiburger Kathedrale mit der Hinzufügung authentischer Volkskunstelemente in der (Jugendstil-) Formel „Fin de Siècle" als Anwendung auf die martyrologische und Marien-Ikonographie für die lat. Inschrift Virgo Respublicae Friburgensis, ergaben ein erstaunlich homogenes künstlerisches Resultat.

Der Vorsitzende des „Comité des Vitraux", Max Diesbach, schrieb 1895, nach der Verleihung des Preises an Mehoffer, daß „von den eingesandten Projekten allein Mehoffers Entwurf, ohne in Routine zu verfallen, Originalität aufweise; seine Gestalten zeigen unterschiedliche, kühne Haltung, die Perspektive wurde künstlerisch behandelt, die Architektur zielt leicht auf gedankliche Allegorien hin"[15]. René Bazin hebt in einer Abhandlung über moderne Glasmalerei hervor, daß die Malereien von Freiburg die schönsten und modernsten wären, daß sie „ein Ensemble von Kleinodien in Bleifassung darstellen“ und daß deren Autor der einzige sei, der „den (damaligen) zeitgenössischen Ausdruck in der Kunst der Glasmalereien gefunden habe“[16].

Zu den Erscheinungen der europäischen Symbolmalerei gehörte die sogenannte Makroskopie, d. h. die übermäßige Vergrößerung des Details inmitten umgebender, anderer kleinerer Formen[17]. Diese Verlagerung des Gleichgewichts brachte in dem Kunstwerk eine geheimnisvolle Stimmung und Wunderlichkeit zum Ausdruck, es erhielt eine neue Bedeutung z. B. in dem Bild „Braut“ von Thorne Prikker. Ein Beispiel für die „Makroskopie“ ist auch Mehoffers Bild „Seltsamer Garten“ (Abb. C 8) von 1905. Im Vordergrund eines heiteren, man könnte sagen paradiesischen Gartens voll Sonnenschein, mit Bäumen, Blumen, Früchten, Girlanden, ausgeführt mit miniaturesker Genauigkeit, sind drei Gestalten: eine Frau, vermutlich die Mutter, in festlichem, keineswegs gärtnerischem Gewand, in dunkler Kleidung der Epoche; weiter entfernt die Amme und ganz vorn im Bild ein als Amor dargestelltes nacktes Kind, das in beiden Händen lange Malvenblütenstengel hält. Es wäre nichts Sonderbares in dieser idealisierten, in anderer Beziehung wirklichkeitsnah ausgeführten Komposition, würde nicht über den Gestalten eine goldene Libelle mit ausgebreiteten Flügeln schweben. Diese flugzeugartige Libelle, dieses „hubschrauberartige“ Gebilde mit wundervoll präziser Flügelkonstruktion, dieses sinnlose Insekt, ist größer als das spielende Kind! Nach der Libelle gefragt, soll der Künstler selbst geantwortet haben, sie sei Symbol seines Familienglücks (dies weiß man jedoch nur aus Überlieferungen)[18]. Ein anderer Forscher, dem dieser Ausspruch unbekannt war, meinte, daß die Libelle ein Symbol der Sommerhitze wäre[19]. Ich persönlich neige zu der Ansicht, daß die Libelle hier kein bestimmtes Symbol darstellt, sondern daß sie — aus einer anderen Ideenwelt stammend — die zwei Wirklichkeiten entzweit, was zur Folge hat, daß das Bild vieldeutig wird und daß der Beschauer in die Sphäre eines Rätsels, einer Frage gezogen wird und die Darstellung als etwas Symbolisches, Geheimnisvolles betrachtet. Das ist aber nur eine Abschweifung, denn das Bild ist hinsichtlich der Tafelmalerei Mehoffers ziemlich außergewöhnlich, die im Vergleich zu seiner Tätigkeit im Bereich dekorativer Kunst traditioneller wirkt[20].

*

Die monumentalen Dekorationen Wyspiańskis und Mehoffers waren nicht frei von symbolischem Pathos, das diese Künstler in ihrer schöpferischen Arbeit auf der Suche nach dem großen Nationalstil begleitet hat.

Die intime lyrische, von bitterer Ironie gezeichnete und zugleich poetische Malerei von Witold Wojtkiewicz (1879—1909) bildet das Gegenstück zu dieser Haltung. Als ein Vertreter der jüngeren Künstlergeneration des „Jungen Polen“ steht Wojtkiewicz sowohl mit der Strömung des Symbolismus wie auch mit der des frühen Expressionismus in Verbindung. Hierbei werden von beiden Richtungen gleichzeitig Anregungen gegeben, die eine dritte Qualität hervorrufen, der die Bezeichnung „expressiver Symbolismus“ gegeben werden kann.

Insofern als sich die Kunst der bereits besprochenen Maler an die spätpositivistische Metaphysik anlehnt, kann die antinaturalistische Malerei Wojtkiewicz' auf die Sphäre der philosophischen Einflüsse Bergsons hinweisen; in Polen auf die des Philosophen Edward Abramowski und des Schriftstellers Stanislaw Przybyszewski. Kurz gefaßt, im Dialog zwischen Künstler und Natur befreit sich der bisher mit dieser „monistisch“ verbundene Künstler und befolgt nicht mehr die Gesetze der „ewigen Ordnung der Natur“. Seine wachgerufene Vorstellungskraft ist berechtigt, neue Welten und neue Ordnungen zu kreieren. Das Kunstwerk wird zu einer unmittelbaren Projektion jener von der Natur befreiten Vorstellungskraft. Wenn der Künstler schon gewisse Elemente der Natur entnimmt, dann werden diese in veränderter Ordnung dargeboten, oder, noch mehr, der Künstler mischt Elemente, natürliche mit imaginativen; — er enthüllt neue, weder beschreibende noch erzählende, sondern aussagende expressive Werte. Das Bild hört auf, Gegenstand objektiver Kontemplation zu sein. Es übernimmt die Rolle, den Betrachter in subjektiver schöpferischer Spannung zu halten und dessen subjektives Vorstellungsvermögen nach dem anzuregen, was das Bild suggeriert — nach dem verborgenen Symbol *außerhalb* des Bildes zu suchen.

Und hier kommen wir zum Typ des „expressiven Symbolismus“, dessen klassischer Vertreter in Polen Wojtkiewicz ist.

Der Fall Wojtkiewicz, zu Beginn unseres Jahrhunderts — die Verknüpfung expressiver Fäden mit symbolischen —, war weder vereinzelt noch ungewöhnlich, wären hier nicht die außergewöhnlichen Mittel, die die ihm eigene, grotesk-lyrische Art und Weise der Bildaussage vergegenwärtigen.

Wojtkiewicz ruft traurige Menschen, Neurastheniker ins Leben — Irrsinnige, Melancholiker, Besessene, auch Kinder und Marionetten. Alle diese Geschöpfe „funktionieren“ gleichberechtigt nebeneinander; sie mischen reine Realität mit reiner Fiktion. In den Bildern finden wir eine dichtgedrängte und komplizierte Symbolik; das Inhaltsmotiv entgeht der Interpretation. Die Metaphorik beruht darin, daß außer einer „Kreuzung von Gattungen“ — lebender Geschöpfe und Puppen —, kleiner verkleideter

Kinder und kindlicher Marionetten auf hölzernen Pferdchen mit Puppen in den Händen — verwickelt in Situationen, in Gefühle und Leidenschaften Erwachsener, daß diese die Rolle von Medien oder, wenn man so will, von „Schauspielern" auf Wojtkiewicz' Bühne erfüllen. Sein Theater hat sowohl Schauspieler, Kostüme und Requisiten; es entbehrt jedoch der eigentlichen Bühne, der Kulissen, des Vorhangs. Sein Theater spielt an wenig erwarteten Orten. Einmal finden sogar merkwürdige lunatische kindliche „Meditationen" (Abb. C 9) auf den Altarstufen einer Barockkirche statt. Ein andermal spielen sich die erdachten Szenen seines teatro dei piccoli in Brokaten, Papierhüten und Masken ab — am hellen Tag, in vollem Sonnenlicht, vor der Kulisse einer realen Landschaft, einer sumpfigen Wiese, am Teich, mit Fragmenten bewohnter Siedlungen in der Ferne — eine dörfliche Kate, ein Heuschober oder ein „romantisches", typisch polnisches Landhaus. Dieses Ineinandergreifen zweier Wirklichkeiten, einzig verbunden durch einen subtilen Unterton von Lyrik, verleiht seinen Bildern einen symbolischen Charakter. Dieser vergegenwärtigt das Übergängliche zwischen Wachzustand und Traum, zwischen Wahrheit und Märchen und, in breiterer, philosophischer Verallgemeinerung, die fatalistische Anschauung von der Fiktivität aller menschlichen Handlungen. In Polen wurde Wojtkiewicz' Malerei zur Präfiguration des Surrealismus.

Das künstlerische Schaffen des frühverstorbenen Malers liegt eigentlich in einem Zeitraum von nur knapp fünf Jahren (1904—1909). Sein erstes reifes, den polnischen Symbolismus manifestierendes Werk ist der „Kinderkreuzzug" (Abb. C 11) von 1905. Eine literarische Anregung ist hier leicht erkennbar: Marcel Schwobs Werk, ebenso betitelt („La Croisade des Enfants", 1896), erschien in polnischer Übersetzung im Jahre 1901 in der Zeitschrift „Chimera". Übrigens steht dieses Bild in Wojtkiewicz' Malerei einzig da, sowohl in Formgestaltung und Kolorit wie auch in seiner Stimmung und im Hinblick auf seine anderen Bilder, die in charakteristisch betitelte Zyklen unterteilt sind:

1. Tragikomische Skizzen, (1904—1905) (Beginn seiner schöpferischen Arbeit, vorwiegend Zeichnungen, satyrischen Charakters);
2. Monomanie, (1906) „Spaziergang im Gespann", „Zirkus der Irrsinnigen", „Vegetationen";
3. „Zirkus I" und „Zirkus II", (1905—1907) „Marionette", „Melancholie", „Einsamer Pierrot";
4. Zeremonien, (1904) „Entführung der Prinzessin", „Meditationen", „Abschied" (Abb. C 10), „Erscheinung", „Aufforderung".

Die Beziehungen Wojtkiewicz' zur symbolistischen Literatur sind augenscheinlich, wobei aber ihr Charakter nicht eindeutig ist[21]. Es handelt sich hier um eine allusorischen, parallelen Kontakt, der die Möglichkeit der wörtlichen Aussage mittels neuer metaphorischer Kürzel und neuer Vorstellungsbereiche erweitert. Außer mit dem bereits erwähnten Schwob (das „Monelli-Buch" von 1894 erschien in Polen im Jahre 1907 und läßt gewisse Ähnlichkeiten mit den „Puppen" Wojtkiewicz' erkennen) verbindet den polnischen Maler die Konzeption der Kunst als offenbare Lüge mit den reformatorischen Ideen Maeterlincks, der sein eigenes „Marionettentheater" ins Leben rief. Die Doppelsinnigkeit des Tones, gleichzeitig ironisch und ernst, grotesk wie lyrisch, naiv und pervers, nähert sich den dekadenten, paradoxen Märchen von Oscar Wilde; als Beispiele können „Geburtstag der Infantin" und „Gefolge der Prinzessin" Wojtkiewicz' genannt werden. (Im Jahre 1905 erschienen alle Märchen von Oscar Wilde in Polen.) Geht es um polnische Dichter und Schriftsteller, so bestehen ähnliche Zusammenhänge zwischen Wojtkiewicz und Karol Irzykowski, dem Autor von Pałuba"[22], und zwischen Roman Jaworski, Wojtkiewicz' Freund und Autor der „Geschichten der Besessenen"[23].

Wojtkiewicz, „dieser Dichter, der sich mittels Leinwand und Pinsel ausdrückt", wurde weder vom Publikum noch von der Kritik richtig eingeschätzt. Er drang mit seiner Kunst allzuweit in die Zukunft vor. Schriftsteller wie André Gide nahmen ihn intuitiv wahr. Dieser sah zu Beginn des Jahres 1907 in Berlin einige seiner Bilder, als er in Begleitung von Maurice Denis zufällig eine kleine Ausstellung polnischer Maler (der sogenannten Fünfergruppe) besuchte. Er war von der eigentümlichen Malerei derart beeindruckt, daß er sich persönlich darum bemühte, diese Bilder in Paris zeigen zu können. Die Ausstellung fand tatsächlich noch im selben Jahre in der Galerie Druet statt, und Gide schrieb das Vorwort zum Katalog. Hier einige Passagen aus dieser Einführung: „... ich bekenne mich zu meiner Unwissenheit darüber, was als „polnische Schule" bezeichnet werden kann. Natürlich weiß ich, es ist eine Unmöglichkeit, daß ein Künstler wie Wojtkiewicz allein, aus sich heraus entstehen konnte, aber diese Ausstellung läßt vermuten, daß er daheim, in seinem Lande, ziemlich einsam dasteht. Das war augenfällig ... Wir waren im Vorübergehen begriffen, als uns die verblüffende Expressivität einiger Bilder verhalten ließ. Sie erhellten den etwas dunklen Saal, nicht mit Grellheit der Farbe — in den Augen der Uneingeweihten könnten sie nämlich nahezu grau erscheinen —, sondern vielmehr mit merkwürdiger Harmonie der Valeurs, der schmerzlichen Phantasie der Zeichnung sowie wegen des pathetischen und ergreifenden Farbenspiels"[24]. In dieser kurzen Charakteristik trifft Gide intuitiv den Kern der Sache, findet den Schlüssel zu Wojtkiewicz' Schaffen — zu seinem in der Phantasie schmerzlichen, pathetischen und durch das Farbenspiel ergreifenden, gene-

C 7 Józef Mehoffer: Märtyertum der hl. Katharina und der hl. Barbara

tisch zur „polnischen Schule“ gehörenden (fügen wir hinzu, zur neoromantischen) und gleichzeitig im polnischen Milieu isolierten Schaffen.

Wenn es um den Zusammenhang zwischen der europäischen Kunst und Wojtkiewicz' Schaffen geht, so bestehen gewisse, übrigens des öfteren erwähnte Analogien — z. B. mit Ensor, insbesondere bei den Jahrmarktszenen und Zirkusbildern („Zirkus“, 1907). Doch diese Analogien sind im Grunde genommen oberflächlich, ähnlich wie Beziehungen zu Toorop („Drei bräutliche Jungfrauen“ von Toorop, 1892/93 — „Meditationen“ (Abb. C 9) von Wojtkiewicz, 1908). Überzeugender sind vielleicht Analogien mit Beardslay, wenn man die Neigung beider Künstler zur Satire sowie ihre gemeinsame Interessensphäre im Bereich der Literatur — Schwob, Maeterlinck, Wilde — berücksichtigt.

Es besteht jedoch kaum die Möglichkeit, daß Wojtkiewicz jemals mit diesen Malern zusammengekommen ist. Sein kurzer, einziger Aufenthalt im Jahre 1907 in Paris, anläßlich der bereits erwähnten Ausstellung, blieb seine einzige Auslandsreise. Deshalb ist für die vergleichende Kunstgeschichte nicht unbedeutend, daß weit entfernt von Frankreich und Belgien, von Berlin und Christiania, im geschlossenen Milieu Warschaus und Krakaus eine derartig neue, unwiederholbare und gleichzeitig fest in der Epoche wurzelnde Individualität, wie Wojtkiewicz und seine Kunst entstehen konnte.

*

Aus dem reichen Panorama der polnischen Kunst des Fin de siècle wählte ich nur vier Künstler und führte sie als Beispiel an, um vier verschiedenartige Einstellungen zu demselben Trend, der durch ganz Europa zog, zu zeigen. Wir haben uns daran gewöhnt, eine seiner Erscheinungsformen „Symbolismus“ zu nennen. Ich war der Ansicht, daß diese vier Künstler in ihrem Schaffen genügend verschiedenartige Richtungen innerhalb *einer* gesellschaftlich-künstlerischen Struktur vertreten, um die Skala dieser Struktur und gleichzeitig ihre Homogenität aufzuweisen. Auch war ich bemüht, darauf hinzuweisen (natürlich nur deutend), was diese Maler mit der westeuropäischen Kunst verband und worauf ihre polnische Eigenart beruhte. Denn auf Originalität gründen alle echten Beiträge zur geistigen Kultur der Menschheit.

## ANMERKUNGEN

1. Marian Gorzkowski, *Jan Matejko. Epoka lat dalszych,* Kraków 1898, S. 284.
2. Seine postimpressionistische Phase unter dem Zeichen Bonnards wird, jedoch bedeutend später, langwährende Folgen im sogenannten polnischen Kolorismus haben.

3. Zenon Przesmycki (Miriam), *Maurice Maeterlinck i jego stanowisko we współczesnej poezji belgijskiej*, in: *Swiat*, Januar 1891 (auch Vorwort zu Gewählten Schriften von M. Maeterlinck, Warschau 1894).

4. Edward Abramowski, *Co to jest sztuka? Z powodu rozprawy L. Tołstoja: Czto takoje iskusstwo?*, in: *Przegląd Filozoficzny* (Philosophische Zeitschrift) Nr. 3, 1898.

5. Stanisław Przybyszewski, *Confiteor*, in: *Zycie* (Leben) 1899, Nr. 1. Vgl. auch S. Przybyszewski, *Auf den Wegen der Seele*, Berlin 1897.

6. Vgl. Władysława Jaworska, *Munch und Przybyszewski*, in: *Edvard Munch. Probleme — Forschungen — Thesen*, München (Prestel-Verlag) 1973, S. 47—68.

7. In der letzten Zeit läßt sich wieder ein großes Interesse für Jacek Malczewskis Kunst beobachten als Nachfolger einer umfangreichen Ausstellung des Künstlers im Nationalmuseum Poznań, 1968 (Einführung von Agnieszka Ławniczakowa. Bücher: Jadwiga Puciata-Pawłowska, *Jacek Malczewski*, Wrocław (Ossolineum) 1968; Andrzej Jakimovicz, *Jacek Malczewski i jego epoka*, Warschau (PWN) 1970; Kazimierz Wyka, *Thanatos i Polska, czyli o Jacku Malczewskim*, Krakau (Wydawnictwo Literackie) 1971: A. Jakimowicz, *Jacek Malczewski*, Warschau (Auriga) 1974.

8. Die Hochzeit (Wesele), dieses meist volkstümliche und meist farbenreiche polnische Spektakel, steht auch gegenwärtig im Repertoire aller Theater in Polen. Großen Erfolg errang die verfilmte Version der Hochzeit unter der Regie von Andrzej Wajda.

9. Zwei Briefe von Eduard Gordon Craig an Marian Kratochwil vom 8. 8. 1960 (von diesem zitiert) und vom 18./19. 8. 1960. Beide Handschriften im Nationalmuseum Krakau.

10. Wyspiański an Lucjan Rydel. 3. 7. 1897. Handschrift in der Jagiellonen-Bibliothek, Krakau.

11. Wyspiański an Karol Maszkowski. 17. 7. 1891. In: *Lamus* 1910, VII.

12. Władysław Slewiński (1854—1918), der polnische Maler, in Paris tätig, gehörte zur Gauguins Pont-Aven Gruppe. Vgl. W. Jaworska, *Gauguin et l'Ecole de Pont-Aven*, Neuchâtel (Ides et Calendes) 1971. Engl. Ausgabe London (Thames & Hudson) 1972; New York Graphic Society 1972.

13. Wyspiański an Karol Maszkowski. 16. 9. 1891. In: *Lamus* 1910, VII.

14. Tadeusz Makowiecki, *Poeta-Malarz*, Warschau (PIW) 1969; Helena Blum, *Stanisław Wyspiański*, Warschau (Auriga) 1969; Leon Płoszewski, *Wyspiański w oczach współczesnych*, Krakau (Wyd. Literackie) 1971.

15. J. Berthier, *Les Vitraux de Mehoffer à Fribourg*, Lausanne 1918.

16. René Bazin, *Notes d'un amateur de couleurs*, Tours ohne Jahrausgang (um 1909), S. 25—31. Vgl. auch William Ritter, *Artisti contemporanei. Józef Mehoffer*, in: *Emporium*, Genua 1910, vol. XXXI, Nr. 181, u. von demselben Autor: Etudes d'Art Etranger, Paris 1906, S. 125. In dem Institut der Künste der Polnischen Akademie der Wissenschaften in Warschau ist eine Doktorthese über die Glasmalereien von Mehoffer in Freiburg (Autor Tadeusz Adamowicz) in Vorbereitung.

17. Mieczysław Wallis, *Secesja*, Warschau (Arkady) 1967. Deutsche Ausgabe Dresden (Verlag der Kunst) und München 1974.

18. Władysław Kozicki, *Józef Mehoffer*, in: Sztuki Piękne, III, 1926/27.

19. Tadeusz Dobrowolski, *Sztuka Młodej Polski* (Kunst des Jungen Polens), Warschau (PWN) 1963, S. 284.

20. Józef Mehoffer. Katalog der Ausstellung des Künstlers. Nationalmuseum Krakau, 1964.

21. Eine ausführliche Behandlung Wojtkiewicz' Kunst in Verknüpfung mit polnischen und europäischen Strömungen in der Literatur und Philosophie gibt Wiesław Juszczak, *Wojtkiewicz i Nowa Sztuka (Wojtkiewicz und Art Nouveau)*, Warschau (PIW) 1965.

22. Karol Irzykowski, *Pałuba*, Krakau 1903.

23. Roman Jaworski, *Historie maniaków*, Krakau 1909.

24. Exposition Witold Wojtkiewicz du 23 Mai au 5 Juin 1907. Galerie E. Druet — 114, Faubourg Saint-Honoré, Paris. Préface par André Gide.

HANS A. LÜTHY

# Schweizer Symbolisten in Paris

Max Altorfer zum 60. Geburtstag

Der Beitrag der Schweiz zur Malerei des 19. Jahrhunderts scheint für die kleine Nation nicht unerheblich. Abgesehen von den Anfängen mit den Genfern Saint-Ours und Agasse kann Léopold Robert aus Neuenburg als der erste Meister europäischen Ranges bezeichnet werden. Mit dem Waadtländer Charles Gleyre und dem Basler Arnold Böcklin haben um die Jahrhundertmitte und darnach weitere Maler Einfluß auf die zeitgenössische Kunst ausgeübt. Den genannten Künstlern ist gemeinsam, daß sie außerhalb der Schweiz die lokale Enge überwanden, ohne die ihnen eigenen helvetischen Charakterzüge abzustreifen. Welt und Heimat sind in der Schweizer Malerei des 19. Jahrhunderts nicht als Alternativen, sondern als dualistische Kräfte zu verstehen, was ganz besonders für die markant in Erscheinung tretende, zwischen 1845 und 1865 geborene Künstlergeneration gilt. Sie wird eindeutig durch Ferdinand Hodler dominiert und umfaßt daneben Albert Trachsel, Auguste von Niederhäusern-Rodo, Félix Vallotton und Carlos Schwabe. Etwas außerhalb dieser Gruppe stehen Eugène Grasset und der staatenlose, aus Südtirol stammende Giovanni Segantini, der wegen seines Wohnsitzes in Graubünden und seiner Motivwelt auch zur Schweizer Malerei des 19. Jahrhunderts gerechnet wird.

Hodler, Trachsel, Rodo, Grasset, Schwabe und Vallotton zählten alle zum Kreis der Rose + Croix ésthétique und stellten 1892 an ihrem ersten Salon in der Galerie Durand-Ruel in Paris aus[1]. Wenn sie ursprünglich auch aus verschiedenen geographischen Bereichen kamen, waren ihre gemeinsamen geistigen Zentren doch Genf und Paris, während die deutsche Schweiz östlich von Bern kein Interesse für den Symbolismus zeigte. Albert Welti, dessen Name wenigstens erwähnt sei, gehört in die Nachfolge der Böcklinschen Naturmythologie und trotz seiner dem Symbolismus verwandten Themen zur deutschen Jugendstilmalerei. Wir verstehen in dieser Abhandlung Symbolismus vor allem als geistige Bewegung, die zwar formale Elemente des Jugendstils verwendet, damit aber nicht identifiziert werden darf.

### 1. *Ferdinand Hodler (1853—1918)*

Hodler ist eine jener großen Künstlerpersönlichkeiten, die sich von den verschiedensten Seiten her erschließen lassen. Eine Ausstellung über Landschaftsmalerei des 20. Jahrhunderts kann ihn ebensowenig entbehren wie eine solche über den europäischen Symbolismus oder die Kunst des Jugendstils. Die Kunstkritik der letzten Jahrzehnte hat sich nach und nach mit jedem Bereich Hodlers beschäftigt, sodaß wir ungewöhnlich gut über ihn informiert sind[2]. Nur zu einem kleinen Teil publiziert sind allerdings Hodlers Tagebücher und Briefe, woraus noch entscheidende Aufschlüsse zu erwarten sind.

Hodlers Anfänge sind durch einen ungestümen Drang nach oben gekennzeichnet. Der aus einem ruhelosen Arbeitermilieu entstammende Berner eignete sich seit 1872 in Genf eine autodidaktische Bildung an, die ihn befähigte, in den 1880er Jahren in den Literatenkreisen Genfs um Louis Duchosal und Mathias Morhardt mitzureden. Durch die in Genf üblichen Wettbewerbe um die Calame- und Didaypreise (Landschaften und Figurenbilder) angeregt, malte Hodler seit 1876 regelmäßig anspruchsvollere Bilder. Zu Beginn der 1880er Jahre formen sich erste Ideen für symbolistische Kompositionen, was 1890 zum Hauptwerk „Die Nacht" führt (Abb. D 1)[3]. Das hochdekorierte Gemälde bringt im wesentlichen eine neue und damals nur Hodler eigene Deutung eines Leitmotivs der europäischen Malerei. Der zeitgenössische Erfolg erklärt sich aus der Deckung verschiedener geistiger und formaler Ebenen: Gestaltungsmittel des frühen Jugendstils dienen der Interpretation des plötzlich eintretenden symbolistischen Ereignisses. Als das Werk 1891 am Pariser „Salon du Champs de Mars" erschien, stieß es auf ein den Künstler selbst überraschendes Echo. Obwohl Hodler bereits seit 1881 Bilder zu Pariser Ausstellungen gesandt hatte, war es gegen jede Regel, daß ein unbekannter Ausländer in Paris überhaupt Beachtung fand. Wenn man dazu noch das stark germanische Element der „Nacht" berücksichtigt — es schafft bis heute Schwierigkeiten der Rezeption[4] — so ist die unmittelbar dem Werk entgegengebrachte Aufmerksamkeit umso erstaunlicher. Der Kritiker des „Figaro" Arsène Alexandre schrieb 1891: „Ferdinand Hodler hat sein Bild „Die Nacht" genannt, dieses erschreckende Gemälde, auf dem wir die in Müdigkeit erstarrten Formen in Schlaf getaucht erblicken. Es sind alles Typen aus dem armen Volk. Einige scheinen ruhig zu atmen, andere aber werden von schmerzlichen Traumvorstellungen gequält, vom Alb gedrückt; ihre Phantasien gehen in Trauerkleidern. Die Zeichnung ist heftig und hart, die Farbe schwer und dick aufgetragen. Vom Ganzen aber geht eine großartige Wirkung aus; es liegt in dem Bild eine so wilde Tatkraft, eine so rücksichtslose Behauptung der Verwandtschaft von Schlaf und Tod, daß wer einmal diese Leinwand gesehen hat, sie gewiß nicht mehr vergißt[5]." „Die Nacht" wurde in der Folge 1897 in Berlin und 1904 in Wien ausgestellt, wo das Bild ähnliches Aufsehen erregte wie in Paris[6].

Hodler wurde 1892 eingeladen, sich am ersten Salon de la Rose + Croix esthétique zu beteiligen. Die Einladung ist von heute aus gesehen nicht selbstverständlich und wohl mehr auf des Initianten Sâr Péladans Wunsch nach internationaler Präsenz zurückzuführen (auch Böcklin und Lenbach sollten eingeladen werden) als auf eine geistige Verwandtschaft zwischen dem Magier und dem Maler. Hodler sandte sein eben entstandenes zweites symbolistisches Gemälde „Die Enttäuschten"[7], das jedoch bei einer Ausstellung in der Schweiz mehr Interesse fand als in Paris. Auf die Pariser Symbolisten mußten Hodlers große Kompositionen in der Geste zu pathetisch und im Ausdruck zu vereinfacht wirken, um sich gegenüber ihren enigmatischen piano gestimmten Linien- und Farbgespinsten behaupten zu können. Unter dem Einfluß der Rose + Croix esthétique malte Hodler 1892 eine „Das Aufgehen im All" symbolisierende Frauenfigur (Abb. D 2)[8]. Das Bild scheint direkt nach den von Péladan aufgestellten Regeln für den Salon de la Rose + Croix geschaffen zu sein: als sublime Allegorie eines zum Himmel strebenden vergeistigten Zustandes der menschlichen Seele. Die nicht unzutreffende scharfe Kritik an der Pose solcher Figuren mag Anlaß zu einem ohne die symbolistische Gedankenwelt nicht zu verstehenden und deshalb selten erwähnten Bild „Der Weg der Auserwählten" von 1893 gewesen sein[9] (Abb. D 3).

Der Titel erinnert an Alfred Jarrys „Du Petit Nombre des Elus"[10], und die Hodler eigene handfeste Todessymbolik ist die logische Konsequenz der in „Die Nacht" personifizierten übersinnlichen Kräfte. Fast gleichzeitig erscheint das Motiv des „Auserwählten" in einer der bedeutendsten Kompositionen Hodlers von 1893—94: ein knieendes Knäblein wird neben einem frisch gepflanzten Bäumchen von sechs geflügelten schwebenden Frauengestalten verehrt und beschirmt[11]. Persönliche Vater-Kind-Beziehungen Hodlers verbinden sich hier mit dem symbolistischen Gedanken einer Elite von auserlesenen Eingeweihten. In den folgenden großen Kompositionen „Eurhythmie" (1895), „Der Tag" (1900), „Die Wahrheit" (1903) und „Die Heilige Stunde" (1907) entfernt sich Hodler zusehends vom Symbolismus und nähert sich der reinen Allegorie. Eine Ausnahme bildet das als spätes Gegenstück zur „Nacht“ zu deutende Riesengemälde „Die Liebe“ von 1907. Die für den Symbolismus charakteristische Verbindung zur zeitgenössischen Literatur geht mit dem Tod des Dichters und Freundes Louis Duchosal 1901 fast ganz verloren, ebenso das Hodler um 1890 so stark prägende visionäre Erlebnis. Die geographische Verlagerung der Anerkennung Hodlers vom französischen in den deutschsprachigen Raum und sein Triumph an der Wiener Secessions-Ausstellung von 1904 hängt mit dem relativ späten, dann aber um so rascheren Auftreten des Jugendstils in der deutschen und österreichischen Kunst zusammen[12]. In Wien hat Hodler anders als in Frankreich auch stilbildend gewirkt; Albin Egger-Lienz, Koloman Moser und andere ließen sich deutlich von Hodler beeinflußen[13].

### 2. *Albert Trachsel (1863—1929)*

Trachsel erscheint erst wieder in der neuesten Literatur zum französischen Symbolismus[14]. Neben dem kaum nachzuweisenden Péladan-Jünger Mérovack war er der einzige Architekt, der am ersten Salon de la Rose + Croix mit 31 Werken teilnahm. Trachsel ist 1863 in Nidau bei Biel, also an der deutsch-französischen Sprachgrenze geboren und erhielt seine erste Ausbildung in Genf und Zürich. 1882 ging er an die Ecole des Beaux-Arts nach Paris und fand bald Anschluß an symbolistische Zirkel. Er stellte 1891 an der Exposition des artistes indépendants im Pavillon de la ville de Paris ein imaginäres Architekturwerk aus und befreundete sich mit Mallarmé, Verlaine, Rodin, Carrière und Gauguin; an dessen Abschiedsbankett am 23. März 1891 war Trachsel einer der vierzig Gäste. Er schrieb eine Reihe von Essays, die alle in Genf erschienen. 1901 ließ sich Trachsel in Genf nieder und widmete sich von nun an der Malerei; das dort entstandene relativ kleine Werk besteht hauptsächlich in symbolistischen Kompositionen nach früheren Aquarellen, in Landschaften und in Stilleben. Trachsel hatte sich früh mit Hodler und Rodo befreundet und schrieb mehrfach über deren Kunst[15].

Das künstlerische und literarische Frühwerk Trachsels ist bis heute kaum erschlossen. Der 1897 in Genf publizierte Sammelband „Les fêtes réelles“, zu dem Mathias Morhardt einen Text beisteuerte, zeigt ihn als originellen, erfindungsreichen Anhänger des Symbolismus. Die in der neunten Regel der Rose + Croix esthétique allein zugelassenen Entwürfe für phantastische Architektur entsprechen bestimmten geistigen Zuständen wie Traurigkeit, Freude, Ruhe, Sympathie oder Erschrecken; die teilweise in der Sammlung

Josef Müller (Solothurn) aufbewahrten Originale zu „Les fêtes réelles“ sind farbig laviert und wirken stärker als die auf die reine Linie reduzierten Tafeln im gedruckten Band. Daneben treten Aquarelle mit abstrahierten Frauenfiguren zu Naturereignissen wie „Der Blitz“ (Abb. D 4, nach S. 320) oder „Die Welle“[16]. Trachsel löst sich dabei von der überschlanken ästhetisierten Menschengestalt eines Gustave Moreau, Alexandre Séon und Alphonse Osbert; am nächsten steht ihm Jan Toorop, der eine ähnliche Negation von Plastizität und Perspektive anstrebte. Trachsels Bedeutung wird erst nach viel genauerer Kenntnis seiner Persönlichkeit und der in Paris geschaffenen Werke beurteilt werden können.

### *3. Auguste de Niederhäusern-Rodo (1863—1913)*

Auguste de Niederhäusern, genannt Rodo, erscheint gegenwärtig noch kaum in der Literatur zum Symbolismus, obwohl ihre Bildwelt ihn bis zu seinem Tod beeinflußt hat[17]. Nach einer ersten Ausbildung als Maler und Bildhauer an der Ecole des Beaux-Arts in Genf übersiedelte Rodo um 1885 nach Paris, wo er unter Henri Chapu und später bei Alexandre Falguière studierte. 1888 stellte er erstmals am Salon aus und lernte etwa gleichzeitig Paul Verlaine kennen; Rodos ganzes weiteres Werk umfaßt immer wieder Bildnisse Verlaines und Entwürfe für ein Verlaine-Denkmal, das 1905 vollendet und in einem zweiten Exemplar 1913 im Jardin du Luxembourg in Paris aufgestellt wurde[18]. Bereits am ersten Salon de la Rose + Croix stellte Rodo ein Bildnis Verlaines aus. Nachdem er zu Beginn der 1890er Jahre ein „Poème alpestre“ mit den Hochreliefs „L'avalanche“, „Le torrent“ und „La cascade“ geplant hatte, modellierte er um 1895 für den Sockel eines Verlaine-Denkmals „Les Muses“ ein dreiteiliges Hochrelief mit symbolischer Verkörperung dreier Dichtungen Verlaines: Amour, Parallèlement und Sagesse. Daneben schuf er Bildnisse von Laurent Tailhade und Jean-Baptiste Carpeaux sowie mehrere Büsten des mit ihm eng befreundeten Hodler. Symbolistische Ideen setzten sich in folgenden Projekten und Skizzen fort: „Les initiés“, ein Liebespaar in einer Höhle (1898)[19]; „La Mort du Poète“, Denkmal für den 1901 verstorbenen Dichterfreund Louis Duchosal (1902—05)[20]; „Le Poème du Feu“, großer Kaminentwurf als monumentales Epos des Feuers „wo sich unter der Herrschaft des großen Prometheus die Flammen der menschlichen Leidenschaft verbinden mit den Flammen göttlicher Inspiration“ (1906—12)[21]; „Le Temple de la Mélancolie“, Entwurf für eine Gedenkstätte berühmter Menschen, gewidmet Dante und Beethoven (nach 1906)[22].

Rodo hat keines seiner zyklischen Projekte verwirklichen können; die dafür geschaffenen Einzelfiguren und Reliefs bezeugen immerhin eine elementare Kraft der künstlerischen Vision. Zwischen Paris und der Schweiz hin- und hergerissen, suchte Rodo als ausgesprochener Patriot Inspirationen in der Natur seiner Heimat; der Tempel der Melancholie beispielsweise sollte auf einem Hügel stehen und Aussicht auf die schneebedeckte Kette der Alpen bieten. Rodo reiste mehrmals jährlich in die Schweiz; 1898 stellte er zusammen mit Hodler, Trachsel und anderen erstmals in Zürich aus, wobei sich ein missionarischer Zug der in Paris zu etwelchem Ansehen gekommenen Künstler geltend machte (Abb. D 5).

### *4. Carlos Schwabe (1866—1926)*

Auch Carlos Schwabe zog von Genf nach Paris. Der gebürtige Deutsche erhielt 1888 das Genfer und damit das Schweizer Bürgerrecht[23]. In den 1880er Jahren zwischen Genf und Paris pendelnd, errang er sich vor allem als Entwerfer für Tapeten und als Buchillustrator einen frühen Ruf. Er zeichnete das Plakat zum ersten Salon de la Rose + Croix, wo er 31 Nummern ausstellte, darunter zahlreiche Illustrationen zu „L'Evangile de l'enfance de Notre Seigneur Jésus Christ selon St-Pierre“[24]. Die von Catulle Mendès übersetzte Edition erschien 1900. Bereits in das Jahr 1891 fallen die Entwürfe zu Emile Zolas „Le Rêve“ (Abb. D 6), und 19 davon wurden 1892 vom französischen Staat für das Musée du Luxembourg angekauft. Eine Reihe von weiteren Illustrationen zu Baudelaire, Ed. Haraucourt, Maeterlinck, Albert Samain, Charles Des Fontaines und zu Neuausgaben von klassischen Erzählungen verhalfen Schwabe zu kurzlebigem Ruhm. Einen Begriff vom späteren Elend Schwabes gibt der an den deutschen Kaiser gerichtete Notschrei um materielle Hilfe[25]. Schwabe wird heute mehr und mehr als überaus charakteristische Erscheinung des Symbolismus erkannt. Sein Werk widerspiegelt deutlich englische Einflüsse von Füssli und den Präraffaeliten und zeigt eine dem symbolistischen Gedanken entgegenkommende Kongruenz von dekorativem Linienspiel mit dem Bildinhalt. Von mehreren Autoren als Vorläufer des Jugendstils apostrophiert, erschöpft sich Schwabe jedoch nicht in der Illustration. Seine Aquarelle zur Kindheit Jesu zeichnen sich durch eine vollkommene Einstimmung in den Text aus, der Linie, Komposition und Farbe dienen. In der Ursprünglichkeit der naiven Empfindung mit Charles Filiger verwandt, verkörpert Schwabe die mystischen und zugleich elementaren Bezirke des Symbolismus. Seine „Madonna in den Lilien“ (Abb. D 7) ist eines der seltenen Kultbilder, das die symbolistische Blumensprache so dominant für ein religiöses Motiv verwendet.

D 4 Albert Trachsel: Der Blitz

### *5. Eugène Grasset (1845—1917)*

Als der älteste der behandelten Künstler nimmt Grasset eine Sonderstellung ein[26]. Wie Schwabe ist auch er in mehreren Kollektivausstellungen der letzten Jahre neu gewürdigt worden. Nach einer Ausbildung als Architekt an der Eidg. Technischen Hochschule in Zürch widmete sich Grasset 1867 in Lausanne der Herstellung dekorativer Skulpturen. 1871 übersiedelte er nach Paris und entfaltete eine umfassende Tätigkeit als Entwerfer für Möbel, Stoffe, Eisenkonstruktionen, Uhren, Glasfenster, Mosaike und Briefmarken; dazu kommen zahlreiche Buchillustrationen und -einbände, Plakate und Kalenderblätter. Die Biographie und die Chronologie der Werke Grassets harren noch der eingehenden Bearbeitung. Am ersten Salon de la Rose + Croix zeigte Grasset ein Werk mit dem orientalischen Titel „Ahoura-Mazda". In unermüdlicher Arbeit schuf er eine Reihe noch nicht wieder aufgefundener Ölbilder, Pastelle und Aquarelle; überlieferte Titel heißen „La Maison Usher", „La Forêt enchantée", „La Muse Druidique", „Frédégonde, Reine au 13e siècle" und „Eginhard et Emma". Zu Beginn der 1890er Jahre gab Grasset Kurse für dekorative Komposition an der Ecole normale d'enseignement du dessin (Ecole Guérin) in Paris. Über den Einfluß der daraus entstandenen Lehrbücher „La plante et ses applications ornamentales" (erste Lieferung 1896, vollendet 1899) und „Méthode de composition ornamentale" (1905) bestehen widersprechende Meinungen[27]. In der Ikonographie eng dem französischen Symbolismus verbunden, entwickelt Grasset ein ihm eigenes fließendes Formenspiel, das seine Kompositionen rasch populär werden ließ. In dieser Vermittlerrolle liegt auch Grassets Bedeutung: weniger esoterisch als die Mitglieder der symbolistischen Zirkel diente er dem Stil als allgemein verständliches Vehikel (Abb. D 8).

### *6. Félix Vallotton (1865—1925)*

Mit Vallotton befinden wir uns zugleich am Rand wie im Zentrum der symbolistischen Bewegung in Paris. An der Ausstellung „French Symbolist Painters" von 1972 in England war Vallotton nicht vertreten. Die Lücke hat zweifellos nichts mit der Schweizer Abstammung des 1900 Franzose gewordenen Waadtländers zu tun, sondern beruht wohl eher auf der Tatsache, daß Vallottons kurze symbolistische Phase viel weniger bekannt ist als seine Zugehörigkeit zu den Nabis[28]. 1892 stellte Vallotton am Salon de la Rose + Croix unter vier Nummern zwölf Holzschnitte aus, darunter „Hommage à Baudelaire". Seine Teilnahme ging auf eine Intervention von

Carlos Schwabe zurück, dem gegenüber Péladan zuerst sein Mißvergnügen über Vallottons Sujets ausdrückte[29]. Als Porträtist vieler Vertreter des literarischen und künstlerischen Symbolismus bewegte sich Vallotton jedoch mitten in ihren Zirkeln, und eine enge Freundschaft verband ihn mit dem Exzentriker Charles Maurin, dessen Triptychon „L'Aurore" am Salon de la Rose + Croix 1892 Skandal erregte. Andrerseits ist Péladans Kritik verständlich: in seinen konstrastscharfen Holzschnitten erteilt Vallotton dem outrierenden Symbolismus der Rose + Croix eine klare Absage[30]. Wo Vallotton dem Zeitgeist entgegenkommt wie im Hauptwerk „Le Bain au soir d'été" von 1892 (Abb. D 9) oder in der Holzschnittfolge „Les petites baigneuses" von 1893[31] (Abb. D 10, S. 324) bleibt er doch immer noch Klassizist und unterscheidet sich in Inhalt und Form deutlich von ähnlichen Motiven der französischen Gruppe. Dunoyer de Segonzac hat Vallotton einen „cas isolé" genannt, was nicht nur für das künstlerische Werk, sondern auch für den Charakter und das Leben Vallottons in Paris gilt.

* * *

Am 12. März 1892 schrieb der Kritiker von „Le Temps" zum Salon de la Rose + Croix: „Le Salon de la Rose + Croix s'est ouvert: il est singulièrement bariolé. Symbolistes et classiques s'y coudoient; on y voit des horreurs, on y voit des notes exquises; des talents déjà connus s'y affirment, des talents inconnus s'y révèlent, et l'ensemble, tout déconcertant qu'il puisse être, n'a rien, dans son incohérence, que de piquant. Les notes les plus caractéristiques, en peinture, sont fournies par des jeunes, et des jeunes pour la plupart étrangers. Les uns comme Schwabe et Hodler, Trachsel et Grasset, viennent de Suisse; Khnopff et Delville sont Belges. Un Suisse encore, en sculpture, Niederhäusern-Rodo, et un Finlandais qui est Wallgren. Tous ces peintres ont le culte de l'amour du symbole; ils le pratiquent à leur manière chacun[32]."

Der zitierte Abschnitt, zu dessen Aufzählung man Vallottons Holzschnitte nachtragen muß, zeugt für das Interesse der Pariser Kritik an der ungewohnten ausländischen Beteiligung. Zweifellos fühlten sich die genannten Schweizer nicht als nationale Gruppe (ebensowenig wie die Belgier); ein Gefühl für Verbundenheit sowie gegenseitige Hilfe sind jedoch an verschiedenen Anzeichen zu erkennen. Einen entscheidenden Anteil daran besitzt der Schriftsteller und Kritiker Mathias Morhardt (Genf 1863—1939 Paris). Morhardt arbeitete seit 1883 in Paris als Journalist und war 1888 Redaktor von „Le Temps". Er kannte alle hier behandelten Künstler und setzte sich in Aufsätzen mit ihnen auseinander. Hodler und Rodo haben ihn ihrerseits porträtiert. 1894 veranstaltete Morhardt in Genf eine Ausstellung mit Werken von Grasset, Schwabe, Vallotton und Alexandre Perrier, einem weiteren Schweizer in Paris[33].

Während sich Trachsel nach längerem Aufenthalt in Paris in Genf niederließ, blieben Grasset, Rodo und Vallotton in Frankreich. Durch berufliche Reisen für Aufträge, Ferienaufenthalte oder Verwandtenbesuche hielten sie jedoch die Verbindung mit der Schweiz aufrecht, wenn auch Grasset und Vallotton die französische Nationalität annahmen. Verschiedene frühere Beziehungen blieben später bestehen, so die Freundschaft zwischen Hodler, Trachsel und Rodo. Außerhalb von Frankreich und der Schweiz stellten hauptsächlich Hodler, Vallotton und Rodo aus, letzterer 1896, 1900, 1901, 1905 und 1913 in München sowie 1900 und 1908 in Moskau[34]. Im Gegensatz zu Hodler und Vallotton sind jedoch von Rodo nur einzelne Werke an den Ausstellungsorten angekauft worden, und seine Wirkung blieb bescheiden, nicht zuletzt unter dem Einfluß des ersten Weltkrieges, der weitere Ausstellungen in Deutschland verhinderte.

Von den sechs am Salon de la Rose + Croix 1892 beteiligten Schweizern kann jeder verschieden charakterisiert werden. Hodler steht, vorerst isoliert, dann aber mitten in der Tradition der großen Vorläufer der französischen symbolistischen Malerei wie Puvis de Chavannes oder der auf Füssli und Blake zurückgehenden Engländer. Sein späterer Einfluß auf die deutsche und österreichische Sezessionsmalerei geht teilweise auf die Anerkennung in Paris zurück. Für Trachsel gelten bereits andere persönliche Voraussetzungen; er teilt das Schicksal vieler Symbolisten: nach einer künstlerisch hochstehenden, aber zeitlich beschränkten Periode nimmt die Originalität ab, und das spätere Werk lebt hauptsächlich aus der schöpferischen Frühzeit. Rodo war wie Hodler ein monumentale Projekte planender Geist, dem indessen die Kraft zur Verwirklichung fehlte. Seine Biographin erklärt dieses Versagen mit der Divergenz zwischen Rodos Ziel, abstrakte Ideen künstlerisch zu realisieren und der ihm dazu fehlenden, ein reales Objekt benötigenden Inspiration. Grasset und Schwabe reihen sich mit ihren Illustrationen mühelos in den Kreis der Symbolisten ein, wobei sich Schwabe vom Gefühl her stärker engagierte. Vallotton schließlich bleibt auch in seinen symbolistisch berührten Werken der klassizistischen Tradition verbunden und schließt sich nach kurzer Zeit den Nabis um Bonnard und Vuillard an.

D 10 Félix Vallotton: Holzschnitt aus der Serie „Les petites Baigneuses".

## ANMERKUNGEN

1. Jacques Lethève, *Les Salons de la Rose + Croix*, Gazette des Beaux-Arts, Dezember 1960; Edward Lucie-Smith, *Symbolist Art*, London 1972, S. 109—125. Vgl. auch die Bibliographie im Katalog der Ausstellung *French Symbolist Painters*, Arts Council of Great Britain, 1972, S. 151—158.

2. neuere Bibliographien vgl. *Künstlerlexikon der Schweiz XX. Jahrhundert*, Frauenfeld 1958—1967, S. 451—454 und Katalog der Ausstellung *Ferdinand Hodler* in den USA, Berkeley 1972, S. 129—130.

3. Hans Christoph von Tavel, *Ferdinand Hodler: Die Nacht*, Stuttgart 1969 (Reclams Werkmonographien, Nr. 135).

4. vgl. den Pressespiegel für die Hodler-Ausstellung in den USA 1972/73, Archive der Stiftung „Pro Helvetia" und des Schweiz. Institutes für Kunstwissenschaft, Zürich.

5. Zitat nach Jura Brüschweiler, *Ferdinand Hodler im Spiegel der zeitgenössischen Kritik*, Lausanne 1970, S. 52.

6. Zu Ausstellungen von Werken Hodlers zwischen 1900 und 1916 siehe Donald E. Gordon, *Modern Art Exhibitions 1900—1916*, 2 Bände, Materialien zur Kunst des 19. Jahrhunderts 14, Fritz-Thyssen-Stiftung, München 1974.

7. Kunstmuseum Bern, ursprünglicher Titel „Getäuschte Seelen", vgl. Brüschweiler, *Hodler*, 1970, S. 118, Anm. 32.

8. vgl. Peter Vignau-Wilberg, *Museum der Stadt Solothurn, Gemälde und Skulpturen*, Kataloge Schweizer Museen und Sammlungen 2, Solothurn 1973, S. 166 Nr. 175 (mit Bibliographie).

9. Ewald Bender, *Die Kunst Ferdinand Hodlers*, Band I, Zürich 1923, Abb. 254. Die Abbildung wurde von Herrn Jura Brüschweiler zur Verfügung gestellt.

10. René Jullian, *Der Symbolismus*, Köln 1974, S. 27, Anm. 26.

11. Kunstmuseum Bern, vgl. dazu Brüschweiler, *Hodler*, 1970, S. 60 ff.

12. Hans H. Hofstätter, *Jugendstilmalerei*, Köln 1965, S. 163.

13. Dazu am ausführlichsten Richard Hamann und Jost Hermand, *Stilkunst um 1900*, Ed. München 1973.

14. Artikel Trachsel im *Künstlerlexikon der Schweiz* wie Anm. 2, S. 981—983; seither kommentierte Publikation der Autobiographie durch Jura Brüschweiler im Katalog der Ausstellung *Neue Kunst in der Schweiz zu Beginn unseres Jahrhunderts*, Kunsthaus Zürich 1967 und Hans A. Lüthy, *Zu Albert Trachsel*, in Katalog der Ausstellung *Sammlung Josef Müller, Schweizer Bilder*, Museum der Stadt Solothurn 1975. Trachsel erwähnt bei Jullian wie Anm. 10.

15. Zu Hodler siehe Brüschweiler, *Hodler*, 1970, S. 100; zu Rodo in „Semaine littéraire" Genf, 31. 5. 1913, S. 256—258.

16. Abb. „Die Welle“ in Hans Christoph von Tavel, *Ein Jahrhundert Schweizer Kunst,* Bern 1969, S. 95.

17. Birgit Brunner-Littmann, *Auguste de Niederhäusern-Rodo,* Zürcher Dissertation 1968 (erschienen als Teildruck; Zitate nach Pflichtexemplar der Zentralbibliothek Zürich).

18. Brunner, *Rodo,* 1968, Werkverzeichnis 78.

19. Brunner, *Werkverzeichnis* 43.

20. Brunner, *Werkverzeichnis* 67.

21. Brunner, *Werkverzeichnis* 129; Zitat S. 119.

22. Brunner, *Werkverzeichnis* 104; S. 125 ff.

23. Artikel Schwabe im Künstlerlexikon der Schweiz wie Anm. 2, S. 881; siehe ferner Katalog der Ausstellung *French Symbolist Painters* wie Anm. 1, Nr. 309—318; John Milner, *Symbolists and Decadents,* London and New York 1971; René Jullian, *Der Symbolismus,* Köln 1974.

24. Abb. des Plakats bei Edward Lucie-Smith, *Symbolist Art,* London 1972, S. 108 und Jullian, 1974, Abb. 199; zu den Illustrationen siehe die Ausstellung der Originale in der Galerie J. C. Gaubert, Paris, 1974, mit Katalog von Philippe Jullian.

25. Abgedruckt im Katalog *Neue Wege,* Kunsthaus Zürich wie Anm. 14, S. 34/35 (Fund von Jura Brüschweiler).

26. *Schweizerisches Künstlerlexikon,* herausgegeben von Carl Brun, Band I, Frauenfeld 1905, S. 618 ff. und Ausstellungskatalog *French Symbolist Painters* wie Anm. 1, Nr. 85—92. Mir nicht zugänglich: Arsène Alexandre, *Aug. Grasset, son œuvre,* Paris 1901.

27. vgl. dazu Robert Schmutzler, *Art Nouveau-Jugendstil,* Stuttgart 1962, S. 116, Hans H. Hofstätter, *Jugendstil-Druckkunst,* Baden-Baden 1968, S. 44 und Jullian, 1974, S. 59/60.

28. Artikel Vallotton in *Künstlerlexikon der Schweiz* wie Anm. 2, S. 1002—1007; nachher erschienen Rudolf Koella, *„Le Retour au paysage historique“. Zur Entstehung und Bedeutung von Vallottons später Landschaftsmalerei,* Jahrbuch 1968/69 des Schweiz. Institutes für Kunstwissenschaft, Zürich 1970, S. 33 ff.; Jacques Monnier, *Félix Vallotton,* Lausanne 1970 (auch deutsch); Maxime Vallotton und Charles Goerg, *Félix Vallotton,* Catalogue raisonné de l'œuvre gravé et lithographié, Genève 1972; Gilbert Guisan und Doris Jakubec, *Félix Vallotton, Documents pour une biographie et pour l'histoire d'une œuvre,* 3 Bände, Lausanne—Paris 1973—75.

29. Guisan und Jakubec, I, S. 78 (Abdruck des Briefes von Schwabe) und 231 ff. (Vallotton und die Rose + Croix).

30. Katalog *French Symbolist Painters,* Nr. 129—131 (mit Bibl.); Jullian, 1974, Abb. 71 und S. 241; Guisan und Jakubec, I, passim.

31. Zum Gemälde siehe Rudolf Koella, *Felix Vallotton im Kunsthaus Zürich,* Sammlungsheft 1, Zürich 1969 = Neujahrsblatt der Zürcher Kunstgesellschaft 1969, S. 27 ff.; zu den Holzschnitten siehe ebenda und Vallotton und Goerg. Vallotton und Goerg 117—126.

32. Guisan und Jakubec, I, S. 232.

33. Zu Morhardt Katalog der Ausstellung *Neue Wege ...,* Kunsthaus Zürich 1967, S. 48. Bildnisse Morhardt von Hodler vgl. Katalog des Museums der Stadt Solothurn wie Anm. 8, Nr. 179; von Rodo siehe Brunner, *Werkverzeichnis* 156. Zur Ausstellung in Genf siehe Guisan und Jakubec, I, S. 242. Für Morhardt selbst gebe ich folgende kleine Auswahl: *Les artistes vaudois à Paris,* Gazette de Lausanne, 24. 3. 1893; *Les sociétaires du Champs-de-Mars,* Gazette de Lausanne, 31. 5. 1897; *Le Retour,* Revue Blanche, XII, Nr. 97, 15. 6. 1897; Carlos Schwabe, *Revue populaire des Beaux-Arts,* 17. 9. 1898.

34. vgl. Anm. 6 und ergänzend Brunner, *Rodo,* S. 197—202.

Während der Drucklegung ist erschienen:

Robert Pincus-Witten, Occult Symbolism in France, Joséphin Peladan and the Salons de la Rose-Croix, New York and London 1976, mit Abschnitten über Hodler, Schwabe, Vallotton, Trachsel und Grasset.

LARS OLOF LARSSON

# Symbolismus in Skandinavien

Der Beitrag der nordischen Länder zur europäischen Kunstgeschichte konnte noch gegen Ende des 19. Jahrhunderts nicht als besonders hervorragend gewertet werden, eigentlich war es unter den skandinavischen Künstlern wohl nur Thorvaldsen, der einen internationalen Ruf erworben hatte. Für die meisten Skandinavier stand es außer Zweifel, daß die Kunst unter nördlichem Himmel kaum gedeihen konnte. Gegen Ende des 18. Jahrhunderts hatte Ehrenswärd diese Ansicht drastisch zum Ausdruck gebracht: „Die Natur hat die Völker im Norden so schlecht und unreif geschaffen, daß nichts in ihren Händen reifen kann. Ich glaube, die Physiognomie drückt *Geschmack* aus, die Gesichter hier haben keine Form, wie könnte da der Geist Charakter haben? Findet man ein hübsches Gesicht, so sind die groben Linien nur durch Nuancen adouciert zu einer Art Anmut; wie könnte da der Geist die Idee der wahren Schönheit erfassen? Nein, ich bin au désespoir, denk nie an Künste in Schweden, das so weit im Norden liegt[1].“

Es ist keine Übertreibung zu behaupten, daß man in Skandinavien einen kulturellen Minderwertigkeitskomplex gegenüber den großen Kulturnationen hatte. Es galt deshalb als selbstverständlich, daß die Künstler, nach der ersten grundlegenden Ausbildung zu Hause, nach Rom, Düsseldorf oder Paris gingen, um sich dort weiterzubilden. Für viele bedeutete das den Anfang einer oft lebenslangen Abwesenheit von zu Hause.

Gegen Ende des Jahrhunderts entstand jedoch zum ersten Mal ein nationales Selbstbewußtsein auf kulturellem Gebiet, das immer größere Verbreitung fand und den Hintergrund für das Schaffen der Künstler um die Jahrhundertwende bildete. Es ist hier nicht der Platz, auf die Gründe dieses Wandels näher einzugehen; eine große Rolle scheint jedoch die internationale Anerkennung der großen skandinavischen Dichter gespielt zu haben. Zu beachten ist auch das wachsende positive Interesse für den Norden, das auf dem Kontinent, nicht zuletzt in Frankreich, entstand[2].

In den achtziger Jahren wurde die skandinavische Kunst vom französischen Naturalismus und Impressionismus beherrscht. In Grez-sur-Loing bestand eine skandinavische Künstlerkolonie, in der eine realistisch-impressionistische Freilichtmalerei gepflegt wurde. Hier wohnten u. a. Carl Larsson (1853—1919), Karl Nordström (1855—1923) und zeitweilig auch Ernst Josephson (1851—1906) und August Strindberg (1849—1912). Die schwedischen Künstler dieser Kolonie schlossen sich zu einer Gruppe zusammen, die sich gegen die Kunstakademie in Stockholm stellte und später als „Konstnärsförbundet" (Künstlerbund), eine führende Rolle im schwedischen Kunstleben spielte[3].

Ende der achtziger Jahre kehrten die meisten der in Frankreich lebenden Künstler in ihre Heimat zurück. Bemerkenswert ist dabei, daß viele nicht in den größeren Städten blieben, sondern aufs Land zogen. Sie kehrten in der Regel in die Gegend zurück, aus der sie stammten, sonst wurden „unverdorbene", rückständige Provinzen wie Dalarna in Schweden und Karelien in Finnland bevorzugt. Dies bedeutete eine deutliche Absage an den Internationalismus der achtziger Jahre — die Provinz wurde gegen Paris ausgespielt. Man vertrat immer stärker die Ansicht, der Künstler könne nur solche Motive echt gestalten, mit denen er durch Abstammung und Erfahrung vertraut sei. Das Wichtigste in einem Gemälde sei nicht die „Formvollendung, der Geschmack, sondern das unergründliche, ergreifende Gewebe von Erinnerungen, Ahnung und Phantasie". Die Landschaft selbst wurde, vor allem in Schweden und Finnland, als Grund und Träger der nationalen Eigenschaften verstanden[4].

Allgemein gilt für die heimkehrenden Maler, daß sie nicht nur Künstler *in* Finnland, Norwegen oder Schweden, sondern finnische, norwegische oder schwedische Künstler sein wollten. Nur so meinten sie ihrem Publikum in einem gemeinsamen Gefühl begegnen zu können. Besondere Bedeutung erlangte diese nationale Ästhetik, wie wir sehen werden, für die schwedische Landschaftsmalerei und für die Kunst Axel Gallen-Kallelas (1865—1931) und Gerhard Munthes (1849—1929).

Gleichzeitig mit dieser nationalen Strömung finden wir ein erwachendes Interesse für „Phantasiekunst" als Alternative zum alltagsorientierten Naturalismus. Das bedeutete zunächst eine Erneuerung der Ikonographie; Motive aus Legende, Dichtung und Folklore wurden wieder aufgegriffen, während die soziale Tendenzmalerei verschwand. Bald folgte aber auch ein Stilwandel nach. Wichtig ist die Tatsache, daß diese Strömung, die alle Zweige des Kulturlebens umfaßte, von den Beteiligten als eine vitale, jugendliche Zukunftsbewegung erlebt wurde: man arbeitete mit Begeisterung an einer neuen, starken, nationalen Kultur, floh aber gleichzeitig die als bedrückend und glanzlos empfundene soziale Wirklichkeit.

Besonders in Schweden und Dänemark stand diese Bewegung, trotz ihrem nationalen Charakter, in bewußtem Gegensatz zum offiziellen Kulturleben und den führenden politischen Kreisen. Das Gefühl, in einer ereignislosen, „versumpften" Zeit zu leben,war weit verbreitet und wenigstens zum Teil gerechtfertigt durch den wirtschaftlichen Stillstand. Die starke Hochkonjunktur gegen Ende der neunziger Jahre konnte aber auch keine Begeisterung unter den Intellektuellen hervorrufen, im Gegenteil wurde sie zum Anlaß für eine laut ausgesprochene Unlust über den Materialismus der Zeit[5].

Schon in den achtziger Jahren fanden sich Zeichen dafür, daß eine neue Kunstanschauung herannahte. Das Recht und die Pflicht des Künstlers auf subjektive, stimmungsschaffende Interpretation seines Motives wurden vor allem betont. Als Beispiel können wir einen Aufsatz des schwedischen Malers Richard Bergh (1858—1919) von 1886 anführen: „Über die Notwendigkeit der Übertreibung in der Kunst." Bergh, der damals noch eine Ästhetik des Realismus vertrat, schreibt in diesem Aufsatz: „Erst mit der Übertreibung vermag das Kunstwerk einen Gedanken auszusprechen. Durch sie wird es nicht nur eine trockene Imitation, sondern ein echtes Kind des Künstlers." Und weiter: „Die Übertreibungen sind das eigene Ich des Künstlers, seine persönliche Anwesenheit im Kunstwerk ... Was das Kunstwerk von der Natur zeigt, ist ihre passionierte Interpretation durch einen Künstler oder was die Franzosen ‚la nature vue à travers un cerveau humain' nennen[6]." Das steht ja ganz und gar im Einklang mit der Kunstkritik Émile Zolas und braucht nicht als eine Absage an den Realismus verstanden zu werden. Wie Berghs spätere Entwicklung zeigt, wurde aber diese Betonung des Subjektiven in der Kunst der Grund und die Begründung für eine neue Kunstauffassung.

In diesem Zusammenhang ist ein Artikel des dänischen Kunsthistorikers Julius Lange von 1889 sehr wichtig, in dem es heißt:

> „Im Gegensatz zum Impressionismus und der Studienkunst will ich dem, was man die Kunst der Erinnerung nennen könnte, das Wort sprechen ... In der Stille und Dunkelheit, oder wenn das äußere Auge nicht sieht, bekommt der Geist die Ruhe, eine Auswahl aus dem zu treffen, was die Erinnerung birgt, da tauchen Bilder vor dem inneren Auge auf, halb klare, halb unklare Bilder aus der gebärenden Nacht des unbewußten Seelenlebens ...[7]."

Ähnliche Ideen kommen gleichzeitig in der Literaturdebatte zum Ausdruck. Wichtig für die ganze Kulturentwicklung in Skandinavien waren

Georg Brandes Vorlesungen über Friedrich Nietzsche an der Universität in Kopenhagen 1886. Nietzsches Einfluß läßt sich natürlich am leichtesten in der Literatur nachweisen, aber seine Philosophie ist auch für die bildende Kunst, direkt oder indirekt, sehr wichtig gewesen, allerdings hauptsächlich nach der Jahrhundertwende[8].

1889 veröffentlichte der junge Dichter Verner von Heidenstam, der in Schweden bald als der große Gegenspieler Strindbergs aufgefaßt wurde, eine Streitschrift mit dem Titel „Renaissance", in der er die Ästhetik des Naturalismus, mit seinen Worten „Kleinrealismus" oder „Schusterrealismus", angriff und für einen neuen Idealismus, eine neue Renaissance mit nationalem Charakter plädierte. Etwas später gab Heidenstam dieser neuen Kunst den Namen „Einbildungsnaturalismus", ein Ausdruck, der deutlich zeigt, daß das neue Kunstprogramm keine radikale Absage an den Naturalismus, sondern eine Erweiterung der als zu eng empfundenen naturalistischen Ästhetik erstrebte. Auch Heidenstam wollte vor allem das Subjektive in den Mittelpunkt des künstlerischen Schaffens setzen.

Vereinzelte Ankündigungen einer neuen Kunstauffassung lassen sich auch in der Malerei der achtziger Jahre nachweisen, z. B. in der unzeitgemäßen Beschäftigung Richard Berghs mit spätromantischen Themen wie „Der Tod und das Mädchen" oder in dem tiefen, an Strindbergs Dramen erinnernden Interesse für die menschliche Psychologie, wie es in seiner Porträtmalerei zum Ausdruck kommt. Stilistisch bedeuten diese Bilder aber nichts Neues.

In Eduard Munchs (1863—1944) „Krankes Mädchen" von 1885, das ja thematisch ganz und gar in die Tradition des Naturalismus hineinpaßt, ist dagegen durch den Verzicht auf eine realistische Darstellung des Krankenzimmers und durch die Maltechnik eine Vergeistigung erreicht, die etwa im Vergleich mit Christian Kroghs Gemälde mit dem gleichen Motiv von 1880 sehr deutlich zutage tritt. Der Künstler strebt hier danach, über das greifbar Vorhandene, das Materielle, hinauszugelangen. In der ausdrucksvollen Lichtwirkung und auch in der Komposition des Bildes sind Eindrücke von Rembrandt verarbeitet. Es ist sehr bezeichnend, daß ein junger nordischer Künstler um diese Zeit eine Vertiefung seiner Kunst mit Hilfe des großen holländischen Meisters erstrebt[9].

Das interessanteste Beispiel für frühe symbolistische Kunst in Skandinavien ist aber vielleicht Ernst Josephsons „Der Neck" von 1884 (Abb. E 1). Dieses Motiv war in der spätromantischen Kunst zwar nicht unbekannt, die intensive psychologische Interpretation ist aber neu und kündigt das Ideal der „Phantasie- und Seelenmalerei" an. Ernst Josephson hat in der Gestalt des Neck sein eigenes Künstlertum und dessen Problematik gestaltet, in dieser Bedeutung hat das Gemälde auch auf andere Künstler, z. B. Gallen-

Kallela, anregend gewirkt[10]. Josephson hat dieses Motiv in zwei Fassungen gemalt. In der früheren ist der Neck in romantisches Dämmerlicht gehüllt. Das spätere, hier wiedergegebene Bild zeigt die ohne jede Idealisierung gemalte Gestalt in hellem Tageslicht — aber die Geige ist vergoldet.

Im Jahre 1889 erkrankte Josephson an Schizophrenie. Während seiner Krankheit schuf er eine Reihe von Gemälden und Zeichnungen, die zum Bemerkenswertesten gehören, das die schwedische Kunst hervorgebracht hat (Abb. E 2). Zwar sind diese Bilder sozusagen außerhalb des eigentlichen Kunstgeschehens entstanden und gehören somit der Kunstströmung des Symbolismus nicht an. Sie wurden aber in der großen retrospektiven Ausstellung von Josephsons Kunst 1893 gezeigt, und wenigstens einige der führenden Künstler und Kritiker wußten sie, im Lichte des beginnenden Symbolismus, sehr zu schätzen. In seinem langen Essay über Josephson von 1893 besprach Richard Bergh sie als selbstverständlichen Teil des Gesamtoeuvres und bildete zwei der Zeichnungen ab[11].

Um 1890 machten sich zum ersten Mal in der skandinavischen Malerei Einflüsse der kontinentalen symbolistischen Kunst bemerkbar[12]. Der eigentliche Durchbruch fand aber erst 1892 statt. In diesem Jahr wurden in der „Freien Ausstellung" in Kopenhagen Gemälde von Gauguin und van Gogh ausgestellt, die auf viele skandinavische Künstler großen Eindruck machten. Durch Briefe und Tagebücher erfahren wir, wie intensiv diese neue Kunst unter den Künstlern diskutiert wurde.

Der erste skandinavische Künstler, der mit Gauguin in Verbindung trat und in seiner Kunst Anregungen von ihm verarbeitete, war J. F. Willumsen (1863—1958), der Gauguin 1890 kennenlernte und schon 1891 in der „Freien Ausstellung" in Kopenhagen mit der Radierung „Fruchtbarkeit" (Abb. E 3) und der sog. „Familienvase" (Abb. E 4) eine ausgeprägt symbolistische Kunst in der Art Gauguins präsentierte[13]. Der symbolische Gehalt der kleinen Radierung ist einfach — der durch die Aufschrift gegebene Bezug auf die neue Kunst läßt sich leicht mit dem Bilde der schwangeren Frau des Künstlers verbinden, und die „primitive" Form deckt sich in überzeugender Weise mit dem Inhalt. Diese Übereinstimmung findet man dagegen bei der Vase nicht, und Willumsens eigene Erklärung des symbolischen Inhalts kann nur den Eindruck verstärken, daß er hier keine überzeugende Gestalt für das, was er ausdrücken wollte, gefunden hat[14]. Die Vase bleibt aber als erstes Beispiel einer modernen figuralen Keramik in Skandinavien bemerkenswert.

In dem polychromen Holzrelief „Steinbruch" von 1891 steht das Problem des Lebens und des künstlerischen Schaffens im Vordergrund. Der goldene Steinbock mit Schwimmfüßen und Flügeln ist das Symbol einer freien, unbekümmerten Lebensweise, während die Steinbrucharbeiter das bedrängte Leben der aufgezwungenen Arbeit darstellen. Wie Merete Bodelsen dargelegt hat, haben wahrscheinlich Ideen aus Carlyle's Buch „Sartor Resartus", das im Kreis um Gauguin gelesen wurde, Willumsen zu dieser Komposition angeregt. In diesem Buch finden wir auch den Schlüssel zu Willumsens Hauptwerk, dem „Großen Relief", das schon 1893—94 in Paris angefangen, aber erst 30 Jahre später in veränderter Fassung vollendet wurde. In diesem Werk, das als Projekt an Rodins „Höllentor" erinnert, hat Willumsen die Entstehung eines Zukunftsreiches gestalten wollen. Willumsens „Großes Relief" kann als tour de force des skandinavischen Sybolismus bezeichnet werden, bei keinem anderen nordischen Künstler finden wir ein derart ehrgeiziges und bewußtes Kunst- und Symbolprogramm.

Mit der Zeitschrift „Taarnet" (Der Turm), die 1893—94 erschien, entstand in Dänemark ein Forum für symbolistische Kunst und Kunstideen. Führende Geister im Kreis um diese Zeitschrift waren, außer dem Dichter Johannes Jørgensen, Mogens Ballin und Ludwig Findt, die beide in Paris mit Gauguin und les Nabis, vor allem mit Jan Verkade, verkehrt hatten.

Die wichtigsten Anregungen für die symbolistische Kunst in Skandinavien kamen aus Paris. Neben Gauguin war es Puvis de Chavannes, der den stärksten Einfluß ausübte. Die Lehren Sâr Peladans waren natürlich bekannt und wurden diskutiert, dürften jedoch keine wesentliche Bedeutung für die Kunstentwicklung der neunziger Jahre gehabt haben[15].

Auch Berlin spielte eine wichtige Rolle in der skandinavischen Kunst dieser Zeit, aber weniger als Quelle neuer Ideen, mehr als anregender Wirkungsraum. Zentrum der Skandinavier in Berlin war der Künstler- und Literatenkreis, der sich in der Weinstube „Zum schwarzen Ferkel" versammelte. Die persönlichen Beziehungen, die hier geknüpft wurden, waren für viele der Beteiligten von großer Bedeutung. Für die Entwicklung von Eduard Munchs Kunst ist z. B. der Umgang mit Strindberg und Stanisław Przybyszewski sicher sehr entscheidend gewesen. Munch und Strindberg trafen sich im Herbst 1892, als Munch zu seiner berühmt gewordenen Skandalausstellung im Verein Berliner Künstler nach Berlin kam[16]. Auf dieser Ausstellung wurden hauptsächlich Werke aus Munchs impressionistischer Phase gezeigt. Nur wenige Bilder trugen symbolistische Züge[17]. Erst der Aufenthalt in Berlin, der Umgang mit dem „Ferkelkreis" und die nähere Bekanntschaft mit den neuesten Strömungen der französischen Kunst, vermittelt durch seinen dänischen Freund Johann Rodhe, brachten Munch die Impulse und Erfahrungen, die in seiner synthetischen symbolistischen Malerei Gestalt fanden. Im Herbst 1893 entstanden die ersten Bilder des „Lebensfrieses". In der Lebensauffassung und in ihrem intensiven psychologischen Ausdruck zeigen diese Bilder eine deutliche Verwandtschaft mit der Dichtung Strindbergs.

Munch hat selbst berichtet, daß ihm die Idee, mehrere Bilder zu einer Serie zu vereinen, kam, als er seine Gemälde in Ausstellungen nebeneinander hängen sah und entdeckte, daß viele davon ein gemeinsames Leitmotiv hatten. Eine wichtige Anregung zu der Idee des „Lebensfrieses" bildeten daneben die thematisch verwandten graphischen Folgen Max Klingers, die Munch gut kannte[18].

Munch hat in diesen Jahren mehrmals seine Kunstauffassung in Worte zu kleiden versucht, oft um dem Publikum den Zugang zu seinen neuartigen Bildern zu erleichtern. In dem sog. St. Cloud-Manifest von Neujahr 1889, in dem er die Richtlinien für seine Kunst entwirft, beschreibt er eine erotische Szene und fährt dann fort: „ich muß das malen, wie ich es jetzt sehe, aber in einen blauen Dunst eingehüllt. Diese beiden, wenn sie nicht mehr sie selbst, sondern nur eines der Tausenden von Gliedern sind, die die Generationen verbinden ... Es sollten nicht mehr Leute, die nur lesen oder stricken, gemalt werden. Es sollten lebende Menschen, atmende, fühlende, leidende und liebende sein. Ich fühle, ich muß das tun[19]." Und im Vorwort zum Katalog der Ausstellung in Breslau 1893 heißt es: „Man soll die Dinge nicht malen, wie man sie sieht, sondern wie man sie *gesehen hat,* um auf diese Weise den ersten seiner Seeleneindrücke festhalten zu können ... Wenn ich in einer aufgeregten Gemütsstimmung gewesen bin und die Wolken zum Beispiel auf mich wie Blut gewirkt haben, so hat es wohl gar keinen Zweck, einige gewöhnliche, richtige Wolken zu malen. Es gilt den groben Weg zu gehen und die Wolken wie Blut zu malen[20]."

Mit der Beschreibung seiner neuen „Lebensikonographie" im St. Cloud-Manifest verbindet Munch nicht die Forderung nach einem neuen Stil. Wenn er aber im Katalog der Breslauer Ausstellung das Recht des Künstlers proklamiert, das zu malen, was er vor einem Motiv gefühlt hat, statt das Motiv selbst abzubilden, dann bedeutet das notwendigerweise auch eine Absage an die Stilmittel des Naturalismus. Sein Bekenntnis zu einer Kunst der Erinnerung führt zu dem Bestreben, das Oberflächliche und Unwichtige zu eliminieren und nur das Wesentlichste eines Erlebnisses festzuhalten[21]. Am Schluß des zitierten Abschnittes spielt Munch auf den „Schrei" an (Abb. E 5). In diesem Bild gestaltet er seine Lebensangst mit Hilfe von starken, antinaturalistischen Farben und zähflüssigen Linien, die mehr das schmerzhafte Naturerlebnis suggerieren, als sie die Landschaft beschreiben. Die Figur auf der Brücke ist zur bloßen Formel reduziert, einer Gestalt, in der sich der Ausdruck des ganzen Bildes verdichtet. Die Trennung von empfindendem Subjekt und Landschaft ist aufgehoben.

Der „Schrei“ ist ein Schlüsselwerk in Munchs Kunst der neunziger Jahre. Ein anderes Bild, das eine vergleichbare zentrale Stellung in seinem Oeuvre einnimmt, ist die „Madonna“ (Abb. E 6). Das Thema des Bildes, die Frau im orgiastischen Zustand, entspricht dem Programm der „Lebensikonographie“ von 1889. Wie im „Schrei“ ist aber das Motiv verallgemeinert und entindividualisiert, die Frau ist allein, ohne Partner, man weiß nicht, ob sie steht oder liegt, und jede Andeutung eines Milieus ist weggelassen. Auffallend ist auch die zurückhaltende, fast schemenhafte Darstellung des Körpers. Durch solche Beschränkungen erhält das Bild seinen symbolistischen Charakter. In der lithographischen Version der „Madonna“ von 1895 wird dann der symbolische Inhalt durch das Rahmenmotiv verdeutlicht und erweitert. Der Kreislauf der Spermien um die Frau und der totenkopfähnliche Embryo scheinen den ewigen Kreislauf von Geburt, Leben und Tod zu versinnbildlichen.

Munchs Kunst, und vor allem die Bilder des „Lebensfrieses“, sind in den neunziger Jahren von seinen Dichterfreunden oft interpretiert worden. Am interessantesten, und sicher auch am kongenialsten, ist der Aufsatz von Stanisław Przybyszewski, in dem Munch als der große Gestalter des unbewußten psychischen Lebens gefeiert wird und seine Bilder als „Präparate der tierischen, vernunftlosen Seele“ bezeichnet werden[22].

Auch Strindberg hat über die Bilder des „Lebensfrieses“ geschrieben, und zwar im Zusammenhang mit Munchs Ausstellung in der „Galerie de l’art nouveau“ in Paris 1896. Strindberg betrachtet aber die Bilder aus engerer Sicht als Przybszewski, in seiner Darstellung kommt mehr sein eigener Frauenhaß als Munchs Vorstellungen vom Verhältnis zwischen Mann und Frau zum Ausdruck[23].

Strindberg hat auch selbst gemalt, seine Bilder nähern sich aber dem Ungegenständlichen und haben, stilistisch gesehen, mit dem synthetischen Symbolismus nichts gemein. Es sind Landschaftsstudien, die zwar vom Impressionismus her angeregt, aber so subjektiv aufgefaßt und so frei von allen Konventionen ausgeführt sind, daß man sie am ehesten expressionistisch zu nennen bereit ist[24]. In den hier besprochenen Jahren hat Strindberg aber selbst seine Bilder in einer symbolistischen Sprache erklärt und ihnen auch Titel gegeben, die einen symbolischen Inhalt vorgeben.

Mit Munchs Kunst thematisch verwandt ist J. A. G. Ackes (1859—1924) Gemälde „Im Waldtempel“ (Abb. E 7) von 1900, wenn auch Acke in einem mehr literarischen Stil als Munch arbeitet. Der Bildraum ist eine von Moos überwucherte Felsenlandschaft, die in ein grünliches Zwielicht getaucht ist. Mit den Felswänden verschmelzen Skulpturen menschlicher Figuren, die an Michelangelos Sklaven in der Grotte des Boboligartens in Florenz erinnern.

Ein nackter, muskulöser Mann im Vordergrund des Bildes, die Personifikation des Künstlers, wendet sich mit großer Kraftanstrengung von dem vor ihm sitzenden verlockenden Weib ab und seinem Werk, einer unvollendeten Skulptur, zu. Das künstlerische Schaffen wird also als Sublimierung des erotischen Triebes dargestellt. Diese vielleicht von Nietzsche inspirierte Vorstellung gehört zu den zentralsten in der Literatur des Symbolismus in Skandinavien.

Ackes Gemälde hatte großen Erfolg unter den führenden Dichtern und Künstlern. Kennzeichnend sowohl für die Bewunderung, die ihm entgegengebracht wurde, als auch für die Sonderstellung des Bildes in der schwedischen Kunst ist ein Brief des Dichters Verner von Heidenstam an den Maler, in dem es heißt: „Natürlich sehe ich parteiisch, denn Dein Bild ist ein einziger lebendiger Beweis für die ‚Logik der Phantasie‘ (Anspielung auf eine Schrift Heidenstams von 1896). Alle unsere Maler — so sehr ich auch ihre Kunst bewundere — sind mehr oder weniger Vertreter der achtziger Jahre (d. h. des Naturalismus). Du allein bist den entgegengesetzten Weg gegangen. Werde nun wie Selma Lagerlöf in der Malerei und schaffe von innen heraus, als wärest Du verrückt — dort, ich meine nicht in der Verrücktheit, sondern in der Phantasie, liegt Deine Stärke[25].“

Später wurde Acke der bedeutendste Vertreter des Vitalismus in Schweden. Seine Bilder von badenden und segelnden Jünglingen und Männern können mit Munchs entsprechenden Gemälden verglichen werden, wenngleich Ackes Darstellungen stärker von der Frische des Selbsterlebten erfüllt sind.

Es wurde schon erwähnt, daß die Bilder Gauguins und van Goghs, die 1892 in Kopenhagen gezeigt wurden, große Aufmerksamkeit erregten. Gleichzeitig machten sich auch Einflüsse der Praeraffaeliten sowie von Puvis de Chavannes und Arnold Böcklin bemerkbar. In Schweden wurde Richard Bergh eine Schlüsselfigur. Die Sommer 1892—93 verbrachte er in Visby auf Gotland, wo er zwei seiner bedeutendsten Gemälde begann, beides Hauptwerke des skandinavischen Symbolismus. Das eine, „Vision“ genannt, zeigt ein Stück der Stadtmauer von Visby mit dem blauen Meer davor. Auf dem Wasser zieht eine Flotte goldener Schiffe heran. Das andere Gemälde stellt einen Ritter und eine Jungfrau dar (Abb. E 8). Diese Komposition läßt sich schon in Skizzenbüchern aus den achtziger Jahren nachweisen, das Gemälde selbst wurde aber erst in Visby angefangen. 1897 wurde es zum ersten Mal ausgestellt, und die endgültige Fassung ist 1900 datiert[26]. Wie alle Künstler seiner Generation war Bergh, auch wenn er solche Phantasiemotive malte und obwohl Eindrücke von Gauguin deutlich zu erkennen sind, dem Ethos des Realismus treu. Ein Zeichen dafür ist die Tatsache, daß er zwei Sommer lang mit Studien für den ausgeblühten Löwenzahn, Symbol der Vergänglichkeit in „der Ritter und die Jungfrau", beschäftigt war, und daß er die Figuren im Freien nach Modell malte. Der Ausdruck „Einbildungsnaturalismus" Heidenstams trifft das Wesentliche dieser Haltung.

Mit Bergh befreundet waren die Landschaftsmaler Karl Nordström und Nils Kreuger (1858—1930). Sie bildeten in den Jahren 1893—96 eine Künstlerkolonie in Varberg an der schwedischen Westküste. Hier entwickelte Nordström eine suggestive Landschaftsmalerei, die mit ihrem synthetischen Stil und den gesättigten Farben zu dem Bedeutendsten in der schwedischen Malerei gehört (Abb. E 9). Seine Bilder aus den Jahren in Varberg zeigen deutlich, wie viel er von Gauguin gelernt hat. Außerdem wissen wir, daß er intensiv japanische Holzschnitte studiert hat.

Richard Bergh hat in einem Aufsatz in „Ord och Bild" von 1897 die Kunst seines Freundes kongenial interpretiert. „Um die schwedische Natur zu schildern", schreibt er, „genügt es nicht, nur die Augen aufzumachen, der Maler muß es auch verstehen, sie manchmal zu schließen; er muß über das, was er gesehen hat, träumen können, er muß auf sein Gefühl hören können, um die Einheit in dieser kontrastreichen Vielfalt ergründen zu können ... Im Norden muß der Maler Dichter sein."

Die Heimat habe nun dem Künstler, nachdem er in Frankreich die notwendige Schulung des Auges erworben hatte, die Sprache wiedergegeben. Wir sehen, wie Bergh, ähnlich wie Julius Lange und wahrscheinlich von ihm angeregt, die „Kunst der Erinnerung" vor die „Studienkunst" setzt. Die Schwierigkeit, die nordische Natur harmonisch zu gestalten, wird in dieser Zeit viel diskutiert. Als Mittel, Einheit und Harmonie zu erreichen, wird oft Dämmerungslicht benutzt, und auch der synthetische Stil Gauguins wird dankbar aufgegriffen.

Bergh rühmt auch den herben Ernst der Varbergslandschaften Nordströms. Er sieht darin den persönlichen Charakter des Künstlers sich in vorbildlicher Weise mit der ihm von Kindesalter her vertrauten Natur vermengen: „Nordström schildert uns nicht eine Natur für Kinder zum Spielen, oder für Jugendliche zum Schwärmen, sondern eine Natur für Männer — um darin zu grübeln[27]." Damit hatte Nordström auch, nach der geläufigen Ansicht der Zeit, eine für seine Nation kennzeichnende Eigenschaft zum Ausdruck gebracht.

Mit der Varbergschule wurde die Landschaftsmalerei für die symbolistische Kunst gewonnen, sie sollte von nun an den wichtigsten Platz in der schwedischen Kunst um die Jahrhundertwende einnehmen. Als typisches Beispiel sei das Gemälde „Die Wolke" von Prinz Eugen (1865—1939), der Bergh und Nordström nahe stand, genannt.

Wie das theoretische Programm für die Landschaftsmalerei der Varbergschule liest sich C. G. Uddgrens und M. Dauthendeys 1893 publizierte Schrift „Verdensaltet" (Das Weltall), in der die Landschaftsmalerei als der einzig denkbare Träger einer modernen „sublimen" Kunst dargestellt wird[28].

Man darf nun allerdings nicht vergessen, daß alle hier genannten Künstler von dem Ruhm Carl Larssons, Bruno Liljefors' (1860—1939) und Anders Zorns (1860—1920) überstrahlt wurden. Von diesen blieben Zorn und Liljefors ihrem realistischen oder impressionistischen Stil treu, nur Carl Larsson zeigte sich empfänglich für die neuen synthetisierenden Stiltendenzen. Im Thematischen schlossen sie sich aber alle der vorherrschenden nationalromantischen Gesinnung an, ohne jedoch direkt symbolistische Motive zu malen[29]. In einem weiteren Zusammenhang wichtig ist es, daß die großen internationalen Erfolge Zorns, so sehr sie auch im Einzelfall die Freunde verletzen konnten, dazu beigetragen haben, das kollektive Selbstbewußtsein der schwedischen Künstler zu stärken.

Mit Richard Bergh und Karl Nordström befreundet war der junge Ivan Aguéli (1869—1917), der schon 1890 als Schüler Émile Bernards mit der Kunst der Pont-Aven-Schule und auch der Malerei Cézannes bekannt wurde. Für seine eigene Malerei scheinen die Eindrücke Cézannes am wichtigsten gewesen zu sein. Als Vermittler von Ideen aus den symbolistischen Künstlerkreisen in Paris und nicht zuletzt durch Vermittlung von Photographien nach Werken Gauguins und van Goghs hat er zweifellos eine große Rolle für den Stilwandel in der schwedischen Malerei um 1893 gespielt. Mit Aguéli befreundet war der jung verstorbene Olof Sager-Nelson (1868—1896), der in einigen Porträts mit Hell-Dunkeleffekten, die manchmal an Leonardo erinnern können, und mit seinen romantischen Brüggebildern (Abb. E 10) einen kontinentalen Ton in die sonst betont nationale schwedische Kunst brachte.

In Norwegen herrschten etwas andere Verhältnisse als in Schweden. Norwegen war in Personalunion mit Schweden verbunden, starke nationale Kräfte arbeiteten aber für die Loslösung, die 1905 dann auch verwirklicht wurde. Das nationale Selbstbewußtsein wurde nicht zuletzt durch die internationalen Erfolge der norwegischen Dichter Ibsen und Bjørnson gefördert. Viele norwegische Künstler waren von dieser nationalen Bewegung erfaßt, sie stellte eine ihrer stärksten Inspirationsmomente dar. Anders als in Schweden, wo ein Gegensatz zwischen der Kulturelite und dem Staat bestand, konnten sich die norwegischen Künstler im großen und ganzen mit den politischen Zielen ihres Landes solidarisieren. Eine wichtige Aufgabe für die Künstler in Norwegen war die Herausbildung einer nationalen Kunst.

E 14 Axel Gallen-Kallela: Lemminkäinens Mutter

Die Anregung dafür suchte man in der hochstehenden Bauernkunst; ein aristokratisches Kulturerbe fehlte ja weitgehend in Norwegen, das seit dem Mittelalter keine politische Selbständigkeit genossen hatte.

Zu den bemerkenswertesten Leistungen der „nationalen" norwegischen Kunst gehören die Illustrationen zu den Königssagen Snorre Sturlasons, an denen mehrere der bekanntesten Künstler mitgearbeitet haben. In ihnen wurde ein Illustrationsstil gefunden, der durch seinen archaisierenden Charakter angetan war, den Geist der Vergangenheit heraufzubeschwören (Abb. E 11). Daß dieser Effekt bewußt erstrebt wurde, bestätigen mehrere Äußerungen Gerhard Munthes, der wahrscheinlich der Urheber des archaisierenden Stils war. In einem Aufsatz von 1895 schreibt er: „Wir kennen ja nur mißlungene Versuche, Valhalla durch den Naturalismus zu erreichen." Man müsse das „Unwirkliche", d. h. einen unrealistischen, „gebundenen" Stil, zu Hilfe nehmen bei der Illustration der altnordischen Sagen, „sonst will die Mystik nicht folgen"[30].

Munthe entwickelte in den neunziger Jahren einen dekorativen Flächenstil auch in seiner Malerei (Abb. E 12), die eine deutliche Verwandtschaft mit der bäuerlichen norwegischen Textilkunst zeigt. In diesen Gemälden führte er als erster bedeutender Künstler reine Märchenmotive in die „hohe" Kunst ein[31].

In Finnland war die politische und kulturelle Situation vergleichbar mit der norwegischen. Finnland gehörte seit 1809 zu Rußland, genoß aber eine gewisse kulturelle und politische Selbständigkeit. Gegen Ende des Jahrhunderts zeigte sich jedoch, daß die Regierung in St. Petersburg sich bemühte, Finnland fester in das russische Staatsgebilde einzufügen. Dieser politische Druck rief einen lebhaften Selbstbehauptungsdrang hervor, der sich vornehmlich auf kulturellem Gebiet äußern konnte. Eine eindrucksvolle Demonstration kultureller Autonomie und Blüte gelang den Finnen mit dem Pavillon auf der Weltausstellung in Paris 1900[32].

Finnland, das, bevor es zu Rußland kam, zu Schweden gehört hatte, konnte auf keine glanzvolle eigene historische Vergangenheit zurückgreifen, es mußte, ähnlich wie Norwegen, seine nationale Identität in der Volkskunst und in der Volksdichtung suchen. Wie in Norwegen spielte dabei auch hier die Dichtung eine wichtige Rolle. In dem Nationalepos „Kalevala", das 1849 herausgegeben wurde, fand z. B. der Maler Axel Gallen-Kallela seine wichtigsten Themen. „Kalevala", das zunächst als Zeugnis einer heroischen historischen Vergangenheit verstanden worden war, genoß in den neunziger Jahren in theosophischen oder vom theosophischen Denken beeinflußten Kreisen den Ruf einer heiligen Schrift, eines Buches der Offenbarung, vergleichbar etwa mit den indischen Mythen[33].

In Gallen-Kallelas Gemälden mit Kalevalamotiven können wir gleichzeitig die Entwicklung in der Auffassung des Nationalepos und die Herausbildung eines als national verstandenen, dekorativen Monumentalstils verfolgen. 1893 malte Gallen-Kallela im Auftrag des Staates das „Aino-Triptychon". Der Stil ist hier noch der des französischen Realismus, und der Künstler war darum bemüht, das Milieu so authentisch wie möglich wiederzugeben. Die Landschaft und die Konstruktion des Bootes wurden in Karelien studiert, der östlichsten Provinz Finnlands, in der man die Welt „Kalevalas" noch wiederzufinden meinte. Der vom Künstler selbst entworfene holzgeschnitzte Rahmen trägt karelische Mustermotive.

Im Jahre 1894 malte Gallen-Kallela einige Gemälde, die deutlich von seinem Kontakt mit dem internationalen Symbolismus zeugen, z. B. „Symposion" (Abb. E 13). Unter den Künstlern, die hier das beflügelte Wesen anstarren, erkennen wir den Maler selbst und den Komponisten Jean Sibelius. Stilistisch gesehen bezeichnet dieses Gemälde einen Übergang. Die Männer um den Tisch sind in einem rein realistischen Stil gemalt, während die Hintergrundlandschaft synthetische Züge aufweist[34]. Wenig später war Gallen-Kallelas Konturenstil voll entwickelt. In den Jahren 1896—97 entstanden die Hauptwerke des Künstlers mit Kalevala-Themen, z. B. „Sampos Verteidigung", „Joukohainens Rache" und „Lemminkäinens Mutter" (Abb. E 14, nach S. 336) sowie die auf ein Volkslied zurückgreifende Komposition „Der Brudermörder". Die stilistische Verwandtschaft dieser Gemälde mit japanischen Holzschnitten und mit der Malerei Hodlers ist offensichtlich, für die Zeitgenossen und für den Künstler selbst war der neue dekorative Stil jedoch vor allem der Ausdruck einer nationalen Kultur. Die kräftigen Farben wurden als Kennzeichen für das „Schamanenhafte" der finnischen Urkultur verstanden. In diesen Gemälden vermengen sich die Ideen von einem mythischen goldenen Zeitlalter finnischer Kultur, gefärbt von modernen theosophischen Gedanken, mit dem Glauben an eine nationale Renaissance.

Gallen-Kallelas Kunst entwickelte sich immer mehr in heroischer Richtung. Der Künstler selbst nahm schon nach einigen Jahren Abstand von seinen symbolistischen „Verirrungen". Er blieb aber der Themenwelt „Kalevalas" sein Leben lang treu. Um die Jahrhundertwende wurde er für monumentale Aufgaben herangezogen, so schuf er z. B. die Gewölbefresken im finnischen Pavillon auf der Weltausstellung in Paris 1900.

Gleichsam als Gegenpol zu Gallen-Kallela kann Hugo Simberg (1873—1917) betrachtet werden. Er war ein Schüler Gallen-Kallelas, von dessen Persönlichkeit und Urteil er einige Jahre jüngerhaft abhängig war. In seiner Kunst merkt man aber nichts davon. Er wählt fast nie Kalevalathemen, sondern bevorzugt unheroische, an spätmittelalterliche Wandmalerei und Graphik erinnernde Themen, wie der „Tod und der Bauer", der „Garten des Todes", oder der „Arme Teufel". Die Bilder sind oft in Tempera- oder Aquarelltechnik ausgeführt und von kleinem Format. Der Stil ist antiheroisch und naivistisch, auch für ihn können Anregungen aus der provinziellen spätmittelalterlichen Kunst angenommen werden. Sehr eindrucksvoll und originell sind Simbergs Darstellungen von Naturvorgängen, wie „Der Herbst" (Abb. E 15). Einen besonders rätselhaften Eindruck machen die beiden Kompositionen „Saga" I und II (Abb. E 16) von 1897, in denen Simberg in sehr persönlicher Weise Probleme seines Künstlertums gestaltet hat.

Wie Gallen-Kallela wurden auch Simberg später monumentale Aufgaben anvertraut. In den Jahren 1910—12 malte er Wand- und Gewölbefresken in dem neuerrichteten Dom von Tampere. Hier wiederholte er einige seiner früheren Kompositionen, z. B. „Verwundeter Engel". Die Methode, eine Symbolgestalt religiösen Charakters in einem alltäglichen Milieu auftreten zu lassen, hat Simberg oft verwendet, hier jedoch hat er den Figuren nicht die naivistisch-stilisierte Form gegeben, die wir von den Tempera- und Aquarellbildern kennen, sondern sie sind in einer handfest realistischen, plastischen Form dargestellt.

Engen Kontakt mit dem Pariser Symbolismus hatte Magnus Enckell (1870—1925). In den Jahren 1892—93 malte er in Paris eine Reihe Aktstudien von Knaben, die in ihrer Formstrenge und mit ihren asketischen Farben an die Malerei Ivan Aguélis erinnern können. Der symbolistische Charakter dieser Bilder liegt selten offen zutage, es ist aber anzunehmen, daß die Wahl der Knabengestalt mit der Vorliebe Sâr Peladans und anderer Symbolisten für Androgyngestalten zusammenhängt. In einigen Gemälden wird der symbolische Inhalt deutlicher formuliert, z. B. in der Studie eines Knaben mit Totenkopf (Abb. E 17) von 1892 oder in der 1895 in Italien entstandenen „Phantasie", in der ein Jüngling mit Leier (Apoll?) vor dem Hintergrund eines Teiches mit schwarzen Schwänen und eines dunklen Haines, hinter dem ein griechischer Tempel zu sehen ist, dargestellt ist.

Wie wir gesehen haben, waren nationalromantische Ideen von großer Bedeutung für das Kunstleben der neunziger Jahre in allen nordischen Ländern. Mit ihren Werken wollten die Künstler die Natur und die Menschen ihrer Heimat schildern und eine nationale Kunst schaffen, die von den europäischen Vorbildern, denen sie bisher gefolgt waren, unabhängig war. Dennoch holte man sich weiterhin Inspiration aus anderen Ländern, vor allem Frankreich und England.

Die antinaturalistischen Tendenzen dieser Jahre bereiteten den Weg für eine Formsprache, die als der Volksdichtung verwandt und damit als Ausdruck einer nationalen Kultur aufgefaßt werden konnte. Auch das Interesse für Kunsthandwerk und dekorative Aufgaben war den meisten der nordischen Künstler dieser Zeit gemeinsam. Anregungen dafür kamen natürlich vor allem aus England, aber es galt dabei, die nationale Volkskunst zu bewahren oder wieder zu beleben. Typische Beispiele für diese Seite der nordischen Kunst bilden die vielen Künstlerheime, z. B. Carl Larssons und Anders Zorns Häuser in Dalarna in Schweden und Gallen-Kallelas Heim in Ruovesi und das Haus der Architekten Saarinen, Lindgren und Gesellius in Hvitträsk in Finnland.

Neben dieser nationalromantischen Richtung, die ihre Motive aus Landschaft und Volksdichtung entnahm, spielten die spekulativ-philosophischen und religiösen Ideen des internationalen Symbolismus nur eine relativ untergeordnete Rolle. Auch die „dekadente" Literatur hat keinen bedeutenden Einfluß auf die skandinavische Bildkunst ausüben können.

Unter den bedeutendsten Künstlern weichen nur Eduard Munch und J. F. Willumsen von diesem allgemeinen Bild ab. Sie haben beide in ihrer Kunst keine nationalen Motive oder Ideen gestaltet. Munch unterscheidet sich außerdem von den meisten der zeitgenössischen nordischen Künstler, weil seine Kunst so stark auf das Menschliche konzentriert ist. Obwohl er so viel mit Dichtern umging und man in seiner Kunst viele Berührungspunkte mit z. B. Strindberg, Ibsen oder Przybyszewski nachweisen kann, sind seine Bilder doch, mit einigen Ausnahmen, keine Illustrationen oder Übersetzungen literarischer Texte. Auch seine Symbolsprache ist nicht „literarisch". Das zeigt sich besonders im Vergleich mit einem Künstler wie Gallen-Kallela, der den Hauptteil seines Werkes der Aufgabe widmete, ein literarisches Werk, „Kalevala", zu deuten und dessen Stil und Symbolsprache ganz davon geprägt sind.

Mehrere von den Künstlern, denen wir hier begegnet sind, entwickelten sich in den ersten Jahren des 20. Jahrhunderts zum Idealismus oder Vitalismus hin. Am bekanntesten ist natürlich Munchs nietzscheinspirierte Malerei, die ihren Höhepunkt in den Aulafresken der Osloer Universität erreichte. Dieser Idealismus ist aus der nationalen Romantik der neunziger Jahre erwachsen und nimmt auch oft nationalistische, heroisierende und antiurbane Züge an, wie z. B. bei Gallen-Kallela und Carl Larsson. Diese Kunst, die natürlich viele symbolistische Elemente enthält, lebte so lange, wie die Künstlergeneration der neunziger Jahre noch am Werke war. Schon um 1909 übernahm jedoch eine jüngere Generation die Führung mit einer von Matisse inspirierten, unheroischen und unpathetischen Formsprache. Damit beginnt ein neues Kapitel in der Kunstgeschichte Skandinaviens.

## ANMERKUNGEN

1. Zitiert nach Richard Bergh, *Svenskt konstnärskynne,* in: *Ord och Bild* 1900, S. 132.

2. Es sei hier nur an das Interesse für Swedenborg und an Léonzon le Ducs Übersetzung von *Kalevala* erinnert.

3. Das Hauptwerk über diese Epoche in der schwedischen Kunst ist Sixten Strömbom, *Konstnärsförbundets Historia* I—II, Stockholm 1945—1965.

Eine kurzgefaßte, sehr gute Übersicht über die skandinavische Kunst dieser Zeit und ein ausführliches Literaturverzeichnis geben Bo Lindwall und Nils Gösta Sandblad in *Bildkonsten i Norden* Bd. 3, Prisma-Verlag, Stockholm 1972.

4. R. Bergh, op. cit., S. 133.

5. Eine ausgezeichnete Analyse der Kultursituation in Schweden in den Jahrzehnten um die Jahrhundertwende gibt Staffan Björk, *Heidenstam och sekelskiftets Sverige,* Stockholm 1945.

Eine wichtige Seite der skandinavischen Kunst der Jahrhundertwende behandelt in weiter ideenhistorischer Sicht Margaretha Rossholm, *Sagan i nordisk sekelskifteskonst* (Diss.), Stockholm 1974.

6. Wieder abgedruckt in Bergh, *Om konst och annat,* Stockholm 1919. Unser Zitat auf S. 13.

7. Julius Lange, *Bastien Lepage og andre afhandlinger,* Kopenhagen 1889, S. 62 ff.

8. Den Einfluß Nietzsches in Skandinavien, vor allem auf die Dichtung, behandelt ausführlich Harald Beyer, *Nietzsche og Norden.* Bd. I: Diskusjonen omkring Nietzsche. Bd. II: Dikterne og dikningen (Universitetet i Bergen, Årbok 1958 und 1959), Bergen 1959 und 1962.

Für Munch und Nietzsche vgl. Gösta Svenaeus, *Trädet på berget,* in: *Oslo kommunes Kunstsamlinger. Årbok* 1963, Oslo 1963, S. 24 ff. (Mit deutscher Übersetzung), und idem, *Der heilige Weg. Nietzsche-Fermente in der Kunst Eduards Munchs,* in: *Eduard Munch. Probleme-Forschungen-Thesen.* Hrsg. von H. Bock und G. Busch (Studien zur Kunst des 19. Jahrhunderts 21), München 1973, S. 25 ff.

Für Nietzsches Bedeutung für den schwedischen Kunstsammler Ernest Thiel und den Künstlerkreis um ihn vgl. Brita Linde, *Ernest Thiel och hans konstgalleri,* Stockholm 1969, S. 136 ff.

9. Gösta Svenaeus, *Eduard Munch. Das Universum der Melancholie* (Publications of the New Society of Letters at Lund 58), Lund 1968, S. 64 f.

Leif Einar Plather, *Det syke barn og Vår. En røntgenundersøkelse av to Munch-billeder,* in: *Kunst og Kultur* 57, 1974, S. 103 ff.

10. Erik Blomberg, *Ernst Josephson, Från Näcken till Gåslisa,* Stockholm 1959.

M. Rossholm, *op. cit.,* S. 36 ff. und 118 ff.

11. Richard Bergh, *Målaren Ernst Josephson,* in: *Ord och Bild* 1893, S. 110 ff.

Vgl. auch den Vortrag Georg Paulis von 1896, „Om symbolism", in dem Josephsons Zeichnungen als Beispiele symbolistischer Kunst genannt werden. Der Vortrag ist abgedruckt in G. Pauli, *Konstnärslif och om konst,* Stockholm 1913, S. 163 ff.

Auch ein anderer schwedischer Maler, Carl Fredrik Hill (1849—1911), hat ein ähnliches Schicksal gehabt wie Josephson. Seine in Frankreich gemalten Landschaften aus den siebziger Jahren gehören zu den besten in der skandinavischen Kunst. 1878 erkrankte er an Schizophrenie. Während seiner Krankheit schuf er Tausende von Zeichnungen und Pastellen, die an Ausdruckskraft Josephsons Bildern nicht nachstehen, die aber erst in den dreißiger Jahren bekannt wurden und daher keine Rolle im Kunstleben der neunziger Jahre spielen konnten. Vgl. Erik Blomberg, *C. F. Hill. Hans friska och hans sjuka konst,* Stockholm 1949, und Nils Lindhagen, *„Broder käre som jag famnar . . .". En studie i det kluvna jagets motiv i C. F. Hills sjukdomskonst,* in: *Konsthistorisk Tidskrift* 1974, S. 44 ff. Mit englischer Zusammenfassung.

12. Als Beispiele können Niels Skovgaards Relief „Åge und Else" von 1887 und Georg Paulis Gemälde „Legende" von 1890 genannt werden. Abb. in Lindwall-Sandblad, *op. cit.*, S. 165 und 170.

13. Merete Bodelsen, *Willumsen i halvfemsernes Paris,* Kopenhagen 1957. Mit englischer Zusammenfassung.

14. Ibidem, S. 13 f. und S. 68.

15. Georg Pauli präsentierte in seinem in Anm. 10. zitierten Vortrag die Lehren Sâr Peladans. Die ironische Skepsis, die er dort zum Ausdruck bringt, dürfte für die Einstellung der meisten skandinavischen Künstler repräsentativ sein. Eine Ausnahme bilden vielleicht der schwedische Maler Ivan Aguéli und die Finnen Magnus Enckell und *Väino Blomstedt.*

16. Die Literatur über den „Ferkelkreis" ist sehr groß. Hier seien nur einige neuere Titel angeführt:

Gösta Svenaeus, *Eduard Munch. Im männlichen Gehirn* (Publications of the New Society of Letters at Lund 66), Lund 1973, S. 96 ff.

Göran Söderström, *Strindberg och bildkonsten,* Stockholm 1972, S. 190 ff.

Wolfdietrich Rasch, *Eduard Munch und das literarische Berlin der neunziger Jahre,* in: *Eduard Munch. Probleme-Forschungen-Thesen, op. cit.*, S. 14 ff.

Wladyslawa Jaworska, *Munch und Przybyszewski, ibidem,* S. 47 ff.

17. Reinhold Heller, *Affaeren Munch, Berlin 1892—93,* in: *Kunst og Kultur* 1969, S. 175 ff.

Tryggve Nergaard, *Eduard Munchs visjon. Et bidrag til Livsfrisens historie,* in: *Kunst og Kultur* 1967, S. 69 ff.

18. T. Nergaard, *op. cit.*, S. 75 f.

G. Svenaeus, *op. cit.* 1973, S. 82.

19. Reinhold Heller, *Eduard Munch: The Scream* (Art in Context), The Penguin Press 1973, S. 21 ff.

G. Svenaeus, *op. cit.* 1973, S. 47.

Svenaeus weist auf die Ähnlichkeit zwischen Munchs Kuntsprogramm und der Verteidigungsrede des norwegischen Dichters Hans Jaeger im Prozeß gegen sein Buch *Fra Kristiania-Bohêmen* hin. Munch war mit Jaeger befreundet und hat sein Porträt gemalt.

20. T. Nergaard, *op. cit.*, S. 77.

Munch hat auch geäußert: „Ich male nicht das, was ich sehe, sondern das, was ich sah." Vgl. J. H. Langaard und R. Revold, *Eduard Munch,* Oslo 1963, S. 61.

21. Stanisław Przybyszewski hat den Zusammenhang zwischen Munchs synthetischem Stil und der Idee der „Erinnerungskunst" gesehen. Munch malt „Geschehnisse, so wie sie sich nach zehn Jahren in der Erinnerung reproduzieren: die Formen halb verschwommen, hier und da übertrieben, dann wieder konturlos, dann eine taube Lücke, an anderen Stellen satt und prächtig, und wieder öde und langweilig". S. Przybyszewski, *Psychischer Naturalismus,* in: *Freie Bühne* 5, 1894, S. 150 ff. Vgl. auch *Das Werk von Eduard Munch.* Vier Beiträge von S. Przybyszewski, F. Servaes, W. Pastor und J. Meier-Graefe, Berlin 1894.

22. Vgl. Anm. 20. Das Zitat aus *Eduard Munch. Vier Beiträge op. cit.*, S. 17.

23. Söderström, *op. cit.*, S. 302 ff.

24. Söderström, *op. cit.*, passim.

25. Björn Julén, *Levertins tolkning av „Skogstemplet"*, in: *J. A. G. Acke. En minnesskrift,* Stockholm 1960, S. 170 ff.

Linde, *op. cit.*, S. 207 ff.

Rossholm, *op. cit.*, S. 123 ff.

26. Bergh hat die „Vision" in einem „Interview mit sich selbst" in *Ord och Bild* 1894 kommentiert (S. 280 f.): „Aber warum ist das Gemälde ‚stilisiert' — im Gegensatz zu Deinen früheren, die ja zu den ‚illusorischen' gehören? Aus zwei Gründen: erstens meinte ich mit einer dekorativen Darstellung, ohne ablenkende realistische Einzelheiten,

für den Betrachter das leichter hervorheben zu können, was ich für das wichtigste hielt: die großartige Architektonik und der eigentümliche, phantasieanregende Rhythmus der Linien in der Landschaft... Und zweitens wollte ich... Phantasieelemente in die Komposition einführen (die goldenen Schiffe), die die naturgegebenen märchenhaften Elemente im Motiv selbst steigern konnten... Und da ich verständlicherweise diese Elemente nach der Natur nicht studieren konnte, und ihnen nicht bloß einen Schein von Naturwahrheit geben wollte, so habe ich es vorgezogen, dem ganzen Bild einen Charakter zu geben, der möglichst scharf den Abstand von der ‚illusorischen' Malerei zeigt."

27. Richard Bergh, *Karl Nordström och det moderna stämningslandskapet,* in: *Ord och Bild* 1897, S. 97 ff.

28. C. G. Uddgren und M. Dauthendey, *Verdensaltet,* Kopenhagen 1893, S. 61 ff.

29. Eine Ausnahme bildet Carl Larssons „Evas Tochter" im Zorn-Museum, Mora. Dieses Bild wurde als die „Versuchung des hl. Antonius" 1888 angefangen, später aber geändert und unter dem neuen Titel 1894 in München ausgestellt. Abb. in Erik Forssman, *Anders Zorn. Konstsamlaren,* Mora 1967, Nr. 38.

30. Gerhard Munthe, *Minder og Meninger,* Kristiania 1919, S. 60. Rossholm, *op. cit.,* S. 98 ff. und 219 ff.

31. Wie viele Künstler dieser Zeit hat auch Munthe Entwürfe für Wandteppiche ausgeführt.

32. Über die kulturelle Situation und die Kunst der Jahrhundertwende in Finnland gibt der Ausstellungskatalog *Finnland 1900. Finnischer Jugendstil,* Kunsthalle Nürnberg 1973, eine gute Übersicht.

33. Salme Sarajas-Korte, *Suomen varhaissymbolismi ja sen lähteet,* Helsinki 1966, behandelt sehr ausführlich den frühen finnischen Symbolismus und seine Quellen. Leider hat das Buch keine Zusammenfassung in einer anderen Sprache. Ein Abschnitt aus dem Buch über Gallen-Kallelas Kalevalamystik ist in schwedischer Sprache mit englischer Zusammenfassung erschienen in *Konsthistorisk Tidskrift* 1972, S. 43 ff.

Sixten Ringbom, *Grek eller Karelare? Den nationella konstens skiftande ideal,* in: *Finsk Tidskrift för Kultur* 1970, S. 86 ff. Vor allem S. 96 ff.

Vgl. auch Rossholm, *op. cit.,* S. 247 ff.

34. Gallen-Kallela besuchte im Frühjahr 1895 Berlin im Zusammenhang mit seiner Mitarbeit am ersten Heft von *Pan.* Hier verkehrte er im „Ferkel-Kreis", u. a. mit Munch, mit dem er eine gemeinsame Ausstellung hielt.

FRIEDHELM WILHELM FISCHER

# Geheimlehren und moderne Kunst

## Zur hermetischen Kunstauffassung von Baudelaire bis Malewitsch

Das Thema dieses Beitrages wurde nicht von mir selbst formuliert. Ludwig Grote hat es vorgeschlagen. Ich war gern bereit, darüber zu referieren, muß aber bei der Drucklegung betonen, daß hier ein Forschungsgebiet behandelt wird, das für eine zusammenfassende Darstellung noch in gar keiner Weise reif ist, und mit dem ich mich selbst nur am Rande beschäftigt habe. Aus diesem Grunde und des ungewöhnlich weit gespannten Rahmens wegen läßt sich hier lediglich eine provisorische Skizze bieten. Die beigefügten Anmerkungen sollen gleichwohl Kontrolle ermöglichen. Sie haben darüber hinaus den Sinn, weitere Forschungen anzuregen und die Literatursuche zu erleichtern.

### *1. Die Korrespondenztheorie*

In seinem Buch über die Struktur der modernen Lyrik läßt Hugo Friedrich die moderne Kunst mitten im 19. Jahrhundert beginnen, nämlich mit Charles Baudelaire. Die These ist an sich nicht neu, doch erhielt sie für mich erst im Zusammenhang jenes Buches zwingende Evidenz[1]. So habe ich mir seither immer wieder die Frage vorgelegt, weshalb wohl in der bildenden Kunst der entscheidende Stilwandel erst in den achtziger Jahren des vorigen Jahrhunderts zu beobachten ist. Von den hier angeschnittenen Problemen her läßt sich eine Antwort auf diese Frage geben. Sie ist gewiß nur eine von vielen, und ihr Gewicht mag unterschiedlich beurteilt werden. Immerhin verdient folgender Umstand Aufmerksamkeit: Die angedeutete Differenz von etwa dreißig Jahren ist identisch mit der Zeit, die es gedauert hat, bis gewisse spirituelle, aus okkulter Tradition herstammende Vorstellungen von der Literatur in die Malerei hinübergedrungen sind, oder — vorsichtiger ausgedrückt — bis sich besagte Vorstellungen auch bei Malern nachweisen lassen. Daß die Dichter hierbei die Vermittlerrolle gespielt haben, ist zunächst eine Annahme. In jedem Fall müssen wir mit ihnen beginnen.

Heinrich Heine schrieb in seinem Bericht über den Pariser Salon des Jahres 1831: „Töne und Worte, Farben und Formen, das Erscheinende überhaupt, sind jedoch nur Symbole der Idee, Symbole, die in dem Gemüthe des Künstlers aufsteigen, wenn es der heilige Weltgeist bewegt[2]." Heine spricht hier natürlich nicht als dilettierender Mystiker, sondern aus der Position des Hegelschülers, und in diesem Zusammenhang betrachtet ist seine These so überraschend nicht. Aber für jemanden, der das nicht weiß, klingt der zitierte Passus ohne Zweifel wie eine spannende Theorie für den Symbolismus. So ist es verständlich, daß Baudelaire den Satz mehrfach aufgreift, daß er ein Geheimnis in ihm vermutete. Baudelaires eigene Symboltheorie freilich läßt sich durch Hegel nicht mehr erklären. Obwohl es in Frankreich eine gewisse Parallelität zwischen Hegelrezeption und Spiritualismus gibt, zeigt des Dichters Weltbild doch einen radikal eigenwilligen Zuschnitt. Ein elementarer Bruch zwischen Natur und Geist scheint bei Baudelaire vollzogen, und einzig das System der „Entsprechungen" vermag ihn kühn zu überspannen. Die sichtbare Welt war für Baudelaire eine dunkle, gefallene. In ihr zu leben bedeutet Erniedrigung. Wenn es Spuren des Geistes in dieser Welt gab, so konnte das nur bedeuten, daß es andere Welten geben müsse, göttliche oder satanische Sphären, Bereiche, aus denen jene Gesetze stammen, die im Sichtbaren nur zu ahnen waren[3].

Baudelaires Symbolverständnis setzt bekannte und unbekannte Welten, sichtbare und unsichtbare Ebenen voraus, und erst von dieser Annahme her erhält es seine Spreng- und Spannkraft. Zwei Hypothesen ungewöhnlicher Art waren notwendig, um diese neuartige Spannung aufrecht zu erhalten: einmal die Hypothese von einem künstlerischen Subjekt, das, zumindest in einer unpersönlichen Weise, anderen Ebenen zugehört; zum anderen die Hypothese von geheimen Entsprechungen zwischen der sichtbaren und der unsichtbaren Welt. Aufgabe des Künstlers ist es, jene geheimen Entsprechungen aufzusuchen und mit ihrer Hilfe künstliche Gebilde zu schaffen, die auf das Unbekannte verweisen, ja, im Falle des Gelingens, einen Rapport zu diesem herstellen. Die Spuren des Geistes im Stoff, die solche Arbeit ermöglichen, sind nun allerdings identisch mit jenen, die Heinrich Heine nannte: Ton und Wort, Form und Farbe. Sie stehen als spirituelle Elemente untereinander in einer gesetzmäßigen Beziehung, können einander vertreten und unterstützen[4].

Baudelaires Korrespondenztheorie, die ich hier nur skizziert habe, ist für den gesamten Symbolismus wichtig geworden. Ein halbes Jahrhundert später wird sie von William Butler Yeats so formuliert: „Alle Klänge, alle Farben, alle Formen ... erwecken undefinierbare und dennoch bestimmte Gefühlswallungen, oder, wie ich lieber denke, sie rufen auf uns g e w i s s e

M ä c h t e herab, deren Schritte über unsere Herzen hinweg wir Gefühlswallungen nennen[5]." Mit einer solchen Formulierung befinden wir uns — zeitlich wie inhaltlich — ganz in der Nähe zu dem, was Wassily Kandinsky 1911 den „Inneren Klang" nennt. In der Tat hängen die Dinge zusammen und haben einen gemeinsamen Hintergrund[6].

Was Baudelaires Korrespondenzvorstellung angeht, so ist längst erkannt worden, daß sie in einer okkulten Tradition steht. Man nahm zunächst an, die Lehre Swedenborgs, vermittelt durch Balzac, habe hier Pate gestanden. Das mag sein, doch der Dichter ging den Dingen weiter nach und bediente sich an der Quelle, beim Patron aller Hermetiker. Die klassische Formulierung der Theorie, wonach das Untere dem Oberen gleicht und hiernach ein magischer Rapport durch Zeichen und Symbole möglich sei, findet sich im sogenannten Corpus Hermeticum, einem Bündel gnostischer Geheimlehren, das nach spätantiker Tradition dem ägyptischen Hermes mit dem Beinamen Trismegistos zugeschrieben wird. Baudelaire benutzte, wie Paul Arnold glaubhaft gemacht hat, eine 1579 erschienene Redaktion des Poimandres. Er war außerdem befreundet mit Louis Menard, der sich seit den vierziger Jahren mit den Dingen beschäftigte und 1866 eine kommentierte Übersetzung der hermetischen Schriften herausgab. Im Einleitungsgedicht der „Fleurs du mal" wird der legendäre Schirmherr der Hermetiker denn auch an zentraler Stelle genannt, freilich in komplexer Verschlüsselung als „Satan Trismegistos"[7].

Im übrigen ist bislang nicht beachtet worden, daß sich Baudelaire über symbolistische Magie und alle hermetischen Theoreme bei seinem Generationsgenossen Eliphas Levi auf fesselnde Weise unterrichten konnte. Levi, ein ehemaliger Priester namens Constant, verarbeitete Gnosis, Renaissancemagie und Kabbala zu einer geistreichen Mixtur, die sich in schillernder Weise bald als konkrete Anweisung darstellt, bald vorsichtig auf die zugrundeliegenden abstrakten Denkmodelle rekurriert. Das 1854 in Paris erschienene „Dogme de la Haute Magie" wurde trotz oder wegen eines dagegen angestrengten Prozesses ein Erfolgsbuch, und der Autor ließ ihm 1856 das „Rituel de la Haute Magie" folgen[8].

Von Stéphane Mallarmé wissen wir genau, daß er die Schriften Eliphas Levis kannte und benutzte. Mallarmé stand außerdem in Briefwechsel mit V. E. Michelet, der okkulte Schriften speziell den Künstlern zur Anwendung empfahl und das „Corpus hermeticum" dabei auswertete[9]. Was Mallarmé angeht, so kompliziert sich bei ihm die symbolistische Theorie. Es geht nun nicht mehr nur um Korrespondenz zwischen dem Sichtbaren und dem Unsichtbaren. Mallarmé will das Unnennbare, Absolute in den Rapport einbeziehen, genauer: es durch Evokation einkreisen. Das entsprechende magische Verfahren ist bei Levi erwähnt, dabei gibt der moderne Kabbalist folgende Definition: „Das Absolute ist die sogenannte alchemistische Befestigung des Flüchtigen, die Regel der Imagination[10].“ Mallarmé wiederum schreibt in seinem Aufsatz „Magie“ folgendes: „Es besteht zwischen den alten Praktiken und der in der Poesie wirkenden Zauberei eine geheime Verwandtschaft“, Dichten heißt: „in ausdrücklich gewolltem Dunkel die verschwiegenen Dinge beschwören, mittels anspielender, nie direkter Worte“[11].

So bezeichnend diese bewußte Analogie zum magischen Evokationsritual ist, das abstrakte Grundprinzip der Dichtung Mallarmés erscheint vom okkulten Standpunkt aus betrachtet noch wesentlich interessanter: Es beruht auf der zwar nur utopisch denkbaren, aber gleichwohl klar bezeugten Absicht, das Bestehende mittels artifizieller Magie in einen nichtexistenten Zustand zu überführen. Man hat zur Erklärung dieser merkwürdigen Absicht auf Hegel verwiesen, aber sie steht ganz eindeutig in der Tradition gnostischer Geheimlehren. Es ist im weiteren darzulegen, daß Mallarmé — ebenso wie Jahrzehnte später Malewitsch — an diese Tradition anknüpft[12].

Zuvor sei noch ein Seitenblick auf Gustave Flaubert erlaubt. Gerade weil man annehmen darf, daß sich der gründliche Skeptiker nie persönlich einem okkulten Weltbild verschrieb, ist es bemerkenswert, wie stark ihn die Materie gleichwohl faszinierte und inspirierte. In der „Versuchung des heiligen Antonius“, seit 1842 in Arbeit und 1874 erschienen, entrollt der Dichter ein phantastisch inszeniertes, aber fundiert kenntnisreiches Bild der spätantiken Gnosis. Was sich auf den ersten Blick wie das Protokoll eines Traumes liest, ist in Wahrheit ein Monument zähen Bibliotheksfleißes. Die gnostischen Häresiarchen werden von Flaubert ebenso exakt zitiert, wie seine Kultbilder, Götter und Monstren wissenschaftlichen Werken entnommen sind. Der Dichter gibt ein umfassendes Bild des religionsgeschichtlichen Forschungsstandes, und wir kennen seine Quellen[13]. Trotzdem läßt sich die „Versuchung des heiligen Antonius“ wohl kaum als ein historistisches Werk bezeichnen. Es stellt die seit der Spätantike nur okkult überlieferten Fragen der Gnosis neu, gewiß in vielfach gespiegelter Weise, aber unmittelbar parallel zu ihrem tatsächlichen Wiederaufleben.

## *2. Involution und Evolution*

Odilon Redon schreibt 1882 an Emile Hennequin „Ich danke Ihnen, mich die Versuchung des heiligen Antonius lesen gelassen zu haben, ein literarisches Wunderwerk und eine Fundgrube für mich[14]. Redon hat dem Werk zwei Graphikfolgen gewidmet, deren Blätter man freilich ohne die beigefügten Textstellen kaum identifizieren kann. Man möchte daher fragen, wozu Redon die „Fundgrube" eigentlich nützte. Zog er Anregungen daraus oder diente sie ihm nur als Bestätigung für die Phantastik seiner eigenen Imagination? Ganz im Gegensatz zu Flauberts ebenso halluzinatorischem wie überlegtem Arbeiten hat man bei Odilon Redon oft den Eindruck, als fehlte dem Künstler jede Distanz zu dem, was er darstellt, als spiele er die Rolle eines Mediums, aus dem das Unbekannte spricht. Redons schriftliche Äußerungen „A soi-même" scheinen dies zu bestätigen, sogar in recht nachdrücklicher Weise. Es ist jedoch zu fragen, ob die Unergiebigkeit dessen, was uns Redon über den Inhalt seiner Kunst mitteilt, nicht gerade eine Konsequenz des okkulten Selbstverständnisses ist. Wer wirklich an das Geheimnis glaubt, dechiffriert es nicht freiwillig, er sucht eher die Spuren zu verwischen, denen er folgt.

Es ist keine neue Vermutung, daß Redons Werk in den Zusammenhang der okkulten Bewegung des 19. Jahrhunderts gehört, und sie trifft das Richtige. Allerdings durchkreuzen sich hier verschiedene Richtungen, die auf den ersten Blick wenig gemeinsam haben, eine „monistische" und eine im strengen Sinn spiritualistische. Das erschwert die Deutung. Immerhin gibt es Anhaltspunkte, von denen her die Programmierung des „Mediums" Redon erschlossen werden kann. Einmal ist das Freund-Schülerverhältnis zu den Biologen Armand Clavaud wichtig, zum anderen die enge Verbundenheit, ja das oft wochenlange Zusammensein mit Stéphane Mallarmé.

Über Armand Clavaud berichtet Odilon Redon: „Er erforschte — ich kann nicht mehr darüber sagen — die Grenzen der nicht wahrnehmbaren Welt." Man hat das bisher meist auf die Erforschung von mikroskopischen Kleinstlebewesen bezogen, der Clavaud seinen wissenschaftlichen Ruf verdankt[15]. Wichtiger für uns ist, daß diese Beobachtungen, an denen Redon gelegentlich teilnahm, mit einer okkulten Evolutionstheorie verknüpft wurden. Sie hat ihren Ursprung in der kabbalistischen Emanationslehre und der zugehörigen Vorstellung von Involution und Evolution. Unerwarteten Auftrieb erhielt diese kryptische Theorie, als die Lehre Darwins bekannt wurde. Der Grundgedanke einer biologischen Evolution über enorme Zeitspannen hinweg wurde sofort esoterisch interpretiert und galt seither als Bestätigung der These, daß die Seelenmonade bereits am Uranfang vorhanden sei, unendlich viele kreatürliche Zustände durchlaufe, allmählich die Materie durchdringe und zu weiterer Emanzipation fortschreite. In diesem Sinne wurde Darwins Theorie seit den siebziger Jahren in die theosophische Geheimlehre eingearbeitet, und noch in unserem Jahrhundert bemühte sich der vielgelesene Naturforscher Edgar Dacqué in mehreren Büchern darum, das okkulte Evolutionsmodell mit den neuesten Erkenntnissen der Naturgeschichte in Einklang zu bringen[16].

Hat man diesen Schlüssel in der Hand, so läßt sich ein umfangreicher Komplex in Redons graphischem Werk relativ mühelos deuten[17]. Um die zugehörigen phantastischen Dimensionen recht zu erfassen, muß man freilich wissen: die Entwicklung der Wesen im biologischen Bereich ist nur eine bescheidene Teilstrecke auf dem Weg der Seelenmonade. Dieser setzt sich im stellaren Bereich fort, so daß ein Totalitätsmodell des Universums entsteht, in dem die Evolution auf Erden mit der Entwicklung von Sternen und Welten verglichen werden kann. Insofern ist es zumindest eine gute exoterische Charakterisierung, wenn Gert Mattenklott über Redons Phantasien schreibt: „Weil die mikroskopische Welt des Ursprungs für das menschliche Auge ebenso nah und fern zugleich ist wie der Raum mit seinen Gestirnen, darum kann eines ins andere projiziert erscheinen, Auge, Amöbe und Gestirn[18]." Schließlich muß man sich das Weltmodell vergegenwärtigen, das den Rahmen für all diese Vorstellungen abgibt. Dem Evolutionsprozeß geht ein Involutionsprozeß voraus. Die Weltentstehung ist identisch mit dem Absinken der Seelenmonade in die Materie. Ihr Wiederaufstieg zum Geistigen markiert dann die Stadien, in denen sich die Schöpfung wieder aufhebt und die Emanation zurückgenommen wird (Abb. F 1—3).

Unter dem Einfluß von Armand Clavaud setzte sich Redon offenbar vor allem mit der gestaltlosen Matrix der Involution, dem dunklen Raum auseinander, wobei das Wasser, in dem die Evolution beginnt, und der kosmische Raum, in dem sie sich fortsetzt, zwar sehr ähnlich charakterisiert werden, aber immer wieder auch das alte kabbalistische Symbol des Meereshorizontes vorkommt. Wenn Redons Raumvisionen in ihrer beklemmenden Entgrenzung oft so unheimlich wirken, so sei darauf hingewiesen, daß dieses Symbol im kabbalistischen Verstand zugleich „Gott" und „Das Nichts" bedeutet[19].

### *3. Die Negation des Bestehenden*

In Mallarmés Vorstellungen spielt die Wiederaufhebung der Schöpfung ebenfalls eine zentrale Rolle. Allerdings verläßt sich der Dichter dabei nicht auf einen evolutionären Prozeß, sondern auf die Kraft der spirituellen Negation. Es wäre merkwürdig, wenn hierüber zwischen den beiden Freunden nicht gesprochen worden wäre[20]. Allerdings ist es schwierig, den Einfluß Mallarmés in Redons Werk konkret nachzuweisen, da die Dinge über das Inhaltliche hinausgehen. D. H. Fraser hat versucht, eine berühmte Briefstelle des Dichters auf Darstellungen Redons zu beziehen, in denen das Ringen mit einem geflügelten Wesen Bildgegenstand ist. Allerdings datiert der Mallarmé-Brief von 1867, und die hauptsächlich für einen Vergleich in Frage kommende Komposition Redons „Sous l'aile d'ombre, l'être noire appliquait une active morsure“ von 1891 (Abb. F 4). Die Dinge bleiben also offen und ich will ihnen hier auch nicht weiter nachgehen. Allerdings sei die besagte Briefstelle trotzdem herangezogen, weil sie für unsere Thematik insgesamt eine Schlüsselbedeutung hat, und weil sie meines Wissens noch nie in den religionsgeschichtlichen Zusammenhang hineingestellt wurde, dem sie ganz ohne Zweifel ihre Artikulation verdankt[21].

„Nach einer höchsten Einswerdung bin ich dabei, langsam meine Kraft wiederzugewinnen und unfähig, Du siehst es, mich zu zerstreuen. Aber wieviel mehr noch war ich es vor einigen Monaten, bei meinem Kampf mit diesem uralten und bösen gefiederten Wesen, Gott, das nun glücklicherweise zu Boden geschmettert ist. Doch dieses Ringen vollzog sich auf seinem knöchernen Flügel und in einem letzten Todeskampf, viel stärker als ich bei ihm erwartet hätte, trug er mich hinweg in die Finsternis; ich fiel, siegreich, grenzenlos und unendlich, bis ich mich eines Tages vor meinem Venezianer Spiegel wiederfand ...

Übrigens gestehe ich — aber Dir allein — daß ich noch immer, um zu denken, mich in diesem Spiegel betrachten muß, so hoch war der Preis für meinen Triumph, und daß ich, wenn er nicht vor diesem Tisch wäre, vor dem ich schreibe, wieder zum Nichts würde. Ich muß Dir sagen, daß ich jetzt unpersönlich bin, nicht mehr Stéphane, den Du kanntest, sondern einer der Wege, den das spirituelle Universum gefunden hat, um sich selbst zu sehen und voranzukommen — durch das hindurch, was mein Ich war ...

Doch ich gestehe, daß das Wissen, das ich erworben oder auf dem Grund des Menschen, der ich war, gefunden habe, mir nicht ausreichen würde, und daß ich nur mit Beklemmung in die höchste Entrückung eintreten würde, wenn ich nicht mein Werk vollendet hätte, ich meine DAS WERK, das Große Werk, wie unsere Ahnen, die Alchemisten, zu sagen pflegten.“

Man könnte die hier mitgeteilten Ereignisse, in denen Mallarmé zuerst von seinem Kampf, dann von seiner Wandlung und schließlich von seiner neuen Lebensaufgabe spricht, als eine Art allegorischer Darstellung auffassen. Daß der Dichter dabei an hermetische Begriffe anknüpft, bezeugt der Hinweis auf das „Magnum Opus“ der Alchemisten. Deutung verlangt indessen vor allem der Kampf mit dem geflügelten Wesen. Man geht wohl nicht fehl, hier zunächst an Genesis 32, 23 ff zu erinnern, an den Kampf Jacobs mit dem Engel. Von hier aus wäre es verständlich, daß der geflügelte Gegenspieler mit Gott gleichgesetzt wird. Allerdings: das Wesen ist „uralt und böse“. Und bei Erwähnung der knöchernen Flügel läßt sich ein zusätzliches Bild assoziieren: Chronos-Saturn, so, wie er etwa seit dem 17. Jahrhundert dargestellt wird. Ferner muß eine weitere Umdeutung vorliegen: Die geflügelte Kreatur, Gott, wird eindeutig negativ charakterisiert. Seine Niederwerfung wird auch nicht als Frevel empfunden, im Gegenteil, sie bedeutet in einem objektiven Sinn Befreiung. Erst der Sieg ermöglicht die Entgrenzung, d. h. die freie Kommunikation mit dem spirituellen Universum. Diesen Durchbruch muß der Dichter freilich mit seiner Entpersönlichung bezahlen. Er wird nun Medium im höchsten Verstand des Wortes: einer der Wege, auf dem das spirituelle Universum zu sich selbst kommt.

Wir können der Umdeutung auf die Spur kommen, wenn wir zum Bild des Kampfes zwischen Jacob und Jehova das Mythologem vom bösen, mißgünstigen Gott hinzunehmen, eines Gottes, der den Weg zum spirituellen Universum versperrt. Damit stoßen wir auf die gnostische Lehre vom feindlichen Demiurgen, jenem Schöpfergott, der die Welt auf eigene Faust geschaffen hat, für die Materie verantwortlich ist und über sie wacht. In Flauberts „Antonius" wird das entsprechende Mythologem wie folgt zitiert: „Aus Achamaroth ging der Demiurg hervor . . . der Schöpfer der Welten. Er wohnt tief unter dem Pleroma, nimmt es gar nicht wahr, hält sich darum für den wahren Gott und wiederholt durch den Mund seiner Propheten: ‚es gibt keinen Gott außer mir[22]'." Dieser eifernde oder eifersüchtige Schöpfergott, in Wahrheit ein mit Blindheit geschlagener „Engel", wird gleichgesetzt mit Jehova oder Saturn, ferner mit Eloi bzw. Elohim. Bei Eliphas Levi wird folgende Gleichung aufgestellt: „Saturn = Gottvater oder der Jehova des Moses[23]." Mallarmé kannte diese Gleichsetzung, und so ist es gewiß nicht Zufall, wenn uns seine Schilderung sowohl auf die Bibel wie auf Chronos-Saturn hinzuweisen schien. Das erwähnte „spirituelle Universum" läßt sich in diesem Zusammenhang zunächst als das überkosmische Pleroma deuten, als die Quelle des Pneumas, von dem ein Funken im Menschen wohnt. Dieser Funke ist freilich abgespalten vom göttlichen Ursprung, gefesselt an Materie und Individualität. Ich zitiere wiederum Flaubert, der Valentin sagen läßt: „Die Welt ist das Werk eines rasenden Gottes", während Mani hinzufügt: „Das Ziel eines jeden Geschöpfes ist die Befreiung des in die Materie verschlossenen himmlischen Strahls." Damit sind wir bei einem weiteren Grundthema der Gnosis. Es besagt, daß der Mensch im Innersten keineswegs dem Schöpfergott gleich sei. Seine pneumatische Substanz ist vielmehr Teil des spirituellen Universums und verlangt nach Wiedervereinigung mit der wesenlosen Gottheit[24]. Eliphas Levi formuliert: „Das große Geheimnis, das unaussprechliche, gefahrvolle, unbegreifliche kann endgültig so formuliert werden: dies Geheimnis ist die Göttlichkeit des Menschen[25]."

Mallarmés Vision vom Sieg über die demiurgische Kreatur beruht, wie nun einleuchten wird, auf diesem Geheimnis. Levi deutet an, daß es möglich sei, den Schöpfergott zu beschwören und zu bezwingen. Eben dies sei der höchste Zweig der Geheimwissenschaft. Das „Große Werk" der Alchemisten aber, von dem Mallarmé am Schluß spricht, meint esoterisch die Verwandlung der Materie in Geist, ja, in einem höchsten Sinne die Rückführung der Schöpfung aufs Absolute[26].

### *4. Gauguins Privatmythologie*

Man muß Mallarmés „Durchbruch" im Auge behalten, wenn man die moderne Kunst, namentlich in ihrer langfristigen Entwicklung, verstehen will, er hat durchaus etwas Exemplarisches. Ich sprach vorhin von zwei Richtungen des modernen Okkultismus. Man kann sie abgekürzt als die Evolutionstheorie und die „Negationstheorie" bezeichnen. In der Evolution sieht man die Umkehrung der Involution, also eine prozeßhafte Rücknahme der Emanation. Was ich hier als Negation bezeichnet habe, ist dagegen ein spiritueller Akt, der die bestehende Schöpfung durch die Souveränität des Geistes überwindet. Beide Richtungen verweisen freilich insofern aufeinander, weil hier wie dort die Wiederherstellung eines Zustandes fasziniert, der vor oder außerhalb der Weltexistenz angenommen wird. Das Symbol dieses reinen Zustandes par excellence ist der Geist oder das Nichts. Das Symbol der Verunreinigung hingegen ist die Materie, das Stoffliche, die Gegenständlichkeit. Damit sind in Kürze die sublimen Grundtendenzen des hier interessierenden Okkultismus charakterisiert. Seine atavistischen und synkretistischen Bestandteile, die nun in der Folgezeit ans Licht kommen und die namentlich in der bildenden Kunst ein recht schillerndes Spektrum abgeben, sind zwar wichtige, aber letztlich untergeordnete Phänomene. Sofern sie nicht einfach trivial sind, kann man sie als quasi-mythologische Vehikel ansehen.

Ebenso komplex wie ungeordnet treffen wir alle ebengenannten Elemente — die sublimen wie die trivialen — im Werk Paul Gauguins an. Es mag nun ein Zufall sein oder nicht, hier in unserem Zusammenhang fügt es sich immerhin merkwürdig, daß jenes Bild, in dem Gauguin seinen entscheidenden Durchbruch erzielte, den Kampf Jacobs mit dem Engel darstellt. Ich meine das 1888 in Pont-Aven entstandene Bild „Vision nach der Predigt — Jacobs Kampf mit dem Engel", von dem man gerne sagt, daß sich in ihm die historische Wende zur Moderne in der bildenden Kunst vollzog. Das Thema wird dabei nicht unmittelbar als biblische Historie wiedergegeben, sondern als Vision: vor zinnoberrotem Hintergrund und in einer irrealen, weder rein flächigen noch konkret räumlichen Sphäre. Welcher Art diese Vision sei, darüber hat man sich bislang noch kaum Gedanken gemacht. D. H. Fraser vertritt die Ansicht, daß hier eine Erscheinung im okkulten Sinne gemeint sei, d. h. eine Evokation, mit der Gauguin ungeachtet des christlichen Kontextes auf urtümlich-übersinnliche Kräfte der bretonischen Landbevölkerung anspielt. Wie dem auch sei, entscheidend ist für uns, daß die neue Stilkonzeption mit der Darstellung eines geheimnisvollen Vorganges Hand in Hand geht[27].

Wir wissen, daß Gauguin mit der „Vision nach der Predigt" tatsächlich eine Wende erzwingen wollte, daß das Werk von vornherein als ein Kraftakt geplant war. Es gab denn auch zu heftigen Auseinandersetzungen Anlaß. Albert Aurier feierte es als erstes symbolistisches Gemälde, Camille Pissarro sah in dem Werk des ungetreuen Schülers auf seine Weise die „Zeichen der Zeit", was sich folgendermaßen ausnimmt: „Die verschreckte Bourgeoisie", schreibt Pissarro an seinen Sohn, „ist über das laute Geschrei der enterbten Massen ... bestürzt und hält es für notwendig, die Menschen zum Aberglauben zurückzuführen. Daher diese Geschäftigkeit mit religiösen Symbolisten, religiösen Sozialisten, idealistischer Malerei, Okkultismus, Buddhismus usw. usw. Dieser Gauguin hat die Zeitströmung erfaßt[28]."

Pissarro hat hier sicher eine allgemeine Verschiebung im geistesgeschichtlichen Gefüge der Zeit richtig erkannt. Aber er verkennt doch ebenso gewiß Gauguins Motive. So schillernd die Persönlichkeit des Meisters auch bis heute geblieben ist, Gauguin steht ja ohne Zweifel in der Tradition jenes Protests, der in der Literatur mit Baudelaire begann. Die Rückverbindung gerade zu Baudelaire ist deutlich. Daß sich Gauguin ähnlich wie der Dichter in der Rolle des heimatlosen, d. h. gnostischen Pneumatikers sah, bezeugen die auf die „Vision" folgenden Selbstbildnisse. Sein pathologisch anmutendes Selbstportrait mit dem Heiligenschein von 1889, dessen Blumenornament und dessen Schlange wohl mit Recht als ein Hinweis auf die „Fleurs du mal" gedeutet wurden, und das rätselhafte Selbstbildnis vor dem gelben Christus von 1890 sind eindrucksvolle Dokumente einer okkulten Selbstmythologisierung, wobei für uns freilich keine Klarheit darüber zu erlangen ist, ob sich Gauguin eher als Märtyrer und Heiliger oder als gefallener demiurgischer Engel vorkommt (Abb. F 5)[29]. Die okkulte Mythologisierung des Selbst, die in der Malerei bis zu Max Beckmann hin eine wichtige Rolle spielt, scheint mir übrigens keineswegs ein Zeichen krankhafter Veranlagung, sondern vielmehr ein zentrales Thema der Moderne. Welche Vertiefung das Thema bei Gauguin schließlich erfährt, läßt sich vor dem späten Golgathabildnis von 1896 ahnen. Mit der schemenhaften Gestalt eines dunkelhäutigen Mönchs im Hintergrund deutet sich hier an, welche Auflösung das seltsame Rollenspiel des Künstlers schließlich erfährt. Der Kommentar zu dem Bild sind Gauguins späte Meditationen über den Raum und das Nichts, über den Schleier der Maja und den „ungegenständlichen Traum“[30].

Bei allem Abstand ist es nicht uninteressant, neben das Golgathabildnis Gauguins ein Werk von Paul Ranson aus dem Jahre 1895 zu stellen, auf dem der Gekreuzigte neben einer Buddhastatue zu sehen ist (Abb. F 7)[31]. Der Titel „Christus und Buddha“ verweist auf jenen symbolistischen Synkretismus, der gegen Ende des Jahrhunderts keine Seltenheit mehr ist, ohne daß man seine Quellen bisher sonderlich beachtet hätte. Gerade bei Ranson können wir ziemlich sicher sein, daß die Vermittlung durch die „Geheimlehren“ der Theosophie erfolgte. Der Maler hatte schon 1890 ein Bild gemalt, das sich eindeutig auf Edouard Schurés Buch „Les grands initiés“ bezieht. Das unter dem Titel „Paysage Nabique“ bekannte Bild stellt, wie George Mauner nachgewiesen hat, zwei Szenen aus der Geschichte des indischen Rama dar, mit der Schurés Buch beginnt (Abb. F 9). Dabei hat der Maler die entsprechenden Schilderungen noch einmal okkult verschlüsselt: wo bei Schuré Hermes auftritt, um Rama das Wunderkraut zu zeigen, stellt Ranson nur den sich bückenden Rama dar, während in einem Stern darüber das Merkurzeichen erscheint[32].

Synkretistische Themen von mehr oder minder okkultem Charakter lassen sich auch bei Gauguin bis 1890 zurückverfolgen. Die sogenannte „Schwarze Venus“, eine halbmeterhohe Keramik, erweist sich bei näherer Betrachtung als Kali, die schwarze Mutter- und Todesgöttin Indiens, was auch bereits erkannt worden ist[33]. Kurz darauf entstand das symbolistische Portrait von Jacob Meyer de Haan mit der Aufschrift „Nirwana“. Gleichfalls 1890 arbeitete Gauguin an dem Relief „Seid geheimnisvoll“[34].

## *5. Zur Kunsttheorie der Nabi*

Je mehr man sich dem „Fin de siècle“ nähert, um so unübersichtlicher wird die „okkulte Szene“. Was vorher wirklich geheim war, tritt, wenn man das so formulieren darf, an die Oberfläche und vermischt sich mit Modeerscheinungen. Gleichzeitig wird versucht, die symbolistische Kunsttheorie von ihren okkulten Ursprüngen abzuziehen und ihr, je nachdem, ein katholizistisches oder neu-idealistisches Programm zu offerieren. So gibt es mancherlei Übergangserscheinungen, und es stellt sich außerdem die Frage, welcher Grad von Ernsthaftigkeit okkulten Intentionen noch beizumessen ist. Was Gauguin angeht, so möchte ich mich hüten, ein vorschnelles Urteil zu fällen. Seine Aufforderung „Seid geheimnisvoll“ klingt zwar banal, aber sie erhält in bestimmten Werken dann noch eine komplexe Tiefendimension. Auch hinsichtlich der Nabi wäre ich mit Pauschalurteilen vorsichtig. In jedem Fall sollte man beachten, daß auch hier Modernität und geheimwissenschaftliche Zielsetzung zusammengehören.

Die Gruppenbildung ist bekanntlich von Paul Sérusier ausgegangen, der mit Edouard Schuré befreundet war und auch den Namen „Nabi“ (von nebiim = der, dem Worte aus dem Jenseits verliehen werden) beisteuerte. Im Sommer 1888, als Gauguins „Vision nach der Predigt“ entstand, malte Sérusier in Pont-Aven unter Anleitung des Meisters ein kleines Landschaftsbild, das im Kreis der Nabi „Talisman“ genannt wurde. Es genoß tatsächlich eine Art Verehrung und George Mauner nimmt an, daß von ihm die okkulte Farbtheorie der Nabi abgeleitet wurde, von der wir aus Briefen wissen[35]. Zwei Jahre später gab Sérusier einem anderen Bild den Namen „Inkantation“. Das ist nun eindeutig ein Fachausdruck und bedeutet in der Magie ungefähr dasselbe wie Evokation, also das Herausrufen oder Heranziehen geheimer Kräfte. Dargestellt ist eine Inkantation im Walde, möglicherweise in Anspielung an okkultes Brauchtum[36]. Abwegig scheint es mir ferner, Sérusiers eindrucksvolles Porträt von Paul Ranson als Zeremonialpriester der Nabi für bloße Spielerei zu halten (Abb. F 6). Dagegen sprechen nicht nur die sorgfältig überlegten okkulten Embleme am Ornat des Dargestellten wie am Kopf des Zeremonialstabes und der zurückhaltende Ernst der Darstellung. Der Zeremonialstab hat wirklich existiert, und wir wissen auch, daß Ranson eine bedeutende hermetische Bibliothek besaß. Die „Einführung in die okkulten Wissenschaften“ von Papus lieh man sich im Kreis der Nabi gegenseitig aus. Okkulte Themen gibt es in der Schnitzerei von George Lacombe und entsprechende Zeichen kommen selbst bei Verkade, dem späteren Benediktinerpater vor[37]. Vollends zur Sache gehört ein rätselhaftes Aquarell Paul Ransons mit der Aufschrift „Support Satan“[38]. Recht aufschlußreich für unser Thema ist schließlich eine Zeichnung Ransons aus dem Jahre 1893 (Abb. F 8). Hier wird ein magischer Adept vorgeführt, umgeben von Geistern und mit dem alchemistischen Zubehör, das zum Vollbringen des „Magnum Opus“ notwendig ist. Natürlich handelt es sich um eine Allegorie, aber wir wissen, daß sich diese Allegorie auf die Arbeit und das Selbstverständnis der Nabi bezieht[39]. Ist es angebracht, hier an Mallarmés „Großes Werk“ zu erinnern? Es wäre einerseits zu bemüht. Gemessen an dem radikalen Anspruch des Dichters war der Okkultismus der Nabi sicher eine biedere Sache. Andererseits scheint es hier wie dort kein besseres Bild für das Geheimnis der Kunst zu geben als die hermetische Praxis.

An die Grenze des Komischen geraten wir allerdings bei den „Rosenkreuzlern“. Man muß sie trotzdem erwähnen, denn zumindest ihr Oberhaupt, Joséphin Peladan, verstand sich als eifriger Okkultist. Er hatte in den achtziger Jahren zusammen mit Stanislaus de Guita, der sich als Nachfolger Eliphas Levis ausgab, den „Kabbalistischen Orden vom Rosenkreuz" gegründet. Als de Guita einen „Schlüssel zur schwarzen Magie" veröffentlichte, trennte sich Peladan von ihm und stellte sich als „Sàr Mérodack Peladan" an die Spitze eines zunächst mehr fiktiven eigenen Bundes, den er „Orden vom katholischen Rosenkreuz" nannte. Peladan fand im Grafen Rochefoucault einen willigen Mäzen, und so konnte 1892 mit viel Aufwand der erste Rosenkreuzlersalon eröffnet werden. Puvis de Chavannes und Gustave Moreau, um die man sich besonders bemüht hatte, sagten eine Beteiligung ab. Vertreten waren dagegen Emile Bernard, Jan Toorop, Ferdinand Khnopff und Charles Fillinger, dazu der junge Felix Vallotton und Ferdinand Hodler. Was im Kreis des „Sàr" Peladan für Lehren verbreitet wurden, habe ich nicht weiter verfolgt. Die Schriften des „Grand Maître de l'ordre" schienen mir denn doch zu oberflächlich. So sei hier nur August Strindbergs schnurriges Vorwort zur Gesamtausgabe zitiert. „In Paris", schreibt Strindberg, „war gleichzeitig ein Gefühl davon erwacht, daß der Positivismus unzulänglich sei, und es begann Zeitungsartikel zu regnen mit den Überschriften: hier wird eine Religion gesucht, Stellung findet ein Prophet, zu mieten gesucht eine allgemeine zeitgemäße Kirche[40]."

Ich will keineswegs ausschließen, daß die Aktivität der „Rosenkreuzler" für den Symbolismus der Jahrhundertwende wichtige Anregungen beigesteuert hat. Bedeutsamer für den Gesamtverlauf der Kunstgeschichte scheinen mir jedoch zwei Phänomene, deren Wirkung weit ins 20. Jahrhundert hineinreicht, obwohl auch sie in typischer Weise zum Bild des „Fin de siècle" gehören: Einmal geht es dabei um die Spannung zwischen Idealismus und Primitivismus, die im Kreis der sogenannten Synthetisten erstmals durchdacht wurde, und von der später Picassos Kubismus ausging. Zum anderen müssen wir uns hier noch einmal mit dem kuriosen Faktum der modernen Theosophie beschäftigen. Auch sie hat keineswegs nur auf zeitgenössische Künstler eingewirkt, sondern lieferte eine der wichtigsten theoretischen Grundlagen für die Malerei des 20. Jahrhunderts.

### 6. *Theosophie und Fin de siècle*

Im selben Jahr 1892, in dem der Salon der Rosenkreuzler eröffnet wurde, charakterisierte der Kritiker Albert Aurier die geistesgeschichtliche Situation wie folgt: „Nachdem das 19. Jahrhundert 80 Jahre lang in seinem kindlichen Enthusiasmus die Allmächtigkeit der Forschung proklamiert hatte, nachdem es immer wieder versichert hatte, vor seinen Linsen und Skalpellen gäbe es kein Geheimnis mehr, scheint es sich jetzt endlich über die Eitelkeit seiner Bemühungen und die Einfalt seiner Prahlereien klar zu werden. Der Mensch steckt immer in denselben Rätseln, im selben schrecklichen Unbekannten, das noch dunkler und beunruhigender geworden ist, seitdem man nicht mehr gewohnt ist, es zu beachten. Viele Wissenschaftler legen entmutigt ihre Arbeit nieder, weil sie endlich begreifen, daß diese experimentelle Gelehrsamkeit, die sie so selbstgefällig machte, sich tausendfach weniger Gewißheit verschaffen kann, als die bizarreste Theogonie, als die verrückteste methaphysische Spekulation, als der verwegenste Traum eines Dichters. Sie sehen ein, daß diese hohe Wissenschaft, die sie stolz die positive nennen, vielleicht nichts anderes ist, als eine Wissenschaft der Relativitäten, der Erscheinungen, der Schatten wie Plato sagt, und daß sie nichts besitzen, um es auf die alten Olympe zu stellen, von denen sie die Gottheiten und Gestirne heruntergerissen haben[41]."

Der Passus entstammt einem historisch wichtigen Aufsatz über symbolistische Malerei, dem Illustrationen mit Werken Redons, Gauguins, Bernards, Sérusiers und anderer beigefügt waren. Aurier, damals ohne Zweifel der begabteste Interpret moderner Kunst, stand selbst im Zwielicht seiner sonderbaren Zeit. Er war Edouard Schuré persönlich verbunden, aber zugleich darum bemüht, dem verworrenen Irrationalismus jener Jahre eine Wendung zu geben. Wenn er von „bizarren Theogonien" und „verrückten methaphysischen Spekulationen" sprach, so hatte er wohl nicht nur die Hermetik der älteren Generation im Auge. Er dachte sicher auch an die Theosophie, die nunmehr im besten Zuge war, eine okkulte Ersatzreligion zu werden. Schon 1887 war in Paris eine theosophische Gesellschaft gegründet worden. Anfang der neunziger Jahre gab es deren bereits fünf. Es scheint mir notwendig, hier ein paar Informationen zur theosophischen Bewegung einzufügen. Sie ist nicht ganz einheitlich und trat jedenfalls bei Schuré in einer relativ akzeptableren Weise auf, als in der internationalen „Theosophical Society". Skizzieren wir zunächst kurz ein allgemeines Gerüst[42].

Es besteht kein Zweifel darüber, daß der kometenhafte Aufstieg der neuen Lehre mit dem Wanken des Fortschrittsglaubens am „Fin de siècle" zusammenhängt. Man verkündete die Abkehr von Materialismus und Positivismus und gab Antwort auf das Bedürfnis nach neuer Spiritualität. Darüber hinaus beruhte das Erfolgsrezept der Theosophie freilich darauf, daß sie selbst ein Fortschrittsmodell anbot, und zwar ein geschickt aufgebautes, in dem die uralte Zyklentheorie mit dem eschatologischen Bewußtsein der Zeit arrangiert wurde. Der Kosmos, das heißt alle sichtbaren und unsichtbaren Welten, bewegt sich zwar in dauernden zyklischen Krisen, er wird aber zugleich durch das Grundgesetz von Involution und Evolution gesteuert. Der Geist verkörpert sich erst in der Materie und befreit sich dann wieder aus ihr. In diesem Punkt besteht eine auffällige Verwandtschaft zum Hegelschen Weltmodell[43]. Bei der Theosophie wird freilich alles nach Zyklen gegliedert, erfährt die Lehre von der Göttlichkeit der Seelenmonade besondere Betonung, wird schließlich die These einer Uroffenbarung vertreten, die durch heilige Eingeweihte und besondere Führer auf okkultem Wege tradiert worden sei. Der Widerspruch, daß man mit diesem Geheimnis nunmehr an die Öffentlichkeit tritt, wird eschatologisch erklärt: Mit dem 19. Jahrhundert sei der Tiefpunkt der Materialisation erreicht, von nun an könne der Mensch an seiner spirituellen Befreiung selbst mitwirken, das „Fin de siècle" leite die Epoche des „Großen Geistigen" ein[44].

Mit all dem ist freilich noch kein umfassender Eindruck von der Sache gegeben. Ihre phantastische Farbigkeit erhält die theosophische Lehre durch unbekümmerte Verknüpfung des gnostischen, kabbalistischen und des indischen Weltmodells, durch eine abenteuerliche Aufbereitung der Religionsgeschichte und die verschwenderische Illumination durch Okkultismen aller Zeiten und Länder.

Im Jahre 1877 erschien in Boston das Erstlingswerk der Helen Petrowna Blavatsky mit dem programmatischen Titel „Isis Unveiled". Obwohl er es nicht nennt, diente dies Buch zweifellos Edouard Schuré als wichtige Vorlage für sein glänzend geschriebenes Werk „Les grands initiés", mit dem die Theosophie in Frankreich populär wurde[45]. Schurés Buch erschien ausgerechnet im Jahr der Pariser Weltausstellung von 1889, die den Eiffelturm als Siegeszeichen technischen Fortschritts errichtet hatte. Die große dreibändige „Geheimlehre" („The secret Doctrin") der Madame Blavatsky kam 1888 in London heraus. Sie unterscheidet sich von der „Entschleierten Isis" vor allem dadurch, daß die theosophische Lehre inzwischen durch einen dubiosen „Geheimbuddhismus" bereichert worden war, der fortan die Terminologie der theosophischen Gesellschaft bestimmte.

Schurés „Große Eingeweihte" sind hiervon noch frei. Schuré entwirft vor allem ein okkultes Geschichtsbild und berichtet über die Tradition der geheimen Lehre von der Göttlichkeit des Menschen in den alten Kulturen. Das Buch ist insofern echt französisch, als es in die Theosophie eine rationalistische Komponente hineinzutragen versucht. In der Einleitung wird die Lehre vom rein Geistigen als „heilige Mathematik" bezeichnet. Nicht zufällig kulminiert das Werk in einem eindrucksvollen Kapitel über Pythagoras. Ansonsten ist freilich auch dem mysteriösen Orientalismus gebührend Rechnung getragen. Schuré läßt das Buch mit dem indischen Gotthelden

Rama beginnen. Ihm folgt ein farbenprächtiges Kapitel über Krischna. Hierauf kommt mit Hermes Trismegistos das Geheimnis Ägyptens an die Reihe. Das anschließende Kapitel behandelt Moses, das nächste Orpheus. Auf das schon erwähnte Kapitel über Pythagoras folgen dann Plato und zuletzt Christus[46].

## *7. Idealismus und Primitivismus*

Daß Christus einbezogen wurde, war nicht ungeschickt. Obwohl ein rein gnostischer Christus vorgeführt wird, der zudem ausgesprochen epigonale Züge trägt, stellte sich ein verwunderlicher Effekt ein: vielen Leuten schien hier eine Brücke zwischen Theosophie und Christentum geschlagen, was für die Beurteilung der sogenannten religiösen Symbolisten wichtig ist. Verkade, der später Benediktinerpater in Beuron wurde, berichtet, daß Schuré zu seiner Bekehrung den ersten Anstoß gegeben habe[47]. Es stellten sich indessen noch andere Wirkungen ein: die Leute horchten plötzlich auf, wenn von Plato die Rede war; das Rätsel um Pythagoras gewann neue Faszination, und daß es mit Ägypten eine besondere Bewandtnis habe, hatte man ja schon immer gewußt[48]!

Im Jahre 1890 ließ sich Paul Gauguin wie folgt vernehmen: „Primitive Kunst", so der Meister, „kommt aus dem Geist und bedient sich der Natur. Die sogenannte verfeinerte Kunst kommt aus der Sinnlichkeit und dient der Natur. Die Natur ist die Dienerin der einen und die Herrscherin der anderen Kunst. Aber die Dienerin kann ihre Herkunft nicht vergessen und erniedrigt den Künstler, indem sie ihre Anbetung zuläßt. So sind wir in den schrecklichen Irrtum des Naturalismus verfallen, der bei den Griechen mit Perikles begann. Seitdem sind nur diejenigen wirklich große Künstler gewesen, die in irgendeinem Maße diesem Irrtum entgegenwirkten. Aber ihre Reaktionen waren nur ein Erwachen der Erinnerung ... in einem Verfallsvorgang, der seit Jahrhunderten andauert. Wahrheit liegt in einer reinen Geisteskunst, einer primitiven Kunst — die erhabenste von allen findet sich in Ägypten. Dort ist die Grundlage zu finden ...[49]." Interessant für uns ist hier nicht nur das Stichwort der „reinen Geisteskunst", sondern auch das Thema einer Uroffenbarung im Primitiven und der Topos der „Erinnerung" bei einzelnen Großen. Es ließe sich eine durchgehende Vergleichsanalyse vornehmen, aber ich denke, es genügt, wenn ich behaupte: die zitierte Äußerung läßt sich als eine unmittelbare Übertragung und Anwendung von Lehren Schurés auf die bildende Kunst ansehen. Allerdings ist sie von dem Dichter Charles Morice aufgezeichnet und überliefert worden, und es ist möglich, daß dieser, ein engagierter Neuplatoniker, die Dinge noch etwas in seinem Sinn akzentuierte. Der Ägyptizismus, der am Ende als Grundlage und Heilmittel empfohlen wird, ist ja zudem das Arcanum vieler Reformer gewesen. Plato gibt hierfür im „Staat" nur das erste Beispiel[50].

Albert Aurier spann den Faden weiter. Sein begeistertes Plädoyer für die Kunst Gauguins gipfelt 1891 in den Worten: „Das ist, so könnte man sagen, die anschauliche Interpretation Platos durch einen Wilden mit Genie[51]."

Wirklich war Aurier der Meinung, die neue Kunst hätte etwas mit Plato zu tun, und es ließe sich aus der Ideenlehre ihre Theorie ableiten. Emile Bernard hatte schon 1890 formuliert: „Da die Ideen die Formen der Dinge sind, sollte man nicht vor der Natur malen, sondern diese in die Imagination zurückrufen. Denn die Imagination erfaßt die Dinge ihrer Idee nach[52]." Aurier entwirft dann auf platonischer Grundlage eine idealistische Neufassung der okkulten Korrespondenzlehre. Seiner Meinung nach kann der Künstler Absolutes erfassen, denn „die Form ist selbst ein Objekt und steht in direkter Beziehung zur Idee". Im Zusammenhang mit dieser abstrakt reduzierten Korrespondenztheorie schlägt Aurier dann den kühnen Bogen vom Esoterischen zum Primitiven, der für das 20. Jahrhundert so wichtig wurde: „Die wahre und absolute Kunst", sagt Aurier, „läßt sich theoretisch begründen, aber sie ist im Grunde identisch mit jener primitiven Kunst, die vom Genius der frühesten Menschheit instinktiv entdeckt wurde[53]." Nun, nehmen wir zur Kenntnis, daß hier eine Synthese angestrebt wurde, daß man von einer objektiven und zugleich unbedenklichen künstlerischen Magie träumte. Nur: im selben Maße wie Aurier die okkulte Korrespondenzlehre und Suggestionstheorie in eine abstrakt-idealistische Konstruktion verwandelte, drohte die Gefahr, daß die für das „Fin de siècle" so wichtige mysteriöse Spannung aus ihr entwich. Gauguin, für den solche Mühewaltung eigentlich gedacht war, ging jedenfalls seinen eigenen, dunklen Weg weiter. Bernard und Maurice Denis fanden zwar bei Aurier ihr Ideal lupenrein formuliert, verloren aber in der Folgezeit recht auffällig an Aussagekraft. Wahrscheinlich gab es am „Fin de siècle" nur einen Maler, dem es fernab von allen Primitivismen und Okkultismen gelang, ein fruchtbares Gleichgewicht zwischen idealistischer Rationalität und neuplatonischer Mystik herstellen: Paul Cézanne.

Was wir von Cézannes Weltanschauung wissen, ist bescheiden, und ihre Entwicklung liegt, trotz Badt, weitgehend im Dunkel. Die späten Äußerungen des Meisters sind aber jedenfalls in zwei Punkten für uns interessant: Der erste betrifft die vielzitierte Formel: „Alles in der Natur modelliert sich wie Kegel, Kugel und Zylinder." Das mußte fast kommen! Schlicht gesagt handelt es sich um eine Neufassung platonischer Ästhetik. Im Timaios dienen Kreis, Kugel und Dreieck zum Aufbau der Welt und im Philelaos will Plato nur das als wirklich schön gelten lassen, was, wie er sagt „aus Dreheisen und Richtscheid“ hervorgeht. Auch seine bewegende Erfahrung mit den Farben sucht Cézanne zunächst auf neu-idealistische Weise zu thematisieren. „Ich stelle mir die Farben bisweilen als große Nouomena vor“, sagt er, „als leibhaftige Ideen. Ich denke an nichts, wenn ich male... es gibt nur Farben und in ihnen Klarheit; das Sein, welches sie denkt.“ Der mystische Einschlag ist hier gleichwohl nicht zu verkennen, und er kommt stärker zum Ausdruck, wenn der Maler im gleichen Gespräch die Farben „von den Wurzeln der Welt“ aufsteigen läßt. „Ich will Dir sagen“, heißt es in einem Brief, „daß ich vor der Natur bisweilen hellsichtig werde[54].“

Daß der mühsam aufgebaute Neuidealismus der Jahrhundertwende jederzeit wieder in herätische Gnosis umschlagen konnte, zeigte sich später im Kubismus. Ohne den Dingen hier nachzugehen, will ich dazu nur ein paar Sätze Apollinaires zitieren, der die Arbeit seiner Malerfreunde wie folgt interpretiert: „Reinheit, Einheit und Wahrheit“, so heißt es in „Les Peintres Cubistes“ von 1913, „Reinheit, Einheit und Wahrheit haben die Natur bewältigt und halten sie unterworfen ... Die Flamme hat die Einheit, die nichts Fremdes duldet ... sie hat die magische Einheit, durch die auch der eine Funke noch der einen Flamme gleicht ... Die Künstler sind Menschen, die vor allem nicht Menschen sein wollen. Sie suchen sorgfältig nach den Spuren des Nichtmenschlichen, das man in der Natur nirgends antrifft. Diese Spuren sind die Wahrheit, und außerhalb ihrer kennen wir keine Wahrheit.“ Das ist nun ohne Zweifel wieder die alte, gnostisch-okkulte Theorie vom pneumatischen Funken, von der Göttlichkeit im Menschen und der Aufgabe, die Materie zu besiegen[55].

Pablo Picasso hat übrigens das Kunststück fertiggebracht, innerhalb kürzester Frist sowohl den primitiv-magischen wie den platonisch-abstrakten Aspekt in Auriers synthetischer Theorie anschaulich durchzuspielen. Auf die Kultfratzen und Negertänze von 1907/1908 folgen die reinen Kristallgebilde von 1908/1909. Im nächsten Arbeitsgang entsteht dann die abstrakt-hermetische Bildform und in einem folgenden wird das evokative Zeichen neu entdeckt. Daß hierbei wiederum okkulte Vorstellungen eine Rolle spielen, halte ich für sicher und nachweisbar. Allerdings ist ihr Stellenwert schwer einzuschätzen. So möchte ich nur als amüsante Randbemerkung zitieren, was Blaise Cendrars 1919 über Picasso schreibt: „Hier ist man der Zauberei nahe und ich bin sicher, daß der Kubismus, unter okkulten Gesichtspunkten geprüft, erschreckende Geheimnisse offenbaren wird. Manche kubistischen Bilder lassen an gewisse Verfahren der schwarzen Magie denken ... Sie sind magische Spiegel, Zaubertafeln[56].“

Wir können Cendrars Invektiven hier auf sich beruhen lassen. Sie führen auf ein Nebengleis. Grundsätzlich wichtig ist allerdings, daß der Durchbruch zur abstrakten Malerei bei verschiedenen Künstlern mit Geheimlehren zusammenhängt. Und was die gegenstandslose Kunst angeht, so möchte ich hier den generellen Verdacht äußern, daß sie nichts anderes ist als die konsequente Fortführung des symbolistischen Traums von der Überwindung der Materie. In alchemistischer Terminologie ausgedrückt hieße das: die gegenstandslose Kunst ist der gefundene Stein der Weisen, der Stoff in Geist verwandelt. Und etwas strenger gefaßt kann die Sache auch bedeuten: Reduktion der Schöpfung aufs Absolute.

Zur Begründung meines Verdachtes wähle ich abschließend drei Maler aus, die auf dem Wege zur sogenannten absoluten Malerei vorausgegangen sind: Mondrian, Kandinsky und Malewitsch.

### *8. Theosophie und gegenstandslose Kunst*

Ich beginne mit Piet Mondrian, weil er am engsten mit der französischen Kunstszene verbunden ist. Außerdem kennen wir die Bedeutung theosophischen Gedankengutes für die Entwicklung des Malers. Hans Jaffé hat hier den entscheidenden Schlüssel geliefert und P. Welsh ist den Dingen weiter nachgegangen. Es geht also im Folgenden nur darum, an Fakten zu erinnern und ein paar Zusammenhänge herzustellen[57]. Mondrian trat 1909 in den holländischen Zweig der theosophischen Gesellschaft ein. Die „Großen Eingeweihten" von Schuré sowie Schriften Rudolf Steiners mögen hierzu den Anlaß gegeben haben. Da in Mondrians Laarener Atelier ein Bild von Madame Blavatsky hing, müssen wir jedoch schließen, daß er auch von der Autorin der „Geheimlehre" fasziniert war.

Wie ernst es Mondrian mit der theosophischen Sache sogleich meinte, wird klar, wenn wir das um 1911 entstandene Triptychon „Evolution" betrachten (Abb. B 7). Wüßten wir den Titel nicht, so würde man wohl jedenfalls an die Darstellung eines geistigen Erwachens erinnert. Drei Stadien sind symbolisiert. Die linke Tafel mit den geheimnisvollen roten Blüten soll die Befangenheit im Sinnlichen darstellen. Die rechte Tafel zeigt anstelle der Blüten gelbe Sterne, genauer gesagt Hexagramme, womit auf das Emblem der theosophischen Gesellschaft bzw. dessen Sinn angespielt wird. Dieser Sinn beruht auf der Konstruktion des Hexagramms aus zwei Dreiecken; das nach unten weisende Dreieck meint die Materie, das nach oben weisende den Geist. So tritt offenbar im Stadium der rechten Tafel ein Erkenntnismoment hinzu, obwohl die Augen noch geschlossen sind. Erst das Mittelbild zeigt dann die entscheidende Wandlung: weit geöffnete Augen charakterisieren sie und ein goldfarbener Hintergrund[58].

Vom Gesichtspunkt der Evolution her gesehen, bedeuten die drei Stadien Entwicklungsphasen der Welt und der Menschheit. Sie erhalten in der Theosophie gelegentlich die Bezeichnung: Vater, Sohn, Geist[59]. Wahrscheinlich meint die linke Tafel die biologische Evolution, das also, wovon bei Odilon Redon die Rede war. Die rechte Tafel bezieht sich dann auf die Erinnerung der Uroffenbarung, bedeutet also jene geheime Tradition, die Schuré in den „Großen Eingeweihten" beschrieben hat. Das dritte Stadium schließlich ist dadurch charakterisiert, daß die Menschheit ihrer Göttlichkeit bewußt wird und so die Mittel in der Hand hält, sich vom Zwang der Materie zu befreien. Die Mitteltafel bedeutet somit das Zeitalter des Geistes oder der Theurgie[60].

Während des ersten Pariser Aufenthaltes wurde Mondrian ersucht, einen Aufsatz über „Kunst und Theosophie" zu schreiben. Er kam leider nicht zum Druck, aber eine Tagebucheintragung und Eintragungen in ein Skizzenbuch geben die damaligen Anschauungen wieder: „Um dem Geistigen in der Kunst näher zu kommen", schreibt Mondrian, „wird man so wenig wie möglich von der Realität Gebrauch machen, weil die Realität dem Geistigen entgegengesetzt ist". Das ist zunächst ein negatives Programm, doch heißt es an jener Stelle auch: „Aber der Äther durchdringt doch die körperliche Sphäre und wirkt auf sie ein. In derselben Weise wirkt die geistige Sphäre auf die Realität ein[61]."

Seit der Bekanntschaft mit dem Theosophen Schoenmaeker, die in den zweiten holländischen Aufenthalt fällt, wendet sich das Programm generell ins Positive: Mondrian arbeitet nun mit der Hypothese, der Künstler könne die geistigen Gesetze des Kosmos unmittelbar darstellen. So wird aus Abstraktion Konstruktion, ein Vorgang, der sich ja in Mondrians Werk präzis verfolgen läßt und dessen reifes Ergebnis der sogenannte „Neoplastizismus" ist. Schoenmaekers „Plastische Mathematik", die dem Maler hier die Wege wies, erinnert manchmal an kabbalistische Spekulation, sie läßt sich aber zugleich als neupythagoräisch bezeichnen. Um nur eine Probe zu zitieren: „Die zwei grundlegenden, vollständigen Gegensätze, die unsere Erde und alles Irdische formen, sind die horizontalen Kraftlinien der Erdbahn um die Sonne, und die vertikale, tiefst räumliche Strahlbewegung, die im Mittelpunkt der Sonne ihren Ursprung hat[62]."

Jaffé hat gezeigt, wie direkt Schoenmaekers absolute Weltgesetze in Mondrians Kunsttheorie wiederkehren, und es bereitet auch keine Schwierigkeit, die Darstellung dieser Gesetze in den „neoplastischen Bildern" des Malers aufzuweisen. Vordergründig betrachtet grenzt die Sache ans Skurrile, aber sie hat nicht nur künstlerische Methode, sondern auch einen theosophischen Auftrag. Die Bedeutung des Neoplastizismus für die geistige Evolution hat der Maler wie folgt beschrieben: „Da die Denaturalisierung in der menschlichen Entwicklung einen prinzipiellen Punkt darstellt, ist sie auch in der neoplastizistischen Kunst höchst bedeutsam. Die Bedeutung dieser Kunst liegt darin, daß sie die Notwendigkeit der Denaturalisierung dargestellt hat“[63]. Das Wort „Denaturalisierung“ klingt heute für unsere Ohren zynisch. Aber es besteht kein Zweifel darüber, daß Mondrian damit einen Schritt auf dem Weg zur Befreiung der Menschheit meinte, einen evolutionären Schritt im Sinne der okkult-eschatologischen Botschaft von der Überwindung der Materie. Eine Perversion hat diese Botschaft — sofern man sie nicht selbst schon als Perversion betrachten will — freilich dennoch erfahren, wenn nicht bei Mondrian selbst, so bei seinen Freunden von der de Stijl-Bewegung. Van Doesburg zum Beispiel wollte die Denaturalisierung nicht nur darstellen oder theurgisch bewirken, sondern handgreiflich ins Werk setzen. Das Instrument hierzu war auch nicht mehr „Das große Werk“, von dem Mallarmé sprach. Man sah es vielmehr in der Technik. „Die Materie“, schreibt van Doesburg, „wird von der modernen Technik transformiert und denaturalisiert. Die so entstandenen Formen enthalten keinerlei Merkmale altbekannter Formen. Der Stil unserer Epoche beruht auf dieser De- oder Transnaturalisierung[64].“ So paradox und folgerichtig zugleich löste sich also nun das Problem der alchemistischen Verwandlung.

*Wassily Kandinsky* war mit der Vorstellung vom theurgischen Künstler möglicherweise schon vertraut, als er in Berlin die Vorträge Rudolf Steiners hörte. Sein Altersgenosse, der russische Symbolist Watscheslaw Iwanow, hatte um die Jahrhundertwende eine Poetik und Kunsttheorie entwickelt, die er ausdrücklich „Theurgie“ nannte. Iwanow knüpfte damit an die Theosophie Wladimir Solowjews an, die mit der westlichen Theosophie die gnostischen und kabbalistischen Grundlagen gemeinsam hat, wenngleich sie im Gegensatz zu jener an eine lebendige religiöse Tradition anknüpft[65]. Seit wann Kandinsky seine Kunst mit okkulten Vorstellungen verknüpfte, ist uns nicht bekannt. Seine 1911 erschienene Schrift „Über das Geistige in der Kunst“ ist zwar exoterisch abgefaßt, läßt sich indessen mühelos auf die zugrundeliegenden okkulten Theorien und Begriffe zurückführen. Außerdem wird hier ganz offen Madame Blavatsky zitiert und mit Nachdruck auf die „Theosophische Gesellschaft“ verwiesen. Sixten Ringbohm hat die Zusammenhänge eingehend untersucht. Ich gebe hier nur einen Überblick mit ergänzenden Hinweisen[66].

Kandinsky spricht in seiner Schrift von der „Epoche des großen Geistigen“, die nun angebrochen sei. Wohl im selben Jahr malte Mondrian sein

Triptychon „Evolution". Die Übereinstimmung ist eindrucksvoll, aber nicht weiter verwunderlich, da wir die gemeinsame Grundlage kennen. Gespannt ist man jedoch auf den nächsten Schritt. Mondrian ging nach Paris, wo ihm der Kubismus weiterhalf. Kandinsky fand den Weg zur Abstraktion allein. Ganz allein? Nun, es scheint so, als hätten ihm dabei zumindest die „Spirits" der Madame Blavatsky, die Auren und Astralleiber geholfen. Das Bild „Dame in Moskau" von 1912 bietet hier Einblick (Abb. F. 10). Es vereint die Frontalansicht einer Dame mit Tisch und Hündchen und ein Straßenbild von Moskau. Rechts über der Dame schwebt ein großer, unförmiger schwarzer Fleck mit einer vielfarbigen Aura am oberen Ende. Offenbar handelt es sich um ein ungegenständliches Element im Bilde. Einmal hierauf aufmerksam geworden, bemerken wir auch einen rosafarbenen Wirbel zu Seiten der Dame und schließlich eine Art grünfarbener Mandorla, die den Körper der Frau umgibt. Ringbohm hat aufgezeigt, daß es sich hierbei um okkulte Phänomene handelt. Wir sehen nebst der persönlichen Aura der Dame den Einfluß guter und böser Geistweisen. Der schwarze Fleck ist dabei offenbar eine bedrohliche Angelegenheit[67].

Man kann des Malers Interesse für Spiritismus und „transzendentale Photographie" heranziehen, um diese Interpretation abzustützen. Vermutlich kam jedoch ein Buch hinzu, um das Weitere zu eskalieren. Es stammt von den damaligen Oberhäuptern der Theosophischen Gesellschaft, Annie Beasent und C. W. Leadbeater, heißt „Gedankenformen" und erschien 1908 in Leipzig. Man sieht dort in zum Teil farbigen Illustrationen verschiedene Formen der Aura und erfährt, daß nicht nur Menschen und Geister ihren farbigen Astralleib haben, sondern auch Gedanken sich in auratischer Weise materialisieren und im Raume schweben.

Ringbohm hat einige Illustrationen des Gedankenwerkes mit Bildern Kandinskys konfrontiert. Die Übereinstimmungen sind zum Teil frappierend. Doch wurden die „Geistformen" erst in der Bauhauszeit für Kandinsky zu einer Art Vokabular[68]. Um 1912 faszinierten den Maler weit mehr die seiner Meinung nach in Fluß geratenen Grenzen zwischen Geist und Materie und das Problem der Transformation. So hält Kandinsky bei der Weiterführung der Bildidee „Dame in Moskau" nicht nur an der Vorstellung eines Ringens okkulter Potenzen fest. Er versucht nun schrittweise, a l l e s in geistige Ströme und Widerstände zu überführen.

Auf der Zeichnung „Schwarzer Fleck I" sind noch gegenständliche Elemente des Moskauer Bildes zu erkennen. Die Kutsche, die dort über den Platz fuhr, die Kirche mit den Zwiebeltürmen. Auf dem nachfolgenden Ölbild „Schwarzer Fleck I" begegnen wir dann einer dramatisch ungegenständlichen Komposition, wobei der schwarze Fleck, unser „Leitfossil", seine

Lage und Form nur wenig verändert hat. Ein Holzschnitt der Serie Klänge" von 1913 zeigt zuletzt das spirituelle Stenogramm der ganzen Affäre[69]. Natürlich ist es möglich, daß mit zunehmender Abstraktion auch der Inhalt der Darstellung eine Wandlung durchgemacht hat. Andererseits wird klar, daß das, was wir Abstraktion nennen, für den Maler ein „Durchblicken" ist: Kandinsky beschränkt sich auf die Darstellung der okkulten Substanz.

Die Holzschnittserie „Klänge" erinnert uns an Kandinskys theoretischen Zentralbegriff, den „Inneren Klang". Wie verhält sich dieser Begriff zu den skizzierten Beobachtungen? Nun, einmal darf man wohl annehmen, daß der „Innere Klang" der okkulten Substanz, den Geistschwingungen einer Sache entspricht. Da aber nach theosophischer Lehre jedes Geistige auf den sechs spirituellen Ebenen des Kosmos seine Entsprechung hat, steht der Innere Klang auch für das Phänomen der „Korrespondenz". Auf dem materiellen Plan erscheint er als Farb- und Formvibration, in seiner Herkunftswelt dagegen ist er, wie bei William Butler Yeats, kosmischer Klang. In einem Buch Rudolf Steiners hat der Maler folgenden Passus angestrichen: „Sobald nämlich der Hellsehende aufsteigt aus dem Seelen- in das Geisterland, werden die wahrgenommenen Urbilder klingend. Man hat sich nur vorzustellen, daß alles, was als Bild, als ein Leuchtendes beschrieben wird, zugleich ein Klingendes ist". So tritt hier zur Korrespondenzlehre auch wieder das Motiv der Austauschbarkeit, der okkulten Synästhesie hinzu[70].

Kandinskys esoterische „Ikonographie" nun hat sich, soweit ich ahne, in den Jahren der Durchbruchszeit drei Bereiche erschlossen, die sich freilich kaum säuberlich auseinanderhalten lassen. Der eine befaßt sich mit dem Wirken geistiger Kräfte, mit den Geistschwingungen in unserem Bereich, also auf dem körperlichen Plan. Der zweite gilt dem Wirken von Geistwesen auf höheren Ebenen oder schließlich den Vorgängen im göttlichen Pleroma. Hier eröffnet sich ein besonders weites Feld, und ich glaube, daß einige der schönsten Bilder Kandinskys den schaffenden Urkräften gelten. Diese sind, das wird von Steiner geschildert, in ständiger schöpferischer Bewegung, und sie befinden sich, nach einer speziell gnostischen Version, auch in dauerndem Kampf und Widerstreit. Sie lassen Welten entstehen und untergehen. Gerade dieser letzte kosmogonische Aspekt ist offenbar für zahlreiche Bilder wichtig geworden, und die Sache klingt wohl noch 1922 in der Graphikserie „Kleine Welten" nach.

Das Thema von Schöpfung und Untergang hat viele theosophisch beeinflußte Maler beschäftigt. Es ist ein Generalthema der „Geheimlehre" von H. P. Blavatsky. Darin wird, wie schon erwähnt, eine Kosmogenesis entwickelt, die auf gnostischer Grundlage beruht, aber auch Indisches einbezieht[71]. Nach indischer Auffassung entsteht die Schöpfung ja in rhythmischen Intervallen aus dem Nichts und kehrt am Ende eines jeden großen Zyklus dorthin zurück. Nach gnostischer Version entsteht die Welt durch eine Emanation, eine Art Ausstrahlung der Gottheit, was nachträglich die Vermischung von Geist und Materie zur Folge hat. Zyklische Krisen, Konvulsionen gleich, erschüttern den derart heterogenen Kosmos, bis sich am Ende der Geist wieder zur reinen Existenz befreit.

Kandinskys „Sintflut" von 1913 gibt hier wieder einen festen Anhaltspunkt. In den ersten Fassungen knüpft der Maler noch an das Thema der irdischen Sintflut an. Die weiteren Fassungen scheinen dann das grundlegende kosmische Prinzip selbst darzustellen. Aufschlußreich ist schließlich eine Skizze für das Zentrum der Komposition VII, in deren Mitte das göttliche Hexagramm zu sehen ist (Abb. F 11). Im Hexagramm, dem Stern, der aus zwei ineinandergeschobenen Dreiecken besteht, faßt die Theosophie, wie wir schon sahen, die ganze Problematik der Kosmogenesis und des Universums zusammen. Das aufwärts gerichtete Dreieck bedeutet den Geist, das abwärts gerichtete die Materie. Ziel der Menschheit ist es, von der materiellen Ebene zur höchsten geistigen Spitze zurückzukehren[72].

Kandinsky war der Meinung, daß er mit seiner Kunst etwas für den Sieg des Geistes in diesem kosmischen Ringen tun könne, und daß die Zeit hierfür reif sei. In den „Rückblicken" beschreibt er seine Bekehrung — anders kann man es kaum nennen — so: „So trat ich endlich in das Reich der Kunst ein ... daß mit den anderen Reichen zusammen im letzten Grunde das Große Reich bildet, das wir nur dumpf ahnen können. Heute ist der große Tag der Offenbarung dieses Reiches ... Hier fängt die große Epoche des Geistigen an, die Offenbarung des Geistes. Vater — Sohn — Geist[73]."

### *9. Mystischer Nihilismus*

Kasimir Malewitsch hat seinen Übergang zur suprematistischen Malerei genau in dem Augenblick vollzogen, als der analytische Kubismus zusammenbrach, und Picasso mit seinen Collagen begann. Hier wie dort handelt es sich um eine Neuorientierung, freilich unter entgegengesetzten Vorzeichen. Kehrte Picasso an einer bestimmten Grenze der Abstraktion um, so war es Malewitschs Absicht, diese Grenze gerade zu überschreiten: 1913 entstand in St. Petersburg das erste schwarz-weiße Quadrat, als Bühnenbild für ein Oratorium (Abb. F 12)[74].

Wir wissen nicht viel über Malewitschs Leben, aber der Maler hat seine Ansichten 1922 in zwei umfänglichen Manuskripten zu Papier gebracht, und wir können daraus den geistigen Werdegang dieses kühnsten Vertreters der Abstraktion hinlänglich rekonstruieren[75]. Wie Skrjabin, Iwanow und andere bedeutende russische Künstler war Malewitsch Theosoph. Ganz offenbar kannte er darüber hinaus jüdisch-kabbalistische Mystik, wobei ins Gewicht fallen mag, daß der Maler in einem Dorf nahe Kiew aufgewachsen war.

Um die theosophischen Parallelen zu Kandinsky und Mondrian aufzuzeigen, nur ein paar Zitate: „Auf dem Entwicklungswege über verschiedene Seinszustände", schreibt Malewitsch, „ist der Mensch nun offenbar in seine letzte Phase eingetreten ... Das All stelle ich mir durchdrungen und erfüllt von menschlichen Wesenselementen vor ... Vielleicht haben einzelne Teilchen des menschlichen Wesens bereits den Zustand erreicht, in dem sie sich zu befreien beginnen"[76]. Malewitsch teilt mit Kandinsky und Mondrian auch die Vorstellung von einem neuen geistigen Reich, welches durch die Kunst eingeleitet wird: „In der neuen Kunst ist dies bereits erreicht, und durch den gegenstandslosen Suprematismus bewiesen. Von ihm erwarte ich in der Zukunft ein klar ausgeprägtes gegenstandsloses Bewußtsein, ein geistiges System der Menschheitsentwicklung[77]." Schließlich gibt es auch ein Äquivalent für das, was die de Stijl-Bewegung unter dem Stichwort „Denaturalisierung" anstrebte: Vorstellungen von Städten, in denen alles Natürliche getilgt ist und nur noch auf kosmische Bezüge Rücksicht genommen wird. Es sind das die sogenannten „Planiden", und in diesem Zusammenhang singt denn Malewitsch auch das Lob der Technik[78].

Vor 1913 war der Maler in seinen Bildern ziemlich exakt dem Pariser Kubismus gefolgt, und es ist unsicher, ob dabei schon theosophische Inhalte eingeflossen sind. Freilich ist es interessant, daß Malewitsch die Raumvorstellung des analytischen Kubismus rückblickend auf recht eigene Weise verstand. Einerseits sagt er klar, was wohl zutrifft: daß es sich bei dem Bildkontinuum, in dem die kubistischen Fragmente erscheinen, gar nicht um einen Raum handelt, sondern um die Spielweise unserer Gehirntätigkeit. Andererseits vergleicht er aber unser Gehirn auch mit dem Weltall: „Der menschliche Schädel ... gleicht der Unendlichkeit des Weltalls ... im menschlichen Schädel entsteht und vergeht alles genau wie im Weltall, Kometen, Epochen, alles wird und vergeht in seinen Vorstellungen"[79]. Dieser Vergleich — und für Malewitsch war es sogar eine Art Gleichsetzung — konnte dem Maler am Ende freilich auch nicht mehr genügen. Er fühlte sich dabei immer noch an gegenständliche Vorstellung gefesselt.

Die erste Maßnahme bei Malewitschs Durchbruch um 1913 war es daher, die Absolutheit des Raumes zu demonstrieren. Der Maler wählte seither für seine Bilder nur noch weißen Grund. Malewitsch suchte bewußt den Un-Raum, er nennt das „die weiße Welt der suprematistischen Gegenstandslosigkeit"; und seine Bilder bezeichnet er nun als „Manifestationen des befreiten Nichts"[80]. Das „Nichts", meist in Paranthese geschrieben, ist denn auch der Zentralbegriff in Malewitschs theoretischer Abhandlung: „Wenn es eine Wahrheit gibt, so nur in der Gegenstandslosigkeit, im Nichts." Mallarmé hatte analog aber knapper formuliert: „Das Nichts ist die Wahrheit"[81]. Doch scheint Malewitsch nicht konsequent zu sein. Er setzt auf seine weißen Gründe ja Zeichen: zum Beispiel das berühmte schwarze Quadrat oder einen schwarzen Kreis. Sodann lesen wir folgenden merkwürdigen Satz: „In Wirklichkeit bedeutet dies ‚Nichts' aber durchaus nicht Leere, sondern das Wirken in einer Sphäre, in die der Mensch bisher noch nicht einzudringen vermochte." Wir sind verblüfft und erfahren weiter: „Die schöpferische Tätigkeit aber kennt keine Begrenzungen, keine Schranken. Sie ist in ihrem Wirken wie das Universum grenzenlos und kann daher zum ‚Nichts', zur ‚ewigen Ruhe' gelangen[82]."

Das sind nun Sätze, die einem bekannt vorkommen, wenn man Gersholm Scholems Bücher über die philosophische Kabbala gelesen hat. Sie stimmen ziemlich genau überein mit den Spekulationen jüdischer Theosophen über die Eigenschaften Gottes, dem zugleich Zeugung und Ruhe, unendliche Fülle und vollkommene Nichtexistenz zugeschrieben wird. Das Paradoxe solcher Annäherungen darf nicht überraschen, denn in der kabbalistischen Philosophie gilt, daß über Gottes Wesen selbst überhaupt keine Aussagen gemacht werden können. Keines der uns faßlichen Attribute läßt sich auf ihn anwenden, folglich nicht einmal das des Seins, der Existenz[83].

Nun, tatsächlich kann man die ständig wiederholte Vokabel ‚Nichts' in Malewitschs Texten mit Gott gleichsetzen, und es läßt sich auch eine Art Gegenprobe machen. Wenn der Maler den Gottesbegriff selbst verwendet, tut er es folgerichtig nur, um davon zu abstrahieren. Auf eine noch eingängige Art klingt das so: „Gott allein trägt daher die Merkmale der gegenstandslosen Wesenheit. Es stirbt der Verstand, die Vernunft, es sterben Raum und Zeit . . . es sterben Namen und Begriffsbestimmungen, alles das ist aber nicht in Gott . . ."

Schwieriger wird es, wenn Malewitsch folgendermaßen definiert: „Das Wesen Gottes aber ist das Null-Heil. Darin liegt zugleich das Heil Null, wie ein Kreis der Umwandlungen alles Gegenständlichen in Ungegenständliches[84]." Nun, der Satz läßt sich dingfest machen, wenn man weiß, daß in der Kabbala die Zahl Null zugleich das Nichtseiende wie die Rückkehr zu Gott bedeutet. Nicht ohne Logik übrigens, denn Gott selbst ist die Null-Existenz. Rückgang von 1 zu 0 heißt also Rückkehr der Schöpfung in Gott. Und Malewitsch umschreibt diesen Vorgang nur noch einmal, eben als „Umwandlung alles Gegenständlichen in Ungegenständliches"[85].

Es wären hier Folgerungen zu ziehen. Aber vielleicht bringen wir die Dinge zunächst aufs Anschauliche zurück und begnügen uns mit dem wichtigen Moment der Grenzüberschreitung. Man kann es sich an einem kabbalistischen Sephiroth-Schema leicht verdeutlichen (Abb. F 13). Ein solches Schema stellt die zehn verschiedenen Aspekte oder Kräfte Gottes dar, die zugleich ein Schema des Kosmos abgeben. Über diesen Aspekten und ohne eine Verbindungslinie zu ihnen steht das Zeichen für „En-Soph", methaphorisch der „Horizont der Ewigkeit" genannt. Es besteht aus einem waagerecht geteilten Kreis, dessen untere Hälfte schwarz oder schraffiert und dessen obere Hälfte weiß ist. Da hier das Wesen Gottes beginnt und die Grenze des Vorstellbaren überschritten wird, führt En-Soph zugleich den Namen „ain", das heißt „Nichts"[86].

Ich erinnere dazu an jene hymnische Stelle, wo Malewitsch vom „weiten Raum der kosmischen Feiern" und dem „weißen Raum der suprematistischen Gegenstandslosigkeit" spricht. Vorher heißt es: „Darum sehe ich die Malerei oder die Kunst überhaupt als den ersten Schritt auf dem Wege zum gegenstandslosen Suprematismus, zu der Welt als Gegenstandslosigkeit, zum befreiten Nichts, an, auf dem Wege zu einem Zustand, in dem es nichts Erkennbares, ja, nicht einmal den gegenstandslosen Rhythmus mehr gibt[87]." Später hat Malewitsch wieder gegenstandslosen Rhythmus in begrenztem Maße geduldet. Aber in den programmatischen Werken, in denen nur schwarze geometrische Zeichen vor leerem Grund stehen, war er eindrucksvoll konsequent. Es sind wirklich Null-Ikonen. Und ich glaube auch, daß die Schematik und die Reduktion auf schwarz und weiß in diesen Bildern etwas mit dem kabbalistischen Symbol für „En-Soph" zu tun hat[88].

Wollen wir uns Kasimir Malewitschs Absicht noch einmal vergegenwärtigen, so läßt sich am besten Mallarmé dazu heranziehen. Ein Lieblingswort Mallarmés heißt „obolition", Tilgung, Aufhebung. In seiner Umgebung, schreibt Hugo Friedrich, stehen ähnliche Wörter: „Lücke, Weiß, Leere, Abwesenheit". „In auffallender Weise", so Friedrich weiter, „setzt Mallarmé seit 1865 an denjenigen Stellen seiner Gedichte ‚Nichts' ein, deren gleiche Themen in früheren Texten mit Wörtern wie ‚Azur', ‚Traum', ‚Ideal', ausgedrückt worden wären". „Nachdem ich das Nichts gefunden hatte", heißt es in einem Brief, „fand ich die Schönheit". Und Friedrich kommentiert: „Mallarmé kennt und will die Nähe des Unmöglichen. Es ist die Nähe des Schweigens. In seine Dichtung reicht das Schweigen hinein mittels der ‚verschwiegenen' (weil vernichteten) Dinge[89]."

## ANMERKUNGEN

1. Hugo Friedrich, *Die Struktur der modernen Lyrik,* Hamburg 1956 (rde 25).

2. Heinrich Heine, *Zeitungsberichte über Musik und Malerei,* Frankfurt am Main 1964, S. 42.

3. Hierzu und zum Folgenden vgl. die neueste Zusammenfassung von Paul Arnold, *Ésotérisme de Baudelaire,* Paris 1972; vom selben Autor, *Le Dieu de Baudelaire,* Paris 1947; ferner Jean Pommier, *La Mystique de Baudelaire,* Paris 1932. Wichtig ist auch die erhellende Arbeit von Gerhard Hess, *Die Landschaft in Baudelaires Fleur du Mal,* Sitzungsberichte der Heidelberger Akad. d. Wissenschaften, phil.-hist. Klasse, Jg. 153/1, Heidelberg 1953.

4. Vgl. Anm. 3, besonders Hess, S. 95 ff.; H. R. Rookmaker, *Gauguin and 19th Century Art Theory,* Amsterdam 1972, S. 28 ff., 165 f.; A. G. Lehmann, *The symbolist aesthetics in France,* Oxford 1950, S. 30 f. — R. Michaud, *Baudelaire, Balzac et les correspondances,* Romanic Review XXIX/1938, S 253 ff.

5. Zitiert nach C. M. Bowra, *Das Erbe des Symbolismus,* Hamburg 1947, S. 272 (Sperrungen von mir). Über die okkulte Tradition von Baudelaire bis W. B. Yeats vgl. die Übersicht bei J. Senior, *The way down and out. The occult in symbolist literature,* Ithaca N. Y. 1959.

6 W. Kandinsky, *Über das Geistige in der Kunst,* München 1912 (1911), vgl. hierzu weiter unten.

7. Paul Arnold aaO 1972, S. 14, 33, 178. Baudelaire benutzte allem Anschein nach die Ausgabe von Francoise de Foix, *Le Pimandre de Mercur Trismegiste usw.,* Bordeaux 1579. Über Louis Menard vgl. H. Peyre, *Louis Menard,* New Haven 1932. Menard veröffentlichte 1845 eine *Histoire de l'Ecole de Alexandrine* und 1866 Hermes *Trismegiste, traduction complète précédée d'une étude sur l'Origine des livres hermétiques.* Zum Inhalt und zur Bedeutung der hermetischen Schriften vgl. das Standardwerk F. J. Festugière, *La relevation d'Hermes Trismegiste,* Paris 1944—1953.

8. E. Laars, *Eliphas Levi, der große Kabbalist und seine magischen Werke,* Bln.—Lpz.—Mü. 1922; P. Chacornac, *Eliphas Levi,* Paris 1926. Die Bücher Levis (Pseudonym für A. L. Constant, 1816—1875) erschienen seither in ungezählten Neuauflagen; deutsch 1922—1926 in München-Planegg; zuletzt London 1959 und 1964. Levi hat angeblich das Wort Okkultismus in den modernen Sprachgebrauch eingeführt (nach Agrippa von Nettesheims *philosophia occulta).*

9. Friedrich, aaO, S. 102. Nicht zugänglich war mir leider V.-E. Michelet, *De l'Esoterisme dans l'Art. Souvenirs du Mouvement hermétiste a la fin du XIX siècle,* Paris 1891 (?).

10. Zitiert nach Laars, aaO, S. 42.

11. Zitiert nach Friedrich, aaO, 102; vgl. auch die folgende Anmerkung.

12. Friedrich, aaO, S. 93 ff.; vgl. auch Anm. 26. — Friedrich hat in seinem Mallarmé-Kapitel einen kurzen Abschnitt „Okkultismus, Magie und Sprachmagie" überschrieben (S. 102), in dem er sich freilich auf die Erörterung okkulter Gehalte nicht weiter einläßt und rasch zum Formalen übergeht. Für die französische Forschung ist dies Ausweichen noch charakteristischer. Wenn J. P. Richard in seinem monumentalen Werk *L'Universe imaginaire de Mallarmé* (Paris 1961) zwar minutiös Bilder, Worte und Begriffe behandelt, die der Dichter aus okkulter Literatur oder von okkult engagierten Freunden übernimmt, aber deren religionsgeschichtlichen bzw. geheimwissenschaftlichen Hintergrund nirgends aufspürt und Mallarmés Gesamthaltung von Hegel ableitet, so wirkt das beinahe grotesk. Auch sonst werden die Zusammenhänge in der wissenschaftlichen Literatur zumeist nicht erkannt oder absichtlich ignoriert. Eine Ausnahme macht Charles Chassé in seinem Buch *Les Clefs de Mallarmé,* Paris 1959, das dem unkundigen Leser freilich wie ein Irrgarten vorkommen kann und von Druckfehlern heimgesucht ist. Immerhin wird hier die grundsätzliche Verflechtung zwischen Okkultismus und Literatur in

Mallarmés Umgebung eindeutig nachgewiesen (*Ésotérisme et Philologie,* S. 14 ff.). Nicht zugänglich war mir der Aufsatz von C. Ernoults, *Mallarmé et l'occultisme,* in: Revue métaphysique, Januar/März 1952. Im übrigen vgl. weiter unten.

13. Vgl. Michel Foucault in: *Gustav Flaubert, Die Versuchung des heiligen Antonius,* Frankfurt/M. 1966, S. 219 ff. Die beigegebenen Bilddokumente mit Gottheiten und Fabelwesen aus religionsgeschichtlichen Werken erinnern mitunter an Bilderfindungen Gustav Moreaus, so daß man sich fragen möchte, ob dieser nicht ähnliche Quellen benutzte.

14. Zitiert nach Odilon Redon, *Druckgraphik und Zeichnungen,* Ausstellungskatalog Frankfurt/M. und Köln, 1973, zu Nr. 62 ff.

15. Odilon Redon, *Selbstgespräch, Tagebücher und Aufzeichnungen,* München 1971, S. 16. Zu Clavaud (1825—1890) vgl. H. D. Schootsmann, *A. Clavaud, sa Vie-son Oeuvre,* in: Bulletin du Centre d'Etudes et de Recherches scientific, Biarritz 1971.

16. Margret Stuffmann bemerkt in dem in Anm. 14 genannten Katalog richtig, daß Redon in seinem Werk die Auseinandersetzung mit Darwins Theorie reflektiert (erste Übersetzung ins Französische 1862). Neben der Bestrebung, sie mit der idealistischen Morphologie (Goethe, Schelling, Oken) in Beziehung zu setzen (W. Zimmermann, *Evolution und Naturphilosophie,* Berlin 1968, S. 41 ff.), spielte aber hier, was wenig bekannt ist, die gnostisch-kabbalistische Lehre von Involution (Eintauchen der Seelenmonade in die Materie) und Evolution (stufenweiser Aufstieg bis zum Selbstbewußtsein — dem Stadium des Menschen — und weitere Befreiung zum Spirituellen) eine wichtige Rolle. Eine okkulte Evolutionstheorie war außerdem vorgebildet in der kabbalistischen Lehre von den „praeadamitischen Rassen". Wann diese zuerst mit Darwin verknüpft wurde, vermag ich nicht zu sagen. In H. P. Blavatskys 1877 erschienenem gnostisch-theosophischen Werk *Isis Unvailed* wird Darwin bereits als Kronzeuge angeführt (H. P. Blavatsky, *Isis entschleiert,* Leipzig 1907/1909, I, 303, 429; II, 260; vgl. auch im Register unter „Evolution"; vgl. ferner Blavatsky, *Die Geheimlehre,* Leipzig o. J., im Registerband unter „Darwin" und „Evolution". Blavatsky zitiert außer den kabbalistischen Quellen auch die Bhagavadgitâ mit folgendem Text (Isis II 260): „Er (der Mensch, bevor er ein solcher wurde) wird nacheinander durch Pflanzen, Würmer, Insekten, Fische, Schlangen, Schildkröten, Rinder und wilde Tiere hindurchgehen; dies ist der untergeordnete Grad". In diesem Zusammenhang ist es interessant, daß Redon von A. Clavaud berichtet, dieser habe ihn außer mit den „Offenbarungen des Mikroskops" auch mit indischen Schriften bekanntgemacht (*Selbstgespräch,* aaO, S. 16). — Zu Edgar Dacqué vgl. *Natur und Seele,* München-Berlin 1926; derselbe, *Urwelt, Sage und Menschheit,* München-Berlin 1927.

17. Vgl. die vorige Anm. — Die einschlägigen Arbeiten beginnen 1879 mit der Folge „Dans le Rêve"; vgl. die Bildtitel „Entfaltung", „Keimen", „das Rad" etc. In der Folge „Les Origines" von 1883: „Als das Leben auf dem Grunde der dunklen Materie erwachte", „Vielleicht lag ein erster Versuch des Sehens in der Blume", „Und der Mensch erschien ..." etc. In den Zusammenhang gehört auch „Der gefallene Engel öffnet dann schwarze Flügel" von 1886. Die okkulte Theorie setzt die Involution gleich mit dem Mythos vom gefallenen Engel. Die immer wiederkehrenden kugel- bzw. kopfähnlichen Gebilde auf Redons Blättern sind als Seelenmonaden anzusprechen (vgl. Abb. F 2).

18. Gert Mattenklott, *Zum sozialen Gehalt von Redons „Monde obscur de l'indéterminé"* in: O. Redon, *Selbstgespräch,* München 1971, S. 212.

19. Vgl. Eliphas Levi, Geschichte der Magie, München-Planegg 1924, II, S. 143 ff. G. Scholem in: Encyclopedia Judaica, IX, Berlin 1932, Sp. 669 f. Der Vorstellungszusammenhang zwischen Ensoph (dem kabbalistischen Symbol für das Unbegreifliche, die Gottheit oder das Nichts) und dem Meer ist schon in „Sohar" angelegt. Vgl. F. W. Fischer, *Max Beckmann: Symbol und Weltbild.* München 1972, S. 66 f., S. 100 f.

20. Die Bedeutung der Freundschaft zwischen Redon und Mallarmé ist noch nicht gebührend untersucht worden. Einen Ansatz hierzu macht D. H. Fraser, *Gauguins Vision after the Sermon,* London 1969, S. 8 ff. Nicht zugänglich war mir *Odilon Redon,*

*Mon ami Mallarmé* Propos recuillis par A. Leblond in: Arts 31, Octobre 1936. Vgl. auch Ch. Chassé, *Les Clefs de Mallarmé,* Paris 1959, S. 17, 168.

21. Fraser, aaO, S. 4 ff.; Brief vom 14. Mai 1867 an Henri Cazalis, vgl. Stéphane Mallarmé, *Correspondance 1862—1871,* ed. Henri Mondor, Paris 1959, S. 240 ff. — Hugo Friedrich, aaO, S. 96, zitiert einen Teil des Briefes und bemerkt dazu „Die Formulierung ist etwas nachlässig, trotzdem dürfte der Sinn klar sein". Es scheint mir merkwürdig, wenn ausgerechnet Mallarmé nachlässige Formulierung vorgeworfen wird. Vermutlich beruht die Schwierigkeit des Verstehens darauf, daß Friedrich die zugrundeliegenden gnostischen Mythologeme und Vorstellungen nicht geläufig sind. Wenn ich im Folgenden — als vollkommener Außenseiter — eine Interpretation des Briefes wage, so bitte ich bei der Mallarmé-Forschung um Entschuldigung. Für Hilfe bei der Übersetzung danke ich herzlich Frau Lektorin Mireille Mehlis.

22. Aus Flauberts *Heiligem Antonius* zitiere ich hier und im Folgenden natürlich nur der Einfachheit halber, das Werk ist ja später erschienen. Woher Mallarmé seine profunde Kenntnis des gnostischen Weltbildes erlangte, muß hier offen bleiben. Indessen steht nichts dagegen, dieselben Quellen anzunehmen, aus denen sich Baudelaire und Flaubert bedienten. Darüber hinaus ist vor allem auf den Empfänger des Briefes zu verweisen. Henri Cazalis kann geradezu als Spezialist für die erörterten Dinge gelten. Er hat sich sein Leben lang mit religionsgeschichtlichen Studien befaßt. Cazalis verarbeitete sie schließlich zu einem Weltbild, in dem Gnosis, Sufismus und Hinduismus mit dem Pessimismus Schopenhauers und der Metaphysik Eduard von Hartmans kombiniert wurden und wurde zum Verkünder einer „nihilistischen" Theosophie (*La gloire du Néant,* 1896). In seinen außerordentlich zahlreichen, oft pseudonym erschienenen Schriften und Aufsätzen werden praktisch alle Themen berührt, die uns im Rahmen der vorliegenden Untersuchung beschäftigen, vgl. Laurence A. Joseph, *Henri Cazalis- sa vie, son œuvre, son amitié avec Mallarmé,* Paris 1972; vgl. auch Anm. 24.

23. Zitiert nach Laars, aaO, S. 99; vgl. auch Levi, *Dogma und Ritual der hohen Magie,* 1924, S. 93, derselbe, *Der Schlüssel zu den großen Mysterien,* 1928, S. 278. — Für die Schilderung Mallarmés könnte u. U. eine Abbildung in Levis 1860 erschienener *Histoire de la Magie* anregend gewesen sein. Sie stellt als Herrn des Kosmos einen geflügelten Greis mit teils väterlichen, teils teuflischen Zügen dar. — In einen analogen Zusammenhang gehört wohl auch, daß William Blake in seinen Hiob-Illustrationen Jehova mit dem Teufelsfuß darstellt. — Über Mallarmés eingehende Beschäftigung mit dem gnostischen Elohim-Mythos vgl. Chassé, aaO, S. 25 ff.; dort der Hinweis auf das (mir nicht erreichbare) Werk von P. Lecour, *Les Elohim ou les Dieux de Moise,* 1839; vgl. auch Pauly-Wissowa, VII, Sp. 1511.

24. Zum Verständnis und zur Würdigung des gnostischen Weltbildes vgl. etwa H. Leisegang, *Die Gnosis,* Leipzig 1924; H. Jonas, *Gnosis und spätantiker Geist,* Tübingen 1959; Gilles Quispel, *Gnosis als Weltreligion,* Zürich 1951.

25. E. Levi, *Das große Geheimnis,* München-Planegg 1925, S. 220.

26. Friedrich aaO, S. 93 ff. Wenn Friedrich das Absolute bei Mallarmé mit dem Nichts gleichsetzt, so ist das vollkommen korrekt, allerdings muß man das in einem mystischen Sinne verstehen. Vgl. hierzu Anm. 19 sowie weiter unten bei Malewitsch.

27. Hierzu und zum Folgenden vgl. Donald Hamilton Fraser, *Gauguins Vision after the Sermon,* London 1969. Frasers Arbeit ist zweifellos ein Versuch, doch scheinen mir Fraser sowie Andersen (vgl. Anm. 29) die Hintergründe der Kunst Gauguins letztlich besser zu erfassen, als das H. R. Rookmaker in seinem wichtigen Buch (vgl. Anm. 4) gelingt. Vgl. auch Thomas Buser s.J., *Gauguins Religion.* The Art Journal XXVII, 1968, S. 375.

28. Zitiert nach J. Rewald, *Von van Gogh bis Gauguin,* Köln 1967, S. 314.

29. K. Mittelstädt, *Die Selbstbildnisse Gauguins,* Berlin 1966, Nr. 12, 16. Dazu W. Andersen, *Gauguins Paradise lost,* London 1972 S. 8 ff., Fraser, aaO, S. 10, 14 ff. — Andersen nennt das Selbstbildnis von 1889 „a diabolic self-portrait" und meint „he por-

trayed himself as a Miltonic fallen saint", außerdem werden die Beziehungen zu Baudelaire erörtert. Andersens These vom „Gefallenen Engel" ist irgendwo sicher richtig, allerdings müßte man einbeziehen, daß hier möglicherweise nicht nur der Fall der Seele in die „libido" sondern — im Sinne des gnostischen Mythologems — die Spannung zwischen der pneumatischen und der kreatürlichen Existenz überhaupt gemeint ist.

30. Mittelstädt, aaO, Nr. 30, Andersen, aaO, p. 184. Zu den letztgenannten Stichworten vgl. die Zusammenstellung bei Hess, *Dokumente zum Verständnis der modernen Malerei,* Reinbeck bei Hamburg 1956, S. 32; Hans Graber, *Paul Gauguin nach eigenen und fremden Zeugnissen,* Basel 1946, S. 265 ff. Über indische Themen vgl. im Folgenden.

31. *The sacred and profane in symbolist art,* Ausstellungskatalog, Art Gallery of Ontario, Toronto 1969, Nr. 115.

32. George Mauner, *The Nature of Nabi-Symbolism,* The Art Journal XXIII, 1963, S. 100. Zu Edouard Schuré vgl. weiter unten.

33. Andersen, aaO, S. 249. — Im Jahr 1888 war Henri Cazalis' *Histoire de la littérature hindoue* erschienen, vgl. auch Cazalis Gedicht „A Kali" und die Anrufung Kalis in dem Gedicht „A Siva"; L. A. Joseph, aaO, S. 183, 187, 274.

34. Anderson, 117 ff., 121 f.; J. Rewald, *Von van Gogh zu Gauguin,* München, Wien, Basel 1957, Abb. S. 447, 449; vgl. auch die vorige Anmerkung.

35. Mauner, aaO, S. 98 f.; Fraser, aaO, S. 14. Wie eng die Beziehungen zwischen den Nabi und Edouard Schuré waren, geht aus einem ergötzlichen Bericht über die Diskussion zwischen Sérusier und Schuré wegen Verkades Konversion hervor. Vgl. Willibrord Verkade, *Die Unruhe zu Gott,* Freiburg 1933, S. 177.

36. Mauner, aaO, S. 96. 37. ebenda, S. 101 f.

38. *The sacred and profane in symbolist art,* Katalog, Art Gallery of Ontario, Toronto 1969, Nr. 113. Dargestellt ist ein Magier in der bei Levi beschriebenen Ritualkleidung während einer bestimmten Operation.

39. Mauner, aaO, S. 100.

40. S. W. Watson in: *The sacred and profane in symbolist art,* Katalog, Art Gallery of Ontario, Toronto 1969, S. XVII; J. Rewald, aaO, 1967, S. 303 f. — „Sȃr" Peladan und sein nebulöser Orden werden noch heute in geheimwissenschaftlichen Lexika mit Respekt abgehandelt. Vgl. H. E. Miers, *Lexikon des geheimen Wissens,* Freiburg 1970, S. 312, 315. Strindbergs Vorwort stammt von 1904; hier zitiert nach der deutschen Ausgabe, Heidelberg 1947.

41. Zitiert nach H. R. Rookmaker, *Gauguin and the 19th Century Art Theorie,* Amsterdam 1972, S. 281; über Aurier vgl. ausführlich daselbst S. 153 ff.

42. Leider gibt es noch immer keine geistesgeschichtliche Analyse der theosophischen Bewegung, man findet nicht einmal unbefangene Sekundärliteratur. Eine geeignete Perspektive zum Verständnis der Angelegenheit vermittelt am ehesten Gilles Quispel in seinem Buch *Gnosis als Weltreligion,* Zürich 1951, obwohl die moderne Theosophie dort nur am Rande behandelt wird (S. 46). Über die französische „Société Theosophique" berichtet Chassé aaO, S. 24. Einer der Begründer der Theosophie in Frankreich war nach Chassé (S. 19) Edmond Bailly, der Direktor der „Librairie de l'Art Indépendant". Über die internationale theosophische Gesellschaft vgl. Charles J. Ryan, *H. P. Blavatsky and the theosophical Movement,* London 1937. Vgl. ferner Rudolf Steiner, *Die okkulte Bewegung im 19. Jahrhundert,* Dornach o. J. (vervielfältigtes Manuskript).

43. Vgl. Quispel, aaO, S. 45. Zur Typik der entsprechenden Denkweise in der spätplatonischen und der hegelschen Philosophie W. Beierwalters, *Platonismus und Idealismus,* Frankfurt/M. 1972, S. 157 ff.

44. Vgl. hierzu weiter unten bei Mondrian und Kandinsky. Außerdem operierte man gelegentlich mit der seit Joachim von Fiore bekannten Einteilung in drei Epochen: Vater, Sohn, Geist. Das ist jedoch nicht im christlichen Sinne zu verstehen. Vater bedeutet hier Demiurg, d. h. materielle Schöpfung, Sohn meint die Offenbarung des Wissens um die Göttlichkeit des Menschen, Geist bedeutet die Verwirklichung dieses Wissens.

45. Edouard Schuré (1841—1929) wurde zuerst bekannt durch sein engagiertes Eintreten für Richard Wagner. Das letzte seiner zahlreichen Werke trägt den Titel *Le rêve d'une vie.* Mit den Wirrköpfen vom Schlage der H. P. Blavatsky ist er eigentlich nicht zu vergleichen. Trotzdem haben seine *Großen Eingeweihten* der theosophischen Gesellschaft in die Hände gearbeitet. Sie wurden ein in zahlreiche Sprachen übersetztes Erfolgsbuch, von dem bis 1919 ungefähr jedes zweite Jahr eine neue Auflage erschien. Die letzte deutsche Ausgabe erschien 1965 im O. W. Barth-Verlag.

46. Schuré beruft sich vor allem auf den französischen Kabbalisten Fabre d'Olivet (geb. 1767). Wichtige Anregungen dürfte er wohl auch von Pierre-Simon Ballanché erhalten haben. Über diesen vgl. Jacques Roos, *Aspects littéraires du Mysticisme Philosophique,* Straßburg 1951, S. 388 ff.

47. Willibrord Verkade, *Die Unruhe zu Gott,* Freiburg 1933, S. 114, 128, 177. Obwohl Verkade erst relativ spät zur „Beuroner Kunstschule" gestoßen ist und kaum wesentlichen Einfluß auf sie gewann, nehme ich doch hier die Gelegenheit wahr, um auf die außerordentlich enge Verwandtschaft der Beuroner Kunsttheorie mit den esoterischen Strömungen der Zeit hinzuweisen. Die kirchliche Obrigkeit hat die herätischen Tendenzen dieser Kunstlehre sehr wohl erkannt und Pater Desiderius Lenz immer wieder das Imprimatur für seinen *Kanon* verweigert. Vgl. Martha Dreesbach, *Pater Desiderius Lenz von Beuron, Theorie und Werk,* phil. Diss. München 1957.

48. Zur kunstgeschichtlichen Bedeutung des „Ägypten-Mythos" vgl. E. Hubbala in RDK, Bd. IV, 1956. In der zweiten Hälfte des 19. Jahrhunderts erhält das „Geheimnis Ägyptens" in allen theosophischen Kreisen neue Aktualität. In Ägypten wurden Wladimir Solowjew entscheidende Visionen zuteil, und auch Madame Blavatsky erhielt dort „übernatürliche Erkenntnisse".

49. Zitiert nach Rewald, aaO, 1957, S. 452.

50. Zu Charles Morice vgl. Rookmaker aaO, 142 ff. Zu Ägypten vgl. Anm. 48. Interessant ist die Übereinstimmung mit dem „Ägyptizismus" in der Kunstlehre von Pater Desiderius Lenz, vgl. Dreesbach aaO, S. 110 ff.

51. Rookmaker aaO, S. 158. In Rookmakers wichtigem Buch auch die gesamte Literatur zum sogenannten Synthetismus.

52. Rookmaker, aaO, S. 124.

53. Daselbst S. 153, 158. Über die Wandlung der Korrespondenzlehre von der okkulthermetischen zur neuplatonisch-idealistischen Fassung S. 165 ff. Eine ähnliche Wandlung macht die Imaginationslehre durch (S. 187 ff.). Daneben laufen jedoch die okkulten Tendenzen weiter.

54. Zitiert nach Hess, *Dokumente zum Verständnis der modernen Malerei,* Reinbek bei Hamburg, S 18 ff. — Diese kurzen und ganz provisorischen Bemerkungen wollen bitte nicht als eine Festlegung der Kunstauffassung Cézannes verstanden sein. Allerdings steht die Beziehung des Farblichtes zu den „Nouomena" eindeutig in neuplatonischer Tradition. Vgl. etwa W. Schöne, *Über das Licht in der Malerei,* Berlin 1954, S. 56 ff., besonders Anm. 85.

55. Zitiert nach Hess aaO, S. 5. Unter dem aufgezeigten Aspekt verlieren auch andere Passagen des Buches durchaus den Charakter unverbindlicher Schwärmerei: „Doch der Maler muß sich vor allem das Schauspiel seiner eigenen Göttlichkeit schenken, und die Bilder, die er der Bewunderung der Menschen darbietet, werden ihnen den Ruhm verleihen, daß auch sie, für einen Augenblick, ihre eigene Göttlichkeit ausüben können" (G. Apollinaire, *Die Maler des Kubismus,* übersetzt von Oswald v. Nostiz, Zürich 1956, S. 12). Zur „Ausübung der eigenen Göttlichkeit" vgl. Anm. 44.

56. Edward Fry, *Der Kubismus,* DuMont-Dokumente, Köln 1966, S. 165. — Ich habe mich 1973 in einem Vortrag mit der „Magie" Picassos befaßt und dabei meine Vermutung zu begründen versucht, die „Demoiselles d'Avignon" seien in einem okkulten Sinn konzipiert und zu verstehen. Diese Vermutung erhielt inzwischen eine neue Stütze. So erinnert sich André Malraux im zweiten Band seiner Anti-Memoiren an folgenden

Bericht Picassos: „Ich habe begriffen, wozu ihre Skulptur ihnen diente, den Negern ... Sie waren Waffen. Um den Leuten zu helfen ... unabhängig zu werden. Werkzeuge ... Ich habe begriffen, warum ich Maler war in diesem schrecklichen Museum, ganz allein mit den Masken, mit den Puppen der Rothäute. An dem Tag müssen wohl die Demoiselles d'Avignon bei mir angekommen sein, aber keineswegs wegen der Formen: es war ja mein erstes Exorzismen-Bild" (zitiert nach Franz Vossen, *Der Anruf aus Mougins,* Süddeutsche Zeitung 12./24. März 1974).

57. H. L. C. Jaffé, *De Stijl 1917—1931,* Ullstein Bauwelt Fundamente, Berlin, Ffm., Wien 1956 S. 66 ff.; P. Welsh, *Mondrian and Theosophie,* in: *P. Mondrian Centennial Exhibition,* New York 1972, S. 35 ff.; dazu R. P. Welsh und J. M. Joosten, *Two Mondrian Sketchbooks,* 1912—1914, o. O. (Den Haag?) 1973, S. 9 ff.; ferner Martin S. James, *Mondrian and the Dutch Symbolists,* in: Art Journal XXIII, 1963/64; M. Seuphor, *Piet Mondrian,* Köln 1957.

58. Welsh aaO 1972, S. 44 ff. (mit farbiger Abbildung); James, aaO, S. 106; vgl. auch Welsh, aaO 1973, S. 9 f. (Brief an Querida über Theosophie).

59. Zu dieser Bezeichnung vgl. Anm. 44 und weiter unten bei Kandinsky.

60. Zum Begriff der Theurgie vgl. H. Biedermann, *Handlexikon der magischen Künste,* Graz 1973, S. 487. Über den Streit, ob es sich bei der Theurgie der modernen Theosophen um schwarze oder weiße Magie handelt C. Kiesewetter, *Geschichte des neueren Okkultismus,* Leipzig 1891, S. 503. Die Verbindung oder Gleichsetzung von künstlerischer Tätigkeit und Theurgie findet sich der Sache nach schon bei Baudelaire und V. E. Michelet. Um die Jahrhundertwende gibt es dann im rusisschen Symbolismus auch die terminologische Gleichsetzung. Watscheslaw Iwanow nennt seine Kunsttheorie exakt Theurgie, vgl. Anm. 65.

61. Zitiert nach Seuphor, aaO, S. 116 f., vgl. auch Welsh aaO 1972 und 1973.

62. Jaffé, aaO, S. 70. Dort auch weitere Beispiele und Textvergleiche zwischen Schoenmaeker und Mondrian.

63. Jaffé aaO, S. 163. Vgl. dazu auch Mondrians Aufsätze seit 1922 in H. L. C. Jaffé, *Mondrian und de Stijl,* Du Mont Dokumente, Köln 1967.

64. Jaffé aaO 1956, S. 163. Bei van Doesberg kehrt der auch in Frankreich nicht seltene Brückenschlag zwischen theosophischen und hegelschen Gedanken wieder. Daß der Umschlag vom Spiritualismus zum ideologischen Technizismus kein Zufall ist, zeigt die parallele Entwicklung im Bauhaus und im russischen Konstruktivismus. Vgl. dazu auch weiter unten bei Malewitsch.

65. Bevor Solowjew mit seiner theosophischen Lehre an die Öffentlichkeit trat, hatte er in der Bibliothek des Britischen Museums intensive Studien über Gnosis und Kabbala betrieben. Solowjew schrieb auch ein Buch über Madame Blavatsky, V. Solowjew, *A modern priestess of Isis,* aus d. russ. übersetzt, London 1895. Solowjews „Drei Begegnungen" mit der Heiligen Sophia dienten Iwanow als Muster theurgischer Kunst, in der „zur Mitarbeit an dem großen Ereignis der Rückströmung der Welt zu Gott aufgerufen" wird (Sperrung von mir). Vgl. Fedor Stepun, *Mystische Weltschau, Fünf Gestalten des russischen Symbolismus,* München 1964, S. 232. Zu Solowjew vgl. ebenda S. 13 ff.

66. W. Kandinsky, *Über das Geistige in der Kunst,* Neudruck Bern 1970. Das Buch erschien, obwohl 1912 datiert, bereits im Spätjahr 1911. Zu Blavatsky und der theosophischen Gesellschaft vgl. S. 42. Im übrigen vgl. die vorzügliche und mit allen Nachweisen versehene Arbeit von Sixten Ringbohm, *The sounding Cosmos. A Study in the spiritualism of Kandinsky and the Genesis of Abstract Painting,* Acta Academia Abonensis, ser. A., vol. 38, Nr. 2, Helsingfors 1970.

67. Ringbohm, aaO, S. 94 ff., 141; Abb. 26 ff.

68. ebenda, Abb. 106 f., 112 ff.

69. ebenda, S. 100 ff., Abb. 33 ff.

70. ebenda, S. 80 ff., 114 ff.; Kandinsky im *Blauen Reiter* (ed. Lankheit, München

1965, S. 190): „Im letzten innerlichen Grund sind diese Mittel (Klang, Farbe, Wort) vollkommen gleich: das letzte Ziel löscht die äußeren Verschiedenheiten und entblößt die innere Identität". Zu W. B. Yeats vgl. oben bei Baudelaire.

71. H. P. Blavatsky, *Isis entschleiert*, Leipzig 1907/09; dieselbe, *Die Geheimlehre*, Leipzig o. J. (1919). Vgl. auch Anm. 16; ferner F. W. Fischer, *Max Beckmann, Symbol und Weltbild*, München 1972, S. 165, 185, 193 ff.

72. Ringbohm, aaO, S. 155 ff.; Abb. 56 ff., besonders Abb. 62, vgl. auch oben bei Mondrian. Auf das nach oben gerichtete Dreieck nimmt Kandinsky in seiner Theorie eindeutig Bezug, wenn er schreibt: „Aber trotz aller Verblendung, trotz diesem Chaos und dem wilden Jagen bewegt sich in Wirklichkeit langsam aber sicher, mit unüberwindlicher Kraft das geistige Dreieck vor- und aufwärts" (*Über das Geistige in der Kunst*, S. 33). — Eine parallele Interpretation des Sintflut-Mythologems gibt übrigens Max Beckmann, vgl. Fischer aaO, S. 105 ff., 195.

73. Zitiert nach Ringbohm, aaO, S. 171, Zu der Formel „Vater-Sohn-Geist" vgl. Anm. 44.

74. Camilla Gray, *Die russische Avantgarde der modernen Kunst*, Köln 1963, S. 120 ff., 128 ff. Der Entwurf für das Bühnenbild war ein diagonal geteiltes schwarzweißes Quadrat. Das berühmte „schwarze Quadrat auf weißem Grund" und der „Schwarze Kreis auf weißem Grund" entstanden nach Malewitschs Angaben ebenfalls bereits 1913. In einer Ausstellung erschienen diese Arbeiten erst 1915.

75. Kasimir Malewitsch, *Suprematismus — Die gegenstandslose Welt*, ed. W. Haftmann (Du Mont Dokumente) Köln 1962.

76. Malewitsch, aaO, S. 249. — Obwohl Malewitsch dem Gedanken der Evolution folgt, fehlt ihm doch der Optimismus eines Mondrian oder die Euphorie Kandinskys. Er verbindet die Lehre der westlichen Theosophie offenbar mit radikalen kabbalistischen Theoremen. Zudem treten die pessimistischen Akzente der Gnosis klar hervor. Insgesamt ähnelt seine Weltanschauung mehr dem tragisch-heroischen Okkultismus des 19. Jahrhunderts, und so drängt Malewitsch schließlich auch — wie Mallarmé — auf eine absolute Lösung. „Da aber die Schöpfung unverständlich ist, so bemüht sich also der Mensch, ihr Verstand zu geben" (S. 222). „Das Ich wird das All erblicken, wenn es sich in ihm auflöst (S. 191).

77. Malewitsch, aaO, S. 234.

78. ebenda, S. 274.

79. ebenda, S. 200.

80. ebenda, S. 194.

81. ebenda, S. 64 (Das Mallarmé-Zitat aus einem Brief von 1866, Friedrich, aaO, S. 94).

82. ebenda, S. 139, 117.

83. G. Scholem in: Encyclopaedia Judaica, IX, Berlin 1932, Sp. 668, 673; derselbe, *Die jüdische Mystik in ihren Hauptströmungen*, Frankfurt/M. 1957; derselbe, *Von der mystischen Gestalt der Gottheit*, Zürich 1962; u. a.

84. Malewitsch, aaO, S. 57. 74.

85. Vgl. Anm. 83 sowie Papus (= Gerard Encaussée) *Die Kabbala*, Leipzig 1910, S. 77, 82.

86. Papus, aaO, S. 100 mit Abb.; Scholem aaO, 1932, Sp. 669 etc.

87. Malewitsch, aaO, S. 190.

88. Es scheint mir interessant, daß Malewitschs erste „supremistische" Arbeit ein diagonal geteiltes schwarzweißes Quadrat war (vgl. Anm. 74). Das Symbol für En-soph ist ein schwarzweiß geteilter Kreis, vgl. Papus aaO, S. 100.

89. Friedrich, aaO, S. 88 f., 94, 97 — Ich hoffe, mit dieser Darstellung zugleich gezeigt zu haben, daß Malewitschs Suprematismus alles andere als „konkrete Kunst" ist. Wenn behauptet wird, daß das „Schwarze Quadrat auf weißem Grund" nichts bedeutet, so ist das zwar wörtlich korrekt, man müßte das Wort „nichts" dabei aber groß oder in Paranthese schreiben. — *Freilich, wer wollte angesichts der späteren und heutigen Kunstszene noch sagen, wo die Grenze zwischen dem mystischen, dem abstrakten und dem konkreten Nihilismus liegt?*

HELMUT SCHEUER

# Zur Christus-Figur in der Literatur um 1900[1]

„Ja, diese von der neuesten Schule, das sind die allerschlimmsten. Immer Volk und wieder Volk, und mal auch etwas Christus dazwischen. Aber ich lasse mich so leicht nicht hinters Licht führen. Es läuft alles darauf hinaus, daß sie mit uns aufräumen wollen, und mit dem alten Christentum auch. Sie haben ein neues, und das überlieferte behandeln sie despektierlich." Diese ironisch gemeinte, aber doch Betroffenheit verratende Bemerkung finden wir in Theodor Fontanes 1897/98 erschienenen Roman „Der Stechlin". Der alte Dubslav nimmt gern den Disput mit ‚seinem' Pastor Lorenzen auf, in dem er den pädagogischen Verführer seines Sohnes Woldemar vermutet: „Sie haben ihm in den Kopf gesetzt, daß etwas durchaus Neues kommen müsse. Sogar ein neues Christentum." „Ich weiß nicht", so antwortet Lorenzen, „ob ich so gesprochen habe; aber wenn ich so sprach, dies neue Christentum ist gerade das alte[2]." In dieser auf den ersten Blick sophistisch anmutenden Replik deckt sich das Dilemma der Diskussion um das Christentum am Ende des 19. Jahrhunderts auf, denn mit den Begriffen ‚alt' und ‚neu' wurde von verschiedenen Gruppen jongliert. Gerade um die Jahrhundertwende hatte der Kampf um den ‚alten und neuen Glauben' einen Höhepunkt erreicht. War von der Reformation bis zu Beginn des 19. Jahrhunderts die Auseinandersetzung mehr durch theologische Fragestellung geprägt, so zeichnet sich das 19. Jahrhundert durch eine betont anthropologische und materialistische Religionskritik aus. Nicht wenige werden wie Karl Marx gedacht haben, der mit Blick auf die heftigen Attacken Ludwig Feuerbachs gegen die christliche Religion in der Einleitung zur Kritik der Hegelschen Rechtsphilosophie geschrieben hat: „die Kritik der Religion ist die Voraussetzung aller Kritik". Tatsächlich hat auch Fontane im „Stechlin" die religiöse Frage nicht isoliert behandelt, sondern — mit einem guten Gespür für gesellschaftliche und geistige Umschichtungsprozesse — weitergehende Aspekte aufgewiesen. Es gehört zu seinen erst spät gewürdigten Kunstgriffen, daß sich in den von menschlicher Wärme und gegenseitiger Achtung getragenen Gesprächen zwischen Dubslav und Lorenzen geistig-theologische

Fragen so eng mit allgemein-gesellschaftlichen Problemen verbinden. „Und mein Pastor“, sagt Dubslav, „der behauptet sogar, das sei das Wahre, das sei das, was man Kultur nenne, daß immer weiter nach unten gestiegen würde. Die aristokratische Welt habe abgewirtschaftet, und nun komme die demokratische ...“[3].

Finden sich solche Töne natürlich besonders bei den zeitgenössischen naturalistischen Autoren, so ist dennoch eine sehr viel breitere Basis vorhanden. Auf einen gemeinsamen Nenner ist dieser Chor kritischer Stimmen jedoch nur mit einer weitgefaßten Definition zu bringen: das alte Christentum und seine Verwalter, die Kirchen, seien erstarrt und hätten versagt, sie könnten sich nicht der neuen Zeit anpassen — ein neues Christentum, eine Neubesinnung auf religiöse und ethische Werte sei erforderlich. Nicht überall wird das mit dem Pathos verbunden wie in einem Gedicht von Hermann Conradi aus den achtziger Jahren:

„Als riefe mich Posaunenton zum Kampf
Für einen neuen Heiland — einen neuen Retter[4]!“

Daß sich hinter der Forderung nach einem ‚neuen Heiland‘ eigentlich der Wunsch nach einem ‚neuen‘ Menschen verbirgt, läßt sich leicht nachweisen: „denn eine neue Zeitlichkeit bricht an, der neue Mensch will geboren werden“, heißt es in Felix Hollaenders Roman von 1902 „Der Weg des Thomas Truck“[5]. Zu Recht stellt Gotthart Wunberg in seinem Vortrag „Utopie und fin de siècle“ fest: „Der ‚Schrei nach dem Heiland‘, der — wie man lesen kann — überall zu vernehmen war, ist noch irrationaler als die Zukunftserwartungen; aber der Erlöser, den man sich erwartet, hat eine klar umrissene Aufgabe: er soll Neues bringen, nicht einfach wiederherstellen[6].“ Wie sehr Heilserwartung und Zukunftsträume die Menschen am Ausgang des Jahrhunderts bewegen, können wir gut aus Gerhart Hauptmanns Roman „Der Narr in Christo Emanuel Quint“ (1910) herauslesen, in dem der religiöse Massenwahn — mit messianischem Führer und schwärmerischer Gefolgschaft — thematisiert worden ist:

„Man rechnete allen Ernstes mit einem gewaltigen Zusammenbruch, der spätestens um das Jahr Neunzehnhundert eintreten und die Welt erneuern sollte. Wie die ländlichen Professionisten, die den Spuren des Narren gefolgt waren, auf das Tausendjährige Reich und auf das neue Zion hofften, so und nicht anders hofften die sozialistischen Kreise und diejenigen jugendlichen Intelligenzen, die ihrer Gesinnung nahestanden, auf die Verwirklichung des sozialistischen, sozialen und also idealen Zukunftsstaats.

[...] Was bei dem einen diesen, bei dem anderen jenen Namen hatte, war im Grunde aus der gleichen Kraft und Sehnsucht der Seele nach Erlösung, Reinheit, Befreiung, Glück und überhaupt nach Vollkommenheit hervorgegangen: das gleiche nannten diese Sozialstaat, andere Freiheit, wieder andere Paradies, Tausendjähriges Reich oder Himmelreich[7]."

Die Abwendung von den christlichen Kirchen geschah auf breiter Front, wie die vielen Sektenbildungen beweisen: da finden wir theosophische und anthroposophische Gesellschaften (Rudolf Steiner), Monistenbünde — 1899 erscheint Ernst Haeckels populärstes Werk „Die Welträtsel — Gemeinverständliche Studien über monistische Philosophie" — Swastika-Anhänger (vgl. Alfred Schuler im George-Kreis), Sonnenanbeter (vgl. die Bilder des Malers Hugo Höppener = Fidus) und Verfechter einer „arisch-christlichen Rassenkulturreligion" (Jörg Lanz von Liebenfels in seiner „Ostara"-Zeitschrift H. 69, 1913). Okkultismus und Spiritismus (vgl. Wilhelm Hübbe-Schleidens Zeitschrift „Sphinx") werden ebenso zu Fluchthelfern aus einer nicht verstandenen und nicht akzeptierten Welt und zu Ersatzreligionen wie ländliche Gemeinschaften und Bodenideologie oder Jugendbünde (Karl Fischers Steglitzer Wandervogel-Bewegung beginnt um 1900)[8]. Stolzer Subjektivismus und feine Selbststilisierung (z. B. im George-Kreis) sind ebenso Surrogate wie die kraftgenialische Attitude der Zarathustra-Anhänger. Auch Nationalismus und Rassismus (Antisemitismus) spielen keine geringe Rolle bei der Bewältigung des Wertevakuums, das durch die Kritik am Christentum entstanden war.

Aber selbst diejenigen, die sich noch auf das Christentum und besonders auf Christus berufen konnten und wollten, waren sich nicht einig. Doch schien sich anfangs — in den achtziger Jahren — eine Richtung durchzusetzen, die eine Besinnung auf die Werte der Urkirche und auf die soziale Botschaft der Bergpredigt fordert. „Keine christliche Kirche, sondern nur die echte Ethik des Nazareners galt bei uns", erinnert sich Gerhart Hauptmann[9]. Und Arno Holz reimt 1885:

„Für mich ist jener Rabbi Jesus Christ
nichts weiter als — der erste Sozialist[10]."

In Felix Hollaenders Roman mit dem sprechenden Titel „Jesus und Judas" (1891) wird Christus „der Sozialist par excellence" genannt. Selbst Peter Hille, sonst keineswegs voll sozialer Emphase, nennt den Gottessohn einen „echten Sozialisten"; bei dem Anarchisten Gustav Landauer ist es gar „ein gewaltiger Sozialist"[11]. Kein Wunder, wenn der Sozialismus seinerseits irrationale und eschatologische Züge annimmt und zur „Religion der Gegenwart" (Paul Ernst) verklärt wird[12]. Wie stark der Druck auf das institutionalisierte Christentum ist, belegen die Versuche der Kirchen, jetzt auch mit politischen und sozialen Bewegungen den Abfall weiterer Mitglieder zu verhindern. „Katholischer Gesellenverein" unter Adolf Kolping und

Sozialfürsorge des Mainzer Bischofs Ketteler sind frühe Ansätze, die dann durch die Zentrumspartei und die Christlich-soziale Partei des Hofpredigers Stoecker ausgebaut werden. Es ist kein Zufall, wenn sich die Kirchen jetzt auf ihre soziale Aufgabe besinnen und — wie es Ketteler in seinem Buch „Die Arbeiterfrage und das Christentum" (1864) getan hat — Proletariat und Christentum in Beziehung setzen: „Nur Jesus Christus, der Sohn des lebendigen Gottes, kann auch in Zukunft dem Arbeiterstande helfen. Wenn der Glaube an ihn und seinen Geist die Welt durchdringt, dann ist die Arbeiterfrage gelöst[13]."

Die Diskussion um eine solche soziale Botschaft Christi ist keineswegs auf Deutschland beschränkt: Dostojewski und Tolstoi[14] sind dafür ebenso Zeugen wie die Romane von Léon Bloy („Le désespéré", 1886), Mary Augusta Ward („Robert Elsmere", 1888), Benito Pérez Galdós („Nazarin", 1895) und Antonio Fogazzaro („Il Santo", 1905)[15].

Wortverbindungen wie ‚christlich-sozial' und Titel wie der von Friedrich Naumanns Abhandlung „Jesus als Volksmann" (1894) unterstreichen diesen Eindruck einer Neubesinnung[16]. Engagierte junge Theologen wie Paul Göhre, der selbst einige Monate das Elend der Fabrikarbeiter studiert hat, greifen die soziale Frage auf: „Ich glaube", schreibt Göhre zum Schluß seines Berichtes „Drei Monate als Fabrikarbeiter und Handwerksbursche" (1891), „eins vor allem bewiesen zu haben: daß die Arbeiterfrage keine bloße Magen- und Lohnfrage, sondern auch eine Bildungs- und religiöse Frage ersten Ranges ist." (S. 212) „Jesus als Volksmann" muß also wörtlich genommen werden. In dem oft übersetzten und deshalb sicherlich auch einflußreichen Thesenroman „The True History of Joshua Davidson", der 1872 anonym in England erschienen ist, wird an die Wiederkehr Christi als „working man" geglaubt, der im East End Londons leben und mit „provincial accent" sprechen würde[17]. Dieser von Nietzsche im „Antichrist" verspottete „Arme-Leute-Gott" ist *ein* Ergebnis der langen christologischen Diskussion[18]. Es wird gern auf David Friedrich Strauß verwiesen, der, beeinflußt von Hegel und Schleiermacher, eine Scheidung zwischen dem Christus des Glaubens und dem historischen Jesus vorgenommen habe[19]. Doch noch vor Strauß' „Leben Jesu" (1835) haben ähnliche Gedanken Lessing bewegt. In seinen Aufzeichnungen findet sich die Unterscheidung einer „Religion Christi" und einer „christlichen Religion". Damit ist nichts anderes gemeint als einmal der Dogmatismus der Kirchen und zum anderen die vorbildlichen und nachahmenswerten Taten des historischen Jesus. Was Lessing dazu ausführt, könnte auch um 1900 geschrieben worden sein: „Jene, die Religion Christi, ist diejenige Religion, die er als Mensch selbst erkannte und übte; die jeder Mensch mit ihm gemein haben kann; die jeder Mensch um soviel mehr mit ihm gemein zu haben wünschen muß, je erhabener und liebenswürdiger der Charakter ist, den er sich von Christo als bloßen Menschen macht[20]."

Christus als ‚bloßen Menschen' — das ist die von der Leben-Jesu-Forschung (Strauß, Renan)[21] vertretene und im 19. Jahrhundert stark wirkende These. Materialismus und Rationalismus, Positivismus und Realismus legen ein solches Bild nahe. Für die „Söhne des Zeitalters der Naturwissenschaften" wird „jede einzelne Religionshandlung" „zur sträflichen Komödie und lästerlichen Satire, wenn sie der Bildungsmensch des neunzehnten Jahrhunderts übt", schreibt Max Nordau 1883 in seinen „Conventionellen Lügen der Kulturmenschheit"[22]. Selten wird die Entmythologisierung Christi so weit getrieben wie im Drama „Der Messias" (1890) von Hanns von Gumppenberg, wo Jesus als ein die Menschen Täuschender vorgeführt wird. Größe und Außergewöhnlichkeit wird dem „mächtigen Gehirn am Jordanstrande" und dem „großen Psychologen von Nazareth" sonst kaum abgesprochen[23].

Der Altertumswissenschaftler Ludwig Curtius erinnert sich: „Das von den neuen Humanisten ersehnte ‚reine Menschentum' . . . war nicht etwa nur blasse, abstrakte Theorie, sondern es war eine an jeden einzelnen gerichtete moralische Forderung der Neugestaltung des persönlichen Lebens[24]." Einer dieser ‚neuen Humanisten' ist der evangelische Theologe Adolf Harnack. Mit seiner im Wintersemester 1899/1900 veranstalteten Vorlesung an der Berliner Universität und deren anschließender Publikation über „Das Wesen des Christentums" übt Harnack einen ähnlich großen Einfluß aus, wie Feuerbach[25], dessen Buchtitel von 1841 Harnack bewußt aufgegriffen hat. Seine radikale Evangelienkritik hat direkt — wie die Leben-Jesu-Forschung auch — auf die Autoren der Jahrhundertwende gewirkt. So beruft sich Oskar Panizza auf Strauß und Harnack, als ihm der Prozeß wegen Gotteslästerung in seiner „Himmelstragödie" „Das Liebeskonzil" (1895) gemacht wird[26]. Wie wirksam die seit der linkshegelianischen Kritik und der Leben-Jesu-Forschung entstandene Entmythologisierung Christi und die damit verknüpfte „religiöse Anthropologie" (Feuerbach) fortgeschritten war, ließe sich z. B. auch eindrucksvoll mit Bildern aus der Kunstgeschichte belegen. Fritz von Uhde, Max Liebermann und Lovis Corinth zeigen uns einen Christus, der „nicht mehr der Segenspendende, Wundertätige oder Triumphierende [ist] wie bei Gebhardt oder Thoma, sondern ein Opfer der Gesellschaft, ein in den Schmutz gezogener, ein Schindluder, das man einer Meute vorwirft[27]."

Nehmen wir die Literatur, so finden wir eine Vielzahl von Belegen, die uns heftige Kritik an den erstarrten Kirchen und die Forderung nach einem persönlichen sozialen, ja christlichen, Engagement aufzeigen. Das gilt natürlich besonders für die naturalistischen Autoren. So verwirft Johannes Vockerat in Hauptmanns „Einsame Menschen“ (1891) seine theologischen Studien; der Theologiekandidat Wendt in Holz'/Schlafs „Die Familie Selicke“ (1890) verzweifelt an seiner Ausbildung und seinem Beruf, rettet sich aber in den Gedanken, einen besseren, lebendigeren Glauben predigen zu können (Ende 1. Akt). Carl Truck in Felix Hollaenders Roman „Jesus und Judas“ (1891) will ein „Löser der Menschheit“ sein, das Martyrium erleiden und ein Prediger der neuen Lehre werden[28]. Und diese neue Lehre ist das Mitleid — eine fatal einfache und verführerische Reduktion der Naturalisten. „Das große Mitleid geht um, wie ein neuer Heiland sucht es nach Jüngern. Es packt, es entflammt, es reißt heraus aus Stand und Familie, Eltern, Vaterland, Gott, wie Schemen sinken sie in Staub, — der neue Gott — das große Mitleid — hebt sein Haupt und alle Heiligtümer sinken hin.“ So lesen wir in Hans Lands Roman „Der neue Gott“ (1890)[29]. Dieses Mitleidsethos mischt sich allerdings gern mit persönlichem Messianismus der Helden. In einem Gedicht des heute vergessenen Georg Gradnauer mit dem Titel „Messiaspsalmen“, das in der frühnaturalistischen Anthologie „Moderne Dichter-Charaktere“ (1885) abgedruckt ist (S. 213), heißt es:

> „Ich fühl's, ich weiß's, ich bin geweiht, und bin gesalbt,
> Bin auserkoren, auferweckt zum Heile;
> Und mag der Dornenkranz mit seinen Stacheln
> Mir noch so tief die Stirn zerfurchen,
> [...]
> Zu neuen Sonnen soll die Menschheit wandeln,
> Den Ausgang weis' ich aus des Elends Grüften,
> Und künd' all' ihren Geschlechtern, verschmachtend im Joche,
> Von Neuem die Lehre, die heilige Satzung,
> Durch der Liebe Erhebung, des Mitleids Gral
> Aus des Elends Jammer empor sich heben,
> Ich bringe des Friedens mildlächelndes Antlitz,
> Ich komme, ich nahe, zu befreien, zu erlösen!!!“

Diese Verse könnten eine Paraphrase für viele Erzählungen abgeben[30], die sich mit der Christusthematik beschäftigen. Die Helden fühlen sich dem „Heiland gleich“ (Carl Truck in „Jesus und Judas“), sie wollen helfen, finden dabei aber meist nur den Weg zum Lumpenproletariat. Sie wechseln oft aus der selbst gewählten Rolle des Verkünders, des Apostels, in die Rolle des wiedergekehrten Gottessohnes; so in Hauptmanns novellistischer Studie „Der Apostel“ (1888) und besonders natürlich im „Emanuel Quint“ (1910)[31]. In einer ausführlichen Darstellung ließe sich leicht nachweisen, wie eng diese Erzählungen in ihrer literarischen Konstruktion und mit ihren Motiven in einer weltweiten Tradition stehen; hier sei nur auf die schon erwähnten Romane von Pérez Galdós („Nazarin"), Fogazzaro („Il Santo"), Léon Bloy („Le désespéré"), Ward („Robert Elsmere") hingewiesen. An Wilhelm Schmidtbonns einfacher und gradlinig strukturierten „Legende von heute" „Der Heilsbringer" (1906) läßt sich dieses Bauprinzip besonders gut nachzeichnen: Der naive und unkompliziert denkende Flußschiffer Josef gerät bei Schmidtbonn mit zwanzig Jahren „aufs Lesen" (S. 4), beginnt über die Welt zu grübeln — „Die breite, rastlose, zermalmende Flut seiner Gedanken wälzte sich schwerfällig [...] über dieses Ereignis hin." (S. 17) Josef verläßt sein Reich, das Schiff, und geht zu den Menschen: „Ach, da muß doch zu helfen sein." (S. 41) Er predigt vor dem Tempel, dem Kölner Dom, verkündet die Liebe, greift die „Heuchler" und „Lügner" an (S. 90), wird verspottet, findet aber schließlich doch Anhänger und fühlt sich durch Christus gestärkt: „die unbekannte Macht, Jesus selber, rief ihn, war um ihn, über ihm, wenn er auch nicht zu sehen war. Er glaubte Jesu Hand auf seinem Scheitel zu fühlen, fühlte eine wunderbare Kraft aus der Hand in seine Stirn übergehen. Er war geweiht, er war bestimmt, auserwählt unter den Hunderttausenden der Stadt." (S. 100) In der Stadt, dem Stadtleben, sieht der Schiffer Josef das Hauptübel dieser Welt: „Von den Städten ist das Elend und die Verzweiflung in die Welt gekommen. Die rufen das Schlechte in den Herzen wach, den Ehrgeiz und die Freude am Genuß." (S. 121) Er will die Menschen aufs Land locken und formiert schließlich seinen Auszug aus dem Großstadtpfuhl mit dem Versprechen: „Jedem ein Häuschen und ein Stück Acker dazu! [...] Fort mit den Städten, fort mit dem Geld!" (S. 126) Bezeichnenderweise — wie in den anderen Romanen meist auch — wird eine bekehrte Dirne — „sühnende Sünderin" und „Heimgefundene" nennt sie Peter Hille[32] — seine eifrigste Helferin und Anhängerin. Ist der Schiffer anfangs noch überzeugt, nur der dreizehnte Apostel zu sein (S. 132), so wird er bald durch die Verehrung seiner Anhänger, die in ihm dem wiedergekehrten Christus zu begegnen wähnen, dazu gedrängt, sich ebenfalls so zu sehen (S. 165). Als ein Mütterchen seine Krücken fortwirft, zweifelt er zwar noch, genießt aber schon solche Wundertaten (S. 161)[33]. Bald übernimmt Josef die Christusrolle völlig und ruft einer ihn schlagenden Frau zu: „Schlag deinen Heiland [...] Wie sie mich damals geschlagen haben in Jerusalem. Wer weiß — vielleicht warst auch du unter ihnen." (S. 196) Als die Polizei dem Spuk ein Ende bereitet, bleibt der Schiffer wahnsinnig zurück und irrt verzweifelt durch die Welt.

Zwar handelt es sich bei Hauptmann und Schmidtbonn um fiktionale Darstellungen, dennoch haben sie durchaus einen Realkern. Schmidtbonn gibt ausdrücklich im Vorwort eine Erklärung ab: „Dieses Buch widme ich einem unbekannten Manne, den ich an einem Julimorgen in einer Münchener Regimentskanzlei sah." In Rilkes „Apostel" (1896) und in Thomas Manns Eiferer gegen die Unsittlichkeit in „Gladius Dei" (1902) begegnen uns ähnliche Gestalten. Helmut Kreuzer hat in seiner Beschreibung der literarischen Boheme hingewiesen auf „die vagabundierenden Schwärmer, die als ‚Apostel' von Heilslehren religiösen, politisch-soziologischen oder lebensreformerisch-biologischen Gepräges noch in den zwanziger Jahren über Land zogen, oft [...] großes Aufsehen erregten und zum Teil auch innerhalb der Jugendbewegung, in den größeren politischen Gruppen und in der Boheme eine Gastrolle zu spielen vermochten." In diesem Zusammenhang weist Kreuzer auch auf die zahlreichen Vagabundenromane dieser Zeit hin[34].

Während bei den bisher genannten Werken die Autoren das Psychopathische ihrer Helden aufdecken und damit eine Distanz zu dieser Art von religiösem Fanatismus schaffen, lädt ein Autor wie Max Kretzer den Leser zur Identifikation ein. Er gaukelt ihm das Bild eines persönlich verfügbaren Gottes vor und redet gleichzeitig einem sozialen status quo das Wort, indem er die Armen auf die jenseitige Heilsgewißheit verweist: „Das soll das Zeichen sein, daß wir unser Kreuz auch geduldig weitertragen müssen [...] und daß das Leid unsterblich ist und ewig bleiben wird wie die Sterne", so läßt Kretzer seinen Helden, den Berliner Proletarier Andorf, in seinem Roman „Das Gesicht Christi" (1897) sagen[35]. Das ist um so bedenklicher als Kretzer eigentlich gegen die „staatlich konzessionierte(n) Christen" Front machen will und nun in Wirklichkeit deren Geschäft betreibt[36]. Denn sein Ziel, die ethischen Werte der Bergpredigt — 1889 hat er einen „Roman aus der Gegenwart" „Die Bergpredigt" veröffentlicht — unter das Volk zu bringen, kann so nicht erreicht werden. In seinem mit Trivialeffekten überladenen Roman „Das Gesicht Christi" führt er eine Art deus ex machina vor, der wirkungsvolle Auftritte inszeniert: Da erscheint die Christusfigur dem verzweifelten und am Glauben zweifelnden Arbeitslosen Andorf, flößt dessen hungernden Kindern Mut ein und hilft der älteren Tochter gegen den sie bedrängenden Fabrikherrn: „Seine Finger hatten etwas Eiskaltes berührt. Der Leichnam Christi saß neben ihm, völlig nackt, nur das Schamtuch um die Hüften, so, wie man ihn vom Kreuze genommen hatte." (S. 269) Den Höhepunkt bildet eine Beerdigungsszene: „Ein wundersamer Anblick bot sich dar. Hinter dem Sarge des armen Kindes schritt Christus, in dunkelm Gewande, allen sichtbar und erkennbar. Seine Füße waren nackt, die Hände hatte er über den Leib gefaltet, das Haupt war wie in Trauer leicht geneigt." (S. 162) Natürlich wird dieser Christus verspottet, ausgelacht und schließlich will ihn auch die Obrigkeit (Polizei) belangen. Für Begriffsstutzige heißt es dann noch: „Es war ein neuer Zug nach Golgatha." (S. 166)

Während Kretzer Christus als überirdische Instanz in die Gegenwart treten läßt und ihn damit wieder von allem Menschlichen befreit, erscheint in den anderen bisher genannten Romanen der Lebensweg eines Menschen in der imitatio Christi nachgezeichnet: meist ist er ein religiös Besessener und seine Lebensstationen sind der Heilsgeschichte nachempfunden und in die Gegenwart projiziert. Diese Romane beugen sich dem unausgesprochenen Wunsch, einen Menschen „in His steps" zu zeigen, wie es nur der Titel eines Romans des Amerikaners Charles M. Sheldon (1896) direkt ausspricht[37]. Die christliche Eschatologie wird dabei meist entschieden säkularisiert. Ansätze finden sich schon bei dem engagierten Sozialliteraten Robert Schweichel, bei dem es in einer Erzählung („In Acht und Bann", 1877) über einen jungen Arbeiter heißt: „War Jesus in die Welt gekommen, um die Mühseligen und Beladenen durch die Verheißung des Paradieses über ihr trauriges Loos auf dieser Erde zu trösten und zu erheben, so wollte er als ein Apostel der Liebe seine Mitbrüder von ihrem Leiden schon auf Erden zu erlösen trachten[38]." So ist es nicht verwunderlich, wenn in Arbeiterkreisen in den neunziger Jahren gesagt wird: „Was bis jetzt Jesus und Christus war, wird einst Bebel und Liebknecht sein[39]." Paul Göhre, der uns dieses Zitat überliefert hat, bemerkt dazu: „Wohl macht man sich ein ganz andres Bild von diesem Jesus von Nazareth als bisher; es fehlt ihm in ihren Augen der Glorienschein [...] für sie ist er meist nur noch der große soziale Reformer, der mit religiösen Mitteln, aber vergeblich das goldene Weltalter heraufführen wollte[40]."

Solange der starke soziale Impetus anhält, gibt es auch beinahe mystische Verklärungen der gestellten Aufgaben. So träumt der Held in Wilhelm Bölsches Roman „Die Mittagsgöttin" (1891) „den Traum vom umgekehrten Gottesgnadentum. Von der heiligen Mission des Arbeiters, von der Erlösung der Welt durch eine riesenhafte, aber rein soziale Tat"[41]. Diese ‚rein soziale Tat' schwebt den Helden in Felix Hollaenders Romanen „Jesus und Judas" (1891)[42] und „Der Weg des Thomas Truck" (1902) ebenso vor wie den Hauptfiguren in Hans Lands „Der neue Gott" (1890), Johannes Schlafs „Das dritte Reich" (1900), Marie Janitscheks „Christi Auferstehung" (1894), Hans von Kahlenbergs (d. i. Helene Kessler-Mombart) „Der Fremde" (1901). Im letzten Roman mit den stärksten Anklängen an Kretzers „Gesicht Christi"[43].

Notwendigerweise werden die Helden solcher Romane heroisiert und erliegen damit leicht der Gefahr, Subjektivismus und Individualismus über

Sozialengagement zu stellen. Man muß nicht auf die Romane von Hermann Conradi „Phrasen“ (1888) und „Adam Mensch“ (1889) verweisen, um ein Bild dieses Geniekultes zu erhalten, sondern kann gerade die oben zitierten Romane auswählen. Sehr leicht drängt sich dann durch das politische und soziale Pathos ein kruder Individualismus. Nur ein Beispiel aus Hollaenders „Thomas Truck“: „Nur unter der Voraussetzung, daß wir, die Einzelmenschen, zum Vollgefühl unseres Selbstbestimmungsrechtes gebracht sind, kann die Sozialisierung der Menschheit einen Fortschritt in der Entwicklung, eine Befreiung bedeuten.“ (I, S. 369) Bei all diesen Romanen bricht sich allzuleicht eine — verbal immer angegriffene — patriarchalische Sozialordnung Bahn, wie sie z. B. auch von den Kathedersozialisten, der Christlich-sozialen Partei unter Stoecker, von Moritz von Egidy und den sogenannten Sozialaristokraten wie Julius Langbehn propagiert wird[44]. Hier wird allenfalls einer Besserung, kaum einer Veränderung und schon gar nicht einer Revolution das Wort geredet. Nur zu verständlich, wenn Autoren, die in solchen Gedankenbahnen haften, sich leicht vom Sozialismus und Sozialengagement zu Subjektivismus und Individualismus gedrängt fühlen. Als dem Rationalismus ein Irrationalismus, dem Positivismus und Materialismus eine neue Metaphysik entgegengestellt werden, machen diese Autoren ohne Schwierigkeiten einen solchen Wandel mit, wie es z. B. Gerhart Hauptmanns Dichtung anschaulich belegt. Durch die hier besprochenen Romane geistert ebenfalls das große Individuum, das gern „ein großer Künstler“, „ein unzeitgemäßer Mensch“, aber von „apostolische(r) Reinheit“ „Heilandhaftigkeit“ sein will, wie der Maler Effenbach in Michael Georg Conrads Roman „Was die Isar rauscht“ (1888)[45]. Der Vergleich des Künstlers mit Christus erscheint vielen Autoren angemessen. (Sie stehen damit nicht isoliert, wie Blicke in die Vor- und Nachzeit des Naturalismus beweisen können.) Peter Hille formuliert in seinen Aphorismen („Ecce Poeta!“): „Er ist auch ein Stück Christus. Der johlende Pöbel und das kollegiale Grinsen geleiten ihn und drücken die Dornen tiefer in die schmerzliche Einsamkeit seines edlen Hauptes, der das schwere Kreuz des Geistes auf seinen Schultern nach Calvaria trägt, dem Berge der Vergessenheit[46].“

Die Kunst übernimmt damit religiöse Funktion; das ist nicht neu, wenn wir uns z. B. an Schillers Vorstellungen einer „ästhetischen Erziehung des Menschen“ und an den Schöpferkult der Romantiker erinnern. Auch Stefan George und sein Kreis denken ähnlich. Doch ist es aufschlußreich, wenn selbst Kulturkritiker wie Max Nordau und Julius Langbehn der Kunst mystische Kräfte zusprechen. So behauptet Langbehn: „Kunst ist Subjektivität, und Subjektivität Glaube.“ Große Geistesgestalten sind ihm der Beweis: „Goethe, Rembrandt, Luther — eine Bildung, welcher diese heiligen drei Könige ihre Huldigung darbringen, ist der wahre Heiland für die Deutschen[47]." Arthur Moeller van den Bruck, selbsternannter Prophet des „Dritten Reiches", schlägt in die gleiche Kerbe: „Dass wir umgekehrt schon eine Kunst haben, die [...] die Religion überflüssig gemacht und jeden wahrhaft modernen Menschen mit derselben Sicherheit zum Weltall erfüllt hat, die sonst nur das Vertrauen auf Gott geben konnte[48]." Daß solches Gedankengut durchaus gewirkt hat, darauf weist Fritz Stern in seiner Untersuchung über den „Kulturpessimismus" hin: „Schließlich sprachen diese Männer [Lagarde, Langbehn, Moeller van den Bruck] breite Schichten der deutschen Gesellschaft an, weil sie nicht nur idealistisch, sondern auch religiös waren. Die akademisch gebildeten Protestanten hatten Christentum und deutschen Idealismus zu einer Kulturreligion vereinigt, die sich zwar fromm auf Goethe, Schiller und die Bibel berief, aber im Grunde völlig weltlich war[49]." Georg Lukács hat zu Recht auf die paradoxe Situation am Ausgang des Jahrhunderts hingewiesen: „Aus dieser ideologischen Auflösung entsteht: eine Religiosität ohne Dogma, ja ohne Gott, die aber inhaltlich alle ‚Gefühlswerte', alle weltanschaulichen Folgen des Christentums aufbewahrt[50]."

Während also einerseits Christus aufgegeben scheint, erlebt er andererseits entscheidende Umdeutungen. So wird dem sozialen Christus von Nietzsche ein „Antichrist" und ein „Zarathustra" entgegengestellt, wobei wir allerdings wieder einen messianischen Persönlichkeitskult erleben. Gegen das Mitleidsdenken wird nun scharf zu Felde gezogen: „Gott ist tot, an seinem Mitleiden mit den Menschen ist Gott gestorben", heißt es im „Zarathustra" (II, „Von den Mitleidigen"). Und: „Der, welchen sie Erlöser nennen, schlug sie in Banden: — In Banden falscher Werte und Wahnworte! Ach, daß einer sie noch von ihrem Erlöser erlöste." (II, „Von den Priestern") Nietzsches Übermensch soll dieser neue Erlöser sein, und es ist wohl kein Zufall, daß als Idealkonstruktion „der römische Caesar mit Christi Seele" angeführt wird[51]. Es ist schon vielfach darauf hingewiesen worden, wie sehr letztlich doch christliches Gedankengut bei Nietzsche durchschlägt[52]. Rudolf Paulsen, Mitglied des Charon-Kreises[53], hat deshalb mit gutem Recht in „Christus und der Wanderer" (1924) den Antichristen Nietzsche, der hinter dem Bild des Wanderers steht, mit dem Kreuzesmann konfrontiert. Paulsen läßt Christus, nachdem dieser den Wanderer an seiner Stelle ans Kreuz genagelt hat, sagen:

> „Wir strebten beide nach dem reinen Einen!
> Ich schuf an meines Herzens Liebeswerke
> Aus meiner Ohnmacht hingegebener Stärke.
> Du bautest aus der Stärke auf der Macht...

Und keiner hat sein Werk zuletzt vollbracht.
Wir beide sind auf Golgatha geendet,
Auf hohem Gipfel, blutend und geschändet ...
Von Jüngern all verlassen und verraten,
Von Fürsten umgebogen und von Staaten,
Von Priestern in das Gegenteil verkehrt,
Nie nachgelebt, doch umgefälscht gelehrt,
In Eigennutz und Dogmen eingesperrt,
Zu Fratzenbildern unsres Selbst verzerrt.
Der Mensch war's, den wir beide sehnend suchten,
Und fanden Schwärmer, die uns heiß verfluchten,
Und Preisende, die uns nach ihren Maßen
Verkleinerten und, was wir sind, vergaßen ...
Scheint Ironie, daß grade Du begegnet,
Du wecktest mich ... und dafür sei gesegnet!
Ich gehe aus und künde noch einmal
Der Welt des reinen Christus Ideal.
Kampf Dir, da wir uns nicht verbünden,
Kampf denen auch, die Dich und mich verkünden.
Nicht böse bin ich Dir ... denn du auch hast Dein Leben
An heilig-großen Irrtum hingegeben.
Leb wohl Gekreuzigter! [...][54]

Wie hier Nietzsche selbst — vermittelt über seine literarischen Projektionen — von Paulsen zur Gegenfigur und in der coincidentia oppositorum wiederum selbst zu einem Christus erhoben wird, so ließe sich in der literarischen Bewegung der Jahrhundertwende noch manche andere Parallele aufzeigen. Nicht nur das ausgeprägte und beinahe kultisch zelebrierte Meister-Jünger-Verhältnis im George-Kreis kann hier angeführt werden. Helmut Kreuzer weist auf den weitverbreiteten „caesaristische[n] Übermenschenkult" hin und führt Ludwig Derleth als Beispiel an — von Thomas Mann in der beziehungsvoll „Beim Propheten" (1904) genannten Erzählung und im Dichter Daniel zur Höhe im „Doktor Faustus" (1947) porträtiert. Kreuzer schreibt: „Er stilisierte sich zum gottberufenen Titanen, zu einem religiösen Führer, ‚der ganz Haltung ist, ganz Distanz, eingehüllt ins Geheimnis, bewußt Menschen lenkend, grausam gegen sich selbst und andere'. Sein wirklichkeitsfremder, subjektivistischer Versuch einer restaurativ-revolutionären Ordensstiftung ist ein anarchistisch beeinflußtes Boheme-Projekt zur Schaffung einer höchst unanarchistischen und unbohemischen Elite-Gemeinschaft: einer persönlichen Gefolgschaft von ‚Kriegern' unter dem Ethos des ‚bedingungslosen Gehorsams', von Trägern eines sakralen Terrors unter dem Kommando Derleths. Der fränkische ‚Prophet' schickte im Namen eines aggressiv-imperatorischen Christus seine fanatischen ‚Truppenbefehle', die ‚Proklamationen' (1904), in die ziemlich taube Welt." Ausgesprochen wurden diese Befehle von einem „Christus Imperator Maximus"[55].

Eine solch vitalistische Übersteigerung der Christus-Figur läßt sich in der Literatur in vielen Schattierungen verfolgen. Einen ungewöhnlichen Versuch, die Christus-Figur und die christliche Religion aufzuheben und sie beide gleichzeitig mit in die Negation einzubeziehen und damit eine mystische Belebung zu erreichen, finden wir bei Stanislaw Przybyszewski, dessen Romane und Dramen schon in ihren Titeln-„Totenmesse" (1893), „Vigilien" (1894), „De profundis" (1896) — „die Vermischung von katholischem Weihrauchsdienst und Satanskult" (Soergel) offenbaren. Der Held in der „Totenmesse" behauptet von sich: „Ich bin Ich. Ich, die große Synthese von Christus und Satan[56]." In dieser paradoxen Übersteigerung deckt sich dennoch ein Grundzug der Diskussion um die Christusgestalt deutlich auf: Bei vielen Autoren spüren wir die Anstrengungen, die dualistische Konstruktion des Christentums und die einseitige Festlegung der Christusfigur auf die Märtyrerrolle zu überwinden, indem eben ‚Synthesen' versucht werden. Sei es, indem Christus mit antiken Göttern wie Dionysos verschmolzen wird; sei es, indem Christus im Sonnengott Baldur der germanischen Mythologie aufgeht. Hier wird die Absicht deutlich, dem Verzicht fordernden und das Diesseits verachtenden Christentum eine lebensbejahende und vitalistische Haltung zu unterlegen. Nietzsches erdhafte unio mystica im Dionysos-Kult steht Hauptmanns Sonnenkult und Lichtmystik zur Seite. Seit Gnosis und Mystik ist eine solche Verbindung mit dem Christentum nicht ungewöhnlich. Jetzt sind es aber keine Theologen, sondern ‚weltliche' Autoren, die diese Synthese preisen. Naturmystik, Pantheismus, christliche und antike Mythologie gehen hier eine synkretistische Mischung ein. Hier stehen die Dichtungen der sogenannten Kosmiker, wie Däubler und Mombert, neben den Sonnenkultbildern des Malers Fidus[57]. In Gerhart Hauptmanns erfolgreichstem Drama „Die versunkene Glocke" (1896) werden diese Gedanken besonders eindrucksvoll formuliert. Wieder ist es eine Person, die zweierlei verkörpert: Der Glockengießer Heinrich ist Mensch und Übermensch, Heide und Christ zugleich:

> „Derselbe bin ich und ein andrer auch. —
> Die Fenster auf, und Licht und Gott herein." (3. Akt)

Bei einer solchen lebensfrohen Einstellung, die sich natürlich besonders im Erotischen manifestiert, wird die Leidensgestalt Christi zu einer heiteren Figur umgeformt:

„so aber treten alle wir ans Kreuz,
und noch in Tränen, jubeln wir hinan,
wo endlich, durch der Sonne Kraft erlöst,
der tote Heiland seine Glieder regt
und strahlend, lachend, ew'ger Jugend voll,
ein Jüngling, in den Maien niedersteigt." (3. Akt)

Von einem „heiligen Maienrausch" wird auch der Priester Francesco in Hauptmanns „Ketzer von Soana" (1918) gepackt. Richard Dehmel hat dieses bacchantische Element ebenfalls in das Christentum einbringen wollen. In der zyklischen Dichtung „Aber die Liebe" (1893) läßt er in dem Gedicht „Jesus und Psyche" den christlichen Gott ausrufen: „Auf, Bruder Bachus, schwinge deinen Thyrsos[58]!"

Bei dieser Begeisterung für den jünglingshaften Gottessohn liegt der Hinweis auf den Maximin-Kult bei George nahe. Wenn sich George mit Maximin auch einen persönlichen Heiland geschaffen hat, so ist es doch wohl kein zweiter Christus. Darauf hat Claude David hingewiesen: „Maximin wird nicht Gott, vielmehr hört Jesus auf, Gott zu sein. Maximin leitet ein neues Zeitalter ein, in dem der Mensch sich selbst genügen muß; wo der Himmel leer ist und wo keine Transzendenz zum Leben mehr nötig ist. Der ‚Gott' Maximin ist die Devise eines atheistischen Humanismus. Gundolf hat recht, wenn er sagt, Maximin sei nicht der ‚Gott' einer neuen Religion. Er ist Ausgangspunkt und Wahrzeichen einer Religion ohne Gott[59]."

Wenn für uns seit Hölderlin und Novalis die Verbindung Christi mit der griechischen Mythologie — in Synthese oder Konfrontation[60] — geläufig ist, so können wir am Ausgang des 19. und zu Beginn des 20. Jahrhunderts eine verstärkte Ausrichtung auf die germanische Götterwelt feststellen. Hier bricht Nationalismus und Rassenstolz sichtbar durch. So hat Hauptmann die Mischung von heidnischen und christlichen Elementen nach der „Versunkenen Glocke" nicht aufgegeben, sondern in „Der weiße Heiland" und „Indipohdi" (1920) seine Ablehnung des tradierten Christentums erneut literarisch verarbeitet. Der heidnische Aztekenkönig Montezuma wird dem ursprünglich als „weißen Heiland" empfangenen Conquistador Cortez konfrontiert und schließlich wegen seiner sittlichen Stärke übergeordnet.

Von diesem schon mit heidnischen Attributen versehenen Christus ist kein weiter Weg zu einem rein germanischen Christus und zu einem heroischen Glauben, der dann die Grundsubstanz für das sogenannte „deutsche Christentum" abgibt, das im Dritten Reich stark propagiert wird. An dieser Ausrichtung haben konservative Kulturkritiker wie Paul de Lagarde, Houston Stewart Chamberlain und Julius Langbehn mitgewirkt, für die Christus kein Jude war[61]. Da lassen sich seltsame Blüten bewundern. In

Langbehns „Rembrandt als Erzieher" (1890) kann man lesen: „Deutsches Rosenöl steht, rein merkantil, höher im Preis als orientalisches Rosenöl; so steht auch deutsches Christentum höher als orientalisches Christentum[62]". Der protestantische Theologe Arthur Bonus kämpft für eine „Germanisierung des Christentums" (Buchtitel 1911)[63] und Arthur Moeller van den Bruck wünscht sich ein „germanisches", „natürliches", „kulturelles" und „ästhetisches" Christentum. Er verwirft den leidenden Christus und fragt frei nach Nietzsche: „Für wen ist Christus da, für die schwachen oder für die starken Menschen, für die schwachen oder für die starken Stunden der Menschheit? Die Antwort auf diese Gewissensfrage kann nur sein: für die allerschwächsten Stunden und Menschen — und schon allein unser Stolz sollte verhindern, daß wir immer wieder nach Christus rufen[64]." Julius Langbehn spricht vom „Zusammenwirken von Kreuz und Schwert": „Christentum und Wehrhaftigkeit sind also vom Deutschtum bis weiters nicht zu trennen." Wie andere verweist auch Langbehn auf den christlichen Heldengott in der altsächsischen „Heliand"-Dichtung[65].

Einem solchen heroischen Glauben fühlt sich der Held in Hermann Burtes „Geschichte eines Heimatsuchers" „Wiltfeber, der ewige Deutsche" (1912) verbunden. Er ist ein „herrischer und selbstischer" Alemanne, eine Verkörperung des neuen Menschen. Er will den „reinen Krist", der natürlich blond ist, suchen und seine Lehre verkünden. Das deutsche Volk hat einen eigenen Gott: „Unsagbar, unnahbar ist dieser Gott: aber wer den Krist sieht, der sieht jenen. Und also ist der Krist wahrhaftiger Gott und wahrhaftiger Mensch. Der Krist, das ist der Gott der deutschen Leute[66]!"

Wenn wir in der Christusfigur bis jetzt nur den heroischen Gott und Menschen — als Sozialrevolutionär, Zarathustra, Sonnengott und deutschen Helden — kennengelernt haben und ihn damit auch in die starken individualistischen Strömungen am Ausgang des Jahrhunderts eingelagert sehen, so stellt sich doch die Frage, ob es nicht noch einen anderen Christus gegeben hat. Denn wir wissen, daß der Individualismus ja nicht nur als extravertierte, sondern auch als beschauliche, introvertierte Form aufgetaucht ist.

Es scheint, daß wir eine Nahtstelle markieren können, wo der Umschlag vom heroischen zum mehr verinnerlichten Christus stattfindet: bei Rilke. In dessen kurzer novellistischer Studie „Der Apostel" von 1896 spüren wir überall noch den Einfluß Nietzsches. Hier scheint Zarathustra zu sprechen, wenn Liebe, Mitleid und Unterordnung verdammt werden. Schließlich gilt der Angriff auch Jesus: „Der, den sie als Messias preisen, hat die ganze Welt zum Siechenhaus gemacht." Kursiv gedruckt findet sich dann das Bekenntnis zum großen Individuum: „Nie kann die stumpfe, vielsinnige Menge Träger des Fortschritts sein; nur der ‚Eine', der Große, den der Pöbel haßt im dumpfen Instinkte eigener Kleinheit, kann den rücksichtslosen Weg seines Willens mit göttlicher Kraft und sieghaftem Lächeln wandeln[67]." Hiernach könnte man annehmen, daß die unmittelbar danach entstandenen elf unveröffentlichten „Christusvisionen" — „Traumepen" hat Rilke sie genannt[68] — dieses Bild verstärken. Doch da werden ganz andere Töne angeschlagen:

> „Es legt ein Reif sich auf den nächtgen Mai.
> Ein schwarzer Falter zieht im Flug vorbei
> und er sieht Christum einsam knien und weinen."[69]

Rilke stellt uns einen leidenden, verzweifelnden und heimatlosen Gott vor, der sich selbst Ahasver nennt. Einem Kind gesteht dieser Gottessohn: „Ich bin ja viel ärmer als du . . .". Den Menschen kann er nur die dualistische Lehre anbieten:

> „Ihr wollt ins Leben, und das bin ich nicht,
> Ihr müßt ins Dunkel, und ich bin das Licht,
> ihr hofft die Freude, ich bin der Verzicht
> ihr sehnt das Glück und — ich bin das Gericht."

Aber gelegentlich gibt es Eruptionen, da fordert dieser verzweifelte Gott:

> „Weißt du keine Mittel, herben Haß zu stiften,
> der jeden Mann zum wilden Raubtier macht?"[70]

Wie bei so vielen anderen Autoren[71] finden wir auch bei Rilke den Schmerz über den christlichen Dualismus und den Wunsch nach Zusammenfügung des Getrennten. Da gibt es Anleihen im mystischen und pantheistischen Denken und — über Hölderlin vermittelt — die Hochschätzung der Antike, wo eben diese Trennung aufgehoben war[72]. Und so sind seine „Christusvisionen" ein Zeugnis für sein Bemühen, Gott zu erkennen und neu entstehen zu lassen[73].

Einen stillen und zurückhaltenden Christus stellt uns erst richtig Karl Röttger in seinen „Christuslegenden" (1914) vor. Da wird sogar eine „Lehre vom Stall" als Lebensphilosophie angeboten: „Nicht alles Kleine vermag groß zu werden. Aber *alles Große* war zuvor klein, ganz klein. Also kann niemand wissen, was aus dem Kleinen werden wird. Also sollen wir das Kleine nie verachten, denn es könnte ja das Große aus ihm werden." Zu Recht stellt Soergel dazu fest: „Das heißt: nicht den Täter äußerer Wunder predigt Röttger, sondern den Seher der inneren[74]."

Wenn wir eine Zusammenfassung wagen, so dürfen wir festhalten, daß die Christusfigur dort am stärksten vertreten ist, wo sie ihre charismatischen Züge voll verwirklichen kann, also z. B. im Sozialengagement oder aber auch in der Zarathustra-Gegenfigur. Es scheint aber, daß bei Verlust des heroischen Nimbus Christus als Person beiseitegedrängt wird, d. h. weg von einer in Christus sich findenden und damit personifizierten Religion und hin zu mehr Innerlichkeit (Seele) und einem stark subjektiv gefärbten religiösen Schwärmen[75]. Eine Literatur, die starke resignative Züge trägt, die sich der Emphase und des Optimismus entschlägt, scheint an einem Christus — vielleicht bedingt durch die bisherige Fest- und Auslegung dieser Figur — nicht mehr so stark interessiert. Ist ihren Autoren doch selbst Gott als Begriff und Vorstellung fremd. Hier scheint nur noch eine allgemeine Religiosität möglich, die nicht zuletzt ihre Kompensation und Sublimation in der Kunst sucht und findet. Mir scheint für dieses Denken ein Zitat Jacob Burckhardts von 1870 sehr aufschlußreich zu sein: „Wenn der deutsche Geist noch einmal aus seinen innersten und eigensten Kräften gegen die große Vergewaltigung reagierte, wenn er ihr eine neue Kunst, Poesie und Religion entgegenzustellen imstande ist, dann sind wir gerettet: wo nicht, nicht. — Ich sage: Religion, denn ohne ein überweltliches Wollen, das den ganzen Macht- und Geldrummel aufwiegt, geht es nicht[76]."

Dieses ‚überweltliche Wollen' — Schopenhauer hat vom „metaphysischen Bedürfnis" der Menschen gesprochen — scheint eine der notwendigen Stützen der Individuen zu sein. Die Menschen sehen sich am Ende des 19. Jahrhunderts einer doppelten Bedrohung ausgesetzt. Auf der einen Seite schränkt sie der von Burkhardt angeführte ‚Macht- und Geldrummel' ein — wir nennen das heute Kapitalismus —; auf der anderen Seite macht ihnen das dogmatische Christentum mit seiner Forderung nach Demut und Unterwerfung ihre Geringfügigkeit bewußt. In einer Übergangszeit, die so starke soziale, ökonomische und geistige Veränderungen einleitet und damit Unsicherheit und Selbstentfremdung der Individuen bewirkt, ist es nicht verwunderlich, wenn sich diese um Selbstbestimmung und um ein neues Selbstwertgefühl bemühen. Natürlich machen sich solche Tendenzen gerade im sogenannten ‚Bildungsbürgertum' besonders bemerkbar. Aber für dieses gilt auch: „Inmitten der Neuformierung der Gesellschaft, inmitten der organisierten wirtschaftlichen und sozialen Interessen blieb das Bildungsbürgertum eine Gruppe von Nichtorganisierten und blieb in seiner Haltung noch am stärksten im Individualismus des 19., des bürgerlichen Jahrhunderts[77]." Der Historiker Friedrich Meinecke hat für diese Zeit in seinen Lebenserinnerungen festgehalten: „Und wie es auch mit den positiven Werten dessen, was seit 1890 voran in Kunst und Dichtung und dann auch in den Geisteswissenschaften geleistet wurde, stehen mag — das eine ist sicher, daß eine neue tiefere Sehnsucht nach dem Echten und Wahren, aber auch ein neuer Sinn für die zerrissene Problematik des modernen Lebens erwacht und von seiner zivilisierten Oberfläche wieder in die bald unheimliche, bald lockende Tiefe zu tauchen versuchte[78]." Was hier von Meinecke in wolkiger Sprache formuliert wurde, heißt nichts anderes, als daß die bürgerliche Intelligenz sich am Ende des 19. Jahrhunderts der eigenen Klasse entfremdet sah und mit der Suche nach neuen Werten darauf reagierte, um den Stellenwert im sozialen Gefüge zu bestimmen. Denn die bürgerliche Intelligenz fühlte sich keineswegs wohl in ihrer Rolle als „freischwebende Intelligenz" (Karl Mannheim)[79].

Überall — unser Thema kann nur eine Perspektive dieser Art ‚Gegenwartsbewältigung' liefern — spüren wir, wie der Versuch unternommen wird, eine verloren geglaubte Totalität — gesellschaftlich und geistig — wiederzufinden. Dieser tatsächlichen Isolierung wird von der Intelligenz mit einer Überbewertung geistiger Selbständigkeit begegnet, statt sich die gesellschaftlichen Voraussetzungen solcher Prozesse bewußt zu machen. Wie unterschiedlich die Fluchtreaktionen allerdings ausfallen, können wir bei Musil nachlesen: „Es wurde der Übermensch geliebt, und es wurde der Untermensch geliebt; es wurden die Gesundheit und die Sonne angebetet, und es wurde die Zärtlichkeit brustkranker Mädchen angebetet; man begeisterte sich für das Heldenglaubensbekenntnis und für das soziale Allemannsglaubensbekenntnis; man war gläubig und skeptisch, naturalistisch und preziös, robust und morbid; man träumte von alten Schloßalleen, herbstlichen Gärten, gläsernen Weihern, Edelsteinen, Haschisch, Krankheit, Dämonien, aber auch von Prärien, gewaltigen Horizonten, von Schmiede- und Walzwerken, nackten Kämpfern, Aufständen der Arbeitssklaven, menschlichen Urpaaren und Zertrümmerung der Gesellschaft. Dies waren freilich Widersprüche und höchst verschiedene Schlachtrufe, aber sie hatten einen gemeinsamen Atem; würde man jene Zeit zerlegt haben, so würde ein Unsinn herausgekommen sein wie ein eckiger Kreis, der aus hölzernem Eisen bestehen will, aber in Wirklichkeit war alles zu einem schimmernden Sinn verschmolzen[80]." Schließlich wird diese Zersplitterung als notwendige Einsamkeit der Künstlerexistenz akzeptiert und idealisiert.

Bei der Betrachtung der Christusthematik in der Literatur um 1900 können wir deutlich erkennen, wie sich die literarische Intelligenz um Selbst*be*wertung und schließlich auch Selbst*auf*wertung bemüht. Wenn es richtig ist, daß die Literaten einen Verlust gesellschaftlicher und geistiger Identität empfunden haben, so demonstriert die Behandlung der Christusthemen zwei Varianten möglichen Verhaltens auf die gleiche Ausgangssituation: Einmal kann es die Auflehnung gegen vorgegebene Bilder sein. So hat sich die Intelligenz seit der Renaissance gegen den christlichen Dualismus gewehrt, sei es mit mystischen, deistischen, pantheistischen oder atheistischen

Entwürfen[81]. Die Christologie hat mit der Umwertung des Gottessohnes und der damit verbundenen Aufwertung des Menschensohnes einen entscheidenden Anteil zur Entwicklung des individuellen Selbstbewußtseins beigetragen[82]. Denn in dem großen, außergewöhnlichen Menschen von Nazareth werden latente Fähigkeiten eines menschlichen Individuums aufgezeigt. Setzen sich aber — das wäre die zweite Variante des Verhaltens — Resignation und Zweifel durch[83], dann besteht die Gefahr eines nach innen gewendeten Rückzugs und damit einer Betonung des je eigenen Glaubens — oder des je eigenen Christus, der damit seine allgemeinverbindliche Vorbildlichkeit und Leitfunktion aufgeben muß. „Jeder hat seinen besonderen Christus, Religion ist Privatsache", stellt Wolfgang von Löhneysen bei der Betrachtung der Christusbilder im zweiten Reich fest. Er fügt hinzu: diese Bilder „offenbaren das subjektive religiöse Gefühl, aber sie offenbaren keinen Gott[84]."

Wie sehr diese Aussage zutrifft, müßte die vorliegende Untersuchung aufgewiesen haben, denn tatsächlich konnten wir unterschiedliche Festlegungen der Christusfigur registrieren. Standen hinter diesen Bildern anfangs noch Gruppen, so verlieren diese gemeinsam getragenen Konstruktionen immer mehr an Ausstrahlungskraft — das gilt besonders für den Typus des sozialrevolutionären Christus — und werden bald zugunsten Entwürfe einzelner zurückgenommen. Die Gestalt Christi verblaßt, das religiöse Gefühl wuchert aus und das Christentum verliert an Konturen. Typisch dafür sind die synkretistischen Konzeptionen, in denen wir den Wunsch nach einer Synthese, nach Zusammenfügung eines Zerbrochenen, erkannt haben. Hermann Hesses „Demian" ist zwar erst 1919 erschienen, darf aber dennoch für dieses typische Verhalten der Intelligenz um die Jahrhundertwende zitiert werden. Der Musiker Pistorius entwirft dem jungen Sinclair seine Lebensphilosophie: „Wir ziehen die Grenzen unserer Persönlichkeit immer viel zu eng! Wir rechnen zu unserer Person immer bloß das, was wir als individuell unterschieden, als abweichend erkennen. Wir bestehen aber aus dem ganzen Bestand der Welt, jeder von uns, und ebenso wie unser Körper die Stammtafeln der Entwicklung bis zum Fisch und noch viel weiter zurück in sich trägt, so haben wir in der Seele alles, was je in Menschenseelen gelebt hat. Alle Götter und Teufel, die je gewesen sind, sei es bei Griechen, Chinesen oder bei Zulukaffern, alle sind mit in uns, sind da, als Möglichkeiten, als Wünsche, als Auswege." Für die Religionen bedeutet das: „Ach, jede Religion ist schön. Religion ist Seele, einerlei, ob man ein christliches Abendmahl nimmt oder ob man nach Mekka wallfahrt[85]."

# ANMERKUNGEN

1. Diese Untersuchung stellt die überarbeitete Fassung eines auf der Thyssen-Tagung im Mai 1974 in München gehaltenen Vortrags dar. In einer solchen Form kann dieses Thema nur unzulänglich behandelt werden. Trotz vieler genannter Belege bin ich überzeugt, daß sich noch eine Fülle weiterer Quellen zu diesem Thema erschließen läßt. Wer sich mit diesem Thema näher befassen will, sei auf die wichtigsten Arbeiten der jüngsten Zeit verwiesen, die wiederum weiterführende Literatur vermitteln. Die beste Untersuchung ist ohne Zweifel: Theodore Ziolkowski, *Fictional Transfigurations of Jesus*, Princeton, New Jersey 1972. Vgl. aber auch: Hans Hinterhäuser, *Die Christusgestalt im Roman des ‚Fin de Siècle'*, in: Archiv für das Studium der neueren Sprachen und Literaturen, 113. Jg. (1962), H. 1, S. 1—21. — Gotthart Wunberg, *Utopie und fin de siècle. Zur deutschen Literaturkritik vor der Jahrhundertwende*, in: DVjs 43 (1969), S. 685—705. — Monica Hensel, *Die Gestalt Christi im Werke Gerhart Hauptmanns*, Phil. Diss. FU Berlin 1957. — Vgl. auch die letzte Arbeit des inzwischen verstorbenen Johannes Klein: *Kampf um Gott in der deutschen Dichtung*, Witten und Berlin 1973.

2. Theodor Fontane, *Der Stechlin*, in: Th. F., *Sämtliche Werke*, München 1959, Bd. 8, S. 42 und S. 343. 3. ebenda, S. 47.

4. H. Conradi, *Empörung*, in: *Moderne Dichter-Charaktere*, hrsg. von W. Arent, Berlin 1885, S. 93.

5. Felix Hollaender, *Der Weg des Thomas Truck. Ein Roman in vier Büchern*, 5. Aufl. Berlin 1904, Bd. 1, S. 169.

6. G. Wunberg, *Utopie* (= Anm. 1), S. 692. W. beruft sich auf H. Bahr, *Die Moderne*, wo es heißt: „Es geht eine wilde Pein durch diese Zeit, und der Schmerz ist nicht mehr erträglich. Der Schrei nach dem Heiland ist gemein, und Gekreuzigte sind überall." In: H. Bahr, *Zur Überwindung des Naturalismus*, hrsg. von G. Wunberg, Stuttgart 1968, S. 35.

7. G. Hauptmann, *Der Narr in Christo Emanuel Quint*, in: G. H., *Sämtliche Werke*, hrsg. v. H. E. Hass, Frankfurt, Berlin 1962, Bd. 5, S. 363.

vgl. auch Fritz Stern, *Kulturpessimismus als politische Gefahr. Eine Analyse nationaler Ideologie in Deutschland*, Bern, Stuttgart, Wien 1963, S. 324: „Nicht nur weitaus die meisten Intellektuellen, sondern auch große Teile des Volkes hatten sich von der kirchlich-organisierten Religion abgewandt und sich einer persönlichen, deistischen Religion, einem Agnostizismus und Atheismus verschrieben."

vgl. auch: Julius Petersen, *Die Sehnsucht nach dem Dritten Reich in deutscher Sage und Dichtung*, in: Dichtung und Volkstum (= Euphorion) 35, 1934, S. 145—182.

Dieser religiöse Massenwahn wird in der Literatur vielfach aufgegriffen. Gerade die heute weniger bekannten Autoren haben solche Themen verarbeitet; vgl. z. B. Maria Janitschek, *Gott hat es gewollt*, Leipzig 1895, S. 8: „Da erblickten fünfhundert gläubige Bauern den blutenden Heiland."

8. vgl. die informative Darstellung bei: Richard Hamann / Jost Hermand, *Stilkunst um 1900*, Berlin (Ost) 1967 (Kap. „Religio statt Liberatio"). Vgl. jetzt auch die materialreiche Darlegung bei: Roy Pascal, *From Naturalism to Expressionism. German Literature and Society 1880—1918*, London 1973, S. 161—197 („Religion and the Churches").

9. Hauptmann-Nachlaß (Berlin, Staatsbibliothek), Nr. 387, S. 940.

10. In: A. Holz, *Unterm Heilgenschein*, o. O. o. J. (1885) (nur als hektograph. Ex. im Arno-Holz-Archiv, Berlin). Dann auch in der „Widmungsepistel" des „Buches der Zeit" (1886), in: Arno Holz, *Werke*, hrsg. von W. Emrich und A. Holz, Neuwied und Berlin-Spandau 1961—1964, B. 5, S. 14.

A. Holz ist für dieses Thema sehr ergiebig, s. dazu mein Buch: *Arno Holz im literarischen Leben des ausgehenden 19. Jahrhunderts (1883—1896). Eine biographische Studie*, München 1971, S. 65—68.

11. F. Hollaender, *Jesus und Judas. Ein Roman aus dem Jahre 1889*, Rostock o. J. (1924), S. 38; Peter Hille, *Die Sozialisten*, Leipzig o. J. (1886), S. 58; Gustav Landauer,

*Aufruf zum Sozialismus,* Berlin 1930, S. 47 f., hier nach: Helmut Kreuzer, *Die Boheme. Beiträge zu ihrer Beschreibung,* Stuttgart 1968, S. 313. (K. bietet noch weitere Beispiele.)

12. In: Freie Bühne 1 (1890), S. 350.

vgl. Hollaender, *Jesus und Judas* (= Anm. 11), S. 38: „Und nicht bei Joh. Bockhold, Thom. Morus, Campanella und, um von den allerneuesten zu sprechen, nicht bei Engels, Marx, Lassalle, sondern im Neuen Testament findet sich in großen Zügen — das Programm der Sozialdemokratie — freilich *cum grano salis.*"

13. Zitiert nach: Helga Grebing, *Geschichte der deutschen Arbeiterbewegung,* München 1970 (= dtv 647), S. 58.

14. vgl. Fedor Stepun, *Dostojewskij und Tolstoj. Christentum und soziale Revolution,* München 1961. — Romano Guardini, *Religiöse Gestalten in Dostojewskis Werk,* 4. Aufl. München 1951.

15. vgl. dazu die Arbeit von Hans Hinterhäuser (= Anm. 1), der sich mit Pérez Galdós, Fogazzaro, Léon Bloy befaßt. Zu Ward vgl. Ziolkowski (= Anm. 1), S. 23 f.

16. Ziolkowski (= Anm. 1) führt in seinem Kap. „The Christian Socialist Jesus" eine Fülle weiterer Titel an, z. B. Alfred Barry, *Lectures on Christianity and Socialism* (1890); Archibald McCowan, *Christ, the Socialist* (1894); Shailer Mathews, *The Social Teaching of Jesus* (1897); Charles M. Sheldon, *The Heart of the World: A Story of Christian Socialism* (1905). 17. Nach Ziolkowski (= Anm. 1), S. 59.

18. Es reizt, hier Goethe zu zitieren: „Die hohe reichdotierte Geistlichkeit fürchtet nichts mehr als die Aufklärung der unteren Massen. Sie hat ihnen auch die Bibel lange genug vorenthalten, so lange als irgend möglich. Was sollte auch ein armes christliches Gemeindeglied von der fürstlichen Pracht eines reich dotierten Bischofs denken, wenn es dagegen in den Evangelien die Armut und Dürftigkeit Christi sieht, der mit seinen Jüngern in Demut zu Fuße ging, während der fürstliche Bischof in einer von sechs Pferden gezogenen Karosse einherbraust!" (J. P. Eckermann, *Gespräche mit Goethe,* Berlin (Ost) 1962, S. 652; 11. März 1832).

19. Löwith, *Von Hegel zu Nietzsche* (= Anm. 22), S. 373, weist auf die Schriften hin von Bruno Bauer, *Das entdeckte Christentum.* Eine Erinnerung an das achtzehnte Jahrhundert und ein Beitrag zur Krise des 19. Jahrhunderts (1843) und die Neuausgabe dieser Schrift durch E. Barnikol, *Das entdeckte Christentum im Vormärz. Bruno Bauers Kampf gegen Religion und Christentum und Erstausgabe seiner Kampfschrift,* Jena 1927.

20. G. E. Lessing, *Werke,* hrsg. von G. Wittkowski, Leipzig, Wien o. J., Bd. 7, S. 23.

21. Zur Leben-Jesu-Forschung vgl. Albert Schweitzer, *Geschichte der Leben-Jesu-Forschung,* 2. Aufl. Tübingen 1913.

22. M. Nordau, *Die conventionellen Lügen der Kulturmenschheit,* 70.—71. Tsd. Leipzig 1909, S. 63 u. 62.

Zu Max Nordau vgl. den in diesem Bd. abgedruckten Beitrag von Jens Malte Fischer.

Nordau kann sich hier auf Feuerbach berufen, für den das Christentum nichts als „eine fixe Idee" war, „welche mit unsern Feuer- und Lebensversicherungsanstalten, unsern Eisenbahnen und Dampfwagen, unsern Pinakotheken und Glyptotheken, unsern Kriegs- und Gewerbeschulen, unsern Theatern und Naturalienkabinetten im schreiendsten Widerspruch steht" (VIII[4], S. 31). Hier nach: Karl Löwith, *Von Hegel zu Nietzsche. Der revolutionäre Bruch im Denken des neunzehnten Jahrhunderts,* 3. Auflage Stuttgart 1953, S. 362.

vgl. auch Emile Zola: „L'homme métaphysique est mort, tout notre terrain se transforme avec l'homme physiologique." In Zola, Œuvres Complètes, Paris 1928, Bd. XLI, S. 50.

23. Wilhelm Bölsche, *Die Mittagsgöttin* (1891); 2. Aufl., Bd. 1, S. 128 u. 135. Hier nach Hamann/Hermand, *Naturalismus,* 2. Aufl. Berlin (Ost) 1958, S. 100 (jetzt auch München 1972).

24. Ludwig Curtius, *Deutsche und antike Welt* (1950), S. 455. Hier nach: F. Stern, *Kulturpessimismus* (= Anm. 7), S. 16.

25. vgl. dazu Friedrich Engels in seiner Schrift über Feuerbach: „Man muß die befreiende Wirkung dieses Buches selbst erlebt haben, um sich eine Vorstellung davon zu machen. Die Begeisterung war allgemein: wir waren alle momentan Feuerbachianer." Hier nach Löwith, *Von Hegel zu Nietzsche* (= Anm. 22), S. 358. Zu Harnacks Wirkung vgl. Karl Kupisch, *Bürgerliche Frömmigkeit im Wilhelminischen Zeitalter*, in: H. J. Schoeps (Hrsg.), *Zeitgeist im Wandel. Das Wilhelminische Zeitalter*, Stuttgart 1967, S. 40—59. K. bietet eine Fülle von Angaben und Belegen.

26. In: O. Panizza, *Meine Verteidigung in Sachen Das Liebeskonzil*, in: O. P., *Das Liebeskonzil und andere Schriften*, Neuwied und Berlin 1964, S. 153.

vgl. auch G. Hauptmann, *Das zweite Vierteljahrhundert*, in: G. H., *Die großen Beichten*, Berlin 1966, S. 649: „Man schrieb damals Schriften über das Jesus-Problem. Renan war noch am Leben, David Friedrich Strauß ungefähr 15 Jahre tot, aber in seinem Schaffen lebendig. Sein ‚Leben Jesu' und sein Buch ‚Der alte und der neue Glaube' ging in uns ein."

27. Hamann/Hermand, *Naturalismus* (= Anm. 23), S. 109.

In der Diskussion nach dem Vortrag wurde — besonders von Prof. Dr. J. A. Schmoll gen. Eisenwerth (München) — eine Fülle von Hinweisen und Anregungen gegeben: frühe Ansätze bei den Nazarenern; bei Thorvaldsen; Eduard von Gebhardt, Hans Thoma und Wilhelm von Steinhausen; die Monumentalmalerei in Kirchen um 1890 (München, Düsseldorf, Bonn); Becker-Gundahl (Bamberger Dom). Ferner wurde auf Werke von Segantini, Stuck, der Präraffaeliten, von Klinger, Ingres, Daumier, Holman Hunt, Manet, Ensor und besonders Gauguin verwiesen. Die Linie wurde dann noch zum Expressionismus verlängert, z. B. Schmidt-Rottluff, Nolde, Barlach. Vgl. auch Wolfgang von Löhneysen, *Kunst und Kunstgeschmack von der Reichsgründung bis zur Jahrhundertwende*, in: H. J. Schoeps, *Das Wilhelminische Zeitalter*, Stuttgart 1967, S. 98 f. (= Anm. 25).

Zur Christusthematik im literarischen Expressionismus vgl. Christoph Eykmann, *Die Christus-Gestalt in der expressionistischen Dichtung*, in: Wirkendes Wort, 23. Jg. (1973), H. 6, S. 400—410. In Heidelberg wird 1977 eine Diss. bei P. A. Riedl abgeschlossen: Bettina Brandt, Die religiöse Malerei Fritz von Uhdes.

28. Hollaender, *Jesus und Judas* (= Anm. 11), S. 193.

29. Hans Land, *Der neue Gott. Roman aus der Gegenwart*, 2. Aufl. Dresden u. Leipzig 1892, S. 190.

30. Aber auch im Drama gibt es dafür Beispiele, s. Friedrich Lienhards *Weltrevolution* (1889), wo ein Student die Rolle des Sozialagitators übernimmt und „in die Rolle eines Christus der Revolution gerät". Hamann/Hermand, *Naturalismus* (= Anm. 23), S. 274.

31. S. dazu: Monica Hensel, *Die Gestalt Christi im Werke Gerhart Hauptmanns*, Phil. Diss. FU Berlin 1957.

32. P. Hille, *Das Mysterium Jesu*, Leipzig 1921, S. 31 u. 32. (Hierbei handelt es sich um eine freie Nacherzählung des Lebens Jesu.)

33. vgl. die ähnliche Szene in Adolf Wildbrandts *Hairan* (1900). Da hält der Mensch Jesus dem Gelähmten vor: „doch Arzt für kranke Glieder bin ich nicht!" Als dieser dennoch geheilt wird, sagt Hairan: „Nicht ich, dein Glaub' hat dir geholfen." Hier nach: Adalbert von Hanstein, *Das jüngste Deutschland. Zwei Jahrzehnte miterlebter Literaturgeschichte*, 2. unver. Abdruck Leipzig 1901, S. 301.

34. H. Kreuzer, *Boheme* (= Anm. 11), S. 235. Vgl. auch den Aufsatz von Jost Hermand, *Der ‚neuromantische' Seelenvagabund*, in: J. H., *Der Schein des schönen Lebens. Studien zur Jahrhundertwende*, Frankfurt 1972, S. 128—146.

35. M. Kretzer, *Das Gesicht Christi. Roman aus dem Ende des XIX. Jahrhunderts*, 8. Aufl. Leipzig 1920, S. 306 f.

36. ebenda, S. 150. 37. S. dazu Ziolkowski (= Anm. 1), S. 24 f.

38. Robert Schweichel, *In Acht und Bann. Erzählungen*, Berlin (Ost) 1964, S. 79.

39. Paul Göhre, *Drei Monate als Fabrikarbeiter und Handwerksbursche. Eine praktische Studie*, Leipzig 1891, S. 109.

vgl. auch Friedrich Spielhagens Roman *In Reih und Glied* (1867), wo die Hauptfigur, ein freies Porträt Ferdinand Lassalles, charismatische Züge trägt.

vgl. auch A. Holz' Gedicht „Ecce homo" aus dem *Buch der Zeit* (1886).

40. P. Göhre, *Fabrikarbeiter* (= Anm. 39), S. 190.

41. Hier nach: Hamann/Hermand, *Naturalismus* (= Anm. 23), S. 257. Dieses Zitat bringt von Löhneysen in Zusammenhang mit dem Arbeits- und Arbeiterbild der Jahrhundertwende, wo wir ebenfalls eine „Heroisierung der Arbeit" und „Heiligung der Arbeit" vorfinden. Als Beispiel führt er Constantin Meuniers „Le Calvaire" an. W. von Löhneysen, *Kunst und Kunstgeschmack* (= Anm. 27), S. 101 f.

42. Ausdrücklich heißt es über Carl Truck, er sei der Christ, „der zum zweiten Male zur Sündenwelt herniedergestiegen sei". Hollaender, *Jesus und Judas* (= Anm. 11), S. 46 f.

43. Im Berlin der neunziger Jahre erscheint ein Fremder, der durch seine sozialen Taten deutlich den Vergleich mit Christus herausfordert. Vgl. dazu Ziolkowski (= Anm. 1), S. 79.

Eine ungewöhnliche Variante sozialen Mitleids finden wir in der Novelle *Der Heiland der Tiere* von Emil Schoenaich-Carolath, in: E. Sch.-C., *Ges. Werke,* Leipzig 1907, Bd. 6, S. 121—197. Hier opfert sich ein Bauer — er kreuzigt sich selbst (S. 191) — für die Tiere, die Christus bei seiner Erlösung „vergessen" habe (S. 167).

44. Zu Egidy s. die dichterische Verarbeitung bei Hollaender, *Der Weg des Thomas Truck. Ein Roman in vier Büchern,* 5. Aufl. Berlin 1904, Bd. 1, S. 366—389, dem Hollaender auch die oben zitierte Aussage über den ‚Einzelmenschen' unterlegt hat.

45. Hier nach: H. Kreuzer, *Boheme* (= Anm. 11), S. 93.

46. P. Hille, *Gesammelte Werke,* 3. Aufl. Berlin 1921, S. 414. Vgl. auch Thomas Truck, der nach einem Konzert über den Mißerfolg eines Musikers sagt: „Er führt sie in das Reich der Freude, und dafür kreuzigen sie ihn. Das uralte Schicksal derer, die das Licht tragen." (Band II, S. 384.)

Vgl. auch Holz' Zyklus „Phantasus" im *Buch der Zeit* (1886): „er war so arm und so verlassen, / wie jener Gott aus Nazareth". In: A. H., *Werke* (= Anm. 10), Bd. 5, S. 80. Vgl. auch S. 81.

47. [Julius Langbehn], *Rembrandt als Erzieher. Von einem Deutschen,* 49. Aufl. Leipzig 1909, S. 186 u. 175. Hier nach: F. Stern, *Kulturpessimismus* (= Anm. 7), S. 179 f.

48. A. Moeller van den Bruck, *Die moderne Literatur,* Berlin und Leipzig 1902, S. 440.

49. F. Stern, *Kulturpessimismus* (= Anm. 7), S. 17.

50. G. Lukács, *Gerhart Hauptmann,* in: Linkskurve 4, 1932, H. 10. Wieder in: G. L., *Werke,* Neuwied/Berlin 1970, Bd 4, S. 76. Vgl. auch A. v. Hanstein, *Das jüngste Deutschland* (=Anm. 33), S. 235: „denn groß war überall das Bedürfnis nach einer Religion — aber nach einer solchen, die frei war vom Zwange kirchlich engstirniger Dogmatik."

51. Friedrich Nietzsche, *Aus dem Nachlaß der Achtzigerjahre,* in: F. N., *Werke in drei Bänden,* hrsg. von K. Schlechta. — 2. Aufl. München 1967, Bd. 3, S. 422.

52. Siehe z. B. die gründliche und umfangreiche Dissertation von Manfred Kaempfert, *Säkularisation und neue Heiligkeit. Religiöse und religionsbezogene Sprache bei Friedrich Nietzsche,* Berlin 1971 (= Phil. Diss. Bonn 1968). Hier auch eine Fülle von weiteren Literaturangaben.

53. Auch die anderen Autoren des Charon-Kreises ließen sich bei dieser Thematik anführen. Vgl. z. B. Otto zur Lindes Werke mit Titeln wie *Die Hölle* oder *Die neue Erde* (1921 f.) oder Erich Bockemühl: *Worte mit Gott* (1913) und *Jesus* (1920) und besonders Karl Röttger, *Christuslegenden* (1914).

54. Hier nach: Albert Soergel, *Dichtung und Dichter der Zeit. Im Banne des Expressionismus,* 11.—15. Tsd. Leipzig 1926, S. 279. Vgl. auch Georges Gedicht im *Siebten Ring:* „Erlöser du! selbst der unseligste —".

55. Kreuzer, *Boheme* (= Anm. 11), S. 333.

56. Hier nach: Albert Soergel, *Dichtung und Dichter der Zeit. Eine Schilderung der deutschen Literatur der letzten Jahrzehnte,* 5. unver. Abdruck Leipzig 1916, S. 642. In

diesem Zusammenhang darf ein Hinweis auf den Satanismus, wie er z. B. in Huysmans *La bas* (1891) vorgeführt wird, nicht unterbleiben.

57. vgl. auch Friedrich Lienhard, *Christus auf dem Tabor,* wo von der „Sonnengestalt" gesprochen wird. In: Karl Röttger, *Die moderne Jesus-Dichtung. Eine Anthologie,* Gotha 1927, S. 89. Zu Lienhard vgl. auch Hamann/Hermand, *Stilkunst um 1900,* Berlin (Ost) 1967, S. 146.

Zu Fidus: J. Hermand, Meister Fidus. *Vom Jugendstil-Hippie zum Germanenschwärmer,* in: J. H., *Der Schein des schönen Lebens* (= Anm. 34), S. 55—127. J. Frecot / J. Geist / D. Kerbs, *Fidus (1868 bis 1948). Zur ästhetischen Praxis bürgerlicher Fluchtbewegungen,* München 1972. Der Sonnenkult konnte sich auf Goethe berufen, vgl. 11. III. 1832 an Eckermann.

58. Wie bei Dehmel Psyche mit Jesus Hochzeit hält, so finden wir diese Bindung auch in Gustav Falkes Gedicht „Jesus im Olymp", in: Karl Röttger, *Jesusdichtung* (= Anm. 57), S. 51.

59. Claude David, *Stefan George. Sein dichterisches Werk,* München 1967, S. 258 f.

60. vgl. H. A. Korff, *Geist der Goethe-Zeit,* Bd. III, 6. unver. Aufl. Leipzig 1964, S. 318: „Bei Hölderlin wird die griechische Götterwelt um ihre letzte Gestalt, um Christus, *bereichert;* bei Novalis wird die bloße Natürlichkeit der Griechenwelt durch Christus *überwunden.*"

61. Siehe Stern, *Kulturpessimismus* (= Anm. 7), S. 68 (zu Lagarde), S. 174 (zu Langbehn). Vgl. z. B. Chamberlains *Die Grundlagen des neunzehnten Jahrhunderts* (1899) I, Abschnitt I, 3. Kap. „Die Erscheinung Christi" (S. 214), wo es heißt: „Es liegt also, wie man sieht, nicht die geringste Veranlassung zu der Annahme vor, die Eltern Jesu Christi seien, der Rasse nach, Juden gewesen." Der Dichter Johannes Schlaf hat in *Christus und Sophie* (Wien, Leipzig 1906) von einem „semitisch-arische[n] Mischblut" gesprochen (S. 171).

62. Hier nach: Fritz Stern, *Kulturpessimismus* (= Anm. 7), S. 179.

63. vgl. auch A. Bonus, *Deutscher Glaube, Träumereien aus der Einsamkeit,* 2. Aufl. Heilbronn 1901; darin Nacherzählung der Heilsgeschichte („Heliand"), wo Jesus der König und seine Jünger die Recken sind.

64. A. Moeller van den Bruck, *Die Zeitgenossen,* Minden 1906, S. 118 f. Hier nach: F. Stern, *Kulturpessimismus* (= Anm. 7), S. 241.

65. [Julius Langbehn], *Rembrandt als Erzieher. Von einem Deutschen,* 77.—84 Aufl. (1922), S. 369 (Kap. „Christentum und Deutschtum").

Selbst bei Theologen lassen sich solche Töne vernehmen. Paul Göhre, hier schon als engagierter Sozialtheologe angeführt (s. Anm. 39 u. 40), schreibt 1919 in *Der unbekannte Gott* (Leipzig): „Die neue Religion ist keine Religion für Schwache, Zerbrochene, Unmündige, sondern für Starke, Gesunde, Reife, Erwachsene" (S. 149). Vgl. dazu auch: J. Hermand, Germania germanicissima, in: J. H., *Der Schein des schönen Lebens* (= Anm. 34), S. 39—54.

66. H. Burte, *Wiltfeber, der ewige Deutsche. Die Geschichte eines Heimatsuchers,* 9.—11. Aufl. Leipzig 1918, S. 130.

67. R. M. Rilke, *Sämtliche Werke,* hrsg. vom Rilke-Archiv, Frankfurt 1961, Bd. 4, S. 456 und S. 457.

68. Briefe vom 13. V. 1897 an Lou Andreas Salomé, in: R. M. Rilke — L. Andreas Salomé. *Briefwechsel,* Zürich, Wiesbaden 1952, S. 9.

69. Rilke, *Sämtliche Werke* (= Anm. 67), Bd. 3, S. 159. Wenn Erich Heller meint, daß auch — neben *Der Apostel* und *Ewald Tragy* — die *Christus-Visionen* „widerhallen vom Gehämmer und Gesprenge Nietzsches", so ist das sicherlich übertrieben. In: E. Heller, Rilke und Nietzsche. In: E. H., *Nietzsche. Drei Essays,* Frankfurt 1967 (= edition suhrkamp 67), S. 75.

70. Rilke, *Sämtliche Werke* (= Anm. 67), Bd. 3, S. 148 (Ahasver), S. 135, S. 137, S. 159.

71. vgl. z. B. Stefan George in *Der Stern des Bundes:* „Ich bin der Eine und bin Beide." Dazu Claude David, *George* (= Anm. 59), S. 307. Vgl. auch Hofmannsthals Wunsch nach einer Synthese, der sich in seiner Beschäftigung mit asiatischen Mythen ausdrückt. Dazu: H. Zelinsky, *Brahman und Basilisk. Hugo von Hofmannsthals poetisches System und sein Drama „Der Kaiser und die Hexe"*, München 1974 (= Münchner Germanistische Beiträge 13).

72. vgl. auch Schillers 6. Brief *Über die ästhetische Erziehung des Menschen:* „Damals, bey jenem schönen Erwachen der Geisteskräfte hatten die Sinne und der Geist noch kein strenge geschiedenes Eigentum; denn noch hatte kein Zwiespalt sie gereizt" (Nationalausgabe, Bd. 20, S. 321).

73. S. Rilkes Brief an W. von Scholz (9. II. 1899): „Ich habe viele Ursachen, die Christus-Bilder zu verschweigen — lang — lange noch. Sie sind das Werdende, das mich begleitet leben-entlang." Hier nach: Rilke, *Sämtliche Werke* (= Anm. 67), Bd. 3, S. 790.

74. A. Soergel, *Im Banne des Expressionismus* (= Anm. 54), S. 266.

75. Ich nehme hier einen Gedanken G. Wunbergs wieder auf. In: G. Wunberg, *Utopie* (= Anm. 1), S. 704: „Es trat an die Stelle des Helden und des Messias, des Erlösers und des Übermenschen: ‚Seele'. Sie war vor allem gemeint, wenn etwas ‚fin de siècle' war."

76. *Jacob Burckhardts Briefe an seinen Freund Friedrich von Preen, 1864 bis 1893,* hrsg. von E. Strauß, Stuttgart u. Berlin 1922, S. 18 (3. VII. 1870). Hier nach: F. Stern, *Kulturpessimismus* (= Anm. 7), S. 78.

77. K. E. Born, *Der soziale und wirtschaftliche Strukturwandel Deutschlands am Ende des 19. Jahrhunderts,* in: H.-U. Wehler (Hrsg.), *Moderne deutsche Sozialgeschichte*, 3. Aufl. Köln und Berlin 1970, S. 283 f.

78. Friedrich Meinecke, *Erlebtes 1862—1901,* Leipzig 1941, S. 167 f. Hier nach: Stern, *Kulturpessimismus* (= Anm. 7), S. 204.

79. vgl. zu diesem Fragenkomplex: Gert Mattenklott / Klaus R. Scherpe (Hrsg.), *Positionen der literarischen Intelligenz zwischen bürgerlicher Reaktion und Imperialismus,* Kronberg 1973 (= Literatur im historischen Prozeß 2).

80. R. Musil, *Der Mann ohne Eigenschaften,* in: R. M., *Ges. Werke*, hrsg. von A. Frisé, Hamburg 1952, S. 55 (Kap. 15 „Geistiger Umsturz").

81. vgl. z. B. das Bekenntnis des „Deutschen Monistenbundes": „Die alte dualistische Ansicht, daß die Gegenüberstellung von Gott und Welt, Geist und Natur, Seele und Leib, Kraft und Stoff, wirklichen Gegensätzen entsprächen, weist er zurück." In: Dt. Monistenbund (Hrsg.), *Hat Jesus gelebt?* Berlin 1910, Anhang.

82. vgl. Feuerbach, *Grundsätze der Philosophie der Zukunft*, 2. Für F. besteht die Entwicklung der Religion darin, daß der Mensch „immer mehr Gott *ab-*, immer mehr *sich zu*spricht". Hier nach: Löwith, *Von Hegel zu Nietzsche* (= Anm. 22), S. 360.

83. G. Wunberg, *Utopie* (= Anm. 1), S. 703, hält das für ein typisches Verhalten in der Epoche des ‚fin de siècle': „Dann bedeutet dieses Lieblingswort [fin de siècle] der Epoche, daß man sich abgefunden hat mit der Jahrhundertwende [...], daß man sich abgefunden hat mit dem vergeblichen Warten auf den erwarteten Erlöser und literarischen Messias."

84. W. von Löhneysen, *Kunst und Kunstgeschmack* (= Anm. 27), S. 98.

85. Hermann Hesse, *Demian. Die Geschichte von Emil Sinclairs Jugend,* 210.—221. Tsd. Frankfurt 1974, S. 138 u. S. 144. Vgl. auch Georg Simmels Essay „Die Religion" (1906), wo das „Heil der Seele" beschworen wird.

J. A. SCHMOLL GEN. EISENWERTH

# Zur Christus-Darstellung um 1900

In zwei Referaten, die von Stephan Waetzoldt und Klaus Lankheit als Beiträge zu den Tagungen der Fritz Thyssen Stiftung über Fragen der Trivialkunst 1968/69 gehalten und danach in den Sammelband „Triviale Zonen in der religiösen Kunst des 19. Jahrhunderts“[1] aufgenommen wurden, befaßten sich die Verfasser auch mit der Problematik der christlichen Kunst im ausgehenden 19. Jahrhundert. Waetzoldt bemerkt: „In allen Gattungen der bildenden Kunst während der 2. Hälfte des 19. Jahrhunderts läßt sich ein sehr ernstes Ringen um wissenschaftlich nachprüfbare Wahrhaftigkeit nachweisen“[2]. Paradebeispiele sind im Bereich der christlichen Thematik die Palästina- und Jerusalem-Studien des führenden englischen Präraffaeliten Holman Hunt und des aus Hamburg stammenden Münchner Malers Bruno Piglhein. Hunt studierte Land, Leute und historische Fakten vor allem für sein Gemälde „The Triumph of Innocents“, eine Darstellung der Flucht nach Ägypten (drei Fassungen, ausgeführt 1871—79). Piglhein nahm den Auftrag eines Unternehmers für ein Panoramabild der Kreuzigung Christi in München an und reiste mit zwei Kollegen, die er als Mitarbeiter für Architekturen und Landschaftsmotive gewann, im Frühjahr 1885 nach Palästina zu intensiven Erkundungen der topographischen Situation. Richard Muther schreibt 1887, nach Fertigstellung des vielbewunderten riesigen Rundbildes (1700 Quadratmeter!) in einem Aufsatz über Piglhein: „Erst das Jahrhundert der exakten Wissenschaften, der Photographie und der Eisenbahnen ermöglichte die umfassenden Studien, welche die wissenschaftliche Grundlage des großen Werkes bilden. Nur ein Künstler, der an Ort und Stelle die gründlichsten landschaftlichen, volkstyplichen und archäologischen Forschungen gemacht hatte, vermochte den unzähligemale dargestellten Gegenstand in so durchaus neuer Weise zu behandeln ... Bedenkt man, daß Piglhein im Orient sich ausschließlich auf photographische Aufnahmen beschränkte und nach seiner Rückkehr ohne Zuhülfenahme irgend eines Modells innerhalb neun Monaten das gewaltige Werk auf die Leinwand schrieb, so kann man sich der Empfindung nicht erwehren, daß man hier in der That einem Künstler von Gottes Gnaden gegenübersteht[3]." Das Golgatha-Panorama Piglheins galt vielen als Inbegriff moderner religiöser Malerei, als gelungene Synthese von „erhabener Stimmung" und objektiver Darstellung des historischen Vorgangs der Kreuzigung Christi am 7. April des Jahres 34 (im Sinne von Rankes Forderung an die Geschichtswissenschaft, zu zeigen, „wie es eigentlich gewesen ist"). Gegenüber dem älteren Golgatha-Panorama des Belgiers de Vriendt, dessen Kreuzigung ein „einseitig religiös aufgefaßter Gegenstand" sei, stellte Muther fest, daß Piglhein „dem realistischen Zug unserer Zeit entsprechend" sein Thema zum umfassenden kulturgeschichtlichen Gesamtbild erweitert habe, „das uns in allen Einzelheiten das große Drama miterleben läßt, welches die Weltgeschichte in neue Bahnen lenkte". Piglheins Panorama, von dem eine Holzstichreproduktion in langen Papierstreifen vertrieben wurde, verbrannte bei der Ausstellung in Wien 1892. Es fand aber Nachfolge in dem Kreuzigungspanorama, das noch heute den Pilgern am Wallfahrtsort Altötting zur Erbauung dient. Die beabsichtigte Illusionswirkung läßt sich dort noch immer studieren. In den Golgatha-Panoramen erreichte der Naturalismus um 1900 einen späten Höhepunkt in der exakt historisch ausgerichteten Sakralmalerei. Es gehört nun zum Stilpluralismus des Fin de siècle, daß gleichzeitig völlig konträre Auffassungen existieren. Um noch bei Piglhein zu bleiben muß gesagt werden, daß auch er sich um eine symbolhaltige Darstellung bemühte, d. h. sich nicht mit der historischen und naturalistischen Wahrheit begnügte[4]. Das Bild, welches ihm vermutlich den Großauftrag zum Golgatha-Panorama einbrachte, ist das Gemälde „Moritur in Deo", eine Kreuzigung Christi, die er 1879 in München ausstellte (Abb. G 1). Muther: „das schwierige Problem der Darstellung, wie der hinter dem Kreuze schwebende Todesengel den sterbenden Christus auf die Stirn küßt, war hier mit vollendeter Meisterschaft gelöst"[5]. Man bewunderte wohl das Können des Malers in der Wiedergabe anatomischer und perspektivischer Schwierigkeiten bei dem beängstigenden Balanceakt des mit mächtigen Schwingen über dem Kreuzbalken halb schwebenden, halb sich darüberlehnenden Todesengels. Der linke Arm Christi erscheint perspektivisch überdehnt in seiner nach vorn und oben rechts vorstoßenden Haltung. Hier könnte eine photographische Modellaufnahme Piglhein zur Übertreibung des räumlichen Effekts verführt haben. Im übrigen erweist das große Gemälde die Diskrepanz zwischen einem — keineswegs kleinlichen — Naturalismus, der schwungvolle und stimmungsreiche Mittel der Pinselführung und Raumdarstellung einsetzt, und der angestrebten symbolischen Vertiefung. Die theatralische Wirkung bleibt unglaubhaft.

Ähnliches läßt sich noch von Herkomers „Ein Riß in den Wolken", einer Grisaille von 1896, sagen (Abb. G 2). Auch hier bildet die naturalistische Einstellung des süddeutschen Wahlengländers Hubert von Herkomer die Grundlage einer um symbolträchtige Wirkungen bemühten Kreuzigungsdarstellung. Effektvoll ist die Perspektive, bei der die flankierenden Kreuze der Schächer tief unterhalb des Kreuzstammes Christi am Abhang des Golgathahügels erscheinen. Und die triste Stimmung wird durch den übernatürlichen Lichtschein, der den grauverhangenen Himmel hinter Christus teilt („Ein Riß in den Wolken") aufgehellt. Auch hier ist die theatralische Wirkung stärker als der seelisch-religiöse Gehalt. Auch Hans Thoma gibt in seiner brauntonigen Lithographie der Kreuzigung von etwa 1890 hauptsächlich einen Stimmungswert (Abb. G 3). Aus der dämmerigen Landschaft mit den um den Kreuzstamm versammelten Personen steigt der Leib Christi in betont plastischen Formen in den hellen Schimmer eines Lichts auf, das Sonnenuntergang evoziert. Die Gestalt des Gekreuzigten folgt dem traditionellen Schema. Das Blatt vermittelt den Charakter einer volkstümlichen Bibelillustration, freilich ohne dem Bildgedanken neue Kraft zuzuführen. Das Kreuzigungsthema ist das zentrale Motiv im Kreise der Christusdarstellungen und damit ein Prüfstein christlicher Kunst. Deren Schwäche im 19. Jahrhundert läßt sich daher allein an diesem Vorwurf nachweisen. Für das Fin de siècle ist nun bezeichnend, daß mitten in der letzten Steigerung naturalistischer und streng historisch-dokumentarischer Darstellungsmöglichkeiten wie sie den Absichten der gesamten Historienmalerei entsprach, das Bewußtsein dafür wächst, daß man sich auf diesen Wegen sowohl von der Gegenwart, von der Aktualität der Glaubensbotschaft in der eigenen Zeit immer mehr entfernt, als auch vom Kern jeder Religiosität, dem Transzendenten. Daher die fast verzweifelt anmutenden Anstrengungen, die Thematik zu aktualisieren, sie mit Transzendenz „aufzuladen" oder die verlorene Dimension echter (alter) Symbolkunst wiederzugewinnen.

Sehr merkwürdig ist das im Werk Wilhelm Trübners isoliert stehende Gemälde der Kreuzigung von 1878[6] (Abb. G 4). Der Maler edler Reitpferde hat eine Szenerie geschaffen, in der die Rosse der römischen Kavallerie eine bestimmende Rolle spielen. Das Hochplateau von Golgatha ist vom Getümmel der Menschen und Pferde erfüllt. An der Grenze von Mittel- und Hintergrund hebt sich in helleren Farbtönen das Kreuz mit dem sterbenden Christus, mit der zu seinen Füßen klagenden Magdalena, mit Maria, die von Johannes und einer Frau gestützt wird, sowie mit der Schar der Anhänger und mit dem Kreuz des einen Schächers heraus. Aber auch ein Schimmel bäumt sich hoch zum Kruzifix. Ein dunkles Pferd eilt reiterlos in den Hintergrund und vorn hat Reiter und ungesattelte Pferde die Panik ergriffen.

Ein römischer Soldat flieht auf seinem Roß mit wehendem Mantel nach vorn, zu beiden Seiten von ihm bäumen sich Pferde auf. Am unteren Bildrand grinst der nackte Schädel des Todes dem Betrachter entgegen. Für das Entstehungsjahr 1878 erscheint Trübners Golgatha-Vision sehr modern. Sie nimmt Züge von Weisgerbers expressiver Malerei für die religiöse Thematik voraus, wobei aber auch hier die Gestalt des Gekreuzigten durchaus der Tradition folgt. Der Versuch eine Aktualisierung des Geschehens beim Tode Christi ist nicht recht überzeugend.

Einen ganz anderen Weg schlug Max Klinger mit seiner vieldiskutierten Kreuzigung von 1888/1890 (Leipzig, Mus. d. bild. Künste, Abb. G 5) ein. In ihr mischen sich die Tendenzen zur Wiedergabe archäologischer Richtigkeit (Kostüme, niedrige Kreuze mit Fußstützen, Jerusalemprospekt im Hintergrund) mit denen zur Stilisierung und damit zum Symbolismus. Klinger entwickelt eine Streifenkomposition, in der die Personen wie beim Schlußbild eines Bühnenstücks wirkungsvoll verteilt und der Bedeutung nach postiert sind. Er erreicht so eine große Feierlichkeit, vor allem in der Gegenüberstellung der drei Profilgestalten: Maria in der Mitte, Christus ihr gegenüber weit rechts und eine reichgekleidete Römerin am linken Bildrand. Nicht nur diese ruhig stehenden Figuren, auch weitere, selbst die pathetisch klagend zusammensinkende Magdalena in der Mittelachse, sind statuarisch gegeben. Es herrscht eine klassizistische Ordnung. Sie wird durch psychologische Momente in das Problembewußtsein der Moderne des Fin de siècle transportiert. Die vornehme Römerin links ist ein Typus der Gesellschaftsdame, die marmorne Kühle und Distanziertheit zur Schau zu tragen hat, obwohl in ihr die Erkenntnis von der Bedeutung des Geschehens und vom Ausmaß der Tragödie des Opfertodes Christi aufdämmert. Sie wirkt wie eine Bühnengestalt der Sarah Bernard. Magdalena, die große Liebende, steht nicht zufällig im Mittelpunkt. Auch sie verkörpert ein modernes Bewußtsein, die tragisch-erotische Beziehung zum unerreichbaren Geliebten, die zur Hysterie führt, ein Fall für Freud. Und so könnte man auch die anderen Personen charakterisieren, sie einer psychoanalytischen Beschreibung unterziehen. Christus ist davon nicht auszunehmen. Klinger zeigt nicht den Moment seines Sterbens. Eher läßt sich feststellen, es sei der Beginn einer Stunde der Wahrheit. Christus ist soeben ans Kreuz geschlagen. Er wird dort lange ausharren müssen. Die Schergen treten ab, die Angehörigen und Freunde nehmen Abschied. Die Pharisäer überwachen den Vorgang, ein Schreiber notiert den sehr langsamen Ablauf der routinemäßigen Gruppenhinrichtung. Christus fixiert klaren Auges die vor ihm Stehenden. Er erscheint mehr als der Richter, denn als Gerichteter. Ein eisiger Hauch läßt alle vor ihm zurückweichen. Was ist das für ein Christusbild? Man hat

Klinger vorgeworfen, er habe das heiligste Thema der christlichen Kunst profaniert, im Grunde wohl nur, weil es (nach Waetzoldt) „eine ganz ungewöhnliche und großartige Neufassung“ darstellte. Undenkbar, daß ein solches Bild damals (aber auch später) Aufnahme in einer Kirche gefunden hätte. Allein diese Art Nacktheit des Christuskörpers — ohne das übliche Lendentuch, mit dem Querholz zwischen den Oberschenkeln, zwar archäologisch begründet, aber doch befremdlich, und, dies vor allem, die Geschlechtspartie dadurch ungebührlich und zugleich schmerzhaft betonend, wie ausgesetzt den Blicken der Frauen ... Nein, das war kein Bild für gläubige Kirchgänger, auch dann nicht, wenn man den zuletzt berührten Punkt außer acht ließe. Das Pathos der Magdalena, ihre offensichtlich sinnliche Beziehung zu Christus sind in dieser erotischen Nuancierung Kennzeichen einer Fin-de-siècle-Perspektive, die allerdings die Inhalte der christlichen Ikonographie säkularisiert. Noch deutlicher wird das Motiv in Rodins Plastik „Le Christ et la Madeleine“ (Abb. G 6) von etwa 1894. Die Liebende, nackt, umschlingt den Körper des Gekreuzigten. Georges Grappe fand in seinem Katalog des Musée Rodin 1927 Worte, die in ihren Lyrismen der Sprache der Epoche Rodins noch durchaus nahe standen: „Jésus est crucifié depuis des heures sans doute. Le poids du corps déchire les membres fragiles fixés à la croix et Madeleine, qui est restée au pied de l'instrument du supplice, se sent éperdue à voir la pauvre chair morte subissant une nouvelle injure. Dans un grand élan, elle s'efforce, malgré sa faiblesse, accrue par les larmes et la douleur, de soutenir le divin cadavre[7].“

Zum Wesen des säkularisierten Bildwerks ist auch seine Mehrdeutigkeit zu rechnen. So hat Rodin — wie bei vielen seiner Arbeiten — für die Gruppe „Le Christ et la Madeleine“ vorübergehend auch andere Titel erwogen. Es tauchen nämlich im Zusammenhang mit ihr noch folgende Benennungen auf: „Le Génie et la Pitié“, aber auch „Prométhée“ und „Prométhée et une Océanide“, schließlich sogar für eine Ausstellung in Genf 1896 „Le Faune à la Croix“, was geradezu einer Paganisierung und Pervertierung des Motivs entspräche. Damit wird ein Bereich symbolistischer Projektionen angedeutet, der auch sonst in der Kunst des Fin de siècle eine Rolle spielt. Hier muß nur noch bemerkt werden, daß im außerordentlich vielgestaltigen Ouevre Rodins das Christus-Thema sonst nirgends begegnet. Der Bildhauer empfand eine Schranke davor — wie übrigens viele sehr bedeutende Künstler seiner Zeit (z. B. Cézanne und Van Gogh).

Von Max Klingers „Kreuzigung“ und wohl auch von seines Förderers Bruno Piglhein Kreuzigungsdarstellungen dürfte Franz Stuck zur Behandlung des großen Themas angeregt worden sein. An erster Stelle steht das stattliche Temperagemälde der Stuttgarter Staatsgalerie, das 1892[8] — also zwei Jahre nach Klingers Bild, entstand (Abb. G 7). Die niedrigen Kreuze gehen wohl auf dessen Anregung zurück. Stuck kam es auf ein Zuspitzung der dramatischen Wucht an. Die verfinsterte Sonne links oben — über dem vom Bildrand abgeschnittenen Selbstbildnisprofil des Malers — mit dem Effekt einer echten Sonnenfinsternis, die vom Mond hervorgerufen wird, verursacht grelle Licht- und Schattenwirkungen, in denen der Körper Christi aufleuchtet und auch der Schächer neben ihm (am rechten Bildrand) noch kräftig modelliert wie im Scheinwerferlicht angestrahlt erscheint. Die Gruppe der Zeugen bildet dagegen eine gedrängte, kulissenartige Masse links, aus der einzelne, zum Teil verlorene Profile und das Gesicht der zusammenbrechenden Maria hervorleuchten. Mit Recht ist darauf hingewiesen worden, daß die Thematik einfach zum Repertoire der akademischen Malerei im späten 19. Jahrhundert gehörte[9]. Ein Maler mit gehobenen Ansprüchen hatte sich auch im Fach der religiösen Kunst zu bewähren. Stucks „Kreuzigung Christi" von 1892 ist auch unter diesem Gesichtspunkt zu bewerten. Sie trug zweifellos dazu bei, daß er — u. a. durch Piglheins Eintreten — im Jahr darauf dreißigjährig den Professortitel verliehen bekam. Seine Kreuzigung fand Achtung, hat aber die Menschen keineswegs so bewegt und beschäftigt wie seine symbolistischen Kompositionen („Die Sünde", 1893, „Der Krieg 1894, „Der Kuß der Sphinx" 1895 usw.). Auch im Vergleich mit Klingers „Kreuzigung" bleibt sie eigentlich ohne tiefere inhaltlich-seelische Problematik, ein Bravourstück pathetischer Komposition mit dramatischen Bühneneffekten. Stuck interessierte vor allem die Szenerie als solche, wie man seinen späteren Varianten von 1906, 1913 und 1915[10] entnehmen kann.

Gegen eine Veräußerlichung von Christusbild und christlicher Thematik, wie sie in den naturalistischen und historisierenden Darstellungen, aber auch in den oberflächlich pathetischen, nur allzu deutlich in Erscheinung trat, gab es seit der Mitte des 19. Jahrhunderts eine Opposition. In England im Kreise der Präraffaeliten, in Deutschland vor allem im engen Zirkel der Beuroner Kunstschule. Beide Bewegungen haben aus der Quelle ihrer Gründung um 1848 (Präraffaeliten) und 1867/68 (Beuron) eine erstaunlich langlebige Wirkung erzielt. Sie gehören unlöslich mit der Gesamtströmung des Historismus zusammen und gaben Gedanken an verschiedene Zentren des Symbolismus am Fin de siècle weiter, worüber es noch keine detaillierten Untersuchungen gibt. Für die Langzeitwirkung präraffaelitischer Ideen sei hier nur ein Beispiel erwähnt, das die Christusthematik betrifft. William Holman Hunt, Mitbegründer und Mittheoretiker des Bundes, malte 1854 das Symbolbild „Das Licht der Welt" (Oxford, Abb. G 8), das Christus als König zeigt, der nachts an die Tore der Menschen klopft, die verschlossen und verwachsen sind. Im Bilde sind zwei Lichtquellen symbolischer Bedeutung:

der Nimbus um das gekrönte Haupt Christi und die Lampe, die er trägt (sie hat die Form eines neugotischen Zentralbaus). Hunt hat dieses Bild um 1852 begonnen und in andächtiger Sorgfalt ausgeführt[11]. Es wurde eines der Schlüsselbilder des Präraffaelitismus. Ein halbes Jahrhundert später erhielt der fast fünfundsiebzigjährige Hunt den Auftrag, das Bild für eine Kapellenstiftung zu wiederholen. So führte er es 1902 nochmals in monumentaler Form aus (Abb. G 9). Man empfand diesen Akt in England, aber auch in anderen Ländern als eine Bestätigung der Ideen dieser Künstlergruppe von 1848 und als ein Vermächtnis. Inzwischen hatte sich der europäische Symbolismus in seinen verschiedenen Spielarten entwickelt, der viele Anregungen inhaltlicher und formaler Art den Präraffaeliten verdankte. Hunts „Licht der Welt" wurde nach dem Abebben des Impressionismus wieder als „modern" verstanden, d. h. als ein Dokument des Antirationalismus, durchaus aktuell in einer Epoche, in der in Deutschland z. B. Melchior Lechter im Geiste Stefan Georges eine neue christliche Symbolkunst formulierte.

Was Beuron angeht, so ist die Schlüsselfigur der künstlerischen Reformbewegung Desiderius (Pater) Lenz[12]. 1832 geboren, gehört er zur Generation Manet's (1832) und Meunier's (1831), aber auch der Präraffaeliten (Hunt 1827, Rossetti 1828, Millais 1829, Morris 1834). Er absolvierte die Münchner Akademie, verließ sie als spätklassizistischer Bildhauer (1858) und wechselte zur Neugotik über. Ein durch Peter Cornelius veranlaßtes Italienstipendium brachte das Erlebnis nicht nur der frühchristlichen, sondern auch das der ägyptischen Kunst 1863, vermittelt durch den Ägyptologen Lepsius in Rom. Intensive Studien über die Gesetzmäßigkeiten der Bildkunst im Verein mit der katholischen Erneuerungsbewegung, die von Beuron ausging und der er beitrat, führten zu dem Freskostil, den Lenz und seine Mitarbeiter und Schüler zwischen 1868 (St. Mauruskapelle bei Beuron) und 1913 (Krypta von Monte Cassino, ab 1898) und St. Hildegard in Eibingen (ab 1906) ausführten. Der eigentümliche Beuroner Stil zeigt einen archaisierenden Charakter, der um 1900 auch in andere Bereiche eindrang, etwa in die Mosaikkunst der protestantischen Kirchendekoration (Kaiser Wilhelm Gedächtniskirche in Berlin). Zwei Beispiele aus dem Schaffen des Desiderius Lenz und seiner Mitarbeiter (P. Gabriel Würger an erster Stelle) mögen hier den Beuroner Stil an Hand des Themas Kruzifix erläutern. Aus den Wandbildern der St. Mauruskapelle bei Beuron (1868—71) stammt die streng symmetrische Kreuzigung mit der statuarischen Figurenreihe der sechs Heiligengestalten: (dem Kreuz zunächst flankierend Maria und Johannes, der Lieblingsjünger, neben diesem Johannes der Täufer, Abb. G 10). Inschriften verdeutlichen den Inhalt. Unter dem Kreuz fließen die Wasser des Lebensbrunnens mit dem Hirsch an der Tränke nach frühchristlich-byzantinischen Modellen und die Quellströme umrahmen die Worte „Es ist vollbracht". Über den Heiligen schweben die geflügelten Symbolgestalten der vier Evangelisten. Christus folgt im Umriß italienischen Vorbildern des 14. Jahrhunderts, doch ist keine Kopie einer bestimmten Vorlage angestrebt, sondern eine Synthese aus frühchristlichen und hochmittelalterlichen Darstellungsprinzipien im Verein mit den strengen Grundsätzen einer an mancherlei archaischen Modellen und eigenen Meß- und Proportionsschemata als ideal erkannten Flächenkunst. Die Kreuzabnahme in St. Emmaus zu Prag (aus dem Freskenzyklus, der nach Entwürfen von Lenz von 1880/82 durch Lenz und Würger bis 1886 ausgeführt wurde) folgt den gleichen Richtlinien eines historisierenden Archaismus, geklärt und zur abstrakten Gesetzmäßigkeit erhoben, der das Lehrhafte als Wesenszug deutlich anhängt (Abb. G 11). Es ist allerdings der Stil, der zu vielen historistischen Kirchenbauten paßt oder, genauer, zu ihnen eine Parallele bildet. Dieser Stil kulminiert in den Fresken in der Krypta von Monte Cassino (im letzten Kriege teilzerstört), die 1898 begonnen wurden. Das Christusbild der Beuroner Kunst ist ein künstlich fernes, durch die historisierende Tendenz, durch die Rückgriffe auf „Mittelalterliches" und durch seine kanonische Gestaltung entrücktes. Auch dies ist eine Tendenz des Fin de siècle, die mit esoterischen Bestrebungen der Symbolisten zusammengeht. Man weiß, daß der erst als Maler im Kreise der Nabis' wirkende Holländer Willibrod Verkade (1868—1946), der 1894 in das Kloster Beuron eintrat, der Vermittler von Beuroner Gedankengut an die Nabis gewesen ist. Durch ihn haben Sérusier, Maurice Denis und wohl auch Emile Bernard Desiderius Lenz, seine theoretischen Schriften und dessen Malereien kennengelernt. Sie alle sind 1904 in Monte Cassino gewesen. Allerdings waren die stilistischen Eigenarten beider Künstlerkreise um diese Zeit (1894/1903) bereits so ausgeprägt, daß gegenseitige Einflußnahmen im Gestalterischen kaum mehr stattfanden. Auch hatte der Symbolismus der Franzosen ganz andere Wege eingeschlagen, wenngleich er auch die Vereinfachung, gewisse Archaismen, ein antinaturalistische Tendenz suchte. Die Beuroner blieben demgegenüber einem Historismus verhaftet, der den Nabis antiquiert erschienen sein muß.

Paul Gauguins Gemälde „Le Christ Jaune" von 1889 (Abb. G 12) ist zwar durch ein bretonisches Steinkreuz angeregt, zielt aber nicht auf dessen getreue Abbildung. Schon die Farbe des Corpus zeigt das an. Und das Antlitz vereinfacht das eines Leidensgefährten der Künstlergruppe, womit das Thema der Gleichsetzung oder des Gleichnisses von Christus und modernem Künstler anklingt. Das schlichte bretonische steinerne Kalvarienkruzifix ist nur auslösendes Motiv gewesen für eine rigorose Vereinfachung im Sinne einer ursprünglichen (die französische Vokabel dafür lautet für unser Ohr leicht abschätzig), einer primitiven Gestaltung des Gekreuzigten, die dem rein Menschlichen der Opferung auf eine sehr zarte, rührende Weise entspricht. Im Jahr darauf entsteht Gauguins „Selbstbildnis mit gelbem Christus“ (Abb. G 13), diese Selbstbefragung, die nicht zufällig das Christusbild als Hintergrund wählte (Die Spiegelbildlichkeit verweist eindeutig auf die Entstehung des Gemäldes vor dem Spiegel im Atelier mit dem Vorjahrsbild als Folie). Zuvor hat Gauguin zwei andere Selbstbildnisse ausgeführt: „Au jardin des Oliviers“ (1889, Abb. G 14) und — im gleichen Jahr noch — das Selbstbildnis mit Heiligenschein (Abb. F 5). Der Christus am Ölberg trägt die Züge Gauguins und Gauguin malt sich mit dem Nimbus Christi. Hier ist die Identifikation des Künstlers mit dem leidenden Gottessohn überdeutlich ausgesprochen und sie wird noch einmal unterstrichen im Selbstbildnis „Gethsemane“ (1895). Gauguin stand mit dieser Projektion keineswegs allein. Schon vor ihm hatte James Ensor 1886 eine Farbstiftzeichnung (Privatbes. Brüssel) des Kalvarienbergs entworfen, bei der statt der Buchstaben „INRI“ über dem Haupt Christi das Wort „ENSOR“ steht (Abb. G 15). Eine groteske Gestalt mit verbeultem hohem Zylinderhut stößt ihm die Lanze in die Seite. An ihrer Spitze ist ein großer Wimpel mit der Aufschrift „Fétis“ befestigt. Es handelt sich um den Namen des schärfsten Kritikers des sechsundzwanzigjährigen Künstlers, der sich hier in seiner jungen Leidenszeit mit Christus am Kreuz vergleicht. Ist die Zeichnung auch nur eine intime Arbeit, in der sich der Maler wie in Tagebuchaufzeichnungen entlädt und befreit, so steht sie doch im Zusammenhang mit anderen Christusdarstellungen seiner Hand, in denen die Zeitgenossenschaft Christi immer wieder ausgesprochen wird, z. B. in der Bleistiftzeichnung von 1885 „Christus wird dem Volk gezeigt“, in der symbolistischen Sterbeszene Christi „Satan und die höllischen Legionen foltern den Gekreuzigten“ (1886, Abb. G 16) — einer düsteren Vision von schrecklichen Plagen durch Gerippe und Ausgeburten der Hölle, denen Christus wie einst der heilige Antonius bei Bosch und Callot ausgesetzt wird. 1888 entstand schließlich das berühmte riesige Gemälde „Christi Einzug in Brüssel“ (Antwerpen, Museum), das die zeitgenössische Bürgerschaft in einem makabren Maskenzug Christus in ihre Stadt einholend zeigt. Der kritische Inhalt gilt dem unüberbrückbaren Kontrast zwischen der bürgerlichen Gesellschaft und der Lehre und Erscheinung Christi. Entsprechend sind die malerischen Mittel ungewöhnlich und für die Zeitgenossen provozierend eingesetzt (Abb. G 17).

Kritisch ist auch Munchs „Golgatha“-Gemälde (Abb. G 18), das er im Jahr 1900 während eines Aufenthalts im Sanatorium Kornhaug malte. Die Menge an der Gerichtsstätte, dichtgedrängt auf der Hügelkuppe versammelte Zeigenossen, läßt Angst, Panik, Schmerz, aber auch grimmassierendes

Feixen und Neugier erkennen. Hilflos hängt über ihren maskenartigen Köpfen der nackte Körper des Gekreuzigten, der annähernd die Züge des Malers trägt, in denen auch Angst und Erstaunen zum Ausdruck kommen. Munch plante, das Bild in den Zyklus zu reihen, den er später um die Haupttür seines Ateliers in Ekely versuchsweise zur „Höllenpforte“ anordnete[13]. Auch Munch kennt also die Identifikation des einsamen und leidenden Künstlers mit Christus. Und es gibt dafür noch ein weiteres Nebenzeugnis. Es besteht in der Vignette mit der durchbohrten Hand, dem Zeichen der Stigmatisation und des Kreuzestodes, das die christliche Ikonographie seit der Mystik kennt. Munch griff darauf zurück, als er sich bei der Auseinandersetzung mit der ihren Selbstmord androhenden geliebten Schauspielerin Tulla Larsen einen Schuß durch die Hand zuzog und diese Wunde als ein mystisches Zeichen begriff. Für alle hier aufgeführten Fälle des christomorphen Selbstbildnisses oder, umgekehrt, des selbstbildnishaften Christusbildes — bei Gauguin, Ensor und Munch — ist die gesellschaftskritische Komponente, auf die sich das Leiden und das Opfer des Künstlertums am Fin de siècle bezieht, entscheidend. (Diesen Aspekt konnte es in der Zeit Dürers, des ersten Malers, der christomorphe Selbstbildnisse gestaltete[14], noch nicht geben.)

Auf die Vielzahl symbolistischer Christusvisionen kann hier nicht näher eingegangen werden. Daher mögen einige Hinweise genügen. Gustave Moreau entwarf 1895 das komplexe Symbolbild „Christus der Erlöser“ (Aquarell, Paris Musée Moreau), eine malerische Darstellung des Auferstandenen, der die Arme zugleich segnend und im Kreuzigungsgestus hebt, wobei seinen Handwunden Blut entrinnt, das den Segen aus dem Opfer interpretiert (Abb. G 19). Sein Oberkörper taucht aus einer Gruppe von Cherubinen auf, die ihn schwebend tragen. Glühende Farben machen das Blatt kostbar. Odilon Redon malt im gleichen Jahre das Pastell „Le Christ au Sacré Coeur“ (Paris, Louvre), eine innige, träumerische Vision, die vom Lichtglanz, das aus dem Herzen Christi strahlt und vom Nimbus hinter dem Haupt des Heilands magisch erleuchtet wird (Abb. G 20). Aus J. Thorn Prikker's reicher symbolistischer Produktion seien drei Beispiele erwähnt: das Aquarell „Christus am Kreuz und Maria“ (1891—92), in dem man japanische Einflüsse erkannt hat, das Bild „Die Braut“ (1893), in dem die übersinnlich-sinnliche Liebesbeziehung zu Christus durch eine Reihe von Symbolen betont wird (Kerzen im Hintergrund, das Verschmelzen von Dornenkrone Christi mit dem Brautkranz der Verschleierten und die phallischen bedrängenden Knospen der Blumen im Vordergrund, Abb. G 21, B 5). In beiden Entwürfen ist der Gekreuzigte signaturhaft abstrahiert, nur in kurvigen Konturen und wenigen Binnenlinien angedeutet. Auf einem Plakat für die „Revue ... pour L'Art appliqué" von 1896 (Amsterdam, Städt. Museum, Abb. G 22) wird der Gekreuzigte im Sinne der kunstgewerblichen Bestimmung der Zeitschrift als Liniengespinst in Holzschnittechnik gezeichnet. Dieser Gequälte mit den übergroßen durchbohrten Händen und dem Dornengespinst um Arm und Haupt ist höchst expressiv und zeigt eine andere Seite von Thorn Prikkers Kunst, der sich später hauptsächlich einer flächengebundenen Glasmalerei widmete.

Während bei Gustave Moreau christliche Mystik mit der des Orients durchmischt wird und Paul Ranson, der Nabis, Christus als Buddha (1895) darstellt (vgl. in diesem Bande den Beitrag von Friedhelm Fischer und dessen Abb. F 7), ist in Klingers bekanntem Gemälde „Christus im Olymp" (Leipzig, Museum) der Versuch unternommen worden, eine Versöhnung zwischen heidnischer Antike und Christentum wie in einem Programmbilde vorzuführen (Abb. G 23). Das in seiner dekorativen Gesamtheit Malerei und Plastik vereinende, inhaltlich überfrachtete, aber klar gegliederte Monumentalwerk stellt einen extremen Anspruch und gehört in die Reihe der großen Bekenntnisbilder des Fin de siècle wie Segantinis „Werden / Sein / Vergehen" (1898—99, St. Moritz), wie Gauguins „Woher kommen wir, wer sind wir, wohin gehn wir?" (1898, Boston), wie Rodins „Höllenpforte" (1880—1916) und wie Munchs „Lebensfries", um einige der markantesten zu nennen.

Dagegen fällt der beachtliche und doch sehr begrenzte Versuch Fritz von Uhdes ab, die Gestalt Christi ganz der Gegenwart und dem sozialen Milieu des Volks zurückzugewinnen. Zwischen 1884 und 1905 schuf Uhde in einem gedämpften Impressionismus die bald sehr bekannt gewordene Reihe seiner Bilder zur Vita Christi: „Lasset die Kindlein zu mir kommen" (1884, zweite Fassung 1885) „Christus bei einer Bauernfamilie" (1885) und im gleichen Jahr die Variante dazu „Komm Herr Jesus und sei unser Gast", „Das Abendmahl" (1886), „Die Bergpredigt" (1887), „Der Gang nach Emmaus" (1891), „Die Grablegung Christi" und „Noli me tangere" (beide 1894), das Einzelfigurenbild „Christus" (1896) und das Altarbild für die Lutherkirche in Zwickau (Abb. G 24—28). In allen diesen Bildern evoziert Uhde, bei den Interieurs zum Teil in Anlehnung an die Holländer des 17. Jahrhunderts, Christi Zeitgenossenschaft unter Alltagsmenschen. Eine soziale Note rückt Gemälde wie „Schwerer Gang" (1890, München, Bayr. Staatsgemälde-Slg.) in die Nähe des Realismus[15]. Andere sind nicht frei von Sentimentalität und bleiben unglaubwürdig (z. B. die „Bergpredigt" und die „Auferstehung", vgl. Lankheit op. cit.). Da Christus niemals ohne das feierliche, wenn auch ganz schlichte lange Gewand gezeigt wird, da er also nicht wie seine Mitbürger gekleidet ist, sondern wie eine historische oder „kostümierte“ Rollenfigur im Alltag der anderen auftritt, bleibt die Bemühung um eine Schließung der Kluft der Gegenwart zum geschichtlichen und übergeschichtlichen Wesen Jesu vielfach im Gutgemeinten stecken. Von seiten der Kirchen wurde Uhdes neues Christusbild nicht akzeptiert. Sein Versuch der Aktualisierung und Sozialisierung der christlichen Botschaft wurde eher mißverstanden. Ihn enttäuschten diese Reaktionen und man merkt den Gemälden aus der späteren Zeit des Themenkreises auch das Nachlassen der formenden Kraft an.

Nur zweimal noch wurde Uhde zu Christusbildern angeregt, die nun doch Aufträge waren. 1896 veranstaltete Th. Bierck, ein Privatmann, ein kunstfördernder Bürger, der sich davon eine Belebung der Sakralmalerei versprach, eine Art begrenzten Wettbewerb. Er forderte neun deutsche Maler, die sich bereits in diesem Felde betätigt hatten, auf, ein Bild des Heilands zu gestalten, das ganz auf dessen Erscheinung beschränkt sein sollte. Es durften also keine Begleit- und Nebenpersonen ablenken, alles sollte auf Christus konzentriert sein. Es kam darauf an, ein gültiges Bild mit den Mitteln der Neuzeit zu entwerfen. Die aufgeforderten Künstler waren neben Fritz von Uhde Hans Thoma, Franz Stuck, Karl Marx, Gabriel Max, Ernst Zimmermann, Franz Skarbina, Arthur Kampf und Ferdinand Brütt.

Alle neun Maler nahmen den Auftrag an und es wäre höchst aufschlußreich, die Ergebnisse erneut zu sammeln und zu vergleichen. Das könnte vielleicht in einer umfassenderen Studie zum Christusbild um 1900 einmal nachgeholt werden. Hier möge nur ein Wort zu Uhdes Beitrag eingefügt werden. Sein Christus (Abb. G 29) ist wiederum der gütige Tröster, der zu den Menschen kommt, ihnen das Licht zu bringen: nicht der Christkönig Holman Hunts, sondern ein armer „Wanderprediger“, den nur das Strahlenbündel auszeichnet, das anstelle des Heiligenscheins ihn von überirdischer Höhe herab umfließt. Dieses Christusbild will als Stimme im sozialen Spannungsfeld der Fin-de-Siècle-Gegenwart verstanden werden, ähnlich, wie es auch in der gleichzeitigen Literatur gezeichnet wird[16]. Spät erreichte Uhde auch ein einziger kirchlicher Auftrag. Für den Altar der Lutherkirche in Zwickau (Sachsen) hatte er 1905 ein vier Meter hohes Gemälde zu schaffen. Er griff auf sein Christusbild von 1896 zurück, stellte den Heiland jetzt aber unter das Volk, einfache Menschen der Gegenwart (Abb. G 30). Christus erscheint nun aber priesterlich gekleidet, hell wie das seinen Weg begleitende Licht, das durch ein hohes Tor in den dunklen Raum fällt, in dem die Trostsuchenden sitzen, warten, beten und aufschauen zu der göttlichen Erscheinung, die unter sie tritt. Das Bibelwort vom „Volk, das im Finstern saß“ und „ein großes Licht gesehen hat“, ist der Komposition zugrundegelegt.

Den meist ärmlichen, aber idealisiert schönen, milden und mitunter faden

Christustypen Uhdes, die aber wegen der sozialen Tendenz und schon wegen der am Impressionismus orientierten Malerei als sehr gewagt erschienen, traten bald Corinths zupackend gestaltete Christsdarstellungen entgegen, die das Passionsthema in einer Weise steigerten, die das ganze 19. Jahrhundert nicht gekannt hat. Diese Bilder wirken im Vergleich mit Uhdes schockierend in der Schilderung der Qualen, der Torturen, denen Christus ausgesetzt ist (Abb. G 31, 32).

Die „Kreuzabnahme" von 1906 (aus dem Besitz Max Klingers — ! — an das Leipziger Museum gelangt) ist in ihrem Naturalismus kaum zu übertreffen. Ein Detail wie das Herausziehen des Nagels, mit dem die Füße übereinandergespießt sind, ist von aufdringlicher Anschaulichkeit. Gewiß, es ist die Zeit, in der man Nithardt-Grünewalds Isenheimer und Karlsruher Kreuzigungen entdeckt hatte und als expressive, veristische und zugleich mystische Werke bewunderte (zuerst von Joris-Karl Huysmans in „Là-bas", 1891 — deutsch 1903 — dem Fin-de-Siècle-Symbolismus als eines der Modelle alter Kunst vorgestellt). Auch bei Corinths Bild „Das große Martyrium" von 1907 denkt man an Grünewald, an die „Verspottung Christi" in München. Die Drastik ist nun in die Möglichkeiten der Moderne übersetzt, psychologisch gesteigert und durch krude Brutalität zur Sensation erhoben. Der Titel „Kreuzigung" fehlt ebenso wie irgendein Hinweis auf Christus — kein Heiligenschein, keine Kreuzinschrift, kein Lendentuch —: nackte Grausamkeit, aber durch Andeutungen von historischen Kostümen doch der unübersehbare Hinweis darauf, daß es sich nur um die letzte Marterung Jesu handeln kann, der in seiner Qual zum Zerrbild wird. Man denke an das rührende Bemühen der Beuroner, an die Kreuzabnahme von St. Emmaus (Abb. G 11), um die geradezu groteske Differenz im Stilpluralismus des Fin de Siècle schlaglichtartig zu erfassen. Auch Klingers „Kreuzigung" oder gar die von Stuck werden angesichts der Marterszenen Corinths zu feierlichen Melodramen. Man spürt, daß es dem urwüchsigen Ostpreußen Corinth auf bewußte Opposition gegen die Christusbilder des Bildungsbürgertums ankam, und insofern sind seine Darstellungen auch tendenziell Beiträge zum Realismus als gesellschaftskritischer Kunst[17].

Etwas milder ist diese Tendenz in Corinths Golgatha-Triptychon von 1910, das er der Evangelischen Kirche seiner Vaterstadt Tapiau (Ostpreußen) übergab (Abb. G 33). Corinth hatte sich schon viel früher mit sakralen Themen beschäftigt. Aus der Münchner Zeit von 1883 stammt der „Schächer am Kreuz", es folgen die Pietà von 1889, die „Kreuzabnahme" von 1895 und die große Kreuzigung von 1897, die als Geschenk an die Evangelische Kirche in Bad Tölz gelangte. „Die Pietà" zeigt den flach auf dem Boden ausgestreckten Leichnam Christi, beweint allein von Magdalena

(Abb. G 34)[18]. Denkt man schon bei dieser Darstellung an den berühmten „Christus im Grabe" von Hans Holbein dem Jüngeren in Basel, so ist in Stucks Pietà-Bildern das Basler Modell fast „zitiert". Die Studie zeigt den Leichnam noch ohne Begleitperson[19]. Die erste Ausführung von 1891 fügt zum Toten die trauernde Maria[20], beide in strenger Kreuzform von waagerechtem Lagern und senkrechtem Stehen einanderzugeordnet. Die späteren Varianten von 1903 verzichten dann wieder auf die statuarische Trauernde und widmen sich einer Ausschmückung des Sarkophags, die sich im dekorativen Beiwerk erschöpft[21] (Abb. G 35, 36).

Die große Wirkung von Holbeins „Christus im Grabe" auf die Fin-de-Siècle-Kunst erläutert nicht nur Dostojewskys Ergriffenheit vor diesem Bilde, sondern auch Käthe Kollwitz' Radierung „Zertretene" von 1900, die ursprünglich als Schlußblatt ihres Zyklus vom „Weberaufstand" (angeregt durch Gerhart Hauptmanns „Weber", deren Uraufführung und aufwühlende Folgen die Künstlerin in Berlin 1893 erlebt hatte) konzipiert wurde (Abb. G 37). Hier wird der Vergleich von Christus — wiederum als Zitat nach Holbein —, an dessen Seitenwunde die auf ihr Schwert gestützte Gerechtigkeit ihre Finger legt, mit den Opfern des Arbeiteraufruhrs gezogen. Das Blatt wurde von Käthe Kollwitz als zu symbolistisch (!) verworfen. Es paßte nicht in die Welt des Realismus der übrigen Zyklusradierungen. Doch griff sie sehr viel später auf das Motiv zurück, als sie den ermordeten Karl Liebknecht christusähnlich ausgesteckt und von Trauernden aus dem Volk beweint zeigte (1920). Die Säkularisierung des Pietà-Motivs mit dem flach am Boden liegenden Leichnam hatte für den sozial intendierten Realismus bereits Meunier in seiner plastischen Gruppe „Schlagende Wetter" von 1893 vorgenommen (Abb. G 38, 39).

Die bildlichen Darstellungen der Gestalt Christi um 1900 weisen viele Parallelen zu den literarischen der Zeit auf, zeigen aber auch stärker als jene den Zusammenhang mit der großen Tradition christlicher Sakralkunst vom Mittelalter bis zum frühen 19. Jahrhundert. Nicht nur die Phänomene einer bewußt archaisierenden Tendenz innerhalb des Historismus, für die als ein extremer Fall die kirchliche Kunst der Beuroner Schule gelten kann, sondern auch Einzelerscheinungen wie das Fortleben der sakralen Triptychon-Komposition von Retabeln (etwa bei Klinger, Thoma, Corinth, Moreau usw.), das Weiterreichen von Formeln der Kruzifixgestaltung — vor allem aus dem Modellschatz der Malerei des 16.—17. Jahrhunderts — (so schon (noch) bei Delacroix, bei Thoma, Piglhein, Herkomer), auch wenn dabei Originalität durch Beleuchtungseffekte, Perspektive und dramatische Inszenierung gesucht wird (wie bei Piglheim, Herkomer, Stuck u. a.) und das allgemeine Festhalten am überlieferten, gleichsam kunsthistorisch geprägten Christustypus müssen als offensichtliche oder latente Zeichen von Traditionalismus und Historismus gesehen werden. Aber auch die Archaismen bei den Künstlern, die sich entschieden gegen eine historisierende Konvention wenden, müssen noch zu dieser Gesamterscheinung der immer wieder aufgerufenen Orientierung an geschichtlichen, wenn auch abgelegeneren Vorbildern gerechnet werden: Gauguin und Prikker lassen sich von spätgotisch-„archaischen" Kruzifixen inspirieren (vgl. Abb. G 12, 22).

In der deutschen Kunst des Fin de Siècle tritt außerdem die alte Teilung in konfessionelle Gesinnungen auf, die schon für die Malerei der Romantik chrakteristisch ist. E. von Gebhardt, F. von Uhde, Max Klinger, Lovis Corinth offenbaren in ihren Christusbildern protestantische Züge. Sie werden besonders deutlich im Vergleich mit den Werken der gleichzeitigen katholischen Künstler in Frankreich (und den Niederlanden), die sich einem stärker mystischen Symbolismus zuneigen: Moreau, Gauguin, Redon, M. Denis und noch Rouault sowie Toorop und Thorn-Prikker. Wiederum eine Sonderstellung nehmen die ins Fin-de-Siècle hineinwirkenden Präraffaeliten und ihre Nachfolger ein.

Unabhängig von den so unterschiedlichen Ausprägungen des Christusbildes in einer stilpluralistischen Kultur wie der um 1900 — zu deren Zeugnissen auch noch die Fülle der „offiziellen" kirchlichen Kunst der Zeit sowie die Schwemme an trivialen und pseudokünstlerischen Dokumenten bis hin zum aufblühenden Devotionalienkitsch zur Vervollständigung des Mosaik-Panoramas „Christliche Kunst der Jahrhundertwende" gerechnet werden müßten, um statistisch objektiv zu sein . . ., also unabhängig von allen Details — und doch in ihnen allen symptomatisch virulent — offenbart sich die große Krise der christlichen Religion im Zeitalter des Liberalismus, der Naturwissenschaften, der Technik, der ersten Stufen des Sozialismus. Man spürt bereits an Hand einer knappen Übersicht wie der hier skizzierten das geradezu verzweifelte Ringen um einerseits die „Rettung" des überlieferten und andererseits um die Schaffung eines neuen, verinnerlichten Christusbildes. Darin wird das Janusgesicht des Fin de Siècle deutlich: romantischer und historisierender Rückblick in die verschiedenen Vergangenheiten bereits gültig geprägter Christusdarstellungen (schon mit Hilfe der Vergegenwärtigung durch das moderne Kunst-Reproduktionswesen der Drucktechnik — eines durchaus wirksamen „Musée imaginaire" im Sinne Malraux', wenn man die gerade damals blühenden Zeitschriften für christliche Kunst berücksichtigt —) und zugleich sehnsüchtiger Ausblick nach neuen Möglichkeiten, oft höchst gewagten (Klinger, Gauguin, Ensor, Munch). Allein es fehlt — bis auf geringe Ausnahmen — sowohl an der Einsicht, am Verständnis und demzufolge an einer Unterstützung durch die

Kirchen[22], als aber auch an der Glaubwürdigkeit oder Überzeugungskraft der Künstler, mehr zu leisten als private, subjektive Bekenntnisse und Experimente: d. h. es mangelt bei dieser Lage an der Fähigkeit, noch echte Symbole, die allgemeinverbindlich sein könnten, aufzurichten. Dafür fehlen die geistigen und religiösen Voraussetzungen. Zu dieser Sachlage haben in bezug auf die Schwierigkeiten einer christlichen Kunst im 19. Jahrhundert (— anders als H. Sedlmayr[23] —) und besonders im letzten Drittel des Säkulums und am Fin de Siècle bereits Hermann Beenken, Wilhelm Waetzoldt, W. von Löhneysen, Stephan Waetzoldt und Klaus Lankheit wichtige Hinweise gegeben[24]. Man kann feststellen, daß als tiefere Ursache für Versagen und verzweifeltes Bemühen der Kunst um 1900, noch und wieder Christusbilder zu schaffen, die Gesamtkrise des Christentums verantwortlich ist. Sie läßt sich auch ablesen an den Gedanken der Philosophie und Psychologie des Fin de Siècle, am negativen Verhältnis zum Christentum nicht nur des Materialismus und Marxismus, sondern auch der Ideen und Thesen von Nietzsche, Bergson und Freud, um nur diese drei herausragenden Namen zu nennen. Die Christusfigur der bildenden Kunst dieser Epoche ist den einen rührende Erinnerung, den anderen subjektive Beschwörung und manchen nur noch eine Metapher.

Die Tendenzen des Fin-de-Siècle setzen sich im weiteren Verlauf der Kunst des frühen 20. Jahrhunderts fort ewa bei Max Beckmann und Emil Nolde, bei Karl Schmidt-Rottluff und Ernst Barlach, bei Georges Rouault und im Frühwerk von Max Ernst (Kreuzigung von 1913, Köln, Wallraf-Richartz-Museum). Sie steigern sich zur Anklage bei Otto Dix und Georges Grosz („Christus mit der Gasmaske") und zur effektvollen Vision bei Salvador Dali. Bezeichnend, daß in den Werken der größten Künstler dieses Jahrhunderts das Christusthema überhaupt nicht mehr begegnet (Picasso, P. Klee, Brancusi usw.) oder nurmehr ganz sporadisch und künstlerisch nicht zentral (Kokoschka, Matisse, H. Moore).

Es ist, wie bereits Van Gogh, ein wirklich gläubiger Christ, feststellte, eigentlich nicht mehr möglich, Christus personal darzustellen wie es seine Malerfreunde Gauguin und Bernard noch versuchten: „... denn sie hatten mich ganz wütend gemacht mit ihren Christussen auf dem Ölberg ..." (Van Gogh, Briefe IV, 615). Und zuvor schreibt er: „Wenn ich hier bleibe, werde ich nicht versuchen, einen Christus auf dem Ölberg zu malen, wohl aber eine Olivenernte, wie sie noch heute vor sich geht; und dann ... würde es vielleicht daran erinnern" (Van Gogh, Briefe, 614). Sein starkes religiöses Gefühl verlangte nach Bildern, die das Wesen Christi und des Christentums in expressiven Darstellungen der Natur und ihres Gehaltes an metaphorischen Bezügen zur lebendigen Schöpfung Gottes zum Ausdruck bringen sollten. Dafür noch eine weitere Briefstelle aus seiner Korrespondenz mit seinem Bruder Theo, Arles 1888: „Es tut mir wohl, so schwer zu arbeiten. Aber das hemmt nicht mein furchtbares Bedürfnis, darf ich das Wort aussprechen, nach Religion. Dann gehe ich in der Nacht hinaus, um die Sterne zu malen, und ich träume immer von einem solchen Gemälde mit einer Gruppe bewegter Gestalten von Freunden".

Für ein menschengestaltiges Christusbild ist in diesen Sphären kein Raum mehr, und vor dem Hintergrund solcher tieferer Erkenntnisse weniger Künstler nehmen sich alle Bemühungen um eine Neubelebung der bildlichen Christusgestalt um 1900 und danach letztlich doch als Kämpfe auf verlorenem Posten aus.

## ANMERKUNGEN

1. a) Stephan Waetzoldt, *Bemerkungen zur christlich-religiösen Malerei in der zweiten Hälfte des 19. Jahrhunderts.* b) Klaus Lankheit, *Vision, Wundererscheinung und Wundertat in der christlichen Kunst.* Beide Beiträge in: *Triviale Zonen in der religiösen Kunst des 19. Jahrhunderts.* Studien zur Philosophie und Literatur des 19. Jahrhunderts. Bd. 15 (Forschungsunternehmen der Fritz Thyssen Stiftung) Verlag Vittorio Klostermann, Frankfurt am Main 1971.

2. Waetzoldt, op. cit. S. 41 f.

3. Richard Muther, *Bruno Piglhein.* In: Zeitschrift für bildende Kunst, 22, 1887, S. 163—172.

4. Waetzoldt, op. cit. S. 42: „Dem Bemühen um historische Wahrhaftigkeit gesellt sich — wie uns heute scheint — recht unvermittelt ein ebenso ernst zu nehmendes Bemühen um eine neue und allgemein verständliche Symbolsprache zu." Er erläutert in dieser Hinsicht Holman Hunts „The Triumph of Innocents".

5. Richard Muther, op. cit. S. 167.

6. Jos. Aug. Beringer: Trübner, Eine Auswahl aus dem Lebenswerk ..., Stuttgart und Berlin 1921.

7. Georges Grappe, *Catalogue du Musée Rodin, Hôtel Biron,* Paris 1927, 5e édition 1944, S. 93, Nr. 273. Rodins „Christ et la Madeleine" erfährt eine noch gewagtere, geradezu symbolistisch-blasphemische Steigerung in dem kleinen Bilde „Maria Magdalena" von Gustav-Adolf Mossa (Nizza/Nice 1883—1971) von 1907, in dem die zeitgenössisch-modisch gekleidete schöne Sünderin als Rückenfigur — auf gleicher Höhe wie Christus stehend — diesen umarmt und dabei so vollständig „abdeckt", daß der Betrachter nur die seitlich herausragenden genagelten Hände Christi sehen kann, seine Gestalt und sein Antlitz überhaupt nicht (Nice, Musée des Beaux Arts Jules Chéret).

8. Heinrich Voss, *Franz von Stuck 1863—1928. Werkkatalog der Gemälde mit einer Einführung in seinen Symbolismus.* Materialien zur Kunst des 19. Jahrhunderts, Bd. 1. (Forschungsunternehmen der Fritz Thyssen Stiftung, Arbeitskreis Kunstgeschichte.) Prestel-Verlag München 1973. — Kat. Nr. 77/290.

9. H. Voss, op. cit. S. 31, Kat. Nr. 194.

10. H. Voss, op. cit. Kat. Nr. 304/291, 425/292, 426/293 und 459/294 — alle mit Abb.

11. O. von Schleinitz, *William Holmann Hunt.* (Knackfuß-Künstlermonographien.) Verlag von Velhagen und Klasing, Bielefeld und Leipzig 1907.

12. Martha Dreesbach, *Pater Desiderius Lenz O.S.B. von Beuron. Theorie und Werk.*

*Zur Wesensbestimmung der Beuroner Kunst.* Diss. phil. Univ. München 1957. Verlag der Bayerischen Benediktinerabtei München. Die Verf. stellte mir dankenswerterweise auch Abbildungsmaterial zur Verfügung!

13. J. A. Schmoll gen. Eisenwerth, *Munch und Rodin.* In: *Edvard Munch. Probleme — Forschungen — Thesen.* Hg. von Henning Bock und Günter Busch. (Studien zur Kunstgeschichte des 19. Jahrhunderts, Bd. 21, Forschungsunternehmen der Fritz Thyssen Stiftung, Arbeitskreis Kunstgeschichte.) Prestel-Verlag München 1973, S. 105—124.

14. Vgl. Eduard Hüttinger, *Dürer — „ein deutscher Heiland".* In: Neue Zürcher Zeitung, Feuilleton, 23. 5. 1971.

15. J. A. Schmoll gen. Eisenwerth, *Naturalismus und Realismus: Versuch zur Formulierung verbindlicher Begriffe.* In: Städel-Jahrbuch 1975 (Neue Folge Bd. 5), S. 262 f., Abb. 11.

16. Vgl. den vorstehenden Beitrag von Helmut Scheuer.

17. J. A. Schmoll gen. Eisenwerth, *Naturalismus und Realismus: Versuch zur Formulierung verbindlicher Begriffe.* In: Städel-Jahrbuch 1975 (Neue Folge Bd. 5), S. 247—266.

18. Charlotte Behrend Corinth und H. K. Röthel, *Die Gemälde von Lovis Corinth,* München 1958, Werk-Kat. Nr. 61.

19. H. Voss, op. cit. Kat. Nr. 56/296 „Liegender".

20. H. Voss, op. cit. Kat. Nr. 57/297.

21. H. Voss, op. cit. Kat. Nr. 255/298 und 256/299. Vermutlich ist auch diese Bildidee Stucks durch Max Klingers „Pietà" von 1890 angeregt, die ihrerseits ebenfalls Holbeins „Christus im Grabe" in Basel voraussetzt. Vgl. auch Böcklins „Pietà" von 1873!

22. Die Rolle der Kirchen in der Entwicklung der christlichen Kunst und für die Versuche christlicher Thematik in der allgemeinen Kunst des 19. und 20. Jahrhunderts wäre einer gesonderten Untersuchung wert. Die Reaktionen der protestantischen Kirche auf F. von Uhdes Christusbilder wurde schon berührt: allgemeine Ablehnung, dann ein später Auftrag für Zwickau. Bekannt und bezeichnend ist Gauguins gescheiterter Versuch, sein Gemälde „Die Vision nach der Predigt — Jakobs Kampf mit dem Engel" der Kirchengemeinde von Nizon (Bretagne) zu schenken. Vgl. K. Lankheit, op. cit., S. 97.

23. Hans Sedlmayr, *Verlust der Mitte, die bildende Kunst des 19. und 20. Jahrhunderts als Symbol der Zeit.* Salzburg 1948.

24. Hermann Beenken, *Das Neunzehnte Jahrhundert in der deutschen Kunst, Aufgaben und Gehalte. Versuch einer Rechenschaft.* München 1944. Wilhelm Waetzoldt, *Deutsche Malerei seit 1870.* (Wissenschaft und Bildung, Bd. 144) Leipzig 1918. (S. 11 u. aaO). Wolfgang Frh. von Löhneysen, *Der Einfluß der Reichsgründung von 1871 auf Kunst und Kunstgeschmack in Deutschland.* In: Zeitschr. f. Religions- und Geistesgeschichte, Bd. 12, H. 1, 1960, S. 17—44. Wiederabdruck in „Das Wilhelminische Zeitalter", hg. v. H. J. Schoeps, Stuttgart 1967. Stephan Waetzoldt, op. cit. Klaus Lankheit, op. cit.

HEIDE EILERT

# Die Vorliebe für kostbar-erlesene Materialien und ihre Funktion in der Lyrik des Fin de siècle

„Der Industrialismus hat das Häßliche in einem gigantischen Maße entwickelt", so schreibt Flaubert am 29. Januar 1854 an Louise Colet, um seinen Appell zu begründen: „Stürzen wir uns ins Ideale, da wir nicht die Möglichkeit haben, in Marmor und Purpur zu wohnen, Diwane aus Kolibrifedern, Teppiche aus Schwan, Ebenholzsessel, getäfelte Fußböden, Kandelaber aus massivem Gold oder Lampen aus ausgehöhlten Smaragden zu besitzen[1]." Diese ästhetizistische Vorliebe für kostbare Gegenstände, der Wunsch, der abstoßenden Banalität seiner Zeit, die er in „Madame Bovary" geschildert hatte, zu entfliehen, ließen Flaubert wenig später zu einem Stoff aus dem antiken Karthago greifen und in seinem Roman „Salammbô" von 1863, in dem blutrünstige Kriegs- und Folterszenen mit detaillierten Schilderungen kostbarer Geräte, Stoffe und Geschmeide abwechseln, wesentliche Züge der europäischen Dekadenz vorwegnehmen. „Wie in ‚A rebours'..., wie in den Bildern Gustave Moreaus, dominiert hier schon das kalte, mineralische Glitzern der Edelsteine... Alles ist verkünstlicht, das Organische erstarrt. Es wird mit einer erlesenen Kruste überzogen[2]."

Die Faszination durch Edelsteine und kostbare Materialien, die in „Salammbô" so massiert begegnen, teilte Flaubert mit vielen seiner Zeitgenossen. Sie bestimmt die sogenannten „Edelsteinkataloge" in Gautiers Roman „Mademoiselle de Maupin" bis hin zu den Märchen Oscar Wildes, sie tritt in den exzentrischen Launen eines Des Esseintes, Dorian Gray oder Faneuse[3] hervor, sie ist ferner durch die Veröffentlichung wissenschaftlicher Werke über Edelsteine bezeugt[4], und sie spricht noch aus Mallarmés Plan, eine eigene Abhandlung über die „pierres précieuses" zu schreiben[5]. Diese Vorliebe entspringt nicht allein der Ablehnung einer häßlichen — technisierten und funktionalisierten — Umwelt, sondern sie ist darüber hinaus Signum einer Spätkultur, einer Zeit des Verfalls zugleich und des verfeinerten ästhetischen Empfindens. Zu der ästhetizistischen Suche nach dem Kostbaren, Erlesenen, Seltenen und Ungewöhnlichen tritt das Bedürfnis, die eigene Schwäche, das Erlebnis von Vergänglichkeit und Auflösung, durch eine Anhäufung kostbarer Minerale und Metalle, die dem Verfallsprozeß widerstehen, zu kompensieren. Aufgrund ihrer anorganischen Substanz konnten Edelsteine und Ziermetalle — über ihren materiellen und ästhetischen Wert hinaus — deshalb immer wieder zu Symbolen des Unvergänglichen und Dauerhaften werden.

So ist gerade für Spätkulturen und Epochen des Niedergangs eine ausgeprägte Vorliebe für Preziosen symptomatisch und vielfach bezeugt. Von Neros Palast in Rom wird berichtet, daß selbst seine Wände von Edelsteinen geschimmert hätten. „In einer Galerie war das Gewölbe aus Saphir, der Fußboden aus Malachit, die Säulen aus Kristall und die Wände aus rotem Gold[6]." Über Gilles de Rais, den blutschänderischen Décadent des ausgehenden Mittelalters, schreibt Huysmans in „Là-Bas": „... vor der golddurchwirkten Düsternis der alten Brokate schwand ihm die Besinnung ... er träumte von ungewöhnlichen Kleinodien, von beirrenden Metallen, von irrsinnigen Steinen. Er war der Des Esseintes des fünfzehnten Jahrhunderts[7]." Und Des Esseintes selbst, die Hauptfigur in Huysmans' Roman „A rebours", verwendet geraume Zeit auf die Auswahl besonders seltener und kostbarer Edelsteine, mit denen er den vergoldeten Rückenpanzer einer Riesenschildkröte inkrustieren läßt. „Er setzte seinen Blumenstrauß folgendermaßen zusammen: die Blätter wurden aus Steinen gefaßt, die ein unterstrichenes und präzises Grün aufwiesen: aus spargelgrünen Chrysoberyllen, aus lauchgrünen Chrysolithen, aus olivgrünen Olivinen; sie hingen an Zweigen aus Almandin und bläulich-rotem Uwarowit, der in trockenem Glanz funkelt wie Weinsteinglimmer im Innern eines Fasses." Die Blütenblätter läßt er aus „Katzenaugen aus Ceylon, Cymophanen und Saphirinen" zusammensetzen, und für den Rand des Rückenschildes wählt er „Steine, deren Reflexe sich abwechseln sollten: ... den mahagoniroten Hyazinth von Compostela, den meergrünen Aquamarin, den essigrosa Ballasrubin, den schieferfahlen Rubin aus Södermanland[8]."

Das Interesse für alles Künstliche und Raffinierte, das sich in dieser Vorliebe für Preziosen bezeugt, flankiert im 19. Jahrhundert jenen Kult des Schönen, dem bereits der Dichter d'Albert in „Mademoiselle de Maupin" anhängt und der sich bis zu den in Georges „Blättern für die Kunst" verkündeten Maximen verfolgen läßt. So bekundet sich auch der Ästhetizismus des jungen Königs in Oscar Wildes gleichnamigem Märchen, der in der Schönheit „Balsam für den Schmerz" sucht, in der Bezauberung durch seltene Steine und kostbare Stoffe: „... in dem drängenden Wunsche, sie sich zu verschaffen, hatte er viele Kaufleute ausgesandt, die einen, um ... Bernsteine zu erhandeln, andre nach Ägypten, um jene seltsam grünen Türkise zu suchen, die man nur in den Gräbern der Könige findet ..., andere nach Persien, um seidene Teppiche und gemalte Tongefäße, und wieder andere nach Indien, um Gaze zu kaufen und getöntes Elfenbein, Mondsteine und Armbänder aus Nephriten, Sandelholz und blaue Emaillen und Schals aus feiner Wolle[9]".

Schon um 1870 ist die Bevorzugung von Edelsteinen und Edelsteinmetaphern für einen Bereich der westeuropäischen Literatur so charakteristisch, daß Dostojevskij sie in den „Dämonen" zum Gegenstand der Satire machen kann, indem er in seine boshafte Karikatur Turgenjews eine Persiflage auf dessen Vorliebe für „smaragdene" und „achatene" Bäume einbaut und sie als Stigma rußlandfeindlichen „Westlertums" verurteilt[10].

In der Lyrik des späteren 19. Jahrhunderts kommt das Interesse an Edelsteinen und Schmuckgegenständen bereits in zahlreichen Gedichttiteln zum Ausdruck, wie dies Lothar Hönnighausen vor allem an Beispielen aus der präraffaelitischen und viktorianischen Dichtung Englands belegt hat[11]. Gautiers „Emaux et Camées" sind das bekannteste französische Beispiel dieser Art. In Deutschland folgen — mit charakteristischer Phasenverschiebung — Gedichttitel wie „Die Spange", „Mit einer griechischen Kette", „Der Bernstein" oder „Perlen von Venedig"[12].

Während die Edelsteinmetaphern in Gautiers Gedicht „L'art poétique" noch das Widerstrebende der Materie signalisieren, aus der der Künstler sein Werk zu meißeln hat, tritt im Laufe des 19. Jahrhunderts die dekorative Funktion des Edelsteins stärker in den Vordergrund. So spricht schon Baudelaires Gedicht „A une madone" den Wunsch des Dichters aus, mit seinen „Vers polis, treillis d'un pur métal / Savamment constellé de rimes de cristal", der Geliebten eine Krone zu schmieden[13]. „Worte sollen dich wie / Edelsteine kleiden", heißt es in einem Widmungsgedicht Alfred Walter Heymels[14], Hofmannsthal schreibt in seinem Swinburne-Essay: „(der Dichter) hat goldene Worte und Worte wie rote und grüne Edelsteine, und ihm werden aus ihnen Gebilde, schön und unvergänglich wie die funkelnden Fruchtschalen des Benvenuto Cellini"[15], und ähnlich vergleichen auch George, Rilke oder Julius Hart ihre Gedichte mehrfach mit kostbaren Kleinodien[16].

Gerade für den bemerkenswerten Neuansatz der deutschen Lyrik um 1890, der sich in bewußter Abkehr vom epigonalen Klassizismus wie von naturalistischen Doktrinen vollzieht, kann eine Dichtung als repräsentativ gelten, in der Edelsteine und kostbare Materialien eine ganz auffallende Rolle spielen: Georges „Algabal"-Zyklus.

Auf diese Dichtung wandte George selbst die Schmuck- und Edelsteinmetaphorik an, indem er sie in dem Gedicht „Die Spange" am Schluß der „Pilgerfahrten" als eine „grosse fremde dolde", „Geformt aus feuerrotem golde / Und reichem blitzendem gestein" bezeichnete (W I, 40). Das künstliche Unterreich des Priesterkönigs Algabal ist bekanntlich bis in die Farbgebung der einzelnen Säle hinein durch eine raffinierte Anordnung von ausgesuchten Edelsteinen und kostbaren Metallen und Stoffen geprägt. Während die Grotten des Unterreichs „von hundertfarbigen erzen" „blinken" (W I, 45), empfängt der „saal des gelben gleisses und der sonne" künstliches Licht von einem riesigen Sonnensymbol, das sich aus „Topasen untermengt mit bernstein-kernen" zusammensetzt (W I, 46). Für den „raum der blassen helle" hat Algabal sich „die freunden farbenstrahlen . / Aus blitzendem und blinkendem metall" gewählt: „Aus elfenbein und milchigen opalen . / Aus demant alabaster und kristall . / Und perlen! . . ." (W I, 46). Diese Vorliebe des Décadent für kostbare Materialien bezeugt auch das Gewand des Kaisers: „Er trägt ein kleid aus blauer Serer-seide / Mit sardern und safiren übersät / In silberhülsen säumend aufgenäht" (W I, 48).

Während noch in weiteren Gedichten Georges, so in „Mahnung", „Kindliches Königtum" und dem „Verwunschenen Garten", oder auch in Rudolf Borchardts „Pargoletta" Edelsteine und Schmuckgegenstände als traditionelle Attribute fürstlicher Pracht und Hoheit fungieren, dienen sie in einigen Gedichten des frühen Rilke darüber hinaus der Akzentuierung dekadenter Züge. Hier sind es vor allem die zarten, lebensschwachen Nachkommen alter Herrschergeschlechter — der „blasse Zar" des „Zaren"-Zyklus oder das „blasse Kind" mit den „hellen und schmalen" Händen in dem Gedicht „Der Sänger singt vor einem Fürstenkind" (SW I, 437) —, die durch das Gewicht schwerer Stoffe und Ketten, durch eine Überfülle kostbarer Steine gleichsam erdrückt werden. Gerade der Kontrast von Schwäche und prunkvoller Verbrämung steigert den Eindruck der Zartheit und Hinfälligkeit[17].

Auch in anderem Zusammenhang hebt Rilke gern den dekorativen Reiz des Fragilen und Überzarten durch die Wahl einer kostbaren Umrahmung hervor, z. B. einen Silbersaum, von dem sich eine „mandelschmale Jungfrauenhand" abhebt (SW I, 435), und in einem seiner „Mädchenlieder" setzt er ein analoges Bild physischer Fragilität als preziöse Metapher für einen Seelenzustand ein: „Keine darf sich je dem Dichter schenken, / wenn sein Auge auch um Frauen bat; / denn er kann euch nur als Mädchen denken: / das Gefühl in euren Handgelenken / würde brechen von Brokat" (SW I, 375).

Im Widerspruch zu diesen Bildern dekadenter Schwäche, die sich in kostbare Materialien hüllt, scheinen auf den ersten Blick die Manifestationen vitaler Kraft und lebenssprühender Sinnlichkeit im Umkreis erotischer Motive zu stehen, an die sich in der europäischen Literatur des späten 19. Jahrhunderts die Vorliebe für Juwelen und kostbare Materialien gleichermaßen knüpft. Dies gilt vor allem für die zahlreichen Darstellungen der Femme fatale und der Virago, also für den Typus der „dämonischen“ oder „satanischen“ Schönheit. Die bevorzugten Frauengestalten der Epoche — Salome, Herodias, die Königin von Saba, Semiramis, Helena, Kleopatra oder Salammbô — werden von Malern wie Dichtern mit einem Übermaß glitzernder Steine und Metalle ausgestattet[18]. Mit der Ästhetisierung des Hinfälligen und Kranken verbindet diese Darstellungen zunächst die effektvolle Kontrastierung. War auf der einen Seite physische Schwäche durch eine Anhäufung anorganischer, dem Verfall trotzender Minerale kontrapunktiert, so steht im zweiten Fall die Lebensfülle des — häufig unbekleideten — Frauenkörpers in Spannung zu der Pracht toter Minerale und Metalle, die ihn schmücken. Diesem optischen Reiz einer Symbiose von „Fleisch und Gold“ hat der repräsentative Maler der Dekadenz, Gustave Moreau, immer neue Nuancen abgewonnen[19]. In seiner Beschreibung der Salome auf Moreaus Gemälde „L'Apparition“ fixiert Des Esseintes, der eine symptomatische Vorliebe für diesen Künstler zeigt, den stimulierenden Effekt dieses Kontrastes: „Sie ist fast nackt“, heißt es in „A rebours“, „in der Glut des Tanzes haben die Schleier sich gelöst, sind die Brokate gefallen; sie ist nur in Geschmeide und blitzende Mineralien gekleidet; wie ein Mieder umspannt eine Kette ihre Mitte, und gleich einer köstlichen Agraffe blitzt ein wundervoller Edelstein zwischen ihren Brüsten; ein um die Hüften gelegter Gürtel verbirgt die Schenkel, gegen die ein Riesengehänge aus Rubinen und Smaragden schlägt; ...[20]“. Die gleiche aufreizende Wirkung des Kontrasts von Schmuckfülle und Nacktheit des weiblichen Körpers hatte auch Baudelaire schon in seinem Gedicht „Les Bijoux“ geschildert[21]:

> La très-chère était nue, et, connaissant mon cœur,
> Elle n'avait gardé que ses bijoux sonores,
> Dont le riche attirail lui donnait l'air vainqueur
> Qu'ont dans leurs jours heureux les esclaves des Mores.
> Quand il jette en dansant son bruit vif et moqueur,
> Ce monde rayonnant de métal et de pierre
> Me ravit en extase, ...“

Edelsteine und Ziermetalle, in der abendländischen Kunst als Schmuck der schönen und verführerischen Frau altvertraute Attribute[22], gewinnen in der zweiten Hälfte des 19. Jahrhunderts einen neuen symbolischen Wert, der sich an der Massierung, in der sie verwendet werden, und an ihrer pointierten Kontrastierung mit dem unbekleideten Frauenkörper ablesen läßt. Nur auf den ersten Blick wird mit dieser Schmuckfülle die lebenssprühende physische Schönheit der Frau hervorgehoben, in Wahrheit wird sie gerade aufgrund dieser Anhäufung toter Minerale und Metalle dem gleichen Bereich einer lebensfernen und sterilen Dekadenz zugeordnet wie die lebensschwachen Spätlinge, von denen Rilke handelt. Denn dieses exzessive Schmuckbedürfnis verdeckt den ursprünglichen und „natürlichen" Sinn einer Intensivierung des erotischen Reizes durch optische Effekte: Indem der Frauenkörper, mit einem kostbaren Panzer umgeben, gleichsam selbst zu einem Schmuckgegenstand verkünstlicht wird, sind nicht mehr Zeugung und Empfängnis Ziel, sondern die erotische Lockung selbst. Diese Emanzipation des Reizes zum Selbstzweck aber entfremdet die Frau von ihrer biologischen Funktion, und in der Verkostbarung ihres Körpers durch anorganische Schmuckstücke finden ihre Sterilität und Lebensfeindlichkeit symbolischen Ausdruck.

Gustave Moreaus Gemälde „Die Damen mit den Einhörnern" setzt diese Dialektik überzeugend in optische Realität um: die beiden zentralen Frauengestalten wirken durch ihre alabasterweiße Haut fast noch künstlicher und kostbarer als die glitzernden Schmuckgegenstände, von denen sie umgeben sind.

Diese Bedeutung der Edelsteine und Metalle als Zeichen der Sterilität und Lebensfeindlichkeit macht noch ein weiteres Motiv der Kunst des Fin de siècle, das sich ebenfalls an die kostbar geschmückte Frau knüpft, einsichtig: das der Grausamkeit und der sadistischen Wollust. Die Emanzipation des Erotischen von seiner biologischen Funktion, wie sie der verkostbarte weibliche Körper anzeigt, verhilft der Frau zu einer beherrschenden Stellung dem ungeschmückten Mann gegenüber. Sie unterwirft sich ihm nicht mehr als dem Erzeuger und Beschützer ihrer Kinder, sondern reduziert ihn zum Lustspender, den sie verachtet und quält. Der überreiche Schmuck wird deshalb auch zum Zeichen ihrer Macht und Überlegenheit, ihres „air vainqueur", wie es bei Baudelaire heißt.

Die juwelenglitzernde Salome, die sich das blutige Haupt des Johannes auf einer silbernen Platte reichen läßt, Salammbô, vor deren Augen das Herz des zu Tode gefolterten Matho der Sonne geopfert wird, oder Helena, die edelsteingeschmückt über das Schlachtfeld schreitet[23], werden zu Symbolgestalten einer Epoche, die das „Raffinement in der Brutalität" liebt[24]. Der Reiz, der aus der Zuordnung des Kostbar-Erlesenen zum Grausamen und Abstoßenden gewonnen wird, unterstreicht die erotische Pervertierung. Diese Neigung der Dekadenz, das Kostbare mit dem Blutrünstigen zu verbinden, prägt noch Oscar Wildes berühmtes „Sphinx"-Gedicht, in dem der Dichter die Sphinx dazu anstachelt, mit ihren „Klauen aus Jaspis" und ihren „Brüsten von Achat" das Rückgrat ihres Liebhabers zu zermalmen[25].

In der deutschen Lyrik des Fin de siècle ist dieser Motivkomplex seltener vertreten, aber doch in sehr bezeichnenden Beispielen.

So heftet sich in Felix Dörmanns Gedicht „Ahnung“ die Vorstellung von „saugenden“ Küssen, „rasender Liebeswut“ und „Blut“ an eine zum „lebenden Titianbild“ stilisierte Geliebte, deren kostbar geschmückter „mattweißer Körper“ sich dekorativ von „rötlicher Seide“ abhebt[26]. Unbekleidet, nur mit klirrenden „güldnen Spangen“ geschmückt, erwartet Semiramis in einem Gedicht des frühen Stadler ihre Liebhaber, für die der Henker schon bereitsteht: „Rot tanzt die Sonne auf dem nackten Eisen[27].“ Und auch der reich geschmückten Kurtisane in Eduard Stuckens Ballade „Das Haar des Mondes“ werden sadistische Motive unterstellt[28]:

Bleich wie die Semiramis der Fabel
Hurenblume, wuchsest du in Babel,
Lagst auf einem Bett von Elfenbein,
Perlgeschmückt, entblößt bis auf den Nabel,
Triefend von Arabiens Spezerein.
Deine Locken unter den Smaragden
Wurden Vipern, die das Herz zernagten, ...

Die ästhetizistische Verbrämung der „Medusenschönheit“, die sich in den letzten Versen zudem mit der ebenso symptomatischen Haar-Erotik verbindet, ist gerade für Eduard Stucken charakteristisch[29]. In seinem Versdrama „Lanvâl“ aus dem Grals-Zyklus geht er noch einen Schritt über die Schmückung der Frau mit kostbaren Mineralen hinaus, indem er mit Hilfe einer breiten Skala von Edelsteinmetaphern den weiblichen Körper selbst zu einem anorganischen Gebilde erstarren läßt: zum „zarten Opal-Leib“ der vampirhaften Finngula[30].

So erfleht Lanvâl die Wiederkehr der Geliebten mit einem Hymnus auf ihre Schönheit, der sie ganz zum kostbar-erlesenen Kunstwerk stilisiert[31]:

Ich beschwöre Dich bei der Qual unsrer Seligkeiten;
Bei der Goldflut Deiner Strähnen, in deren Scheinen
Erstarrte Perlenthränen und Steintropfen weinen;
Beim Opalglanz Deiner Wangen, in deren Farben
Die bleichen Rosen, von Schlangen vergiftet, starben;
Beim Rubinlicht Deiner Lippen, in deren Lächeln
Erfrierende Nachtfalter wippen und fröstelnd fächeln; ...

Durch die Häufung von Gold- und Edelsteinattributen wird Finngula jedoch nicht nur verklärt und ästhetisiert, sondern die Substitution organischen Lebens durch anorganische Minerale ordnet sie zugleich auch dem Reich der Toten zu, dem sie ja entstammt. Die Perversion des erotischen Reizes zu lebensfeindlicher Sterilität ist hier am weitesten gediehen.

Schon in Mallarmés „Hérodiade"-Dichtung hatte die Substitution organischen Lebens durch anorganische Elemente Sterilität, Frigidität und hoheitsvolle Isolation signalisiert. In ihren „jardins d'améthyste" will Herodias nur für sich allein „blühen"[32]; ihre Haare sollen „des erzes unfruchtbaren frost" bewahren, wie George übersetzt (W II, 420). Und auch Baudelaire war der Glanz von Gold und Metall Signum für die „kalte hoheit einer unfruchtbaren" (W II, 258) gewesen[33]:

Ses yeux polis sont faits de minéraux charmants,
Et dans cette nature étrange et symbolique
Où l'ange inviolé se mêle au sphinx antique,

Qù tout n'est qu'or, acier, lumière et diamants,
Resplendit à jamais, comme un astre inutile,
La froide majesté de la femme stérile.

Derselbe Motivkomplex von Hoheit, erlesener Pracht, Unfruchtbarkeit und Trauer trägt Georges Gedicht „Der verwunschene Garten" aus dem „Siebenten Ring". Fürst und Fürstin leben hier in prunkvollen Palästen, jeder für sich, in vollkommener Isolation und vom Liebesverzicht gezeichnet. Die tote Pracht kostbarer Gegenstände bezeichnet die äußerste Lebensferne, die Widernatürlichkeit und Sterilität ihres Daseins (WI, 300):

Eins ist der Fürstin palast: sie bewohnt ein gemach
Seegrün und silbern . . . dort hängt sie der traurigkeit nach
In ihren schnüren von perlen und starrem brokat.
Keine vertraute bewegt sie und weiss einen rat.
Weinend nur wählt sie aus ihrer kleinode schwarm
. . .
Jenseits des wassers der mattrot- und goldene saal
Herbergt den Fürsten und seine verschlossene qual.
Bleich alabasterne stirn ziert ein schwer diadem.
Freude und trost des gefolges ist ihm nicht genehm.

Nur einmal im Jahr belebt sich der verwunschene Garten, der die beiden Paläste umgibt, zu einem feierlich-abgemessenen Zeremoniell, das wenigen Auserwählten den Anblick des Fürstenpaars gestattet sowie die „höchste entzückung", „Spitzen opalener finger zu küssen und kaum / Dieser sandalen und mäntel juwelenen saum —" (WI, 301). Die einzigen Berührungsstellen zwischen dem Fürstenpaar und anderen Menschen, die opalenen Finger und juwelenen Säume, signalisieren gerade aufgrund ihrer mineralischen Attribute die unüberbrückbare Trennung des Herrscherpaars von der Welt der Lebenden, die, so heißt es in diesem Gedicht zur Bezeichnung des Vegetabilisch-Lebendigen in Opposition zum Anorganisch-Toten, die „heimliche sprache der blumen“ noch kennen. Metaphern wie „alabasterne stirn“ und „opalene finger“ ordnen Fürst und Fürstin, wie Stuckens Finngula, auch physisch dem Bereich des Anorganischen und Lebensfeindlichen zu.

Diese Tendenz zur Verkünstlichung und Verkostbarung, die in den letztgenannten Beispielen auf den menschlichen Organismus selbst übergreift, entspricht einem Grundzug der europäischen Dekadenz, nämlich der generellen Abwertung alles Natürlichen, Organischen und „Banalen“ zugunsten des Artifiziellen, Anorganischen und Erlesen-Raffinierten[34]. Sie prägt eine Motivkonstante in der Dichtung des Fin de siècle, die zu den merkwürdigsten Varianten der Edelsteinmetaphorik gehört: die Stilisierung des menschlichen Auges zu einem Edelstein.

Die Substitution des Auges, des ausdrucksstärksten Organs der menschlichen Physiognomie, das vor allen anderen Leben und einmalige unverwechselbare Individualität indiziert, durch ein kristallines Element bezeugt in ganz extremer Weise den Willen zur Tilgung des Individuellen, Organischen und Naturhaften im Typischen und Artifiziellen. Das in ein schönes Kleinod transformierte Auge wirkt austauschbar, es ist in den Prozeß lebensfeindlicher Ornamentalisierung miteinbezogen.

Auch dieses Motiv findet sich schon bei Baudelaire und Mallarmé in charakteristischen Ausformungen. So signalisieren die „bijoux froids“ der Geliebten in mehreren Gedichten Baudelaires die Härte, Kälte und sphinxhafte Undurchdringlichkeit der Frau[35], während die juwelenen Augen von Mallarmés Herodias integraler Bestandteil der lebensfernen und sterilen Minerale sind, mit denen sie sich umgibt: „Vous, pierres où mes yeux comme de purs bijoux / Empruntent leur clarté mélodieuse, ...[36].“ In der Übertragung durch Stefan George, der Mallarmés Vergleich durch eine Metapher ersetzt, wird demgegenüber der rein dekorative und ornamentale Wert eines zum schmückenden Objekt reduzierten Auges stärker akzentuiert: „Ihr steine draus mein auge · reines kleinod · / Klangvolle helligkeit entnimmt —“ (W II, 423), heißt es hier.

Auch andere Metaphern Georges — „Gemmen dein aug“ (W I, 81) oder „Dein auge blau · ein türkis ·“ (W I, 16) — bezeugen die Dominanz des Dekorativen in der Lyrik der Jahrhundertwende. Max Dauthendey gewinnt dieser Schmuckmetaphorik eine rokokohaft galante Wendung ab, wenn er „köstlich seltne Edelsteine“ vom Auge der Geliebten zu „pflücken“ vorgibt[37], und Rudolf Borchardt sucht im Edelsteinvergleich vor allem den Reiz des Erlesen-Kostbaren: in seiner „Melodischen Elegie“ schweigt die Geliebte „Mitten in Augen, edel wie Opal“[38]. Auch in der Malerei der Zeit spielt das „opalisierende“ Auge eine Rolle. So erwähnt Hofmannsthal in seinem Swinburne-Essay als Beispiele „stilisierter“, „kunstverklärter“ und

„lebenfremder“ Schönheit die „weißen Frauen des Burne-Jones, mit blasser Stirn und opalinen Augen“[39]. Hofmannsthal selbst nutzt in seinem Gedicht „Ein Traum von großer Magie“ den symbolischen Wert des Edelsteinauges, in dem Leben in Künstlichkeit transponiert wird, um die Doppelnatur des Magiers zu bezeichnen: „In seinen Augen aber war die Ruh / Von schlafend-doch lebendgen Edelsteinen[40].“ Auf die schöpferischen Kräfte des Magiers deuten in diesem Gedicht zudem die „riesigen Opale“, zu denen sich das Quellwasser in seinen Händen materialisiert.

Das ästhetizistische Bedürfnis nach Verkünstlichung und Verkostbarung des „bloß“ Naturhaften, Organischen, das — wie zuletzt gezeigt wurde — bis zur Substitution organischen Lebens durch anorganische Minerale gehen kann, mußte zwangsläufig auch der Darstellung der Natur selbst eine eigentümliche Prägung verleihen. „... je mehr wir die Kunst studieren, desto weniger haben wir für die Natur übrig“, heißt es in Oscar Wildes ironischem Dialog „Der Verfall des Lügens“. „In Wirklichkeit offenbart uns die Kunst nur die Planlosigkeit der Natur, ihre merkwürdige Plumpheit, ihre ungewöhnliche Eintönigkeit, ihre gänzliche Unvollkommenheit ... Wenn ich eine Landschaft betrachte, werde ich wider meinen Willen all ihre Mängel gewahr. Diese Unvollkommenheit der Natur ist gleichwohl für uns ein Glück, da wir sonst überhaupt keine Kunst hätten. Die Kunst ist ein lebhafter Versuch, von unserer Seite, der Natur die ihr gebührende Stelle anzuweisen[41].“ Für die Dichter der Dekadenz und des Fin de siècle muß das Roh-Materielle und „Unvollkommene“ der Natur getilgt oder zumindest verschleiert werden, damit sie überhaupt ein Gegenstand der Kunst werden kann. So ist gerade in zahlreichen Naturgedichten der Zeit Oscar Wildes Postulat, daß die Kunst zwischen sich und der Wirklichkeit „die undurchdringliche Schranke wundervoller Stilisierung, dekorativer oder idealer Behandlung“ aufzurichten habe[42], erfüllt: die „Dinge“ sind hier in der Tat „von Silberflitter überblinkt“, wie es in einem bezeichnenden Vers aus Theodor Däublers „Rom“-Zyklus heißt (D 805). Naturgebilde werden zu schmückenden Requisiten, häufiger noch zu bloßen Trägern kostbarer Substanzen reduziert, deren glitzernder Pracht gegenüber sie ihr Eigengewicht verlieren. Daß sich hier die Vorliebe der Lyriker des Fin de siècle für Preziosen und kostbare Materialien am reichsten und pointiertesten entfalten konnte, leuchtet ein.

So wird etwa in Ernst Stadlers „Praeludien“ der Abendhimmel zu einem „mit funkelnden Juwelen übersäten“ „Schacht“[43] stilisiert, Äpfel hängen „wie schwere goldne Ampeln“ herab[44], kräuselnde Blätter spannen sich „wie goldgewirkte Teppiche“[45], und ein Park drängt sich „wie smaragdene Brandung“ an eine „vom Prunkgewand des Herbstes“ „purpurumraschelte“

Schloßmauer[46]. Ähnlich verwandelt Theodor Däubler in der Metapher vom „Gischthermelin" (D 326) den Schaum der Meereswogen in ein kostbares Material, und in Rudolf Borchardts „Heroischer Elegie" wird die Nacht durch kostbaren Schmuck festlich überhöht: „Die Nacht ist wundervoll beflügelt, / Opal ist aufgewölbt und Silber gleitet[47]." In stilisierenden Wendungen dieser Art wird die sichtbare Welt nicht nur verkostbart, sondern auch entwirklicht. In den synästhetischen Eindrücken, die sich in Max Dauthendeys frühem Gedichtband „Ultra Violett" auch an die Evokation kostbarer Materialien knüpfen, tritt diese Tendenz besonders deutlich zutage. Dauthendey gewinnt hier den sinnlichen Qualitäten erlesener Stoffe nuancierte Reize ab. „Der Schnee knistert fiebernd wie Seide", heißt es in dem Prosagedicht „Wintersonne". „Seiden die Luft, goldweiß und goldrosig gestrählt. / Opalfarben schweben über den Schnee, kaum hörbar, zart wie der Atem der Perlen .../ Es geht aus allem eine nadeldünne Kühle, eine streichelnde Weichheit, wie die Schiller auf kühlen Muschelschalen und Perlmutter[48]." Wendungen wie „opalrosige Milchstrahlen", „Amethystbläue" oder „Leuchtrausch von Smaragd und Lapislazuli"[49] bezeugen darüber hinaus die Gewichtigkeit, die für Dauthendey die Farbwerte der verschiedenen Preziosen gewinnen können, wie sich ja für die einzelnen Dichterpersönlichkeiten überhaupt ganz individuelle Ausprägungen der gemeinsamen Tendenz zur Ästhetisierung nachweisen lassen.

Evokationen einer verkostbarten Natur gehen häufig mit der zeittypischen Tendenz zur Anthropomorphisierung einher, denn die Personifizierung von Naturerscheinungen kommt dem Schmuckbedürfnis dieser Dichtergeneration besonders entgegen. So werden vor allem Tages- und Jahreszeiten als mythische oder allegorische Gestalten imaginiert, die in reichem Schmuck einherschreiten. „Wie König Balthasar einst nahte, / die Stirn im Kronenreif erhellt, / so tritt im purpurnen Ornate / der König Abend in die Welt" (SW I, 30), heißt es in einem frühen Rilke-Gedicht und ähnlich in einem anderen: „Es kommt die Nacht, reich mit Geschmeiden / geschmückt des blauen Kleides Saum" (SW I, 29). Die Nacht kann ferner in ein „Silberfunkenkleid" gehüllt sein (SW I, 93), bei Stadler trägt der Herbst ein „Prunkgewand"[50], und in Däublers Dichtung „Päan und Dithyrambus" „liebkost" der Wind „wie eine Hand in Seide" die Wange einer Griechin (D 362).

Diese preziöse Metaphorik wird häufig noch durch einen dynamisierenden Gestus unterstrichen, der die personifizierten Naturerscheinungen selbst zu Spendern kostbaren Schmucks stilisiert, den sie über die Erde streuen. So läßt Richard Dehmel in seinem Gedicht „Blick ins Licht" die Sonne „mit goldnen Händen" „silberne Perlen / in die smaragdenen Wirbel der Flut" streuen[51], in Rilkes Gedicht „Abend" sät die Nacht „Diamanten / in die blauen Fernen" (SW I, 20), und bei Ernst Hardt spannt sie „eine goldne Harfe / Verschwiegen durch das Tal der Welt"[52]. Beide Vorstellungen, die kostbar geschmückte Natur und die Natur als Verteilerin von Preziosen, sind in einem Gedicht Felix Grafes korreliert[53]:

> So war der Abend: hell im Haar
> trug er ein Perlenband;
> und schimmernd wie ein Tropfen war
> ein Ring in seiner Hand.
> Und leise warf er auf die Flur
> Geschmeide, Schmuck und Ring
> bis eine blasse Perle nur
> an seinen Brüsten hing.

Aus dieser Tendenz zur Überladung der Natur mit kostbaren Schmuckgegenständen spricht nach wie vor nicht nur der Wille zur Ästhetisierung und Stilisierung der kunstfernen Wirklichkeit, sondern auch die Abwertung alles Naturhaften, Organischen. Die Natur als solche ist für diese Lyriker nicht „schön", sie bedarf erst der Anreicherung und Überhöhung durch kostbar-künstliche Materialien, um einen ästhetischen Reiz zu gewinnen.

Dieses Bedürfnis nach Eliminierung des Roh-Materiellen und Natürlichen steht noch hinter einem weiteren preziösen Stilgestus: In zahlreichen Gedichten des Fin de siècle läßt sich die Tendenz verfolgen, die Natur insgesamt mit einem kostbar glitzernden Gespinst zu überziehen, somit also ihre Stofflichkeit zu verdecken und zu ästhetisieren. Dieser Kunstgriff erinnert an das Verfahren Klimts, die Konturen der realen Gegenstände auf seinen Bildern durch eine gleichsam darübergelegte Schicht kostbarer Ornamentik zu verwischen[54]. Auch hier bestätigt sich die generelle Tendenz zur Entwertung der Objektwelt und zur Irrealisierung[55].

So erscheinen z. B. in einem frühen Gedicht Rilkes „Flur und Flut" „Weit wie mit dichtem Demantstaube / bestreut" (SW I, 84), in Hofmannsthals Gedicht „Siehst du die Stadt?" gießt der Mond „der Silberseide Flut" über die Stadt aus[56], und in „Attika" von Ernst Hardt sinkt „ein breiter silberweißer Schleier ... vom Monde auf die Erde"[57]. Auch bei Däubler, George und Stadler wird die Natur wiederholt mit kostbaren Schleiern und Geweben, mit „goldgewirkten Teppichen" oder „Hüllen" aus Atlas, Samt und Damast ausgestattet[58]. Wie stark das Bedürfnis dieser Generation dahin geht, die Natur zu einem kostbaren Material zu stilisieren, illustriert zudem die sehr bezeichnende Veränderung eines Verlaine-Gedichtes, die Ernst Hardt in seiner Übersetzung von „La lune blanche" vornahm. Während

Verlaine lediglich von der Spiegelung einer dunklen Weide in einem Teich spricht, heißt es in der Umdichtung Hardts: „Auf Silberseide / Malet der Teich / Das Bild der Weide[59].“

Der Versuch, die Natur durch preziöse Vergleiche und Metaphern zu verkünstlichen und damit zu entwirklichen, heftet sich am selbstverständlichsten an die immateriellsten Elemente der Natur, an Wasser und Licht, indem optische Effekte mit Vorliebe durch Edelsteinmetaphern suggeriert werden. „Rubinen perlen“ schmücken die Fontänen eines Georgeschen Parks (WI, 10), und in Algabals Unterreich sprühen die Ströme „Wie scharlach granat und rubinen“ (W I, 45). Ernst Stadler läßt seine Brunnen „wie Ketten von Opalen“ erglühen[60], und in Däublers Gedicht „Nacht in Rom“ „locken“ sich „Brillantensprudel“ zu „Perlensträhnen“ (D 805). Däubler gewinnt vor allem Tauperlen verschiedenste Schmuckreize ab, indem er sie zu „Taudiamanten“, „Tauopalen“ und „Lüstern aus Tau“ oder — in einem nun schon bekannten Stilzug — zu kostbaren Gaben allegorisierter Naturerscheinungen transformiert: Ein „Taufräulein“ etwa kann sie aus ihrem „Perlennachen“ streuen (D 98), und in „Sang an Ravenna“ schüttet das „späte Mondboot“ „Perlen“ aus, während sich die „Silberbäume“ mit „Fluchtopalen“ überschleiern (D 125).

Mit einer ähnlichen Metaphorik werden Lichterscheinungen evoziert. So „begießt“ in Leopold Andrians Gedicht „Küsse“ „des Mondes zitternd süßer Strahl / Opalnen Hauchs den weichen Silberschnee“[61], in Däublers „Nacht in Rom“ „perlen Ketten / Aus müdem, überall erglimmten Silberlicht“ (D 805), und in seiner „Pastorale“ heißt es: „Die Lichter sind Opale, und es perlt der Schatten“ (D 145)[62].

Die solcherart verkünstlichte und entrealisierte Natur kann nun ihrerseits zum dekorativen Schmuck des Menschen, zum bloßen Ornament werden. „Die kühlen Tropfen / funkelten noch wie flimmerndes Geschmeide / um meinen Leib ...“, so spricht das Mädchen in einem frühen Gedicht Stadlers[63], und in „Erste Fahrt“ von René Schickele wird das Haar des toten Prinzen mit Tau geschmückt, „der wie Perlen liegt, / die eingenäht in blonden Samt ...“[64]. Der Eigenwert der Naturgebilde geht in ihrer dekorativen Funktion auf. Zum Ornament reduziert, dienen sie nurmehr der Überhöhung des Menschen[65]. Ein extremes Beispiel für diesen Prozeß der Ornamentalisierung ist Stadlers Gedicht „Herbstgang“, in dem die herbstlich bunten Wipfel der Bäume zum „goldnen Baldachin“ über einem dahinschreitenden Paar werden, das zudem von Lichterscheinungen wie von Kleinodien geschmückt erscheint: „Aus wilden ... Girlanden / rieselt's wie goldener Staub / und webt sich fließend ein in den Gewanden / und heftet wie Juwelen schwer / sich dir ins Haar ...[66].“

Die Reduktion des Natürlichen zum dekorativen, aus seinem organischen Funktionszusammenhang herausgelösten Ornament bedeutet letzten Endes nicht nur Entwertung, sondern Abtötung des Organisch-Natürlichen. Dieser Prozeß läßt sich etwa in Däublers „Sang an Ravenna" verfolgen, wo auch die Landschaft um Ravenna zum dekorativen Ornament erstarrt, als tote Natur erscheint. So können bereits die bizarren Arabesken der Pinien, die „wie Alabasteradern" emporragen oder „wie astrale Algen" „blauen", Ravenna als „tote Stadt" signalisieren[67], als Stadt der Ruinen und Grabmäler, deren Kaiserin „in ihr Schmuckgeträufel eingefroren" ist (D 125 f.).

Auch die tote Natur winterlicher Schnee- und Eislandschaften, in denen das pflanzlich-organische Leben unter einer kristallinen Schicht erstarrt ist, wird um ihrer ornamentalen Reize willen bevorzugt. Vegetabilisches erscheint hier nur als Lineament, als Arabeske: „Streng keimen marmorkühle Myrthen, / Edelweiß aus wehem klagenden Alabaster", heißt es beispielsweise in dem Gedicht „Reif" von Max Dauthendey[68].

Diese Bevorzugung einer toten kristallinen Ornamentik vor den natürlichen Formen organischen Lebens führt konsequent zur Imagination einer Anti-Natur, zur Erschaffung künstlicher Gegenwelten, wie sie in der Lyrik des Fin de siècle von Baudelaires berühmtem „Rêve parisien" bis zu Georges „Unterreich"-Gedichten aus dem „Algabal"-Zyklus eine dominierende Rolle spielen. Denn schon aus Baudelaires Verbannung des „végétal irrégulier", dem er in seiner Traumvision eine Kunstlandschaft aus Stein, Wasser, Metall und Juwelen entgegensetzt, spricht die Abwertung des organisch-natürlichen Lebens.

Hugo Friedrich hat das Gedicht „Rêve parisien" bekanntlich als die „Bildwerdung einer konstruktiven Geistigkeit" gedeutet, „die ihren Sieg über Natur und Mensch ausspricht in den Symbolen des Mineralischen und Metallischen"; der vegetativen Natur werde „mit den Gebilden des Anorganischen das Symbol des absoluten Geistes ... übergeordnet"[69]. Aber bereits Wilhelm Worringer hat hinter der Bevorzugung „kristallinischer Schönheit" und der Abkehr von der „Willkür des Organischen" ein Abstraktionsbedürfnis erkannt, das er dem „Einfühlungsdrang", der seiner Ansicht nach hinter „realistischer" Kunst steht, entgegenstellte: „Wie der Einfühlungsdrang als Voraussetzung des ästhetischen Erlebens seine Befriedigung in der Schönheit des Organischen findet, so findet der Abstraktionsdrang seine Schönheit im lebensverneinenden Anorganischen, im Kristallinischen,. . . [70]". Das „lebensverneinende Anorganische" dient noch Stefan Georges Algabal zum Zeichen seines intellektuellen Triumphes. Analog zu Baudelaires „Rêve parisien"[71] läßt der Dichter ihn ein künstliches Unterreich ersinnen, in dem die mineralischen Elemente dominieren und „wo ausser dem seinen kein wille schaltet“ (W I, 45). In Algabals juwelenglitzerndem „Unterreich“ sind auch die vegetabilischen Elemente von künstlicher Provenienz, so die Bäume „von kohle“ und die „wie lava“ glänzenden Früchte, und mit der Erzeugung einer „schwarzen Blume“ hofft Algabal seine Anti-Natur zu krönen, seine Autarkie zu besiegeln.

Nicht nur die lebensfeindliche Gegennatur, sondern alle utopischen und paradiesischen, die Realität transzendierenden Bereiche überhaupt werden mit Vorliebe aus mineralischen Substanzen aufgebaut. Die Bevorzugung von Edelsteinen und Ziermetallen hat in diesem Motivkreis eine lange Tradition. Kostbare Minerale dienten aufgrund ihrer optischen und symbolischen Qualitäten in der abendländischen Literatur von jeher zur Vergegenwärtigung paradiesischer Bereiche wie der „wahren Erde“ in Platons „Phaidon“, des „neuen Jerusalem“ in der Offenbarung des Johannes oder der Minnegrotte in Gottfried von Straßburgs Tristan-Dichtung[72].

Auch hier ist für die Lyrik des Fin de siècle vor allem die Häufung von Edelsteinmetaphern symptomatisch.

So läßt Julius Hart in seinem Zyklus „Inseln der Seligen“ die Geliebte über eine Wiese von „Perlen und Edelgesteinen“ wandeln[73]. Bei Eduard Stucken ist „Avelun“ durch seine „smaragdenen Küsten“ und Goldäpfel als „Insel der Seligen“ ausgewiesen[74], und in Alfred Momberts „Gedicht-Werken“ sind Edelsteinmetaphern ein ganz wesentliches Stilelement, um die „Vergeistigung“ des Irdischen in siderischen Bereichen anzuzeigen. „Rubin-Wogen“, „opalene“ Fluten, „Safir-Himmel“, „smaragdene“ Wiesen und Teppiche sowie Felsen aus Amethyst, Topas, Opal und Bergkristall signalisieren die kosmischen Welten, die hier evoziert werden sollen[75]. Mit analogen Metaphern läßt auch Hofmannsthal in einigen Gedichten eine esoterische künstliche Welt goldener Gärten mit goldenen Bäumen und silbernen Blättern, Diamantentau und Licht „wie von Topasen“ erstehen. Doch die Lebensfeindlichkeit eines „Landes von Metall“ wird klar erkannt und in dem Gedicht „Psyche“ mit negativem Akzent versehen[76].

Auch Ernst Stadler sagt sich in einer das Parodistische streifenden Anspielung auf Georges „Algabal“-Welt vom glitzernden Prunk seiner Jugenddichtung los[77]:

> Der funkelnden Säle · goldig flimmernden Schächte
> und Pfeiler und Wände mit rieselnden Steinen behängt
> ward ich nun müde. . . .
>
> Süßer als aus Rubin und Demant die Hallen
> wiegt mich der funkelnde Himmel · das dampfende Ried —

Doch auch in diesem Bekenntnis zu einem „neuen Leben" — das Gedicht trägt den Titel „Incipit vita nova" — leuchtet die Faszination durch das Künstlich-Erlesene noch einmal auf.

Es kann angesichts einer so verbreiteten Vorliebe für Edelsteine und kostbare Materialien bei den repräsentativen Lyrikern der Epoche nicht überraschen, daß schon die Zeitgenossen von einer „schmucksüchtigen" Generation sprachen[78]. Bereits 1892 spielte Felix Dörmann seine Liebe zu den „grünen Smaragden" als Symptom dekadenter „Sensationen" aus[79], und noch Robert Musil zählt im „Mann ohne Eigenschaften" die „Träume" von Edelsteinen zu den beherrschenden Tendenzen des ausgehenden 19. Jahrhunderts[80]. In der Lyrik des Fin de siècle — das sollte in den vorangegangenen Ausführungen deutlich werden — spielen Edelsteine und kostbare Materialien in den verschiedensten Motivzusammenhängen eine Rolle. Ihre Funktion wird von der immer gleichen Grundtendenz bestimmt: einem Fortstreben von allem Naturhaften und Roh-Materiellen, dem durch Ästhetisierung und Entrealisierung auf der einen, durch Substitution organischen Lebens durch anorganische Elemente auf der anderen Seite Rechnung getragen wird. Daß in diesem Zusammenhang vor allem Edelsteine und Ziermetalle, in denen sich ästhetischer Reiz mit anorganischer Qualität verbindet, eine hervorragende Bedeutung gewinnen konnten, ist einleuchtend.

An der weitgefächerten Verwendungsweise von Edelsteinmetaphern war ferner jener Prozeß der Ornamentalisierung und Entgegenständlichung, somit auch einer Deformation der Natur zu verfolgen, der den Übergang zur Abstraktion markiert. Gerade die „Abstraktheit von Malachit und Alabaster" mache das Erlesene „fungibel", schrieb Adorno in seiner Abrechnung mit der „kunstgewerblichen" Seite in der Lyrik Hofmannsthals und Georges[81]. Daß sich der Umschlag von ornamentaler Überladung zu Abstraktion und Geometrisierung, der im 20. Jahrhundert erfolgt, bereits in der Kunst der Jahrhundertwende ankündigt, ist vor allem für die Malerei längst belegt[82]. In welchem Maße sich für diese Entwicklung auch in der Literatur des Fin de siècle Anzeichen finden, war hier an einem charakteristischen Motiv der Lyrik zu zeigen.

## ANMERKUNGEN

Für die am häufigsten zitierten Werkausgaben wurden Abkürzungen gewählt, die zusammen mit Band- und Seitenzahl den jeweiligen Zitaten in Klammern nachgestellt sind. Es handelt sich um folgende Werke:

W: Stefan George, *Werke*, Ausgabe in zwei Bänden, Düsseldorf/München [2]1968.

SW: Rainer Maria Rilke, *Sämtliche Werke*, hg. v. Ernst Zinn, Wiesbaden 1955.

D: Theodor Däubler, *Dichtungen und Schriften*, hg. v. Friedhelm Kemp, München 1956.

1. Gustave Flaubert, *Briefe,* hg. u. übs. v. Helmut Scheffel, Stuttgart 1964, S. 317/18.

2. Günter Metken, *Nachwort* zu: Gustave Flaubert, *Salammbô,* Stuttgart 1970 (Reclams UB Nr. 1550—54), S. 364.

3. Hauptfigur in Jean Lorrains Roman *Monsieur de Phocas.* Vgl. Mario Praz, *Liebe, Tod und Teufel. Die schwarze Romantik,* Stuttgart 1963, S. 246.

4. Im Jahre 1865 erschienen in England die beiden Standardwerke von C. W. King, *The natural History, Ancient and Modern of Precious Stones and Gems,* London 1865 und H. Emanuel, *Diamonds and Precious Stones,* London 1865. — Vgl. Lothar Hönnighausen, *Präraphaeliten und Fin de siècle. Symbolistische Tendenzen in der englischen Spätromantik,* München 1971, S. 180.

5. Hella Tiedemann-Bartels weist in ihrem *Versuch über das artistische Gedicht. Baudelaire, Mallarmé, George,* München 1971, auf eine entsprechende Briefstelle Mallarmés hin (S. 27 und Anm. 71, S. 141).

6. Zitiert nach: Claude David, *Stefan George,* München 1967, S. 76.

7. Joris Karl Huysmans, *Tief unten.* Übs. v. V. H. Pfannkuche, Köln/Berlin 1964, S. 68.

8. Joris-Karl Huysmans, *Gegen den Strich.* Übs. v. Hans Jacob, Zürich 1965, S. 114—116. — Die Lebensfeindlichkeit und Sterilität, die sich hinter dem Willen zur Verkünstlichung alles Natürlichen verbergen, treten dann eklatant in dem Ergebnis von Des Esseintes' exzentrischem Versuch zutage: der lebende Organismus stirbt unter der Last des künstlichen Schmucks ab: „Zweifellos an ein ruhiges Leben unter ihrem armseligen Rückenschild gewohnt, hatte (die Schildkröte) weder den blendenden Prunk, den man ihr auferlegt hatte, zu ertragen vermocht, noch das funkelnde Ornat, das man ihr umgetan, und die Edelsteine, mit denen man ihr den Rücken gepflastert hatte, wie eine Monstranz." (S. 125)

9. *Die Erzählungen und Märchen von Oscar Wilde.* Übs. v. Felix Paul Greve und Franz Blei, Leipzig 1910, S. 5.

10. Im 16. Kap. des 2. Bandes: *Die Matinee.* — F. M. Dostojewski, *Die Dämonen,* 2 Bde. Übs. v. E. K. Rahsin, München 1921, Bd. II, S. 739/40.

11. Hönnighausen, aaO, S. 178 ff.

12. Es handelt sich um Gedichte von Stefan George, Rudolf Borchardt und Theodor Däubler.

13. Charles Baudelaire, *Œuvres complètes.* Texte établi et annoté par Y.-G. Le Dantec. Edition révisée, complétée et présentée par Claude Pichois. Paris 1961, S. 56.

14. Alfred Walter Heymel, Gesammelte Gedichte 1895—1914, Leipzig 1914, S. 43.

15. Hugo von Hofmannsthal, *Algernon Charles Swinburne,* in: *Gesammelte Werke in Einzelausgaben,* hg. v. Herbert Steiner, Prosa I, Frankfurt/Main 1956, S. 99.

16. Für George wäre hier nebem dem *Spangen*-Gedicht aus den *Pilgerfahrten* vor allem an ein Gedicht aus dem *Jahr der Seele,* „Ich trat vor dich mit einem segensspruch", zu denken, in dem der Dichter von seinem Werk als dem „demanten" spricht (W I, 127), oder an das IX. Gedicht aus dem Vorspiel zum *Teppich des Lebens,* in dem „spruch" und „sang" miteinander wetteifern (W I, 177):

Bald war es leuchtende und reine saat
Kristalle die durch klaren morgen schien
Bald finster-ädrig fliessender achat
Dann wie ein heftig sprühender rubin.

Rilke will in einem seiner frühen Gedichte seine Lieder „einer erwachsenen Blonden / als Geschenk und Geschmeide" überreichen, doch sie verrollen ihm „wie lose Korallen" (SW I, 148). — Auch in einem Gedicht aus Julius Harts Zyklus *Insel der Seligen* werden die Lieder des Dichters zum Schmuck der Geliebten:

Meine Lieder trägt als Farben
hell und bunt der Schmetterling,

schillernd als Opal erglänzen
sie an meines Liebchens Ring.

(Julius Hart, *Triumph des Lebens,* Berlin 1898, S. 192)

17. Das Dekadenz-Motiv bestimmt vor allem die Darstellung des „blassen Zaren", des „Stammes letztes Glied", im *Zaren*-Zyklus aus dem *Buch der Bilder* (SW I, 433):

... das Kaiserkleid
schläft auf den Schultern dieses Knaben ein.
Obgleich im ganzen Saal die Fackeln flacken,
sind bleich die Perlen, die in sieben Reihn,
wie weiße Kinder, knien um seinen Nacken,
und die Rubine an den Ärmelzacken,
die einst Pokale waren, klar von Wein,
sind schwarz wie Schlacken —

Auch das blasse Fürstenkind aus dem anderen Gedicht des *Buchs der Bilder,* „Der Sänger singt vor einem Fürstenkind", sieht sich hilflos und verloren den ererbten Kostbarkeiten gegenüber (SW I, 437/38):

du hast von ihnen Perlen und Türkisen
Und Ringe mit verdunkelten Devisen
Und Seiden, welche welke Düfte wehn.

Du trägst die Gemmen ihrer Gürtelbänder
ans hohe Fenster in den Glanz der Stunden,
und in die Seide sanfter Brautgewänder
sind deine kleinen Bücher eingebunden, ...

18. vgl. zur Darstellung dieses Frauentypus Mario Praz, aaO, S. 132 ff. u. S. 202 ff. sowie Günter Metken, aaO, S. 362.

19. Werner Hofmann kennzeichnet sein Werk unter diesem Aspekt folgendermaßen: „Moreaus Lebenswerk wird von einem Thema und dessen Variationen beherrscht. Das Thema ist die Luxuria, die Variationen heißen Salome, Leda, Sphinx, Helena, Galathea, Dalila, Maria Magdalena und Circe, gefolgt von den Erynnien, den Sirenen, den Todsünden und den ‚Damen mit den Einhörnern'. Das ist die vollständigste Ahnenreihe der ‚femme fatale', die je von einem Künstler erdacht wurde. Moreau versetzt seine regungslosen Idolgestalten in einen prunkvollen theatralischen Rahmen, er schmückt ihre entblößte oder suggestiv verschleierte Nacktheit mit kostbarem Geschmeide, er vereint Fleisch und Gold zur unzüchtigen Symbiose". In: W. H., *Nana. Mythos und Wirklichkeit,* Köln 1973, S. 60/61.

20. A rebours, aaO, S. 133.

21. aaO, S. 141/42.

22. In der deutschen Lyrik tritt dieser Zug besonders stark bei Eichendorff in Erscheinung, so z. B. in dem Jugendgedicht *Romanze* (*Joseph und Wilhelm von Eichendorffs Jugendgedichte,* hg. v. R. Pissin, Berlin 1906, S. 70):

Laß' der Seide Zauberhimmel
Lokend, Süße, dich umwallen,
Der in Düften scheint zu rinnen
Vor des Leibes süßem Stralen.
Nicht noch raube aus den Loken,
Von dem Busen, weißen Armen
Die Karfunkel, Gold, Rubinen,
Edler Steine Zaubergarten, ...

23. So auf Gustave Moreaus Gemälde „Hélène". Vgl. Mario Praz, aaO, S. 205 f.

24. Günter Metken, aaO, S. 364. — Vgl. a. Gustav Klimts „Judith I" (1901).

25. *Oscar Wildes Werke in zwölf Bänden,* Berlin W 66 o. J., Bd. 1, S. 203.

26. Felix Dörmann, *Neurotica,* München u. Leipzig [4]1914, S. 62.

27. Ernst Stadler, *Dichtungen,* 2 Bde. Hg. v. Karl Ludwig Schneider, Hamburg 1954, Bd. 2, S. 214.

28. Eduard Stucken, *Balladen,* Berlin 1898, S. 31.

29. Die Vorstellung, daß der Mann durch das Haar der Geliebten erdrosselt wird, kehrt mehrfach wieder, so etwa am Ende von *Wisegard* (*Balladen,* Berlin 1898) oder in folgenden Worten Finngulas in dem Versdrama *Lanvâl:* „Meine Locken ein Schlangenknäuel, ein Giftgeträufel, — / ... Entgeh mir armen Geschöpfe, — sonst kann ich nicht bürgen, / daß Dich nicht meine Zöpfe erdrosseln und würgen, ..." (*Lanvâl,* Berlin 1903, S. 36/37).

30. Finngula ist wie Wisegard eine zum Leben erwachte Tote, die den Mann bedroht. Sie entdeckt ihr Geheimnis Lanvâl mit folgenden Worten: „Weißt Du, was Du verlangst? Ich bin ja tot! / Kennst Du die Seelenangst und Höllennot, / Die Dich zerfleischen wird an meiner Brust?" (aaO, S. 35)

31. aaO, S. 111.

32. Stéphane Mallarmé, *Œuvres complètes.* Texte établi et annoté par Henri Mondor et G. Jean-Aubry, Paris 1945, S. 47.

33. aaO, S. 28.

34. Dieser Zug wurde bereits von den Zeitgenossen als das wichtigste Merkmal der Dekadenz erkannt. So schreibt Hermann Bahr in dem Kapitel „Die Décadence" aus den *Studien zur Kritik der Moderne* von 1894 über die französischen Décadents: „Ein anderes Merkmal ist der Hang nach dem Künstlichen. In der Entfernung vom Natürlichen sehen sie die eigentliche Würde des Menschen und um jeden Preis wollen sie die Natur vermeiden". Zitiert in: *Literarische Manifeste der Jahrhundertwende. 1890—1910.* Hg. v. Erich Ruprecht und Dieter Bänsch, Stuttgart 1970, S. 305.

35. So in folgenden Gedichten der *Fleurs du Mal: Avec ses vêtements ondoyants et nacrés, Le Serpent qui danse, Le chat* (Nr. XXXIV), *Le chat* (II, Nr. LI), *Sonnet d'automne.*

36. aaO, S. 47. — Das Motiv der Edelsteinaugen kehrt noch beim frühen Apollinaire wieder, und zwar in einer sehr bezeichnenden Umdichtung von Brentanos *Lureley*-Gedicht. Während Brentanos Lureley ihre Augen als „zwei Flammen" bezeichnet, heißt es in Apollinaires Gedicht *La Loreley:* „O belle Loreley aux yeux pleins de pierreries" (Guillaume Apollinaire, *Poèmes,* hg. v. André Billy, Paris 1956, S. 94).

37. Max Dauthendey, *Gesammelte Werke in sechs Bänden,* Bd. 4, München 1925, S. 98.

38. Rudolf Borchardt, *Gesammelte Werke in Einzelbänden. Gedichte,* hg. v. Marie Luise Borchardt und Herbert Steiner, Stuttgart 1957, S. 43. — Vgl. zur Bedeutung des Opals v. a. in der englischen Lyrik des Fin de siècle Hönnighausen, aaO, S. 179 ff.

39. Hugo von Hofmannsthal, *Prosa I,* S. 103. — Das gespenstische Riesenauge aus Opal, das in Gedichten Alfred Momberts und Richard Dehmels begegnet, erinnert dagegen eher an optische Vorlagen aus dem Werk Odilon Redons.

40. Hugo von Hofmannsthal, *Gedichte und lyrische Dramen,* hg. v. Herbert Steiner, Frankfurt/Main 1963, S. 21.

41. *Werke in zwölf Bänden,* Bd. 6, S. 143/44.

42. ebenda, S. 164.

43. Stadler, aaO, Bd. 2, S. 203.

44. ebenda, S. 212.

45. ebenda, S. 190.

46. ebenda, S. 207.

47. *Gedichte,* aaO, S. 18.

48. aaO, S. 40/41. — Die Tendenz zur Entrealisierung sowie zur Emanzipation der Farbwerte vom Merkmalträger in Dauthendeys frühen Gedichten hat Wolfgang Iskra in seiner Studie *Die Darstellung des Sichtbaren in der dichterischen Prosa um 1900,* Münster 1967, überzeugend dargelegt.

49. aaO, S. 29, 11, 17.
50. aaO, S. 207.
51. Richard Dehmel, *Gesammelte Werke in drei Bänden*, Berlin 1916, Bd. 1, S. 72.
52. Ernst Hardt, *Aus den Tagen des Knaben*, Leipzig [2]1911, S. 50.
53. Zitiert nach: *Lyrik des Jugendstils*, hg. v. Jost Hermand, Stuttgart 1964, S. 45.
54. Diese Parallele deckt auch Horst Fritz in seiner vorzüglichen Studie *Literarischer Jugendstil und Expressionismus. Zur Kunsttheorie, Dichtung und Wirkung Richard Dehmels*, Stuttgart 1969, auf, und zwar am Beispiel eines Frauenporträts. Er schreibt: „Als analoges Beispiele bieten sich vor allem die Bilder Gustav Klimts an, in denen die realen Gegenstände unterschiedslos in eine flächige, wie Schmuck wirkende Dekoration umgesetzt werden ... die anfängliche Naturnähe tritt mehr und mehr hinter einer geometrischen und vegetabilen Ornamentik zurück. Im vollendeten Bild gewinnt das abstrakte Ornament vollends die Oberhand" (aaO, S. 77).
55. vgl. in diesem Zusammenhang die Ausführungen von Wolfdietrich Rasch in dem Aufsatz *Welle, Fläche, Ornament*, in: *Zur deutschen Literatur seit der Jahrhundertwende*, Stuttgart 1967, v. a. S. 211 ff.
56. *Gedichte und lyrische Dramen*, S. 471.
57. aaO, S. 15.
58. So heißt es beispielsweise in Däublers Gedicht *Pastorale:* „Das abgemähte Berggelände ist ein ganzer / Damastteppich" (D 142), in Georges *Jahr der Seele* ist von „beglänzendem damaste", die Rede, in den das Land „gehüllt" wird (W I, 124), und Stadler vergleicht das Herbstlaub mit „goldgewirkten Teppichen" (aaO, Bd. 2, S. 190).
59. aaO, S. 75.
60. aaO, Bd. 2, S. 209.
61. Leopold Andrian, *Das Fest der Jugend. Des Gartens der Erkenntnis erster Teil und die Jugendgedichte*, Berlin 1919, S. 66.
62. Auch D'Annunzio, dessen Werke von den deutschen Lyrikern des Fin de siècle gern gelesen wurden, setzte Edelsteinvergleiche und -metaphern vorwiegend zur Vergegenwärtigung von Lichteffekten ein. So heißt es beispielsweise im *Sang von der Sonne:* „O frisches Gekräusel des Wassers! / wie von Topas und Bernstein glitzernd und funkelnd" oder: „Ein Lichtdiadem am Himmel / läßt die Wasser mit Edelsteinfunken / schimmern ..." (Gabriele d'Annunzio, *Gesänge*, Berlin u. Leipzig 1904, S. 19, 21), und in *Hortus Larvarum* erglänzen „mit dem Schimmer von Opal / die Quellen" (aaO, S. 84).
63. aaO, Bd. 2, S. 213. — Wenig vorher heißt es, daß der Granatbaum zwei Liebende „mit Purpurarmen" „umgittert" habe (aaO, S. 212).
64. René Schickele, *Der Ritt ins Leben*, Stuttgart/Berlin/Leipzig 1905, S. 35.
65. Diese Ergebnisse stützen Beobachtungen anderer Autoren zur Lyrik des Jugendstils, so etwa die Feststellung von Volker Klotz: „Das Ich läßt nicht mehr die Natur auf sich einwirken und verzeichnet die Reflexe — es greift ein, es errichtet sich eine eigene Landschaft, sucht dafür Requisiten, biegt sie zurecht, deformiert sie. Kein Ding der Natur behält seine Gestalt, es wird ‚umstilisiert' " *(Jugendstil in der Lyrik.* In: *Jugendstil*, hg. v. Jost Hermand, Darmstadt 1971, S. 360) oder das Fazit, das Horst Fritz aus seiner Interpretation von Stadlers Gedicht *Der Teich* zieht: „Der solcherart vorgestellte Raum ist nicht mehr Realität, sondern eine in den Bezirk der Kunst umgesetzte Natur; in ihm gehorcht die Wirklichkeit nur noch ästhetischen Prämissen, da sie weitgehend zur Schmuckwelt denaturiert und ihres Realwertes beraubt ist. Pointiert erhellt noch einmal die Schlußzeile den Status der im Gedicht dargestellten Natur: das Bild der Juwelen bezeichnet am radikalsten die Aufhebung der Realität im Bereich des Ästhetischen. Natur wird zum Kunstgegenstand" (aaO, S. 228).
66. aaO, Bd. 2, S. 190.
67. vgl. zu diesem Motivkreis den Aufsatz von Hans Hinterhäuser: *Tote Städte in der Literatur des Fin de siècle*. In: *Archiv f. d. Studium d. neueren Sprachen u. Literaturen.* 121. Jg., 206. Bd., Braunschweig 1970, S. 321—344.

68. aaO, S. 55.

69. Hugo Friedrich, *Die Struktur der modernen Lyrik,* Erweiterte Neuausgabe, Ham burg 1967, S. 55 u. 54/55.

70. Wilhelm Worringer, *Abstraktion und Einfühlung. Ein Beitrag zur Stilpsychologie,* Neuausgabe München 1959, S. 36 u. passim.

71. vgl. zur Abhängigkeit der *Unterreich*-Gedichte des *Algabal*-Zyklus von Baudelaires Gedicht sowie zu der diesbezüglichen Forschungsliteratur: Manfred Durzak, *Der junge Stefan George. Kunsttheorie und Dichtung,* München 1968, S. 168 ff.

72. In der deutschen Romantik spielt das künstliche Reich aus Edelstein und Metall dann vor allem in Novalis' *Ofterdingen* und in E. T. A. Hoffmanns Erzählung *Die Bergwerke zu Falun,* in der die anorganischen Substanzen die Unterwelt bereits als Totenreich signalisieren, eine bedeutsame Rolle. Vgl. zu diesem Motivkreis v. a. Werner Vordtriede, *Das Unterreich,* in: *Novalis und die französischen Symbolisten,* Stuttgart 1963, S. 43 ff. sowie die Untersuchung von Theodore Ziolkowski, *Der Karfunkelstein,* in: *Euphorion* 55, 1961, S. 297—326.

73. aaO, S. 151.

74. Lanvâl, aaO, Akt I, Szene 1.

75. Alfred Mombert, *Dichtungen,* hg. v. Elisabeth Herberg, 3 Bde., München 1963, Bd. 1, S. 528, 517, 422, 533/50, 471.

76. Hugo von Hofmannsthal, *Gedichte und lyrische Dramen,* S. 71.

77. aaO, Bd. 2, S. 198.

78. So Hermann Friedemann in: *Die dritte Romantik* aus: *März,* Jg. 10, 1912, H. 34, S. 317—319. Zitiert nach: *Literarische Manifeste der Jahrhundertwende. 1890—1910.* Hg. v. Erich Ruprecht und Dieter Bänsch, Stuttgart 1970, S. 296.

79. In dem Gedicht *Was ich liebe* in: *Sensationen,* Wien 1892, S. 22/23.

80. Robert Musil, *Der Mann ohne Eigenschaften,* hg. v. Adolf Frisé, Hamburg 1970, S. 55.

81. Theodor W. Adorno, *George und Hofmannsthal. Zum Briefwechsel: 1891—1906,* in: *Zur Dialektik des Engagements,* Frankfurt/Main 1973, S. 75/76.

82. vgl. etwa die Studie von Werner Hofmann, *Von der Nachahmung zur Wirklichkeit. Die schöpferische Befreiung der Kunst. 1890—1917,* Köln 1970.

HORST FRITZ

# Die Dämonisierung des Erotischen in der Literatur des Fin de Siècle

Ein nur flüchtiger Blick auf die Titel der um die Jahrhundertwende entstandenen Dichtungen läßt bereits erkennen, daß den Themen Liebe und Eros ein erstaunlich großer Stellenwert zukommt. „Aber die Liebe", „Weib und Welt", „Zwei Menschen", „Irrgarten der Liebe", „Totentanz der Liebe", „Eros-Thanatos", „Im Lande der Liebe", „Das Weiberdorf": dies sind nur einige beliebig zu ergänzende Beispiele für die plötzlich zu spürende Affinität zu jenem Themenkreis, die sich bis hinunter auf die Ebene der Trivial- und Unterhaltungsliteratur verfolgen läßt. Die Sphären des Erotischen und Sexuellen rücken ins Blickfeld; Werke wie Kahlenbergs „Nixchen" oder Margarete Böhmes „Tagebuch einer Verlorenen" sind Initialzündungen für einen ganzen Schwarm ähnlicher Produktionen, von der „Beichte einer Gefallenen" über das „Tagebuch einer weißen Afrikanerin" bis hin zu den „Memoiren einer Kellnerin". Schließlich ist auch die wissenschaftliche bzw. pseudowissenschaftliche Aneignung jener Thematik zu beobachten. Bölsches „Liebesleben in der Natur", Krafft-Ebbings „Psychopathia sexualis", Forels „Die sexuelle Frage", Hirschfelds „Vom Wesen der Liebe" und vor allem Weiningers „Geschlecht und Charakter" sind nur einige markante Beispiele für eine wahre Flut solcher Veröffentlichungen. Das Erotische wird auf breitester Basis hoffähig, es konstituiert sich als bedeutsamer Bestandteil des Literaturbetriebs[1].

Ein Seitenblick auf die bildende Kunst bestätigt vollends solche Beobachtungen. Vor allem in Malerei und Graphik nehmen die Gestaltungen des Eros und der erotischen Beziehungen breiten Raum ein; im Wiederaufleben antiker Venusbilder und undinenhafter Märchenwesen ebensogut wie in der Form pathetischer Verkultung des nackten, besonders des weiblichen Leibes; von den zugleich ornamental und erotisch akzentuierten Salome-Bildern bis hin zu einem Kernmotiv jener Zeit, der Darstellung des Kusses. Daß es sich bei all dem jedoch um einen mühsam sich vollziehenden Prozeß der Enttabuisierung handelt, bezeugen die vielen Anklagen und gerichtlichen Maßnahmen, denen sich die Künstler der Jahrhundertwende — genannt seien nur Dehmel, Wedekind und Munch — von seiten der Behörden ausgesetzt sehen. Da diese Entwicklung vor überkommenen moralischen Vorurteilen und auch Normen nicht Halt machte, mußten sich zwangsläufig Kollisionen mit einem starren gesellschaftlichen Sittenkodex ergeben.

Mir geht es nun bei der Betrachtung der erotischen Thematik in der Literatur der Jahrhundertwende um jenen speziellen Aspekt der Dämonisierung des Erotischen, wie er sich fast durchgängig beobachten läßt. Die außergewöhnliche Fülle des in Frage kommenden Materials kann hier jedoch nicht annähernd wiedergegeben werden, auch geht es nicht um eine systematische Bestandsaufnahme aller Facettierungen dieses Problems. Es soll jedoch versucht werden, in der Analyse einer begrenzten Zahl von Beispielen einige Perspektiven zu entwerfen, die vielleicht zur Beantwortung der Frage beitragen mögen, inwieweit dieser Themenkomplex modellhaft Erkenntnisse über die innere Verfassung des Fin de siècle zu vermitteln vermag. Nach einer knappen Skizzierung der Genese dieses Problems im 19. Jh. werde ich einige seiner Ausformungen in den künstlerischen Äußerungen der Jahrhundertwende umreißen, um dann in der Untersuchung zweier exemplarischer Modellfälle — Salome und Lulu — der Bedeutung dieser Thematik für die Einschätzung jenes Zeitraumes nachzugehen.

## I

Ansätze und Vorformen ließen sich zurückführen bis hin zu den Variationen der erotischen Thematik in den Dichtungen der Renaissance. In dem für unsere Themenstellung wichtigen Zusammenhang erscheint es sinnvoll, mit dem 18. Jh. anzusetzen, in dessen zweiter Hälfte sich gerade auf der Ebene der literarischen Dokumente, bewirkt durch die Emanzipationsbestrebungen des aufsteigenden Bürgertums, ein betonter Subjektivismus im Lebensgefühl bemerkbar macht. Goethe mag hier stellvertretend genannt werden. Schon das im Geniekult zutage tretende Bewußtsein völliger Autonomie und die zugleich fast pantheistische Naturnähe, wie sie in Goethes früher Lyrik sich ausprägen, sind stets thematisch begleitet vom Motiv einer als Naturkraft erfahrenen Liebe. Gerade im „Werther"-Roman, wo die Kollision jenes Unbedingtheitsanspruchs mit der Realität der „fatalen bürgerlichen Verhältnisse"[2] ausgetragen wird, ist es das Thema der Liebe, in welchem sich die Dichotomie von subjektiver Existenz und ihr widerstreitender gesellschaftlicher Verfassung kristallisiert. Schon hier eignet der Liebe eine im Autonomieanspruch des Individuums begründete Sprengkraft gegenüber der Verhärtung des gesellschaftlichen Zustandes. Solchermaßen artikuliert sich im Liebesproblem ein durchgängig zu beobachtender Prozeß, in dessen Verlauf der Einzelne sich mehr und mehr in einen Bezirk privater Innerlichkeit, in eine nach Habermas „vom gesellschaftlichen Zwang gelöste Intimität"[3] gedrängt sieht und damit die sich verdinglichenden Bewegungsgesetze der bürgerlichen Gesellschaft immer weniger zu beeinflussen vermag. Hinzu tritt ein zweiter Aspekt: in der gerade im „Werther" so deutlichen Disproportion des Subjektes mit der Gesellschaft vertritt das Thema Liebe ex negativo zugleich auch den Gegenentwurf eines versöhnten Weltbezuges, in dem die Ich-Du-Beziehung der Liebenden modellhaft eine harmonische und nicht erzwungene Identität von Individuum und Allgemeinheit repräsentiert. In „Wilhelm Meisters Lehrjahre" unternimmt Goethe später den Versuch einer positiven Verknüpfung beider Ebenen. Die organische Annäherung der sich selbst entfaltenden Individualität des Helden an die Erfordernisse und Ansprüche des gesellschaftlichen Ganzen vollzieht sich parallel zum Hineinwachsen Wilhelms in die echte, das Ich bindende und zugleich freisetzende Liebesbeziehung zu Natalie. Dieser utopische Doppelaspekt wird dann zum Strukturmerkmal fast aller späteren deutschen Bildungsromane. Als Beleg für die Gefährdung jener Synthese von Individuum und Allgemeinheit schon während der Goethezeit sei Hölderlins Gedicht „Die Liebe"[4] angeführt. In einer Zeit, da „die knechtische jetzt alles, die Sorge, zwingt", bleibt Versöhnung auf den Bezirk der Liebenden beschränkt; am Ende des Gedichtes verbirgt sich in der Mahnung des Dichters, die „Sprache der Liebenden sei die Sprache des Landes", die Erkenntnis, daß die Realität jene Harmonie nicht mehr fraglos gewährt.

Im Gefolge der durch die Französische Revolution ratifizierten gesellschaftlichen Veränderungen, in denen das Bürgertum nach der Übernahme auch der politischen Macht sich frei zu entfalten beginnt, erfahren nun die Themen Liebe und Eros in der Kunst eine schärfere Konturierung und Konkretisierung. Damit treten auch die gesellschaftlichen Ursachen für die zunehmende Dominanz jener Thematik in den Künsten des 19. Jh. deutlicher hervor. Einige Faktoren seien hier — wenn auch nur skizzenhaft — angeführt[5].

Die vom Bürgertum erhobene Forderung nach Freiheit und Gleichheit aller Menschen mußte naturgemäß auch Reflexionen über die gesellschaftliche Lage der Frau bewirken. Nicht zufällig wird schon während der Französischen Revolution, gleichsam als Parallelaktion zur „Déclaration des droits des hommes", von Olympe de Gouges eine „Déclaration des droits de la femme" gefordert. Dies markiert den Beginn der das ganze 19. Jh. währenden sogenannten „Frauenbewegung", wie sie sich international in den vielen Frauenclubs, Frauenvereinigungen, Frauenzeitschriften bis hin zur Suffragettenbewegung niederschlägt. Die Frau tritt aus dem engen Kreis der

Häuslichkeit, in den sie jahrhundertelang bis auf wenige Ausnahmen verwiesen war. Hauptmerkmal dieses Prozesses ist der bis ins 20. Jh. reichende Kampf der Frauen um Gleichstellung im Zivilrecht, der Ehescheidung, um freie gesellschaftliche Betätigung, um gleiche Bildungschancen (Universitätsstudium) und vor allem um das Frauenstimmrecht[6]. Zum anderen ist der vergrößerte thematische Stellenwert des Erotischen, vor allem in der Literatur, auch eine Folge der Lockerung, ja Auflösung religiöser, ideologischer und moralischer Bindungen, wobei insbesondere die Tabuisierung der erotischen Sphäre aufgebrochen wird. Das Werk de Sades bezeichnet schon am Ende des 18. Jh. in seiner Radikalität die fast konvulsivische Wucht und das Überfällige dieses Prozesses, in dessen Verlauf jene Thematik dann in den unterschiedlichsten Ausformungen literarisch freigesetzt wird.

Eine weitere wichtige Ursache bedarf der Erwähnung. Auf sie wird vor allem von sozialistischen Autoren des 19. Jh. verwiesen, so von Engels und insbesondere von Bebel in seinem Buch „Die Frau und der Sozialismus", einem Werk, das in seinem Materialreichtum auch heute noch als Quelle dienen kann[7]. Die im 19. Jh. sich voll durchsetzende Industrialisierung, die Entstehung von Fabriken und Großbetrieben, all dies zwingt mehr und mehr zum Rückgriff auf das Reservoir auch der weiblichen Arbeitskräfte. Dieser Entwicklung kommt noch entgegen, daß wegen der zunehmenden Mechanisierung und Vereinfachung der industriellen Produktionsweise in verstärktem Maße auch ungelernte und physisch schwächere Personen Arbeitsmöglichkeiten finden. Der Anteil der Frauen am Erwerbsleben wächst, besonders in den Fabriken, und beträgt 1892 bereits fast 30 %. Damit verändert der wichtige Beitrag der Frauen zur Bestreitung des Lebensunterhaltes, besonders der unteren Schichten, den gesellschaftlichen Stellenwert des weiblichen Geschlechtes insgesamt. In den etablierten Schichten des Bürgertums indes wird der Frau des Hauses die tägliche Arbeit zum großen Teil von Dienstboten abgenommen; der hierdurch für die Frau gewonnene Freiraum beschränkt sich jedoch auf die Privatsphäre eines durch Luxus und Bildungsbetriebsamkeit oft nur verdeckten monotonen Daseins. Die Vermutung liegt nahe, daß weitgehend unter dem Druck ökonomischer Zwänge jene Voraussetzungen der Frauenemanzipation sich ausbilden; wo diese Notwendigkeiten nicht bestehen, zeigt sich im Bürgertum des 19. Jh. sehr oft das Bestreben, die Unselbständigkeit der Frau und ihre effektive Machtlosigkeit zu erhalten. Als prototypisch für diesen Sachverhalt kann Balzacs „Physiologie du mariage" gelten, eine förmliche Anleitung zur Bewahrung männlicher Privilegien und Machtpositionen[8].

Die Problematik der Institution Ehe rückt im 19. Jh. in drei so gewichtigen literarischen Ausformungen wie Flauberts „Madame Bovary" (1857),

Tolstois „Anna Karenina" (1875/77) und Fontanes „Effi Briest" (1894/95) ins Blickfeld. Schon in den Titeln werden Akzente gesetzt: es geht jeweils um ein Frauenschicksal. Alle drei Romane sind Ehetragödien, sie beschreiben das Mißverhältnis zwischen subjektivem Gefühlsanspruch und der Unmöglichkeit, diesen Anspruch unter den konkreten Bedingungen der Gesellschaft durchzusetzen. Emma Bovary, auf problematische Weise prädisponiert durch das Leben in der realitätsfernen poetischen Traumwelt ihrer Kinder- und Mädchenjahre, macht die Erfahrung einer eintönigen Ehe, in der individueller Entfaltungswille und Realität nicht mehr auf einen gemeinsamen Nenner sich bringen lassen: „son coeur était agité comme la voile d'un navire amarré et qui se gonfle de vent sans pouvoir le faire avancer[9]." Ihre Untreue ist der verzweifelte und vergebliche Versuch der Selbstverwirklichung. Ähnlich ist Anna Kareninas Entschluß, ihren Mann zu verlassen, das zum Scheitern verurteilte Bemühen, im Glück einer echten Liebesbeziehung die Erfüllung zu finden, die ihr in der Ehe versagt bleibt. Die gesellschaftlichen Sanktionen, denen Anna und dann auch Effi Briest verfallen — Verlust von Familie und Kind, Distanz zum Elternhaus, völlige Isolierung —, machen zugleich das Maß des Zwanges deutlich, das diesen Bestrebungen und Ansprüchen entgegensteht. Fontanes Roman stellt insofern einen nicht nur zeitlichen Endpunkt dar, als die Reaktion des Ehemannes selbst nur noch der rein formale Nachvollzug einer schon brüchig gewordenen gesellschaftlichen Norm ist, sichtbar in der Erkenntnis Instettens, eine bloß „gemachte Geschichte", eine „halbe Komödie" mitzuspielen[10]. Das „nicht nach Charme und nicht nach Liebe" fragende „uns tyrannisierende Gesellschafts-Etwas"[11], durch das Instetten sich in die Sanktionen gegenüber der untreuen Frau getrieben fühlt, ist erstarrt zum verdinglichten und blinden Machtanspruch des Ganzen zu Lasten des Einzelnen; ein Fluchtpunkt, auf den die Ansprüche beider Bereiche sich sinnvoll beziehen ließen, ist nicht mehr auszumachen.

Da es sich in allen hier angeführten Beispielen um eine außereheliche Beziehung handelt, erhält schon in diesen Romanen das Erotische den Charakter eines kritischen Potentials gegen die Gesellschaft. Folgerichtig erfährt die Welt der Dirnen und Kurtisanen in der Literatur des 19. Jh. eine spezifische Bewertung. Gestalten wie die Esther in Balzacs „Splendeurs et misères des courtisanes" oder Dumas' ‚Kameliendame' Marguerite Gautier werden zu Repräsentanten jener humanen Qualitäten, deren Entfaltung die Gesellschaft nicht zuläßt. Die Sphäre des Erotischen enthüllt sich unter diesen Prämissen schon jetzt als doppelwertig. Aus der Perspektive der Gesellschaft nimmt sie die Qualität des Bedrohlichen und Zersetzenden an, indem sie die Kategorie höchster subjektiver Selbstverwirklichung als permanentes Gegenbild vorweist, worin zugleich objektiv ihr Positivum sich darstellt. Beide Aspekte verschränken sich zu jener Angst und Lust, Schmerz und Erfüllung vereinenden Dämonie, die dem Erotischen in der Kunst des 19. Jh. fast durchweg zukommt. Bei der Konkretisierung des hier Dargelegten kann ich im Rahmen dieses Referats nur Bemerkungen zu drei Beispielen machen, zu Werken jedoch, die geradezu als Paradigmen des 19. Jh. gelten und die Gestaltung des Erotischen in der Kunst des Fin de Siècle nachhaltig beeinflußt haben: Wagners „Tristan und Isolde“ (1865), Baudelaires „Les Fleurs du Mal“ (1857) und Zolas „Nana“ (1879/80).

Wurde bei Wagner schon im Venusberg des „Tannhäuser“ der Bezirk des Erotischen als dämonisches Korrektiv antagonistisch auf die in sich erstarrte Wartburgsphäre bezogen, so gestaltet die „Tristan“-Oper im berühmten Motiv des Liebestranks die Liebe als Elementarereignis. Die Plötzlichkeit des Hereinbrechens ist jedoch nur äußeres Indiz für das bisherige Verdrängen der erotischen Dimension, die jetzt eruptiv ihr Recht wahrnimmt. Entscheidend sind die Veränderungen, die sich für die Existenz der beiden Protagonisten Tristan und Isolde ergeben. König Markes Welt relativiert sich in der nun plötzlich verkehrten Perspektive der Liebenden, die „ohne Wahrnehmung des um sie Vorgehenden“, wie es in der Szenenanweisung heißt (I, 5), verharren. Brangänens Vorwurf gegen Isolde, „weil du erblindet,/wähnst du den Blick/der Welt erblödet für euch?“ (II, 1), umreißt präzise jene neue Optik der Liebe, in der eine Sphäre wahren Glücks, versinnbildlicht im „Wunderreich der Nacht“, fern von den Täuschungen des Tages aufzuscheinen vermag (II, 2). Dieser Vorgang ist sowohl die Verneinung einer fragwürdigen und durchaus auf das 19. Jh. zu beziehenden Gegenwart, als auch die im „himmelhöchsten Weltentrücken“ (II, 2) erlebte Neukonstitution einer befreiten Welt. Der Liebestod, das Eingehen in das „Land, das alle Welt umspannt“ (II, 3), das Versinken „in des Welt-Atems wehendem All“ (III, 3), ist der Eintritt in diesen neuen Bezirk der Erfüllung. Als Tod jedoch, als Verlöschen des Ichs, bezeichnet er auch das hohe Maß an Transzendierung der Realität, das dazu nötig ist. So enthüllt sich das Schlußgeschehen als Weltflucht, die sich des erstrebten Glücks erst in der Realitätsaufhebung und in der individuellen Selbstpreisgabe zu versichern vermag, wie es noch Isoldes Schlußworte, „unbewußt — höchste Lust!“ (III, 3), bezeugen.

Liebe und Eros als Medien eines totalen Weltbesitzes erscheinen bei Baudelaire noch problematischer und doppeldeutiger. Man erkennt dies dort, wo der französische Dichter gleichfalls das Motiv des Liebestodes gestaltet, wie in den Versen „La mort des amants“[12], die direkt das Ineinander von Liebe und irdischem Verlöschen aufgreifen:

> Nous aurons des lits pleins d'odeurs légères,
> Des divans profonds comme des tombeaux,
> Et d'étranges fleurs sur des étagères,
> Écloses pour nous sous des cieux plus beaux.

Ähnlich wie bei Wagner erfolgt der Eintritt in die ersehnte Welt des Glücks und der Erfüllung erst in der Negation der Wirklichkeit. Die Harmonie ist zudem eine zukünftige, ein Glücksversprechen, dessen Einlösung die Realität nicht bietet. Die positive Komponente des Erotischen ist verlegt in einen realitätsfernen Raum oder wird höchstens — wie im Gedicht „A une passante" — als flüchtige Möglichkeit dort nur erahnt, wo eine Realisation nicht stattfinden kann. Wo jedoch bei Baudelaire das Moment des Erotischen an die Wirklichkeit gebunden bleibt, verändert es sich ins Gefahrvoll-Dämonische, das, obzwar als Lust und Rausch empfunden, Züge des Bösen und Zerstörenden annimmt. Dies belegt ein Blick auf die der weiblichen Gestalt zugeordnete Metaphorik: die Frau erscheint als Tigerin, Schlange, Dämon, Ungeheuer, Sphinx, Hexe, sie wird zur Zauberin, deren körperliche Reize, „plus câlins que les anges du mal"[13], den Mann sich unterwerfen. Zentral bei Baudelaire daher die Erscheinung der Frau als Vampir. Das Gedicht „Les métamorphoses du vampire" dokumentiert eindrucksvoll den Umschlag rauschhafter Hingabe in einen schockartig erlebten Zustand der Desillusionierung:

> Quand elle eut de mes os sucé toute la moelle,
> Et que languissammement je me tournai vers elle
> Pour lui rendre un baiser d'amour, je ne vis plus
> Qu'une outre aux flancs gluants, toute pleine de pus[14]!

Das Faszinosum des Erotischen vermag in der Realität sich nur um den Preis der Deformation ja Perversion zu artikulieren. Doch auch diese Entstellung trägt noch das Signum des Glücksanspruchs, den das Individuum in einer verdinglichten, versachlichten und zunehmend entfremdeten Welt nicht preiszugeben bereit ist. Die Behandlung des Erotischen bei Baudelaire ist Teil einer Protesthaltung des Dichters, die, wie es Adorno formuliert, im Gedicht den „Traum einer Welt" ausspricht, „in der es anders wäre"[15].

Die Gebärde des Protestes gegen die Gesellschaft verdichtet sich dann in der Gestalt der Nana in Zolas gleichnamigem Roman. Nana steigt aus dem Sumpf der unteren Schichten von Paris in die Welt des Bürgertums auf, um dort wie ein Katalysator die Verfassung dieser Gesellschaftsschicht von innen her bloßzulegen. Auf einprägsame Weise werden Funktion und Bedeutung dieser Figur dort erkennbar, wo Nana in einem Boulevardtheater als Venus auftritt, und der Erzähler zugleich die Reaktionen des bürgerlichen Publikums beschreibt:

„Un frisson remua la salle. Nana était nue. Elle était nue avec une tranquille audace, certaine de la toute-puissance de sa chair. (...) C'était Vénus naissant des flots, n'ayant pour voile que ses cheveux. (...) Personne ne riait plus, les faces des hommes, sérieuses, se tendaient, avec le nez aminci, la bouche irritée et sans salive. Un vent semblait avoir passé très doux, chargé d'une sourde menace. (...) Nana souriait toujours mais d'un sourire aigu de mangeuse d'hommes[16]."

Die Dialektik des Vorganges mutet wie eine Antizipation der Wedekindschen Lulu an. Zunächst nur selbst Schauobjekt für die Gesellschaft, verkehrt Nana bei ihrem Auftritt dieses Verhältnis durch die Macht ihrer Erotik; von nun an wird die Gesellschaft für Nana zum verfügbaren Objekt. Im weiteren Fortschreiten des Romans ist das Gefahrvoll-Dämonische dieser Szene noch gesteigert: „Comme ces monstres antiques dont le domaine redouté était couvert d'ossements, elle posait les pieds sur des crânes; et des catastrophes l'entouraient"[17]. Nanas Erotik erlangt eschatologische Bedeutung, pointiert sichtbar im Schluß des Romans, der mit dem Kriegsbeginn 1870 endet, mit jenem Zeitpunkt, der historisch den Zerfall des 2. Kaiserreiches markiert. Daß Nana inmitten des Katastrophischen ihrer Wirkung dennoch „son inconscience de bête superbe"[18] bewahrt, verweist auf die primäre Integrität des Erotischen, das erst dort seine spezifisch dämonischen Valeurs annimmt, wo eine Berührung mit der Gesellschaft erfolgt: eine Konsequenz, die dann bei Wedekinds Lulu von zentraler Bedeutung sein wird.

## II

Auf der Basis des bislang Erörterten ist es nun möglich — trotz der verwirrenden Vielfalt, mit der Liebe und Eros in der Kunst des Fin de siècle gestaltet werden —, in der Fülle des thematischen Materials übergreifende Strukturen und Schwerpunkte auszumachen. Einige Aspekte und Tendenzen, die ich für bedeutsam halte, seien hier aufgezeigt. Die naturalistische Dichtung soll hierbei nur am Rande Berücksichtigung finden. In ihr ist das Thema des Erotischen noch integriert in die übergeordnete Perspektive der Darstellung des Menschen in seiner Bindung an die äußere, besonders die soziale Umwelt. Frauengestalten wie Lene im „Bahnwärter Thiel" oder Hanne im „Fuhrmann Henschel" vertreten in diesem Zusammenhang einen Bezirk des Dumpfen, Niedrigen, an den Männer wie Thiel und Henschel „durch die Macht roher Triebe"[19] gefesselt sind. Die Primitivität und brutale Leidenschaftlichkeit dieser Gestalten sind indes nur undifferenzierte Wesenszüge, die zu allgemeineren negativen Aspekten der Menschendarstellung beizutragen haben.

Bei einem Dichter wie Strindberg kann man nachverfolgen, wie mit der allmählichen Überwindung des Naturalismus auch das Thema des Erotischen eine neue und gewichtigere Akzentuierung erfährt. Übernommen wird das Motiv der triebhaften Bindung des Mannes an das Weib, an ein Geschöpf, dessen einziges Ziel es nach Strindberg ist, den Mann zu erniedrigen, seine geistige Überlegenheit zu brechen, ihn in den Schmutz zu ziehen; mit oft geradezu fanatischem Eifer vorgetragene Ansichten, für die sich besonders in den Dichtungen „Heiraten" und im „Gotischen Zimmer" markante Belege finden lassen. Die Folge ist das bei Strindberg zentrale Thema des Geschlechterhasses, wie es im „Totentanz" seine bekannteste, bis hin zu Albee und Dürrenmatt noch wirksame dramatische Formulierung gefunden hat. Der über naturalistische Vorstellungen hinausweisende Hintergrund dieses Problems erschließt sich deutlich aus den Worten des Mannes im „Damaskus"-Drama: „Ich habe in der Frau einen Engel gesucht, der mir seine Schwingen leihen sollte, und ich fiel in die Arme eines Erdgeistes, der mich unter den Polstern erstickte, die er mit den Federn seiner Flügel gestopft hatte. — Ich suchte einen Ariel und fand einen Caliban. Wenn ich in die Höhe wollte, zog mich die Frau herab . . ."[20]. Im Versuch des Aufschwungs verrät sich die Sehnsucht des Individuums nach Selbstverwirklichung, beim Helden der „Damaskus"-Dichtung gesteigert im Wunsch: „Ich möchte die ganze Welt in meine Hand nehmen und sie zu etwas Vollkommenerem, Wahrhaftigerem, Schönerem umkneten . . ."[21]. Indes, das Mittel dieser Selbstverwirklichung, die Bindung an das geliebte Gegenüber, versagt. Die fast monomanische Besessenheit, mit der nicht nur Strindberg dieses Thema immer wieder gestaltet, läßt bereits erkennen, daß es vorrangig die Ich-Du-Beziehung sein muß, auf die das Individuum beim Versuch einer Synthese von Ich und Allgemeinheit beschränkt bleibt. Gerade jedoch diese Einengung erzeugt jene Erfahrung der Vergeblichkeit. Privates und Allgemeines sind so divergent geworden, daß die Übertragung der nur isolierten Ich-Du-Beziehung auf einen größeren humanen Entwurf sich kaum mehr realisieren läßt.

Strindbergs Vorstellungen sind repräsentativ für die Anschauungen vieler anderer Künstler dieser Zeit. Die Beziehung der Geschlechter erscheint unter dem doppelten Aspekt einerseits der ersehnten Erfüllung und andererseits der stets sich wiederholenden Erfahrung der Nichtigkeit.

Das Scheitern wird nun jener Beziehung selbst angelastet, was zu einer wahren Verteufelung des Eros führt. Als Parallelen aus dem Bereich der bildenden Kunst können die Bilder von Stuck, Munch, Khnopff und Klinger angeführt werden; die Frau erscheint als Sünde, Vampir oder Medusa, in deren Wesen Faszination und Schrecken verschmelzen. Ein literarischer Extremfall ist Przybyszewski, in dessen Erzählung „De Profundis" die begehrte Frau schließlich zum blutsaugenden Vampir sich wandelt.

Die positive Variante dieses Themas findet sich in Dichtungen, welche die erstrebte Erfüllung vermittels der Ich-Du-Beziehung als erreicht vorstellen. Wir begegnen ihr im Motiv rauschhaften Glücks, wie es die Liebesvereinigung gewährt. Die Werke der unterschiedlichsten Dichter der Jahrhundertwende finden hierin ihren gemeinsamen Bezugspunkt. Noch 1918 gelingt Hauptmann in seiner Erzählung „Der Ketzer von Soana" eine Art Resümee dieses Themas. Dem Priester Francesco eröffnet sich beim Anblick der Schäferstochter Agata, einer Synthese von heidnisch-dionysischer Sinnlichkeit und madonnenhafter Unschuld, eine bislang unbekannte Dimension des Lebens. Die Liebe zu ihr offenbart ihm den Eros als Gottes wahres Schöpfergeheimnis; in der Liebesvereinigung erfährt er das „Vergessen der eigenen Persönlichkeit", eine „neue Vollkommenheit", das „Wunder der Weltstunde", „die Erfahrung der Unendlichkeit", die „Harmonie des Weltenraumes". Die Geliebte selbst wird zur „Göttin", durch die er dem „Herz" der Welt nahekommt[22].

Hauptmanns Erzählung vereint in sich nahezu alle Aspekte einer positiven Bewertung und Gestaltung des Erotischen durch die Kunst der Jahrhundertwende. Die Liebe ist Mittel rauschhafter Entgrenzung. Es fällt auf, daß dies zugleich mit einer Steigerung des Naturerlebens verbunden ist. Schlafs Prosagedicht „Frühling", damals ein Werk von ungeheurer Breitenwirkung, verknüpft das Sich-Aufgeben im Ganzen der Natur mit der emphatischen Anrede an das geliebte Du:

„Die Sonne und alle Gestirne: dein Blick. Strahlend, leuchtend, sehnend, helllachend. Und die Blumen: der Duft Deines Körpers. Die ganze weite Erde, das ist Dein Leib. (...) Überall, allüberall bist nur du und nur du, und nichts ist ohne dich und nichts außer dir. Alles dein Bild und dein Gleichnis[23]."

Die Geliebte fungiert als Mittel der Teilhabe am Weltganzen. Die konkrete Realität vergeht im rauschhaften Erfühlen einer kosmischen Totalität, der etwas Letztes und Voraussetzungsloses eignen soll. Ähnlich die Worte eines Liebenden bei Bierbaum: „Du hast mich die Fülle des Lebens fühlen lassen, ... wenn ich deinen Namen nenne, fühle ich die heiße Tiefe des Lebens"[24]. Stets ist der Zielpunkt etwas Umfassendes, Totales, Allgemeines, in dem das Individuum aufzugehen trachtet.

Entsprechungen im Bereich der bildenden Künste lassen sich unschwer finden. Sie treten uns entgegen im weitverbreiteten Motiv von Welle und Tanz, wie in den Bildern von Stuck, Hofmann und Fidus, deren graphischem Grundschema stets die Tendenz innewohnt, die individuelle menschliche Erscheinung durch eine vegetabile und wellenförmige Ornamentik in den lebendigen Rhythmus eines größeren Ganzen einzufügen, oft ergänzt durch die Szenerie einer frühlingshaft-ursprünglichen Welt. Das augenfälligste Beispiel ist die große Vorliebe für das Motiv des Kusses. Den Darstellungen dieses Themas — am bekanntesten sind wohl die Bilder von Munch, Klimt und vor allem von Behrens — ist gemeinsam die Verschmelzung der beiden menschlichen Gestalten zu einer neuen Ganzheit. Als Exempel sei Behrens erwähnt: er erzielt diese Wirkung mit Hilfe einer verschlungenen Ornamentik, die förmlich den gesamten Bildraum überwuchert und nur zur Mitte hin Platz für die beiden menschlichen Profile läßt, die jedoch auch noch dem dynamischen Fluß des Ornaments gehorchen.

Die Problematik, die sich in solchen Darstellungen verrät, läßt sich im Bereich der Literatur sehr augenfällig am Werk Richard Dehmels demonstrieren. Ich beschränke mich hier auf einige Bemerkungen zu Dehmels z. T. autobiographischem Versepos „Zwei Menschen“, dessen Resonanz damals ungewöhnlich groß war und heute fast unverständlich anmutet, wenn man sie nicht im Kontext des Lebensgefühls der Jahrhundertwende betrachtet. In der Form von 3 mal 36 Romanzen wird pathetisch der Weg zweier Liebender geschildert, der aus der Gesellschaft in einen sich beständig ausweitenden Bezirk der Totalität führt. In jeder Romanze pointieren die Schlußzeilen formelhaft noch einmal das dort Geschehene. Schon eine Auswahl dieser Romanzenschlüsse bietet interessante Einsichten:

Zwei Menschen schweben himmelan.
Zwei Menschen sehn ihr Vaterland unendlich werden.
Zwei Menschen vergessen die Welt.
Zwei Menschen sehn ins ewige Leben.
Zwei Menschen nahn dem Paradiese.
Zwei Menschen sehn den Himmel durch die Erde.
Zwei Menschen sehn die Welt gen Himmel prangen.
Zwei Menschen lächeln über Zeit und Raum.
Zwei Menschen sehn sich eins mit allem Licht[25].

Auch hier ist die Beziehung der Liebenden gleichsam nur das auslösende Moment für eine das Individuelle aufhebende Entgrenzung in eine Sphäre der Unbedingtheit und Unendlichkeit. Das Charakteristikum dieses Bezirks ist seine mangelnde inhaltliche Konkretion und Differenzierung. Zielpunkte wie Himmel, Paradies, Raum, Licht erzeugen die Vorstellung einer gewonnenen Ganzheit, die jedoch keine Realität mehr umschließt. Doch in den „Zwei Menschen" ist es selbst mit dieser Erfüllung noch nicht getan: am Ende verläßt der Mann auch noch die geliebte Frau, die Ursache wird angedeutet in dem abschließenden Vierzeiler „Ausgang":

> Leb wohl, leb wohl — du hältst dich selbst in Händen.
> Du sahst, o Mensch, zwei Wesen deinesgleichen
> im kleinsten Kreis Unendliches erreichen.
> Du sahst Dein Glück ins Weltglück enden[26].

Das private individuelle Glück erfüllt sich somit im Weltglück. An anderer Stelle bezeichnet Dehmel diesen Sachverhalt mit der damals bekannten Formel „Wir-Welt". Fluchtpunkt ist ein Bereich, der als Weltganzes die Fülle des Daseins zwar idealiter postuliert, zugleich aber inhaltlich unverbindlich und damit realiter leer bleibt. Das scheinbar erreichte Weltglück entpuppt sich als Hohlform, als Fiktion, die den objektiven Realitätsverlust als Wirklichkeitsflucht dort noch eingesteht, wo sie ihn zu verdecken sucht.

Das oft geradezu krampfhafte Bemühen der damaligen Literatur, solche Darstellungen von Liebe und Eros als Bestätigung der Weltteilhabe und einer harmonischen Identität von Ich und All zu reklamieren, ist keineswegs Indiz für die geleistete Harmonie, sondern umgekehrt Ausdruck der Entfremdung des Subjektes vom gesellschaftlichen Ganzen. Die Wirklichkeitsferne, in der jene vermeintliche Erfüllung sich vollzieht, gründet in der Tatsache, daß in der konkreten gesellschaftlichen Realität diese Identität immer schwieriger sich herstellen läßt. Die Weltteilhabe wird verlegt in einen imaginären und fiktiven Bezirk, der Versöhnung nur noch als Schein zuläßt, und in dessen Weltferne lediglich noch der Anspruch auf Harmonie und Glück sich bewahren läßt. Was in Wagners „Tristan" bereits latent angelegt ist, enthüllt sich um die Jahrhundertwende vollends: das im Liebesrausch erfahrene Aufgehen im Naturganzen und im All wird zum Surrogat für das vergebliche Bemühen, in der Realität der sich entfaltenden Moderne die durch die zunehmende Anonymisierung und Versachlichung des Lebens bewirkte Isolierung der Individuen aufzuheben. Von dieser Warte aus wird auch verständlich, daß gerade dem Thema der Liebe dabei eine solch große Bedeutung zukommt. Hier nämlich, im Bereich privater Innerlichkeit, in den das Individuum gedrängt ist, bietet sich noch eine begrenzte Möglichkeit der Überwindung jener Isolation. Dies erzeugt jedoch auch die fragwürdige Illusion, als könne die privat realisierte Harmonie zweier Individuen sich aufs allgemeine Verhältnis von Ich und gesellschaftlichem Ganzen modellhaft übertragen lassen. Eine solche Vorstellung verkennt fundamental die Funktion des Privaten in der bürgerlichen Gesellschaft des ausgehenden 19. Jh. Schon die Vorliebe jener Zeit für Interieurs verrät, daß es sich um einen entlegenen Freiraum handelt, um ein Reservat, dessen Sinn gerade darin liegt, daß es ihm verwehrt ist, Modell für die Gesellschaft im Ganzen zu sein. Um die bereits zitierte Hölderlinsche Mahnung abzuwandeln: die Sprache der Liebenden darf nicht mehr Sprache des Landes sein.

Wie sehr indes die gesellschaftlichen Zwänge auch die scheinbare Autonomie des Privaten noch tangieren und präformieren, wird jenseits der subjektiven Intentionen der einzelnen Künstler an den vielen Frauendarstellungen des Fin de siècle offenbar. Auf Beispiele kann an dieser Stelle wohl verzichtet werden[27], zu bekannt sind die Mädchengestalten in den Werken der Dehmel, Falke, Hardt, Schaukal, Stucken und George bzw. in den Bildern der Behrens, Klimt, Fidus, Beardsley und Toorop. Es fällt auf, daß zumeist die weibliche Figur von schmückenden und ornamentalisierenden Requisiten nahezu erdrückt und überlagert wird. Sogar Gewänder und Teile des Körpers selbst, wie Haare, Hals und Arme, fungieren primär als Objekte eines Stilisierungsprozesses, der die konkrete Individualität zu beseitigen droht. Dahinter verbirgt sich ein übersteigerter und besonders für den Jugendstil typischer Ästhetisierungsdrang. Alles soll in ein einheitliches, harmonisches Dekor eingefügt werden, um gegen die Häßlichkeit der Realität den Anspruch eines schönen Lebens durchzusetzen. Dies aber um den Preis, daß die Dimension des Lebens selbst entweicht und abstirbt. In der ästhetischen Verfügungsgewalt über die Natur erstarrt diese zur reinen Schmuckwelt, zum funktionslosen künstlichen Paradies, in dem sich eine ähnliche Realitätsferne dokumentiert, wie in der Vorstellung eines rauschhaften Weltbesitzes. Paradoxerweise ist diese gewaltsame künstliche Stilisierung der Dingwelt ein Reflex jenes blinden technischen Verfügens über die Natur, durch das erst die Verdinglichungen und Entfremdungen produziert wurden, die man nun ästhetisch zu beheben sucht. Es ist sogar zu fragen, ob das häufige schmückende Verklären der Frau im Fin de siècle, das so leicht einer deformierenden Abstraktion sich annähert, nicht immer noch die Verfügbarkeit der Frau signalisiert und damit Gefahr läuft, genau der Verdinglichung anheimzufallen, gegen die man mit dem Motiv der Liebe künstlerisch zu Felde zieht.

## III

Die nun folgende Analyse zweier Modellfälle, mit denen sich für das Bewußtsein der Jahrhundertwende die literarische Gestaltung des Erotischen aufs engste verbindet — Wildes Salome und Wedekinds Lulu —, soll die bislang aufgeworfenen Probleme vertiefen. Dabei besteht keineswegs der Anspruch, für die betreffenden Werke umfassende Interpretationen zu liefern[28].

An der Geschichte der Salome-Rezeption im 19. Jh.[29] ließe sich exemplarisch die wachsende Bedeutung des Erotischen in der Kunst jenes Zeitraumes demonstrieren, vor allem an den Veränderungen, denen das durch die Bibel vorgegebene Handlungsschema unterzogen wird. Das relativ einfache Faktengerüst — Gefangenschaft Johannes des Täufers; Haß der Herodias auf den Propheten; Tanz der Herodias-Tochter; der durch die Mutter inspirierte Wunsch der Tochter nach dem Haupt des Täufers — wird mehr und mehr ausgeweitet und in die erotische Sphäre verlagert. In Heines Poem „Atta Troll" ist die erotische Dämonie noch der Herodias und ihrer Neigung zu Johannes zugeordnet. Mit Flauberts „Hérodias"-Erzählung tritt die Gestalt der Tochter Salome vor allem wegen der erotischen Assoziationsmöglichkeiten ihres Tanzes in den Vordergrund, wenn auch hier der Wunsch nach dem Tode des Propheten noch durch die Mutter motiviert ist. Von nun an ist das Salome-Thema in allen Künsten präsent, u. a. literarisch durch Wilde, Huysmans, Schaukal und Hille, in der Musik bei Massenet und Strauss, vor allem jedoch in der bildenden Kunst in den Arbeiten von Moreau, Beardsley, Klimt, Stuck bis hin zu Munch.

Aus Äußerungen von Oscar Wildes Freund Gomerz Carille ist die Besessenheit bekannt, mit der Wilde sich in die künstlerischen Gestaltungen des Salome-Stoffes vertieft hat[30]. Diese Anregungen führen zur 1893 abgeschlossenen Dramatisierung des Themas in französischer Sprache, wobei Vorgegebenes auf bedeutsame Weise verändert ist. Das Moment der dämonisch-erotischen Hinneigung der Herodias zu Johannes überträgt Wilde auf Salome, eine Verschmelzung von Motiven, die er bei Heine, Flaubert und Massenet vorfindet. Vor allem jedoch malt er in der Nachfolge Flauberts die Hofwelt des Herodes sehr breit aus, zumal in den Äußerungen des Herrschers selbst, wenn dieser all seine Schätze aufzählt, die er Salome bei der Zurücknahme ihrer Forderung nach dem Haupt des Täufers zu geben bereit ist. Vor dem Hörer ersteht eine Fülle der erlesensten Kostbarkeiten, eine Welt luxuriöser Pracht, deren Hauptmerkmal eine denaturierte Künstlichkeit ist, die Natur nur in der Verwandlung in die ästhetische Sterilität von Kleinodien, Arabesken und ornamentalem Zierat duldet. Wohl beeinflußt durch die Bilder Moreaus, die Wilde so sehr schätzte, offenbart die Welt des Herodes sich als ein im Prunk erstarrter versteinerter Schmuckbezirk, aus dem die Realität weitgehend verbannt ist, als ein in sich sinnentleertes künstliches Paradies. Der ästhetische Fetischismus und die Leblosigkeit dieser Sphäre lasten wie ein Bann auf der Hofwelt, die in der Konfrontation mit den eschatologischen Verheißungen des Jochanaan das Gepräge einer Endzeit annimmt. Die Analogie zur Gegenwart Wildes drängt sich förmlich auf; sie wird hellsichtig von Beardsley in seinen Salome-Illustrationen angedeutet, in denen das preziöse Interieur deutlich die japonistische Mode des späten 19. Jh. widerspiegelt und im Bücherregal so bezeichnende Buchtitel sich finden wie „Marquis de Sade" und „Nana".

Die Raum- und Figurenkonstellation des Salome-Dramas ermöglicht Einblicke in das Verhältnis der beiden Protagonisten Salome und Jochanaan zu dieser Hofwelt. Es fällt auf, daß das Geschehen sich auf einer Terrasse außerhalb des Saales abspielt, in dem Herodes zu Beginn gerade ein Fest gibt. Sowohl Salome als auch der in der Zisterne gefangene Jochanaan stehen außerhalb der Welt des Herodes, ja in deutlicher Frontstellung gegen sie. Jochanaan als Gefangener und Anklagender zugleich, aber auch Salome, die den gierigen Blicken des Herodes zu entgehen sucht und auch später noch zunächst sich weigert, für den Tetrarchen und seine Hofgesellschaft zu tanzen.

Die für die Erkenntnis der Funktion Salomes entscheidende Frage ist nun, wie die quasi exterritoriale Position beider gegenüber der Herodes-Sphäre mit dem offensichtlichen Gegensatz zu vereinbaren ist, der zwischen Salome und dem Propheten besteht, mit der Liebe der Heldin und deren radikaler Zurückweisung durch Jochanaan. Das Krampfhafte dieses Sich-Verweigerns, Jochanaans „Je ne sais qui c'est. Je ne veux pas le savoir. Dites lui de s'en aller. Ce n'est pas à elle que je veux parler[31]", verweist jedoch auf eine mögliche innere Affinität beider, der Jochanaan sich gewaltsam zu erwehren sucht. Salome ist sich im Schlußmonolog dieser Beziehung gewiß: „Eh bien, tu l'as vu, ton Dieu, Iokanaan, mais moi, moi . . . tu ne m'as jamais vue. (. . .) Ah! Ah! pourquoi ne m'as tu pas regardée, Iokanaan? Si tu m'avais regardée, tu m'aurais aimée. Je sais bien que tu m' aurais aimée, et le mystère de l'amour est plus grand que le mystère de la mort[32]." Salome spricht die nicht realisierte Möglichkeit einer Synthese beider aus, im Geheimnis der Liebe, die die Weltverneinung Jochanaans überwunden hätte.

Hier stellt sich die Aufgabe, den Bedeutungsgehalt des Erotischen an der Salome-Gestalt zu umreißen. Man muß sich vor allem hüten, von einer Gleichsetzung mit der von Jochanaan oft erwähnten dirnenhaften Verworfenheit der Herodias auszugehen. Gerade im Kontrast zur Mutter erweist sich Salome einem anderen Bereich zugehörig. Aufschluß gibt die Szene, in der Salome nach dem Verlassen des Festes zum ersten Mal des Propheten gewahr wird:

*S.:* Que c'est bon de voir la lune! Elle ressemble à une petite pièce de monnaie. On dirait une toute petite fleur d'argent. Elle est froide et chaste, la lune... Je suis sûre qu'elle est vierge. Elle a la beauté d'une vierge... Oui, elle est vierge. Elle ne s'est jamais donnée aux hommes, comme les autres Déesses.

*La voix de J.:* Il est venu, le Seigneur! Il est venu, le fils de l'Homme. Les centaures se sont cachés dans les rivières, et les sirènes ont quitté les rivières et couchent sous les feuilles dans les forêts.

*S.:* Qui a crié cela[33]?

Die das Innere der Heldin offenbarende Metaphorik ist eine apotheotische Beschwörung der Jungfräulichkeit; Reinheit ist das Salome gebührende Attribut, und es ist gerade Jochanaans Verkennen der Reinheit auch von Salomes Liebe, das den Wunsch nach Rache motiviert. Der Stellenwert des Erotischen bei Salome beginnt sich nun abzuzeichnen: das zunächst seltsam anmutende Miteinander von Erotik und jungfräulicher Reinheit rückt die Heldin in einen integren Bezirk kreatürlicher Unschuld und Unbefangenheit. Gerade die Liquidation dieser Sphäre beschreibt Jochanaan, wenn er die Welt der Zentauren und Sirenen als vergangen bezeichnet. Erkennbar wird der geometrische Ort, der die geheime Identität beider Figuren begründet. Beiden eignet Unschuld und Reinheit; Jochanaan in der Askese seines Weltverzichtes zugunsten des kommenden Reiches, Salome umgekehrt in der Weltteilhabe vermittels ihrer kreatürlichen Erotik. Die Liebe der Titelheldin zum Propheten ist der Traum eines Glücks, in welchem diese Polarität ihre Lösung und Versöhnung fände.

Indem die Bereiche Salomes und Jochanaans gegen die Herodes-Welt stehen, wird diese transzendiert aus einer doppelten Perspektive. Jochanaans eschatologische Funktion stellt diese Welt in Frage aus der Optik einer zukünftigen Vernunft, die der Blindheit und Erstarrung dieser Sphäre einen Sinn gäbe. Salome hinwiederum ist Mahnung jener die Fülle des Weltbesitzes erst gewährenden Unschuld der Natur, die verloren gegangen ist. Beide Gestalten reißen den Horizont einer in sich verhärteten, entfremdeten Welt auf, die beides nicht besitzt: die Reflexionskraft der Vernunft sowie die Nähe zur Unschuld des Lebens. Die Einheit der Bereiche Salomes und Jochanaans — das Ineinander von vernunftgemäßer Freiheit und mimetischer, gewaltloser Integration von Natur — wäre damit die Utopie, in der Geist und Natur als versöhnt erschienen. Der tragische Aspekt des

Dramas liegt darin, daß Jochanaan Salomes Reinheit und Ursprünglichkeit nicht wahrnehmen kann, da aus dem Blickwinkel seiner eschatologischen Unbedingtheit alles Gegenwärtige Züge der Verworfenheit trägt, ein Zeichen, wie sehr in jener Welt Natur selbst das Stigma der Entartung anzunehmen gezwungen ist.

Das Salome-Drama Wildes ist dieses Mißverstehens wegen durchaus als Tragödie zu bezeichnen. Salomes Liebe muß Traum bleiben, einem Toten nur gilt der Kuß am Ende, ein Vorgang, in dessen orgiastischer Ekstatik, selbst in der Entartung und Perversion, noch jenes Glück aufscheint, das verwehrt bleibt: bis hin zu jenem sehnsüchtigen ‚Du hättest mich geliebt' des Schlußmonologs, das auch in seiner musikalischen Gestaltung durch Strauss am Ende der „Salome"-Oper so sehr sich dem Hörer einprägt. Die Unmöglichkeit dieses Glücks ist Resultat der oben dargelegten Verfassung der Herodes-Welt, in deren Denaturierung und Versteinerung die Versöhnung von Geist und Natur versäumt ist, da Natur nur um den Preis ihres Absterbens einbegriffen und in einer toten Scheinharmonie vernichtet wird. Die kristalline Klarheit dieses mit Juwelen förmlich überladenen Bezirks exkludiert zwanghaft alles Kreatürliche und läßt ihm nur noch als ornamental Erstarrtes Geltung. Stehen Salome und Jochanaan außerhalb dieser Welt, so sind sie zugleich auch beide deren Opfer. Zur Furcht des Herodes vor den Prophezeiungen des Täufers gesellen sich Schrecken und Angst vor dem Handeln der Heldin. Aus der Perspektive des Tetrarchen und seiner Hofwelt wird Salome zum Ungeheuer, ihre Tat zum „grand crime"[34] und ihre orgiastische Lust zum schockartigen Aufbrechen erotischer Dämonie. Zu beachten ist, daß beide, Jochanaan und Salome, auf Befehl des Herodes hingerichtet werden, wobei die physische Zermalmung der Salome unter den Schilden der Soldaten den Zwang offenbart, mit dem jener Traum von Versöhnung verdrängt wird.

In Wedekinds „Lulu"-Dramen „Erdgeist" (1894) und „Die Büchse der Pandora" (1904) tritt anders als in der „Salome" die Welt des ausgehenden 19. Jh. unmittelbar in Erscheinung. Dem Beschauer eröffnet sich ein Blick auf die Gesellschaft der Jahrhundertwende, auf deren mannigfache Facettierung in einer Fülle prototypischer Gestalten. Medizinalrat Goll, Chefredakteur Schön, Kunstmaler Schwarz, Marquis Casti-Piani und Bankier Puntschu: sie sind über die Individualität ihrer Erscheinung hinaus Modellfälle, in denen kollektive Strukturen manifest werden.

In diese spätbürgerliche Welt tritt nun Lulu, die „Urgestalt des Weibes", eine Apostrophierung aus dem Prolog, die sie bereits der Sphäre archaischer Erotik zuordnet. Zugleich ist im Prolog von ihres „Lasters Kindereinfalt" und ihrer „Natürlichkeit" die Rede[35]. Solche Bestimmungen fassen wie in einem Brennspiegel bereits den Umriß der Figur und ihre Bedeutung für das Stück zusammen und werden im weiteren Verlauf nur differenzierter entfaltet. Lulu erscheint als „wahres Tier", „süße Unschuld", „Engelskind", „verkörpertes Lebensglück", als „Wunderkind"[36], Benennungen, die noch durch den leitmotivartigen Hinweis auf die Unschuld ihrer Kinderaugen ergänzt werden. Ein weiteres Bestimmungsmerkmal bedarf der Erwähnung: Lulu bezeichnet sich als ihrer „vollkommen bewußt"[37], auf Fragen jedoch, ob sie an einen Schöpfer und an eine Seele glaube, oder ob sie schon einmal geliebt habe, antwortet sie mit einem stereotypen „ich weiß es nicht"[38]. Beides, völliges Selbstbewußtsein und bewußtloses Nichtwissen, verschränkt und ergänzt sich zum Bild eines mit sich identischen Geschöpfes, das hierin die Kategorie unbefangener Naturhaftigkeit und Unschuld vertritt. Dies artikuliert sich zudem in der narzistischen Komponente der Gestalt, in der Häufigkeit, mit der Lulu vor den Spiegel tritt, wobei sie noch im Gefängnis auf der Rückseite einer Blechschaufel ihres Spiegelbildes und damit ihrer Identität gewiß bleibt. Das Narziß-Motiv verweist auf ein Ruhen im Zentrum bewußtloser Selbstgewißheit, die ohne Reflexion auf Anderes nur sich selbst besitzt. Lulus mangelnde Eignung für die Bühne ließe unter ähnlichen Vorzeichen sich interpretieren.

So betrachtet, eignet der erotischen Komponente der Lulu-Figur keineswegs jene Dämonie, die den literarischen Ruhm der Gestalt begründet. Diese Dämonie kann also nicht der absoluten Wesensbestimmung Lulus anhaften, sie muß dort gesucht werden, wo ein anderer Aspekt hinzutritt. Lapidar umreißt der Tierbändiger im Prolog diesen Sachverhalt: „Es ist jetzt nichts Besonderes dran zu sehen / Doch warten Sie, was später wird geschehen:"[39] Diese bezeichnenderweise zum Publikum gesprochene Bemerkung weist auf das Stück selbst hin, in dem die dämonischen Qualitäten Lulus sich dann zu zeigen hätten: dort nämlich, wo Lulu auf die Gesellschaft trifft und in deren Optik jene Züge erotischer Dämonie sich erst ausbilden. Daß dabei zwei völlig unterschiedliche Bereiche aufeinander treffen, entnimmt der Zuschauer schon der Schwierigkeit, die für die Gesellschaft besteht, Existenz und Herkunft Lulus ihrem Koordinatensystem zu subsumieren. Solche Integrationsprobleme bestätigen sich im Motiv der Namengebung. Der „vorsintflutliche Name" Lulu[40], in dessen archaischer Lautverknüpfung sich ähnlich wie bei Nana die vitale Ursprungsnähe von Lulus Existenz bekundet, wird von der Gesellschaft nicht akzeptiert. Man belegt sie mit stets neuen Namen (Nellie, Eva, Mignon) und beweist damit die Vergeblichkeit aller Versuche, im Koordinatensystem gesellschaftlicher Kategorien Lulus Ursprung zu ergründen.

Wir stoßen auf einen bedeutsamen Problemzusammenhang. Im Bemühen, der Erscheinung Lulus durch einen neuen Namen habhaft zu werden, entweicht gerade das, um dessen Erkenntnis und Erfassung es ginge: Lulu selbst in der Integrität und Naturhaftigkeit ihrer Existenz. Die Gesellschaft erzeugt stets nur ein Bild, ihr eigenes Bild und nicht das der wahren Lulu. Folgerichtig beginnt das eigentliche Stück im Atelier des Kunstmalers, der Lulu in jenes Porträt gebannt hat, das bis zum Schluß den Weg der Heldin begleitet. Das Wort „Bann" ist hierbei mit Bedacht gewählt, denn schon die Art, wie dieses Bild zustande kommt, verrät den Charakter der von der Gesellschaft vollzogenen Aneignung. Wo Goll das „Engelskind"[41] vor sich her ins Atelier treibt und Schön Lulu lieber künstlerisch als Stilleben, als „nature morte", behandelt sähe, offenbart sich die Integration Lulus als Zwang. Von dieser ersten Szene her schon läßt sich der Weg Lulus durch die Gesellschaft voraussehen. Ob Schwarz Lulu malt, Dr. Schön sie durch Erziehung der Gesellschaft angleichen will, ob Alwa sie auf die Bühne bringt und ihr Schicksal zum Theaterstück gestaltet, ob schließlich Rodrigo sie mit der Peitsche zur Luftgymnastikerin dressieren will oder Casti-Piani sie an ein orientalisches Freudenhaus zu verschachern sucht: stets wird Lulu entfremdet und versachlicht zum bloßen Mittel, dient sie als Objekt von Herrschaft und soll den Zielsetzungen der Gesellschaft verfügbar gemacht werden. Unter den Prämissen der spätbürgerlichen Welt kann die Aneignung von Natur und Ursprünglichkeit nur unter den Kategorien von Macht und Zwang erfolgen. Dies verfehlt die Natur und zerstört ihre Unmittelbarkeit. Aneignung als Versuch gewaltsamer Deformation ist das Grundmodell, das in allen Verhaltensweisen der Gesellschaft Lulu gegenüber sich verrät.

Es ist zu fragen, wie unter solchen Voraussetzungen die bekannte erotische Dämonie Lulus zu bewerten ist und welche Funktion ihr zukommt. Auch in dieser Hinsicht gibt schon der Anfang des „Erdgeist"-Dramas deutliche Hinweise. In jenen Szenen nämlich, in denen die Gesellschaft sich Lulu gewaltsam anzueignen sucht, entwickelt dieser Prozeß der Integration eine eigentümliche Dialektik. Im Porträt erscheint Lulu als „Pierrot gekleidet mit einem hohen Schäferstab in der Hand"[42]. Sie trägt die Maske einer Gestalt, die sich durch ihre Gesellschaftsferne auszeichnet und damit gleichsam quer zur Gesellschaft steht. Geschickt offenbart Wedekind schon zu Beginn, daß der Versuch, Lulu mit gesellschaftlichen Mitteln zu fassen, nur in der Formulierung der Tatsache enden kann, daß die Heldin sich dieser Erfassung entzieht. Wo der Kunstmaler im Atelier sich Lulu gewaltsam zu nähern sucht, wehrt diese sich mit den Worten: „Mit Gewalt erreichen Sie gar nichts bei mir ... Gehen Sie, Sie erwischen mich doch nicht. — In langen Kleidern wäre ich Ihnen längst in die Hände gefallen. — Aber in dem Pierrot[43]!" Lulu wirft dem Maler den Schäferstab ins Gesicht, die zwanghafte Art der Aneignung schlägt auf den Aneignenden selbst zurück. Die scheinbare Macht wird zur Ohnmacht, die Ohnmacht Lulus zur wahren Macht. Folgerichtig kommt Schwarz sich später „völlig abhanden“[44], er verfällt Lulu und geht schließlich an ihr zugrunde. Auch Goll ergeht es nicht besser, obwohl er Lulu schon zu Beginn mit einem permanenten „Hopp“ auf den Lippen zu domestizieren sucht. Gleich zu Anfang erfährt der Zuschauer, daß Lulu auf der Fahrt zum Atelier den Wagen selbst kutschiert hat, ein versteckter Hinweis auf die wahren Machtkonstellationen, der dort sich bewahrheitet, wo Lulu, über dem sterbenden Goll stehend, diesen mit der Fußspitze berührt; ein Tableau, das der Tierbändiger im Prolog schon vorwegnimmt: „Das Tier bäumt sich, der Mensch auf allen Vieren!“[45]

Der Umschlag von gesellschaftlicher Herrschaft in Herrschaft über die Gesellschaft ist der Generalnenner der Beziehungen Lulus zu ihrer Umwelt. Die „Lulu“-Dramen werden somit fast zur Allegorie jener bekannten Dialektik von Aufklärung, in der nach Horkheimer und Adorno der Versuch, „Naturzwang zu brechen“, „um so tiefer in den Naturzwang hineinführt“[46]. Fast all jene, die sich Lulus bemächtigen wollen, gehen an ihr zugrunde. Vor allem der „Gewaltmensch“[47] Schön wandelt sich vom Beherrscher zum Beherrschten. Ihm wird Lulu zum „Würgeengel“, „Ungeheuer“, zum „unabwendbaren Verhängnis“ und zur „unheilbaren Seuche“[48]. Lulus erotische Dämonie erweist sich somit als Korrelationsbegriff, sie resultiert aus der Kollision des gesellschaftlichen Machtanspruchs mit der Naturhaftigkeit des Geschöpfes. Die „Lulu“-Dramen offenbaren die Gründe für die zunehmende thematische Relevanz des Erotischen in der Kunst des 19. Jh. sowie auch die Ursachen seiner Dämonisierung. Zwei Aspekte verschränken sich: das Thema des Erotischen ist geeignet, in einer mehr und mehr denaturierten Welt die Ursprungsnähe des Natürlichen zu vertreten, andererseits ist die dämonische Komponente Ausdruck dafür, daß die gesellschaftliche Verhärtung durch eben diese Kategorie in Frage gestellt wird. In der Dämonie Lulus schlagen die Zwänge der Gesellschaft auf den Urheber zurück und nehmen den Charakter des Bedrohlichen an.

Lulus Ende, die Ermordung durch den Lustmörder Jack, bestätigt gleichsam spiegelbildlich diesen Zusammenhang. Die spezifische Bedeutung Jacks, in dem Lulu schon früh den Mann erblickt, „für den ich geschaffen bin und der für mich geschaffen ist“[49], besteht darin, daß die Begegnung mit Lulu den Charakter der Zwecklosigkeit trägt und sich somit von den vorhergehenden Beziehungen Lulus zur Gesellschaft fundamental unterscheidet. Für Jack ist Lulu nicht bloß Objekt und Mittel, ihr selbst, ihrer Erscheinung und Existenz gilt sein Interesse; Lulu wird von ihm um ihrer selbst willen begehrt. Das groteske Paradox entsteht, daß Lulu in ihrer Ermordung erst wirklich respektiert und als das, was sie ist, genommen wird. Lulus letzte

Schreie, in denen Angst und Lust verschmelzen, können als Ausdruck des gewonnenen Glücks gelten, ebenso wie auch Jack sich der exponierten Bedeutung dieser Begegnung bewußt wird: „Das war ein verdammtes Stück Arbeit! ... Ich bin doch ein verdammter Glückspilz[50]." Man stößt auf eine ähnliche Konstellation wie im „Salome"-Stück. Erfüllung und Glück vollziehen sich in einer aus der Perspektive der Gesellschaft makabren und bedrohlichen Optik. Lulu stirbt gleichsam einen negativen Liebestod — bezeichnend gegen Ende ihr Interesse für Wagners „Tristan" — da jede positive Form der Erfüllung Gefahr liefe, affirmativ jenem falschen Glücksbegriff anheimzufallen, hinter dem nur die brutale Zweckrationalität der Gesellschaft lauert.

Indem Wedekind vermittels der Lulu-Gestalt die Kollision von Natur und Gesellschaft exemplarisch vorführt, enthüllt das Stück selbst jedoch auch eine kritische Grenze. In der vom Dichter durchaus positiv konzipierten Figur des ‚schönen Tieres' Lulu reproduziert der Autor zwangsläufig jenes Argument von der Frau als unbewußtem Triebwesen, das im 19. Jh. so oft als Mittel dient, den gesellschaftlichen Emanzipationsprozeß der Frauen zu unterbinden. Markantestes Beispiel ist wohl Weiningers „Geschlecht und Charakter", ein Kulminationspunkt dieser Ideologie.

Rang und Bedeutung Wedekinds werden darin spürbar, daß dieser Vorbehalt als Reflexion in das Stück selbst mit eingeht: in der Figur Alwas, dessen ästhetische Ausbeutung Lulus nur eine subtile Variante der zwanghaften Aneignung durch die Gesellschaft ist. Alwa tritt plötzlich als Verfasser der „Erdgeist"-Tragödie auf, womit Wedekind sich selbst unter das Verdikt stellt, das er über die Gesellschaft ausspricht. Ein eindrucksvolles Modell kritischer Selbstreflexion, durch die allein sich der ideologische Verblendungszusammenhang zerschlagen läßt, der schon die bloße Gestaltung der Antinomie von Natur und Gesellschaft in seinen Bann zwingt. Hier kündet sich eine Problematik an, die bis in die Gegenwart hinein den inneren Sinn von Kunst immer mehr zu zersetzen droht; wie nämlich die kritische Transzendierung des Bestehenden sich artikulieren läßt, ohne daß das Medium dieser Artikulation, die künstlerische Gestaltung, selbst jenes Unwahre reproduziert, dessen Zerstörung man beabsichtigt. Unter diesem hier nur angedeuteten Blickwinkel könnte es von Nutzen sein, einmal zu untersuchen, warum im weiteren Verlauf des 20. Jh. die Gestaltungen des Liebesthemas immer spärlicher und schwieriger und das Erotische zunehmend in die unteren Bezirke einer nur Marktgesetzen gehorchenden Kulturindustrie abgedrängt werden.

Das Thema der Dämonisierung des Erotischen in der Kunst der Jahrhundertwende bietet dort eine Vielzahl an Erkenntnissen, wo es nicht als partikulares Detailproblem sondern als Fall betrachtet wird, an dem ein Allgemeines, die Verfassung einer ganzen Zeit, aufscheint. In ihm läßt sich Vielfältiges auf einen gemeinsamen Nenner beziehen: die Utopie eines ungebrochenen Weltbezuges, die sinnvolle Einheit von Individuum und Gesellschaft und der Traum von einer nichtentfremdeten Welt. Aber es bezeichnet auch den kritischen Punkt, an dem diese Vorstellungen und Ansprüche mit der realen Verfassung der Gesellschaft kollidieren und sich nur in entstellter Form zu behaupten vermögen. Die Dämonisierung des Erotischen erweist sich als Mahnung eines Besseren und wird so zum Spiegel, der einer krisenhaften Welt ihre eigene Verfassung als Bild zurückwirft.

## ANMERKUNGEN

1. vgl. hierzu Elisabeth Darge, *Lebensbejahung in der Dichtung um 1900*, Breslau 1934, bes. Kap. 12: „So herrsche denn Eros."
2. Goethes Werke, Hamburger Ausgabe, Bd. 6, 1951, S. 63.
3. Jürgen Habermas, *Strukturwandel der Öffentlichkeit*, Neuwied 1971 (5. Aufl.), S. 64.
4. Hölderlin, Kleine Stuttgarter Ausgabe, 1953, Bd. 2, S. 20 f.
5. Zum Folgenden vgl. Helene Lange u. Gertrud Bäumer, *Handbuch der Frauenbewegung*, 1902; Simone de Beauvoir, *Le deuxième Sexe*, dtsch. Hamburg 1973.
6. vgl. Beauvoir, S. 120 ff.; Aufschlußreiche Dokumente sind: Mary Wollstonecraft, *The vindications of the rights of women* (1792); Th. v. Hippel, *Über die bürgerliche Verbesserung der Weiber* (1792); John St. Mill, *The subjection of women* (1869).
7. Friedrich Engels, *Der Ursprung der Familie, des Privateigentums und des Staats*, 1884; August Bebel, *Die Frau und der Sozialismus*, 1879.
8. vgl. Beauvoir, S. 122 f.; Bebel, Abschnitt 2.
9. Flaubert, *Madame Bovary*, Ebauches et fragments inédits, rec. par Gabrielle Leleu, Paris 1936, S. 167.
10. Fontane, *Effi Briest*, München 1968, S. 380.
11. ebenda, S. 374.
12. Baudelaire, *Oeuvres complètes*, Bibl. de la Pléiade, S. 195.
13. ebenda, S. 218.
14. ebenda, S. 219.
15. Theodor W. Adorno, *Noten zur Literatur*, Frankfurt 1963, Bd. 1, S. 78.
16. Zola, *Les Rougon Maquart*, Bibl. de la Pléiade, Bd. 2, S. 1118.
17. ebenda, S. 1470.
18. ebenda, S. 1470.
19. Hauptmann, Centenar-Ausgabe, 1963, S. 39.
20. Strindberg, *Dramen*, dtsch. v. Willi Reich, 3 Bde., München 1964, Bd. 2, S. 187.
21. ebenda, S. 40.
22. Hauptmann, S. 159 ff.
23. *Moderner Musen-Almanach*, hrsg. v. O. J. Bierbaum, München o. J., S. 296 f.
24. Bierbaum, *Stella und Antonie*, Die Insel, Juli 1902.
25. Dehmel, Gesammelte Werke in zehn Bänden, Berlin 1908, Bd. 5, SS, 86, 170, 34, 81, 84, 113, 143, 166, 172.
26. ebenda, S. 179.
27. vgl. die im gleichen Sammelband abgedruckte Arbeit von Heide Eilert, *Die Vorliebe für kostbar-erlesene Materialien und ihre Funktion in der Lyrik des Fin de siècle.*

28. Hinsichtlich der Lulu-Interpretationen sei auf folgende Arbeiten verwiesen, die auch in der hier vorgelegten Analyse Berücksichtigung gefunden haben: Wilhelm Emrich, *Frank Wedekind: Die Lulu-Tragödie,* in W. E., *Protest und Verheißung*, Frankfurt, 1960, S. 206 ff.; Peter Michelsen, *Frank Wedekind,* in *Deutsche Dichter der Moderne,* hrsg. v. B. v. Wiese, Berlin 1965, S. 49 ff.; Friedrich Rothe, *Frank Wedekinds Dramen,* Stuttgart 1968, bes. S. 32 ff.

29. vgl. Reimarus Secundus, *Geschichte der Salome von Cato bis Oscar Wilde,* 3 Tle., Leipzig 1907—1909.

30. Gomerz Carille, *Die Salome,* Insel-Almanach auf das Jahr 1906, S. 34.

31. Oscar Wilde, Complete Works, ed. by R. Ross, *Salome,* London 1908, S. 25 f.

32. ebenda, S. 79 f.

33. ebenda, S. 15 f.

34. ebenda, S. 80.

35. Wedekind, Prosa, Dramen, Verse, 2 Bde., Stuttgart o. J., Bd. 1, S. 383.

36. ebenda, SS. 382, 383, 386, 434, 449.

37. ebenda, S. 390.

38. ebenda, S. 402.

39. ebenda, S. 383.

40. ebenda, S. 408.

41. ebenda, S. 386.

42. ebenda, S. 386.

43. ebenda, S. 397.

44. ebenda, S. 406.

45. ebenda, S. 381.

46. Max Horkheimer und Theodor W. Adorno, *Dialektik der Aufklärung,* Neuausgabe, Frankfurt 1969, S. 19.

47. Wedekind, *Lulu,* S. 441.

48. ebenda, S. 454 f.

49. ebenda, S. 499.

50. ebenda, S. 538.

# D. BEISPIELE LITERARISCHER FORMUNG

KARLHANS KLUNCKER

# Der George-Kreis als Dichterschule

für Claus Victor Bock

„Kreise und Krisen"[1] begleiteten George sein Leben lang. Ein einsames Hervortreten scheint für ihn zu keiner Zeit ein gangbarer Weg gewesen zu sein, ebensowenig wie der Anschluß an schon bestehende Zentren. Die wechselnden Kreise um Stefan George werden generalisierend meist als ‚der George-Kreis' bezeichnet. Man kann dieses Phänomen mit Troeltsch als Sekte analysieren[2], es in die Soziologie ‚kleiner Gruppen' pressen, oder mit Herman Schmalenbach als charismatischen Gesinnungsbund zu verstehen suchen[3]. Der hier eingeschlagene Weg verbindet gruppenphänomenologische Aspekte mit literaturwissenschaftlichen und faßt den George-Kreis als Dichterschule auf. Dabei muß die Grenzlinie zwischen Dichterkreis und -schule fließend bleiben.

Literarischer Lehrbetrieb, die Lehre des Herstellens von Texten, war nicht nur im Meistersang des ausgehenden Mittelalters oder in den barocken Sprachgesellschaften gemeinschaftstiftend. Man kann ihn mehr oder weniger ausgeprägt zu allen Zeiten bis in dieses Jahrhundert nachweisen. Die deutsche Literaturwissenschaft, unter dem nachhaltigen Eindruck der Genie- und Originalitätstheorien des späten 18. Jahrhunderts, hat diese Praxis freilich lange ignoriert. Dem ‚meisterhaften' Vorbild wurde allenfalls eine indirekte schulbildende Wirkung zuerkannt. Das vermeintlich eigenständige und einzelgängerische ‚Originalgenie' schien hier a priori die größere künstlerische Leistung zu verbürgen. In einem Land wie Frankreich mit seiner ungebrochenen klassisch-klassizistischen Tradition läßt sich über künstlerische Abhängigkeit und Stützung wesentlich unbefangener sprechen.

Die unterweisende Schulung wird im Bereich der darstellenden Kunst — und der Geisteswissenschaften — selbstverständlich akzeptiert. Die Literaturwissenschaft nahm jedoch einen spontanen Begriff des ‚Handwerklichen' an, dessen Revision nun auch von linguistischer Seite zu stützen ist ... — Die literarische Tätigkeit des George-Kreises, das Dichten unter dem Vorbild und korrigierenden Eingreifen eines ‚Meisters', mit dem man zuweilen auch die Lebenssphäre teilte, kommt der Werkstattarbeit einer

Malerschule auffallend nahe. Im „Tod des Tizian“ hat der junge Hofmannsthal in hellsichtiger Vorwegnahme die Kunst- und Lebensproblematik einer Künstlerschule als eines ‚Meister-Jünger-Verbandes‘ dargestellt[4].

Die Bedeutung Frankreichs für die literarischen Anfänge Georges ist bekannt. Hier genügt der Hinweis, daß George im Kreis um Stéphane Mallarmé eigene Vorstellungen eines literarischen Zenakels bestätigt und praktiziert fand. Weiter konnte George in Paris studieren, wie sich die Aktualität einer Stilbewegung wie des Symbolismus in ihren Zeitschriften ausdrückte und wie diese zu organisieren seien. Paris bedeutete für George nicht nur eine Lehre des Geschmacks und der Kunstanschauung, sondern auch eine der praktischen Kunststrategie. — Es ist jedoch nicht zu verkennen, daß der George-Kreis schon sehr bald ein von Mallarmés Salon in der rue de Rome gründlich verschiedenes Eigenwesen entwickelte.

1892 hatte George eine kleine Gruppe gleichaltriger Dichter für ein gemeinsames Zeitschriftenprojekt, die „Blätter für die Kunst“[5], gewinnen können. Die Zeitschrift erschien in unregelmäßigen Abständen bis 1919, ein außergewöhnlich langer Zeitraum für eine Publikation dieser Art. Den 200 Exemplaren der Eröffnungsnummer steht mit dem Schlußband eine Auflage von 2000 Stück gegenüber! Die „Blätter für die Kunst“ wurden als gruppeneigene, stilgebundene Veröffentlichung zu einem Medium, durch das sich die George-Schule vorrangig manifestierte und auf das in diesem Zusammenhang immer wieder zu verweisen ist. Die Zeitschrift verstand sich als eine nicht öffentliche Publikation und gab Zeit ihres Erscheinens vor, „einen geschlossenen von den mitgliedern geladenen leserkreis“[6] zu haben. Ihre rigoros limitierte Verbreitung zielte darauf ab, „zerstreute noch unbekannte ähnlichgesinnte zu entdecken und anzuwerben“ (I,2). Sie wandte sich also nicht so sehr an eine rezeptive Leserschaft, denn an potentielle Beiträger. Die Redaktion unter der Leitung Georges machte aus den „Blättern für die Kunst“ eine Zeitschrift von Dichtern für Dichter. Die angestrebte Wirkung wurde in einzelnen Fällen, etwa bei Karl Wolfskehl oder Leopold Andrian, durchaus erreicht. Die von George gesuchte direkte Wirkungsweise zielte, unter Umgehung des Marktes, stets auf den künstlerischen Einzelfall ab, den er sodann durch die Zeitschrift an sich binden und in dieser Bindung zu halten und zu prägen suchte.

George hatte gehofft, in Hugo von Hofmannsthal eine zweite tragende Säule für das Unternehmen der „Blätter für die Kunst“ gewonnen zu haben, sah sich darin aber bald getäuscht. Der Briefwechsel der beiden Dichter[7] behandelt als Redaktionskorrespondenz vordergründig immer wieder Streitpunkte der Zeitschrift und des sie tragenden Kreises, wo es eigentlich um grundlegende künstlerische und menschliche Antinomien geht[8]. Die

Briefe zeigen, wie Hofmannsthals von Beginn an reservierte Haltung zu den „Blättern“ schon in der Gründungsphase den weiteren Werdegang bestimmt. Er ist von der Dominanz Georges und der Nachordnung anderer Beiträger gekennzeichnet. Am 10. 1. 1892 erklärt George in einem Brief an Hofmannsthal sachlich, wenn auch enttäuscht: „In unsren jahren ist die bedeutsame grosse geistige allianz bereits unmöglich Jeder ist bereits in einen gewissen kreis des lebens getreten in dem er hängt und aus dem er nimmer sich entfernen kann, nur noch kleine ändrungen und einschiebsel sind zulässig[9].“ George war, als er diese Sätze schrieb, noch nicht 24 Jahre alt. In der Rückschau gab der Dichter den Wunsch nach dieser ‚geistigen Allianz‘ als verpaßte Gelegenheit zu einer ‚heilsamen Diktatur über das deutsche Schrifttum‘[10] zu erkennen. Ein Bekenntnis, das Georges Willen zur literaturpolitischen Wirksamkeit schon während der vermeintlichen l'art pour l'art-Phase seines Frühwerks grell beleuchtet.

Das Fehlen einer gleichgewichtigen künstlerischen Potenz neben George, sicherlich auch die Enttäuschung über diesen Mangel, ließ im Beiträgerkreis der „Blätter für die Kunst“ bald hierarchische und damit auch erste schulische Strukturen zustandekommen. Sie wurden dadurch begünstigt, daß neben die gleichaltrigen Autoren der ersten Stunde etwa ab 1897 eine andere Generation auffallend junger Mitarbeiter trat. Zu ihnen konnte sich ein Autoritätsgefälle wie selbstverständlich einstellen. Friedrich Gundolf, Ernst Hardt, August Mayer-Oehler, Lothar Treuge, Karl Gustav Vollmoeller waren alle 16 bis 20 Jahre alt, als sie in der Zeitschrift debütierten. Die Beiträge dieser Jüngeren, die noch keineswegs ‚Jünger‘ waren, sind identisch mit ihren ersten literarischen Veröffentlichungen überhaupt. Bei einem Großteil der „Blätter“-Dichtungen handelt es sich um ausgesprochene Jugendwerke. Dieser Umstand hat indes keinen ihrer Kritiker zurückhaltender urteilen lassen. Die aphoristischen Einleitungen und sogenannten ‚Merksprüche‘ der „Blätter für die Kunst“ provozierten allerdings auch entschiedene Stellungnahmen, denn sie sahen in diesen Dichtungen die Essenz zeitgenössischer deutscher Lyrik und suchten, aufgrund der Normen des Georgeschen Gedichtes eine neue verbindliche Klassik zu etablieren.

George war der Auffassung, daß die Jugendphase „gipfel und vollendung“ (VIII,31) eines Lebens, nicht bloße Entwicklungsstufe sein könne. Dieser Auffassung entsprach es, noch jugendliche Autoren mit Vorrang zu Wort kommen zu lassen. Ihnen widmen sich denn auch die Aphorismen in erster Linie und mit pädagogischer Intention. Gegenüber Hofmannsthal äußerte sich George 1897: „Sie wissen wenn wir überhaupt ein amt haben dass es gewiss nicht dies ist an alten verknorrten bäumen den geringsten ausschlag zu preisen sondern dies: jungen noch biegbaren stämmen unsre sorge zuzuwenden[11]." Im Gespräch formulierte George die erzieherische und damit auch außerliterarische Grundmaxime seiner Zeitschrift und seiner Dichterschule noch schärfer: „Ich halte sie [die „Blätter"-Beiträger] fest in dem Moment, in dem sie ihr höchstes Leben hatten. Was sie nachher mit ihrem Leben anfingen, ob sie nach Java gingen und Kaffee pflanzten (wie Dauthendey), ob sie Literatur machten [...] das geht nur die betreffenden Herren selbst an[12]." Aspekte der Menschenführung, normative Poetik und Literaturstrategie verbanden sich in Georges Konzeption seiner Zeitschrift. Es war nur folgerichtig, wenn außerliterarische Gesichtspunkte auch über die Aufnahme eines Autors in den Beiträgerkreis mitentschieden. Es gehörte zu den stets beobachteten Praktiken Georges, nur solche Bewerber zu akzeptieren, die er selbst oder ein anderes Mitglied seines Kreises persönlich kannte. In der langen Geschichte der „Blätter für die Kunst" gab es nie den Fall, daß ein Mitarbeiter nur in schriftlichem Kontakt zur Redaktion stand. Auf diese Weise versuchte George das von ihm verpönte ‚Bloß-Literarische' zu überwinden und seiner Zeitschrift eine tragende menschliche Basis zu geben. Sie erleichterte freilich nicht immer die Erstellung einzelner Zeitschriftennummern und war insgesamt konfliktträchtig. Bevor man schon von einem ‚Meister-Jünger-Verband' und damit im strengen Sinne von einer Dichterschule sprechen kann, war die persönliche Vermittlung der Weg, auf dem die Zahl der Leser und Autoren wuchs. In einem Prospekt des Kreises auf das Jahr 1904 ist über die „Gesellschaft der Blätter für die Kunst" zu lesen: „Mit litteratentum hat sie nicht das geringste zu thun, sie besizt keine statuten und gesetze und ihr anwachsen geschah nicht durch verbreitungsmittel sondern durch berufung und durch natürliche angliederung im laufe der jahre[13]." Der literaturstrategische Purismus dieses Manifests darf indes nicht darüber hinwegtäuschen, daß George gerade auf diese Weise versuchte, die Rezeption seiner Zeitschrift und der sie begleitenden Publikationen (an die 200 Titel) zu steuern. Die Mechanismen der gängigen Werbemethoden und die schwer kalkulierbaren Voraussetzungen einer anonymen Leserschaft hätten in den ersten Jahren nur eine Diffusion der angestrebten Wirkung bedeutet. Georges Taktieren auf der literarischen Szene, die Gebärde des ‚Nicht-mittuns', die ihren Erfolg allerdings auch nicht verfehlte, war eine Funktion seiner gesellschaftskritischen Gesamthaltung.

In den Einleitungen und Merksprüchen wird jeder Kompromiß der Kunst mit Öffentlichkeit und Gesellschaft abgelehnt. Als sich im Laufe der Jahre öffentliche Resonanz einstellte, wurde sie jedoch selbstverständlich verbucht. Eine parallele ‚Inkonsequenz' liegt vor, wenn man stets die allgemeine Literaturkritik geißelte. Vor allem wenn sie negativ war, wurde sie als fachlich inkompetent und menschlich unzulänglich abgetan, aber nur um ihr eine affirmative unter eigener Regie entgegenzustellen. Erfolgsstrategie und Kunstpolitik wurden in allen programmatischen Verlautbarungen des Kreises abgelehnt und gegen ein „weiterschreiten in andacht arbeit und stille" (VIII,2) ausgespielt, praktisch jedoch wie von jeder aktuellen literarischen Bewegung betrieben, wenn auch verhalten und unkonventionell. Die Idee eines Kreises befreundeter Künstler, der sich vom übrigen Geschehen separat hielt, war für George die Maxime seines Wirkens und die Basis seiner Zeitschrift. Ihre Rezeption in einem solchen ‚Umkreis' war seine strategische Alternative zu Öffentlichkeitsarbeit und Breitenwirkung. Die Gründung der „Blätter für die Kunst" war ein einmaliger, zeitlich fixierter Vorgang, der durch den langsam sich konsolidierenden Kreis erst eingeholt werden mußte.

Ablehnung des allgemeinen Kulturbetriebes, in dem George nur Kulturverfall sehen konnte, steht auch hinter einer anderen Forderung, die jeder Adept der „Blätter" schon durch seine Jugendlichkeit erfüllte. Er durfte kein literarisches Vorleben haben. Sein Name sollte noch nicht mit irgendwelchen Gruppierungen verbunden sein, oder eine Bekanntheit haben, die sich auf den Zuspruch weiterer Kreise stützen konnte. Mit Ausnahme des damals noch lokalen Wiener Renommés des jungen Hofmansthal war kein Mitarbeiter ‚berühmt' und wurde es auch nie aufgrund seiner lyrischen Beiträge in den „Blättern für die Kunst". Die nach dem ersten Weltkrieg für einige Zeit zu registrierende George-Mode war nicht eine Wirkung der „Blätter für die Kunst" und damit der Dichterschule, sondern ging aus von Georges eigenen Gedichtbänden. Sie wurde gestützt durch den Erfolg der sogenannten ‚Geistbücher' des Kreises und durch die akademische Lehrtätigkeit einiger Schüler Georges, lief allerdings nie zu einer allgemeinen öffentlichen und kritischen Diskussion auf. Träger dieser weiterreichenden George-Begeisterung waren nationale Kräfte der Weimarer Republik, wie z. B. Jugendbewegung, Landschulheime, Freie Schulgemeinde und die dahinter stehende Intelligenz. Sie drang wohl gelegentlich auch in soziologisch weiter nicht exponierte Schichten vor. In einem Feuilletonroman der Zeit liest man den Satz: „Die Tochter dachte an Höheres, an Gundolf und Michelangelo[14]." Mit George selbst hat das alles nur insoweit zu tun, als es zur Analyse von Rezeptions- und Adaptionsmustern der Gesellschaft einlädt, die auch eine gegen sie gerichtete Kunst sich einverleiben kann.

George achtete darauf, daß die Autoren seines Kreises möglichst nur in den von ihm verwalteten Publikationsorganen veröffentlichten. Dies führte immer wieder zu Kontroversen mit Hofmannsthal, der in eine Vielzahl von Zeitschriften Beiträge einrücken ließ, nicht selten aus finanziellen Erwägungen. „Blätter"-Mitarbeit bedeutete zwar keine sonstige publizistische Abstinenz, zumal wenn es sich um Essays handelte. Doch verlangte George hier ein Niveau, das sich deutlich von der Tagesschriftstellerei abheben sollte. Die Beiträger waren gehalten, ihre Kräfte soweit als möglich in den Dienst des gemeinsamen Unternehmens zu stellen und jedenfalls ihre Lyrik den „Blättern" zu reservieren. In den Anfangsjahren wurde diese Forderung durch den akuten Beitragsmangel nötig, später hatte sie offensichtlich den Sinn, den „Blätter"-Kreis als eine autarke Gruppe erscheinen zu lassen. Besonders die jüngeren Autoren sollten vom umgebenden Literaturgeschehen abgeschirmt werden und sich im schützenden Refugium der „Blätter" halten. Als 1909 in der achten Folge der Zeitschrift erstmals anonyme Dichtungen gedruckt werden, findet sich der Hinweis: „Wir geben hier einige seiten jüngerer uns wertvoll scheinender dichter. Da diese vor der hand kein bedürfnis fühlen mit öffentlichkeit und literatur in verbindung zu treten so haben wir ihre namen weggelassen die ohnehin nichts zur sache tun" (VIII, 147).

Mit dieser Anonymität bahnt sich ein grundlegender Wandel nicht nur der „Blätter für die Kunst", sondern auch ihres Beiträgerkreises an. Es vollzieht sich die Entwicklung von einem literarischen Zenakel, von einer zwar markanten in ihrem Wesen jedoch nicht neuartigen künstlerischen Gruppierung, zu einer streng geschlossenen Dichterschule. Die eigentümliche Artung dieses Gebildes muß weltanschaulich und existentiell als ‚Meister-Jünger-Verband' definiert werden. Damit soll jedoch keine Mystifikation zum Ausdruck kommen, auch für dieses Phänomen gilt Gundolfs sachliche Richtigstellung: „Der Kreis ist weder ein Geheimbund mit Statuten und Zusammenkünften, noch eine Sekte mit phantastischen Riten und Glaubensartikeln, noch ein Literatenklüngel [...], sondern es ist eine kleine Anzahl Einzelner mit bestimmter Haltung und Gesinnung, vereinigt durch die unwillkürliche Verehrung eines großen Menschen, und bestrebt der Idee die er ihnen verkörpert (nicht diktiert) schlicht, sachlich und ernsthaft durch ihr Alltagsleben oder durch ihre öffentliche Leistung zu dienen[15]."

Im April 1904 starb in München Maximilian Kronberger. Georges Ausdeutung dieses Ereignisses gibt seinem weiteren Dichten und Wirken eine neue Richtung. Die Aufgabenstellung einer ‚glänzenden Wiedergeburt' der sogenannten hohen Kunst tritt zurück[16]. Die Einleitung zur achten Folge der Zeitschrift sieht dieses Programm in Ansätzen gar als erfüllt an; es heißt dort: „Was man noch vor zwanzig jahren für unmöglich gehalten hätte: heute machen bei uns Dutzende leidliche verse und Dutzende schreiben eine leidliche rede, ja das neue Dichterische findet wenn auch in der zehnfachen verdünnung öffentlichen und behördlichen beifall. Damit ist ein teil der Sendung erfüllt" (VIII,1). Dem Anspruch dieser Feststellung zufolge war die bisherige Arbeit der Schule, hier als ‚Sendung' apostrophiert, nicht nur intern, sondern auch nach außen, auf der literarischen Szenerie Deutschlands, von Erfolg gekrönt. „Die bemängelnden richter entlehnen hier ihre maasse, die übriggebliebnen der wirklichkeits-schule [d. i. der Naturalismus] glauben sich in den schönheitsmantel kleiden zu müssen und die hüter der alltags-lebendigkeit schreiben ‚stilvolle' sonette" (VIII,1). Die Redaktion meint, die allgemeine stilbildende Wirkung der „Blätter"-Dichtung so hoch veranschlagen zu können, daß nun umgekehrt „bei aller wertschätzung der schule [die einzige Verwendung dieses Begriffes im Korpus der Zeitschrift!] vor einer gewissen geläufigkeit" zu warnen sei, „die das echte überwuchert und für die alten verwirrungen neue sezt und vor einer rührigkeit die die kaum halbgebornen werte totredet" (VIII,1). Daher die alte Mahnung der Frühzeit, „dass nichts was der öffentlichkeit entgegenkommt auch nur den allergeringsten wert hat" (VIII,2). Was sich in ungestörter Exklusivität, nun jedoch als ein Kreis von Meister und Schülern — nicht ohne Stolz der letzteren — zu erkennen gibt, ist von der früheren Gruppierung grundlegend verschieden. Neu ist eine bekennerische Grundhaltung, in die sich zeitweise auch missionarischer Eifer mischen konnte, die größere Intensität der Lebenssubstanz dieses Kreises und eine Homogenität der Haltung. Das alles ließ freilich Kräften wie Hofmannsthal, Klages, Vollmoeller oder Derleth keinen Raum mehr. Einzig Gundolf und Wolfskehl gelingt, dank ihrer engen persönlichen Bindungen an George, der Übergang ohne weiteres und nahtlos. ‚Herrschaft und Dienst', ‚Gefolgschaft und Jüngertum' werden nun die weltanschaulichen Leitworte des Kreises. In einer geänderten Konzeption der „Blätter für die Kunst" gibt sich die George-Schule ihr adäquates Ausdrucksmittel. Es ist, wie schon erwähnt, der Schritt zur Anonymität der Beiträge. Dichterisch drückt sich das Neue darin aus, daß der Komplex ‚Meister-Jünger' nun zum beherrschenden Thema der Zeitschrift wird. Das Verfassen von Gedichten bekommt einen festen Stellenwert im Leben des Schülerkreises. Es ist weit mehr Funktion der Erziehung und der Entwicklung des Zöglings als Kunstbetrieb. Die späten Folgen der „Blätter für die Kunst" anders als ein Dokument dieses gemeinsamen Lebens zu nehmen, hieße: sie verkennen.

Im engeren Sinne wird die Schule Georges durch die anonymen Beiträge ab 1909 vertreten. Was es vorher an stilistisch-thematischer Affinität oder gar Kongruenz zwischen den Dichtungen Georges und denen anderer Beiträger gab, war oft nicht das, was „die nach Beeinflussung suchenden Literaturhistoriker unter Einfluß verstehen, sondern jenes Communicieren lebender Kräfte, das eben den Geist einer Zeit ausmacht"[17]. Das gilt z. B. für Hofmannsthal, Dauthendey, Emil Rudolf Weiss, Oskar A. H. Schmitz,

Ernst Hardt, Karl Gustav Vollmoeller u. a. Es ist eine objektive literaturgeschichtliche Leistung Georges, diese Kräfte eine zeitlang an sich gebunden und konzentriert zu haben, bevor sie sich in die unterschiedlichsten Richtungen weiterentwickelten. Das Medium der Zeitschrift garantierte das praktische Gelingen. Indem die „Blätter für die Kunst" zunächst Sammelbecken artistisch-ästhetischer Bestrebungen waren, begannen sie als Überwindung der Epigonenlyrik des 19. Jahrhunderts, vor allem und in erster Linie jedoch als Reaktion auf den Naturalismus. Sie sind damit ein typisches Phänomen literarhistorischer Avantgarde, deren Konsolidierung durch die Auseinandersetzung mit Gegenpositionen immer am leichtesten zu fördern ist.

Dabei gehört in beiden ‚Lagern' das Mittel der Kreisbildung, des gruppenhaften Auftretens zur kunstpolitischen Strategie, eine Organisationsform also, die seit den Tagen der Hainbündler, der Weimarer Klassik und der Romantik nicht mehr mit vergleichbarer Konsequenz und Wirksamkeit eingesetzt wurde. Die Ablösung individuellen Vorgehens durch kooperative Zusammenschlüsse ist ein soziologisch bedeutsames Äquivalent zu den kraftvollen künstlerischen Innovationen um 1890. ‚Frei Bühne' und „Blätter für die Kunst" sind bei aller Polarität der Kunstanschauungen doch recht ähnlich strukturiert. Man gründet eine ‚geschlossene Gesellschaft', im einen Fall, um der Zensur zu entgehen, im anderen um als künstlerische Bewegung Gewicht zu erlangen. Beide Gruppierungen sind von der Saturiertheit etwa des Münchener Dichterkreises um Geibel oder des Berliner Herrenvereins ‚Tunnel über der Spree' gleich weit entfernt. In beiden Fällen handelt es sich um Jugendbewegungen, in ihrer Virulenz vergleichbar etwa denen des ‚Sturm und Drang', der ‚Frühromantik', oder des ‚Frühexpressionismus'. Da wegen der Kurzlebigkeit des Naturalismus dieser für die „Blätter" so ergiebige Gegner bald ausfiel — was die Redaktion nicht scheute als Erfolg ihrer Bestrebungen auszugeben — weitete sich das kritische Engagement der Zeitschrift zur generellen Kulturkritik am Wilhelminischen Deutschland aus. In die Tradition Nietzsche-Benn eingefügt, sehen auch die „Blätter für die Kunst" Dichtung, d. h. konkret ihre eigene Dichtung als ‚Gegen-Welt' zu Staat und Gesellschaft an.

In den „Blättern für die Kunst" sind die thematisch und stilistisch einheitlichen Beiträge verschiedener Verfasser zunächst nicht Ausdruck einer Schule, geschweige denn einer bewußten Schulung durch George, sondern einer zeitbedingten Stillage. George suchte sich zum Protagonisten der ‚neuen Kunst' zu machen und war auch bestrebt, gleichgesinnte Maler an sich zu binden. Die Malerei des frühen Münchener Jugendstils leistete gewisse Schrittmacherdienste; Th. Th. Heine und Leo Samberger sind mit Bildbeilagen in den „Blättern für die Kunst" vertreten[18]. Natur, Interieur, Emotion werden in den Gedichten der ersten „Blätter"-Bände ab 1892 mit den subtilen Zwischen- und Halbtönen des fin de siècle gezeichnet, als dessen Bahnbrecher sich die Zeitschrift damals in Deutschland verstand. Die Dichtung der Frühzeit ist gekennzeichnet durch die Wiedergabe subjektiver Stimmungen, deren Raffinement sich vorzugsweise als Morbidität gebärdete, eine gerade von den jüngsten Autoren geliebte Pose. Die Darbietung bedient sich in der Regel symbolistischer Verschlüsselungen und Konstruktionen. Es kennzeichnet indes Georges Einstellung zur literarischen Szenerie, künstlerische Möglichkeiten und Formen immer dann aufzugeben, wenn sie sich zu modischen Trends zu verallgemeinern drohten. Der übersteigert ästhetizistische Tenor der frühen „Blätter" tritt zurück, als er sich „seit dem Ende der naturalistischen Bewegung im Einklang mit den Bildungstendenzen des gehobenen Bürgertums um 1900"[19] befand. Die kunstsprachlich gehobene Stillage wird freilich nicht aufgegeben.

Stil, Form und Inhalt aller „Blätter"-Beiträge rechtfertigen es, die Autoren als festumrissene Künstlergruppe, später auch als Künstlerschule zu fassen und die Dichtungen selbst als Manifestationen eines einheitlichen Stilwillens, später auch als Arbeiten einer Schule zu nehmen. Sie sind mit den für Georges Personalwerk gültigen sprachstilistischen Kategorien und der damit einhergehenden thematischen Ausrichtung hinreichend zu determinieren. — Abgesehen von ausländischen Einflüssen ist der tradierte stilistische Ansatz Georges — mit markanter Differenz freilich — bei Dichtern wie Klopstock, Platen oder C. F. Meyer zu suchen. In der Anthologie „Das Jahrhundert Goethes"[20] haben George und Wolfskehl selber diese ‚Höhenlinie' kunstsprachlicher Lyrik, an deren Spitze sich die „Blätter für die Kunst" stellten, aus dem Spektrum der neueren deutschen Lyrikgeschichte herausgelöst und damit eine literarische Tradition vorgeführt, die durch die Vermeidung aller umgangs- oder gebrauchssprachlichen Stilzüge charakterisiert ist. Mit George rückt Lyrik wieder in eine kunstsprachliche, artistisch gehobene Distanz zur Ausdrucksweise des Alltags. Als soziologischer Befund fügt sich dieser Sachverhalt in Georges kunstdidaktisches und kulturpädagogisches Programm ein, das über eine ästhetische ‚Erziehung' auch gesellschaftspolitisch wirken wollte.

Während George seinen Stil eklektisch erwarb, konnte sich seine Schule schon des Georgeschen Gedichtes als eines fertigen Modells bedienen. Sie standardisiert es zu einem lyrischen Typus. Unberührt von variierender Autorenschaft und minimen Ansätzen zu sprachlichen Individualstilen ergibt sich ein monochromer künstlerischer Gesamteindruck der „Blätter", da der gemeinsame stilistische Nenner aller Beiträge dem Werk Georges zu entnehmen ist. Was es auf dieser Basis, und damit im Rahmen der Zeitschrift, an individuellen Ausformungen und Weiterungen gibt, hat nach außen — literarhistorisch — allenfalls das Gewicht von Nuancen. In Hinsicht auf den Modellcharakter der Dichtung Georges muß die Schuldichtung als Sprachkunst über einer formelhaften, weitgehend systematisierbaren Kunstsprache erscheinen. Die Autoren der Dichterschule arbeiten mit lyrischen Elementen, Bausteinen und fertigen Strukturen, die sowohl durch ihren rhetorisch-formalistischen Charakter als auch durch den Lernvorgang, der sie den Schülern verfügbar macht, zu poetischen Versatzstücken eingeschliffen und normiert werden. Diese Feststellung impliziert so keine Negativwertung. Sie gibt auch keine Aussage über die etwa hinter diesen Dichtungen stehende Erlebnisintensität, noch über den Grad ihrer künstlerischen Durchdringung. Grundsätzlich ist es jedem Schüler anheimgestellt, mit dem Fundus des Erlernten seinen Lehrmeister zu überbieten. Der naheliegende wertende Vergleich zwischen ‚Meisterwerk' und ‚Schülerarbeit' bedient sich fast immer der fragwürdigen Kategorien von Originalität, Intensität, Echtheit usw. Man kann der Schuldichtung mit diesen Maßstäben kaum gerecht werden und macht es sich ihrem Vorbild gegenüber zu leicht. Die bewußte Übernahme der Georgeschen Mache garantierte in keinem Fall schon dichterische Qualität, machte sie aber auch nicht von vornherein unmöglich. Welche Unterschiede im Lernniveau außerhalb der Schule noch 1918 bestanden, zeigt die Tatsache, daß Albrecht Schaeffer und Ludwig Strauß unter dem Titelsammelsurium „Die Opfer des Kaisers, Kremserfahrten und die Abgesänge der hallenden Korridore"[21] einen Gedichtband zu Georges 50. Geburtstag erscheinen lassen konnten, der als Huldigung gedacht war, aber als Parodie wirkte und bald wieder vom Verlag zurückgezogen wurde.

Der Rang der Schuldichtung ist schon sehr früh von Außenstehenden wie Beteiligten in Zweifel gezogen worden. Ludwig Klages, der mit seinen poetischen Anfängen selbst einmal dazu gehört hatte, urteilte 1903: „Abgesehen von einigen wenigen wesentlichen Persönlichkeiten, für welche ich die Notwendigkeit, eine KÜNSTLERISCHE Gruppe zu bilden, nie einzusehen vermochte, war mir das andere: Sprach- und Versübung mehr oder minder Begabter[22]." Der Redaktion waren Einwände dieser Art bekannt, und sie hat das Vorhandensein unzulänglicher Leistungen in der Zeitschrift nicht beschönigt. Sie versucht die Lösung dieses Dilemmas jedoch durch Einordnung in einen anderen Zusammenhang. Es geht ihr um die in der Tat für jedes Verständnis der „Blätter" zentrale Frage nach dem Verhältnis zwischen erst- und zweitrangigen Geistern. Das Selbstverständnis der Schüler findet seinen Ausdruck im Sich-bescheiden in einem größeren Kontext, im Verzicht auf vorrangige Individualitätsbekundung zugunsten der gemeinsamen, der wichtigeren Sache. Indem George jedoch seine eigenen Gedichte anonym in den Zusammenhang der Schularbeiten stellte, begab auch er sich bis zu einem gewissen Grade seiner Einmaligkeit. In dieser Umgebung, auf den Seiten der „Blätter für die Kunst", sind seine Beiträge durchaus nicht als Werke des Meisters sogleich auszumachen. — Ein Merkspruch der vierten Folge von 1897 formuliert Sinn und Ertrag der Schule für alle Beteiligten, Meister wie Schüler: „Es ist ein irrtum dass nur grosse geister ein unternehmen mit grossen gedanken zu fördern vermöchten. von aller wichtigkeit ist es die kleineren zu erziehen und hinzuleiten auf dass sie die luft bilden in denen [sic!] der große gedanken atmen kann. Wir wissen wohl dass der schönste kreis die grossen geister nicht hervorrufen kann, aber auch dies dass manche ihrer werke nur aus einem kreis heraus möglich werden" (IV,3). Und an anderer Stelle: „Was die minder starken beiträge betrifft so wurden sie zur bildung des nötigen hintergrundes zugelassen, stets aber nur dann wenn wir darin ein erkennen der vorläufig einzig richtigen bahnen gewahrten oder ein gutes versprechen für die zukunft. sie anzustreichen ist leicht wie es denn leichter ist die kleinen vorsprünge und lücken zu bemängeln als deren bauliche notwendigkeit und dienlichkeit am ganzen Denkmal zu begründen" (III,131). Da der Wert einzelner Beiträge auch kreisintern durchaus skeptisch beurteilt wurde, so ist der Sinn dieser Argumentation offensichtlich: die unzureichende Einzelleistung durch Vorweis auf den konstruktiven Gesamtcharakter des Unternehmens zu überwinden. Nicht so sehr der einzelne Beitrag wurde als wichtig empfunden, sondern die Tatsache, daß es in einer Zeit doch weitgehender Verworrenheit, Zersplitterung und Auflösung überhaupt zu einem einheitlichen, geschlossenen Auftreten, eben zu einer Dichterschule, kommen konnte. In der plastischen Sprache der Merksprüche heißt das: „Draußen aber hat wie überall sich in künsten und wissenschaften das chaos ins unabsehbare verbreitert: alles gleitend, freischwebend, vereinzelt — hier kleintierhafte tüftelei und verblüffende zerspaltung, dort auflösen und verzerren bis zu gestotter klecks und fratze. Wir haben uns nur zu beschäftigen mit dem was schon jenseits des grossen Sumpfes liegt" (XI/XII,5).

George hielt auch im Gespräch selten mit der Kritik an der künstlerischen Einzelleistung zurück und war besonders bestrebt, der jeder Schuldichtung inhärenten Gefahr der Stereotypie entgegenzuwirken. Er verteidigte jedoch genauso beharrlich das Gesamt des Unternehmens, so gegenüber Hofmannsthal: Die „Blätter"-Dichter sind ihm alle „menschen von guter geistiger zucht [...] sich wie geniusse geberden thaten sie nie [...] Und alle ihre arbeiten sind wenigstens durchaus anständig (was nicht sittlich gemeint ist)

[...] nicht einmal von den ganz kleinen will ich schweigen, den zufälligen schnörkeln und zierraten, die ich an sich betrachtet völlig preisgebe. Dass aber diese kleinsten solche arbeit zu liefern vermochten: daß man ihnen rein handwerklich bei aller dünnheit nicht soviel stümperei anzukreiden hat als manchen Vielgerühmten: das scheint mir zeitlich und örtlich betrachtet für unsre kunst und kultur von höherer bedeutung [...] In den ‚Blättern' weiß jeder was er ist, hier wird der scharfe unterschied gezeigt zwischen dem *geborenen* werk und dem *gemachten* [...] Wenn aber auch Sie mir erklärten dort nur eine ansammlung mehr oder minder guter verse zu sehen — und nicht das BAULICHE (construktive) von dem freilich heut nur die wenigsten wissen — so würden Sie mir eine neue große enttäuschung bringen"[23].

Die „Blätter für die Kunst" und der sie tragende Kreis sind einzig als kulturpädagogisches Gegenmodell gerecht zu beurteilen. Das Georgesche Gedicht war im besten Falle immer ‚Gegengedicht' für den Zeitraum vom Naturalismus bis zum beginnenden Nationalsozialismus, wenngleich alle lyrischen Richtungen dieser Epoche die Strophe, das Gedicht Georges zu nutzen verstanden. Die Reflexe begegnen selbst in expressionistischer Lyrik, die den Klassizismus Georges überwinden wollte. In der Bevorzugung der Reimlyrik hebt sich die George-Schule zwar deutlich von den polaren Strömungen ab, doch ist auf die Dichter des Frühexpressionismus zu verweisen, die sich an der Verskunst Georges geschult haben, ohne daß sie allerdings dem Kreis selbst näher getreten wären. Däubler, Heym, Stadler, Blass u. a. sind in unterschiedlichem Maße als autonome Schüler Georges anzusehen. Durch Gottfried Benn behielt die Strophe Georges bis in die Zeit nach dem zweiten Weltkrieg Verbindlichkeit. Diese Wirkung Georges ging freilich von der ‚Gesamt-Ausgabe' seiner Werke aus, nicht von der Zeitschrift „Blätter für die Kunst".

Der George-Kreis, von seinen Mitgliedern in Anlehnung an Schiller später ‚Staat' genannt, ist in nuce tatsächlich als ein Staat im Staat zu deuten. George suchte seine Bewährung zunächst durch die „Blätter für die Kunst" im Bereich der Dichtung. Dann auch der Geisteswissenschaften und schließlich nur noch auf dem Wege persönlicher Erziehung einzelner junger Menschen — gegen Staat und Gesellschaft. Friedrich Gundolf und Claus von Stauffenberg wurden die bekanntesten, waren aber nicht die einzigen, die herausragten. — Die „Blätter für die Kunst", die den dichterischen Ertrag dieser Bemühungen Georges festhalten, geben dem mittleren Talent einen begrenzten Entfaltungsraum, keinen Freiraum. Es wurde so in einzelnen Fällen zu herausragenden Leistungen befähigt, deren mögliches Zustandekommen unter anderen Bedingungen als denen der Schule unwahrscheinlich ist.

In einem weiteren literaturpolitischen und -strategischen Zusammenhang sicherte sich George durch die Schulgründung allerdings auch die Kontrolle über seine eigene Konventionalisierung. Schon Richard M. Meyer erkannte in seiner „Literaturgeschichte des 19. und 20. Jahrhunderts“: „Die Anschauungen Georges haben ihre erste soziologische Auswirkung in einem bewußt gebildeten Dichterkreis erhalten, der [. . .] als Mittelschicht zwischen dem Dichter und der Gesellschaft zu dienen und [. . .] der Ausbildung einer neuen Konvention vorzuarbeiten hat[24].“ Diese Mittlerfunktion hat der George-Kreis allenfalls im ideologischen und weltanschaulichen Bereich erfüllt, nicht jedoch im künstlerischen. Von der Zeitschrift „Blätter für die Kunst“ gingen, trotz aller gegenteiligen Beteuerungen, wenig literarhistorisch bedeutsame Einflüsse aus. Die Zeitschrift hat keine direkte Wirkung, doch sie ist eine Wirkung Georges.

## ANMERKUNGEN

1. Die hier gegebene Deutung des George-Kreises basiert auf meiner umfangreicheren Monographie über die *‚Blätter für die Kunst‘. Zeitschrift der Dichterschule Stefan Georges* (Frankfurt a. M. 1974).

2. vgl. Ernst Troeltsch, *Gesammelte Schriften,* 5 Bde. Tübingen 1922—28. Besonders Band II: *Zur religiösen Lage, Religionsphilosophie und Ethik,* und Band IV: *Aufsätze zur Geistesgeschichte und Religionssoziologie.* — 1919 hatte Troeltsch der philosophischen Fakultät der Berliner Universität als Preisaufgabe vorgeschlagen: „Die Weltanschauung des George-Kreises“.

3. vgl. Herman Schmalenbach, *Die soziologische Kategorie des Bundes,* in: Dioskuren I, München 1922, S. 35—105. Siehe auch die Einleitung seiner Dissertation: *Das Organon der Metaphysik,* Jena 1910. — Vgl. zu dieser Sichtweise ferner: Ferdinand Tönnies, *Gemeinschaft und Gesellschaft,* 6./7. Aufl. Berlin 1926, und Max Weber, *Wirtschaft und Gesellschaft,* in: *Grundriß der Sozialökonomik* III. Abteilung. 2 Halbbände, 3. Aufl. Tübingen 1947.

4. vgl. Hansjürgen Linke, *Das Kultische in der Dichtung Stefan Georges und seiner Schule,* 2 Bde. München und Düsseldorf 1960, Band II, S. 86—89.

5. Blätter für die Kunst. Begründet von Stefan George, hg. von Carl August Klein, Berlin 1892—1919. Abgelichteter Neudruck Düsseldorf/München 1967.

6. Text auf dem Titelblatt aller zwölf Folgen der Zeitschrift.

7. George und Hofmannsthal, *Briefwechsel,* 2. ergänzte Auflage (hg. von Robert Boehringer), München/Düsseldorf 1953.

8. vgl. dazu Richard Alewyn, *Hofmannsthal und George,* in: *Hugo von Hofmannsthal. Der Dichter im Spiegel der Freunde,* hg. von Helmut A. Fiechtner, 2. veränderte Auflage, Bern 1963, S. 292 ff.

9. George/Hofmannsthal, aaO, S. 13.

10. vgl. George/Hofmannsthal, aaO, S. 150.

11. George/Hofmannsthal, aaO, S. 123 f.

12. Edith Landmann, *Gespräche mit Stefan George,* Düsseldorf/München 1963, S. 183.

13. Zitiert nach dem Faksimile bei Georg Peter Landmann, *Stefan George und sein Kreis. Eine Bibliographie,* Hamburg 1960, S. 129.

14. Zitiert nach Edith Landmann, *Gespräche mit Stefan George,* aaO, S. 94.

15. Friedrich Gundolf, *George,* Berlin 1921, S. 31.

16. vgl. die Einleitung zum ersten Heft der ersten Folge der „Blätter für die Kunst", die mit dem Satz abschließt: „In der kunst glauben wir an eine glänzende wiedergeburt" (I, 2).

17. Brief Hofmannsthals an Walther Brecht, Rodaun 20. 2. 1929, abgedruckt in George/Hofmannsthal, aaO, S. 234—236, dort S. 236.

18. vgl. die Einbandzeichnung der „Blätter für die Kunst" von Th. Th. Heine und Sambergers Beitrag in „Blätter" II, 4 (1894).

19. Michael Winkler, *George-Kreis,* Stuttgart 1972, S. 19.

20. *Deutsche Dichtung III. Das Jahrhundert Goethes,* hg. von Stefan George und Karl Wolfskehl, Berlin 1910.

21. Leipzig, Insel 1918.

22. Ludwig Klages an Friedrich Gundolf vom 21. 7. 1903, abgedruckt in: Stefan George, Friedrich Gundolf, *Briefwechsel,* hg. von Robert Boehringer mit Georg Peter Landmann, Düsseldorf/München 1962, S. 136.

23. George an Hofmannsthal vom Juli 1902, in: George/Hofmannsthal, aaO, S. 159 f.

24. Hg. und fortgesetzt von Hugo Bieber, Berlin 1921, S. 632.

GUNTER MARTENS

# Stürmer in Rosen

## Zum Kunstprogramm einer Straßburger Dichtergruppe der Jahrhundertwende[1]

### O. *Vorbemerkung*

Während die wissenschaftlichen Bemühungen um eine Standortbestimmung künstlerischer Produktion am fin de siècle zumeist von den überragenden Gestalten dieser Periode ausgehen und Dichterpersönlichkeiten wie Hugo von Hofmannsthal, Stefan George, Arthur Schnitzler, Frank Wedekind, die Gebrüder Mann im Vordergrund der Darstellungen stehen, beschäftigen sich die folgenden Ausführungen über den Stürmer-Kreis in Straßburg mit der Peripherie des Kunst- und Literaturbetriebes der Jahrhundertwende. Die Texte, die in dieser Gruppe kurz nach 1900 entstanden, gehören sicherlich nicht zum bleibenden Bestand in der Geschichte unserer Literatur, ja es handelt sich sogar größtenteils um recht unbeholfene Versuche junger Autoren, deren Namen oftmals kaum über ihren engeren Wirkungskreis hinaus bekannt geworden sind. So ist es denn auch nicht mein Anliegen, zu Recht Versunkenes wieder an das Tageslicht zu zerren und die Qualität dieser Dichtungen und Schriften einer unangemessenen Aufwertung zu unterziehen.

Indessen scheint es mir durchaus angemessen zu sein, auf einer Tagung, die sich mit dem Selbstverständnis in den Künsten der Jahrhundertwende auseinandersetzt, der Frage nachzugehen, wie sich das Problem des fin de siècle in der Provinz spiegelt, wie das literarische Leben außerhalb der Kunstmetropolen rezipiert und in eigentümlicher Weise gebrochen wird. Schon das Postulat der Dezentralisierung, das für die Zeit des endenden Jahrhunderts als äußerst signifikant erscheint und in dem allgemeinen Motto „Los von Berlin"[2] programmatische Züge annimmt, könnte die Berücksichtigung der Randzonen des deutschen Literaturbetriebes rechtfertigen. Darüber hinaus ist es jedoch eine weitere Eigenart, die nun gerade den Straßburger Dichterkreis für eine eingehende Analyse prädestiniert: die Doppelgesichtigkeit, die in dieser Gruppe mehr als anderenorts das Bewußtsein vom fin de siècle prägt, das Neben- und Übereinander von Endzeitstimmung und

Aufbruch und die damit aufgegebene Verpflichtung, die Widersprüche einer übermächtigen Tradition zu einem Neuansatz zu synthetisieren. Wenn hier im Südwesten des derzeitigen Deutschlands eher und vehementer als in anderen Provinzstädten nach einem Weg gesucht wird, den bloßen „Schein des schönen Lebens“[3] zu überwinden — ohne ihn freilich voll aufgeben zu müssen —, so ist das nicht zuletzt auf die geographisch-politische Lage des „Reichslandes“ Elsaß zurückzuführen. Denn hinter der angestrebten Synthese von Innerlichkeit und rationaler Durchdringung, von Ästhetizismus und Naturalismus, von Kunst und Politik, steht schließlich der Anspruch, deutschen Geist und französischen esprit miteinander zu verschmelzen und damit aus der spezifischen elsässischen Situation eine Veränderung der geistigen und darüber hinaus auch der politischen Szenerie in Deutschland einzuleiten — eine Konzeption, die in ihrem synkretistischen Charakter wiederum typische Elemente des fin de siècle enthält, zugleich aber auch der Idee nationalstaatlicher Entgrenzung zukunftsweisende Perspektiven eröffnet.

Das hochgesteckte Ziel, das in den Jahren 1901 bis 1903 eine Handvoll Studenten und junger Künstler in Straßburg zusammenführte, ist — zumindest zum damaligen Zeitpunkt — nicht erreicht worden. Die politische Forderung eines supranationalen Ausgleichs wurde nicht eingelöst und selbst die postulierte Veränderung literarischer Thematik und Ausdrucksmittel blieb in wenigen unbeachteten Ansätzen stecken. Die Gründe des Scheiterns eines solchen fortschrittlichen Programms anzudeuten und damit auf grundsätzliche Bedingungen für den Umbruch in der kulturellen Entwicklung Deutschlands zur Zeit der Jahrhundertwende hinzuweisen, ist eine weitere Aufgabe, der ich in den folgenden Ausführungen nachgehen möchte, selbst wenn ich gerade diese Frage nicht werde erschöpfend behandeln können.

### *1. Die Gruppe und ihre Zeitschriften*

1.1. „Und nun muß mit dem Alten gebrochen werden — mit Allem, was uns im Wege steht, dem Neuen, Starken, Großzügigen. Das klingt selbstbewußt und stolz, aber dieser Ton ist der jeder frischen Jugend, die hinauf will — *über* die Väter, und nur Jugend kann brechen.“ Mit diesen einleitenden Worten, die im Juli 1901 in der Münchner Halbmonatsschrift für Kunst und Kultur „Die Gesellschaft“ erschienen[4], kündigte der knapp 18jährige René Schickele unter der Überschrift „Jung Elsaß“ zum ersten Mal eine literarische Bewegung an, die eine grundlegende Abkehr vom eingefahrenen Kunstbetrieb versprach, eine „Revolution der Litteratur“, wie der Untertitel des Aufsatzes lautete. Ziel sei es, eine eigene Kunst der Jungen zu schaffen, die das spezifisch Elsässische, die Mischung zweier Sprachen und Kulturen, in die deutsche Kunstentwicklung hineinzutragen vermag. Das „Stück ‚Franzosentum' ", das jeder Elsässer im tiefsten Wesen in sich trage, könne „dem schweren germanischen Blut" nicht schaden.

Damit ist schon der Grundgedanke angesprochen, unter dem René Schickele im Jahre 1901 in Straßburg eine kleinere Zahl gleichaltriger Studenten und Kunstenthusiasten um sich sammelte. Aus der losen Gesprächsrunde weniger Freunde entwickelte sich bald eine feste Gruppe, die sich im Dezember 1901 als Stürmer-Kreis konstituierte und zunächst im Atelier des Malers Ritleng, später in einem Stadtturm an der Ill ihren festen Sitz fand[5]. Einige Verse, die René Schickele 12 Jahre später in der Zeitschrift „Die Aktion" veröffentlichte, geben anschaulich das bewegte Leben dieser „Stürmer" wieder:

> Sie waren achtzehn Jahre alt.
> Sie wollten weder stehn, noch wanken
> und schritten zusammen wie umhallt
> von ihren einigen Gedanken.
> In einem alten Turm bauten sie sich ein Nest,
> manch einer hielt dort sein erstes Liebesfest,
> und alle sahn die Abendröte winken,
> wie war es laut und wurde still,
> und alle sehn die letzten Sterne blinken
> tief unter sich im Spiegel der Ill.
> Durch ihre erste Welt, in ihr erstes Licht
> stieg überloht, sank beschattet ihr Gesicht.
> Sie führten die Kämpfe, die vorwärts treiben,
> und kannten den Ruf, der widerhallt,
> die junge Qual auch, jung zu bleiben,
> sie waren achtzehn Jahre alt [...][6].

„Der engere Kreis bestand", wie Otto Flake sich erinnert, „aus ungefähr einem Dutzend junger Menschen [...] Unentwegte, die Tag und Nacht zueinander in Bewegung waren[7]." Neben Flake und Schickele waren es insbesondere Ernst Stadler, der nach 1910 mit seine Gedichtband „Der Aufbruch" den Ansatz der Stürmer konsequent in den Expressionismus hinein verlängerte, Hans Koch, der sich derzeit den Namen Johannes Leon(h)ardus zulegte, Hermann Wendel, Salomon Grumbach, Bernd Isemann, René Prèvôt, Otto Dressler, denen sich etwas später als „Lehrbue"[8] auch Hans Arp anschloß — insgesamt Gestalten von sehr unterschiedlicher Herkunft und Weltanschauung, die jedoch das Ungenüge an den eingefahrenen Bahnen des Kunstbetriebes, die Opposition gegenüber den Wortführern des literarischen Elsaß zusammenschloß. Einen wichtigen Grund für den Zusammenhalt dieses heterogenen Kreises, der Mitglieder aus den verschiedensten gesellschaftlichen Gruppierungen, teils Reichsdeutsche, teils Altelsässer, teils sogar französischer Herkunft[9], in sich vereinigte, nennt René Schickele, wenn er darauf verweist, daß es sich bei den Stürmern weder um einen Schülerkreis noch um eine Klique handele, sondern um eine Gruppe selbständiger Künstler, die sich durch Gleichberechtigung und Selbstbestimmung auszeichne. „Wir haben keinen Führer und können keinen haben, weil wir keine Klique sind[10].“ Wie später im Expressionismus wird hier der demokratische Zusammenschluß junger Menschen, die Gruppe, die in ihrer Eigendynamik gerade die gegeneinanderstehenden Kräfte für sich fruchtbar zu machen vermag, zur Keimzelle eines künstlerischen Aufbruchs.

1.2. Mit der Halbmonatsschrift „Der Stürmer“, deren erstes Heft nach manchen Schwierigkeiten am 1. Juli 1902 erschien, schuf sich die Gruppe ein Organ, mit dem sie ihre Ideen in eine breitere Öffentlichkeit zu tragen gedachte. Aufgebaut nach dem Vorbild der Münchner „Gesellschaft“, in der René Schickele und seine Freunde schon einige Monate vorher die Gelegenheit erhalten hatten, ihr Programm zu formulieren und Proben ihres Talents vorzustellen[11], brachte „Der Stürmer“ in kulturpolitischen Essays, Polemiken und Literaturkritiken den Standpunkt des „Jüngsten Elsaß“ zur Geltung und suchte zugleich durch eigene Gedichte, Erzählungen und Dramenbruchstücke neue Wege der Dichtung zu dokumentieren. Doch das erwartete Echo dieses „Organs für unbedingte geistige Freiheit und persönliche künstlerische Auffassung[12]“ blieb aus; schon nach 9 Nummern mußte der „Stürmer“ aus finanziellen Gründen sein Erscheinen einstellen. Noch weniger Erfolg war einem zweiten Versuch beschieden, den Bestrebungen des Stürmer-Kreises zum Durchbruch zu verhelfen. Die Halbmonatsschrift „Der Merker“, die im April 1903 den Weg des „Stürmers“ fortzusetzen suchte, brachte es nach dem ersten Doppelheft noch auf eine weitere Nummer (erschienen am 1. 5. 03). Die Beschlagnahme dieses Heftes durch die Zensur leitete zugleich auch das Ende der Gruppe ein. Entmutigt durch den fehlenden Widerhall seiner Ideen brach der Kreis im ersten Halbjahr 1903 auseinander und überließ das Feld der elsässischen Literatur wiederum allein den konservativen Gegenkräften, bevor noch die jungen Opponenten zu einer Konsolidierung ihrer Ideen gelangt waren. Wenn auch in dieser kurzen Spanne nur erste Ansätze eines weitgreifenden Programms zur Ausführung kommen konnten, so ist doch Intention und Stoßrichtung der elsässischen „Litteraturrevolution“, ihre Quellen und auch die Gründe ihres Scheiterns aus den 11 Heften des „Stürmers“ und des „Merkers“[14] (zu denen sich am 25. 4. 1903 noch das einzig erschienene Heft der satirischen „Halbmonatsschrift in Gelb“ „Der

Stänkerer" gesellte[15]), sowie aus verstreuten Publikationen in anderen Zeitschriften[16] und aus den Einzelveröffentlichungen, die aus dem Kreis hervorgingen, zu entnehmen.

## 2. *Stürmer-Programm zwischen Gesellschaftskritik und Lebensphilosophie*

2.1. Von der Überzeugung geleitet, das Elsaß habe eine kultur- und völkerverbindende Mission zu erfüllen, hatten sich die Stürmer zusammengefunden. Eine „künstlerische Renaissance im Elsaß" verhieß der Untertitel ihrer Halbmonatsschrift, wobei die Rolle, die man dem Elsaß beimaß, vornehmlich aus der geographischen Position des Landes abgeleitet wurde. „Wir wurzelten", so führt später Hermann Wendel aus, „in der deutschen Kultur, aber da wir als Elsässer französisches Erbe und französische Nachbarschaft hatten, empfanden wir den Beruf, das deutsche Gesicht nach Europa zu wenden[17]." Gerade Dichtung und Malerei sollten diese „Eigenart" des Elsaß stärken und in der Besinnung auf das kulturell Spezifische, auf die eigene Tradition, die durch die Politik auferlegten Grenzen sprengen, zu innerer und äußerer Freiheit führen. Eine vielversprechende „Rot-weiße Zukunft" sieht René Schickele im 6. Stürmerheft:

> „In der Kunst werden wir das neue Reich gründen und durch die Kunst, durch die Herrschaft werden wir eine *Nation* werden, eine *Geistesrepublik*, hier bei uns, in die alle eintreten werden, in der wir mit allen sein werden, die ein freies, volles Menschentum als höchstes Ideal ersehnen." (St. S. 90)

Diese Idee eines „geistigen Elsässertums", des elsässischen geschichtlichen Erbes, das sich aus der Begegnung zweier Kultur- und Sprachkreise ergab, zielte letzten Endes auf einen Ausgleich zwischen Deutschland und Frankreich, auf eine kulturelle Synthese beider Länder ab. Gerade aber diese Konsequenz mußte in einem Land, in dem sich Altelsässer und „Preußen" aufs äußerste befehdeten, befremdlich, sogar revolutionär wirken. So sah sich denn das kunstpolitische Programm der „Stürmer" von vornherein in eine oppositionelle Position gedrängt; ein ausgeprägter Wille zum Bruch mit den entgegenstehenden Kräften — und das bedeutete für die Stürmer derzeit: Bruch mit nahezu allem Bestehenden — begleitete von vornherein die Äußerungen des Dichterkreises und bestimmte zugleich auch den Namen, den dieser sich zulegte; der Geist der Opposition, die revolutionäre Geste, ist denn auch der hervorstechendste Eindruck, den die Lektüre der beiden Zeitschriften hinterläßt. Symptomatisch für diese Haltung ist bereits das erste Heft des „Stürmers", das René Schickele mit einer scharfen Polemik gegen die Redakteurin eines Colmarer Provinzblattes einleitet. Im Barbarentum des behäbigen Kunstbetriebes sieht Schickele die Hauptursache dafür, daß das Elsaß die ihm zukommende Aufgabe bislang nicht erfüllen konnte. So wendet sich denn der Herausgeber des „Stürmers" in dieser programmatisch-polemischen Eröffnung

„an die Jugend [...] an die, die unverbrauchte Kraft in sich spüren, denen neue wilde Thaten im Blut brennen, die die Wucht haben zu brechen! —
Das Elsaß müsse an die Rolle kommen, müsse ein wichtiger Kulturfaktor werden, weil es Brachland sei, über das nur ein Sommerstürmer zu gehen brauche, um Wunder zu wirken: Unverbrauchte Kraft! Unverbrauchte Kraft aber ist Jugend, unverbrauchte Kraft sehnt in den Morgen, ringt mit einem neuen Gott um neue größere Thaten, unverbrauchte Kraft hebt sich glühend aus Götzendämmerungen in die Sonne. Uralt ist die Sonne wie die That, aber jeder Morgen ist eine neue Schöpferthat, die über Trümmer emporbaut — hinaus." (St. S. 2 f.)

Schon diese wenigen Zeilen verweisen in Duktus und Vokubular überdeutlich auf den Ahnherrn dieser revolutionär sich gebärdenden Jugendbewegung: auf Friedrich Nietzsche. Die hohe Verehrung des Kulturkritikers und Philosophen ist allen Mitgliedern des Stürmer-Kreises gemeinsam; seine Vorstellungen geben Anstoß und Inhalt der ersehnten Erneuerung. Unmißverständlich gibt Ernst Stadler in seiner Skizze „Neuland" diesem Zusammenhang Ausdruck:

„Und dies sei fortan das höchste Ziel des Künstlers, vom Bestehenden zu sagen: ‚Es *war*' und darüber hinwegzuschreiten zu dem Neuen. Und dies sei euer Gesetz, ihr Künstler und Dichter: Nicht länger ‚rückwärts schauende Propheten' zu sein. Seht vorwärts. Seht in Morgensonnen! Vorwärts sahen alle großen Geister der Weltgeschichte, Christus und Giordano Bruno, Luther und Nietzsche. Zerschmettert die alten Tafeln und schreibt euch euer eigen Gesetz aus euerem Eigen-Willen!" (St. S. 70)

2.2. Mag sich auch manchmal dieses Zerbrechen der alten Tafeln zur bloßen Geste entleeren, zur alleinigen Dokumentation aufsässiger Jugendlichkeit[18], so fand doch der Wille zum Aufbruch in der konkreten Situation des Elsaß der Jahrhundertwende vielfältigen Anlaß. Im kulturellen Bereich war es vor allem die provinzielle Rückständigkeit, die die Kritik des Stürmer-Kreises herausforderte. Gegen die Gefahr der Erstarrung des elsässischen Geisteslebens wendet sich schon René Schickele in seinem ersten Artikel in der „Gesellschaft"[19]. Doch der Angriff gegen den Kunstbetrieb der Zeit geht über die engeren Grenzen der Provinz weit hinaus; in seiner „prinzipiellen Einleitung zum Versuch einer Kulturkritik" will Otto Flake diese Bestrebungen „*im weitesten Sinne*" verstanden wissen. Wiederum ist es

Friedrich Nietzsche, der zum Vorbild dieser neuen „unzeitgemäßen Betrachtungen" gewählt wird: Philosophie, wie sie Flake verstanden wissen will, „sei Kulturkritik, Ausfluß der umfassenden Persönlichkeit: das Erbe Nietzsches." (St. S. 13 f.)[20] Nietzsches Warnung vor der Gefahr einer „Exstirpation des deutschen Geistes zu Gunsten des deutschen Reiches" gelte in der gegenwärtigen Zeit mehr denn je, sie habe bei den Jungen „eingeschlagen". Gerade die junge Generation habe erkannt, daß die obligate Phrase vom „Volk der Dichter und Denker" den „ganzen Jammer der deutschen Kulturbestrebungen" nur verdecke, daß „der eiserne Bestand der allgemeinen Bildung", die Behauptung, diese Werte „seien der einzige echte Ausdruck der jedem Menschen eingepflanzten *edlen, besseren* Triebe", jede Fortentwicklung hindere. „Nie darf so die Gültigkeit, sei's der heutigen Moral, sei's der künstlerischen Anschauungen bewiesen werden. [...] Studiert die Geschichte nach den großen Prinzipien, nach den Ideen! und das einzige, was resultiert: panta rhei." (St. S. 14) Und im gleichen Nietzscheschen Sinn behauptet René Schickele:

> „Der Künstler ist Anarchist der Gesellschaft gegenüber. Was heißt aber Anarchist, wenn er unmittelbares, selbsterhaltendes, selbstvernichtendes Leben ist! [...] immer wieder fällt die Blutsaat und treiben die wilden Blumen, immer weiter rast die Vernichtung mit dem Zeichen des Segens [...] wie klingen aus niederkrachenden Reichen so herrlich die roten Heldenweisen des Lebens!" (St. S. 34)

2.2.1. Im einzelnen spricht aus der Kulturkritik des Stürmer-Kreises ein stark antibürgerlicher Affekt. Noch recht harmlos und konventionell zeigt sich dieser Aspekt, wenn der Herausgeber des „Stürmers" gegen die Gewöhnung „an ein Genre ‚Dichtung' " wettert, „das gar zu gemütlich im Gleise irgendeines Verskünstlers von Geibel abwärts kutschiert. Man las diese Gedichte wie man Butterbrot ist, ohne sich aufzuregen und auch ohne merkliche seelische Erschütterungen[21]." Wenn jedoch Schickele kurze Zeit später vom „Kunstwart" behauptet, er „mache die Erfolge" und sei damit „ästhetischer Gebieter über die Schlachtlinien der ‚Mäcene' ausbrütenden Bourgeoisie, die *etwas — für — die Kunst!! — thut*"[22], so stößt er damit zu einer bemerkenswert scharfsichtigen und keinesfalls nur ästhetizistischen Gesellschaftskritik durch.

In die kompromißlose Verdammung des bourgeois stimmen alle Mitglieder der Straßburger Gruppe ein, wobei das zu immer neuen Angriffen herausfordernde Bild des Bürgers sehr verschiedenartige Elemente in sich aufnimmt. Zunächst zeigen sich auch hier jene romantischen Züge, die Jost Hermand für die antibürgerliche Gesinnung der Jahrhundertwende als spezifisch herausgestellt hat[23]. Der vor allem aus E. T. A. Hoffmanns Werken[24] übernommene Prototyp des Philisters bestimmt die Physiognomie des Bürgers, den sich die Stürmer als Zielscheibe ihres Angriffs erwählen. So kennzeichnet für Flake „respektable Mittelmäßigkeit" das bürgerliche Kulturideal, das mit Rückweisung jeder dämonischen Kraft die Entwicklung des ganzen Menschen unterbinde; die Tugend der Harmonie schütze den Bürger vor Aufregung und Leidenschaft.

„*Respektabel, mittelmäßig und lakaienhaft:* das deutsche Ideal der Gegenwart, dessen Symbol der semmelblonde Backfisch ist, schmachtend, Sommersprossen im Gesicht und auf der Hirnhaut, Zuckerwasser ganz und Rührung; dabei gut durch und durch; zwar kein Talent, doch ein Charakter, ganz wie die lieben deutschen Mittelstandspoeten: semmelblond, solid." (St. S. 51)

Gegen diesen nivellierenden Einfluß philiströser Gesinnung setzt Flake — Friedrich Nietzsche folgend — die freie Entfaltung der Moral nach dem Vorbild der Renaissance und fordert vom Dichter die Gestaltung des Universalen, des Heroischen.

Auch Johannes Leonardus' Skizze „Von Drüben und Hüben" lebt von dem Gegenüber von Spießbürgerlichkeit und freier Entfaltung der lebensstarken Naturkräfte. Sein Bürger „späht mit Bedacht durch starke Brillengläser und graue Blitzäugelein", kalkuliert seinen schmalen Staatslohn und spinnt seine Philosophie.

„Da hockte denn ja wieder der teutsche Biedersinn bei geschäftigem Diskurse, die gutmütige Familienvaterfaust schmettert wieder in erneuter Wucht die ehrlichsten Trümpfe auf runde speckige Biertische, die teutsche Gründlichkeit feiert wieder bei Alltäglichkeit und Wetterprognosen die ungeahntesten Triumphe, spekuliert in Thesen und Dogmen, raisonniert und weiß gar eifrig den festgewurzelten Zahn zu wetzen!" (St. S. 131)[25]

2.2.2. Dieses reichlich unbeholfen wirkende Klischee eines Spießbürgers (das im übrigen wichtige Elemente aus der Gestalt des Nietzscheschen Bildungsphilisters bezieht) erfährt nun — bei aller Bindung an die überkommenen Traditionsmuster — eine durch die besondere geschichtliche Lage des Elsaß bedingte gesellschaftliche Aktualisierung: ist es doch das Musterbild des Reichsdeutschen, das hier karikiert wird, des eingewanderten kleinen Beamten, der die Eigenart des Elsässers überfremdet und eine politisch-kulturelle Umorientierung zu erzwingen sucht. Ein stärker ausgebildeter Wirklichkeitssinn setzt sich durch, wenn sich René Schickele gegen die „elenden Übergangszeiten des deutschen Unteroffiziers zum deutschen Bürger" wendet (St. S. 91) und Flake den „deutschen Typus des pflichtgetreuen Beamten und Offiziers [...] zum Gegenstück des romantisch ästhetischen Menschen" erklärt[26]. Der Franzose, der keine Mittelmäßigkeit kenne, sei die Kontraposition zum fetten und stumpfen Bourgeois, „feinfühliger, weniger schwerfällig, historischer fühlt man dort das Gesetz des ewigen Flusses.“ (St. S. 49)

Eine weitere Politisierung erfährt das Bürgerbild, wenn es — abermals in der Nachfolge Nietzsches — spezifisch liberalistische Merkmale in sich aufnimmt. Für Otto Flake, der diesen Gedanken am schärfsten vorträgt, ist der Liberalismus der Todfeind alles Großen, jeder heroischen Kunst, da er — als einstmals entscheidender politischer und kultureller Gedanke — nunmehr erstarrt sei und den Spießbürger kennzeichne.

„Der Liberalismus ist reif, noch mehr, überreif. Er hat seine ungeheure Kulturaufgabe erfüllt, er kann gehen. Ein unerbittliches Gesetz, daß man in geistigen Dingen, wie oft im Leben, das hartherzig von sich wirft, was seinen Zweck gethan hat. Liberalismus ist Impotenz, Liberalismus ist Dilettantismus, Liberalismus ist Langeweile, Stumpfsinn, ein stagnierendes Wasser. Hier unser Feind, unser Schlachtfeld, Kampf bis aufs Messer konsequent, rücksichtslos!“ (St. S. 14)

Gegen die Stumpfheit des Liberalen fordert Flake eine Kunst, die „der fetten Bourgeoisie die gigantische Tragik des Elends, der herzzerbrechenden Armut ins Gesicht schleudert“. Der „plebejische Kriegervereinsbetrieb in den Kulturbestrebungen mit dem feigen Verschließen gegen das Soziale“ solle gestoppt werden, denn „das Soziale ist als das rein Menschliche poetisch durch und durch“ (St. S. 15 u. 50)[27]. Proben einer solchen Kunstauffassung, Darstellungen von gesellschaftlichen Mißständen, vom Vegetieren der Unterschichten erscheinen mehrfach in den Heften des „Stürmers“: unter dem Pseudonym Enzio druckt ein Beiträger Momentbilder sozialer Ausweglosigkeit ab („Bettler“, St. S. 93 f.), und ähnlich schildert auch Salomon Grumbach in der Erzählung „Simon Simowitz“ (St. S. 128 ff. und 140 ff.) Konfliktsituationen, die sich aus gesellschaftlichen Widersprüchen ergeben. Die aufschlußreichste Veröffentlichung zu diesem Bereich erschien allerdings erst kurze Zeit nach der eigentlichen Stürmer-Periode: die Erzählungen, die Johannes Leonardus 1905 in dem Sammelband „Proleten“ vorlegte[28].

2.3. Die Hinwendung zu sozialen und politischen Themenstellungen charakterisiert allgemein die Weiterentwicklung der Straßburger Gruppe, selbst wenn einzelne Mitglieder des Kreises solche Bestrebungen zunächst weit von sich wiesen[29]. Nicht zufällig entwickelt sich das Sympathisieren mit sozialistischen Ideen bei vielen Stürmern in den Folgejahren zu einem aktiven politischen Engagement: René Schickele hat sich in seinen späteren Schriften — wie auch zeitweise Otto Flake — wiederholt offen zur Sozialdemokratie bekannt, war ab 1909 als politischer Korrespondent tätig und übernahm 1911 die Redaktion der linksorientierten „Straßburger Neuen Zeitung"; Hermann Wendel brachte es sogar zum Reichstagsabgeordneten der SPD, wie auch Salomon Grumbach in der sozialistischen Bewegung Frankreichs späterhin eine wichtige Rolle spielte. Diese Tendenz wird bereits im „Stürmer" deutlich, wenn etwa Ernst Stadler an der Lyrik Gustav Renners das „volle Mitleben mit den großen sozialen Zeitideen" herausstreicht (St. S. 4), oder René Schickele auf die Sozialdemokratie setzt, daß nicht weiterhin das Straßburger Stadttheater als kaiserliches Hoftheater mißbraucht werde. (St. S. 89 ff.) Besonders in den beiden Merker-Heften setzt sich die gesellschaftlich-politische Argumentation durch. Ein Mitarbeiter, der mit den Initialen P. T. zeichnet[30], fordert eine Literaturgeschichtsschreibung, die von „einem Verstehen auf Grund kultureller, sozialer Faktoren" ausgeht. (Heft 3, S. 3) Eine Artikelfolge über Parlamentarier wird begonnen, in der ein Autor unter dem Pseudonym Till sowohl gegen konservative und liberale Politiker wie auch gegen die müden Sozialdemokraten polemisiert. (Heft 1/2, S. 9 ff.) Otto Flake opponiert gegen die Kultur- und Bildungspolitik des Kaisers, die zur irrationalistischen Verschleierung der tatsächlichen Zustände führe (Heft 1/2, S. 3 ff.), und in Heft 3 (S. 12) nennt Hanns Parth (d. i. Hans Pagel) den Kaiser gar einen Scharlatan, den man ebensowenig wie die sonstigen Protektorenpersönlichkeiten ernst nehmen könne — ein kühner Angriff, der denn auch zur Beschlagnahme dieser Nummer und damit zur Aufgabe weiterer Publikationspläne des Stürmer-Kreises führt.

2.4. Dieses gesellschaftskritische Engagement der Stürmer schlägt sich nicht zuletzt in der offenen Sympathie für die Bestrebungen der deutschen und französischen Naturalisten nieder. Schon mit der Wahl des Begriffes „Jüngst-Elsaß"[31] knüpfen sie sehr bewußt an die Tradition der politischen Dichtung des Jungen Deutschlands und des Naturalismus, der sich selbst als „Jüngstes Deutschland" einführte, an. „Der Naturalismus war die Einleitung" zur modernen Kunst, in der alles, selbst das Alltägliche, das Gemeine und Ekelhafte, zum Gegenstand poetischer Behandlung werde, stellt Otto Flake bewundernd fest. (St. S. 84 f.) Während man draußen im Reich „des Pessimismus, Unerhörten, Grüblerischen, Sozialen müde" geworden sei und das bürgerliche Kunstideal des Liberalismus neu erwache, fordert Flake für das Elsaß die „bewußte Fortführung des Kampfes: die Moderne ist kein Intermezzo gewesen, sie war die Introduktion." (St. S. 15) Gerhart Hauptmanns frühe Dramen werden als Vorbild gepriesen; 10 Jahre nach ihrem Erscheinen erfahren die „Neuen Gleise" von Holz und Schlaf eine ausführliche Würdigung (St. S. 103 f.); vor allem ist es aber Emile Zola, dessen Romanschaffen die volle Zustimmung der Stürmer findet. Während in den Kunstmetropolen Deutschlands, in Berlin und

München, die Naturalisten als „vaterlandvergessene Zola-Adepten" gebrandmarkt werden[32], stellt René Schickele den französischen Romancier als „glühendsten Idealisten der Litteratur" über Goethe, Schiller und Byron (St. S. 36). „Zola war eine Heilung. [...] In das Blut der Romantik hat er den nötigen Eisengehalt gebracht (St. S. 121)." Die Gemeinheit und den Erdenschmutz wie kein anderer kennend, habe er dennoch niemals seinen naiven Glauben an die Menschheit verloren. Und Ernst Stadler lobt als „großartige Errungenschaft des Naturalismus, jeden Menschen in seiner Sprache reden zu lassen", während er für die Phase nach 1892 feststellt: „Wenig Großes hat die Abkehr vom Naturalismus bisher geschaffen. Hüten wir uns, daß wir nicht anstatt bei der erträumten großzügigen Heroenkunst am seichten Strand schwächlichen Epigonentums landen" (St. S. 72) — eine höchst treffende Kennzeichnung der Situation, in der sich die gesamte Kunst der Jahrhundertwende befand und die insbesondere die Eigenart des fin de siècle entscheidend bestimmte, zugleich eine hellsichtige Warnung, die freilich weder Stadler selbst noch seine Freunde aus dem Stürmer-Kreis vor epigonaler Nachahmung bewahrte.

In den Ausführungen Ernst Stadlers zeigt sich nun mit besonderer Deutlichkeit, daß das Eintreten für die Naturalisten nicht etwa als eine elsässische Sonderentwicklung mißverstanden werden darf und erst recht keine provinzielle Rückständigkeit dokumentiert. Im Gegenteil, das Aufgreifen naturalistischer Vorbilder ist aus der bewußten Auseinandersetzung mit den zeitgenössischen Literaturströmungen motiviert. So setzt auch Schickele seine Begeisterung für den Naturalismus von den Tendenzen ab, die er in der „neuen Romantik", bei Sudermann und Rudolf Huch oder in der Verkitschung Goethes zu finden glaubt.

2.5. Zugleich gedenken die Stürmer doch nicht, bei den Naturalisten stehen zu bleiben, deren Sekundenstil und allein kausal argumentierende Milieutheorie sie ohnehin nur mit Reserven aufnehmen. Vor allem sind es der Hang zu kleinlicher Übertreibung und die „poetische Farblosigkeit", die sie als negativ registrieren. So weiß Schickele gerade die stimmungshaften Elemente, die in Schlafs Beiträgen zu den „Neuen Gleisen" hervortreten, zu würdigen (St. S. 103); und Stadler hebt an der nachnaturalistischen Entwicklung „die Freude am Kostüm, an Prunk und Farbe, die wir so lang entbehrten", hervor. (St. S. 71) Die entscheidende Aussage, die auf den gesamten Stürmer-Kreis zutrifft, finden wir in dem schon mehrfach zitierten „Versuch einer Kulturkritik" von Otto Flake: „Wir sind die Erben der Moderne + der Zeit davor, aus Beidem entsteht ein Neues." (St. S. 15) Und ähnlich auch an anderer Stelle: „Der Naturalismus war die Einleitung, er sah die Welt endlich auch von der anderen Seite. Wir erwarten eine

Kunst, die nach zwei Seiten sieht, meinetwegen nach dem einfachen Gesetz der Gegensätze." (St. S. 84) Dieser synkretistische Zug, der die Errungenschaften des Naturalismus aufgreift und sie mit den poetischen Gestaltungsmitteln der impressionistisch-neuromantischen Strömungen zu einer neuen Kunstrichtung zu verbinden sucht, darf als eine der entscheidenden Tendenzen der Straßburger Gruppe aufgefaßt werden. Die Synthese der zum Ende des Jahrhunderts verfügbaren Ausdrucksmittel und Stilhaltungen definiert geradezu das künstlerische Programm der Stürmer. Und wenn auf dem Titelblatt ihrer Zeitschrift der Namenszug „Stürmer" von Rosen umrankt erscheint, so symbolisiert eine solche graphische Gestaltung in sehr bezeichnender Weise die Bestrebungen dieses Kreises junger Autoren. „Stürmer in Rosen" kann als das Signum ihres gemeinsamen Zieles gelten, dem sozial- und kulturkritischen Anspruch eine ästhetische Gestalt zu verleihen[33].

Im Sinne eines solchen Kunstprogrammes hebt denn auch Stadler an den Dichtungen eines Gustav Renner hervor, daß der „revolutionäre Funke" — das „eigentlich Moderne" — durch den „natürlichen Rhythmus der mythischen Vorstellung verstärkt" erscheine . (St. S. 4 f.) John Ruskin, der englische Sozialkritiker und Ästhet, wird als Vorbild der intendierten Synthese von Kunst und Politik gepriesen. (St. S. 116) Andererseits findet jede zeitgenössische Tendenz eine drastische Abfuhr, die statt „des bitteren Ernstnehmens des Lebens [...] idealistische Schönheitskonstruktion mit dem obligaten Harmonieschluß" anbietet. (St. S. 85) Selbst die Texte Friedrich Lienhards, deren „morgenfrischer Klang" und „quellfrische Einfachheit" bei den Stürmern anfangs noch einige Anerkennung fanden, werden später als „Stücke aus der Subalternbeamtenstube" abserviert: „Teutschtum mit Lindenblütentee und Zuckerware", urteilt Schickele im März 1903[34].

2.6. Diese erfrischende Kritik läßt hoffen, läßt einen Weg zum hochgesteckten Ziel erwarten, der eine Alternative zu Schönheitskult und esoterischer Stilkunst eröffnet. Doch eine nähere Analyse der Voraussetzungen führt zu rascher Ernüchterung und zeigt, wie wenig die postulierte Synthese in diesem Rahmen gelingen konnte, wie sehr auch die Stürmer an den von der Zeit bereitgestellten Dichtungsmustern haften blieben und gerade an der Unvereinbarkeit der zu synthetisierenden Stilhaltungen scheitern mußten. Schon Flakes Formulierung, daß die gesellschaftlichen Konflikte „durch umfassendstes Herausfühlen" erfaßt werden müßten, stimmt bedenklich. Und auch Schickele sieht die einzige Garantie dafür, daß „Dichtung kein schöner Schein [ist], der über die öde Alltäglichkeit hinwegtäuscht", in dem Künstler, der allein „Naturphänomen [ist], wie ein Krieg, ein Vulkanausbruch ... wie Mitternachtsonnen."

Preis des Heftes 25 Pfg., per Quartal Mk. 1,25.

# Halbmonatsschrift
für
# künstlerische Renaissance im Elsass.

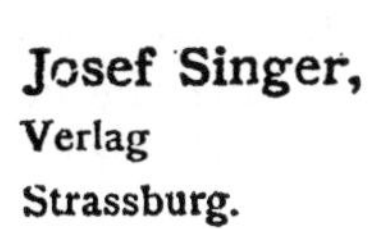
Josef Singer,
Verlag
Strassburg.

Nr. 1
1. Juli 1902.

„Der Dichter schafft aus dem Weltgeist heraus, er ist der Schöpfer, er fühlt den Herzschlag des Alls in sich schlagen [...]. Die Natur kennt kein Gut und kein Böse. Alle Gewaltthaten sind Segen, aller Segen ersteht aus Meeren Bluts, immer sind es Morgenröten, die töten, was die Nacht gebar.“ (St. S. 33 f.)

Die Herkunft solcher Erwägungen, die jede rationale Argumentation überspringen und die ursprüngliche Macht des Lebens beschwören, ist unschwer zu bestimmen: hinter diesem vitalistischen Weltentwurf steht die Philosophie Nietzsches — oder genauer: deren reduzierte Gestalt in der Form eines Lebenskultes[35], wie man ihn derzeit aus „Also sprach Zarathustra“, der „Geburt der Tragödie“ und anderen Schriften zu erkennen glaubte. Schon mehrfach stießen wir bei unserer Darstellung auf die große Wirkung des Philosophen, in dessen Hochschätzung sich alle Stürmer trafen: Nietzsche, der in vieler Hinsicht Haltung und Denkweise des fin de siècle vorwegnahm, für das endende Jahrhundert den Tod des christlichen Gottes verkündete und seine Zeit als décadence kennzeichnete, wurde auch für diesen Kreis zum Kronzeugen des eigenen Weltverständnisses. Seine Kulturkritik, aber auch Zarathustras Lebensenthusiasmus und dessen Aufforderung „Werde der du bist“ wurden von René Schickele und seinen Freunden begeistert aufgegriffen[36]. In der Konzeption eines irrationalen Kunstbegriffs ist der Einfluß dieses philosophischen Repräsentanten einer Endzeitstimmung jedoch am folgenreichsten: Nietzsche schaffte mit seinem Erkenntnisskeptizismus für die Bestrebungen des Straßburger Kreises die Möglichkeit einer philosophischen Begründung, seine Schriften verhießen eine Brücke zwischen Kulturkritik und künstlerischem Ausdruck und regten eine Genieästhetik an, die jede Analyse durch künstlerische Intuition ersetzte und jede Bewegung, auch die revolutionäre Veränderung, aus sich heraus als Naturgesetz erklärte.

Ganz offenbar standen hier die Stürmer vor einem durch tradierte Deutungsmuster vorgegebenen Rezeptionszwang, dem sie sich — schon bedingt durch ihr Alter — kaum entziehen konnten, der sie den damals verbreiteten Mißverständnissen der Nietzscherezeption unterwarf, damit aber auch die dichterische Konkretisierung ihrer verheißungsvollen literaturkritischen Ansätze verhinderte.

### *3. Lyriker und Journalisten*

3.1. Neben dieser prägenden Einflußrichtung — zum Teil auch von ihr selbst bedingt — stellte nun vor allem aber die eklektizistisch-synkretistische Tendenz ihrer Kunstauffassung die Stürmer vor Probleme, die sie aus eigener Kraft nicht zu bewältigen vermochten und die letztendlich auch zum

Scheitern ihrer hochgreifenden Pläne führten. Das zeigen schon die vielfachen Widersprüche in den theoretischen Abhandlungen: Die Berufung auf das untrügliche Gefühl steht bei Flake im unvermittelten Kontrast zur Irrationalismuskritik in der ersten Nummer des „Merkers", und ebenso lassen sich die dezidierten Äußerungen Schickeles zum kulturpolitischen Auftrag des Elsaß kaum mit seinem Entwurf einer apolitischen Kunstmetaphysik verbinden. Noch stärker springt die Unvereinbarkeit der Positionen, die eine Synthese eingehen sollen, ins Auge, wenn in den Merker-Heften — in durchaus ernstzunehmender Argumentation — Gesellschaftskritik betrieben und unverhohlen für die Sozialdemokratie Partei ergriffen wird, andererseits jedoch O. H. Dressler begeistert die Lebensmystik eines Silvio Pagani[37] preist (M. 1/2, S. 18—24) und Hanns Parth voller Enthusiasmus im Dorian Gray Oscar Wildes den „Idealtypus des modernen ästhetischen Genußmenschen" feiert (M. 1/2, S. 33—36). Schon hier deutet sich an, daß statt der intendierten Verschmelzung verschiedenster Traditionen allein ein unverbundenes Nebeneinander von Weltanschauungen und Stilhaltungen, die ganz nach Bedarf ausgewechselt werden können, erreicht wird. Diese Beobachtung bestätigt sich erst recht in der eigenen dichterischen Produktion des Stürmer-Kreises. Die Ansätze des Naturalismus werden fast ausschließlich in den erzählerischen Gattungen aufgegriffen, in der Lyrik, dem bevorzugten Medium der Straßburger Gruppe, verbleibt jedoch jede Sozialkritik, jedes Eingehen auf die Probleme der realen Umwelt, außerhalb der gestalteten Stoffe[38]. Hier sind die Muster des späteren 19. Jahrhunderts und der als neuartig empfundenen zeitgenössischen Lyriker so verpflichtend, daß jede Vermittlung mit einem politischen oder gesellschaftskritischen Engagement schon von daher ausgeschlossen erscheint. Der Zusammenschluß von „Naturalismus und Neuromantik", von „Wirklichkeit und intimer Stimmung" zu einer „universalen Kunst" (Flake in St. S. 86) muß mißlingen, und es liegt eine gewisse Zwangsläufigkeit darin, daß sich die postulierte Synthese — gerade auch unter dem Einfluß Lienhards, dessen Vorbild in der ersten Stürmer-Zeit trotz aller Vorbehalte noch übermächtig ist — zu einer hybriden Verschmelzung von Stoffen aus der christlichen, antiken und germanischen Mythologie verschiebt. Beispielhaft sind dafür Stadlers „Bruchstücke einer Dichtung" „Baldur", deren „Finale" — mit dem Untertitel „Neue Morgenröten donnern aus tiefsten Nächten" — Herkunft und Art der erreichten kulturellen Synthese in aller Deutlichkeit belegt:

Baldur = Prometheus = Christus —
Heiliges Leben
In Licht, in Schönheit,

Nie sterbender Götterrausch
Glühendster Trunkenheit! ...
Nur fühlen, atmen, schwelgen. Seligstes
Nirwana und
Aus tausend Himmeln tausend Morgensonnen (St. S. 62).

Dieselbe Symbolfigur aus dem Regressionsbereich altdeutscher Mythologie begegnet ebenfalls bei René Schickele, verschränkt sich auch dort mit Christus, mit Kain und Abel, nimmt in der Gestalt Julian Apostatas heroische Züge an und erhält ihre letzte Aufgipfelung im Gott des Werdens, der Liebe und des Rausches: in Pan, der der Sammlung dieser Gedichte zugleich ihren Namen gibt[39]. Bezeichnend für diese alle Traditionen und Kulturkreise harmonisch in sich aufnehmende Weltdeutung ist eine kurze Charakteristik, die Schickele selbst dem Vorabdruck des Gedichtes „Feuersegen" im „Stürmer" voranstellt: „Dies Stück [...] bildet den Brennpunkt der ‚Heroika', in dem sich alle Strahlen sammeln, von West und Ost: der Übergang vom alten zum neuen Reich, die neue Erlösung." (St. S. 20) Eine solche allumfassende Vereinigung der Gegensätze kann allerdings allein in jenem irrealen Raum gelingen, den Schickele in seinem Gedichtband „Pan" entwirft: in einem „Hochland" Lienhardscher Prägung, das die Probleme des „räsonnierenden Alltags" konsequent ausklammert:

„Wir aber sind für den Sonntag da, wir Poeten, wir Sonntagskinder, wir Hans im Glück, wir Enkel Baldurs und Apollos, die bei Germanen und Griechen Sonnengötter waren. Der Sonntag ist keine Weltflucht; er ist ein Überschauen und Ordnen des Wochentags, ein Überleuchten ist er, er ist ein stählernes Ausruhen und ein herrliches Aufatmen in reiner Luft. Hochland!"[40]

Diese verblasenen „neuen Ideale" Lienhards verbinden sich in den frühen Gedichten Schickeles — und Ähnliches ließe sich auch an den lyrischen Texten seiner Freunde zeigen — mit den herrschenden Tendenzen in der Dichtung der Jahrhundertwende. Das gesamte Arsenal des zeitgenössischen Vitalkultes findet sich hier wieder, Farbenrausch und Blutmystik stellen sich ein, entladen sich in einem orgiastischen Untergangstaumel des „selbsterhaltenden, selbstvernichtenden Lebens" und führen konsequent zur Aufhebung des schärfsten Gegensatzes in der abschließenden Ästhetisierung des Todes:

Sonne schlürfen bis wir taumeln ... niedertaumeln
in den großen Traum der Ewigkeit:
aus moderndem Gebeine blüht die Purpurrose,
die mit sehnsuchtsheißen Küssen eine Liebende bedeckt.
Alles gut und alles heilig — Leben[41].

Tatenrausch und vitale Ekstase, Heldenglorifizierung und Sonnenkult lassen nur noch wenig von der Kultur- und Gesellschaftskritik des Stürmers erkennen. Der geforderte Bruch mit der Tradition zergeht in der schwülen Atmosphäre des Blut- und Todesrausches; die Lust am „Zerbrechen alter Tafeln" gerinnt im irrealen Raum zur bloß pathetischen Geste. Wie die meisten seiner Zeitgenossen bleibt auch René Schickele — zumindest in seiner frühen Lyrik — in einem eudämonistischen Lebensoptimismus verhaftet, der die zeit- und kulturkritischen Aspekte des Stürmer-Programms überdeckt:

Voller Sonne ist die Welt. O Leben,
birgst es doch, das Glück[42].

Mit dieser Verharmlosung aller Dissonanzen hat der junge Dichter die Abwendung von der Wirklichkeit, von den Grundwidersprüchen seiner Zeit vollzogen. Indem er an den überkommenen Formen und Stoffen festhält, ja sogar eine totale Amalgamierung aller Traditionen — selbst noch der überlebten — erstrebt, begibt er sich jeder Möglichkeit, der in ernsthafter Auseinandersetzung mit seiner Zeit entwickelten Programmatik eine entsprechende Gestaltung im lyrischen Medium zu geben. Die überkommenen Muster der Lyrik, an die sich trotz aller Opposition alle Stürmer klammern, verstellen den Weg jener „Litteraturrevolution", den die Gruppe aus der Kritik ihrer Umwelt einzuleiten sucht.

Dieser Befund wird vollauf bestätigt durch die lyrischen Versuche, welche die Freunde Schickeles in dieser Zeit publizierten. Wenn auch innerhalb der kaum zwölf Monate gemeinsamer Anstrengung eine gewisse Fortentwicklung nicht zu verkennen ist und sich eine zunehmende Aneignung überzeugenderer Vorbilder abzeichnet — Verlaine und A. Poussin werden nachgedichtet und von Texten Francois Villons erscheinen im „Stürmer" erste deutsche Übersetzungen — so bleibt es doch zunächst nur bei einem Austausch der Muster, die für die Gedichtproduktion angenommen werden. Das zeigen auch noch die Gedichte Ernst Stadlers, die in den beiden Merker-Heften unter dem Pseudonym Hanns Horst[43] abgedruckt wurden und die sicherlich zu den bedeutendsten Lyriktexten gehören, die damals im Umkreis der Stürmer entstanden sind. Sie dokumentieren bereits eine beachtliche Beherrschung vorgegebener Ausdrucksmittel, doch die Bindung an das Überlieferte bleibt, wenn auch Lienhard mehr und mehr in den Hintergrund tritt[44]. Die Gedankenwelt Nietzsches ist es vor allem, die in einem Gedicht wie „Ex aetheribus" erscheint, hier allerdings durchsetzt mit durchaus eigenen Tönen, die freilich in den Schlußversen wiederum in die platte Lebenseuphorie der Jahrhundertwende umschlagen:

Den Duft der Gletscher möcht' ich in meine Verse zwingen,
Hinuntergießen in eure Täler in einem einzigen wilden Feuerrausch,
Die Nacht der Felsen und den Glast der Firnen,
Die Kraft der Schneelawinen, die zu Tale donnern
Und den schweren Traum tiefgrüner Alpseen . . .

O Berge, Berge der Einsamkeit!
Da ich im Tale wandelte, wie war ich schwach,
Unfrei und unfroh. Nun jauchzt meine junge Seele
Im goldnen Morgenduft, da purpurn alle Spitzen
Die weiße Stirn mit Flammenlaub umwinden:
Nun kam die Sonne erst und kam der Tag.
[. . .]
O Berge, meine Berge! — Wenn mein Auge wieder
In eure Abgrundtiefen schauernd trinkt.
Ihr meine besten Freunde, meine wahrste Welt —

Goldenem Flammentau gleich brause euer Atem durch meine Gesänge,
Ewiger Kraft und Schönheit leuchtend Mal,
Ewiger Jugend! (M 1/2, S. 15)

3.2. Auch hier zeigt sich wiederum, daß die geltenden Muster der zeitgenössischen Lyrik so übermächtig sind, daß sie den Durchbruch zu eigenem Ausdruck kaum zulassen. Interessant ist nun, daß die Stürmer ihre eigenen Vorstellungen sehr viel eher in jenen Medien erreichen, die weniger stark von der Tradition besetzt sind. So wird — mehr als in der Lyrik — in den wenigen Prosaversuchen die Loslösung vom überkommenen Vorbild deutlich, und in den bereits erwähnten Erzählungen, die J. Leonardus 1905 unter dem Titel „Proleten" vorlegte, gelingt ansatzweise durchaus die intendierte Synthese von Naturalismus und ästhetisch affizierender Gestaltung. Diese Prosa versteht sich sogar — wie das Vorwort ausweist[45] — programmatisch als Absage von der Welt des fin de siècle:

„Pierrot und alle die Schwärmer früherer Zeiten sind ausgereift und ihre Formen sind uns Scheidemünze. Die Morphologie zeigt uns den Proleten als eine der neuen Formen noch nicht gebundener organischer Masse. So wird er zum Symbol für einen noch ungebundenen, für den formlosen Rest unseres Erlebens und Erkennens. Der Prolet." (S. XII)

Wenn auch das Interesse am unverstellten Leben, an der unmittelbaren Vitalität der unteren Klasse, die sich in Saufereien und Liebesabenteuern äußert, noch an den Vitalkult der Jahrhundertwende erinnert, so ist der Konflikt mit der gesellschaftlichen Oberschicht, die gerade die Unwissenheit des Arbeiters für die eigenen Belange ausnutzt, durchaus sozialkritisch gesehen. Alles das bietet sich in einer Sprache dar, die stark elsässisch gefärbt und mit Kraftausdrücken des Straßenjargons durchsetzt ist, zugleich aber durch ihre Bildhaftigkeit und durch den Einsatz stimmungshafter Valeurs die Manier rein naturalistischer Darstellung immer wieder durchbricht. Gerade auch in der Schilderung städtischen Lebens erreichen diese Erzählungen eine bemerkenswerte Dichte:

„Flackrige Gasflammen hüpften hinter den Laternenscheiben, an denen körniger Schnee hinglitt und zu feinsten Tröpfchen schmolz. Ein rotbrauner Dunst hellte über der eingeschlafenen Stadt. Die hochgegiebelten Häuser standen unter dumpfem Himmel dicht beieinander und hielten sich warm. Der Abend schüttete weiche Schneemassen herab. Der Eiswind kam in Stößen längst der Mörtelwände nieder und fegte dichtere Streifen in den Rinnstein." (S. 123)

3.3. Was sich nun in diesen erzählerischen Proben schon in ersten Ansätzen zeigt — und es scheint mir kein Zufall zu sein, daß in ihrer späteren Entwicklung auch René Schickele und Otto Flake gerade in diesem Medium ihre wesentlichen literarischen Leistungen vorlegten — setzt sich in einem anderen Bereich durch, der so gut wie keine verpflichtenden Traditionen kennt: im journalistischen Essay. Hier erreichen die Stürmer ihr Eigentliches, hier gelingt ihnen durch eine Symbiose von politisch-kulturellem Engagement und ästhetisch wirksamen Ausdruck der Durchbruch zu Aussageweisen, die für die derzeitige Situation des Journalismus als neuartig empfunden wurde. Das zeigt sich schon im „Stürmer" und besonders im „Merker" in den Beiträgen, die zu aktuellen Problemen der Gesellschafts- und Kulturpolitik Stellung nehmen und von denen Carl Gruber berichtet, daß sie gerade durch „die jounalistische Verve" als ungewohnt und neu auffielen[46]; das dokumentiert sich noch deutlicher in den sechs Monaten des Jahres 1904, in denen René Schickele das „Neue Magazin" redigierte und in dieser kurzen Spanne zu einer der fortschrittlichsten Zeitschriften machte, die bereits wesentliche Züge der großen Organe des Expressionismus, der „Aktion" und der „Weißen Blätter", vorwegnahm[47]. So war es nur konsequent, wenn viele Stürmer in den Folgejahren begeisterte Journalisten wurden; allein drei von ihnen trafen sich um 1910 als politische und kulturelle Korrespondenten in Paris: Salomon Grumbach schrieb für den „Vorwärts", Otto Flake für das Feuilleton verschiedener deutscher Zeitungen und René Schickele vor allem für Straßburger Blätter[48]. Norbert Jacqes berichtet von Schickele aus dieser Pariser Zeit: „Er war mit Leidenschaft und Blitz Politiker[49]." Der Rang der damals entstandenen politischen Essays läßt sich aus den Musterstücken ablesen, die Schickele 1913 unter dem Titel „Schreie auf dem Boulevard" herausgab. In den engagierten und Atmosphäre geladenen

Berichten über den Sozialistenführer Jauré, über den politischen Verrat Aristide Briands, über den eingeborenen demokratischen Sinn der Franzosen erreicht die deutsche politische Essayistik einen ihrer Höhepunkte[50]. Zugleich kann damit aber auch die Forderung der Stürmer als erfüllt gelten, die politische Mission des Elsässers auf dem Wege einer neuen Literaturauffassung in die Öffentlichkeit zu tragen: „Aber vergessen wir nicht", ermahnt Schikkele in seiner Widmung an die Elsässer, die die Sammlung der Essays einleitet, „daß die ‚Marseillaise' eine allgemein menschliche Angelegenheit ist, zu deren Vertretung in Deutschland wir Beruf und Auftrag haben."[51]

### 4. *„Schon an der Schwelle des Jahrhunderts etwas fin de siècle"*

4.1. Diese Perspektiven stießen freilich zur Zeit um 1902 noch auf übergroße Schwierigkeiten, die nun keineswegs allein durch die Bindung an traditionelle Muster erklärt werden können. Vielmehr kommt hier als ein ausschlaggebender Faktor hinzu, daß die Stürmer für ihre Zeitschriften im derzeitigen Elsaß ihre Käufer und Inserenten finden mußten, um der Aufbruchbewegung überhaupt die nötige materielle Grundlage zu geben. Durchaus glaubhaft klingen die Berichte, daß der „Stürmer" keine 100 Abonnenten erreichte. Schon diese Zahl und der Umstand, daß sich in den letzten Heften der Zeitschrift keine Anzeigen mehr finden, deuten den Konflikt an, in den der Straßburger Kreis notwendig geraten mußte, wenn er einerseits eine „Litteraturrevolution" intendierte, auf diese Weise aber zugleich auch in breiter Öffentlichkeit eine „kulturelle Renaissance" einleiten wollte. Neuansatz und politisch-kulturelle Wirksamkeit schlossen sich — nicht zuletzt durch die provinzielle Stellung des damaligen Straßburgs[52] — gegenseitig aus. Gerade die Abwendung von Lienhard, die sich im Jahre 1902 vollzog, brachte die Zeitschrift um jene Lesergruppe, die sich noch am ehesten mit dem Stürmer-Programm identifizieren konnte: um die protestantisch-deutsche Mittelstandsschicht, die sich freilich ganz dem Autor der „Nordlandlieder" und der „Wasgaufahrten" verschrieben hatte[53]. Bereits geringfügige Abweichungen von den anerkannten Mustern, vor allem aber die als décadence gebrandmarkten Anlehnungen an Vorbilder aus den Weltstädten Paris und Berlin, brachten die Gegner auf den Plan[54]. Als stärkste Herausforderung empfand man freilich die politischen und kulturkritischen Beiträge, die in ihrer Offenheit kein Lager verschonten, mit denen sich die Stürmer aber zwischen alle Stühle setzten. So erinnert sich Hermann Wendel:

„So hatten wir alle Welt gegen uns: die eingeschworenen Hüter des von uns angerempelten ‚christlich-germanischen Staates', weil wir ihnen als Sozialdemokraten galten; die Sozialdemokratie, weil wir uns zu exklusiv und zu aristokratisch, im geistigen Sinne natürlich, gebärdeten; den Liberalismus, den wir als Mohren nach getaner Schuldigkeit von oben herab behandelten; die Katholiken, die die Religion bedroht wähnten; die Altelsässer, denen wir nicht elsässisch genug, und die Altdeutschen, denen wir zu elsässisch waren — es war schon eine große Hetz!"[55]

Vielleicht wird gerade aus der hier eindringlich geschilderten Zwangslage erklärlich, daß eine radikale Lösung von der Tradition den Stürmern zu jener Zeit gar nicht möglich war. Die gesamte Zwiespältigkeit, die sich in der Gleichzeitigkeit von Bewahrung des Überkommenen und Neubeginn äußert, läßt sich auf die letztendlich konservative Haltung des Adressatenkreises zurückführen, den die Stürmer ansprechen mußten, um ihr Programm einer Überwindung überhaupt wirksam werden zu lassen. Damit mußte sich aber die kulturkritische Negation ebenso entleeren, wie die entgegenzusetzende Position ihre eigentliche Bestimmtheit verlieren; die Ästhetisierung löst sich von der durchaus fortschrittlichen Zielsetzung, zog sich zurück auf Innerlichkeit und unerreichbare Räume, die schließlich das schon Vorhandene in lediglich neuem Arrangement bestätigten.

4.2. In dieser Situation erweist sich der Stürmer-Kreis als ein typisches Produkt des fin de siècle. Eine solche Affinität zur herrschenden Zeitströmung haben die Stürmer durchaus gesehen und in verschiedenen Äußerungen deutlich werden lassen. Am aufschlußreichsten dürfte in diesem Zusammenhang der Oscar-Wilde-Essay sein, den Hanns Parth im ersten Merker-Heft veröffentlichte. Dieser Beitrag gipfelt in einer Apotheose der Salome, des Inbegriffs einer ästhetisch gedeuteten Weltendstimmung:

„Es ist das Schwanenlied einer sinkenden kraftlos gewordenen Kultur, in die schon die Morgenröte, die von Nazareth aufsteigt, die ersten zuckenden Strahlen wirft. [...] Es muß doch nicht so übel um unsere Zeit stehen, wenn sie eine Gestalt wie die Salome so reproduzieren kann." (S. 36)

Damit erweist sich auch für die Stürmer das Selbstverständnis des fin de siècle letztendlich in jener Zweipoligkeit, die Hans Joachim Lieber treffend als spezifische Denkfigur der lebensphilosophischen Kulturkritik herausgestellt hat[56]: als Bewußtsein eines säkularen Untergangs, der zugleich als ein Neubeginn gedeutet und bejaht wird. Noch einmal erscheint hier Nietzsche als der eigentliche Protagonist eines solchen Weltverständnisses, vielleicht auch aber als der Anreger jener Selbstironie, mit der Giron (= R. Schickkele) im „Stänkerer" eine aufschlußreiche Selbstcharakteristik des Stürmer-Kreises gibt: „Das jüngste Elsaß leistet schon an der Schwelle des Jahrhunderts etwas fin de siècle[57]."

## ANMERKUNGEN

1. Vielfältige Anregungen, die ich bei der Ausarbeitung des Vortrages berücksichtigen konnte, verdanke ich den Teilnehmern der Münchner Tagung, insbesondere der lebhaften Diskussion, die sich dem Referat dieses Beitrages anschloß.

2. Auf den programmatischen Charakter dieser Parole weist vor allem auch Jost Hermand in seinen Arbeiten zur Jahrhundertwende hin und stellt dabei die Verbindungen zur Heimatkunstbewegung heraus (*Der Schein des schönen Lebens,* Frankfurt/M 1972, S. 22 und R. Hamann/J. Hermand, *Stilkunst um 1900,* München 1973, S. 68 ff.) — So übernehmen die Stürmer den Gedanken der Loslösung von Berlin sicherlich nicht zufällig in der unmittelbaren Nachbarschaft F. Lienhards, der mit seiner 1900 erschienenen Kampfschrift *Die Vorherrschaft Berlins* das Gegenprogramm der Heimatkunstbewegung formulierte. Dennoch lassen sich die Stürmer nicht ohne weiteres dieser Richtung zuordnen; schon 1901 stellt René Schickele, der Begründer des Straßburger Kreises, in der *Gesellschaft* fest: „Wir wollen keine Heimatskunst im *heutigen* programmatischen Sinne" (Jg. XVII, Bd. 3, S. 103). Elsässische Provinzialität wird hier als eine kulturelle Kraft gesehen, die der Regression in die stadtferne Idylle entgegengewendet wird und sich an das „ganze Deutschland" richtet, um eine geistig-politische Erneuerung herbeizuführen. Diese Konzeption führt auch bei den übrigen Stürmern mehr und mehr zu einer Kritik an den konservativ-idealistischen Vorstellungen F. Lienhards. (S. o. S. 492)

3. Mit dieser treffenden Formel charakterisiert J. Hermand in seiner gleichnamigen Aufsatzsammlung (Frankfurt/M 1972) die herrschende Richtung des Kunstbetriebes um die Jahrhundertwende.

4. Jg. XVII, Bd. 3, S. 101 (veröffentlicht unter dem Pseudonym Paul Savreux).

5. Zur Entstehung und Einschätzung des Stürmer-Kreises vgl. auch die Ausführungen bei Vincent Forster, *Das elsässische Kulturproblem im deutschen Schrifttum des Elsaß.* (Diss. masch. München 1951, S. 52 ff.) und die Darstellung K. L. Schneiders in dessen Einleitung zur Ausgabe der Dichtungen Ernst Stadlers (Hamburg 1954, Bd. 1, S. 11—18).

6. R. Schickele, *Die Stürmer,* in: *Die Aktion,* Jg. 4 (1914), Sp. 906.

7. O. Flake, *Es wird Abend. Bericht aus einem langen Leben,* Gütersloh 1960, S. 86.

8. Als „Lehrbue", der „an ere Schwitzerkäsrind erummolt", wird in der Zeitschrift *Der Stänkerer* (s. o. S. 484 f.) Hans Arp als Mitglied der im Atelier Georg Ritleng versammelten Stürmer vorgestellt (S. 4). — Im selben Heft debutierte Hans Arp unter dem Pseudonym H. Rab mit der parodistischen Dramenskizze *Der letzte Sonnenkämpfer* (S. 6—8) und mit dem Gedicht *Frühling* (S. 9 f.).

9. Altelsässer waren René Schickele, dessen französische Mutter kein Wort Deutsch sprach, und der Fabrikantensohn René Prévôt, daneben auch Georg Ritleng und die Gebrüder Mathis, die allerdings nicht zum engeren Kreis der Stürmer zählten; Ernst Stadler und Otto Dreßler stammten aus angesehenen Beamtenfamilien und gehörten damit der deutschen Oberschicht an, Otto Flake und Bernd Isemann, wie auch die meisten übrigen Mitglieder der Gruppe, kamen aus der deutschen Mittelschicht, meist Söhne unterer Verwaltungsangestellter oder Beamter.

10. R. Schickele, *Noch einmal Jung-Elsaß,* in: *Die Gesellschaft,* Jg. XVIII, Bd. 1, S. 108.

11. *Die Gesellschaft,* Jg. XVIII, Heft 10 vom 15. 5. 1902 (= Bd. 2, S. 217—268).

12. So definiert O. Flake die Zeitschrift in Heft 3, Innenseite des hinteren Deckels.

13. In einem Brief vom 9. 3. 1903 schreibt R. Schickele seinem Freund H. Brandenburg: „Der Stürmer hat Aussichten, nächstens wieder in den Frühling zu springen. Mitten in brennende Rosen." (R. Sch., *Werke in drei Bänden,* Köln/Berlin (1961), Bd. 3, S. 1140).

14. Die Zitate aus den beiden Zeitschriften werden im folgenden Text direkt nachgewiesen, beim Stürmer (= St.) nur mit Seitenangabe, beim „Merker" (= M.) mit zusätzlicher Nummer des Heftes, da hier eine durchgehende Seitenzählung fehlt.

15. Die Zeitschrift, deren Herausgeber „aus politischen Rücksichten" anonym blieben, ist offenbar als Reaktion auf die Schwierigkeiten, in die der Stürmer-Kreis geraten war, zu verstehen. Auf diesen Zusammenhang verweisen die Verlagsangabe „Stürmer Witwe" wie auch der Hinweis an die Abonnenten: „Bei nicht vollständigem Erscheinen des Quartals wird zur Deckung eventueller Schulden ein Extrabeitrag von 4 Mk. erhoben." Die ironischen und parodistischen Beiträge, hinter deren Verfasserpseudonymen sich — leicht kenntlich — R. Schickele (Giron), O. Flake (Der naive Otto), H. Arp (H. Rab), G. Ritleng (Daniel Riedich) und A. Mathis (D'r Lockehenri) verbergen, kennzeichnen teils als Selbstkritik des eigenen Anspruchs, teils als Verhöhnung des Straßburger Literaturbetriebes in aufschlußreicher Weise die Situation, die den Stürmerkreis zur Aufgabe des hochgesteckten Zieles zwang. So heißt es in Schickeles Vorstellung des Stänkerer-Verlages: „Lieber Leser, mit Rührung wirst Du vernehmen, daß *Wir* beschlossen haben, Straßburg aus dem Pfuhle des Stumpfsinns und der intellektuellen Verseichung zu ziehen, in dem es, trotzdem es weiß, daß *Wir da* sind, herumzukalbern fortfährt." (Vord. Deckblatt)

16. Neben den drei eigenen Zeitschriften sind für die Kenntnis des Stürmer-Kreises vor allem die Elsaß-Hefte der *Gesellschaft* (s. o. Anm. 11) und des *Neuen Magazins* (Heft 22 des 73. Jahrgangs vom 26. Nov. 1904) von größerer Bedeutung. Auch in anderen Heften des *Neuen Magazins* kamen die Stürmer während der Herausgeberschaft R. Schikkeles (1. 7. — 31. 12. 1904) mehrfach zu Worte.

17. H. Wendel, *Die Stürmer*, in: *Elsässisches Literaturblatt* vom 3. Juni 1931. — Wie ein roter Faden zieht sich der Gedanke der völkerverbindenden Mission des Elsaß durch die Schriften des Stürmer-Kreises. Schon 1901 leitet R. Schickele in der *Gesellschaft* (s. o. Anm. 4) die „kulturelle Bedeutung" des Jung-Elsaß aus der Mischung von gallischem und germanischem Blut her; Paul Lainé (d. i. Th. Seltz) bezeichnet im zweiten Stürmerheft die Aufgabe des geistigen Ausgleichs als „unseren Kulturkampf" (S. 18 f.), und Ernst Stadler, der die Idee des „geistigen Elsässertums" vielleicht am klarsten faßte, sagt in seinem späteren Schickele-Essay: „Elsässertum ist nicht etwas Rückständiges, landschaftlich Beschränktes, nicht Verengung des Horizontes, Provinzialismus, ‚Heimatkunst', sondern eine ganz bestimmte, sehr fortgeschrittene seelische Haltung, ein fester Kulturbesitz, an den romanische sowohl wie germanische Tradition wertvollste Bestandteile abgegeben haben. [...] Von hier aus wird sich die Möglichkeit einer aktiven Beeinflussung der deutschen Literatur durch den elsässischen Geist ergeben, eine Bereicherung, Auffrischung, Befruchtung durch Zuführung neuen Blutes. Und dies erscheint dem Dichter Schickele als die kulturelle Mission des Elsasses innerhalb Deutschlands, gleichwie später der Politiker in der Demokratisierung des Reiches die Aufgabe gefunden hat, die in langsamem Ringen die politische Anstrengung des Elsaß zu erfüllen haben wird." (*Dichtungen*, aaO, Bd. 2, S. 84 f.)

18. In seinem Aufsatz *Jungelsässisches Programm* (im Elsaßheft des *Neuen Magazins*, s. o. Anm. 16) schreibt R. Schickele rückblickend über die Mitarbeiter des „Stürmers": „Wenn es hohe Zeit war, eine Nummer in Druck zu geben, so stürzten sie sich auf den Federkiel und wetzten ihren Zahn. Aber sie wußten nicht recht, wen sie beißen sollten." (S. 690)

19. S. o. Anm. 4.

20. In selbstironischer Spiegelung karikiert O. Flake seine Abhängigkeit von Nietzsche im *Stänkerer*, wenn er in seinem Beitrag *Ecce philosophus* abschließend bemerkt: „Hoffen will ich aber, daß Sie nach diesen Proben einsehen, daß ich wirklich den Namen des Nachfolgers Nietzsche verdiene." (S. 3) — Zeit seines Lebens blieb Flake begeisterter Anhänger Nietzsches, was mehrere dem Philosophen gewidmete Essays und insbesondere seine wirkungsgeschichtlich aufschlußreiche Monographie *Nietzsche. Rückblick auf seine Philosophie* (Baden-Baden 1946) eindrucksvoll belegen.

21. *Der Stürmer*, Heft 3, Rückseite des vord. Deckels.

22. Brief an F. Lienhard aus dem Jahre 1905, zitiert nach: *René Schickele. Leben und Werk in Dokumenten*, hrsg. v. Friedrich Bentmann, Nürnberg 1974, S. 23 (im folgenden zitiert: Dokumente).

23. „Der impressionistische Antikapitalismus hat daher ausgesprochen ‚romantische‘ Züge, da er nicht sozialistisch ausgerichtet ist, wie im voraufgegangenen Naturalismus, sondern lediglich dem Motto ‚in Philistros‘ huldigt.“ (J. Hermand, *Der Schein des schönen Lebens,* aaO, S. 20) — Im folgenden wird allerdings zu zeigen sein, daß diese für die Zeit um 1900 generell richtige Formel für den Stürmer-Kreis nur eingeschränkt gilt und sich hier, trotz der Rückwärtswendung im rein poetischen Bereich, ein politisch fortschrittliches Engagement entwickelt.

24. H. Wendel stellt in seinem Artikel *Zu E. T. A. Hoffmanns 80. Todestag* diesen Bezug zur deutschen Romantik direkt her, wenn er feststellt: „noch öfter muß es sich der ideallose, behäbige Spießbürger gefallen lassen, von ihm [Hoffmann] mit allen Schwächen an den Pranger gestellt zu werden.“ (St. S. 25)

25. Eine aufschlußreiche Wendung der Kritik an der Spießbürgerlichkeit zeigt sich in J. Leonhardus' Gedicht *Unter Idealisten,* in dem die ideologische Funktion der zeitgenössischen ästhetizistischen Kunst klar gesehen wird:

Besinnt man sich gar der Moderne
Und nennt man Dehmel und Stuck,
Die ganze sociale Misere
Wird so zum Afterspuck.

(J. L., *Mein Lebtag geht auf krummen Wegen,* Straßburg 1905, S. 20).

26. *Die Gesellschaft,* Jg. XVIII, Bd. 2, S. 232 f.

27. Sicherlich spricht das grenzenlose Vertrauen in die aktivierende Kraft der Kunst, das in der Behauptung B. Isemanns, eine Veränderung der Lage könne allein „von der Kunst und von nichts anderem, auch von der Politik nicht“, ausgehen (St. S. 107), gipfelt, nicht gerade für eine realistische Einschätzung der gegebenen Möglichkeiten, wenn auch diese Maßlosigkeit mit als Ausdruck der Jugendlichkeit zu werten ist.

28. Erschienen im Verlag Singer, Straßburg. — Auch das Interesse an der elsässischen Dialektdichtung dürfte zu einem guten Teil durch das gesellschaftspolitische Interesse motiviert sein. Das zeigen vor allem die Beiträge von X. Meyer-Ruffra, frühe Beispiele einer Arbeiterdichtung. (M.-R. war Fabrikarbeiter, der durch Krankheit seine frühere Tätigkeit aufgeben mußte.) R. Schickele lobt an seiner Erzählung „Freiheit un Liewe!“ die „herrliche Naivität, diese unbewußte Psychologie, dieses Unmittelbare der Darstellung“. (St. S. 39)

29. Schickeles frühe Aussage in der *Gesellschaft,* „uns allen [liegt] jede politische Tendenz fern“ (Jg. XVIII, Bd. 1, S. 108), hat wohl Carl Gruber in seiner wichtigen Dokumentation *Zeitgenössische Dichtung des Elsass* (Straßburg 1905) zur Behauptung verleitet: „Antipolitisch fühlten sich die Jüngsten, wie seiner Zeit die Berliner Revolutionäre, [... wie] durch die ganze moderne Kunst und Künstlerschaft die Ablehnung des öffentlichen Lebens hindurchgeht, ein unpolitischer Zug“ (S. CXVIII). — Wie unsere Ausführungen zu belegen suchen, trifft diese auch von J. Hermand vertretene These des unpolitischen oder sogar „zutiefst reaktionären Charakters“ der kulturellen Aufbruchbewegung um 1900 (*Stilkunst,* aaO, S. 8 u. a.) für den Stürmer-Kreis nur eingeschränkt zu.

30. Nach F. Bentmann stammt der Artikel von R. Schickele (Dokumente, S. 18 f.)

31. R. Schickele schreibt im *Neujahrsbrief eines Elsässers* (erschienen im Dez. 1901 in der Südwestdeutschen Rundschau): „Wir haben den Namen ‚Jüngstes Elsaß‘ geprägt, weil wir eine ernste und wirkliche künstlerische Kultur anstrebten und aus dem Sumpf, der sich wieder zu bilden drohte, da alles Wasser stagnierte, um jeden Preis herausführen wollten, und weil man uns schließlich in eine Stellung abseits drängte, die allerdings so etwas wie ‚feindlich‘ war.“ (*Dokumente,* S. 23)

32. vgl. J. Hermand, *Der Schein des schönen Lebens,* aaO, S. 15.

33. Die gleiche Tendenz spricht auch aus dem Titel *Rosen ums Schwert,* den Hermann Wendel seiner 1903 in Berlin erschienenen Gedichtsammlung gab.

34. Brief an H. Brandenburg vom 9. 3. 1903. In: Schickele, *Werke in drei Bänden,* aaO, Bd. III, S. 1140. — Schon frühzeitig meldete E. Stadler Reserven gegenüber Lien-

hard an, wenn er im Mai 1902 an Chr. Schmitt schreibt: „Vor allem möchte ich einer solch grundsätzlichen und vollständigen Ablehnung des Naturalismus, wie ich sie bei Lienhard finde, doch nicht ganz beistimmen." *(Dichtungen,* aaO, Bd. 2, S. 117) Auch in Stadlers Rezension Lienhardscher Gedichte, die zu gleicher Zeit im Elsaßheft der *Gesellschaft* erschien (s. o. Anm. 11; S. 256—261), ist die Ablehnung der „Einseitigkeit" durchaus zu verspüren, so daß die Stürmer-Phase des späteren Expressionisten wohl kaum als blinde Nachfolge Lienhards gesehen werden kann. Das „Neuland", das Stadler fordert, ist sicherlich nicht allein das „Gebiet der Heimatkunst" (so L. Dietz in *Euphorion,* Jg. 58 (1964), S. 71), sondern gerade die Synthese von Naturalismus und ästhetisch sensibilisierter Gestaltung, die die Stürmer zur Einlösung ihres kulturellen Auftrags zu erreichen suchten. (Siehe auch u. Anm. 43)

35. Dieser Lebenskult, der in zahlreichen Beiträgen zum *Stürmer* und zum *Merker* einen unmittelbaren Niederschlag findet und noch in Titeln von Einzelpublikationen wie *Dieweil es Leben gilt* (J. Leonhardus) und *Der Ritt ins Leben* (Schickele) direkt zu greifen ist, geht freilich nicht allein auf Nietzsche zurück, sondern knüpft zugleich an eine allgemeine Zeitströmung der Jahrhundertwende an, an der insbesondere auch die zeitgenössischen Vorbilder des Kreises, wie Liliencron, Dehmel, Schlaf, Flaischlen. Lienhard, Holländer, Renner teilhatten. — Vgl. dazu meine Ausführungen in: *Vitalismus und Expressionismus,* Stuttgart 1971, vor allem S. 127—133.

36. So ist wohl bei jedem Mitglied des Stürmer-Kreises die zentrale Stellung des Nietzsche-Einflusses nachzuweisen. Neben den oben genannten Belegen für Stadler und Flake sei hier noch auf einige weitere signifikante Textstellen hingewiesen. Bei Schickele ist die Gedankenwelt Nietzsches besonders deutlich greifbar im Vorwort seiner zweiten Gedichtsammlung *Pan,* in dem er den dionysischen Pessimismus seines Vorbildes beschwört. Im *Neuen Magazin* sagt er bestätigend: „Goethe, Wagner, Nietzsche, Rodin gehören uns" (aaO, S. 691). Auch H. Wendel bescheinigt Schickele im Elsaßheft der *Gesellschaft:* „Er ist ein Lebensbejaher von reinstem Wasser, und das trotzfreudige Zarathustra-Wort: ‚War das das Leben? Wohlan — noch einmal!' könnte auch von seinen Lippen gefallen sein." (aaO, S. 224) Wendel selbst veröffentlicht im dritten Merker-Heft (S. 3 f.) eine *Hymne* getreu nach dem Vorbild der Dionysos-Dithyramben Nietzsches (s. u. Anm. 41). Und im Mittelpunkt der Erzählung *Simon Simowitz* von S. Grumbach steht ein langes Zitat aus *Also sprach Zarathustra* — aus dem „Buch, das [dem Helden] lieb war, weil es zu seiner Seele und zu seiner Stimmung redete." (St. S. 140 f.)

37. Der heute zu Recht vergessene italienische Autor des fin de siècle (geb. 1867) trat damals mit Dramen und Romanen hervor, die den Vorbildern Schopenhauers, Wagners und Nietzsches sklavisch folgten.

38 Hier darf freilich nicht übersehen werden, daß schon dem deutschen Naturalismus die Aneignung lyrischer Ausdrucksformen mißlungen war.

39. R. Schickele, *Pan. Sonnenopfer der Jugend,* Straßburg 1902.

40. F. Lienhard, *Neue Ideale.* Zitiert nach A. Soergel, *Dichter und Dichtung der Zeit,* Leipzig (1911), S. 744.

41. R. Schickele, *Pan,* aaO, S. 56 f. — Eine ähnliche dionysische Feier des Lebens findet sich in vielen Gedichten des Stürmer-Kreises, insbesondere auch in den Texten H. Wendels, dessen von Nietzsche inspirierte *Hymne* als ein signifikanter Beleg dieser Einflußrichtung gelten kann:

Ich habe bessere Götter als ihr!
Eurer hängt röchelnd am Kreuz zwischen Schurken und Schächern,
Meiner wird jubelnd geehrt bei schäumenden Bechern.
Dionysos! Dionysos!
Ich habe frohere Götter als ihr!
Eurer ist weltenmüde und flieht des Lebens goldnen Glanz,
Meiner stürzt jauchzend in Sonne und Licht sich und Schwertertanz.
Dionysos! Dionysos!

Ich habe stärkere Götter als ihr!
Eurer kasteit sich und schmäht gegen sündige Lust,
Meiner zieht trunken ein Weib mit heißrotem Mund an die Brust.
Dionysos! Dionysos!
Ich habe stärkere Götter als ihr!
Eurer läßt züchtigen sich und lächelt bei Schande und Schlägen,
Meiner fährt drein in die Feinde mit gierigem Degen.
Dionysos! Dionysos!
Ich habe stolzere Götter als ihr!
Eurer stirbt bleich mit zitternden Lippen — „Es ist vollbracht",
Meiner, den Tod im Herzen, blickt nach der Sonne und lacht.
Dionysos! Dionysos!
Ich habe göttlichere Götter als ihr!
(M. 3 S. 3 f.)

42. R. Schickele, *Pan*, aaO, S. 66.

43. Nach O. Flake (*Es wird Abend*, aaO, S. 105) benutzte Stadler das Pseudonym „aus Rücksicht auf die prüfenden Professoren"; zahlreiche signifikante Formulierungen belegen die Verfasserschaft Stadlers, so auch der Beginn des Gedichtes *Verloren:*

Des Sommers purpurn Erntelied verschwamm im Wind.
Der heiser durch die welken Kronen klirrt,
Fremde, seltsame Dinge sind
In seinem Sang. Die haben mir den Sinn zerwirrt. (M. 1/2 S. 15)

Das mit h. h. unterzeichnete Gedicht *Medicatio* im dritten Merker-Heft — erotische Verse in der Nachfolge der Marie-Madeleine — dürfte ebenfalls Stadler zuzuschreiben sein. — Alle drei Gedichte fehlen in der von K. L. Schneider besorgten Gesamtausgabe der *Dichtungen.*

44. So notiert O. Flake in seiner Autobiographie: „Das Lehrhafte an ihm, das betont Deutsche, das programmatisch Neoklassische forderten uns zum Widerspruch heraus; mir wurde er zum Inbegriff der idealistischen Haltung." (aaO, S. 84)

45. Eine Notiz in dem Exemplar, das mir vorlag, schreibt das Vorwort A. Lickteig zu, der ebenfalls dem Stürmer-Kreis angehörte. — Den interessanten Hinweis auf die späteren Arbeiten von Joh. Leonardus verdanke ich K. L. Schneider, der mir auch Exemplare dieser schwer zugänglichen Publikationen zur Verfügung stellte.

46. Carl Gruber (s. o. Anm. 29), S. CXI.

47. Wie weit R. Schickele, der seinen Auftrag vor allem politisch verstand, während seiner Herausgeberschaft das Bild der ehrwürdigen Literaturzeitschrift verändert hatte, geht aus den Leseradressen hervor, die Anfang 1905 nach dem Verlags- und Herausgeberwechsel den Heften vorangestellt wurden, so z. B. die Mitteilung „An unsere Leser" vom März 1905: „Es [das neue Magazin] hatte sich dem modernen Geiste mehr angepaßt als vielleicht gut gewesen, und darüber seine Bestimmung als Magazin für Literatur etwas verabsäumt. Nunmehr kehrt das ‚neue Magazin' zu seiner alten Tradition zurück", soll wieder ganz „Echo des deutschen Dichter- und Denkerwaldes" sein und „anregende, feingeistige und sinnige Lektüre" bieten.

48. Auch H. Wendel war Zeit seines Lebens als erfolgreicher politischer Journalist tätig.

49. R. Schickele, *Dokumente,* aaO, S. 59.

50. Eine treffende Charakteristik dieser Tätigkeit gibt Jean-Jacque Schumacher, wenn er in seinem Aufsatz *Connaissance de René Schickele* den Autor der *Schreie auf dem Boulevard* als einen Mann darstellt, „qui allie à un don aigu d'observation une pénétrante intelligence de l'événement et un style propre à faire rêver plus d'un journaliste d'aujourd'hui. [...] S'il est une oeuvre de Schickele que ne date pas, c'est bien celle-là, tout y est vivant et coloré, et même les articles consacrés aux questions politiques." (*Dokumente,* aaO, S. 251)

51. R. Schickele, *Schreie auf dem Boulevard,* Berlin [2]1920, S. 23.

52. Aus dieser Erfahrung war es nur konsequent, daß O. Flake 1904 in seinem Aufsatz *Berlin als Kulturstadt* (erschienen im *Neuen Magazin*, Jg. 73, S. 448—453) der Heimatkunst eines Lienhard das Zurück in die kulturellen und politischen Zentren der Weltstädte entgegensetzte.

53. So berichtet O. Flake: „Er [Lienhard] genoß in den bürgerlichen Schichten unseres Landes, soweit sie protestantisch fühlten, großes Ansehen; von Anfang an stieß das Junge Elsaß sie vor den Kopf." (*Es wird Abend*, aaO, S. 84) — Vgl. dazu auch C. Gruber, aaO, S. CXXI.

54. „Dieser leidenschaftlichen Anschauung entsprach ein Stil, der in Worten malte und in Farben klang, entsprachen pantheistische Bekenntnisse und eine sublimierte Erotik [...] Kurz, alle Wunder und alle Seifenblasen Jüngstdeutschlands gaukelten vor der deutschen Linie und bereiteten ihr Verlegenheit, endlich zur Moderne Stellung zu nehmen. Da hatte man sie im Elsaß selber, die berüchtigte ‚Décadence' " (C. Gruber, aaO, S. CXII)

55. H. Wendel, *Die Stürmer* (s. o. Anm. 17). — Auch C. Gruber bestätigt die „Tatsache, daß sich alle Parteien von ihnen [den Stürmern] bedroht glaubten, und daß sie keine aktive Unterstützung erhielten." (*Elsässische Literatursorgen*, in: *Das neue Magazin*, Jg. 73 (1904), S. 698).

56. H. J. Lieber, *Zur Kulturkritik der Jahrhundertwende*, in: H. J. L., *Kulturkritik und Lebensphilosophie*, Darmstadt 1974, S. 15.

57. *Der Stänkerer*, S. 11.

HARTMUT ZELINSKY

# Hugo von Hofmannsthal und Asien

## *Einleitung*

Am 19. Dezember 1892 berichtet Hofmannsthal in einem Brief an C. A. Klein, den Herausgeber der „Blätter für die Kunst", von dem Erfolg der Zeitschrift in Wien, wo er an etwa 50 Menschen Exemplare verliehen habe. Er bemerkt, daß er über seinen eigenen Beitrag das übliche, conventionell-gesellschaftliche Lob gehört habe, „während sie (die Leser) sich den übrigen Gedichten mit ruhiger Verständnislosigkeit oder tactloser Geringschätzung (wie sie in dem Buch ‚Entartung' des Herrn Max Nordau beiläufig formuliert ist) entgegenstellten[1]". Dieses Buch von Max Nordau (der eigentlich Südfeld hieß), das zweifellos der völkischen, durch den Antisemitismus brutalisierten Kunstideologie der „Entarteten Kunst" durch sein plattes Bild des Gesunden und Normalen und durch andere Momente den Weg bereitet hat, war ein Bestseller in den 90er Jahren des vergangenen Jahrhunderts — es erschien 1892 (Hofmannsthal hat es also sofort gelesen) in einer zweibändigen Ausgabe und wenig später in einer einbändigen billigen Volksausgabe — und stellt, gegen den Strich gelesen, ein interessantes und reichhaltiges Arsenal all jener Literatur- und Kunstströmungen dar, die dem Oberbegriff „Fin de siècle" subsumiert werden können. Das erste Buch trägt den Titel „Fin de siècle", während im zweiten der insgesamt fünf Bücher unter dem Titel „Der Mysticismus" in sechs Kapiteln mit den Überschriften: I. Psychologie des Mysticismus, II. Die Präraphaeliten, III. Die Symbolisten, IV. Der Tolstoiismus, V. Der Richard-Wagner-Dienst, VI. Parodieformen der Mystik, eine Reihe jener Fin de siècle-Bewegungen in Kunst und Literatur (deren Urheber für Nordau selbstverständlich „Entartete" sind) abgehandelt werden, die in den vorangehenden Beiträgen bereits verschiedentlich im Mittelpunkt standen. Auch wenn Jens Malte Fischer in seinem Beitrag ausführlich auf dieses Buch eingeht, das Hofmannsthal noch 1896 seinem Freund Edgar Karg von Bebenburg zu lesen gibt und das ihm, was hier nicht weiter ausgeführt werden kann, als poetisches Arsenal willkommen war, so soll doch eine Stelle herangezogen werden, die für unser Thema von Interesse ist und die gleichzeitig ein gutes Beispiel für Nordaus Jargon darstellt:

„Der thatenscheue, willenlose Entartete, der nicht ahnt, daß seine Unfähigkeit zum Handeln eine Folge seiner ererbten Gehirn-Mängel ist, macht sich selbst weis, daß er aus freier Entschließung das Handeln verachte und sich in Thatenlosigkeit gefalle, und um sich in den eigenen Augen zu rechtfertigen, baut er sich eine Philosophie der Entsagung, der Weltabkehr und Menschenverachtung auf, gibt vor, er habe sich von der Vorzüglichkeit des Quietismus überzeugt, nennt sich voll Selbstbewußtsein einen Buddhisten und rühmt in dichterisch beredten Wendungen die Nirvana als das höchste und würdigste Ideal des Menschengeistes. Die Degenerierten und Irren sind die vorbestimmte Gemeinde von Schopenhauer und Hartmann und sie brauchen den Buddhismus nur kennenzulernen, um zu ihm bekehrt zu werden[2]."

Diese Stelle ist auf ihre Art ein brauchbarer Hinweis auf die vor allem gegen Ende des Jahrhunderts festzustellende und durch die Weltausstellungen erleichterte und gesteigerte Anziehung, die Asien — d. h. asiatische Kunst und Weltvorstellungen — besonders auf Maler und Dichter ausgeübt hat. Es mag dahingestellt bleiben, wie intensiv und ausführlich dieses Interesse, das wohl nicht in wenigen Fällen mit einer europa- und zivilisationsmüden Flucht aus der Realität in Verbindung gebracht werden kann, bei den verschiedenen Malern und Schriftstellern gewesen sein mag. Für Hofmannsthal war die Begegnung mit Asien — wie ich an anderer Stelle darzulegen versucht habe[3] — von weitreichender, ja man kann sagen, von entscheidender Bedeutung. Auch wenn es den Rahmen dieser Ausführungen, die über den oben genannten Anlaß hinaus die weiteren Spuren und Zeugnisse dieser Begegnung zusammenstellen und in ihrem Zusammenhang und ihrer Zusammengehörigkeit darstellen wollen, überschreiten würde, das breite Interesse für Asien um die Jahrhundertwende ausführlich zu dokumentieren, sollen doch einige Zeitgenossen Hofmannsthals genannt werden, die es in ihren Werken belegen. Hermann Hesse machte 1911 eine Reise nach Indien und seine Bücher *„Siddharta"* (1922), *„Die Morgenlandfahrt"* (1932) und *„Das Glasperlenspiel"* (1943), aber auch weitere Bücher, Erzählungen, Aufsätze und Besprechungen bezeugen sein bleibendes Interesse für Indien und China, das Adrien Hsia in einer bemerkenswerten Untersuchung ausführlich gewürdigt hat[4]. Albert Ehrenstein wendet sich nach seiner expressionistischen Phase Asien zu und veröffentlicht bis zu seinem Tode sieben Bände Nachdichtungen chinesischer Dichtung und Prosa[5], und Bertold Brechts Beschäftigung mit Chinas Philosophie, Poesie und Schauspielkunst verdiente wohl eine eigene ausführliche Untersuchung. Hier sei nur hingewiesen auf sein berühmtes Gedicht *„Legende von der Entstehung des Buches Taoteking auf dem Weg des Laotse in die Emigration“*, auf seine *„Bemerkungen über die chinesische Schauspielkunst“* (1938), woraus später in dem Buch *„Die Dialektik auf dem Theater“* der Abschnitt „Verfremdungseffekte in der chinesischen Schauspielkunst“ wurde, auf den wohl nur bis zu einer Szene gediehenen Plan, das *„Leben des Konfutse“* als ein Schulstück für Kinder zu schreiben, und auf sein wichtiges Werk *„Me Ti / Buch der Wendungen“*. Hierfür stützte er sich auf die 1922 erschienene Übersetzung des Werkes des chinesischen Sozialethikers Mo Ti von Alfred Forke, die sich mit Anstreichungen und Anmerkungen von seiner Hand im Nachlaß befindet und die ihm so wichtig war, daß er sie auch weitergegeben hat. Hanns Eisler, der auch Herrn Keuner eine chinesische Figur nennt, berichtet darüber:

„Die chinesische Philosophie hat ihn gerade in den Jahren 1929/30 sehr beeinflußt. Ich meine als Denkanregung. Me-ti hat er mir 1930 gegeben. Oder 1931? Es gab damals eine ausgezeichnete sinologische Gesellschaft, ich glaube in Wiesbaden, und es kamen Publikationen. Brecht hat das durch seine Freunde bekommen. Das war eine große Entdeckung für uns[6].“

Auf die entscheidende Rolle anderer Übersetzer und Übersetzungen kann hier nur am Rande hingewiesen werden, wobei einige für Hofmannsthal wichtige auch vorerst noch ausgelassen werden. Diese Übersetzungstätigkeit hängt nicht nur mit dem zunehmenden Interesse für das außereuropäische Denken, sondern auch mit der sich ausweitenden wissenschaftlichen Erforschung dieses Denkens zusammen. So wurden die ersten planmäßigen Professuren für Sinologie in Deutschland 1909 am Kolonialinstitut der Freien und Hansestadt Hamburg für Otto Franke (1863—1946) und erst 1912 an der Berliner Universität für den Holländer J. J. M. de Groot (1854—1921) eingerichtet, also im Vergleich zu den klassischen Ländern der Sinologie England und Frankreich zu einem sehr späten Zeitpunkt[7]. An erster Stelle der Übersetzer ist hier zweifellos Richard Wilhelm zu nennen, der nach jahrelanger Missionstätigkeit daran ging, Schriften zur „Religion und Philosophie Chinas“ aus den Originalurkunden zu übertragen, die seit 1910 im Diederichs-Verlag veröffentlicht wurden (*„Kung Futse. Gespräche“*. 1910 / *„Tao Te King. Das Buch des Alten vom Sinn und Leben“. 1911* / *„Liä Dsi. Das wahre Buch vom quellenden Urgrund“*. 1911 / *„Dschuang Dsi. Das wahre Buch vom südlichen Blütenland“*. 1912 / *„I Ging. Das Buch der Wandlungen.“* 1914 / *„Mong Dsi (Mong Ko)“* 1916 / *„Frühling und Herbst des Lü Bu We.“* 1928 / *„Li Gi. Das Buch der Sitte des Älteren und jüngeren Dai“*. 1930). Doch hat Richard Wilhelm auch durch seine Übersetzungen „Chinesischer Volksmärchen" (1914) und des Tai I Gin Hua Dsung Dschi (unter dem Titel: „Das Geheimnis der goldenen Blüte mit Erläuterungen und einem europäischen Kommentar" von C. G. Jung 1929 veröffentlicht) und durch seine Bücher *„Ostasien: Wesen und Wandel des chinesischen Kulturkreises"* und *„Der Mensch und das Sein"* zum Verständnis zumindest des traditionellen chinesischen Denkens in einem Maße beigetragen, das kaum überschätzt werden kann. Ebenfalls im Diederichs-Verlag erschien, herausgegeben von Prof. Dr. W. Otto, die Übersetzungsreihe „Religiöse Stimmen der Völker", in der Texte des alten Indien, Iran, Babylon, Ägypten, der Griechen und des Islam veröffentlicht wurden, und auch die Bücher *„Chinas Verteidigung gegen europäische Ideen"* (1911) und *„Der Geist des chinesischen Volkes und der Ausweg aus dem Krieg"* (1916) von Ku Hung-Ming, der auch von Hofmannsthal in seinen Redenotizen *„Die Idee Europa"* (1916) als Gewährsmann für die Einschätzung der Stellung Asiens zitiert wird. Weite Verbreitung erlangten auch *„Die Bahn und der rechte Weg des Lao-Tse. Der chinesischen Urschrift nachgedacht"* von Alexander Ular (1919), eine Auswahl der *„Reden und Gleichnisse des Tschuang-Tse"* (1910) von Martin Buber, die er mit einem ausführlichen Nachwort über die Tao-Lehre versah, und die Übersetzungen chinesischer und anderer östlicher Lyrik von Klabund (Alfred Henschke) und Hans Bethge, die sämtlich im Insel-Verlag erschienen. Dort erschien 1913 ebenfalls *„Der indische Gedanke"* von Rudolf Kassner, der Hofmannsthal seinen besten Leser[8] nannte und der vor allem in seinen letzten Büchern unübersehbar auf die asiatische Denkwelt hinweist. Im selben Jahr veröffentlichte der Prager Schriftsteller und Philosoph Fritz Mauthner sein Buch *„Der letzte Tod des Gautama Buddha"* im Georg Müller Verlag, der im Rahmen einer Reihe „Meisterwerke orientalischer Literaturen" in deutschen Originalübersetzungen herausbrachte. Und im Jahr 1922 erschien *„Der ewige Buddho"* von Leopold Ziegler im Darmstädter Otto Reichl Verlag, in dem von 1924 bis 1927 die von Richard Wilhelm herausgegebene Zeitschrift „Chinesische Blätter für Kunst und Wissenschaft" und der Almanach „Der Leuchter" herauskamen, der die Referate der jeweiligen Tagungen der Schule der Weisheit (begründet von Hermann Graf Keyserling 1920) enthielt, bei denen auch Richard Wilhelm sprach. Zum Schluß dieses gedrängten allgemeinen Überblicks sei wenigstens noch auf die großartigen Bücher des Indologen Heinrich Zimmer hingewiesen, der 1928 Christiane von Hofmannsthal, die Tochter des Dichters, heiratete, und bereits 1924 in einem Aufsatz „Von einem weißen Fächer" in der Deutschen Rundschau eine mutmaßliche Quelle des *„Weißen Fächers"* (1898) angab[9]. 1925 erschien im Verlag F. Bruckmann in München, der 1928 auch Richard Wilhelms *„Geschichte der* *chinesischen Kultur*“ herausbrachte, von Zimmer übersetzt und herausgegeben *„Karman. Ein buddhistischer Legendenkranz*“, 1930 *„Ewiges Indien*“, und 1951 erschien aus dem Nachlaß — er starb 1943 in New Rochelle bei New York in der Emigration — die englische, 1960 die deutsche Ausgabe seiner epochalen Darstellung der *„Philosophie und Religion Indiens*“. Darin enthält das erste Kapitel des ersten Teiles „Die Begegnung von Ost und West“ eine umfassende Gegenüberstellung der beiden Denkwelten, der abendländischen Philosophie, die durch die immer radikalere Befreiung des Denkens aus den überlieferten religiösen Bindungen ständig geistige Revolutionen im Gefolge gehabt habe und die die Vorkämpfer der fortschrittlichen Methoden des wissenschaftlichen Denkens unterstützen wird, „auch wenn“, wie Zimmer schreibt, „am Ende schließlich die Vernichtung aller überlieferter Werte in Gesellschaft, Religion und Philosophie stehen sollte“, und der indischen Philosophie mit dem höchsten Ziel des Moksha, der Erlösung und der geistigen Befreiung als die Kunst, „über die Grenzen der Sinnenwelt hinauszugelangen, um die zeitlose, dem Lebenstraum der Welt zugrundeliegende Wirklichkeit zu entdecken, zu erfahren und in sie einzugehen . . .“. Am Ende dieses Kapitels heißt es:

„In krassem Gegensatz zu der herrschenden östlichen Überzeugung von der Wesenlosigkeit der Welt des Wandels und Verfalls wird bei uns durch die materialistische Geisteshaltung eine optimistische Meinung über die Fortentwicklung gehegt und gepflegt, womit sich der leidenschaftliche Fortschrittsglaube verbindet, daß alle menschlichen Angelegenheiten sich durch besseres Planen, durch die Technik, durch die allgemeine Verbreitung der Bildungsgüter und die Erschließung von Möglichkeiten für alle vervollkommnen ließen . . . Gedankenflüge interessieren uns nicht mehr. Wir gründen unser Leben nicht auf eine faszinierende oder tröstliche Ganzheitsschau von Leben und Welt, etwa im Sinne unserer theologischen Überlieferung oder einer meditativen Spekulation. All diese Fragen haben wir in zahlreichen systematischen Wissenschaften beantwortet . . . An Stelle des Bestrebens archaischer Zeiten, das Leben und den Kosmos in einer großen Zusammenschau als Ganzes zu verstehen, sehen wir unser geistiges Ideal in einer vielseitigen, immer mehr verfeinerten Anwendung von Spezialkenntnissen und in der Beherrschung konkreter Einzelheiten. Religion und Philosophie haben sich in exakte Wissenschaft, Technik und Volkswirtschaft umgesetzt[10].“

In seinem Buch *„Ewiges Indien*“ schreibt Zimmer 1930 noch sehr viel optimistischer auch dem Westen noch einen „Willen aufs Ganze“ zu und sieht es als umfassende Aufgabe alles wissenschaftlichen Denkens, den ewigen Ausdruck des Weltgeists in indischen Symbolen mit einer neuen unbedingten — übergeschichtskundlichen — Verantwortung aufzugreifen:

„Im zeitlichen Indien, das sich wandelt, lebt ein ewiges, von dem das vergehende sein großes Relief hat. Sein Erbe will als Same in unseren Boden, um neue Frucht zu tragen, wie unser Same die Flur des Ostens und der ganzen Erde wandelt ... Unser Zug aufs Ganze spricht, daß nichts an dieser Eigenart (der Kulturen, die an uns zerbröckeln) sinnlos oder unbedeutsam sei für uns, wenn der Mensch von Morgen so ganz sein soll, wie seine Erde ganz sein wird. Die sieghafte Einseitigkeit des modernen Menschen, die der Erde ihre räumliche Einheit gibt, kann nicht hinreichen, den echten Erben ihrer werdenden Einheit zu bilden. Zur räumlichen Einheit der Erde muß die geschichtlich-lebendige Einheit des Menschen mit allem, was er je war und wollte, treten. Auf daß auch er ganz werde ...[11]"

Diese kurz nach Hofmannsthals Tod geschriebenen Sätze korrespondieren genauestens mit den entscheidenden Grundgedanken seiner am 10. 1. 1927 im Auditorium maximum der Universität München gehaltenen Rede *„Das Schrifttum als geistiger Raum der Nation"*, ja es ist denkbar, daß Zimmer sich insgeheim auf diese Rede bezieht. Denn mit deutlichem Blick auf die nächste Generation heißt es in ihr gegen Schluß:

„Wie kein Menschengeschlecht vordem weiß sich dieses und das nächste, das wir schon zwischen uns aufsteigen sehen, der Ganzheit des Lebens gegenüberstehend, und dies in einem strengeren Sinne, als ihn romantische Generationen auch nur zu erahnen fähig waren. Alle Zweiteilungen, in die der Geist das Leben polarisiert hatte, sind im Geiste zu überwinden und in geistige Einheit überzuführen; alles im äußeren Zerklüftete muß hineingerissen werden ins eigene Innere und dort in eines gedichtet werden, damit außen Einheit werde, denn nur dem in sich Ganzen wird die Welt zur Einheit ...[12]"

Doch schon der im Mai 1896 erschienene Vortrag *„Poesie und Leben"* enthält die zentrale Stelle: „... aber ihr Lob geht auf Trümmer und Teile, meines auf das Ganze, ihre Bewunderung aufs Relative, meine aufs Absolute. Ich glaube, daß der Begriff des Ganzen in der Kunst überhaupt verlorengegangen ist"[13], und schon von diesen Sätzen her ist zu ersehen, daß Hofmannsthal sich hinter „dem in sich Ganzen" verbirgt, als welcher er sich seit über dreißig Jahren verstand. Ebenfalls auf ihn selber sind jene auch für die Interpretation seiner Werke wichtigen Sätze aus obiger Rede zu beziehen, in denen er jenen schweifenden, aus dem Chaos hervortretenden Geistigen, einen wahren Deutschen und Absoluten, mit dem Anspruch auf Lehrerschaft und Führerschaft charakterisiert und von dem es heißt:

„... Sein Drama wird ihm zum Mythos des eigenen Ich aufschwellen, sein Roman wird kosmische Geheimnisse umschließen, wird Märchen, Historie, Theogonie und Bekenntnis zugleich sein wollen. Je großartiger, fragmentarischer er sich gibt, um so großartiger wird er verlangen, als ein ganzes, als das einzige Ganze dieser zerrissenen Welt genommen zu werden ...[14]"

Diese zentrale Rolle des Begriffes der Ganzheit in Hofmannsthals Denken hängt, wie ich annehme, zusammen mit seiner Begegnung mit Asien und steht in genauer Verbindung mit jenem in oben erwähnter Arbeit herausgearbeiteten poetischen System, mit dessen Verwirklichung Hofmannsthal seit Beginn seiner dichterischen Existenz, also seit 1890, beschäftigt war und dessen allerdings eng miteinander verzahnte Grundlinien so bezeichnet werden können: 1. Der Wille zur Ganzheit / 2. Die „Überwindung der Zeit" / 3. Die „Auflösung des Selbst" / 4. Der Wille zum Drama[15].

Das lyrische Drama *„Der Kaiser und die Hexe"* signalisiert innerhalb von Hofmannsthals dichterischer Existenz die Erreichung der von Beginn an angestrebten Ganzheit nach jenem durch die Hexe versinnbildeten „zweideutigen und schrecklichen Zwischenzustand"[16], hinter dem sich der von Hofmannsthal selber so oft hervorgehobene Zustand melancholischer Zerrissenheit und „Halbheit" verbirgt, der seinem „Zwang zum Ganzen"[17] zugrundeliegt und zu dessen Überwindung, Beherrschung und Balancierung er sich sein poetisches System erarbeitete, aber auch die biographische Periode etwa von 1890 bis 1897 (dem Jahr, in dem das lyrische Drama entstand), die Zeit, wie er an seinen Vater schrieb, „zwischen dem 18. und dem 23. Jahr, die für mich eine schwere Prüfungs- und Entwicklungszeit war"[18], welche er später als seine „erste Jugend"[19] zu bezeichnen pflegte. Hinter dem Begriff der Ganzheit steht bei Hofmannsthal der indische Begriff Brahman (nach Zimmer die „heilige oder göttliche Kraft"[20]), mit dem er wohl vor allem durch die Werke und Übersetzungen Paul Deussens, dem Schüler Arthur Schopenhauers und Jugendfreund Nietzsches, vertraut wurde[21].

### *1. Wien — die „porta Orientis"*

Doch bedeutet die auffallende Betonung des brahmanbestimmten Begriffes der Ganzheit nach Aufhebung jenes Zwischenzustandes, auf die wir im Verlauf dieser Ausführungen zurückkommen werden, nicht, daß Hofmannsthal erst zu diesem Zeitpunkt Asien und asiatische Weltvorstellungen in sein Blickfeld aufnimmt. Der Blick nach Asien ist bereits dem Siebzehnjährigen völlig vertraut. Seinen eigenen Äußerungen zufolge war dafür die Tatsache mit ausschlaggebend, daß er in Wien aufgewachsen ist, das der österreichische Orientalist Hammer-Purgstall — Hofmannsthal hat ihm in dem fingierten Gespräch mit Balzac *„Über Charaktere im Roman und im Drama"* (1902) ein Denkmal gesetzt — in der Einleitung zu seinem Hauptwerk *„Geschichte des osmanischen Reiches"* (1827—35) als Mittelpunkt des östlichen und westlichen Verkehrs bezeichnet hat. Heißt es in Tagebuchnotizen über seine Jünglingszeit: „Das frühere Wien. Ahnung eines nicht mehr vorhandenen Zustandes. Ahnung der Welt: Antike, Orient, Geschichte“[22], so weist er in seinen „*Bemerkungen*“ (1922) direkt auf die besondere Lage Wiens hin:

„Wien war die porta Orientis und war sich dieser Mission namentlich in der ersten Hälfte des 19. Jahrhunderts in glorreicher Weise bewußt. Von hier aus, von Hammer-Purgstall und seinen ‚Fundgruben des Orients‘ ging der Anstoß aus, der Goethes Orientalismus entfachte, und auf diesem wieder ruht der Orientalismus Byrons sowie des jungen Victor Hugo . . .[23]“

Berücksichtigt man, daß sich der gerade siebzehnjährige Hofmannsthal am 15. 3. 1891 in sein Tagebuch schreibt: „Um ein Olympier zu werden wie Goethe und Victor Hugo, muß man lang leben . . .“ und daß seine Beziehung zu diesen beiden Leit-Dichtern eher noch enger wurde[24], dann erscheint der Orientalismus Hofmannsthals, des Wieners, als verständlich, ja als selbstverständlich. Er nennt auch Grillparzer, dessen Bild er im Hausflur hängen hatte und in dessen Nachfolge als Dramatiker er sich, wie verschiedene Texte zeigen, sah, einen „deutschen Orientalen“[25] und findet es in seinem „*Zweiten Brief aus Wien*“ für die amerikanische Zeitschrift „The Dial“ nicht zufällig, daß Karl Eugen Neumann, „ohne jeden Zweifel unter den Lebenden der größte Orientalist der deutschen Nation“, in Wien sein unbeachtetes Leben führte und beschloß, „denn Wien ist die alte porta Orientis für Europa“. Auch findet er es nicht anders als sehr übereinstimmend und als sehr richtig, daß die Theorien Sigmund Freuds ebenso wie die leichten, etwas trivialen, aber biegsamen und einschmeichelnden Operettenmelodien, mit denen sie so denkbar wenig zu schaffen haben, von Wien aus ihren Weg über die Welt genommen hätten und fügt als seine Erklärung hierfür hinzu:

„Wien ist die Stadt der europäischen Musik: sie ist die porta Orientis auch für jenen geheimnisvollen inneren Orient, das Reich des Unbewußten[26].“

In diesem Brief weist Hofmannsthal auch auf das Werk Rudolf Kassners hin, dessen produktive Neugierde sich vom Westen nach Osten gewandt habe, und erwähnt wohl nicht zufällig dessen Buch „*Der indische Gedanke*“, das für ihn „gewiß das Subtilste und Konziseste an Erkenntnis (ist), das ein Mitteleuropäer, und vielleicht ein Europäer überhaupt, je über indisches Geisteswesen geschrieben hat“[27]. In einem anderen Text vergleicht Hofmannsthal Wien sogar mit orientalischen Städten, wenn er schreibt: „In der Jugend unseres Herzens, in der Einsamkeit unserer Seele, fanden wir uns in einer großen Stadt, die geheimnisvoll und drohend und verlockend war, wie Bagdad und Basra“; dieser Satz findet sich in seinem Aufsatz über „*Tausendundeine Nacht*“ aus dem Jahre 1907, in welchem Hofmannsthal bekennt, daß er dieses Buch, das auch für seine Erzählung „*Das Märchen der*

*672. Nacht*" Pate gestanden hat, bereits als Knabe gelesen und seitdem immer wieder zur Hand genommen habe[28]. Doch muß schon der Schüler Hofmannsthal auch viele andere Bücher aus und über Asien zur Verfügung gehabt und gelesen haben, denn seine ersten Aufsätze bereits dokumentieren ein souveränes Wissen über Asien und in den „*Ghaselen*" aus dem Jahr 1891 heißt es vom „Dichtergeist": „... Und er war im Werden Gaukler, war Vampir und war Brahmane ..."[29].

## 2. *Frühes Interesse für Asien*

Am 15. April desselben Jahrs 1891 veröffentlicht er seine Besprechung von Hermann Bahrs Roman „*Die Mutter*" und vergleicht darin seine Zeit mit der großen romantischen Periode des Altertums, „als der Hellenismus der Diadochenzeit mit dem cäsarischen Universalismus Roms zu einem formlosen Meer von Kulturelementen zusammenrann, in jener Periode" (und hier nimmt Hofmannsthal ein bezeichnendes Zitat aus den „*Essays zur vergleichenden Religionsgeschichte*" des bedeutenden Indologen Max Müller auf)

„in jener Periode ‚religiösen und metaphysischen Irrsinns, wo alles zu allem wurde, wo man Maja und Sophia, Mithra und Christus, Virâf und Jesaias, Belus, Zarva und Kronos in ein einziges System bodenloser Spekulation zusammenbraute', da dilettierte man auch auf allen Gebieten, freute sich, die Resultate tausendjähriger Kulturarbeit aufzunehmen, und spielte dasselbe gefährliche Spiel mit seiner Elastizität, wie wir es spielen; man kokettierte mit der romantischen Räuberwelt Halb- und Ganzasiens wie nur je dies west-östliche Jahrhundert der ‚Orientales' und des ‚Childe Harold'[30]".

Zeigen diese Sätze, welche genauen Kenntnisse Hofmannsthal bereits im Schüleralter, als er noch unter dem Pseudonym Loris schreiben mußte, über den seit Goethes „*Westöstlichen Divan*" und Victor Hugos „*Orientales*" vor allem auch in großstädtischen Intellektuellenkreisen Mode gewordenen Orientalismus, aber auch über die wissenschaftliche Erforschung „Halb- und Ganzasiens" besaß, so findet sich in dem am 15. Juni 1891 erschienenen Amielaufsatz „*Das Tagebuch eines Willenskranken*" der erste ausführliche Hinweis auf den Brahmaglauben, zu dem Amiel sich in seinem „Durste nach Unendlichkeit, (getrieben) von einem unstillbaren Bedürfnis nach dem Absoluten, nach der Totalität" hingezogen fühlte:

„‚Maja', dieses Wort der indischen Philosophie kehrt bei Amiel so oft wieder wie bei Schopenhauer; und nicht nur das Wort, auch der Prozeß, aus dem es hervorgegangen, ist derselbe. Was die Arier empfanden, als sie aus dem Hochland von

Iran mit seiner dualistischen Welt von Segen und Dürre, Ahriman und Ormuzd, hinüberwanderten in das Gangesland mit seiner allgleichenden Üppigkeit, mit der überwältigenden Fülle seiner Formen und Farben, der Vielheit seiner Göttergestalten, dem ewig einen Kreislauf von Keimen, Blühen und Welken ... das alles hat Amiel in der Gedankenwelt durchgemacht; und wie dort das Volk zu einem neuen, dem Brahmaglauben, so gelangte er, im Herzen dualistisch-christlich, zu einem neuen Glauben der Gedanken: hinter der Maja, dem trüglichen Schleier der Erscheinungswelt, mußte er seinen Gott suchen, den ihn sein alter Glaube in der Erscheinung geoffenbart erkennen hieß, er mußte die Welt als Trugwerk verachten, an die ihn Pflichtgefühl und Neigung band. Aus diesem Zwiespalt entsteht vielleicht der längste und martervollste Kampf, den je die Gedanken eines Menschen untereinander geführt haben[31]."

Dieser Aufsatz, in dem Hofmannsthal von dem Standpunkt einer künstlerischen Sicherheit und eines selbstbewußten Willens, ein Lebenswerk planvoll zu verwirklichen, den ihm aus eigenen Erfahrungen jedoch durchaus vertrauten Fall eines Willenskranken abhandelt, kann als erstaunliches, wenn auch verstecktes, Selbstzeugnis angesehen werden, doch mag dahingestellt bleiben, ob er zu diesem Zeitpunkt brahmanische Texte bereits gekannt, oder ob er hier Leseerfahrungen wiedergegeben hat, die er durch die Vermittlung Hegels, Schopenhauers, Hebbels und auch Nietzsches — er hat sie jedenfalls zu diesem Zeitpunkt gekannt — erworben haben konnte. Da er Amiels Tagebuch die peinlichste und vollständigste Exemplifikation von Schopenhauers Viertem Buch „Von der Bejahung und Verneinung des Willens zum Leben" (in *„Die Welt als Wille und Vorstellung")* nennt und Schopenhauer auch an anderen Stellen der frühesten Aufsätze anführt, so waren ihm dessen unermüdliche, emphatische Hinweise auf Brahmanismus und Buddhaismus (wie dieser schreibt) vertraut. In diesem Vierten Buch findet sich die Schopenhauers Grundüberzeugung ausdrückende Bemerkung:

„In Indien fassen unsere Religionen nun und nimmer mehr Wurzel: die Urweisheit des Menschengeschlechtes wird nicht von den Begebenheiten in Galiläa verdrängt werden. Hingegen strömt indische Weisheit nach Europa zurück und wird eine Grundveränderung in unserem Wissen und Denken hervorbringen[32]."

Wie sich aus später erst herangezogenen Texten erweisen wird, hat Hofmannsthal diese Grundüberzeugung vor allem nach Aufhebung des Zwischenzustandes geteilt, wenn auch anzunehmen ist, daß seine genaue Beschäftigung mit brahmanischen Texten, d. h. mit den Übersetzungen und Werken Deussens, erst einige Jahre nach dem Amielaufsatz stattfindet. Doch gibt es auch während des Zwischenzustandes unübersehbare Hinweise auf sein Interesse für Asien, vor allem für Indien und China. In einem Brief an Edgar Karg von Bebenburg vom 5. 8. 93, in welchem er sich verwundert, daß diesem Indien einen viel schwächeren Eindruck als Ägypten gemacht habe, bekennt er:

„. . .ich sehne mich nämlich ungeheuer nach Indien, von jeher, ein paar lebhaft gefärbte Worte über Indien machen mich immer ganz sehnsüchtig; unlängst hat mir der Alfred Berger . . . wieder so schöne Sachen von dort erzählt[33]."

Es ist nur zu wahrscheinlich, daß diese ungeheure Sehnsucht nach Indien ihn nach aller erreichbaren indischen Literatur und Philosophie suchen ließ, wenn er auch, seiner Neigung entsprechend, nie direkte Auskünfte über zentrale Anregungen zu geben, darüber nichts verlauten ließ. Dieser Nachweis kann nur anhand der Werke und der heute bekannten Briefe, Aufzeichnungen und Tagebücher zu führen versucht werden. Die Spur dieser Sehnsucht ist zumindest direkt in einer Tagebuchnotiz wenige Wochen nach dem oben zitierten Brief zu verfolgen: „Innerer Vorgang: Sich für einen Buddha, allmächtigen Träumer, Weltträger, Kosmophoros halten . . ."[34], eine Notiz, die außerdem auf das Gedicht aus demselben Jahr „*Welt und ich*" verweist.

### *3. Kaiser und Hexe — Asien und Europa*

Wie noch zu zeigen sein wird, hat Hofmannsthal sich erst in den letzten beiden Jahrzehnten seines Lebens (etwa seit dem Jahre 1907, in dem vor allem „*Die Briefe des Zurückgekehrten*" und die Rede „*Der Dichter und diese Zeit*" entstehen) zunehmend offener über Asien und seine Bedeutung für ihn, aber untrennbar damit verbunden auch für Europa, geäußert. Nach seiner Ansicht sollte dem „Rationalismus, in welchem das neunzehnte Jahrhundert sein Weltbild unzerstörbar für alle Zeiten organisiert glaubte" und den er zusammengefallen sah, aber auch dem damit zusammenhängenden Materialismus, Mechanismus und Relativismus wieder das „Überpersönliche", „Ewige", „Ganze"[35], das er seinem Bild von Asien zuordnete, als das Wirkliche entgegengesetzt werden. So muß man vermuten, daß Hofmannsthal in „*Der Kaiser und die Hexe*" mit der Aufhebung des von der Hexe verkörperten „zweideutigen und schrecklichen Zwischenzustandes" seiner dichterischen Existenz ein noch größeres und weitblickenderes Ziel verfolgte, das seinem geheimen, durch die Figur des Kaisers zum Ausdruck gebrachten Anspruch auf „Führerschaft"[36] zugrundelag: die Aufhebung des Zwischenzustandes dieses 19. Jahrhunderts. Folgende Sätze aus der bereits zitierten Münchner Rede aus dem Jahr 1927 „*Das Schrifttum als geistiger Raum der Nation*", in welcher er, seine eigene ideologische Position verallgemeinernd, davon spricht, daß „nur dem in sich Ganzen die Welt zur Einheit (wird)", und in welcher er das Schlagwort von der „konservativen Revolution" für *seine* Vorstellung einer Neuordnung, auch politischen Neuordnung, Deutschlands und Europas in Anspruch nimmt, lassen obigen Schluß zu:

„Welch ein Erlebnis aber auch, dieses neunzehnte Jahrhundert, so wie der deutsche Geist es durchzumachen hatte, mit diesen immer neuen Anspannungen und Entspannungen, immer schärferen Reaktionen und Zusammenbrüchen, welche die Seele verzehrenden Täuschungen, Trunkenheiten und furchtbaren Rückschläge, welche h a l b e n und Z w i s c h e n z u s t ä n d e unausdenklicher Art (Sperrung vom Vf.), bis endlich in diesem ganzen scheingeistigen Bereich die Luft unatembar wurde, bis endlich aus diesem Pandämonium von Ideen, die nach Lebenslenkung gierten ..., er sich losrang, unser suchender deutscher Geist, bewehrt mit dieser einen Erleuchtung: daß ohne geglaubte Ganzheit zu leben unmöglich ist — daß im halben Glauben kein Leben ist, daß dem Leben entfliehen, wie die Romantik wähnte, unmöglich ist: daß das Leben lebbar nur wird durch gültige Bindungen[37]."

An einer anderen Stelle der Rede wird die Romantik und jene nicht unverschuldete Verödung und Entgötterung, die auf sie gefolgt sei, als „leichtes Zwischenwellenspiel"[38] bezeichnet, und setzt man das Wort aus dem *„Buch der Freunde"* dazu: „das achtzehnte Jahrhundert hatte eine wahre Popularphilosophie, an deren Stelle das neunzehnte einen Hexenbrei aus allen denkbaren Gedanken und Meinungen gesetzt hat"[39], dann wird auch von dieser Seite bestätigt, daß die Hexe auch das 19. Jahrhundert verkörpert.

Weist sie jedoch auf Europa, auf ein Europa, wie Hofmannsthal es sieht, so die Gestalt des Kaisers auf ein traumhaftes orientalisches Reich, das vor allem auch in dem Bild der Herrscherpyramide[40], von deren Spitze aus, den Göttern nah, der Kaiser sein ordnendes Mittler-Amt erfüllt, angedeutet ist:

„... Auf mein ungeheures Amt
Will ich Kaiser mich besinnen:
Meine Kammer ist die Welt,
Und die Tausende der Tausend
Sind im Kreis um mich gestellt
Ihre Ämter zu empfangen ..."
„... Wunderbarer ist mein Leben,
Ungeheurer aufgetürmt
Als die ungeheuren Dinge,
Pyramiden, Mausoleen,
So die Könige vor mir
Aufgerichtet. Ich vermag
Auf den Schicksalen der Menschen
So zu thronen, wie sie saßen
Auf getürmten toten Steinen ...[41]"

## *4. Herrscher- und Lebenspyramide und die zeitenthobene Mitte*

Schon im Juli 1895 findet sich im Tagebuch ein erster Hinweis auf eine solche Herrscherpyramide, der durch das vorgesetzte Stichwort „Lebensweg" keineswegs nur als Randbemerkung aufgefaßt werden kann: „Lebensweg. Steigerung der Magie darstellen. Auf der höchsten Terrasse eritis sicut Deus"[42]. Diese Hinweise, aber auch die Tatsache, daß Hofmannsthal nach „Erreichung" der Ganzheit seine dichterische Existenz nicht mehr als zeitliche, sondern nur noch als Höherentwicklung beschrieb und dafür vor allem auch das Sinnbild der Spirale[43] wählte, läßt vermuten, daß für seine Herrscherpyramide jener altorientalische Zikkurat Modell gestanden hat, ein siebenstufiger Sakralturm oder künstlicher Thronberg, von dessen Spitze aus die Gottheit herrscht und der nicht nur ein Terrassenberg sein konnte, sondern wie in Samarra auch ein schneckenartig nach oben hin sich verjüngender Spiralberg auf quadratischem Grundriß[44]. Das Bild der Pyramide war Hofmannsthal so wichtig, daß er es immer wieder aufnimmt und als „Lebenspyramide" auch als Sinnbild des Lebens verwendet. So spricht er in einem Brief an Rudolf Borchardt vom 3. 8. 1912 von dem Plan, in sieben Gedichten mit dem Gesamttitel „*Lebenspyramide*" die verschiedenen Altersstufen vom Kind bis zum Greis darzustellen[45] und sieht in seiner Rede „*Der Dichter und diese Zeit*" (1907) sogar in dem „Tun" der Dichter nichts anderes als das Bauen an einer Pyramide:

„. . . Und diesem Tun ist keine Formel zu finden, aber es steht unter dem Befehl der Notwendigkeit, und es ist, als bauten sie alle an einer Pyramide, dem ungeheuren Wohnhaus eines toten Königs oder eines ungeborenen Gottes[46]."

Auf das kleine Drama „*Der Kaiser und die Hexe*" trifft jenes Wort aus der Münchner Rede: „Sein Drama wird ihm zum Mythos des eigenen Ich"[47] ebenso zu wie auf das „*Kleine Welttheater*" und auf spätere dramatische Arbeiten bis zum „*Turm*", denn hinter der Selbstmythisierung zum Kaiser auf der gottnächsten Terrasse der Herrschaftspyramide steht Hofmannsthals durch eine überstarke Melancholie ausgelöster und geprägter Wille zur Ganzheit — „Selbsterziehung zum ganzen Menschen"[48] ist eine Formulierung bereits aus dem ersten Aufsatz „*Zur Physiologie der Liebe*" des gerade siebzehnjährigen Dichters —, den er später selber wohl zutreffend als „Zwang zum Ganzen"[49] beschrieb, und daher auch sein geheimer und von nun an unabdingbarer Anspruch, „als ein Ganzes, als das einzige Ganze dieser zerrissenen Welt genommen zu werden"[50]. Daß Alexander der Große eines der Leitbilder dieser Mythisierung gewesen zu sein scheint, kann in diesem Zusammenhang nur angedeutet werden; so heißt es in einem für das

Verständnis seiner poetischen Pläne wichtigen Brief vom 13. Mai 1895 an Richard Beer-Hofmann im Anschluß an seine selbstsichere Behauptung: „Ich glaub' immer noch, daß ich imstand sein werde, mir meine Welt in die Welt hineinzubauen":

„Ein Reich haben wie Alexander, gerade so groß und so voll Ereignis, daß es das ganze Denken erfüllt, und mit dem Tod fällt es nichtig auseinander, denn es war nur ein Reich für diesen einen König[51]."

Neben *„Der Kaiser und die Hexe"* bezeugen auch andere Werke des Jahres 1897 diese Mythisierung zum Kaiser eines eigenen Reiches, dessen Figur zweifellos auf orientalische und asiatische Vorbilder zurückgeht und dessen ordnendes „Amt" mit dem des Dichters für Hofmannsthal in enger Verbindung steht. Im *„Kleinen Welttheater"* heißt es im Schlußmonolog des Wahnsinnigen über dieses „Amt", das mit der oben zitierten Stelle über das „Amt" des Kaisers aus *„Der Kaiser und die Hexe"* zusätzlich beleuchtet wird:

„Hierhin und dorthin darf ich, ich bin hergeschickt,
Zu ordnen, meines ist ein Amt,
Des Namen über alle Namen ist.
Es haben aber die Dichter schon
Und die Erbauer der königlichen Paläste
Etwas geahnt vom Ordnen der Dinge ...
... Was aber sind Paläste und die Gedichte:
Traumhaftes Abbild des Wirklichen!
Das Wirkliche fängt keine Gewebe ein:
Den *ganzen* Reigen anzuführen,
Den wirklichen, begreift ihr dieses Amt? ...[52]"

Werden hier Gedichte und Paläste, denen auch die Herrschafts- und in weitem Sinne auch die Lebenspyramide zugeordnet werden können, als „traumhaftes Abbild des Wirklichen" bezeichnet, so gilt es hier schon festzuhalten, daß Hofmannsthals Begriff der Wirklichkeit sich keineswegs auf irgendeine gesellschaftliche und politische Realität bezieht, sondern ein von seinem poetischen System abhängiger Begriff ist, der wie auch sein Lebensbegriff bestimmt wird durch das Brahman, d. h. das Ganze, das Unzerstörbare, das Unteilbare, das Wortlose, das Unaussprechliche, das Namenlose, „des Namen über alle Namen ist". Der *„ganze* Reigen" und die Tatsache, daß Hofmannsthal selber das „ganz" gesperrt und damit besonders herausgehoben und betont hat, sind ein Hinweis darauf, doch soll das an einer späteren Stelle behandelt werden.

Ein Gedicht des Jahres 1897 verdient hier vor allem herangezogen zu werden, nicht nur weil in seinem Mittelpunkt die Figur eines Kaisers steht, sondern weil dieser der chinesische Kaiser ist und es genaue Kenntnisse der chinesischen Reichssymbolik, ja sogar der chinesischsen Sprache, oder besser Schrift, verrät. Die ersten beiden Verse dieses Gedichtes *„Der Kaiser von China spricht“:* lauten:

„In der Mitte aller Dinge
Wohne ich der Sohn des Himmels ...[53]“

China heißt auf chinesisch bis zum heutigen Tag chung kuo (中 國), das Land der Mitte, was darauf hindeutet, daß China sich als den Mittelpunkt der Welt verstand. Der Himmelstempel in Peking galt als Mittelpunkt des chinesischen Reiches und auf dem kreisrunden Altar des Himmels an der höchsten Stelle des Tempels, zu dem vier Treppen in drei konzentrischen Terrassen, die den vier Kardinalpunkten des Himmels entsprechen, hinaufführen, brachte der Kaiser zum Zeitpunkt des Wintersolstitiums jährlich das Weiheopfer dar[54]. Hofmannsthal schildert nun nach dem Modell dieses Himmelstempels das chinesische Reich als ein Reich, das aus unzähligen aufeinanderfolgenden konzentrischen Mauern, zwischen denen die immer weiter vom Kaiser entfernten Völkerteile leben, besteht, „bis ans Meer, die letzte Mauer, / die mein Reich und mich umgibt“. Doch wird die genaue Ordnung und Einteilung des Reiches auch noch auf andere Weise betont:

„Stumm von meinen Rasenbänken / Grünen Schemeln meiner Füße, Gehen gleichgeteilte Ströme / Osten-, west- und süd- und nordwärts,
Meinen Garten zu bewässern / Der die weite Erde ist ...“

Auch auf die Grabbeigaben chinesischer Kaisergräber geht Hofmannsthal ein. In dem „Sohn des Himmels“ hat er außerdem die genaue Übersetzung der beiden Zeichen 天 子 (tien tzu) , die den Kaiser bezeichnen, aufgenommen. Das Bild der zeitenthobenen Mitte, das asiatischer Weltvorstellung so genau entspricht und das in diesem Gedicht, aber auch in dem Sinnbild der Pyramide, so genau zum Ausdruck kommt, blieb für Hofmannsthal von zentraler Bedeutung und er ist immer wieder, auch durch Verwendung des Kugel- und Kreissymboles, darauf zurückgekommen. So bemerkt er, um nur dieses Beispiel herauszugreifen, in seinem Aufsatz *„Goethes west-östlicher Divan“*, der deutliche Hinweise auf seine eigene dichterische Existenz enthält, zu der Existenz des Mannes, dem die Ganzheit, im Vergleich zu der des Jünglings, dem der Zwischenzustand entspricht:

„Er steht wahrhaft in der Mitte des Lebenskreises, und der Kreis hält ihm die Welt gebannt ... jedes Vergangene wirft den dünnen Schleier von sich und zeigt sich als ein ewig Gegenwärtiges. Jegliches führt jegliches herbei, denn in jedem Sinn ist alles in den Kreis geschlossen . . .[55]"

Seit der Aufhebung des Zwischenzustandes verstand sich Hofmannsthal als der „höhere Mensch", der, um diese Notizen aus den *„Aufzeichnungen zu Reden in Skandinavien"* aufzunehmen, das Kausalreich niedergerungen hat: „Sein Leben ist beherrscht durch das Schicksalsgesetz seiner persönlichen Sendung, die er verwirklichen soll. — Planauswirkung. Ein Wort schwebt uns auf den Lippen: Karma. In der Tat, wir sind Asien, dem Urquell der Religionen nahe[56]." Und so wie er hier den indischen Karmabegriff zur Erklärung heranzieht und das Leben des „höheren Menschen", dem seine eigene Mythisierung zum Kaiser entspricht, ausdrücklich mit Asien verbindet, so wird er seit den Werken des Jahres 1897 nicht müde, Asien seine Reverenz zu erweisen und es in seine Arbeit einzubeziehen. Von nun an schien ihm ohne „Glauben an die Ewigkeit kein wahrhaftes Leben möglich"[57] und sah er es für sich als verbindlich und unverzichtbar an, daß, um ein weiteres Zitat aus obengenannten *„Aufzeichnungen"* anzuführen, „in einer Welt, in welcher alles in ein Werden gefaßt ist, der Dichter nach dem Sein fragen muß, nach der Bahn, dem Gesetz, dem Bleibenden, dem, was die heiligen Bücher der Chinesen mit dem Wort Tao bezeichnen"[58].

### *5. Brahman: das Ewige, Unaussprechliche, Namenlose, Unzerstörbare, Unteilbare*

Eine Notiz Hofmannsthals in *„Ad me ipsum"*, in welcher er sowohl *„Der Kaiser und die Hexe"* als auch *„Das Bergwerk zu Falun"* eine „Analyse der dichterischen Existenz"[59] nennt, wird angesichts des oben Ausgeführten bestätigt. Denn verkörpert die Hexe als die Zeit-Hexe das „Werden", das „Kausalreich"[60], die Dialektik, und erreicht der Kaiser durch die Befreiung von der Hexe das „Sein", die „Ganzheit", die „Ewigkeit", wodurch er erst berechtigt ist, sein „Amt" von der Spitze der Herrschaftspyramide aus auszuüben, so verkörpert die Bergkönigin, zu der es Elis hinzieht, das „Sein" oder die „Ewigkeit", hinter denen bei Hofmannsthal, wie in den folgenden Ausführungen gezeigt werden soll, das Brahman steht. 1927 hat Hofmannsthal sich daher ins Tagebuch notiert:

„Im ‚Bergwerk' ist jenes gewaltig Hinüberziehende (das die Seele dem Leben entfremdet) erst wirklich gestaltet: das Reich der Worte, worin alles Gegenwart. — Das Ganze drückt den Versuch der Seele aus, der Zeit zu entfliehen in das Überzeitliche. Worte reißen das Einzelne aus dem Strom des Vergehens, vergegenwärtigen = verewigen es[61]."

Bezieht sich, nach einer Notiz in *„Ad me ipsum"*, die Selbstanklage in *„Der Tor und der Tod"* „auf die schwankende Zugehörigkeit zum Reich des Ewigen und des Vergänglichen"[62], so fühlt sich Elis Fröbom schließlich nur noch zum „Reich des Ewigen" gehörig, da er „nicht mehr daheim sein kann auf Erden" und für ihn „dies Leben hier nicht alles ist" wie für Anna, zu der er deshalb sagen kann: „Wie dich, so schüttle ich die ganze Welt / von meinem Fuß, und bin schon nicht mehr hier!"[63] Wie der Erbe des *„Lebensliedes"* und der Wahnsinnige des *„Kleinen Welttheaters"* ist er ein Unsteter, ein Heimatloser, ein Gast, den es „hinüberzog": „... dann zog es mich / hinüber, ich gehör nicht mehr hierher, / ich bin ein Gast, ein schauerlicher Gast!"[64] Elis ist ein der Welt Entfremdeter wie Torbern, den er ablöst und der von sich sagt: „Von ewiger Luft umwittert, ward ich schnell / dem dumpf umgebend Menschlichen entfremdet: / mir galt nicht nah, nicht fern: ich sah nur Leben" und der an einer anderen Stelle diese Entfremdung und ihre Konsequenzen noch genauer faßt:

„Es ziemt sich nicht, daß unsereiner sterbe
Wo Menschen um ihn sind, denn da wir lebten,
Teilhaftig eines Bessern, stießen wir
Das Menschliche mit Füßen, redeten
Mit Höhn und Tiefen und genossen Glück
Und einem Leib, vor dem die Zeiten knien
Und dem die Sterne ihren Dienst erweisen[65]."

Dieser völlig eigene und eigenwillige Entfremdungsbegriff Hofmannsthals ist entgegen dem von Marx, der von den zeitlichen, menschlichen und ökonomischen Verhältnissen ausging, ein von der Sehnsucht und dem Streben nach der „Ewigkeit" bestimmter, wenn auch historisch gesehen beide Begriffe sehr viel mehr miteinander zu tun haben, als man auf den ersten Blick vermuten wollte. Vor allem unter Dichtern war in den Generationen nach Marx das Bedürfnis nach der Berücksichtigung einer noch anderen als der sozialen Wirklichkeit durchaus stark und verbreitet, was auch die Werke von Borchardt, Dehmel oder George, um nur diese zu nennen, bezeugen. Doch liegt die Besonderheit Hofmannsthals und auch seines Entfremdungsbegriffes darin, daß ein von Asien, d. h. asiatischen Weltvorstellungen, geprägter „Glauben an die Ewigkeit"[66] (der Brahmanglaube), das ideologische Zentrum seines poetischen Systems bildete. Auch zur Kennzeichnung der Bergkönigin hat das Brahman gedient, das nicht nur das Ganze, das Eine, das Ewige ist, sondern auch das Wortlose, das Unaussprechliche, das Namenlose, wie es in diesen Versen aus den von Deussen übersetzten *„Sûtra's des Vedânta"* zum Ausdruck kommt:

„Was unaussprechlich durch das Wort
Wodurch das Wort aussprechlich ist,
Das sollst du wissen als das Brahman . . .[67]"

Im „*Kleinen Welttheater*" hat Hofmannsthal in einem Vers des Fremden zum ersten Mal in einem dichterischen Werk auf die zentrale Bedeutung des „Unaussprechlichen" hingewiesen, ein Vers, der über die zuletzt angeführten Worte Torberns die Verbindung zum „*Bergwerk zu Falun*" herstellt, in welchem Anna am Schluß Elis auch als Fremden kennzeichnet, wodurch diese Figur sich als brahmanbestimmt erweist. Lauten die ersten beiden Zeilen in dem Vers des Fremden: „In einem Leibe muß es mir gelingen, / das unaussprechlich Reiche auszudrücken", so sagt Torbern: „. . . und genossen Glück / von einem Leib, vor dem die Zeiten knien / und dem die Sterne ihren Dienst erweisen[68]." Also auch dem „*einen* Leib" im „*Bergwerk*" kann das „unaussprechlich Reiche" zugeordnet werden, das aber auch an anderen Stellen angedeutet oder zumindest angesprochen ist. Doch seien vor der kurzen Analyse dieser Stellen einige Verse „*Eines Prologes*" herangezogen, in denen ebenfalls 1897 das „Namenlose" ausdrücklich im Zusammenhang mit der Arbeit des Dichters erwähnt wird und das Wort vom „hingegebenen Leben" auf das „*Bergwerk*" vorausweist:

„Und wieder ist ein Stuhl gesetzt für den,
Der ging und alle Stimmen in der Luft
Verstand und doch sich nicht verführen ließ
Und Herrscher blieb im eigenen Gemüt
Und als den Preis des hingegebenen Lebens
Das schwerelos Gebild aus Worten schuf,
Unscheinbar wie ein Bündel feuchter Algen,
Doch angefüllt mit allem Spiegelbild
Des ungeheuren Daseins, und dahinter
Ein Namenloses, das aus diesem Spiegel
Hervor mit grenzenlosen Blicken schaut
Wie eines Gottes Augen aus der Maske . . .[69]"

Dieses „ungeheure Dasein" korrespondiert durch das Wort „ungeheuer" (neben „unzerstörbar", „unbegreiflich", „unaufhörlich", „unteilbar" eines der wichtigen Worte mit der Vorsilbe „un" zur Kennzeichnung des Brahmanbereiches) mit dem gleichzeitigen „ungeheuren Blick"[70] des Kaisers am Schluß von „*Der Kaiser und die Hexe*", der, wie ich an anderer Stelle ausgeführt habe, ein durchdringender Blick[71] ist, aber auch mit dem für Elis anbrechenden „ungeheuren Morgen" und dem „ungeheuren Strahl" aus den an Elis gerichteten Worten der Bergkönigin im „*Bergwerk*":

„... unwillig trugst du, zornig atmend,
Den Druck der irdischen Luft, dein Blick durchdrang
Die Niedrigkeit, dein Mund verschmähte sie,
Ein ungeheurer Strahl entglomm dem Aug ...[72]"

Dieses „ungeheure Dasein" weist aber auch voraus auf jene zentrale Stelle aus dem fünften und letzten der *„Briefe des Zurückgekehrten"*, wo das Erlebnis der „Sprache der Farben" in einem „ungeheuren Augenblick" beschrieben wird, eine Stelle, die die enge Zusammengehörigkeit des „Ungeheuren", des „Wortlosen" und des durchdringenden Blickes bestätigt:

„... warum war dieser ungeheure Augenblick ... an mein Schauen geknüpft? Warum, wenn nicht diese Farben eine Sprache sind, in der das Wortlose, das Ewige, das Ungeheure sich hergibt ...[73]"

Die Unaussprechbarkeit des „Wortlosen, Ewigen, Ungeheuren" ließ Hofmannsthal jene „ungeheuren Augenblicke" erfinden, die er dann in *„Ad me ipsum"* die „Momente der Erhöhung"[74] genannt hat, in welchen es sich im genauen Sinn des Wortes für einen Blick der „durchdringenden" Augen „hergibt"; und er erfand weiterhin das poetische Motiv des Boten und der Botschaft, die von Brahman, dem „Wortlosen, Ungeheuren, Ewigen", ausgesandt werden, ausgesandt in eine Welt, die der Zeit und zeitlichen Bedingungen unterliegt. In *„Der Abenteurer und die Sängerin"* (1898) sagt der Baron Weidenstamm am Ende des ersten Aktes: „... Dergleichen / sind deine unsichtbaren Boten, du, / den ich nicht nennen will, und dem die Zeit / auf leisen Sohlen dient"[75] und im *„Vorspiel zur Antigone des Sophokles"* (1900), worin Hofmannsthal aufschlußreich über seine Auffassung von der Rolle des Theaters Auskunft gibt, sagt der Genius zu dem Studenten: „Die ewig leben, senden mich an dich / mit einer schönen Botschaft / ... die Unruh hemm ich, heiß die Zeit stillstehn. / Was hier geschieht, ist ihr nicht untertan ..."[76]. Das zentrale Beispiel für dieses Motiv enthalten jedoch die *„Verse zum Gedächtnis des Schauspielers Josef Kainz"*, in denen Kainz nicht nur als „Fremdling über allen Fremdlingen" und damit als geheimer Bruder von Elis und dem Fremden des *„Kleinen Welttheaters"* geschildert wird, sondern vor allem als „Bote aller Boten, namenlos / Und Bote eines namenlosen Herrn"; und auch hier wird das Motiv des durchdringenden, die Zeitwelt verschmähenden Auges hervorgehoben: „O vogelhaftes Auge, das verschmähte, / Jung oder alt zu sein, schlafloses Aug, / ... Aug des *Boten*! ..." Es kann hier nicht der Ort sein, auf dieses Gedicht so ausführlich, wie es ihm angemessen wäre, einzugehen, doch sei zumindest darauf hingewiesen, daß auch hier der Schauspieler wie oben der Dichter zu einem wird, der „rings ins Dunkel aus den Worten" sich Paläste hinbaut, und daß das Moment des „Unzerstörbaren“ oder des „Schwebend-Unzerstörbaren“[77], wie es gegen den Schluß heißt, den genauen Bezug zum Brahman herstellt, das aber durch das „Namenlose“ am deutlichsten angesprochen ist. Weist nun das verschmähende Auge direkt zurück auf den verschmähenden Mund in den obigen Worten der Bergkönigin, so ermöglicht das Motiv der Botschaft, zu zeigen, daß die Bergkönigin auch das Namenlose versinnbilden soll: denn an zwei entscheidenden Stellen spricht Elis von der Botschaft, die sie ihm gesandt habe:

„Dann mußt ich einsam sitzen an dem Strand
In meinem Elend: da glitt ich hinab
Und durfte s i e anschaun zum erstenmal.
Doch muß ich noch herauf für eine Frist.
Und Botschaft über Botschaft sandte mir
Die Liebste, zu der ich nun eingehn soll ...
... Und nun die Zeit erfüllt, die sie mir setzt,
Die Botschaft über Botschaft mir gesandt ...“[78]

Ist es daher das Brahman, in das Elis „eingehen soll“ und das ihn verlernen ließ, sich mit der Menschen Zeiten Maß zu messen, und ihn auf der Erde sich als „schauerlichen Gast“ fühlen ließ, so erweist sich auch von dieser Seite (soll das „*Bergwerk*“ wie „*Kaiser und Hexe*“ als „Analyse der dichterischen Existenz“ betrachtet werden) das Brahman als der ideologische Leitbegriff dieser dichterischen Existenz.

Die große Bedeutung, die das Brahman für ihn bekommen hatte, veranlaßte Hofmannsthal dann auch, den buddhistischen Begriff der Präexistenz, den er im Winter 1901/02 durch Lafcadio Hearns „*Kokoro*“[79] wahrscheinlich zuerst kennenlernte, in seinen für das Verständnis seines Gesamtwerkes und dessen dem poetischen System verdankten Einheit wichtigen autobiographischen, oder besser autopoetischen Aufzeichnungen „*Ad me ipsum*“ als zentralen Begriff zu verwenden. Denn dieser Begriff leistete zweierlei: einmal drückte er die prä-existente Stufe der Kindheit, der unbewußten „Alleinheit“ aus, die in Hofmannsthals Werk seit „*Gestern*“ (1891) in Verbindung mit dem Stichwort „damals“[80] auftaucht, zum anderen umfaßte er den Glauben an die Ganzheit[81], den Brahman-Glauben, der seit 1895 Hofmannsthals Denken bestimmt, der den verschiedensten Begriffen (Sein, Ewigkeit, Dauer, Unendlichkeit, Allgegenwart, Harmonie, Kosmos, Raum, Überich) und auch seinem Existenz-, Lebens- und Wirklichkeitsbegriff zugrundeliegt. Die Vermischung dieser beiden Bedeutungen in zahlreichen Hofmannsthalarbeiten seit der Veröffentlichung von „*Ad me ipsum*“ im Jahrbuch des Freien Deutschen Hochstiftes 1930 zusammen mit dem folgenreichen Kommentar von Walter Brecht konnte dazu führen, Präexistenz und Schaffensprozeß in Verbindung zu bringen und so die Legende von dem Hofmannsthal einzuleiten, der durch die Niederschrift des Chandos-Briefes das Bekenntnis ablegt, keine Gedichte mehr schreiben zu können und nun gezwungen sei, Dramatiker und Librettist zu werden; der Widerspruch, wie das drohende Verstummen einen Dichter dazu führen kann, ein so überlegenes Stück Prosa zu schreiben und an Freunde zu verschicken, blieb ungelöst. Der „*Chandos-Brief*" bedeutet keine lebensentscheidende Krise in Hofmannsthals Leben und Werk, in welchem „Sprachkrisen" seit Beginn der dichterischen Existenz einen eher selbstverständlichen Platz einnehmen, sondern er signalisiert wie 1897 „*Der Kaiser und die Hexe*", dessen Grundstruktur er wieder aufnimmt, nun 1902 eine Station, einen weiteren Übergang innerhalb der mit dem poetischen System eng verbundenen dichterischen Existenz, den endgültigen Übergang zur dramatischen Produktion (den Hofmannsthal, wie es scheint, schon 1897 zu erreichen gehofft hatte) und den konsequenten Entschluß, sich von der Lyrik und der Zwischenform des lyrischen Dramas abzuwenden. Wichtig ist er als Dokument der Gegenposition zu George, den Hofmansthals Wendung zum Drama mit Widerstand erfüllte, da er in ihm nur den großen Lyriker sehen wollte und seine eigenen dramatischen Pläne längst aufgegeben hatte. Steht hinter der Befreiung des Kaisers von der Hexe vermutlich auch Hofmannsthals endgültige innere Befreiung und Loslösung von George, auch wenn er noch bis 1906 weiter mit ihm in lockerer, höflicher und achtungsvoller Verbindung blieb, so ist auch der „*Chandos-Brief*" als indirektes Zeugnis der nun völlig eigenen und selbständigen künstlerischen Stellung insgeheim an George gerichtet[82], dem Hofmannsthal auch persönlich eine Maschinenabschrift schickt und der prompt antwortet: „Ihren zwiefachen brief empfing ich in den geräuschen der abreise . . ."[83] Gerade für den „*Chandos-Brief*" ist aber von besonderer Bedeutung, daß Brahman das Wortlose, das Unaussprechliche ist, das sich aber in allem und überall „ausspricht"[84]. Hofmannsthal hatte in diesem Brief weniger ein persönliches als ein künstlerisches Problem vor Augen, das ihn seit dem Jahre 1895 fesselte; und es ist auch einzusehen, daß einen Dichter von dem ausgeprägten Sprachbewußtsein, wie es Hofmannsthal zuzuschreiben ist, die Vorstellung, daß es etwas Unaussprechliches geben könne, nicht mehr loslassen konnte. Gerade weil Hofmannsthals „Bekehrung zur Einheit"[85], zur Ganzheit, zum Zusammenhang aller Dinge, d. h. Bekehrung zum Brahman, längst vollzogen war und er mit diesem *einen* Begriff die Welt für sich insgeheim umspannte, konnte er Chandos klagen lassen: „Es ist mir völlig die Fähigkeit abhanden gekommen, über irgend etwas zusammenhängend zu denken oder zu sprechen . . . die abstrakten Worte . . . zerfielen mir im Munde wie modrige Pilze . . . Es zerfiel mir alles in Teile, die Teile wieder in Teile, und nichts mehr ließ sich mit einem Begriff umspannen ...“[86], um diese allzu häufig und mit besonderer Vorliebe angeführten Stellen zu zitieren. Das Verständnis dieser Stellen, das heißt die Einsicht in ihr Konstruktionsprinzip, wird erleichtert, wenn man sich vor Augen hält, daß Brahman auch das Unteilbare ist. Auch hierdurch stehen *„Der Kaiser und die Hexe“* und der *„Chandos-Brief“* in genauer korrespondierender Verbindung. Steht im Hintergrund des lyrischen Dramas die Erkenntnis Brahmans und damit auch der Ganzheit und Unteilbarkeit, so muß der Hexe nicht nur der am Schluß des Stückes aufgehobene „zweideutige und schreckliche Zwischenzustand“, sondern auch die auf die Wirkung der Zeit weisenden „Zerfall“ und „Teilbarkeit“ zugeordnet werden können. Deshalb sagt der Kaiser nach der Regiebemerkung: „Er stockt einen Moment unter ihrem Blick, dann plötzlich sehr laut“:

„Sieben Tage, wenn ich dich
Nicht berührt! Dies ist der letzte! ...
... Wenn die Sonne sinkt, zerfällst du:
Kröte! Asche! Diese Augen
Werden Schlamm, Staub wird dein Haar,
Und ich bleibe, der ich war.“

Und wenn der Kaiser am Schluß sagt:

„Gott hats gewendet! ...
... Wo ich hingriff dich zu spüren,
Taten sich ins wahre Leben
Auf geheimnisvolle Türen,
Mich mir selbst zurückzugeben“,

da „schleudert (wie die Regiebemerkung lautet) die Hexe ihre goldene Lilie zu Boden, die sogleich zu Qualm und Moder zerfällt“[87], worauf dann auch der Zerfall der Hexe erfolgt. Nicht nur das Motiv des Zerfalls zu Moder, d. h. zu modrigen Pilzen, als direkte sprachliche Brücke, bezeugt den engen Zusammenhang dieser beiden Werke, der hier jedoch nicht mehr weiter verfolgt werden soll[88]. Doch sei hier noch einmal jene bereits erwähnte programmatisch zu nennende Stelle aus dem Vortrag *„Poesie und Leben“* angeführt: „... aber ihr Lob geht auf Trümmer und Teile, meines auf das Ganze, ihre Bewunderung aufs Relative, meine aufs Absolute. Ich glaube, daß der Begriff des Ganzen in der Kunst überhaupt verlorengegangen ist[89].“

Ist *„Der Kaiser und die Hexe"* das große dichterische Zeugnis der endgültigen Aufhebung des Zwischenzustandes und der unwiderrufbaren Erkenntnis Brahmans als dem Ganzen und Wortlosen, so dokumentiert auch obige Stelle vom Mai 1896 diese Aufhebung. Als deren konkretes Anfangsdatum kann man den 5. September 1895 angeben: an diesem Tag beendet Hofmannsthal sein frühes Tagebuch mit einer bedeutsamen Notiz über *„Wilhelm Meister"*, von welchem Buch aus, wie es dort heißt, die Trennung zwischen Denken und Zutätigkeit aufgehoben erscheine[90] (daß Hofmannsthal hier den genauen Hegel'schen Begriff der Aufhebung verwendet, habe ich an anderer Stelle erläutert[91]), und an diesem Tag schreibt er an Edgar Karg von Bebenburg aus seinem Militärquartier zu Hatzenbach in Niederösterreich jenen wichtigen Brief, den man als eine Art Abrechnung mit dem zurückzulassenden Zwischenzustand (der „überjugendlichen Zeit, die jetzt gerade hinter uns liegt"[92]) bezeichnen kann. Vier Monate später, in seiner am 11. 1. 96 erschienenen Buchbesprechung *„Der neue Roman von d'Annunzio"* — einer der bedeutendsten Texte Hofmannsthals, in welchem er insgeheim über sich und seinen eigenen *neuen* Lebensabschnitt spricht, der in diesem Titel und dem wenige Monate darauf gewählten *„Ein neues Wiener Buch"* diskret angedeutet ist — bekennt Hofmannsthal ausdrücklich „in den mannigfaltigen Erfahrungen eines Jahres (dem Jahr seiner Militärzeit als Einjährig-Freiwilliger, Vf.) eine komplexe, wortlose Lehre empfangen"[93] zu haben. Und sieht er in d'Annunzios neuem Buch „einen wundervollen Umschwung" und einen „ungeheuren Ausblick aufgetan" und bemerkt wenig später: „Ich weiß für ganz große Dichter, wie er einer werden kann, keinen anderen Vergleich als die Kraft hochheiliger Ströme, des Nil oder jenes, der als ‚plurimus Ganges' eine große Gottheit war"[94], dann sind diese Formulierungen nicht nur auch auf Hofmannsthal selbst zu beziehen, sondern durch die Erwähnung des Ganges, des heiligen Flußes, ist, wenn auch mit der von Hofmannsthal durchwegs geübten dichterischen Diskretion, der genaue Bezug zu Indien hergestellt. Hinter diesem brahmanbestimmten „ungeheuren Ausblick", Ausblick auf jene „dritte Zeit"[95], die Hofmannsthal in dem oben zitierten Brief an Edgar Karg von Bebenburg vom 5. 9. 95 herankommen sieht, steht seine endgültige „Bekehrung zur Einheit", eine Formulierung, die sich Hofmannsthal in *„Ad me ipsum"* vor diese Zeile aus den Versen des Fremden im *„Kleinen Welttheater"* notiert: „Ein-Wesen ists, daran wir uns entzücken." Daß ihm an dieser Zeile gelegen war und daß sie für ihn selber eine besondere Bedeutung hatte, zeigt eine wenig vorher angeführte Notiz: „Die Liebe geht aufs Ganze: ‚Ein-Wesen ists' — aber er entzückt sich doch am ganzen Flusse, Flusse des Daseins"[96]; diese Notiz verweist durch das Bild des „ganzen Flusses des Daseins" auf die eben zitierte Stelle, in der ganz große Dichter mit der Kraft hochheiliger Ströme wie dem ‚plurimus Ganges' verglichen werden, aber sie dokumentiert auch, daß bei dieser Liebe zum Ganzen das *Entzücken* betont werden muß und daß diesem Entzücken ein Glücksgefühl entspricht, ohne das Hofmannsthals Bekehrung zu Brahman nicht zu denken ist und das er in seinen zahlreichen Schilderungen von Augenblicken der Entzückung, der Bezauberung, der Erhöhung[97] zu beschreiben versucht hat. „Die Glücklichen" ist der Untertitel des *„Kleinen Welttheaters"* (ebenso wie *„Der Kaiser und die Hexe" 1897* entstanden), das Hofmannsthal in den „vielleicht glücklichsten Wochen (s)eines Lebens" geschrieben hat und in dem er als den Glücklichsten dieser „einzelnen glücklichen Seelen", von denen „jede einsam"[98] ist, die Figur eines glücklichen Wahnsinnigen in die deutsche Literatur eingeführt hat. Dieser sagt in seinem großen Schlußmonolog:

> „... Es haben aber die Dichter schon
> Und die Erbauer der königlichen Paläste
> Etwas geahnt vom Ordnen der Dinge ...
> ... Was aber sind Paläste und die Gedichte:
> Traumhaftes Abbild des Wirklichen!
> Das Wirkliche fängt kein Gewebe ein:
> Den *ganzen* Reigen anzuführen,
> Den wirklichen, begreift ihr dieses Amt? ...[99]"

Konnte diese Stelle dazu dienen, die Figur des Kaisers als eines Ordners der Dinge und damit den geheimen Anspruch Hofmannsthals auf Herrschaft zu erhellen, so bezeugt sie vor allem, daß sein Begriff der Wirklichkeit abhängig ist von dem Begriff der Ganzheit und daher das Wirkliche nie aussprechbar, sondern nur abbildbar, nur ausdrückbar ist. Das *„Kleine Welttheater"* nun enthält den genauen Hinweis darauf, daß hinter diesem Begriff des Wirklichen das Brahman, und zwar das Brahman als das Wortlose, das Unaussprechliche steht, und es ist anzunehmen, daß Hofmannsthal auch aus diesem Grund die oben zitierte Zeile aus einem Vers des Fremden so hervorhebt und ausdrücklich mit der „Bekehrung zur Einheit" verbindet. Dieser Vers lautet vollständig:

> „In einem Leibe muß es mir gelingen,
> Das unaussprechlich Reiche auszudrücken,
> Das selige Insichgeschlossensein:
> Ein Wesen ists, woran wir uns entzücken! ...[100]"

An wenigen Stellen hat Hofmannsthal so ausführlich den zentralen ideologischen Hintergrund seines Weltbildes und seiner poetischen Arbeit zum Ausdruck gebracht, wenn sich auch genau nachweisen läßt, daß seitdem das Wortlose den Schlußstein seines poetischen Systems bildete, das Entzücken und das Ein-Wesen an den verschiedensten Stellen und zu den verschiedensten Zeiten sich untrüglich darauf beziehen. So lassen sich von obigem Vers direkte Linien ziehen sowohl zum *„Chandos-Brief"* des Jahres 1902, als auch zu den kaum genug hervorzuhebenden, bedeutenden Texten des Jahres 1907 *„Der Dichter und diese Zeit"*, *„Die Wege und die Begegnungen"*, *„Die Briefe des Zurückgekehrten I—V"*, und *„Furcht"* (Ein Dialog) ). In diesem Jahr hat Hofmannsthal zum ersten Mal in *„Der Dichter und diese Zeit"* sein dichterisches Weltbild der Öffentlichkeit präsentiert und es scheint kein Zufall zu sein, daß in diese Zeit der Abbruch der persönlichen Beziehungen zu George und der Beginn der intensiven Zusammenarbeit mit Richard Strauß fällt; doch wendet Hofmannsthal sich im Sommer 1907 auch der Produktion von Komödien und damit einem neuen künstlerischen Arbeitsbereich zu und entwickelt eine rege kulturpolitische Aktivität.

Die sogenannte Sprachkrise des Lord Chandos und wie angenommen wurde auch Hofmannsthals selber, klärt sich angesichts des oben und früher Gesagten; es ermöglicht zu zeigen, daß es Hofmannsthal hier um den genau ausgearbeiteten Versuch ging, in der verfremdeten Gestalt eines anderen Schriftstellers die Gegenposition zu seiner eigenen künstlerischen und auch weltanschaulichen Sicherheit darzustellen. Weiß Hofmannsthal sich zur Einheit bekehrt, so schildert er in Lord Chandos einen Menschen, der die Einheit verloren hat und der vergeblich und verzweifelt auf der Suche nach der „wortlosen Sprache"[101] ist (eine Formulierung, die Hofmannsthal im selben Jahr verwendet), jener „Sprache, in welcher die stummen Dinge zu mir sprechen"[102], welche Hofmannsthal aus künstlerischen Gründen reizt. Deshalb kann Chandos die „stumme Wesenheit" unbeachteter Dinge „zur Quelle jenes rätselhaften, wortlosen, schrankenlosen Entzückens werden" und deshalb lassen ihn die Worte wiederum im Stich anzudeuten, „worin diese guten Augenblicke bestehen":

> „Denn es ist ja etwas völlig Unbenanntes und auch wohl kaum Benennbares, das in solchen Augenblicken, irgendeine Erscheinung meiner alltäglichen Umgebung mit einer überschwellenden Flut höheren Lebens wie ein Gefäß erfüllend, mir sich ankündet[103]."

Fünf Jahre später nimmt Hofmannsthal dieses ihm unverzichtbare Grundschema in den *„Briefen des Zurückgekehrten"* wieder auf, wo nun die Farben auf den Bildern Van Goghs dem Zurückgekehrten zur Quelle des

Entzückens werden und die Sprache der Farben nun als die Sprache des „Wortlosen“ gekennzeichnet wird. Die eingeflochtene Geschichte des Brahmanen Rama Krishna, dem der Anblick eines Zuges weißer Reiher vor dem blauen Himmel zur Erleuchtung oder Erweckung verhalf,stellt zudem klar, daß mit dem „Wortlosen“, dem „Unnennbaren“ tatsächlich das Brahman gemeint ist:

„. . . und nichts als dies, nichts als das Weiß der lebendigen Flügelschlagenden unter dem blauen Himmel, nichts als diese zwei Farben gegeneinander, dies ewig Unnennbare, drang in diesem Augenblick in seine Seele und löste, was verbunden war, und verband, was gelöst war, daß er zusammenfiel wie tot, und als er wieder-aufstand, war es nicht mehr derselbe, der hingestürzt war.“

Der Zurückgekehrte klagt nach dieser Geschichte des Brahmanen: „. . . besäße ich eine Sprache, in die innerliche wortlose Gewißheiten hinüberzufließen vermöchten! Aber so!“ und versucht dann aber doch sein Erlebnis der Farben zu beschreiben. Er fragt, ob er es nicht sei, der über die Farben Macht bekomme

„die ganze, volle Macht für irgendeine Spanne Zeit, ihnen ihr wortloses, abgrundtiefes Geheimnis zu entreißen — ist die Kraft nicht in mir, fühle ich sie nicht in meiner Brust als ein Schwellen, eine Fülle, eine fremde, erhabene, entzückende Gegenwart . . .“.

Nach dieser „entzückenden Gegenwart“ folgt der Bericht des schon angeführten Farbenerlebnisses „damals im Hafen von Buenos Aires“:

Warum wühlten sich hier vor meinen schauenden Augen, vor meiner entzückten Brust mein ganzes Leben mir entgegen, Vergangenheit, Zukunft, aufschäumend in unerschöpflicher Gegenwart, und warum war dieser ungeheuere Augenblick . . ., warum war dies Doppelte, dies Verschlungene, dies Außen und Innen, dies ineinanderschlagende Du an mein Schauen geknüpft? Warum, wenn nicht die Farben eine Sprache sind, in der das Wortlose, das Ewige, das Ungeheure sich hergibt, eine Sprache, erhabener als die Töne, weil sie wie eine Ewigkeitsflamme unmittelbar hervorschlägt aus dem stummen Dasein und uns die Seele erneuert . . .[104]“

Hier sind die Farben zum Träger des „unaussprechlich Reichen“ aus dem Vers des „*Kleinen Welttheaters*“ geworden, aus dem Hofmannsthal außerdem und gesperrt auch das „*ein Wesen*“[105] wieder aufnimmt, und zwar an der Stelle, als der Zurückgekehrte zum ersten Mal versucht, seinen Eindruck von den Bildern Van Goghs in Worte zu fassen. Der Schluß des fünften Briefes ist von besonderem Interesse, da Hofmannsthal hier ausdrücklich von der Entfremdung spricht, die der Entzückung durch das Erlebnis der Farben und dem damit zusammenhängenden Glücksgefühl zugrundeliegt. Dort heißt es in Form einer Frage:

„... schlang sich da nicht aus dem Innersten des Erlebnisses die umarmende Welle und zog dich hinein, und du fandest dich einsam und dir selber unverlierbar, groß und wie gelöst an allen Sinnen, namenlos und lächelnd glücklich? Warum sollte nicht die stumme werbende Natur ... dir zeigen, daß auch sie in ihren Tiefen die heiligen Grotten hat, in denen du mit dir selber eins sein kannst, der draußen sich selber entfremdet war? ... Und warum sollten nicht die Farben Brüder der Schmerzen sein, da diese wie jene uns ins Ewige ziehen?[106]“

Seit Hofmannsthal sich vom Brahman „ins Ewige ziehen“ ließ, um auf diese Weise seiner melancholischen Entfremdung und der ungeliebten Realität willentlich zu entkommen, findet sich dies glückliche Lächeln bei zentralen Figuren seines Werkes. Der Erbe des *„Lebensliedes“* (1896) ist ein Lächelnder und man ist versucht, das Wort „lächeln“[107], das an drei entscheidenden Stellen auftaucht, als das wichtigste des Gedichtes zu bezeichnen; der Diener im *„Kleinen Welttheater“*, dessen Untertitel — das sei hier wiederholt — „oder die Glücklichen“ lautet, schreibt seinem Herrn, dem Wahnsinnigen, dem Glücklichsten dieser Glücklichen, dieses Lächeln[108] zu, und ein „unsägliches, wissendes Lächeln“ liegt auch auf den Gesichtern der als „Boten“ gekennzeichneten „unzerstörbaren“ Statuen in den *„Augenblikken in Griechenland“*, die mit der Frage enden: „Wenn das Unerreichliche sich speist aus meinem Innern und das Ewige aus mir seine Ewigkeit sich aufbaut, was ist dann noch zwischen der Gottheit und mir[109].“ Wie sehr Hofmannsthal sich über den Zusammenhang von Entfremdung, Abkehr von der Realität und Entzückung durch das Unaussprechliche klar zu äußern bereit war, sei an einer Stelle aus seinem kleinen Aufsatz *„Der Tisch mit Büchern“* (1905) dokumentiert. Dort spricht er davon, wie jenes unrealste aller Reiche, unheimlichste aller Phantasmata, die sogenannte Wirklichkeit vollgepfropft mit Büchern sei und daß man aber doch einigen von ihnen „ungemessene Entzückungen“ verdanke:

„... Sie sind die einzigen Boten in einer Welt der Entfremdung, maßloser Vereinsamung ... sie sind das Medium, in welchem — wenn man richtig über sie spricht — zuweilen das Unaussprechliche kristallisiert[110].“

In zwei Werken des Jahres 1907 hat Hofmannsthal nun ausdrücklich darauf hingewiesen, daß sein Glücksbegriff ein uneuropäischer, asiatischer und kein von der durch die christliche Hoffnung geprägten auf ein Heilsziel gerichteten Zeitvorstellung abhängiger Begriff ist. In *„Der Dichter und diese Zeit“*, worin der Dichter konsequent „der Liebhaber der Leiden und der Liebhaber des Glücks“ und „der Entzückte der großen Städte und der Entzückte der Einsamkeit“ genannt wird, lautet der bedeutende Schluß der Beschreibung des Erlebnisses des Lesers:

„Für einen bezauberten Augenblick ist ihm alles gleich nah, alles gleich fern: denn er fühlt zu allem einen Bezug. Er hat nichts an die Vergangenheit verloren, nichts hat ihm die Zukunft zu bringen. Er ist für einen bezauberten Augenblick der Überwinder der Zeit. Wo er ist, ist alles bei ihm und alles von jedem Zwiespalt erlöst. Das einzelne ist ihm für vieles: denn er sieht es symbolhaft, ja das eine ist ihm für alles, und er ist glücklich ohne den Stachel der Hoffnung. Er vergißt sich nicht, er hat sich ganz, diesen einzigen Augenblick: er ist sich selber gleich[111]."

In dem Dialog *„Furcht"* aus demselben Jahr 1907 erzählt die Tänzerin Laidion der Tänzerin Hymnis, was sie von den glücklichen, von keiner Furcht oder Hoffnung belasteten Bewohnern einer fernen Insel, die wohl irgendwo in der Südsee oder im südostasiatischen Raum anzusiedeln ist, gehört habe, und sagt am Schluß nach einem vergeblichen Versuch, den Tanz der Inselbewohner nachzuvollziehen:

„Hymnis! Hymnis! ich liege da und weiß es — und habe es nicht! Ich möchte schreien ..., daß solches auf der Welt ist und ich *habe es nicht!* Wie eine glühende Kohle wird das brennen in mir, der Mensch da hat kommen müssen und mir es sagen, daß es irgendwo eine solche Insel gibt, wo sie tanzen und glücklich sind ohne den Stachel der Hoffnung. Denn das ist es, Hymnis, das ist alles, — alles, Hymnis: glücklich sein ohne Hoffnung[112]."

Auch der Wahnsinnige will „der Statuen Geheimnis *haben*"[113], und so ergibt sich durch dieses von Hofmannsthal gesperrte *„haben"* — wobei darauf hingewiesen sei, daß alle Sperrungen Hofmannsthals mit dem Brahman in Beziehung zu setzen sind — eine genaue Verbindung zwischen dem *„Kleinen Welttheater"* des Jahres 1897 und der Rede des Jahres 1907, das für Hofmannsthal einen bestimmten Einschnitt bedeutet haben muß. Dabei mag seine geheime Identifizierung mit Alexander eine Rolle gespielt haben, der mit 33 Jahren starb — eine Tatsache, auf die Hofmannsthal an einer Stelle ausdrücklich hinweist[114] — und eben dieses Alter hatte er in diesem Jahr erreicht, von dem an eine Art zweites Leben zu datieren ist. Die bereits genannten Werke dieses Jahres enthalten aber vor allem die ersten öffentlichen, wenn auch immer noch sehr versteckten Hinweise, welchen Rang Asien in seinem Denken und in seinem Weltbild einnimmt. Die herausragenden Momente des Entzückens und des Glückes, die man auch ein Brahmanentzücken und ein Brahmanglück nennen könnte, ließen sich seit dem Jahr 1897 in kontinuierlichen Spuren verfolgen. Die merkwürdigen Seiten über den rätselhaften Mann Agur *„Die Wege und die Begegnungen"*, ebenfalls aus dem Jahr 1907, verbinden den Glücksbegriff unübersehbar mit Asien. Bei der Schilderung des Traumes heißt es von dem Träumenden, daß ihn zwischen Schlaf und Wachen ein „unbeschreibliches Glücksgefühl über die Weite der Welt" durchfloß und er dabei in eine „ungeheure Landschaft" versank:

„. . . es war mehr als der Abhang eines Berges, es war eine ungeheure Landschaft, es war — dies konnte ich nicht sehen, sondern ich wußte es — der terrassenförmige Rand eines gigantischen Hochlandes, es war Asien[115]."

## 7. *„Grauen vor Europa" und „Hinstreben zu Asien"*

Ähnlich auffallend ist 1907 die Beschwörung Asiens in der Erzählung der Erweckung des Brahmanen Rama Krishna im letzten der *„Briefe des Zurückgekehrten"* und in der herausragenden Rolle des Wortlosen in den beiden letzten Briefen, die weiter oben ausführlich zur Sprache kamen. Den Hintergrund dieser Briefe bildet die Absage an Europa, das repräsentiert wird durch ein Deutschland, das wilhelminische Deutschland, dessen Bewohner „von nichts geritten wurden als von dem Geld, das sie hatten, oder von dem Geld, das andre hatten" und dessen Häuser, Monumente, Straßen dem Zurückgekehrten nichts anderes waren „als die tausendfache gespiegelte Fratze ihrer gespenstigen Nicht-Existenz"[116], — und die Hinwendung zu außereuropäischen Ländern vor allem Südamerikas und Asiens. Bei seinem jahrelangen Aufenthalt in diesen Ländern hatte der Zurückgekehrte sich Figuren „eines ganzen Daseins, des deutschen Daseins" erträumt, die er nun unter den realen Deutschen, denen er nicht anfühlen konnte, „auf was hin sie leben", nicht wiederzufinden vermochte:

„Sie waren aus einem Guß. In *einer* Gebärde erschienen sie mir ... Aber in ihrer *einen* Gebärde ... waren sie *ganz*. In jedem Blick ihrer Augen, in jedem Krümmen ihrer Finger waren sie *ganz*. Sie waren nicht von denen, deren rechte Hand nicht weiß, was die linke tut. Sie waren eins in sich selber. Und das ... sind die heutigen Deutschen nicht ... (Sie) haben ein „Einerseits" und ein „Andrerseits", ihre Geschäfte und ihr Gemüt, ihren Fortschritt und ihre Treue, ihren Idealismus und ihren Realismus, ihre Standpunkte und ihren Standpunkt, ihre Bierhäuser und ihre Hermannsdenkmäler, und ihre Ehrfurcht und ihre Deutschheit und ihre Humanität ... und treten halberschlagenen Chinesenweibern mit den Absätzen die Gesichter ein . . .[117]"

Da die Briefe vom April und Mai 1901 datiert sind, ist die Schlußbemerkung obiger Passage möglicherweise eine Anspielung auf den Boxeraufstand in China 1899/1900 — ein verzweifelter Versuch, sich gegen den Imperialismus der westlichen Mächte zu wehren —, d. h. genauer auf die unbarmherzig vorgehende Strafexpedition europäischer Truppen, die der Aufstand auslöste, und an der, die Ermordung des deutschen Gesandten zu rächen, auch deutsche Truppen unter Graf Waldersee teilnahmen, die von Wilhelm II. mit berüchtigten Reden verabschiedet wurden[118]. Eine Episode von einem

Chinesen, der in taoistischer Ruhe in einem Buch lesend in einer Reihe von Männern steht, die geköpft werden, bis ein Offizier, der an dieser Strafexpedition nach dem Boxeraufstand teilnahm, seine Begnadigung durchsetzen kann, notierte Hofmannsthal sich im Juni 1911 in sein Tagebuch; sie wollte auch Schnitzler, wohl durch denselben Informanten wie Hofmannsthal damit bekannt geworden, zu einer Novelle verarbeiten, zu der sich im Nachlaß ein Entwurf fand[119]. Auch wenn Hofmannsthal mehr an dem China der klassischen philosophischen Texte und der durch sie geprägten geistigen und seelischen Haltung interessiert war und blieb — ein Interesse, das, vor allem was den Taoismus anbetrifft, die zentrale Rolle des Brahman in seinem Denken noch zu unterstreichen scheint —, bestätigen auch die oben erwähnten aktuellen Anspielungen seine Parteinahme für Asien, hier vertreten durch China, und die gesamte außereuropäische Welt. Sie kommt zudem zum Ausdruck, wenn der Zurückgekehrte seinen Leitspruch: The whole man must move at once — ein Wort, das Hofmannsthal verschiedentlich heranzieht, wenn er den „ganzen Menschen" herausheben möchte — „unter Amerikanern und dann später unter den südlichen Leuten in der Banda oriental, unter den Spaniern und Gauchos, und zuletzt unter Chinesen und Malaien" eher verwirklicht fand, als unter den heutigen Deutschen, in deren Gegenwart er sich manchmal „das Gesicht eines indianischen Halbblutes ... oder eines chinesischen Lastträgers"[120] herbeiwünschte. Die in diesen Briefen noch mehr dichterisch formulierte Parteinahme für Asien hat Hofmannsthal dann unter dem Druck der Ereignisse des Ersten Weltkrieges in seinen Notizen zu einer Rede *„Die Idee Europa"* im Jahre 1916 als allgemeine Tendenz gekennzeichnet und so darauf hingewiesen, daß ein zukünftiges Europa ohne die Einbeziehung Asiens nicht zu denken ist. Gemäß seinem „Glauben an die Ewigkeit"[121] hielt Hofmannsthal es für möglich, einem „Zeit"- und „Ich"-verhafteten Europa ein Asien entgegenzusetzen, dem er noch das „Ewige", das „Ganze" und „Zeitlosigkeit" zuschreiben zu können glaubte, oder anders gesagt, er verknüpfte mit Asien seine Utopie eines hoffnungsfreien glücklichen, „ganzen" Weltzustandes. So überträgt er in zahlreichen Aufsätzen und Reden seit Ausbruch des Ersten Weltkrieges die Grundlagen seines *poetischen* Systems auf die *politische* Realität, da er, einem Systemzwang folgend, zu den Dichtern gehörte oder sich vielleicht als ihr einziger konsequenter Repräsentant verstand, die, wie er in *„Der Dichter und diese Zeit"* schrieb, von einer tiefen Leidenschaft getrieben werden, „jedes neue Ding dem Ganzen, das sie in sich tragen, einzuordnen"[122]. Einige der hier interessierenden Passagen der Europa-Notizen lauten:

„Das Stigma Europas: die Mittel, nicht das Ziel des Daseins zu suchen, über dem Werden das Sein, über der Scheinfreiheit das Gesetz verloren zu haben ... Man meinte einig zu sein über den Begriff: Was ist *wirklich.* Jeder Umschwung, Politik, alle Philosophie, alle Kultur: eine neue Verständigung über den Begriff des Wirklichen. — Wirklichkeit des Überpersönlichen war verloren — oder nur repräsentiert durch Geld-Chaos.

Dumpfes Gefühl der Not, Hinstreben zu Asien als Zeichen der Zeit, anders als im achtzehnten Jahrhundert. Tolstois Grauen vor Europa, Romain Rollands Grauen vor dem Geld-Wesen. Tolstois Korrespondenz mit Chinesen: dem Land des Gesetzes, gegenüber der Exuberanz der Freiheit... Lafcadio Hearn: das völlige Hinübergehen eines Europäers... Grauen vor Europa, vor dem Individualismus, Mechanismus, Merkantilismus. Blick auf Asien: Paradies — das noch vorhandene, beginnliche unzeitliche, ‚zeitlose' ... Diesem Asien, auf das es mit ergriffenen Blick hinstarrte, hat Europa symbolisch die Palme gereicht. Selbstbewußtsein dieses Asien. Fand Ausdruck tausendfach; in Kakuzo Okakura ‚The Glory of Asia', ‚Ideals of the East'. — Hören Sie die Verurteilung des europäischen Wesens, um so zermalmender als sie würdevoll und ohne Polemik ist. Hören Sie, wie Asia sich aufrichtet, seiner Einheit bewußt... bewußt seines erhabenen inneren Erbes, jener Erstgeburt des religiösen Denkens...[123]"

In seinen Notizen „*Andenken Eberhard von Bodenhausens*", die zwar erst 1928 geschrieben, aber vor 1918, dem Todesjahr Bodenhausens, einzuordnen sind, kommt Hofmannsthal an einer zentralen Stelle auf seinen Begriff eines „höheren Europa" zu sprechen und hebt in Erinnerung an seinen Freund ausdrücklich hervor:

„... Sein Blick hätte China erfaßt ... Bodenhausen gehörte einem anderen Europa an: neues Verhältnis zu *Amerika,* zu *China,* zu *Afrika.* Er kannte noch: The ideals of the East. Schwierigkeiten einer substantiellen Haltung diesen Phänomenen gegenüber — hier alles über Goethe hinaus — trotzdem die Anmerkungen zum ‚Westöstlichen Divan' höchst adäquat... Der Begriff des Edlen... Seine Haltung manchmal gleich der des Kungtse, der sich gegen Angreifer durch Gesang rettet... Lieblinge: Goethe, Stifter, Tschuangtse...[124]"

Der „Begriff des Edlen", aber auch der Name Kungtse (= Kung-fu Tse = Konfuzius) und ein auch in diesen Notizen angeführtes Gespräch zwischen Gung-Du Dsi und Mong Dsi (= Menzius) weisen darauf hin, daß Hofmannsthal sich die wichtige konfuzianische Unterscheidung zwischen dem chün tzu (君 子), dem Edlen, und dem hsiao jen (小 人), dem Kleingeist, dem Niedrigen, zu eigen gemacht hat, weshalb er dann auch ein davon handelndes Wort von Konfuzius in sein „*Buch der Freunde*" aufnimmt[125].

## *8. Hofmannsthals kulturpolitische Aktivität für Asien*

In seinen Bodenhausen-Notizen hebt Hofmannsthal an einigen Stellen den Namen von Rudolf Pannwitz hervor — in sein „*Buch der Freunde*" hat er einige Aphorismen von ihm, als von einem der wenigen Lebenden, aufgenommen —, der für Bodenhausen kurz vor seinem Tode noch zu einer unverhofften Begegnung wurde, die Hofmannsthal vermittelte. Denn er setzte sich, seit er 1917 die *„Krisis der europäischen Kultur"* von Pannwitz und diesen selbst kennengelernt hatte, rückhaltlos für diesen ein. Einer der entscheidenden Gründe für seine spontane und leidenschaftlich begeisterte Reaktion auf die *„Krisis der europäischen Kultur"* lag nun unzweifelhaft in der Tatsache, daß Pannwitz nur durch die Begegnung mit der „altorientalischen astralkosmischen weltanschauung" und asiatischer Philosophie einen Ausweg aus der „Krise" für möglich hielt. In einem eigenen Anhang seines Buches weist er ausdrücklich auf Karl Eugen Neumanns Übertragung der Reden Buddhos hin und geht ausführlich auf die Werke über die Babylonier von Hugo Winckler, auf das *„Handbuch der altorientalischen Geisteskultur"* von Alfred Jeremias und die europakritischen Bücher von Ku Hung-Ming ein (*„Chinas Verteidigung gegen europäische Ideen"*, 1911, und *„Der Geist des chinesischen Volkes und der Ausweg aus dem Krieg"*, 1916, die in der Einleitung bereits erwähnt wurden). Pannwitz betont, daß „unsere europäische aufgabe allein dann vielleicht kein wahnsinn mehr (ist) wenn wir das im orient geleistete ganz uns einverleiben" und geht so weit zu behaupten: „wenn wir jetzt nicht europäer werden so müssen wir schließlich chinesen werden und grosze schichten europäer wollen und müssen chinesen werden auf alle fälle[126]." Hier fand Hofmannsthal sich von unerwarteter Seite in seinem Orientalismus und seiner Parteinahme für Asien, ohne dessen „Einverleibung" auch sein Begriff eines höheren Europa nicht zu denken ist, bestätigt.

Aus einem Brief, den er sofort einen Tag nach Empfang des Buches am 29. Juli 1917 an Pannwitz aus Bad Aussee geschrieben hat, wird nun ersichtlich, daß es gerade der Anhang war, den er „in einem Zug und mit außerordentlichem Eindruck" gelesen hat:

„... dann geriet ich an den Anhang, las diesen in einem Zug und mit außerordentlichem Eindruck. Sie können denken daß ich das Buch nun als Ganzes und mit wirklicher Aufmerksamkeit, ja mehr als das, lesen werde.

Wie sehr ich praedisponiert sein muß gerade für Ihre Auseinandersetzungen, wird Ihnen glaublich sein, wenn ich sage, daß ich in diesem Winter, in Scandinavien von den Studenten aufgefordert, etwas über diese gemeinsame Not zu sagen, mir nichts anderes wußte, als von dem Buch von Ku-hung-ming auszugehen; desgleichen, wenn Sie hören, daß die wenigen Bücher, die ich hier zur Recreation mithabe, die folgenden umfassen: La Bruyère, die Briefe der Sévigné, Pascal, La Rochefoucauld, andererseits den Taote-king in der anständigen, wenn auch gewiß zu übertreffenden Transscription von Strauss ...[126a]"

Bereits zwei Tage später schreibt Hofmannsthal wieder an Pannwitz und vertraut ihm einen Plan an, aus dem deutlich wird, wie sehr er die oben angeführte „Verurteilung europäischen Wesens“ durch einen Orientalen für berechtigt hielt und sich zu eigen zu machen bereit war und welche Rolle aktuelle Lektüren bei seinen dichterischen Plänen spielen konnten: er wolle die Madame de Grignan in einem fictiven Brief an ihre Mutter Madame de Sévigné über gewisse Gespräche mit einem durch die Jesuiten bei ihr eingeführten Chinesen referieren lassen, „dessen ablehnende Haltung gegenüber dem ihr so glanzvoll scheinenden siècle de Louis XIV. sie sehr nachdenklich machte“. In diesem Brief findet sich auch der als Bekenntnis aufzufassende Satz:

„... die Übereinstimmung zwischen Ihren Unternehmungen und dem eigentlichen Kern meiner Gedanken und Pläne hat etwas, das Vertrauen hervorruft und zu verlangen scheint[126b].“

Die Begegnung mit Pannwitz, die allerdings sehr bald ernüchternd enden sollte, hatte für Hofmannsthal zunächst eine so epochale Bedeutung erlangt, daß er zwei Monate nach obigen Briefen, am 27. September 1917, an Leopold von Andrian schreiben konnte:

„Aus den Briefen, dem Buch und der Begegnung ist mir, alles in allem das stärkste geistige Erlebnis geworden, nicht menschliche, sondern geistige, das ich je im Leben hatte, auch die Begegnung mit George vor 25 Jahren eingerechnet ...[127]“

Im Rahmen seiner kulturpolitischen Aktivität nach dem Ersten Weltkrieg setzt Hofmannsthal sich nun in besonderem Maße für die Einbeziehung Asiens in das europäische Blickfeld ein. 1921 veröffentlicht er, wohl mit geheimem Bezug auf das Buch von Pannwitz, seinen großen Aufsatz „*Karl Eugen Neumanns Übertragung der buddhistischen Schriften*“ anläßlich einer neuen Ausgabe der Reden Gotamo Buddhos und wenig später folgt der bereits angeführte zweite bemerkenswerte Hinweis auf den 1915 in Wien gestorbenen Neumann in dem „Zweiten Brief aus Wien“ an die amerikanische Zeitschrift „The Dial“. Darin nennt er dessen „rhythmisch und geistig vollkommene Übertragung sämtlicher kanonischer Schriften des Buddhismus, vor allem sämtlicher Reden Buddhos nach der großen, mittleren und kleineren Sammlung des Prakrit-Textes ... ohne jeden Zweifel eine der für die deutsche Nation folgereichsten Taten, die innerhalb unserer Generation getan wurden“[128]. Der obengenannte Aufsatz enthält nun nicht nur eine ausführliche Würdigung der Person und des Lebenswerkes Karl Eugen Neumanns, für dessen Arbeit Hofmannsthal sich so sehr interessierte, daß es ihm, wie aus beiden seiner Neumann-Texte hervorgeht, sogar gelang, ein unveröffentlichtes Tagebuch einer Reise nach Ceylon einzusehen, sondern enthält auch eine grundsätzliche Erörterung des seit Goethe veränderten Blickes auf Asien. Zu Beginn der entscheidenden Passage kommt Hofmannsthal darauf zu sprechen (und man könnte es eine Vorwegnahme der Jaspers'schen „Achsenzeit“ nennen), daß einmal in der Zeitspanne eines Jahrhunderts oder von anderthalben so viele gewaltige Männer — Heilige, Weise, Religionsstifter, große Propheten — in Ländern, zwischen denen Meere rollen und die höchsten Berge der Erde sich erheben, wie auf einen Ruf hervortraten:

„Laotse und Kungfutse, auf deren Ergänzung der Sittengeist der Chinesen ruht; diese beiden wieder und Buddho; mit ihnen aber zugleich der größte der hebräischen Propheten, Jesaias, und wieder der gewaltigste der griechischen Weisen, Heraklit. Es muß über dem allen eine Gewalt sein, die wir nur kaum ahnen, die in der Zeit auswirkt, was außerhalb der Zeiten sein Gesetz hat. Das aber geht bis in unsere Zeit fort ...[129]“

Im Anschluß daran geht Hofmannsthal darauf ein, daß erst nachdem Asien als eine Einheit erkannt worden sei, die Gestalt des Buddho von Europa aus zu erkennen war und daß dies nicht geschehen konnte, „bevor nicht das Mittelmeer für das innere Auge des Europäers zum ersten Male klein erschien“. Für das Auge Goethes sei es noch ganz wie für das Marco Polos groß gewesen und für Goethe hätten die Völker des vorderen Asien noch vor denen des großen Asien gestanden und er habe sie noch mit dem gleichen Blick gesehen, wie Jahrtausende zuvor:

„(Er) erkannte noch nicht, daß Asien ein Ganzes ist und daß es im geistigen und auch im sinnlichen Verstande wie ein Becken ist, in das die einzelnen Völker beständig hineinfließen und es speisen, sich aber wieder beständig aus ihm ernähren; und vor der Gestaltung, die der indische Geist den Bauwerken und Standbildern gibt, schrak sein Blick zurück; hier fand er keinen Hinweis mehr auf den Menschen. China wieder ahnte er zwar als das Land der Weisheit, aber er vermochte noch nicht dies alles als eins zu erkennen. Bei Hölderlin zuerst taucht vielleicht die ahnende Erkenntnis auf; in seinem erhabensten Gedicht stößt er dies Wort „Asia“ heraus, so bedeutungsvoll, daß das Wort die Idee mitreißt. Auch Keats braucht einmal ein groß hindeutendes Wort: ‚exhaustless East‘, woraus das ganze Asien uns anblickt. So sind die träumenden Dichter stark im Erkennen und fliegen ihrem Geschlecht voraus. Bevor aber das Gewahrwerden des ganzen Asien geschah, konnte auch die Gestalt des Buddho nicht gewahrt werden, die in der Mitte dieses Ganzen ruht ... (Sie) haben erst die letzten Jahrzehnte gewahr werden lassen, und sogleich ging auch von ihr eine anziehende Kraft auf die Gemüter aus ...[130]“

Aus den weiteren Ausführungen wird nun deutlich, daß es auch in den Reden des Buddho das Moment der „Zeitlosigkeit“, der „Überwindung der Zeit“ ist — seit *„Der Kaiser und die Hexe“* ein zentrales Motiv seiner

Werke —, dem Hofmannsthals besondere Aufmerksamkeit gilt und das er an ihnen, seinem Weltbild entsprechend, hervorhebt. Diese Reden seien, gemessen an allem Abendländischen, ein völlig Anderes und auch noch die Evangelien würden im Vergleich mit ihnen als abendländisch erscheinen. So nennt er sie „große Reden" und scheut sich „lange Reden" dafür zu schreiben, denn — und er fährt wörtlich fort —

„alles, was auf das Maß der Zeit hindeutet, scheint mir auf diese Reden unanwendbar. Sie sind, so zu sprechen, schattenlos wie eine durchsichtige Materie; das Undurchsichtige, das andererseits wieder das Spiegelnde ist, und alle die Reflexe, die abendländischem Geistigen seinen Reichtum geben, das kommt darin nicht vor ... Sie sind Alles umfassend, aber nicht aufregend. Sie sind zeitlos, haben keine Eile, vorzudringen; und in dieser Verschmähung der Zeit offenbaren sie sich ...[131]"

Gegen Ende seines Aufsatzes spricht Hofmannsthal dann sogar von der Notwendigkeit, eine neue Antike zu schaffen, die entsteht, „indem wir die griechische Antike, auf der unser geistiges Dasein ruht, vom großen Orient neu anblicken"[132]. Dieser durch den Blick vom „großen Orient" aus geprägte Begriff einer neuen Antike bestand aber bei Hofmannsthal bereits spätestens seit seiner mit Harry Graf Kessler und Aristide Maillol im Frühjahr 1908 unternommenen elftägigen Reise nach Griechenland, wo er sich „wie außerhalb aller Zeit" fühlte und nach der er an seinen Vater aus Triest schrieb: „Ich habe ganz fälschlich irgendeine Art Italien erwartet und habe den Orient gefunden[133]." In den *„Augenblicken in Griechenland"* trägt sich daher das Erlebnis der Korai „außerhalb der Zeit zu" und sie werden mit ihrem „völlig unsäglichen Lächeln" zu Trägern und Boten des „Ewigen"[134]; in seinem Aufsatz *„Griechenland"* (1922) weist Hofmannsthal ihnen etwas Unerreichbares, etwas Unfaßlicheres, aber auch etwas Kompletteres zu als den schönsten gotischen Figuren und bemerkt dann zu dieser Komplettheit, ein Begriff, der dem der „Ganzheit" zugeordnet werden kann: „Diese Komplettheit ist das letzte Wort der Kultur, in der wir wurzeln: Hier ist weder Okzident allein- noch Orient allein; und wir gehören beiden Welten an[135]."

Wie sehr Hofmannsthal in den zwanziger Jahren daran gelegen war, sich für Asien, von dem er für die europäische „Krise" dieselbe errettende Wirkung erhoffte, die es für seinen eigenen krisenhaften „Zwischenzustand" der Melancholie in seiner Jugend gehabt hatte, publizistisch einzusetzen, bezeugt vor allem seine Herausgeberschaft der „Neuen Deutschen Beiträge" im Verlag der Bremer Presse. In dem Prospekt und Vorwort zum ersten Heft dieser Zeitschrift (Juli 1922) bemerkt Hofmannsthal:

„Daß wir es wagen auch nach dem Erbe des Ostens auszugreifen, die ehrwürdige alte Grenze antik-christlicher Bildung überschreitend, das befremdet Einzelne, auch von denen die uns sehr nahe sind. Müssen wir es erst aussprechen, daß wir hierin doch Tieferem als der Zeitmode zu folgen glauben? Im ungeheuren Zusammensturz einer geistigen Welt, der fast die Natur selber mitzureißen scheint, wird uns durch den Blick auf jenes Feste Unerschütterliche geistiger Ordnung ein Trost zuteil ...[136]"

In genauer Verbindung mit dieser Äußerung steht jene andere in der „*Ankündigung des Verlages der Bremer Presse*" — darin hebt Hofmannsthal hervor, daß die mitarbeitenden Dichter und Gelehrten die „Ahnung des Ganzen in all und jedem geistigen Tun" verbinde —, wo er von der Kraft und dem Willen spricht, „bestimmte geistige Verhältnisse ausbilden":

„Zu diesen rechnen wir das Verhältnis ehrfürchtiger Annäherung an die gestaltete Weisheit des Orients, worauf in Herders Werken gewaltige Hinführung stattfindet; wovon in Goethes Mannesalter höchste Intuition uns zuteil wird, in Rückerts und anderer... Lebenswerk ein großes Vermächtnis uns gegeben ist ...[137]"

Wie aus den Briefen Hofmannsthals an Willy Wiegand und die Bremer Presse hervorgeht, sollten in einer geplanten Reihe „Wissenschaftliche Neudrucke" die Übertragungen des „*Tao te king*" (1870) und des „*Schi king*" (1880) von Victor von Strauß, „dem großen Sinologen" wie Hofmannsthal schreibt, neu herausgebracht werden, er spricht von dem Plan „mit Richard Wilhelm, aber nicht bloß mit diesem, eine chinesische Reihe aufzubauen", und will Friedrich Rückerts Hafis-Übertragungen in einem eigenen Band wieder veröffentlichen, für welchen der Orientalist Hans Heinrich Schaeder bereits ein Nachwort geschrieben hatte[138]. Doch konnten alle diese „Orientalia", die Hofmannsthal in einem internen Verlagsprogramm an erster Stelle nennt und zu denen auch noch ein arabisch-vorislamisches Liederbuch und Ägyptische Dichtungen gehören sollten, wie Werner Volke, der Herausgeber obiger Briefe, allerdings ohne Angabe von Gründen anmerkt, nicht erscheinen. In den „Neuen Deutschen Beiträgen" erschienen lediglich aus Karl Eugen Neumanns Nachlaß „Zwei Anmerkungen zu den Reden Buddhos (zur 33. und 34. Rede)" eine von Hans Heinrich Schaeder mitgeteilte und eingeleitete „Legende vom Scheich Abu Said und dem Jüngling" (1. Folge, 2. Heft), und aus dem Buch *Li Ki* „Über die Musik und den Staat" nach den lateinischen und französischen Ausgaben von Egon Wellesz ins Deutsche übertragen (1. Folge, 3. Heft).

### 9. „*Funktion der Dichter: das Heranbringen fremder Welten*"

Wird in diesen Orientalia-Plänen eine bestimmte erzieherische Absicht deutlich, so sah Hofmannsthal als Dichter in der Einbeziehung Asiens für sich eine, man könnte sagen, poetische Aufgabe, mit deren Erfüllung er sich als Nachfolger Goethes und Rückerts, um nur diese beiden zu nennen, gesehen haben mag. In seinem späten Tagebuch findet sich zu dem Stichwort „Funktion der Dichter" die Bemerkung: „das Heranbringen fremder Welten, um durch neue Ingredienzien dem Nationalgeist größere Mächtigkeit seiner selbst zu geben" und gleich darauf folgt die Notiz „Goethes Orientalism"[139], die jene „fremden Welten" vor allem als die Welten Asiens zu bestimmen erlaubt. Auf diesen Aspekt des „Heranbringens fremder Welten", der in den früheren dem Brahman gewidmeten Passagen bereits ausführlich gewürdigt worden ist, soll nun zum Schluß noch einmal eingegangen werden, da Hofmannsthal konsequenterweise selbst auf diesen Aspekt als einen zentralen seiner poetischen Arbeit an verschiedenen Stellen, die jedoch nicht durchwegs zur Veröffentlichung bestimmt waren, ausdrücklich hingewiesen hat. In einer aufschlußreichen Notiz im Tagebuch aus dem Jahre 1924 äußert Hofmannsthal sich zu chinesischen Gedichten, mit deren Übertragungen er sich intensiv beschäftigt haben muß und durch die er eine „Umbildung der deutschen Poesie" für möglich hält:

„Chinesische Gedichte. Das Höhere, niemals Zeitgebundene. Dies in der Kunst nur gespiegelt — darum kann solche Kunst auch in Übertragung zu uns sprechen. Die Kunstmittel, welche aufgezählt werden, zum Teil bei uns auch vorhanden. Anklang, Obertöne; soziale Bedingtheit in der Wortwahl. —

Über chinesische Gedichte und die Möglichkeit einer Umbildung der deutschen Poesie durch die Berührung[140]."

Wenn Hofmannsthal hier sogar eine „Umbildung der deutschen Poesie" insgesamt anspricht, dann kann man daran ermessen, wie wahrscheinlich es ist, daß durch die Berührung mit Asien zuerst eine Umbildung seiner eigenen Poesie ausgelöst wurde, d. h. durch die Berührung mit dem „Namenlosen", dem „Zeitlosen" jener, wie es erscheinen mußte, geheimnisvolle „mystische" und „mythische" Zug in seine Werke gelangte, dessen verführerischer Wirkung nicht wenige Leser und Germanisten erlagen. Doch zweifellos befand Hofmannsthal sich eher wie sein Lord Chandos, um ein auf diesen gemünztes Wort aus *Ad me ipsum* aufzunehmen, in der „Situation des Mystikers ohne Mystik"[141] und er schrieb bereits als Sechzehnjähriger in einem Brief an Gustav Schwarzkopf vom 23. 1. 1891, daß „ein gut Teil unserer poetischen Arbeit ... Auflösung erstarrter Mythen, vermenschlichter Natursymbole in ihre Bestandteile, eigentlich Analyse, also Kritikerarbeit (ist)"[142]. Voraussetzung seiner poetischen Arbeit war also zunächst gerade ein eminent rationales, bewußtes und kritisches Verhältnis zu Mythen, das ihn dann aber keineswegs davor bewahrte, sich mittels seines poetischen Systems seine Welt, seine Sprachwelt „in die Welt hineinzubauen"[143] und sich in Anlehnung an Alexander zum Kaiser eines eigenen Reiches zu mythisieren, so daß er schließlich in der Münchner Rede bekennen kann: „Sein Drama wird ihm zum Mythos des eigenen Ich aufschwellen, sein Roman wird kosmische Geheimnisse umschließen, wird Märchen, Historie, Theogonie und Bekenntnis zugleich sein wollen[144]." Gleich darauf und in genauem Zusammenhang mit dem „Mythos des eigenen Ich" spricht Hofmannsthal von dem Verlangen jenes Geistigen mit dem Anspruch auf Lehrerschaft und Führerschaft, jenes wahren Deutschen und Absoluten, „als ein Ganzes, als das einzige Ganze dieser zerrissenen Welt genommen zu werden"[145], ein Verlangen, das, wie zu zeigen versucht wurde, seit Aufhebung jenes „zweideutigen und schrecklichen Zwischenzustandes" seiner eigenen dichterischen Existenz, aber auch des 19. Jahrhunderts, d. h. seit *„Der Kaiser und die Hexe"*, zu datieren ist. Es hat daher den Anschein, daß Hofmannsthal insgeheim auch über sich selber spricht, wenn er in seinem vierten Brief an die amerikanische Zeitschrift „The Dial", worin er ausdrücklich konstatiert, daß der Rationalismus, in welchem das neunzehnte Jahrhundert, das den nun verlassenen Begriffen der „schrankenlosen Individualität und der Entwicklung gehuldigt hatte", „sein Weltbild unzerstörbar für alle Zeiten organisiert glaubte" zusammengefallen und ein neuer Glaube — „den Begriff *Schicksal* so tief als möglich zu erfassen" — zu erkennen sei, — wenn Hofmannsthal also in diesem Brief Friedrich Hölderlin als „einen Führer oder Vorläufer des Führers" in einem „Zustand sozusagen vormessianischer Religiosität" herausstellt und über dessen „alle Gewalten der Welt umfassende und alle miteinander versöhnende Vision" bemerkt:

„Von einem erbarmungslosen, übrigens echt deutschen Schicksal in sein eigenes Innere zurückgetrieben, baute er sich die Welt in seinem Inneren auf . . . eine Welt der kristallklaren Vision, in welcher alle geistigen, sittlichen und historischen Mächte der Wirklichkeit ihren Platz hatten, aber nicht kalt und verstandesmäßig angeschaut, noch auch mit romantischem Blick, sondern mit einem mythenschaffenden oder religiösen Auge . . .[146]"

Nicht nur das oben zitierte Wort, nach dem er bereits im Mai 1895 glaubte, „daß (er) imstand sein werde, (sich seine) Welt in die Welt hineinzubauen", weist darauf hin, daß Hofmannsthal hier auch über seine eigene dichterische Existenz spricht. Auch sein Werk seit 1897 legt Zeugnis ab für ein mythenschaffendes, religiöses Auge und sein Hang und schließlich seit Erreichung der „Ganzheit" sein Zwang, Systemzwang zum Mythos, dem sein „Zwang zum Ganzen"[147] zugrundeliegt, weckte sein Interesse für Asien, wo der Mythos noch eine ursprüngliche Mächtigkeit zu haben schien. Schon in der *„Ansprache im Hause Lanckorónski"* vom 10. Mai 1902 findet sich der Hinweis:

„Denken Sie an die ungeheuren symbolischen Gebilde des Orients. ... Ja, geformt haben Tausende, haben die Einzelnen und die Völker, und was sie zur Form emportreiben konnten, das lebt ewig: Kunstwerk, Symbol, Mythos, Religion. Wirklich, wir stehen hier vor dem Reiche der Kunst wie vor dem der Natur, als vor einem schlechthin unendlichen ...[148]"

So nimmt es nicht Wunder, daß Asien in einigen Werken Hofmannsthals, vor allem dramatischen Werken, gemäß seiner selbstgestellten poetischen Aufgabe, eine zentrale Rolle spielt. In den Entwürfen zu einer Tragödie (1905) und einer Oper (1908—1909), die Heinrich Zimmer 1937 unter dem Titel *„Semiramis"* herausgegeben hat, heißt es in einer Passage, die mit „Wesentliches" überschrieben ist:

„Diese Männer, die sie an sich preßt, sind ihr nichts als Gebärden zu dem einzigen Liebenden hin, dem großen Gott, den sie immer ferner im Osten sucht, der sie ausfüllen wird ... Sie spricht mit ihren Frauen von sich selbst als der Braut des fernen Gottes. Der Königssohn, der ihr von Brahma spricht, scheint ihr von ihrem Liebsten zu sprechen[149]."

An einer späteren Stelle heißt es noch einmal von dem Königsohn: „Er erdrückt sie mit dem ungeheuren Begriff Asien[150]." Wird hier das Brahman zum mythischen Liebhaber der Semiramis, so ist es ebenso denkbar und wahrscheinlich, daß auch die Bergkönigin im *„Bergwerk zu Falun"*, zu der es Elis hinzieht, — an früherer Stelle wurde schon darauf hingewiesen — als eine Verkörperung des Brahman zu verstehen ist. In den ebenfalls von Heinrich Zimmer herausgegebenen Entwürfen zu der Semiramis-Ninyas-Tragödie *„Die beiden Götter"* (entstanden Dezember 1917, August 1918) wird Ninyas nach demselben poetischen Grundmuster zu einer Verkörperung des Tao, während Semiramis „das Ungeistige, den Zwang, das Bestehende" verkörpert:

„Ninyas ist Geist und Liebe ... Ninyas: der Kosmos, der unzerstörbar, wo auch eingekerkert ... Ninyas immer unterm Bogen (eigentlich weiblich), Semiramis immer herauszielend (eigentlich männlich) ... Semiramis: das Heroische will die Verewigung der Tat und der Person, aber nicht den Umschwung des Kosmos. — Ninyas gegen alles Heroische ... Ninyas selbst, als reine Weltpotenz, wäre das Tao des Laotse, wie Semiramis Stern ...[151]"

Margarete McKenzie hat in einem Aufsatz[152] auf die Bedeutung von Laotses *„Tao te king"* für diese Entwürfe hingewiesen, aus dem Hofmannsthal nach der Übersetzung von Victor von Strauß einige ihm wichtige Stellen wörtlich anführt. Zweifellos muß man Ninyas, ein geheimer „Bruder" des Erben aus dem *„Lebenslied"*, des Wahnsinnigen aus dem *„Kleinen Welttheater"* und des Sigismund aus dem *„Turm"*, zu den Hauptgestalten des Hofmannsthalschen Werkes rechnen, wenn nicht sogar zu seinen Lieblingsgestalten, anhand derer er seiner Grundüberzeugung Ausdruck verlieh, „daß — um dieses Wort aus den *„Aufzeichnungen zu Reden in Skandinavien“* noch einmal aufzunehmen, die etwa ein Jahr vor dem Entwurf *„Die beiden Götter“* zu datieren sind — in einer Welt, in welcher alles in ein Werden gefaßt wird, der Dichter nach dem Sein fragen muß, nach der Bahn, dem Gesetz, dem Bleibenden, dem, was die heiligen Bücher der Chinesen mit dem Wort Tao bezeichnen“[153]. Eine entscheidende Anregung erfuhr Hofmannsthal durch den taoistischen Gedanken des wu wei (無爲), das wörtlich mit ‚nicht handeln‘ übersetzt werden kann, aber nach Joseph Needham ‚refraining from activity contrary to Nature‘[154] bedeutet, da der wahre Handelnde das Tao ist, wie das Brahman bestimmende Wirkkraft der Welt. *„Die beiden Götter“* enthalten daher die Notiz, die dokumentiert, wie intensiv Hofmannsthal sich mit diesem Gedanken auseinandergesetzt hat, der ihm angesichts seines „dem Handeln ausweichenden Lebens“[155] dennoch erlaubte, das „Tun“ zu thematisieren:

> „Der unbewegte Allbewegende, das ist Tao; sein Tun, das ist sein Nicht-nichttun, ist, daß er seinen Willen in den Dingen und Ereignissen und durch dieselben zur Tat werden läßt . . .“

Aus diesem Grund nun ist Ninyas, der „als reine Weltpotenz das Tao wäre“, gegen das Heroische, während Semiramis als das Heroische „die Verewigung der Tat und der Person“ will, und er wird, „als er einmal die Beschaffenheit der Welt erkannt hat . . . zu handeln unfähig“ und verharrt im Nicht-tun. Und wenn es von Semiramis heißt, sie sei „immer in Angst, von Ninyas verschlungen zu werden, aufgehoben zu werden: gerade von dem Nicht-tuenden“, dann erweist sich das taoistische Nicht-tun als die auszeichnende Eigenschaft des Ninyas, zu dessen Sterbeszene Hofmannsthal sich notiert: „nun richtet er sich auf wie ein Gesunder, spricht zu ihr (Semiramis) lange und klar, den großen Tao preisend[156].“

Dieses taoistische Nicht-tun hat Hofmannsthal dann auch in den Mittelpunkt des *„Salzburger großen Welttheaters“* gerückt, worin er dem überkommenen Stoff die Gestalt des Bettlers hinzufügte, den aktiven Bettler als „Drohung des Chaos an die geordnete Welt“[157], der die Hauptfigur des Spieles darstellt und als Einzelner den anderen Figuren gegenübersteht. In der entscheidenden Szene erhebt der enterbte Bettler gegen diese Anderen die Axt. Durch das Gebet der Weisheit („Andeutung alles dessen . . ., was wir an Hohem, Unselbstischem, Gott-Gleichem in uns tragen, sei es nun aus religiöser oder aus profaner Tradition“) wird der Bettler von seinem zerstörerischen Werk abgebracht und „es geht etwas in ihm vor, das einem blitzschnellen trance gleicht: eine Wandlung, ein vollkommener Umschwung“:

„Erst die Weisheit selber und die Engelstimmen von oben müssen ihm sagen, daß er die ungeheure Tat nicht begangen hat, — aber sie singen es ihm in der Form zu, daß sie ihn ahnen lassen, eben dieses Nicht-Tun sei die große entscheidende Tat seines Lebens ... In der Tat ist er auf eine andere Ebene gekommen, eine Ebene, wo die Verteilung der Macht und der Glücksgüter ihm als eine gleichgültige Sache erscheint. Er ist mit einem Schlage ein Weiser geworden, oder ein Christ, oder ein Erleuchteter, oder wie man es nennen will. Er kehrt der ganzen Welt den Rücken und geht in den Wald, in den ewigen Wald, Heimat der Weisen und der Eremiten, — ...und wie er am Ende wiederkommt, um gleich allen andern in sein Grab zu gehen, ist er eine Art von heiligem Eremiten, mit einem langen weißen Bart und durchdringenden, nicht mehr irdischen Augen ...[158]“

Noch ein anderes taoistisches Moment hat Hofmannsthal hier aufgenommen, denn der Überlieferung nach war der Wald Heimat gerade der taoistischen Weisen und Eremiten, die gewöhnlich der Welt der Taten und des Ruhmes den Rücken gekehrt hatten. Durch diesen Verzicht auf Macht, Ruhm und Besitz, oder genauer Abkehr von diesen, steht der zum Weisen gewordene Bettler in genauer Verbindung mit der Gestalt des Gärtners im „*Kleinen Welttheater*“ aus dem Jahre 1897, den Hofmannsthal in „*Ad me ipsum*“ ebenfalls einen Weisen nennt, weil er als Kaiser abgedankt habe[159]. Und noch ein weiteres auffallendes Bindeglied ist festzuhalten: wird der Bettler am Ende als eine „Art von heiligem Eremiten, mit einem langen weißen Bart und durchdringenden, nicht mehr irdischen Augen“ geschildert, so lautet eine Regieanmerkung vor dem Auftritt des Gärtners: „Der Dichter geht ab, der Gärtner tritt auf. Er ist ein Greis mit schönen, durchdringenden Augen ...“[160]. Diese „durchdringenden Augen“ oder auch der „durchdringende Blick“ nun stehen, wie an anderer Stelle ausgeführt worden ist[161], in engem Zusammenhang mit Hofmannsthals Bekehrung zu Brahman, dem Ganzen, Ewigen, Namenlosen und Unaussprechlichen; diesem „durchdringenden Blick“, dem Brahman-Blick, den der Bettler auf der „anderen Ebene“, der Ebene des Kosmos, erlangt hat, steht in Hofmannsthals Werk der Basilisken-Blick[162] gegenüber, der dem Bettler vor seiner Erleuchtung als „Drohung des Chaos“ entspricht. Diese Erleuchtung des Bettlers weist aber auch zurück auf die Erleuchtung des Brahmanen Rama Krishna (im fünften Brief des Zurückgekehrten), an deren Anfang auch ein gegen den Himmel erhobener Blick stand, ein, wie ergänzend gesagt werden kann, durchdringender Blick, mit dem er „einen Zug weißer Reiher in großer Höhe quer über den Himmel gehen“ sah, welches Erlebnis „einen Heiligen aus ihm machte“[163].

*10. Der „Zwang zum Ganzen" als Zwang zum Mythos*

Hofmannsthal konnte keine anderen als systemkonformen poetischen Bausteine verwenden, und man ist versucht, auch seinen „mythenschaffenden" Blick einen Systemblick zu nennen. Die konsequente Einbeziehung Asiens in sein Denken und in seine Werke, hat deren Verständnis nicht gerade erleichtert, sondern übte eher eine verschwommene, geheimnisvolle Anziehung auf Leserschichten aus, die nichts anderes suchten als Geheimnis und mythische Verklärung und die für Hofmannsthals europakritischen und auf Asien gerichteten erzieherischen Absichten, so hilflos und unzulänglich sie immer sein mochten, unansprechbar blieben. Die ideologischen Grundlagen seines poetischen Systems erlaubten ihm keine anderen als mythische, religiöse, systemimmanente dichterische „Lösungen" auch der politischen Probleme, zu denen er vor allem seit Ausbruch des Ersten Weltkrieges zu äußern sich verantwortlich fühlte und veranlaßt sah. Drei zusammengehörige und für diesen Zwang zum Mythos bezeichnende Notizen, deren erste datiert ist „Aussee, 15. IX. 21", deren zweite aber ausdrücklich auf die „Vorgänge seit 1914" Bezug nimmt, finden sich im Tagebuch:

„Der Einzelne und die Epoche als Mythos gesehen sic: das was in der Epoche seit Kant an verändertem Weltgefühl lebt irgendwie gespiegelt im Sigismund

Ohne Taten und Leiden der Individuen entsteht kein Mythos: daher bedurfte es der Vorgänge seit 1914, damit die Mächte sich zum Mythos gestalten

Mythenbildung ist wie Kristallisation in der gesättigten Salzlösung: es wird dann im entscheidenden Augenblick alles mythisch, so wie das Hündchen zu den Füßen des Ritters[164]."

Nur weil sich für *ihn* die „Mächte" längst, seit seiner „Bekehrung zur Einheit", zum Mythos gestaltet hatten und ihm „im entscheidenden Augenblick alles mythisch" zu werden pflegte, konnte er dazu kommen, diese für sein Weltbild entscheidenden Momente zu verallgemeinern, er hatte keine andere Wahl und er wollte wohl auch keine andere haben. Hofmannsthal, der nach einer Äußerung seines Jugendfreundes Leopold von Andrian in einem Brief vom 18. IX. 1913, also wenige Monate vor Beginn des Ersten Weltkrieges, auf eine „Einflußnahme auf die Geschehnisse in (s)einem Vaterland" ganz verzichtete und sich „auf die Insel (s)einer individuellen Entwicklung und (s)einer persönlichen Leistungen"[165] zurückzog, konnte dann auch nach 1914 die europäische Gegenwart des brutalen Krieges nur zum Mythos „kristallisieren" als handelte es sich um einen unaufhaltsamen Naturvorgang; und ebenso sah er Asien als Mythos und nicht als politische oder soziale Realität. Ihm, der „die sogenannte Wirklichkeit" als „jenes unrealste aller Reiche, unheimlichste aller Phantasmata"[166] zu beurteilen sich angewöhnt hatte, ging es ausschließlich um jenen „dunklen Wurzelgrund des Lebens, ... die Region wo das Individuum aufhört Individuum zu sein, ... den so selten ein Wort erreicht" — man könnte das Brahman oder das Tao dafür setzen —, von dem aber „das geheimste und tiefste aller Lebensgefühle" ausgehen würde:

„die Ahnung der Unzerstörbarkeit, der Glaube der Notwendigkeit und die Verachtung des bloß Wirklichen, das nur zufällig da ist. Von ihm, wenn er einmal in Schwingung gerät, geht das aus, was wir die Gewalt der Mythenbildung nennen. Vor diesem dunklen Blick aus der Tiefe des Wesens entsteht blitzartig das Symbol: das sinnliche Bild für geistige Wahrheit, die der ratio unerreichbar ist[167]."

Hinter Hofmannsthals Begriff der Wirklichkeit steht der Brahmanbereich, der Bereich der Ganzheit und Unzerstörbarkeit, und mit dem Gegensatzpaar Asien — Europa verband er auch die anderen: Ewigkeit — Zeit, Kosmos — Chaos, Sein — Werden, Glück — Hoffnung, um nur diese zu nennen. Noch in dem Gespräch über *„Die ägyptische Helena"* beschreibt Hofmannsthal 1928 Menelas als „Verkörperung des Abendländischen" und Helena als „die nie erschöpfte Stärke des Morgenlandes" und hebt am Schluß hervor, daß die Kunstmittel des lyrischen Dramas ihm als die einzigen erscheinen, durch welche die Atmosphäre der Gegenwart ausgedrückt werden könne:

„Denn wenn sie etwas ist, diese Gegenwart, so ist sie mythisch — ich weiß keinen anderen Ausdruck für eine Existenz, die sich vor so ungeheuren Horizonten vollzieht — für dies Umgebensein mit Jahrtausenden, für dies Hereinfluten von Orient und Okzident in unser Ich, für diese ungeheure innere Weite, diese rasenden inneren Spannungen, dieses Hier und Anderswo, das die Signatur unseres Lebens ist. Es ist nicht möglich, dies in bürgerlichen Dialogen aufzufangen. Machen wir mythologische Opern, es ist die wahrste aller Formen ...[168]"

Mag Hofmannsthal durch das „Heranbringen fremder Welten" wenn auch keine „Umbildung der deutschen Poesie" so doch ihre Neubestimmung für sich erreicht haben, so führte der mythische Weg im politischen und kulturpolitischen Bereich zur Beschwörung der „konservativen Revolution"[169] am Schluß der Münchner Rede, mit deren politischen Ideologen ihn kaum mehr verband als die Vorliebe für „mythische", „ganze" Lösungen. Der Versuch, sein poetisches System auch auf den politischen Bereich übertragen zu wollen, muß als unangemessen angesehen werden, nicht nur, weil er auch den Beifall von Lesern im Vor- und Nachfeld des dritten Reiches gefunden hat, die das dichterische Werk glaubten vernachlässigen zu können. Eine heutige Rezeption des Hofmannsthal'schen Werkes wird ohne die Einbeziehung der Besonderheiten früherer Rezeptionen, die nicht selten

Hofmannsthal selber zu einem Mythos stilisierten, nicht auskommen können; sie sollte sich gerade um die Einsicht bemühen, daß sowohl der poetischen wie politischen Mythenbildung Hofmannsthals sein poetisches System zugrundeliegt, bei dessen Entstehung Asien Pate stand und bei dessen Verwirklichung in einem gerade auch deshalb unvergleichlichen Lebenswerk Asien seine Bedeutung behielt.

## ANMERKUNGEN

1. *Briefwechsel: Hugo von Hofmannsthal — Stefan George,* Düsseldorf 1953 (= *SG*), 52.
2. Max Nordau, *Entartung,* Berlin o. J., 39.
3. Hartmut Zelinsky, *Brahman und Basilisk. Hugo von Hofmannsthals poetisches System und sein lyrisches Drama „Der Kaiser und die Hexe"*, München 1974, Wilhelm Fink Verlag (Münchner Germanistische Beiträge Bd. 13), V. Kapitel: Der „Glaube der Gedanken" und die „komplexe, wortlose Lehre" des Jahres 1895, und VI. Kapitel: Dichterische Poetologie; im folgenden abgekürzt mit H Z *B u B*
4. Adrian Hsia, *Hermann Hesse und China. Darstellung, Materialien und Interpretation,* Frankfurt 1974.

Neben zahlreichen, bisher unveröffentlichten Dokumenten enthält das Buch eine Bibliographie der Erstabdrucke von Hesses Schriften über China, eine weitere der Arbeiten über Hesses Beziehung zu China und eine Liste der Bücher der „Chinesischen Ecke" in Hesses Bibliothek, in der sich auch alle Bücher und Übersetzungen Richard Wilhelms finden. Einen Aufsatz Hesses über Wilhelm, der anläßlich des Erscheinens seiner Biographie unter dem Titel „Ein Mittler zwischen China und Europa" am 24. 4. 1956 in der „Weltwoche" erschien, und zwei Briefe Hesses an Wilhelm hat Hsia ebenfalls aufgenommen. Am Schluß seiner hier zum ersten Mal veröffentlichten Skizze „Über mein Verhältnis zum geistigen Indien und China" kommt Hesse auf seine „Wendung von Indien nach China, d. h. von dem asketischeren Denken Indiens zu dem bürgerlichen, ‚bejahenderen' Chinas" zu sprechen und erwähnt „die östlichen Bücher, die mir wichtig wurden: Die Bhagavad Gita / Buddhas Reden / Deussens Vedanta und Upanishaden / Oldenburgs Buddha / Das Tao Te King, von dem ich alle deutschen Ausgaben las / Gespräche des Konfuzius / Gleichnisse des Dschuang Dsi."

Da das schmale Buch von Rudolf Pannwitz, das 1957 unter dem Titel *Hermann Hesses west-östliche Dichtung* wie das Buch Hsias ebenfalls im Suhrkamp-Verlag erschien, von diesem in seiner Bibliographie der Arbeiten über Hesses Beziehungen zu China nicht aufgeführt wird, sei hier zumindest darauf hingewiesen. Es beschäftigt sich mit Hesses *Siddharta, Die Morgenlandfahrt* und *Das Glasperlenspiel,* die Pannwitz Prosadichtungen nennt, „die dem Orient tief verpflichtet, ja von ihm gesättigt sind, aber trotz Schauplatz, Angleichung und scheinbarer Nachfolge, durch ihn hindurch gewachsen und auf eine neue Weise abendländisch, erst recht europäisch sind" (10). Über den Diener Leo aus der *Morgenlandfahrt* heißt es: „In seinem Geheimnisse aber ist er, auf unserem Boden und aus unserem Blut, nicht weniger als ein Taoist. Chinesisch geartet ist auch die Lehre und Weisheit, die er verkörpert und die in der Folge, im *Glasperlenspiel,* der tragende und sprossende Grund von Hesses west-östlicher Welt wird" (21), und das Glasperlenspiel selber würde, wie es an anderer Stelle heißt, „wie ein betätigtes Tao fortwährend einem Chaos einen Kosmos" abgewinnen (11).

Siehe auch den von H. O. Günther herausgegebenen Sammelband: *Indien und Deutschland* (Frankfurt 1956, Europäische Verlagsanstalt), der unter anderem folgende Beiträge enthält: Hermann Hesse, *Legende vom indischen König,* Luise Rinser, *Indischer Geist und das Abendland,* Walter Schubring, *Beethovens indische Aufzeichnungen,* Günther Lanczkowski, *Richard Wagner und Indien,* Willy Haas, *Zeit und Raum im indischen Mythos,* Wilhelm Kirfel, *Was verdankt das ältere Abendland Indien?,* Eleonore von Dungern, *Hermann Keyserlings Indienerlebnis,* Hans-Hasso von Veltheim-Ostrau, *Indiens Entwicklung von 1939—1956.*

Hans-Hasso von Veltheim-Ostrau hat durch die drei Bände seiner Tagebücher aus Asien eine nicht unerhebliche Mittlerrolle nach dem Zweiten Weltkrieg gespielt. Im Park seines Schlosses Ostrau hatte er Richard Wilhelm einen von einer Buddha-Statue bekrönten Gedenkstein errichtet, der die Inschrift trägt:

„In memoriam Prof. Dr. Richard Wilhelm * 10. V. 1873 † 1. III. 1930
Errichtet von seinem dankbaren Schüler und Freunde
Hans Hasso von Veltheim Ostrau am 10. V. 1931."

Hinter dem Gedenkstein ist über dem Kopf der Statue die Inschrift angebracht:

和中致

„Wahrlich groß ist der Tod
Die Edlen bringt er zur Ruhe,
Die Gemeinen aber zur Unterwerfung."

Zur Einordnung dieser Inschrift siehe Anmerkung 125. Veltheim-Ostrau war auch befreundet mit dem Schriftsteller Henry Benrath (= Albert H. Rausch), für dessen letzte Bücher seine Begegnung mit indischem Denken eine zentrale Bedeutung erlangte.

5. Siehe hierzu Vorwort von Karl Otten zu: Albert Ehrenstein, *Gedichte und Prosa,* Neuwied — Berlin 1961, und die dort aufgeführte Bibliographie der Werke Ehrensteins.

Siehe auch den Aufsatz zum 20. Todestag Albert Ehrensteins von Jörg Drews, der im Auftrag der Deutschen Forschungsgemeinschaft in Jerusalem drei Monate lang an der Durchsicht und Bestandsaufnahme des Nachlasses gearbeitet hat (in: Süddeutsche Zeitung Nr. 99, 25./26. April 1970). Darin heißt es: „Ehrenstein ‚flieht nach China': er wendet sich der Nachdichtung chinesischer Lyrik zu; Rückerts, Arthur Waleys und Erwin von Zachs Rohübersetzungen dienen ihm als Vorlage zu seinen Nachdichtungen, die noch in den fünfziger Jahren Alfred Andersch lobte. Später gehen diese Gedichtsammlungen ‚Schi-King', ‚Pe-Lo-Thien' und ‚China klagt. Revolutionäre chinesische Lyrik aus drei Jahrtausenden' in den großen Sammelband ‚Das gelbe Lied' ein, dessen Publikation dann die Nazis unterbinden und von dem nur 17 Exemplare gedruckt werden ... Ausdauernd arbeitet er bis Anfang der vierziger Jahre noch an der Verbesserung und Erweiterung seiner Sammlung von Nachdichtungen aus dem Chinesischen; er korrespondiert mit dem österreichischen Sinologen Erwin von Zach, der in Java lebt, und korrigiert in seinem Handexemplar von ‚Das gelbe Lied' alle Gedichte noch einmal ..." Nach mündlicher Auskunft von Jörg Drews enthält der Ehrenstein-Nachlaß, der im Manuscript Department der Universitätsbibliothek in Jerusalem unter der Signatur Ms. Var. 306 aufbewahrt ist, 32 Briefe Erwin Ritter von Zachs an Ehrenstein aus den Jahren 1930 bis 1934 über Übersetzungsprobleme, über den Zustand der deutschen Sinologie und über das Leben als Deutscher in Ostasien und in der deutschen Kolonie in Batavia. Außerdem sind erhalten die Vorlagen der Übertragungen von Zachs im „Sin-po Gedenkbuch 1910—1935 Batavia" von Po Chü-i, in den „Monumenta serica" und der „Deutschen Wacht (Batavia)" von Tu Fu, in den „Sinologischen Beiträgen II, Batavia 1935" aus dem Wen-hsüan, und von Han Yü. Ein Inhaltsverzeichnis des Ehrenstein-Nachlasses hat Jörg Drews im Literaturwissenschaftlichen Jahrbuch der Görresgesellschaft 1975 veröffentlicht.

6. Hans Bunge, *Fragen Sie mehr über Brecht. Hanns Eisler im Gespräch,* München 1972, 148, 149.

Siehe hierzu das Nachwort Elisabeth Hauptmanns zu Brechts *Me-Ti / Buch der Wendungen* in: Bertold Brecht, *Gesammelte Werke 12,* Frankfurt 1967, Hans Mayer, *Bertold Brecht und die Tradition,* (dtv sr 45), 93—97, und Kapitel 5 und die Anmerkungen dazu in dem Buch von Karl-Heinz Ludwig, *Bertold Brecht — Philosophische Grundlagen und Implikationen seiner Dramaturgie,* Bouvier Verlag Herbert Grundmann Bonn 1975 (Abhandlungen zur Kunst-, Musik- und Literaturwissenschaft, Band 177).

7. Siehe hierzu Herbert Franke, *Sinologie an deutschen Universitäten. Mit einem Anhang über die Mandschustudien,* Wiesbaden 1968.

8. Gerhart Baumann, *Rudolf Kassner — Hugo von Hofmannsthal,* Stuttgart 1964, 12.

9. Siehe hierzu Ingrid Schuster, *Die ‚chinesische' Quelle des ‚Weißen Fächers',* Hofmannsthal-Blätter Heft 8/9 1972, 172.

10. Heinrich Zimmer, *Philosophie und Religion Indiens,* (suhrkamp taschenbuch wissenschaft 26) Frankfurt 1973, 41, 53, 54, 55.

11. Heinrich Zimmer, *Ewiges Indien,* Potsdam / Zürich 1930, 8, 9.

12. Hugo von Hofmannsthal, *Prosa IV,* Frankfurt 1966 (= *P IV),* 411/412.

13. Hugo von Hofmannsthal, *Prosa I,* Frankfurt 1956 (= *P I*), 262.

14. *P IV* 403/405.

15. HZ *BuB,* 19—20.

16. Hugo von Hofmannsthal, *Aufzeichnungen,* Frankfurt 1959 (= *A*), 216 siehe hierzu IV. Kapitel: *Hegel, Hofmannsthal und die Hexe,* in: HZ *BuB.*

17. *Briefwechsel: Hugo von Hofmannsthal — C. J. Burckhardt,* Frankfurt 1956 (= *CJB*), 301.

18. Hugo von Hofmannsthal, *Briefe II,* Wien 1937 (= *B II*), 324.

19. *Briefwechsel: Hugo von Hofmannsthal — Edgar Karg von Bebenburg,* Frankfurt 1966 (= *EK*), 223.

Hugo von Hofmannsthal, *Briefe I,* Berlin 1935 (= *B I*), 291.

20. Heinrich Zimmer, *Philosophie und Religion Indiens ...,* 79 ff.

21. Paul Deussen, *System des Vedânta,* Leipzig 1883; *Allgemeine Geschichte der Philosophie,* Bd. I, Leipzig 1894; *Die Sûtra's des Vedânta,* Leipzig 1887 (Üb.); *Sechzig Upanishad's des Veda,* Leipzig 1897 (Üb.).

Siehe hierzu HZ *BuB* 144 ff. und 235 (Anmerkung 21); hatte Hofmannsthal lediglich in seinem Tagebuch eine über einer sexual-psychologischen Abhandlung gefundene Stelle aus den Upanishads angeführt, die wie er schreibt „den ganzen Inhalt von meinem *Dominik Heintls letzter Tag* ausdrückt" (*A* 158, März 1907), so ist aus dem im Herbst 1974 erschienenen Briefwechsel mit Ottonie Gräfin Degenfeld zu belegen, daß die Upanishads zu seiner „auf den Osten bezüglichen" Lektüre gehörten. Der Schluß eines Briefes vom März 1914 lautet: „Ihr Lesen — ich finde nicht recht, was. Kennen Sie die merkwürdigen Bücher von Knut Hamsun: *Mysterien, Pan?* Bücher, die ich lese, alle auf den Osten bezüglich, Buddha, Upanishads — scheinen mir etwas schwer. Sie müßten jedenfalls eine Kette von solchen Büchern lesen, das Einzelne gibt nichts. Haben ich Ihnen welche von den Büchern von Lafcadio Hearn über Japan gegeben? welche? — Ihr H." (*Briefwechsel: Hugo von Hofmannsthal — Ottonie Degenfeld,* Frankfurt 1974, 299). Wenn Hofmannsthal es hier für notwendig hält „eine Kette von solchen Büchern" zu lesen, dann liegt nicht nur die Vermutung nahe, daß ihm die Lektüre einer „Kette von solchen Büchern" vermutlich seit langem selbstverständlich war, sondern, daß unter „solche Bücher" auch die anderen Übersetzungen und Werke Deussens, nimmt man einmal an, daß seine Übersetzung der Upanishads gemeint ist, zu rechnen sind. Zu ihnen gehört zweifellos auch die zuerst 1910 im Inselverlag erschienene Auswahl der *Reden und Gleichnisse des Tschuang-Tse* von Martin Buber, der — worauf mich Werner Kraft (Jerusalem) freundlicherweise aufmerksam gemacht hat — im Vorwort zu der 1951 in der Manesse Bibliothek erschienenen Neuauflage ausdrücklich bemerkt: „... Daß ich das Bändchen, nachdem es seit Ausbruch der Hitlerzeit verschollen war, jetzt wieder in die Welt schicke, geschieht vor allem in der Erinnerung an Hofmannsthal, der es zu seinen Lieblingsbüchern zählte." (*Reden und Gleichnisse des Tschuang-Tse,* Deutsche Auswahl von Martin Buber, Zürich 1951, Manesse Bibliothek, 6). Bereits Martin Bubers Sammlung *Ekstatischer Konfessionen,* erschienen 1909 im Diederichs-Verlag, enthält „Worte Laotses und seiner Schüler", darunter auch Stellen aus Tschuang-Tses Büchern, und auch Texte aus Indien. 1916 veröffentlichte Buber bei Rütten & Loening in Frankfurt/M. seine mit Hilfe eines Chinesen zustandegekommene Übersetzung *Chinesischer Geister und Liebesgeschichten.* In diesem Zusammenhang sei an die in Anmerkung 4 erwähnte Tatsache erinnert, daß auch Hermann Hesse „Deussens Vedanta und Upanishaden" unter den östlichen Büchern anführt, die ihm wichtig geworden seien.

22. *A* 232.

23. *P IV* 103.

24. *A* 90; über Victor Hugo verfaßte Hofmannsthal seine Habilitationsschrift *Studie über die Entwicklung des Dichters Victor Hugo.*

25. *A* 65.

26. *A* 293.

27. *A* 288.

28. Hugo von Hofmannsthal, *Prosa II,* Frankfurt 1959 (= *P II*), 270; auch in den Tagebuchnotizen zu der in Asien angesiedelten *Geschichte von den Prinzen Amgiad und Assad* erwähnt Hofmannsthal ausdrücklich *Tausendundeine Nacht;* als Motto ist ihnen das Wort von Keats „Exhaustless East" (*A* 110) vorangestellt, das auch in späteren Jahren wieder aufgenommen wird (*P II* 25, *P IV* 68). Eine für die Anziehungskraft Asiens bezeichnende Stelle lautet: „Ost und West! Indien, Sindbad — die Worte, Namen der Länder und Meere wie Lichter herüberglühend."

29. Hugo von Hofmannsthal, *Gedichte und lyrische Dramen,* Frankfurt 1952 (= *GLD*), 488.

30. *P I* 17.

31. *P I* 27/28.

32. Arthur Schopenhauer, *Sämtliche Werke in fünf Bänden,* Leipzig o. J. (Insel Verlag), I 470.

33. *EK* 35.

34. *A* 104.

35. *A* 310 / *P III* 376/377/379.

36. Dieser Begriff wird sowohl in der Rede *Der Dichter und diese Zeit* im Jahr 1907 ( *P II* 235), als auch in der großen Rede des Jahres 1927 *Das Schrifttum als geistiger Raum der Nation* (*P IV* 401) ausdrücklich hervorgehoben.

37. *P IV* 411—413.

38. *P IV* 399.

39. *A* 56.

40. Hugo von Hofmannsthal, *Dramen III,* Frankfurt 1957 (= *D III*), 470; hier wird das Bild der Herrscherpyramide direkt mit *Der Kaiser und die Hexe* in Verbindung gebracht: „Seine (Ninyas') Entwicklung der Herrscherpyramide (analog ‚Kaiser und Hexe'), der Verantwortung des Höchsten für alle." Für diese Entwürfe der Ninyas-Semiramis-Tragödie *Die beiden Götter* und die Figur des Ninyas spielt das *Tao Te King* des Laotse, worauf an späterer Stelle eingegangen wird, eine entscheidende Rolle, so daß es auch von dieser Seite her zulässig ist, anzunehmen, daß der Kaiser in *Der Kaiser und die Hexe* nach Asien weist.

41. *GLD* 274/288.

42. *A* 125.

43. *Briefwechsel: Hugo von Hofmannsthal — Rudolf Borchardt,* Frankfurt 1954 (= *RB*), 86; siehe auch *B II* 122 und *P IV* 216.

44. Siehe hierzu Theodor Dombart, *Der Sakralturm. I. Teil: Zikkurat,* München 1920.

45. *Hugo von Hofmannsthal — Rudolf Borchardt: Unbekannte Briefe,* Mitgeteilt von Werner Volke, in: Jahrbuch der deutschen Schillergesellschaft VIII/1964, 24; vgl.: Hofmannsthal-Blätter Heft 2, Frühjahr 1969, 92.

Siehe auch die Tagebuchnotiz für einen *Brief an einen Gleichaltrigen:* „... Noch einmal alle Vergangenheit an uns heranreißen als Lebenspyramide." (*A* 204) In den Notizen zu

*Andreas oder die Vereinigten* findet sich ebenfalls dieses Bild: „Sacramozo wollte die Burg Welsberg kaufen. Sein Übernachten in dem Zimmer, an dessen Wand die Lebenspyramide gemalt ist (seine Gedanken vielfach über die Lebensalter. sein 93jähriger Oheim) ..." (Hugo von Hofmannsthal, *Erzählungen,* Frankfurt 1953 (= *E*), 214).

46. *P II* 251.

47. *P IV* 403.

48. *P I* 10.

49. *CJB* 301; zu dem Zusammenhang zwischen Hofmannsthals Melancholie und seinem „Zwang zum Ganzen" als seinem Willen zum System siehe das 1. Kapitel: *Melancholie, Reflexion und der Wille zum System,* in: HZ *BuB.* Hier gehört auch jene auf Amyclas bezogene Stelle aus der Dramenskizze zu *Alexander — Die Freunde* (1895): „Die Schwermut seines Vaters, den Alexander durch Verdacht in den Tod getrieben hat, liegt auf ihm, er braucht ein ungeheures Schicksal, um durch einen Gegendruck den Druck der stillen Verzweiflung loszuwerden." (Hugo von Hofmannsthal, *Dramen I,* Frankfurt 1964 (= *D I),* 424).

50. *P IV* 403.

51. *Briefwechsel: Hugo von Hofmannsthal — Richard Beer-Hofmann,* Frankfurt 1972 (= *RBH),* 47, 48; auch in den Notizen zu der *Geschichte von den Prinzen Amgiad und Assad* vom 14. 7. 1894 taucht der Name Alexanders auf: „... Auf der Mulde am Berg: im Hintergrund wie Riesenschiffe am Horizont schwankend die Taten Alexanders des Großen." (*A* 114) Zweifellos bezieht sich auch der an zwei Stellen hervorgehobene „große König der Vergangenheit" im *Märchen der 672. Nacht* auf Alexander *(E* 16, 24). 1936 erschienen aus dem Nachlaß dramatische Entwürfe zu einem *Alexanderzug* (1893) und zu *Alexander — Die Freunde* (1895), aus denen einige hier vor allem interessierende, d. h. auf Asien weisende Stellen, wiedergegeben seien: „... Gedanken: ein tiefes Kommunizieren mit dem Wesen der Dinge; Feuer einer Laterne vermittelt die Idee des ewigen Weltfeuers und die mystische Vereinigung mit diesem. E. vita Alexandri magni. — Eine Vorrede dazu, tief menschlich: ‚Gottes ist der Orient!' etc. ... Alexander: Prinzipien des Lebens, Götter neben ihm: ‚plurimus Ganges', die großen lebendigen Ströme ... Büßer in Indien, die sich durch die Stufenreiche der Geschöpfe durch Reinheit die Erhöhung verdienen, sind das Gegenbild für Gorgos. Über die Inder: sie achten Taten für nichts, für bunten Traum, die Welt ist ihnen ein Traum ihres Gottes ..." (*D I* 421/422/429) Die Bemerkung: „Alexander sagt: mein Reich ist nicht aus dieser Welt und kann nicht länger leben als ich" (*D I* 422) weist genau auf den oben belegten Brief an Beer-Hofmann, der zeitlich etwa drei Monate später liegt (13. Mai 1895). Für den Wunsch nach einem eigenen „Reich" zu dem das poetische System verhelfen sollte, diente Alexander ohne Zweifel als Vorbild, dessen Name nicht zufällig sich gerade besonders häufig im Jahr 1895 findet, in welchem Jahr auch das *Märchen der 672. Nacht* entsteht und erscheint. Vgl. Anmerkung 114.

52. *GLD* 315/316. 53. *GLD* 32; zu „Kaiser von China" siehe auch *A* 112.

54. Bei diesen Ausführungen stütze ich mich auf die Arbeit von Marie Luise Gothein, *Die Stadtanlage von Peking. Ihre historisch-philosophische Entwicklung,* in: Wiener Jahrbuch für Kunstgeschichte Neue Folge VII. Augsburg 1930.

55. Hugo von Hofmannsthal, *Prosa III,* Frankfurt 1964 (= *P III*), 164; einige weitere Belege seien hier angeführt: schon im Amiel-Aufsatz, der am 15. 6. 1891 erschien, finden sich die Sätze: „„... alles, was die Natur einem empfänglichen, nachschaffenden Geist gewähren kann, durchströmte ihn, wenn er vor Tagesanbruch aufstand, um vor seinem Pult in stiller Ruhe Weltenreisen und Jahrtausende zu durchfliegen, in immer höheren und reineren Kreisen zu schweben, von der historischen Betrachtung zur geologischen, höher, zur astronomischen, höher, zur theosophischen Vision. Aber getrieben von dem Durste nach Unendlichkeit, von einem unstillbaren Bedürfnis nach dem Absoluten, nach der Totalität, hatte er den Boden verloren ... was kann der gestalten, dem alles zu allem verwogt und zerrinnt ... der schwelgend im Ausschöpfen des Unausschöpflichen, im

Durchträumen der Möglichkeiten des Zufallskind Wirklichkeit verachtet? der überhistorischen Geistes nach dem Ewig-Unbedingten ringt, dem ‚teres atque rotundum', der mystischen Kugel, dem Allumfassen? . . ." (*P I* 27—29) Setzt Hofmannsthal sich zu diesem Zeitpunkt noch kritisch von Amiel ab, so sollte er doch schließlich selber dem „Durst nach Unendlichkeit . . ." erliegen und als „ganzer Mensch" dazu kommen, „die Ahnung der Unzerstörbarkeit, de(n) Glauben der Notwendigkeit und die Verachtung des bloß Wirklichen, das nur zufällig da ist" als das „geheimste und tiefste aller Lebensgefühle" (*P IV* 49) zu bezeichnen; und fragt er hier in bezug auf Amiel: „. . . was kann der Besonderes lehren, dem seine Besonderheit, sein Ich, sein Schicksal . . . verdampft wie auf heißem Eisen?", so wird die asiatischem Denken entsprechende Auflösung des Selbst zu einer der Spuren seines poetischen Systems und seiner dramatischen Arbeit (vgl. HZ *BuB*, 20) und der „dunkle Wurzelgrund des Lebens" als „die Region wo das Individuum aufhört Individuum zu sein" (*P IV* 49) zum Ausgangspunkt des oben genannten Lebensgefühles. Konsequenterweise wird auch der Kreis zu einem wichtigen Sinnbild, auch Sinnbild der aufgehobenen Zeit. So ehrt Semiramis („immer herauszielend") in Ninyas („immer unterm Bogen") „das Element der Wiederholung, des Kreises", eine Notiz, die eine besonders ‚chinesische' Beleuchtung erfährt, wenn man berücksichtigt, daß „Ninyas selbst als reine Weltpotenz, das Tao des Laotse" wäre (*D III* 457/470).

Die *Erinnerung schöner Tage* (1908) enthält den Satz: „. . . Mein Denken durfte nicht ganz ins Dunkel fallen, sonst schlief ich auch: wie ein Sperber mußte es immer über dem Leuchtenden kreisen, über der Wirklichkeit, über mir und dieser Schlafenden." (*P II* 351) Dieses Bild des kreisenden Sperbers, Falken oder Adlers nimmt Hofmannsthal immer wieder in Verbindung mit dem Bereich des Ganzen, Unzerstörbaren, Unaussprechlichen und Namenlosen auf. Die *Verse zum Gedächtnis des Schauspielers Josef Kainz* (1910) belegen dies besonders deutlich:

„. . . Der Bote aller Boten, namenlos
Und Bote eines namenlosen Herrn . . .
. . . O vogelhaftes Auge, das verschmähte,
Jung oder alt zu sein, schlafloses Aug,
O Aug des Sperbers, der auch vor der Sonne
Den Blick nicht niederschlägt, o kühnes Aug,
Das beiderlei Abgrund gemessen hat,
Des Lebens wie des Todes — Aug des B o t e n !
O Bote aller Boten, Geist! Du Geist!
Dein Bleiben unter uns war ein Verschmähen,
Fortwollender! Enteilter! Aufgeflogener!
Ich klage nicht um dich. Ich weiß jetzt, wer du warst,
Schauspieler ohne Maske du, Vergeistiger,
Du bist empor, und wo mein Auge dich
Nicht sieht, dort kreisest du, dem Sperber gleich,
Dem Unzerstörbaren . .
. . . Und als des Schwebend-Unzerstörbaren
Gedenken wir des Geistes, der du bist.
O Stimme! Seele! aufgeflogene!" (*GLD* 53)

Diese Verse stehen in genauer innerer Beziehung mit jenen im Schlußmonolog des Wahnsinnigen im *Kleinen Welttheater* dreizehn Jahre davor, von dem es heißt:

„. . . Ich gleite bis ans Meer, gelagert sind die Mächte dort
und kreisen dröhnend, Wasserfälle spiegeln
Den Schein ergoßnen Feuers, jeder findet
Den Weg und rührt die andern alle an . . .
Mit trunknen Gliedern, ich, im Wirbel mitten,
Reiß alles hinter mir, doch alles bleibt
Und alles schwebt, so wie es muß und darf! . . ." (*GLD* 316)

Der Falke, „der hoch oben kreiste", wird dann zu einem zentralen Motiv in der *Frau ohne Schatten* (1919) (*E* 260, 301, 371, 374). In den Notizen zu *Andreas oder die Vereinigten* findet sich die Stelle: „. . . Der Kreis wird ihm bedeutungsvoll. Das Vorwalten des Kreises in den Werken und Aufzeichnungen Lionardos. —" (*E* 243) Und in einer Würdigung Rudolf Alexander Schröders findet sich der aufschlußreiche Hinweis: „Im Bereich der ‚Zwillingsbrüder', der ‚Deutschen Oden' ist man im Wirbeltrichter des Sturmes, der uns umtreibt: hier herrscht die grandiose Stille der M i t t e." Weil Hofmannsthal nun für sich „Mitte (im Wirbel)", „Kreis", „kreisen", „schweben", das „Schwebend-Unzerstörbare", das „Unzerstörbare", das „Namenlose", den „Boten" mit Asien und vor allem mit dem Brahman in Verbindung bringt, überträgt er sogar auf die deutsche Nation ‚orientalische' Eigenschaften. So lautet der auf die von Hofmannsthal gesperrte „M i t t e" folgende Satz: „Wo zwar wäre die Gesellschaft, der diese Haltung entspricht? Gesellschaftslos, wie der Orient, ist diese Nation. Tiefsinnige Einzelne, wie dort, tragen ihr geistiges Leben." (*P IV* 311/312) Für das Bild der Kugel ließen sich ähnlich zahlreiche Belege angeben, doch sei nur eine Briefstelle vom 28. 10. 1922 angeführt, die ausgezeichnet Hofmannsthals zeitloses, d. h. raumhaftes „Weltgefühl" dokumentiert: „Meine höchsten Glücksmomente immer in völliger Einsamkeit, ohne Bezug auf eine Frau, überhaupt auf einen einzelnen Menschen, aber allen gleich nah wie im Mittelpunkt einer Kugel." (*CJB* 103) Auch von hier aus weist die Spur zurück in das Jahr 1895, in welchem Hofmannsthal sich am 7. Januar ins Tagebuch notiert: „Ein hoher erregter Zustand. Von allen Seiten strömen in Wellen die Elemente des kugelförmigen Daseins ein." (*A* 116) Nach Otto Weininger hängt die „Kreisbewegung" mit dem „Charakter des bayerisch-österreichischen Volksstammes, insbesondere des Wieners zusammen": „Seine große Neigung zur Tanzmusik ist kein isolierter Zug seines Wesens, sondern in diesem tief begründet. Die Kreisbewegung hebt die Freiheit auf und ordnet sie einer Gesetzlichkeit unter; die W i e d e r h o l u n g des nämlichen wirkt entweder lächerlich oder unheimlich (Robinson). Der Charakter des Wieners ist im Ethischen fatalistisch (Lass' gut sein, da kann man nichts machen); der Fatalismus, ins Intellektuelle übersetzt, ist I n d i f f e r e n t i s m u s; darum ist der Wiener apathisch, ‚gemütlich'. Der Walzer ist die absolut f a t a l i s t i s c h e Musik; aber darum zugleich der adäquate musikalische Ausdruck der Kreisbahn." (Otto Weininger, *Über die letzten Dinge,* Wien und Leipzig 1920[6], 98) Vgl. Georges Poulet, *Metamorphosen des Kreises in der Dichtung*, Frankfurt 1966.

56. *P III* 365.
57. *A* 228.
58. *III* 356.
59. *A* 223.
60. *P III* 358/359/365.
61. *A* 241.
62. *A* 215.
63. *GLD* 440/450/457.
64. *GLD* 12/314/417/440.
65. *GLD* 358/446/447.
66. *A* 228.
67. (Paul Deussen, Üb.), *Die Sûtra's des Vedânta,* Leipzig 1887, 84, 104.
68. *GLD* 306/446/447
69. *GLD* 124.
70. *GLD* 296.
71. HZ *BuB*, V. Kapitel, 2 d: *„Durchdringende Augen"*.
72. *GLD* 446/360.
73. *P II* 308.
74. *A* 215; vgl.: HZ *BuB*, IV. Kapitel, 4. *Die „Momente der Erhöhung"*.
75. *D I* 222.
76. *D I* 280.

77. *GLD* 51—53.

78. *GLD* 455.

79. Über die Bedeutung dieses Buches und vor allem des darin befindlichen Aufsatzes „Die Idee der Präexistenz" für Hofmannsthal plant Vf. eine eigene Untersuchung.

80. siehe hierzu HZ *BuB,* IV. Kapitel.

81. siehe hierzu HZ *BuB,* I. Kapitel, 2c: Wille und Glaube; von diesem Glauben spricht Hofmannsthal ausdrücklich in der Rede *Das Schrifttum als geistiger Raum der Nation* und er liegt s e i n e m Begriff der konservativen Revolution zugrunde: „... bis ... er sich losrang, unser suchender deutscher Geist, bewährt mit dieser einen Erleuchtung: daß ohne geglaubte Ganzheit zu leben unmöglich ist — daß im halben Glauben kein Leben ist ..." (*P IV* 411).

82. siehe hierzu HZ *BuB* 13 ff., 132 ff., und Nachwort des Vf. zum Pressendruck des Chandos-Briefes in der Herbert-Post-Presse München 1966. Auch wenn die darin unternommene Einordnung und Analyse des Chandos-Briefes durch die in: HZ *BuB* im Zusammenhang mit dem poetischen System vorgetragene Interpretation abgelöst wurden, hat der dortige ausführliche Hinweis auf die Bedeutung Georges für den Chandos-Brief seine Gültigkeit behalten.

83. *SG* 175.

84. siehe Anmerkung 67.

85. *A* 225.

86. *P II* 11 ff.

87. *GLD* 259/294.

88. siehe hierzu HZ *BuB,* 131/199.

89. *P I* 262.

90. *A* 127.

91. siehe hierzu HZ *BuB,* IV. Kapitel: *Hegel, Hofmannsthal und die Hexe.*

92. *EK* 98.

93. *P I* 233.

94. *P I* 241; schon in den fast ein Jahr vorherliegenden, vom 3. 2. 1895 datierten, Notizen zu *Alexander* findet sich das Wort vom „plurimus Ganges": „Alexander: Prinzipien des Lebens, Götter neben ihm: ‚plurimus Ganges', die großen lebendigen Ströme; die Menschen Ungeziefer. Seine Seele in einer Art elysischem Zustand ..." (*D I* 422) Siehe auch Anmerkung 51.

95. *EK* 98; der entsprechende Satz lautet: „... Erst später, viel später — ich seh es herankommen, und man könnte es, gegenüber der unreifen Frühjugend und gegenüber unserer Gegenwart, die dritte Zeit nennen — werden wir langsam lernen, den Menschen zu begegnen." Hier hat Hofmannsthal in einer scheinbar beiläufigen Briefstelle den Dreischritt seiner dichterischen Existenz, der in *Ad me ipsum* eine so entscheidende Rolle spielt, zum Ausdruck gebracht. Die „unreife Frühjugend" entspricht der Prä-Existenz, die „Gegenwart" dem Zwischenzustand, der zu diesem Zeitpunkt noch eine aktuelle Bedeutung hat, und die „dritte Zeit" der Existenz, d. h. der auf dichterischem Wege wiedererreichten Präexistenz, welchen Begriff Hofmannsthal für seinen brahmanbestimmten Begriff der Ganzheit übernimmt. Diese „dritte Zeit", die er hier noch „später, viel später" herankommen sieht, ist also seit *Der Kaiser und die Hexe*, dem dichterischen Dokument der Aufhebung des Zwischenzustandes und der wiedererreichten Ganzheit, zu datieren. Zum ersten Mal taucht dieser Dreischritt in dem 1890/91 entstandenen Sonett *Epigonen* auf, dessen letzte beiden Zeilen lauten: „All-Eines ist der Anfang und das Ende / Und wo du stehst, dort ist die Zeitenwende", und in welchem es ausdrücklich von den „Gegenwartsverächtern" heißt (es ist vermutlich die erste Stelle, an der Hofmannsthal das Wort „zwischen" und zwar gesperrt verwendet): „Gewandelt seid ihr z w i s c h e n den Geschlechtern ..." (*GLD* 498; vgl. HZ *BuB* 116 ff.) Zur zeitlichen Einordnung der biographischen Lebensphasen, welchen die drei Begriffe entsprechen, siehe HZ *BuB,* 48 ff. Zu Hofmannsthals planvollem Vorgehen, die Ganzheit wieder zu e r r e i c h e n und

auch w i e d e r erreichen, siehe HZ *BuB* 56 ff., 112 ff., 173 ff. und den ganzen Abschnitt I. 2.: Der Wille zum System. Zur Übertragung dieses Dreischritts auf seine Dramentheorie siehe HZ *BuB,* III. 2. *Der Wille zum Drama.* a) *Die drei Grade des Dramas.*

96. *A* 225.

97. siehe hierzu HZ *BuB,* VI. *Dichterische Poetologie.* 4. *Die „Momente der Erhöhung".*

98. *B II* 327, siehe auch HZ *BuB,* I., 1 c: *Einsamkeit und Glück.*

99. *GLD* 316/317.

100. *GLD* 306; siehe auch *A* 2/3. In den Notizen zu *Alexander* vom 3. 2. 1895 findet sich unter dem Stichwort „Mysterienlehre" ein Hinweis auf dieses „Ein-Wesen": „Wir sind von einem Fleisch mit allem, was je war, mit Alexander, mit Tamerlan, mit den verschwundenen Rieseneidechsen und Riesenvögeln, mit allen Göttern und dem Wunderbaren der menschlichen Geschlechter ..." *(D I* 423) Und im Tagebuch lautet bereits ein Eintrag im Jahr 1894: „Wir sind mit unserem Ich von Vor-zehn-Jahren nicht näher, unmittelbarer e i n s als mit dem L e i b unserer Mutter. Ewige p h y s i s c h e Kontinuität. — Den Gedanken scharf fassen: wir sind eins mit allem, was ist und was je war, kein Nebending, von n i c h t s ausgeschlossen." (*A* 107) Hierher gehört auch die wichtige Stelle aus einem Brief an Edgar Karg von Bebenburg, die mit dem Satz beginnt: „Ich kann mich ja nicht getrennt von allem Dasein fühlen und kein Element meines complexen Bewußtseins schweigt je v ö l l i g ..." (*EK* 93) Dieser Brief vom 22. August 1895 nimmt zentrale Formulierungen aus den oben genannten Notizen zu *Alexander* vom 3. Februar 1895 wieder auf. Das „Ein-Wesen" taucht wieder auf im vierten Brief des Zurückgekehrten (1907) bei der Beschreibung des Farbenerlebnisses, als dessen Hauptmoment sich dann „das Wortlose, das Ewige, das Ungeheure" erweist, das auch in dem „Unzerlegbaren" angesprochen ist: „Wie aber könnte ich etwas so Unfaßliches in Worte bringen, etwas so Plötzliches, so Starkes, so Unzerlegbares! ... Wie kann ich es Dir nahebringen, daß hier jedes Wesen — e i n W e s e n jeder Baum, jeder Streif gelben oder grünlichen Feldes, jeder Zaun, jeder in den Steinhügel gerissene Hohlweg, ein Wesen der zinnerne Krug, die irdene Schüssel, der Tisch, der plumpe Sessel — sich mir wie neugeboren aus dem furchtbaren Chaos des Nichtlebens ... entgegenhob ... " (*P II* 303/304) Auch an diesem Wort läßt sich zeigen, daß Hofmannsthal, gebunden an sein poetisches System, dann nach Ausbruch des Ersten Weltkrieges nichts anderes übrig blieb, wollte er kulturpolitisch tätig werden, als seine poetischen Grundvorstellungen auf die politische Realität zu übertragen. In seiner Ankündigung der Österreichischen Bibliothek (1915), in der auch das „Unzerstörbare" hervorgehoben wird, heißt es an einer Stelle, an der Hofmannsthal konsequenterweise auch das „Unzerlegbare" als das „Unteilbare" wieder mitaufnimmt: „Österreich hat in diesen Tagen seine Kraft gezeigt und vor der Welt wieder offenbar gemacht, daß es e i n W e s e n ist, denn nur von einem wesenhaften, unteilbaren Leben kann große Kraft ausgehen ..." (*P III* 281) Und der Aufsatz über Beethoven (1920), der als besonders gutes Beispiel für Hofmannsthals Kunst- oder genauer Systemsprache gelten kann, enthält die Sätze: „Sein Werk ist nicht volkstümlich und wollte es nicht sein. Aber es ist darin das, was vom Volk emporsteigt in die Einzelnen und dort aufs neue Wesen wird, so wie das ganze Volk ein Wesen ist ..." (*P IV* 11).

101. *P II* 31; in dem Aufsatz über Beethoven (1920) spricht Hofmannsthal von der „sprachlosen Sprache": „Dem Wort mißtrauend, sind sie unberedsam aus Keuschheit; in ihrem Herzen aber ist sprachlose Sprache, die über allen Sprachen ist, ist Wissen um alle Finsternisse des Daseins und dennoch Hoffnung bis an die Sphären." (*P IV* 13) Siehe hierzu HZ *BuB*, VI. *Dichterische Poetologie.* 1. *„Wortlose Sprache".*

102. *P II* 20.

103. *P II* 14/18; hierher gehört auch die Stelle: „... ich fühle ein entzückendes, schlechthin unendliches Widerspiel in mir und um mich, und es gibt unter den gegeneinanderspielenden Materien keine, in die ich nicht hinüberzufließen vermöchte ..." (17).

104. *P II* 306—309.

105. *P II* 303; siehe Anmerkung 100.

106. *P II* 310.

107. *GLD* 12/13.

108 *GLD* 309 ff. / *CJB* 280.

109. *P IV* 36/40—42.

110. *P II* 111/112.

111. P II 245/256/257; im Schlußsatz nimmt Hofmannsthal noch einmal diese Beglückung auf: „. . . indem er an solchem innersten Gebilde der Zeit die Beglückung erlebt, sein Ich sich selber gleich zu fühlen und sicher zu schweben im Sturz des Daseins, entschwindet ihm der Begriff der Zeit, und Zukunft geht ihm wie Vergangenheit in einzige Gegenwart über." (258) Doch schon im *Bergwerk zu Falun* sagt Torbern, der „von ewiger Luft umwittert . . . dem dumpf umgebend Menschlichen entfremdet" ward:

„. . . . . . . . . . . . . . . . und genossen Glück
Von einem Leib, vor dem die Zeiten knien
Und dem die Sterne ihren Dienst erweisen." (*GLD* 358/446/447)

112. *P II* 319.

113. *GLD* 312.

114. In den Notizen zu *Semiramis* findet sich zu dem Stichwort „Wesentliches" datiert vom 22. 3. 1909 die Bemerkung: „Das Vorspiel liegt achtzehn Jahre vor dem Stück. Im Vorspiel ist Semiramis fünfzehn Jahre — nun ist sie dreiunddreißig. So alt war Alexander der Große, als er starb. Das Glück selbst ist Katastrophe, Auflösung." (*D III* 451) Sieht man in Semiramis eine Spiegelung seiner eigenen dichterischen Existenz, dann ist mit der Altersangabe „15 Jahre" genau deren Beginn angedeutet, eine Altersangabe, die er selber in einem Brief an Andrian in bezug auf diesen Beginn erwähnt, wo er sich als „Wiener Theaterdichter" kennzeichnet: „Ich fühlte mich, von meinem 15ten Lebensjahr an, als eine Art Hausdichter eines imaginären Burgtheaters." (*Briefwechsel: Hugo von Hofmannsthal — Leopold von Andrian,* Frankfurt 1968 (= *LA*), 288) Zudem kommt Hofmannsthal in einem Brief an Richard Dehmel vom 29. März 1907 ausdrücklich darauf zu sprechen, daß er jetzt 33 Jahre alt sei: „Was ich dort (in der Wochenschrift „Morgen", für deren Lyrikteil er verantwortlich zeichnete, Vf.) tun will, geht auf eine gewisse Kontinuität. Zusammenhangloses zu unternehmen hat mich schon angewidert, als ich 22 alt war, geschweige denn jetzt mit 33 . . ." (*B II* 268) Zu der Tatsache, daß Hofmannsthal dieses Jahr 1907 in eigenen Periodisierungsskizzen seiner dichterischen Existenz als eine Art Schwellenjahr hervorhebt, siehe HZ *BuB,* 16 ff. Es sei auch hingewiesen auf einen Brief an Arthur Schnitzler vom 1. 11. 1907, in welchem er sich dagegen verwahrt, daß Raoul Auernheimer von ihm als dem „Rodauner Ästheten" gesprochen habe, da er es so satt habe, „nach 17 Jahren ziemlich ernsthaften Arbeitens in dieser Weise ‚ironisiert' zu werden". (*Briefwechsel: Hugo von Hofmannsthal — Arthur Schnitzler,* Frankfurt 1964 (= *AS*), 233) Zur geheimen Identifizierung mit Alexander siehe auch Anmerkung 51.

115. *P II* 267.

116. *P II* 301.

117. *P II* 285/290/286/291.

118. Siehe hierzu George W. F. Hallgarten, *Imperialismus vor 1914,* München 1963, 1. Band, 506 ff. (Der Boxeraufstand in China und die deutsche Außenpolitik). Dort findet sich auch die Bemerkung: „Die chinesische Erhebung muß als direkte Folge des europäischen und besonders des englischen Imperialismus gelten." (508) Zu den Reden Kaiser Wilhelms II. siehe den Band *Kaiserreden,* Leipzig 1902, Her. von A. Oskar Klaußmann, 355 ff. Einige Auszüge seien hier mitgeteilt: „. . . So sende Ich euch nun hinaus, um das Unrecht zu rächen, und ich werde nicht eher ruhen, als bis die deutschen Fahnen, vereint mit denen der anderen Mächte, siegreich über den chinesischen wehen und, auf den Mauern Pekings aufgepflanzt, den Chinesen den Frieden diktieren . . . Russen, Engländer, Franzosen, wer es auch sei, sie fechten alle für die eine Sache, für die Zivilisation . . ." (356; Rede am 2. Juli 1900 in Wilhelmshaven vor dem 1. Seebataillon) — „. . . Ihr wißt

es wohl, ihr sollt fechten gegen einen verschlagenen, tapfern, gut bewaffneten, grausamen Feind. Kommt ihr an ihn, so wißt: Pardon wird nicht gegeben, Gefangene werden nicht gemacht; führt eure Waffen so, daß auf tausend Jahre hinaus kein Chinese mehr es wagt, einen Deutschen scheel anzusehen. Wahret Manneszucht, der Segen Gottes sei mit euch, die Gebete eines ganzen Volks, Meine Wünsche begleiten euch, jeden einzelnen. Öffnet der Kultur den Weg ein für allemal ..." (358; Rede am 27. Juli 1900 in Bremerhaven vor Abfahrt der Truppen) — „... Ruhen Sie nicht eher, als bis der Gegner, zu Boden geschmettert, auf den Knieen um Gnade fleht ... Ob Engländer oder Russe, Franzose oder Japaner, wir kämpfen alle gegen denselben Feind zur Aufrechterhaltung der Zivilisation; wir besonders für unsere Religion ..." (360/362; Rede am 14. August 1900 vor Offizieren) In seinem Doorner Exil hat Wilhelm II. die chinesische Zivilisation schließlich doch für würdig befunden, zur Kenntnis genommen zu werden. 1934 erschien in Leipzig unter seinem Namen ein Buch mit dem Titel ‚Die chinesische Monade'. Siehe hierzu Gustav Schmaltz, *Östliche Weisheit und westliche Psychotherapie,* Stuttgart 1953, 161 ff. Dort heißt es: „In dem Buch ... findet sich reiches Vergleichsmaterial zum Tai-Gi-Tu-Zeichen aus der frühen Kunst der ganzen Welt. Dieses stammt offenbar nicht aus den Forschungen des Verfassers ..., sondern wurde ihm vom Frobenius-Institut in Frankfurt zur Verfügung gestellt. Der Sinngehalt des Zeichens ist ihm selbstverständlich ganz verschlossen geblieben."

119. *A* 163; der von Hofmannsthal mit P. Z. abgekürzte Informant war vermutlich der Romancier, Übersetzer und Diplomat Paul Zifferer (1879—1929), der auch in verschiedenen Briefwechseln Hofmannsthals auftaucht. Der Titel von Schnitzlers Novellen-Fragment lautet *Boxer-Aufstand* (Arthur Schnitzler, *Die erzählenden Schriften,* Frankfurt 1961, 1. Band, 545).

120. *P II* 281/287; siehe auch P II 283.

121. *A* 228.

122. *P II* 247.

123. *P III* 379/380; zu Hofmannsthals „Begriff des Wirklichen" siehe Anmerkungen 52 und 99 und die entsprechenden Textstellen. Die Tatsache, daß Hofmannsthal an dieser Stelle, wo er „das Hinstreben zu Asien als Zeichen der Zeit" hervorhebt, auf den „Begriff des Wirklichen" zu sprechen kommt, bestätigt direkt, daß sein „Begriff des Wirklichen" mit Asien in engster Verbindung steht. Zu Tolstois Interesse für Asien siehe Paul Birukoff, *Tolstoi und der Orient. Briefe und sonstige Zeugnisse über Tolstois Beziehungen zu den Vertretern orientalischer Religionen,* Zürich und Leipzig 1925. Darin findet sich u. a. ein langer Brief an Ku Hung Ming vom Oktober 1906 (130—142) und als Beilage ein aufschlußreiches Verzeichnis der von Tolstoi gelesenen Werke über den Orient (258—263). Hofmannsthals Quelle für „Tolstois Korrespondenz mit Chinesen" aus dem Jahre 1916 oder früher bleibt nachzuweisen. Bemerkenswert ist, daß Hofmannsthal die Bücher von Lafcadio Hearn, Ku Hung Ming und Kakuzo Okakura mit ihren englischen Titeln und auf englisch zitiert, was darauf schließen läßt, daß er sie, wenn nicht sogar sofort nach Erscheinen, also mit aufmerksamem und neugierigem Interesse für aktuelle Literatur dieser Art, so doch lange vor den deutschen Veröffentlichungen gelesen hat. „The Ideals of the East" von Kakuzo Okakura, dessen *Buch vom Tee* als Inselbändchen weite Verbreitung erlangte, erschien beispielsweise erst 1922 im Inselverlag unter dem Titel *Die Ideale des Ostens.*

So sehr hatte Hofmannsthal gerade auch nach dem Ersten Weltkrieg dann seinen eigenen Blick weiterhin auf Asien gerichtet und empfand er sein „Verhältnis zur eigenen Nation aufs schwerste erschüttert", daß er in einem Brief an Beer-Hofmann vom 23. 5. 1919 schreiben konnte: „Mir flößen nun diese rätselhaften Entitäten, die Nationen, ein solches Grauen ein, daß jedes harmlose Wort, das auf die Nation reflectiert, mich krank macht. Vielleicht wären Chinesen die einzigen, aus deren Mund ich momentan eine Äußerung des nationalen Selbstgefühls — ob des triumphierenden oder leidenden vertrüge ...". (*RBH* 167). Der Begriff des Grauens weist darauf hin, daß Hofmannsthal in dem „Grauen vor Europa" in der Rede aus dem Jahr 1916 und in dem auf das wilhelminische

Deutschland gemünzten Satz in dem vierten der *Briefe des Zurückgekehrten* aus dem Jahr 1907: „... vor dem, was da wohnt, vor solchem Nichtleben grauts mich“ (*P II* 300), tatsächlich sein eigenes „Grauen“ zum Ausdruck bringt.

124. *A* 250 ff.

125. „Der höhere Mensch lebt mit allen in Frieden, ohne wie alle zu handeln. Der niedere handelt genau wie alle und wird mit niemandem fertig. Dem Höheren ist leicht gedient, aber er wird schwer befriedigt. Der Niedrige fordert schweren Dienst und ist mit Billigem zufrieden.“ (*A* 10) Das Gespräch zwischen Gung-Du Dsi und Mong Dsi (*A* 261) zitiert Hofmannsthal nach der Übersetzung von Richard Wilhelm (*Mong Dsi — Mong Ko,* Jena 1916, 138). Zur Herkunft des Konfuzius-Wortes siehe Seite 98 des von Ernst Zinn mit Quellennachweisen als Inselbändchen herausgegebenen *Buches der Freunde.*

126. Rudolf Pannwitz, *Die Krisis der europaeischen Kultur,* München-Feldafing 1917, 248, 260; vgl. Anmerkung 4 und das dort angeführte Buch von Pannwitz, *Hermann Hesses west-östliche Dichtung,* Frankfurt 1957, und Rudolf Pannwitz, *Gilgamesch — Sokrates. Titanentum und Humanismus,* Stuttgart 1966, 308 ff.

Die Spuren der Lektüre der *Krisis der europaeischen Kultur* sind in einem Brief an Beer-Hofmann vom 22. 8. 1917 zu verfolgen, in dem er das Buch von Leopold Ziegler *Volk, Staat und Persönlichkeit* erwähnt und weiterfährt: „Es hat mir nicht den eigentümlich starken Eindruck gemacht wie das von Pannwitz, mich aber doch durch einige Tage sehr beschäftigt ... Einige Sachen von Winckler und Jeremias sind mir jetzt zugekommen; ich habe natürlich erst flüchtig hineingesehen — aber ich glaube, damit steht es so: der ‚Herder‘ für diese Welt der Mann des neuen schöpferischen Gewahrwerdens, des großen die Welt verändernden aperçu, muß einerseits noch kommen, andererseits ist er, um die Wende des XVIII zum XIX da gewesen und mißglückt, nicht zur Gewalt gekommen, ja gar nicht bemerkt worden: ich meine nicht Hammer-Purgstall, der zu wenig Persönlichkeit zu wenig Geist war, sondern Dupuy, dessen wahrhaft großes Werk Origine te tous les cultes (1794!) ich mehrmals, aber noch viel zu wenig in der Hand gehabt habe.“ (*RBH* 140 und 241, wo auch der vollständige Titel des letztgenannten Werkes angegeben wird: Charles François Dupuis (1742—1809), *Origine de tous les cultes, ou la religion universelle,* 1795).

Zur Anhängerschaft von Pannwitz siehe das zum 50. Geburtstag 1931 im Hans Carl Verlag München-Feldafing erschienene Buch, das auch einen Brief von Alfred Jeremias enthält.

126a. Hugo von Hofmannsthal, *Briefe an Rudolf Pannwitz,* in: *Mesa 5,* 1955 (= *Mesa*), 22.

126b. *Mesa* 24; in diesem Brief bemerkt Hofmannsthal auch, daß er sich die Bücher von Winckler und Jeremias habe kommen lassen.

127. *LA* 252; siehe auch die zahlreichen von Pannwitz handelnden Briefe in dem Briefwechsel Hofmannsthals mit Ottonie Gräfin Degenfeld und die entsprechenden in den Briefwechseln mit Eberhard von Bodenhausen (Eugen Diederichs Verlag 1953) und mit Josef Redlich. An letzteren schreibt Hofmannsthal am 28. September 1917: „Sie waren so gut, an der Epoche, welche das Auftreten von Pannwitz für mein Leben machte (ich kann wohl sagen, die größte, selbst die erste Begegnung 1892 mit George eingerechnet), freundlichen Anteil zu nehmen. Der Eindruck ist nur noch sehr gewachsen und tief geworden durch fast unablässige Correspondenz. Die produktive Kraft scheint mir bei ihm im eigentlich poetischen, im philosophischen und historischen gleich groß ... Ich glaube, Sie waren so gut, sich das Buch zu notieren: Krisis der europäischen Cultur, Nürnberg Verlag Hans Carl 1916. Mir ist jeder ernste Leser, den ich ihm gewinne, ein großer Gewinn, und ich bemühe mich unablässig; ein Leser wie Sie (ist) natürlich von unschätzbarem Wert ...“ (*Briefwechsel: Hugo von Hofmannsthal — Josef Redlich,* Frankfurt 1971 (= *JR*), 36). Siehe auch Alfred Guth, *Rudolf Pannwitz,* Paris 1973, Librairie C. Klincksieck.

128. *A* 283; in dem großen Aufsatz heißt es über Neumanns Übertragung: „... Es hat dieses Werk nicht vordem in seiner ganzen Reinheit, die ja erst Offenbarung seiner Ge-

stalt ist, in das europäische Geistesleben hineindringen sollen, als bis dieses selber in einer Krise stand auf Leben und Tod; und es hat nicht anders hereindringen sollen als durch einen Deutschen." (*P IV* 71) Auch hier ist noch die Spur von Pannwitz' Buch erkennbar.

Eine kleine Auswahl aus den Reden Gotamo Buddhos in der Übertragung K. E. Neumanns erschien 1920 in der expressionistischen Zeitschrift „Die Gefährten" (Drittes Jahr, erstes Heft; Nachfolgeserie der Zeitschriften „Dämon" und „Neuer Dämon"), deren verantwortlicher Redakteur und Herausgeber Albert Ehrenstein war (vgl. Anmerkung 5). Sie erschien in Wien im Genossenschaftsverlag (Alfred Adler, Albert Ehrenstein, Fritz Lampl, Jakob Moreno Levý, Hugo Sonnenschein, Franz Werfel).

129. *P IV* 67; zur „Achsenzeit" siehe Karl Jaspers, *Vom Ursprung und Ziel der Geschichte,* Fischer-Taschenbuch 91. Dort heißt es: „Diese Achse der Weltgeschichte scheint nun rund um 500 von Christus zu liegen, in dem zwischen 800 und 200 stattfindenden geistigen Prozeß. Dort liegt der tiefste Einschnitt der Geschichte. Es entstand der Mensch, mit dem wir bis heute leben. Diese Zeit sei in Kürze die ‚Achsenzeit' genannt." (14)

130. *P IV* 68/69; das Keats-Wort „exhaustless East" findet sich bereits im Dezember 1894 als Motto vor den Notizen zu der *Geschichte von Amgiad und Assad* im Tagebuch (*A* 110) und als „der unerschöpfliche Osten" in der *Ansprache im Hause Lanckoroński* vom 10. Mai 1902 (*P II* 25).

131. *P IV* 70; schon über zwanzig Jahre vor diesem Text steht bei Hofmannsthal hinter dem Begriff des Verschmähens die „Verschmähung der Zeit" und der Zeitwelt. Im *Bergwerk zu Falun* (1899) sagt die Bergkönigin zu Elis:

„... unwillig trugst du, zornig atmend,
Den Druck der irdischen Luft, dein Blick durchdrang
Die Niedrigkeit, dein Mund verschmähte sie,
Ein ungeheurer Strahl entglomm dem Aug ..." (*GLD* 360)

Und in den *Versen zum Gedächtnis des Schauspielers Josef Kainz* taucht das „Verschmähhen" sogar zweimal auf:

„... O vogelhaftes Auge, das verschmähte,
Jung oder alt zu sein, schlafloses Aug,
O Aug des Sperbers ...
... Dein Bleiben unter uns war ein Verschmähen,
Fortwollender! Enteilter! Aufgeflogener! ..." (*GLD* 52/53)

Vgl. auch Anmerkung 55.

132. *P IV* 73.

133. *B II* 322/323.

134. *P III* 36 ff.

135. *P IV* 160.

136. *P IV* 185/186.

137. *P IV* 147 ff.

138. Hugo von Hofmannsthal, *Briefe an Willy Wiegand und die Bremer Presse.* Herausgegeben von Werner Volke, in: Jahrbuch der deutschen Schillergesellschaft VII/1963, 56, 60. Für Heft 2 wollte Hofmannsthal von Schaeder „einen ihm beliebenden Aufsatz, auf ein Hauptding der Orientalia zielend": „Es sei aber durchaus kein Essay, sondern eine möglichst kurze, möglichst hohe Darstellung eines einzelnen Dinges aus dieser Sphäre oder eines einzelnen Bezuges der zwischen Dingen dieser Sphäre unter sich oder zwischen diesen Dingen und uns waltet, also etwa (eine) weitgefaßte Intuition orientalischen Sprachgeistes oder auch einer großen Lehrergestalt. Das Ganze aber möglichst wenig ausgesponnen ... ‚Orient und Antike', aber fast aphoristisch behandelt, wäre mir größte Freude." (60)

139. *A* 208.

140. *A* 203/204; siehe auch den Eintrag im *Buch der Freunde,* wo Hofmannsthal am Schluß die Frage stellt, ob die Wirkung der Transkription eines chinesischen Gedichtes

nicht eine solche sei, „die uns durch das religiöse Organ zugemittelt wird". (*A* 80) In einem Brief an Richard Dehmel vom 26. März 1907, in welchem Hofmannsthal sich mindestens viermal im Jahr Arbeiten von diesem erhofft, lautet eine entsprechende Anmerkung: „Wenn es zehnmal statt viermal ist, freut's mich natürlich noch mehr. Auch Dinge ähnlicher Art wie die wunderschönen Übersetzungen aus dem Chinesischen. Wie gerne dergleichen, je mehr, desto besser." (*B II* 267) Hofmannsthal leitete zu dieser Zeit den Lyrikteil der Zeitschrift „Morgen". In seinem Aufsatz *Tausendundeine Nacht* findet sich eine Kennzeichnung „orientalischer Poesie": „Dies führt uns in die innerste Natur orientalischer Poesie, ja ins geheime Weben der Sprache; denn dies Geheimnisvolle, das uns beim höchsten gehäuften Lebensanschein von jeder Beklemmung, jeder Niedrigkeit entlastet, ist das tiefste Element morgenländischer Sprache und Dichtung zugleich: daß in ihr alles Trope ist, alles Ableitung aus uralten Wurzeln, alles mehrfach deutbar, alles schwebend ..." (*P II* 273).

Im Nachlaß befindet sich noch ein Notizblatt mit der Überschrift *Über chinesische Gedichte* und der 125seitige Dramenentwurf eines *Chinesischen Trauerspiels,* von dem bisher eine Szene veröffentlicht wurde (Hofmannsthal-Blätter, Heft 2, Frühjahr 1969, 93, 94, und Hugo von Hofmannsthal, *Dramen IV*, Frankfurt 1958 (= *D IV*), 465 ff.).

141. *A* 215.

142. *B I* 17.

143. *RBH* 47.

144. *P IV* 403; siehe auch HZ *BuB* 14 und II. Kapitel: *Lebensführung und Stilisierung der dichterischen Existenz,* 2b: *„Mythos des eigenen Ich,* 2c: *Dichter-„Amt" und „Schicksalserfüllung"*, 2d: *Der „Auserwählte"*.

145. *P IV* 403.

146. *A* 310—314; eine späte Tagebuchstelle bezeugt, daß Hofmannsthal sich — zumindest zu diesem Zeitpunkt — zu den „Vorläufern" zählte: „Unser eigentliches Geheimnis war unsere Haltung im Leben, die Perspektive unserer Äußerungen, — damit waren wir Vorläufer, Vorfühler." (*A* 204) Es ist denkbar, daß die Annahme der Vorläuferrolle in Verbindung steht mit dem vermutbaren resignativen Eingeständnis vor allem nach dem Ersten Weltkrieg, daß die dichterischen Herrscherpläne nicht mehr zu vertreten waren. Eben dies scheint angedeutet zu sein in dem Wort des Kinderkönigs zu Sigismund im *Turm:*

„... du bist nur ein Zwischenkönig gewesen." (*D IV* 206).

147. *CJB* 301.

148. *P II* 25; vgl. auch *P II* 273 ff.

149. *D III* 449.

150. *D III* 445.

151. *D III* 457; der „Umschwung des Kosmos" weist zurück auf Hofmannsthals zentralen Aufsatz *Der neue Roman von d'Annunzio* (11. 1. 1896), in welchem er auf der ersten Seite erklärt, „eine komplexe, wortlose Lehre" empfangen zu haben und insgeheim seine eigene n e u e Lebensstufe angezeigt. Dort heißt es gegen Schluß: „Ich sehe in dem neuen Buch von d'Annunzio einen wundervollen Umschwung. Ich sehe diesen außerordentlichen Künstler so in sich zurückkehren, wie das Leben in den Leib eines Bewußtlosen zurückkehrt. Er ... fängt an, den Mächten, die binden, gerechtzuwerden. Damit ist ein ungeheurer Ausblick aufgetan ..." (*P I* 233/241) Über die Rolle dieses Aufsatzes siehe auch HZ *BuB.* Zur schlagartigen Erleuchtung des Bettlers im *Großen Welttheater,* der zu einer Art taoistischem Weisen wird, bemerkt Hofmannsthal: „Es geht etwas in ihm vor, das einem blitzschnellen trance gleicht: eine Wandlung, ein vollkommener Umschwung." (*A* 298) Siehe hierzu Anmerkung 158 und den Tagebucheintrag über das *Große Welttheater* und die Gestalt des Bettlers, wo sich auch die Klammernotiz findet: „Expressionismus: Umschwünge ohne Liebe." (*A* 202).

152. Margarete McKenzie, *Hofmannsthals Semiramisentwürfe auf Grund der Quellen interpretiert,* in: Deutsche Beiträge zur geistigen Überlieferung, Bd. VI, Heidelberg 1970 Stiehm Verlag.

153. *P III* 356.
154. Joseph Needham, *Science and Civilisation in China,* London 1956, Bd. 2, 68.
155. *LA* 30.
156. *D III* 471/457/458/459/477; siehe auch HZ *BuB,* VI. 2. *Theorie der Tat.*
157. *A* 296/202.
158. *A* 297/298.
159. *A* 213.
160. *GLD* 300.
161. siehe HZ *BuB,* V. Kapitel, 2d: *„Durchdringende Augen"*.
162. siehe HZ *BuB,* IV. Kapitel, 5. *Der Basilisk;* daher erklärt sich auch der Haupttitel des Buches: Brahman und Basilisk.
163. *P II* 307.
164. *A* 233.
165. *LA* 201.
166. *P II* 111; es ist zu beobachten, daß Hofmannsthal sich desto auffallender von der Realität abwendet, je mehr sich sein poetisches System verfestigt und der Zwischenzustand sich seinem vorhergesehenen Ende nähert. Vor allem Briefe aus dem Jahre 1895 (dem Jahr seiner Militärzeit), in welchem er die „komplexe, wortlose Lehre empfangen" hat (*P I* 233), bezeugen diese Abwendung. In einem Brief an Arthur Schnitzler aus seinem Quartier zu Klein Tesswitz bei Znaim vom 21. August 1895 heißt es: „... Ich bin, in gewissem Sinn, mutterseelenallein, und doch so montiert, daß ich mich manchmal gewaltsam zwingen muß, an die Realität zu glauben. Mir ist, wie einem der in der tiefen stillen Kajüte eines Schiffes dem schönsten Land langsam zufährt ... Ich weiß von meinem wirklichen Leben und bin doch unendlich weit davon." (*AS* 60). Zwei Monate vorher äußert Hofmannsthal sich in einem Brief an Edgar Karg von Bebenburg, der etwas darüber erfahren wollte, so über die „sociale Frage": „Über diese Dinge, was man so gewöhnlich die sociale Frage nennt, hört man recht viel reden, oberflächliches Zeug, auch besseres, aber alles so entfernt und unlebendig, wie wenn man durch ein Fernrohr von ganz weit einer Gamsherde grasen zusieht; es kommt einem gar nicht wie wirklich vor. Was es „wirklich" ist, weiß wohl auch niemand, weder die drin stecken, noch gar die ‚oberen Schichten'. Das ‚Volk' kenne ich nicht ..." (*EK* 80; Göding 18. Juni 1895) Im *Kleinen Welttheater* ist der Begriff des Wirklichen dann bereits untrennbar mit dem „Ganzen" verbunden:

> „... Was aber sind Paläste und die Gedichte:
> Traumhaftes Abbild des Wirklichen!
> Das Wirkliche fängt kein Gewebe ein:
> Den g a n z e n Reigen anzuführen,
> Den wirklichen, begreift ihr dieses Amt? ..." (*GLD* 316)

vgl. die Anmerkungen 52 und 99 und die darauf folgenden Textstellen.
167. *P IV* 49; siehe hierzu auch Anmerkung 55.
168. *P IV* 447/459/460; eine hierher gehörende Notiz in *Ad me ipsum* vom 12. 11. 26 lautet: „Das Mythische. Der Abenteurer eine mythische Figur. Desgleichen Ariadne. Das Mythische in höherer Sphäre realisiert in ‚Helena'. Aristie: Menelas als Vertreter des Abendlandes. (In der Türkei: Menelas — Hahnrei.) — Ausgleich zwischen Orient und Abendland (vgl. Bachofens Interpretation der ‚Aeneis')." (*A* 240).
169. *P IV* 413; siehe hierzu auch Wilhelm Emrich, *Dichterischer und politischer Mythos. Ihre wechselseitigen Verblendungen,* in: Akzente 10, 1963; Hans Schumacher, *Mythisierende Tendenzen in der Literatur 1918—1933,* in: *Die Literatur in der Weimarer Republik,* herausgegeben von Wolfgang Rothe, Stuttgart 1974; Theodore Ziolkowski, *Der Hunger nach dem Mythos,* in: *Die sogenannten Zwanziger Jahre,* her. von Reinhold Grimm und Jost Hermand, Bad Homburg, Berlin, Zürich 1970, 169—210. Aufmerksamkeit verdient in diesem Zusammenhang die in einem Brief an Josef Redlich vom 9. 11. 1926 erwähnte Tatsache, daß Carl Schmitt, der Staatsrechtslehrer der Universität Bonn, vor

etlichen Wochen durch einen Zufall in sein Blickfeld getreten sei: „Die Schrift, die mir zuerst in die Hand fiel, hieß ‚Politische Theologie' (= die Lehre von der Souveränität). Was mich an den Ausführungen fesselt, ist eine gewisse vitale Intensität, und die Gesinnung oder besser Geisteshaltung, die auf Hobbes, Bonald, Cortes zurückgeht. Ganz natürlich ergibt sich ein scharfer Gegensatz zu Kelsen, dem Mann des ‚relativistischen Formalismus'. Ein größeres Buch von ihm ‚Die Diktatur' fesselt mich gleichfalls. Er hat enorme geschichtliche Kenntnisse und Geschichte ist ihm ein Lebendiges, wie Ihnen und mir. Dort wo das Staatsrechtliche, das Politische und das Historische zusammentreffen, siedelt er. Ein Buch ‚Der Wert des Staates und die Bedeutung des Einzelnen' ist schon 1917 erschienen." *(JR 77, 78)* Zu Schmitt siehe Michael Stolleis, *Carl Schmitt,* in: *Staat und Recht. Die deutsche Staatslehre im 19. und 20. Jahrhundert.* Herausgegeben von Martin J. Sattler. München 1972.

WOLFGANG KUTTENKEULER

# Der Außenseiter als Prototyp der Gesellschaft

## Frank Wedekind: „Der Marquis von Keith“

> „Man ist früher mit besserem Gewissen Person gewesen als heute. [...] Heute [...] hat die Verantwortung ihren Schwerpunkt nicht im Menschen, sondern in den Sachzusammenhängen. Hat man nicht bemerkt, daß sich die Erlebnisse vom Menschen unabhängig gemacht haben? [...] Es ist eine Welt von Eigenschaften ohne Mann entstanden, von Erlebnissen ohne den, der sie erlebt, und es sieht beinahe aus, als ob im Idealfall der Mensch überhaupt nichts mehr privat erleben werde und die freundliche Schwere der persönlichen Verantwortung sich in ein Formelsystem von möglichen Bedeutungen auflösen solle[1].“

Die Voraussetzungen und Antriebe der im Fin de siècle voll zum Austrag gelangenden Entfremdung zwischen der konkreten, aktuellen politischen Realität der Industriegesellschaft einerseits und der eine eigene innere Dynamik entwickelnden Kunst andererseits sind ebensooft beschrieben worden[2] wie der sich in der Dichtung und Bildenden Kunst manifestierende realitätsflüchtige Ästhetizismus selbst[3]. Was immer diese wechselseitige Abkapselung begründen mag[4] und was immer auch diese artistische Produktion, die an innerer Stimmigkeit gewinnt, was sie an operativem Vermögen einbüßt, im einzelnen nun auszeichnet und vielleicht legitimiert, der historische Stellenwert dieser nur in und um sich selbst kreisenden Kunst im allgemeinen und ihre konkrete Effektivität im besonderen erschließen sich nicht durch eine immanent-hermeneutische Deutung und Wertung[5], sondern verpflichten zum Ausgriff auf die geistesgeschichtlichen und vor allem auf die politisch-sozialgeschichtlichen Zusammenhänge der Jahrhundertwende, die für diese sozusagen „hermetische" Artistik — gewollt oder ungewollt — maßgeblich sind.

Auf diesen Erfahrungs- und Reflexionshorizont (in seiner literarischen Formulierung) sind die nachfolgenden Erörterungen aus — und dies mit dem späterhin zu erhärtenden Anspruch, daß sich die angestrebte Klärung am ehesten an Hand eines Dramas erbringen lasse, das sich, wie „Der Marquis von Keith", der Zuordnung zu den um 1900 herrschenden literarischen Strömungen jedweder Art widersetzt[6]. Dabei bringt es die Aufgabenstellung mit sich, daß mit der Ermittlung des zeitdiagnostischen Befunds eine (möglicherweise vom Autor des Dramas gar nicht beabsichtigte und durchschaute) Konvergenz, wo nicht gar Konkurrenz zwischen dem Schauspiel auf der einen und den ehedem aktuellen und repräsentativen philosophischen, soziologischen und nationalökonomischen Kritiken an der zeitgenössischen bürgerlichen Gesellschaft auf der anderen Seite zutage tritt[7]. Diese thematische und intentionale Verwandtschaft bzw. Parallelität stellt sich mit ostentativer Notwendigkeit heraus, und sie wird im Folgenden schon darum aufgegriffen und — mit welchen (zwangsläufigen) Verkürzungen auch immer — ausgelotet, weil sich so Auskunft über den Grad der Verbindlichkeit und symptomatischen Bedeutsamkeit der in Wedekinds „Marquis von Keith" zum Ausdruck gebrachten Zeit- und Gesellschaftskritik gewinnen läßt[8]. Indessen soll bei dem Nachweis der angedeuteten Entsprechungen die poetische Schreibart nicht unterschlagen werden; vielmehr geht es hier letztens darum, so gut wie möglich einsichtig zu machen, daß das in Frage stehende Drama, als *Modell der Nivellierung und Vermarktung aller individuellen Ansprüche, Leistungen und Qualifikationen* gekennzeichnet, über die zeitgenössische Gesellschaftskritik Georg Simmels, Max Schelers oder Wilhelm Diltheys etwa hinausgelangt: Wenn zutrifft, was Hans-Joachim Lieber bezüglich der philosophischen und soziologischen Theoreme der letzten Jahrhundertwende festgestellt hat, nämlich daß hier die Zeitkritik zur Kulturkritik schrumpfe, indem sich das Interesse nur mehr auf die „Formen" richte, „in denen sich diese Gesellschaft bewußt wird und mittels derer sie sich — sei es evolutionär, sei es revolutionär — zu gestalten unternimmt"[9], dann kann, wenn nicht alles trügt, das dramatische Modell Wedekinds für sich in Anspruch nehmen, daß mit der von ihm gelieferten Analyse die aktuelle soziale Realität jedenfalls insofern prägnanter und überdies mit agitatorischem Effekt zur Sprache kommt, als es den Repräsentanten eben dieser Gesellschaft als Opfer der politisch-sozialen, ökonomischen, technisch-industriellen und der damit zusammenhängenden ideologischen Zwänge der Zeit vor Augen führt.

## I.

Im Nachlaß Frank Wedekinds findet sich eine Arbeitsskizze, die zum Thema des „Marquis von Keith" stichwortartig anmerkt:

„Das Wechselspiel zwischen einem Don Quijote des Lebensgenusses (Keith) und einem Don Quijote der Moral (Scholz). Keith will sich als Mittel zu seinem Zweck der Moral bemächtigen. Scholz will sich als Mittel zu seinem Zweck des Lebensgenusses bemächtigen. Beide erleiden Niederlagen auf dem eigenen Gebiet wie auf dem, das sie als Mittel zum Zweck verwenden wollten[10]."

Was immer diese allenthalben zitierte Notiz darstellen mag — ob ein Zeugnis naiver Selbstbefangenheit oder einen fürsorglichen Tarnungsakt gegenüber einer selbstgefälligen Gesellschaft, ob eine ambitionierte Anpassung an eine um die Jahrhundertwende virulente Dichotomie[11] oder schlicht eine Düpierung philiströsen Deutungseifers —, sie war effektvoll genug, das Drama in den Ruch eines bei aller Tragik vergleichsweise doch harmlosen „Narrenspiels" zu bringen[12] und damit den Blick für die gesellschaftskritische Relevanz des szenischen Vorgangs weithin zu verstellen. Die Überzeugung, das Spiel erschöpfe sich in einer allemal aufs Exzentrisch-Individuelle und Skurril-Anekdotische reduzierbaren Donquichotterie[13], mußte sich konsequenterweise einstellen, wo, im Bann der irrlichternden Anregung Wedekinds, die polare Konstellation Keith-Scholz verabsolutiert und als die zentrierende Achse des gesamten dramatischen Geschehens angesehen wurde. Gleichwohl kommt, wie noch im einzelnen zu erläutern sein wird, dieser unstreitig besonders profilierten Konfrontation des Hochstaplers Keith mit dem Tiefstapler Ernst Scholz alias Gaston Graf Trautenau allein die Bedeutung einer prototypischen Entgegensetzung zu. Im übrigen verhält es sich so, daß die Titelgestalt des Dramas — und eben dies ist bezeichnend für die einzigartigen Dimensionen des „Marquis von Keith" — quasi im Fadenkreuz einer Vielzahl solcher spannungsreichen Relationen steht. Dies bedarf denn auch einer um so nachdrücklicheren Erwähnung, als diese Fülle ganz konträrer Zuordnungen und forcierter, von durchaus egoistischen Interessen und Ambitionen bestimmter Allianzen die entscheidende Voraussetzung dafür bildet, daß mit den Aktionen und Reaktionen des mutmaßlichen sozialen Außenseiters tatsächlich die allgemeine Geisteshaltung und Lebenspraxis der bürgerlich-kapitalistischen Gesellschaft der letzten Jahrhundertwende anklagend und nicht weniger polemisch zum Thema wird[14].

Damit ist hier ein ebenso stringenter wie paradoxer Sachverhalt herausgestellt, der den grundlegenden Unterschied des „Marquis von Keith" zu den gemeinhin als dramatische Vorstudien gewürdigten, insgesamt aber doch recht schlichten und bloß amüsanten Schwänken „Der Schnellmaler oder Kunst und Mammon“ und „Fritz Schwigerling (Der Liebestrank)“ ausmacht[15]. Wohl greift Wedekind das dort schon aus wechselnden Perspektiven angeleuchtete Abenteurermotiv erneut auf, aber das 1898 begonnene und erst 1907 endgültig fertiggestellte Schauspiel „Der Marquis von Keith“[16] steht doch insofern der Kindertragödie „Frühlings Erwachen“ und den Lulu-Dramen „Erdgeist“ und „Die Büchse der Pandora“ ungleich näher, als hier gleichfalls und, allem gauklerischen Anschein zum Trotz, sogar tieferschürfend das zur Erörterung gelangt, was sozusagen die „Signatur des Zeitalters“ ausmacht. — Es entspricht in der Tat der von den maßgeblichen Kritikern der Zeit um 1900 registrierten Neutralisierung der „Gemeinschaft“ zu einer sich allein an pragmatischen Zielen orientierenden, allein die eigenen Interessen sicherstellenden „Gesellschaft“[17], wenn Keith, so unstreitig fesselnd und faszinierend er auch auf seine Umwelt wirkt, als Person recht eigentlich gar keine Würdigung findet. Seine schöpferische Phantasie, seine unüberbietbare Gabe zur Improvisation, sein ganz unbürgerlicher Mut zum Experiment, seine Fähigkeit, die sozialen Mechanismen und generell akzeptierten Leitvorstellungen zumindest da klar zu durchschauen, wo er selbst nicht unmittelbar betroffen ist, alles das also, was den Eindruck seiner genialen Ausgezeichnetheit erweckt, wird nur in dem Maße beachtet und anerkannt, wie es in den Dienst seines Erfolgsstrebens gestellt ist. Dieses allein ist für die Menschen, die den Marquis umgeben, von Belang, und sie verbinden mit seinem wirtschaftlichen und gleichzeitigen sozialen Avancement ganz eigene Wünsche mit einer solchen Ausschließlichkeit und apodiktischen Selbstbezogenheit, daß der im Wahn der Souveränität befangene Keith in Wirklichkeit als Vehikel eben dieser fremden Begierden und Erwartungen fungiert. Er, der sich anheischig macht, die anderen je nach Laune und Gutdünken „verwerten“ zu können, und der diese seine Absicht zumindest auch für eine kurze Zeit mit Erfolg durchzusetzen vermag, wird tatsächlich zum Sachwalter divergierender Zielsetzungen der Gesellschaft degradiert.

Ganz offensichtlich ist dies in bezug auf Keiths Pakt mit den ebenso wohlhabenden wie phantasielosen „Karyatiden“ des projektierten „Feenpalasts“ der Fall, in bezug also auf den Bierbrauereibesitzer Ostermeier, den Baumeister Krenzl und den Restaurateur Grandauer, jene mondänen Pfahlbürger, die keinen Hehl daraus machen, daß es ihnen einzig und allein um eine risikolose Anlage und Aufstockung ihres Kapitals zu tun ist. Und diese alle persönliche Sympathie, Verbundenheit oder gar Dankbarkeit ausschließende *Fixiertheit auf den machtträchtigen Erfolg* Keiths leitet in gleicher Unverhohlenheit, aber wohl noch mit größerer Rabiatheit die allein in ihrer

Stümperhaftigkeit genialen Künstler Saranieff und Zamrjaki, die, ihre Abneigung und Verachtung nur dürftig kaschierend, dem Marquis das ebenso schmeichelhafte wie irrige Wohlgefühl eines mächtigen und einflußreichen Mäzens vermitteln, um dann nach Möglichkeit unter seiner Ägide als Bilderfälscher oder mit nichts weiter als lärmreichen musikalischen Kompositionen gesellschaftliches Renommee und damit zugleich und vor allem finanziellen Wohlstand zu erlangen.

Eben diese „Sachlichkeit", die Georg Simmel als Ausklammerung der Personalität des Partners beschrieben und als Syndrom der modernen Gesellschaft einsichtig gemacht hat[18], gilt in Wedekinds Drama bezeichnenderweise aber auch da, wo von Freundschaft oder gar von Liebe die Rede ist. — So läßt sich nicht bestreiten, daß der Marquis für Anna Huber, die dank ihrer umsichtigen Heiratspolitik zur Gräfin Werdenfels avancierte Verkäuferin aus der Münchener Perusastraße, nichts mehr und nichts weniger als der letzte rettende Beistand inmitten ihrer notorischen finanziellen Kalamität ist und also ausschließlich als Erfüllungsgehilfe einer erneuten ökonomischen Sicherstellung herhalten muß. Die Huldigungen, mit denen sie Keiths allein wortgewaltige Liebeserklärungen souverän quittiert, laufen denn auch auf eine wohlgemerkt nur ihren eigenen Zielsetzungen zuträgliche Stabilisierung seines Selbstbewußtseins und damit letztlich auf eine ruinöse Steigerung seines Ehrgeizes hinaus. Mit kalter Berechnung und mit nicht weniger amoralischer als unbeirrbarer Eingeschworenheit auf die eigenen Zwecke tötet sie in ihm alle Skepsis gegenüber seinen, wie man glauben könnte, titanischen Fähigkeiten ab, und dies in demselben Maße, wie sie ihn als Popanz der von ihr gehegten Wünsche der Lächerlichkeit preisgibt:

„*Anna:* Ich bete jeden Abend inbrünstig zu Gott, daß er etwas von deiner bewundernswürdigen Energie auf mich übertragen möge.

*v. Keith:* Unsinn, ich habe gar keine Energie.

[...]

Meine Begabung beschränkt sich auf die leidige Tatsache, daß ich in bürgerlicher Atmosphäre nicht atmen kann. Mag ich deshalb auch erreichen, was ich will, ich werde mir nie das geringste darauf einbilden. [...]

*Anna:* Wenn ich nur wenigstens deine Geschicklichkeit hätte, den Menschen ihre Geheimnisse vom Gesicht abzulesen! [...]

*v. Keith:* Solche Fertigkeiten erwecken mehr Mißtrauen, als sie einem nützen. Deshalb hegt auch die bürgerliche Gesellschaft, seit ich auf dieser Welt bin, ein geheimes Grauen vor mir. Aber diese bürgerliche Gesellschaft macht, ohne es zu wollen, mein Glück durch ihre Zurückhaltung. Je höher ich gelange, desto vertrauensvoller kommt man mir entgegen[19]."

Wie es Anna zum einen gelingt, die Liebe, die sie mit ihren Schmeicheleien in Keith weckt, als reine Selbstliebe zu denunzieren, so gibt sie zum anderen zu erkennen, daß ihr an der Person des von einer schicksalhaften Begegnung zweier Auserwählter schwärmenden Marquis nicht das mindeste gelegen ist. Mit ihrer lakonischen Klarstellung, daß sie sich von dem in realitätsferner Verzücktheit schwelgenden Keith nicht einen Stern vom Himmel als Geschenk wünsche, sondern von ihm, ihrem Talent entsprechend, zur Dirne gemacht werden möchte[20], verschließt sie sich jeder Verbindung, die auf anderen als auf rein materiellen Gütern basierte. Und mehr als dies: Mit ihrer sich ausschließlich auf zähl- und meßbaren Besitz konzentrierenden Einstellung befindet sie sich — jedenfalls dem Prinzip nach — von Anfang an an der Seite des wohlhabenden Casimir, und es ist nur eine Frage der opportunen Zeit, wann sie tatsächlich den Habenichts Keith verläßt und, sich selbst ohne alle Skrupel als Ware feilbietend, zu dem Widersacher des Marquis überwechselt. Vorderhand setzt sie auf Keiths Erfolg, weil sie als Sängerin ohne Stimme das von ihm bewerkstelligte gauklerische Szenarium benötigt, um die Aufmerksamkeit des bekanntlich junge Sängerinnen und Schauspielerinnen fördernden Casimir auf sich zu lenken und als möglichst hoch dotierte Kostbarkeit von ihm per Ehekontrakt angekauft zu werden. Es wird sich dann erfüllen, was sie dem aller Aufmerksamkeit entrückten Marquis unverblümt ankündigen kann, nämlich daß sie, glücklich in einem neuen Hafen der Ehe angelangt, um seine Liebe zu ihr unbesorgter sein wird als um ihre Schnürstiefel[21].

Molly Griesinger, die sich als Fünfzehnjährige aus dem Elternhaus fortstahl und seither dem Marquis auf seinen risikoreichen und skandalumwitterten Irrfahrten durch Europa und Amerika in einer Art animalischer Anhänglichkeit folgte, steht, wie es zuerst scheint, in krassem Gegensatz zu Anna. Reizlos und bis zur Einfältigkeit phantasielos, wie sie ist, nimmt sie die Not, die Sorgen und die Entbehrungen hin, die sich mit der unsteten und abenteuerlichen Lebensweise Keiths immer und überall einstellen; mit einer selbstquälerischen Versessenheit führt sie in ihrer freien Ehe die Arbeiten der Hausfrau nach der Art einer stets mürrischen Dienstmagd aus und genießt nachgerade die Demütigungen, die man ihr zuteil werden läßt. Gleichwohl ist diese von schwankenden Neurosen geprägte Unterwürfigkeit nicht weniger dogmatisch und wirkt als Reflex und Resultat einer absoluten Selbstbezogenheit nicht weniger tyrannisch als das von raffiniertem Kalkül gelenkte Geltungsstreben Annas. Wie diese legt auch Molly gegenüber Keith jene „Sachlichkeit" an den Tag, die über die schlichte Gleichgültigkeit gegenüber den Rechten, Ansprüchen und Intentionen des Mitmenschen hinausreicht und sich zumindest als eine latente Aversion und Aggressivität zu erkennen gibt[22]. Und diesen Vorwurf zieht sich Molly insofern zu, als es ihr bei der beharrlichen Denunziation all der Phantasmagorien, die Anna erwiesenermaßen mit Geschick und Sorgfalt fördert, nicht darum zu tun ist, eine wieder einmal drohende Katastrophe von Keith abzuwenden, sondern sie ganz im Gegenteil einzig und allein ihrer Sorge Rechnung trägt, den möglicherweise dank seinen rastlosen Anstrengungen Erfolgreichen an einen Gesellschaftskreis zu verlieren, der ihr in seinem Talmiglanz fremd, unangenehm und auch unzugänglich ist. Diesem ihre Liebe pervertierenden Besitzanspruch gemäß verweist sie immer und überall auf die nur notdürftig verbrämte alltägliche Misere ihres gemeinsamen unsteten Lebens und treibt ihre desavouierenden Attacken so weit, ein alle Pläne und Erfolge zerstörendes Unheil über Keith heraufzubeschwören, damit die trübe Allianz zweier vom Glück Ausgeschlossener weiterhin bestehen bleibe. — Es sind dies für den Marquis allesamt Anfechtungen, denen er sich zu entziehen versucht, indem er sich — nun nicht weniger lächerlich als in der Begegnung mit Anna — in der gönnerhaften Pose des von der Vorsehung begünstigten und auf Grund seiner genialen Fähigkeiten souverän agierenden „Genußmenschen" präsentiert und damit also für sich genau die triumphierende Überlegenheit in Anspruch nimmt, die er angesichts der alerten Schmeicheleien der Gräfin ebenso affektiv wie provozierend einschränkte.

Daß sich seine Auseinandersetzungen mit Molly wie die spiegelbildliche Verkehrung des mit Anna geführten Gesprächs ausnehmen, ist, wie sich aus dem Voraufgegangenen unschwer folgern läßt, keineswegs zufällig, sondern entspricht durchaus den konträren Zielsetzungen der beiden Frauen:

„*Molly:* Du hängtest dich lieber heute als morgen an deine Ideale; das weiß ich recht gut. Käme es je dazu — aber das hat noch gute Wege! —, dann will ich mich lebendig begraben lassen.

*v. Keith:* Wenn du dich nur wenigstens des Glückes erfreuen wolltest, das sich dir bietet!

*Molly:* Aber was bietet sich mir denn, mein süßer Schatz? Das war doch in Amerika auch immer dieser Schrecken ohne Ende. Alles scheiterte immer an den letzten drei Tagen. In Sankt Jago wurdest du nicht zum Präsidenten gewählt und wärst um ein Haar erschossen worden, weil wir an dem entscheidenden Abend keinen Brandy auf dem Tische hatten. Weißt du noch, wie du riefst: ‚Einen Dollar, einen Dollar, eine Republik für einen Dollar!'

*v. Keith:* [. . .] So wenig wie ich mich [. . .] zum Sklaven verdammt fühle, so wenig wird mich der Zufall, daß ich als Bettler geboren bin, je daran hindern, den allerergiebigsten Lebensgenuß als mein rechtmäßiges Erbe zu betrachten.

*Molly:* Betrachten dürfen wirst du den Lebensgenuß, solange du lebst[23]."

Obwohl Molly mit ihren Unkenrufen, die sie in dieser Art mit schier unverwüstlicher Renitenz den Zukunftsträumen des Marquis entgegensetzt, die Wahrheit stets für sich hat, begibt sie sich doch in zunehmendem Maße jeder moralischen Legitimation. Nicht nur, daß sie ihre Verbundenheit, die nach den Normen ihres morosen Naturells durchaus eine leidenschaftliche sein mag, zur puren und platten Okkupation verwandelt, indem sie geradezu routinemäßig und in manischer Versessenheit die Idealvorstellungen Keiths zu zerstören, seinen Enthusiasmus zu ersticken und seinen Tatendrang zu lähmen bemüht bleibt, sie betreibt überdies nichts anderes als die Auslöschung der Personalität des angeblich Geliebten. Mit der ihr eigenen dumpfen Rigorosität treibt sie die eigenen Wünsche und Pläne der Verwirklichung entgegen, ohne daß ihr dabei jemals die Mentalität des Marquis zum Problem würde; nur noch eine ins Inhumane gesteigerte Verabsolutierung des eigenen Ichs kommt in all den Finessen zum Ausdruck, mit denen sie den Marquis aus der Großstadt, wo ihm noch am ehesten die Gunst des Zufalls zuteil werden könnte[24], abzuziehen versucht, um hernach mit ihm in Bückeburg, im Haus ihrer Eltern, also in ihrer, wie Keith zutreffend feststellt, „kleinbürgerlichen Welt, in der man, Stirn gegen Stirn geschmiedet, sich duckt und schuftet und sich liebt"[25], ein Eheleben nach dem vorgegebenen Muster provinzieller Biederkeit zu führen. Und dieser Verfügungsanspruch, der sich wohlgemerkt, statt an der Person selbst, am Grad ihrer finanziellen Abhängigkeit orientiert, ist bei Molly — als Kehrseite ihrer hörigen Anhänglichkeit — so rigid und unabdingbar, daß sie den Freitod einer Entsagung oder auch nur teilweisen Konzession vorzieht, wie sie Keiths prätendiertem Bedürfnis nach Selbstentfaltung und Unabhängigkeit von den vermeintlich verachteten bürgerlichen Idealen und Ordnungsvorstellungen zuträglich zu sein vermöchte.

Die egozentrische Rechenhaftigkeit und Mißachtung der Personalität des Marquis, wie sie bei Anna und Molly unter dem trügerischen Vorzeichen der Liebe zutage tritt und so das äußerste Maß für die Korrumpiertheit der zwischenmenschlichen Beziehungen abgibt, prägt auch — und in nicht minder denunziatorischer Weise — die Allianz zwischen Keith und Ernst Scholz. Darauf zumindest flüchtig hinzuweisen, erscheint insofern geboten, als diese expressis verbis langjährige freundschaftliche Verbundenheit keine in diesem Sinne spezifische Qualität hat, d. h. sich nicht beispielsweise durch eine besonders ausgeprägte Hilfsbereitschaft, durch uneigennützige Solidarität und durch Festigkeit des Vertrauens auszeichnet, sondern sich in ihrer strikten Zweckorientiertheit als paradigmatisch erweist für eine Gesellschaft, die ihre unbedingte Eingeschworenheit aufs profitabel Ökonomische günstigstenfalls idealistisch verbrämt. Wenn Scholz dem ganz irrig für einen Lebemann und Götterliebling gehaltenen Marquis zuerst sein Vermögen zur Verfügung stellt, damit dieser ihn von seinen permanenten Skrupeln und einem angeblich belastenden, in Wirklichkeit aber doch selbstgefällig ausgekosteten moralischen Bewußtsein befreie und zum „Genußmenschen" gängiger Art ausbilde, und wenn er, der einstige Graf Trautenau, später dann, an sich wie an der Gesellschaft gescheitert, dem Freund nur noch unter der Bedingung seine finanzielle Unterstützung zusagt, daß dieser sich gemeinsam mit ihm in die totale Isolation einer Irrenanstalt zurückziehe, so gelangt in diesem — Molly Griesingers Verlangen durchaus ebenbürtigen — Ansinnen ein hybrider Herrschaftswille zum Ausdruck, der immer und überall auf einer uneingeschränkten Anerkennung der eigenen Intentionen und Prinzipien insistiert. Scholz' Moralität entlarvt sich in seinem ebenso larmoyanten wie starrsinnig drangsalierenden Verhalten gegenüber dem selbsternannten Marquis wie auch bei seiner zur Katastrophe führenden Reform eines Eisenbahnreglements, wie bei der Lösung seines Verlöbnisses oder bei der versuchten Anbahnung eines neuen Liebesverhältnisses als eine fanatische Ichbesessenheit, die, ohne daß der vorgebliche Moralist jemal darüber Rechenschaft vor sich ablegte, das Recht, die Würde und überhaupt die Autonomie des Mitmenschen wie selbstverständlich übergeht. Die Menschenverachtung manifestiert sich letztlich darin, daß Scholz, dessen Annahme eines bürgerlichen Namens seiner bourgeoisen Geisteshaltung nur zu angemessen ist, das erklärtermaßen als Fluch und Last empfundene Vermögen in Wahrheit zu seinem geheimen Abgott macht und dementsprechend alle ihm gegenüber erhobenen Ansprüche sowie alle seine Wünsche, Bindungen und Verpflichtungen durch eine vermeintlich angemessene Bezahlung glaubt abgelten zu können. —

Was sich so, der hier vorgetragenen panoramischen Sichtung zufolge, als allgemeine gesellschaftliche Praxis herausstellt: die sich in Habgier oder strikter Ablehnung bekundende Idolatrie des Geldes, die sich davon herschreibende, auf unabdingbare Anerkennung pochende Hypertrophierung des eigenen Ichs und, damit verbunden, der durchgängige Verstoß gegen Kants Postulat, den Menschen niemals allein als Mittel, sondern immer auch als Zweck anzusehen, tritt besonders grell und drastisch im Hinblick auf Keiths eigene Handlungen und Absichtserklärungen zutage. Es ergeben sich dabei Einsichten, die über das zuvor Erwähnte hinausführen, und zwar in demselben Maße, wie der Marquis alles daran setzt, sich als ein alles und alle beherrschender und übertrumpfender, quasi mit dämonischen Gaben gesegneter sozialer Außenseiter zu erweisen, und sich doch in Wirklichkeit — mit seinem eigentlichen Namen verbleibt er bezeichnenderweise in der Anonymität[26] — als Prototyp der bürgerlichen Gesellschaft präsentiert[27]. — An seinem mit rüdem Eifer betriebenen Avancement wie auch an seinem letztlich totalen Scheitern lassen sich die generellen und generell anerkannten

Verhaltens- und Verfahrensweisen eben darum besonders deutlich und in allen ihren Ausmaßen ablesen, weil Keith in naiver Geistesfreude seinen ausschließlich um das Projekt des „Feenpalasts“ kreisenden Aktivitäten den ideologischen Kontext prahlerisch beisteuert und weil er — unfreiwillig allerdings — den Nachweis dafür erbringt, daß auch die genaueste Einsicht in die Maximen des Bourgeois weder eine ideelle noch eine materielle Überwindung der herrschenden und zugleich sich selbst knechtenden Gesellschaft ermöglicht.

Es ist eine in mancherlei Hinsicht instruktive Ironie der Fügung, daß Keith, unmittelbar bevor er als ein doch nur minimal von der geltenden Legalität abweichender Hochstapler entlarvt wird und von seiner Siegesgewißheit ebenso wie von seinem großen Lebensziel, der Direktion des „Feenpalasts“, Abschied nehmen muß, selbstgewiß und selbstgefällig das Rezept des sozialen und wirtschaftlichen Erfolgs preisgibt:

„Das einzige Mittel, seine Mitmenschen auszunützen“, so erklärt er dem Sohn des Konsuls Casimir, „besteht darin, daß man sie bei ihren *guten* Seiten nimmt. Darin liegt die Kunst, geliebt zu werden, die Kunst, recht zu behalten. Je ergiebiger Sie Ihre Mitmenschen übervorteilen, um so gewissenhafter müssen Sie darauf achten, daß Sie das Recht auf Ihrer Seite haben. Suchen Sie ihren Nutzen niemals im Nachteil eines *tüchtigen* Menschen, sondern immer nur im Nachteil von Schurken und Dummköpfen[28].“

Diese sozusagen große Konfession, die als Analyse der allgemeinen gesellschaftlichen Usancen durchaus objektive Gültigkeit für sich in Anspruch nehmen kann, gipfelt schließlich in der ebenso zynischen wie der Realität angemessenen Feststellung:

„[...] das glänzendste Geschäft in dieser Welt ist die *Moral.* Ich bin noch nicht so weit, das Geschäft zu machen, aber ich müßte nicht der Marquis von Keith sein, wenn ich es mir entgehen ließe[28].“

Die zugleich komische und verhängnisvolle Diskrepanz zwischen der theoretischen Einsicht, jenem „feinen Spürsinn“ für das kommerziell Mögliche und Übliche, um den selbst der so erfolg- und einflußreiche Konsul Casimir den Marquis beneidet[29], und dem Taktieren beim hic et nunc der — bezeichnenderweise längst inszenierten — geschäftlichen Vereinbarungen wird schlaglichtartig offenbar. — Was sich für die von einem geistig Unabhängigen und Überlegenen leicht zu bewerkstelligende Denunziation des generellen bürgerlichen Krämergeistes ausgibt, stellt in Wirklichkeit ein unreflektiertes Bekenntnis zu den eigenen Idealen dar: So sehr ist Keith auf das übliche Profitstreben ausgerichtet und so einsinnig und starr auf die

Leitsätze und Lebensinhalte des Bourgeois festgelegt[30], daß er wider besseres Wissen und offensichtlich im Gegensatz zu den verkündeten Maximen das hier mehr denn je einzukalkulierende Faktische seiner sozialen und speziell seiner ökonomischen Position übergeht und das allgemeine Wirtschaftsleben nach seinen Vorstellungen und selbstverständlich zu seinen Gunsten zu lancieren und zu dirigieren versucht. Im törichten Vertrauen auf den bloßen Anschein sieht er von der Verkoppelung von Reichtum und Macht, wie sie für den modernen Kapitalismus charakteristisch ist[31], ab und traktiert die leidlich honorigen, aber zweifellos gewieften und vor allem arrivierten Geschäftspartner[32] — wie versuchsweise auch seinen prominenten Rivalen, den Parvenü Casimir, — eben wie „Schurken“ und „Dummköpfe“, weshalb er denn schließlich auch der nicht nur quantitativen Übermacht gleichgerichteter konkurrierender Aktionen zum Opfer fällt und zum Opfer fallen muß[33].

Die Tatsache des letztlichen Scheiterns ist hier indessen — zunächst jedenfalls — weniger beachtenswert als die ruhmredige Selbststilisierung, mit der Keith allzu fadenscheinig den Mangel eines fundierten ökonomischen Status wettzumachen versucht. So absurd und ins Illusorische verbohrt und alle Anstrengungen des Marquis erscheinen, sich als normsetzende Instanz zur Geltung zu bringen, er verabsolutiert und radikalisiert nur das geschäftliche Konkurrenz- und Rivalitätsprinzip einer Gesellschaft, die, wie schon aus den voraufgeschickten Hinweisen zu folgern ist, in der Tat „keine Ideen, seien sie sozialer, wissenschaftlicher oder künstlerischer Art, [kennt,] die irgend etwas anderes als Hab und Gut zum Gegenstand hätten“[34], und die dementsprechend allein in schlechten Geschäften eine Sünde sieht[35]. Dank der insgesamt doch nur verbalen Übersteigerung dessen, was allenthalben sorgfältig getarnter Brauch ist, wird vollends einsichtig, daß die Verdinglichung des jeweiligen Partners, jene Herabwürdigung zum „Haustier“[36] also, die Keith skrupellos und mit zynischem Stolz betreibt, nichts anderes darstellt als die Kehrseite der einzig an den Eigeninteressen orientierten und daher ohne alle Rücksichtnahme betriebenen finanziellen Übervorteilung und Ausbeutung des Mitmenschen. Was einer ist und bedeutet, ergibt sich angesichts eines in dieser Weise pervertierten Profitdenkens nur mehr aus seiner funktionalen Tauglichkeit und sachdienlichen Verwendbarkeit, d. h. aus dem Stellenwert, der ihm innerhalb der egozentrischen Kalkulation des anderen zukommt. Karl Mannheim trifft ganz genau diese von Keith deutlicher als von allen anderen Gestalten des Dramas ans Licht gebrachte soziale und vor allem ethische Misere, wenn er in seiner Abhandlung „Über das Wesen und die Bedeutung des wirtschaftlichen Erfolgsstrebens“ resümierend feststellt:

„Nicht in seiner substanzhaften Selbstheit gewinnt man im Prozeß des Erfolgsstrebens den Mitmenschen für sich, ihn heimzuholen ist nur die Liebe imstande. Im Procedere des Erfolgsstrebens kommt der andere für uns nur vor, sofern wir ihn in unsere Pläne, Berechnungen und Kombinationen einbeziehen können. Man sucht sich in seinem Plan, er sucht sich in unserem Plan[37]."

Damit ist der ideelle Rahmen kenntlich gemacht, innerhalb dessen die Aktionen Keiths wie erwiesenermaßen auch die seiner Mit- und Gegenspieler zu sehen und moralisch zu beurteilen sind. Dabei besagt es selbstverständlich, was den Marquis anlangt, wenig oder gar nichts, daß seine verbissenen Anstrengungen, „jeden Sterblichen seinen Talenten entsprechend" zu verwerten[38], weithin im rein Deklamatorischen verbleiben und, ex eventu gesehen, nur dazu hinreichen, daß aus Kathi eine Simba und aus Sepperl ein Sascha wird und sich also das autochthon Bajuwarische in exotischer Montur präsentiert. Was für eine angemessene Einschätzung seiner Ausbeutungsversuche ausschlaggebend ist, sind die Intentionen und Motivationen, und im Hinblick darauf enthüllt sich der arrogante und brutale Narzißmus Keiths in seinem ganzen monströsen Umfang, wo der vermeintlich ans Ziel Gelangte, die spießbürgerliche Gesinnung durch seigneurialen Firnis kaschierend, von dem Wunschtraum spricht, der seine rastlose Tätigkeit und die damit ineinsgehende dünkelhafte Verfügung über die Menschen leitet:

„Ich habe", so erklärt er, „ein wechselvolles Leben hinter mir, aber jetzt denke ich doch ernstlich daran, mir ein Haus zu bauen; ein Haus mit möglichst hohen Gemächern, mit Park und Freitreppe. Die Bettler dürfen auch nicht fehlen, die die Auffahrt garnieren[39]."

Von einer Anerkennung der Rechte anderer, von Respekt gegenüber der Personalität des Mitmenschen ist da nicht mehr die Rede; die Bedeutung, die einem jeden beigemessen wird, ergibt sich offenkundig allein aus der Tauglichkeit, den Status des Wohlsituierten zu „garnieren". — Es liegt in der Konsequenz dieser ausschließlich auf die ökonomische Zuträglichkeit reflektierenden sozialen Orientierung, daß selbst Anna, die Frau, die Keith mit emphatischen Liebeserklärungen überhäuft, von einer solchen Reduktion auf den bloßen Dekorationswert nicht ausgenommen bleibt. Ihren Protest gegen Keiths anmaßenden Versuch, sie allenthalben wie ein „Vieh"[40] zu traktieren, legitimiert auf exemplarische Weise die wohlgemerkt einzige und, von der Art der dramatischen Präsentation aus betrachtet, symptomatische Eintragung in dem Notizheft, das dem Marquis die üblichen Geschäftsbücher ersetzt: Von den wohlberechneten Bemühungen, die bankrotte Gräfin, trotz ihres Mangels an der entsprechenden Qualifikation, zu einer Wagnersängerin ersten Ranges herauszustellen und sie so als profitable

Krönung des „Feenpalast"-Unternehmens einem ebenso begeisterten wie raffiniert getäuschten Publikum zu präsentieren, von allen in diese Richtung zielenden Bestrebungen und von all den damit zusammenhängenden marktkonformen und gewinnträchtigen Machinationen, bei denen Anna doch auf jeden Fall irgendwie im Mittelpunkt steht, findet sich in den Aufzeichnungen Keiths nur der bei aller schwelgerischen Überhöhung „sachliche" Vermerk: „Eine Silberflut von hellvioletter Seide und Pailletten von den Schultern bis auf die Knöchel[41]." — Diese wie selbstverständlich von der Person absehende Eintragung, die der Biedermann Ostermeier mit dem lakonischen, in mancherlei Hinsicht zutreffenden Kommentar: „Das ist der ganze Mensch[42]!" quittiert, ist bei aller scheinbaren skurrillen Beiläufigkeit insofern von höchst instruktiver Bedeutung, als sich an ihr das Ausmaß zwischenmenschlicher Entfremdung ablesen läßt; sie bestätigt, was Wolfgang Iskra hinsichtlich der in der Prosadichtung um 1900 zu registrierenden Verabsolutierung des Optischen festgestellt hat, nämlich daß diese so einseitige Orientierung auf eine Ausklammerung der „psychologischen Charakteristika" und damit zugleich auf eine „Entwertung des personalen Subjektseins" hinausläuft[43].

Die Beschreibung der Figurenkonstellation und die Analyse der daraus resultierenden eigenartigen Verflechtungen mögen damit ihr Bewenden haben, sofern nur dies einsichtig wurde: Wo immer die Frage nach den gesellschaftskritischen Implikationen des Dramas ansetzt, es erweist sich bis ins unscheinbare Detail hinein, daß ein jeder, versteht er sich nun als Repräsentant des herrschenden Bürgertums oder als sozialen Außenseiter, allein im ökonomischen Erfolgsstreben seine Lebensaufgabe sieht und damit in zwangsläufiger Konsequenz die Reduktion des Mitmenschen auf seinen mutmaßlichen „Marktwert" genau so betreibt, wie sie ein jeder an sich selbst schicksalhaft erfährt. — Damit ist eine Problematik angesprochen, die in Wedekinds Dramen — in den Lulu-Tragödien ebenso wie in „Schloß Wetterstein" etwa, in „Oaha" ebenso wie in „Hidalla (Karl Hetmann, der Zwergriese)" oder in „Tod und Teufel (Totentanz)" — immer aufs neue, wenngleich mit unterschiedlichen Akzentuierungen, erörtert wird[44]. Dem im einzelnen nachzugehen, ist hier indessen nicht der Ort. Es gilt vielmehr, im Folgenden das in Frage stehende Drama von solchen übergreifenden Aspekten her auszuleuchten, daß es als ein *ideologiekritisches Interpretationsraster* der Dichtung des Fin de siècle im engeren Sinne[45] sowie der damit intentional übereinstimmenden Bildenden Kunst entgegengestellt werden kann[46].

## II.

Für die bürgerliche Gesellschaft, die Wedekind im „Marquis von Keith" vor Augen führt, erweist sich — dies bedarf keiner Erläuterung mehr — das Geld als ihr konstitutives Element und, insofern „die gesellschaftlichen Werte [...] im Geldwert aufgegangen" sind[47], als Symbol ihrer wesentlichen Verfassung. Es schafft dementsprechend, wie es Georg Simmel am ausführlichsten in seiner „Philosophie des Geldes" beschrieben hat, „Beziehungen zwischen Menschen, aber es läßt die Menschen außerhalb derselben, es ist das genaue Äquivalent für sachliche Leistungen; aber ein sehr inadäquates für das Individuelle und Personale an ihnen"[48]. Als die einzig verbliebene soziale Integration stiftende Kraft, deren Inhumanität in der Elimination des sich selbst verantwortenden, autonomen Ichs und im Zwang zum „Sichgemeinmachen" gründet, kennzeichnet es die Bourgeoisie der letzten Jahrhundertwende in mehrfacher Hinsicht: Wo und sofern allein das Geld es vermag, dem Leben Sinn und Ziel zu geben, enthüllt es zum einen die Bindung an das Vorläufige, Relative, die Abkehr vom Qualitativen und die Hinwendung zum Quantitativen und damit letztlich, wie Max Scheler unter Hinweis auf den „Marquis von Keith" hervorgehoben hat, die Dispenz von den Phänomenen der Schuld, der Reue und der Sünde[49]. Keiths phrasenhaftes Bekenntnis zur religiösen Gläubigkeit[50] ist beispielhaft dafür, daß die ethischen Kategorien nur noch Formeln und Floskeln darstellen, die allenfalls auf eine frühere metaphysische Orientierung und auf das Bedürfnis, im vollen Wortsinn als sittliche Persönlichkeit zur Geltung zu gelangen, ironisch, wo nicht gar parodistisch zurückverweisen. Mit einer Vergötterung des Geldes, die so weit reicht, daß der ökonomische Profit die Essenz des Lebens ausmacht, stellt sich zum anderen jene äußerste, als Isolation und Verdinglichung zu erleidende zwischenmenschliche Entfremdung ein, die — der Aktionsraum des Dramas spiegelt dies sehr genau wider — in der modernen Großstadt prototypisch zum Ausdruck gelangt. Davon kann, wie gleichfalls Georg Simmel einsichtig gemacht hat, insofern die Rede sein, als der moderne Großstadtmensch „unzähliger Lieferanten, Arbeiter und Mitarbeiter bedarf und ohne diese ganz hilflos wäre, aber mit ihnen nur in absolut sachlicher und nur durch Geld vermittelter Verbindung steht, so daß er nicht von irgendeinem einzelnen als diesem bestimmten abhängt, sondern nur von der objektiven, geldwerten Leistung, die so von ganz beliebigen und wechselnden Persönlichkeiten getragen werden kann"[51].

Man nähert sich der eigentlichen parabolischen Instruktion des Wedekindschen Dramas, geht man den Konsequenzen nach, die sich aus dem hier nur grob skizzierten „Jedermannkapitalismus" (Paul A. Samuelson) als

Inbegriff des sozialen Lebens herleiten: So selbstverständlich es ist, daß mit der Ausschließung aller subjektiven Beeinträchtigungen die Börsenpraxis zu größtmöglicher Perfektion gelangt und, damit Hand in Hand gehend, die größtmögliche finanzielle Zuträglichkeit in Aussicht stellt, so offenkundig ist es, daß sich zugleich ein Gefühl der Entsichertheit, des Ausgeliefertseins an den selbst inszenierten Prozeß Bahn bricht. Bruno Seidel hat in seiner scharfsinnig pointierten Analyse der Wirtschaftsgesinnung des Wilhelminischen Zeitalters hervorgehoben, daß sich in einer Art Schizophrenie mit der Selbstglorifizierung des im Geschäftsleben großen Stils Erfolgreichen die ruinöse Panik dieses pseudoelitären „Gipfelmenschen" einstellt, und zwar weil er sich um die Möglichkeit souveränen Verfügens und totalen Kontrollierens gebracht sieht — eine Reaktion, die sich zwingend ergibt, wo der Erfolg kaum oder gar nicht Resultat der persönlichen Qualifikation, sondern Resultat einer günstigen Konjunktur ist[52]. Dem insgesamt entspricht es, daß ausgerechnet hier, inmitten äußerst sachgerechter Kalkulation, umsichtigster Planung und rationalster Ordnung ein Entgleiten ins — an sich dem Bürgersinn und der Bürgertugend zuwiderlaufende — Abenteuerlich-Exotische registriert wird. Werner Sombart bringt diesen paradoxen Sachverhalt auf eine prägnante Formel, wenn er in seiner Schrift „Der Bourgeois" erklärt:

„Der vorkapitalistische Mensch: das ist der natürliche Mensch. Der Mensch, wie ihn Gott geschaffen hat. Der Mensch, der noch nicht auf dem Kopfe balanciert und mit den Händen läuft (wie es der Wirtschaftsmensch unserer Tage tut), sondern der mit beiden Beinen fest auf dem Boden steht und auf ihnen durch die Welt schreitet[53]."

Um eine weitere Stimme paradigmatisch zu Wort kommen zu lassen: Max Scheler liefert eine Bestätigung für die Diagnose des Nationalökonomen, wo er aus der Sicht des Philosophen nach der Ethik des modernen Wirtschaftslebens fragt und resümierend zu der Feststellung gelangt:

„Phantastische Projektmacherei, Schatz- und Goldsucherei, alchimistische Bestrebungen, systematisch unternommene Raubzugunternehmungen, Spiel und Ausbeutung des Aberglaubens – kurz lauter Bestrebungen, die *neben* dem normalen Wirtschaftsleben einherliefen, waren damals die einzig möglichen Bahnen, in die sich unter der Herrschaft der vorkapitalistischen Wirtschaftsgesinnung jene Art von ‚Erwerbstrieb' ergießen konnte. Und darin besteht nun das *Neue,* daß sich im Laufe der Anbahnung der kapitalistischen Organisations- und Rechtsformen eben die Triebeinstellung, die früher nur in dunklen Gassen und abseits von der Heerstraße des Lebens sich abenteuerlich auszuwirken vermochte, *zur beherrschenden Seele* des *regelmäßigen* Wirtschaftslebens wurde[54]."

Es ist nicht nur eine Entsprechung zu der Metaphorik, der sich diese — als repräsentativ anzusehenden — Analysen bedienen, sondern es läuft unwillkürlich wohl auf eine uneingeschränkte Übereinstimmung mit ihren Resultaten hinaus, wenn Wedekind, geleitet von den eigenen naiven Neigungen[55], den Zirkus als die geheime Sehnsucht des Bürgers ausweist. Folgt man seinen Erläuterungen — einer durchweg prekären Verschmelzung von Kleists Traktat „Über das Marionettentheater" und den auf die „Veredlung der Rasse" abgestellten „modernen Entwicklungstheorien"[56] —, so stellt der Zirkus für die „Schoßkinder der Zivilisation"[57] darum ein solch einzigartiges Faszinosum dar, weil er von der „Würde und hochpathetische[n] Entsagung", die jahraus, jahrein gepredigt wird[58], suspendiert und alle die Reglementierungen und normativen Einengungen, die den kruden Alltag bestimmen, pauschal und glanzvoll als nichtig erscheinen läßt. Er bildet so den Widerpart zur routinezwängigen Realität und ruft — auf Frist zumindest — die Ideale der frühesten Jugend wieder auf den Plan[58], indem er vor Augen führt, was ein allen dumpf pragmatischen Zielsetzungen und der alles zergliedernden Rationalität entzogenes, der maximalen Selbstentfaltung und ineins der Unverstelltheit und kindlichen Behaglichkeit überantwortetes Leben ausmacht.

Indessen, dieser emphatische Zuspruch denunziert sich selbst als Produkt einer illusionären Verblendung; denn wo Wedekind erklärt, was die Ästhetik des Zirkus konstituiert, muß er zugleich auf dessen Domestizierungspraktiken verweisen und zugestehen, daß die Manege nicht präzivilisatorische Urwüchsigkeit demonstriert, sondern Eindämmung des vitalen Entfaltungsdrangs, eine Harmonie, die aus Dressur hervorgeht:

„Solange sich das Pferd in den Flegeljahren befindet, heißt es roh. Seine Erziehung ist gegründet auf Ausdauer und Konsequenz und wird unterstützt von Tadel und Strafen einerseits, von Lob und Belohnung anderseits. [...] Indem die Gliedmaßen entbunden, die Gelenke frei gemacht, alle Halbheiten, Unregelmäßigkeiten in der Bewegung energisch bekämpft werden, beginnt ein dauernder Rhythmus, ein gewisses erhabenes Pathos das Tier zu durchdringen. [...] In dieser Vervollkommnung, frei in den Schranken des Gesetzes bäumt sich Mazud, ein junger arabischer Schimmelhengst, im Zentrum der Arena [...][59]"

Die knappgehaltenen Hinweise mögen genügen, um dies einsichtig zu machen: Während in bezug auf das moderne Banken- und Handelssystem als Inkorporation aller Ideale der bürgerlichen Gesellschaft von einem Einbruch des Unkalkulierbaren und von einer Tendenz zum Clownesken zu reden ist, sofern damit die die geltende Ordnung korrumpierenden, alle Präzisierung und Perfektionierung unterlaufenden Praktiken bezeichnet sind, propagiert der Zirkus als die exotische Welt, die vermeintlich der asketischen Gesittung und den Leistungszielen des Bourgeois diametral entgegengesetzt ist, eine Zügelung des ungebärdig Vitalen und eine Einpassung in vorgegebene Verhaltensmuster in demselben Maße, wie er auf eine Steigerung der Artistik ausgeht. — Mit dieser — selbstverständlich im metaphorischen Sinne — *tendenziellen Zuordnung von Börse und Manege* sind die Koordinaten benannt, die im „Marquis von Keith" als die „Signatur des Zeitalters" ausgewiesen werden[59a]; mit der offensichtlichen Legitimität, generelle Gültigkeit beanspruchen zu können, markieren sie eine soziale und ethische Verfassung, die, wie Wedekind mit Nachdruck hervorhebt, eine Unterscheidung zwischen der Dressur eines Tieres und der Erziehung eines Menschen nicht mehr zuläßt[60] und die auf einer kommentar- und kompromißlosen Einhaltung ihrer vordergründigen Regelhaftigkeit um so entschiedener insistiert, als es ihr an einer echten, d. h. hinterfragbaren Sinn stiftenden Substanz mangelt.

Formal sind die Bereiche des kapitalistischen Geschäfts und der Zirkusartistik durch den — in der Dichtung Wedekinds und mehr noch in seinen theoretischen Abhandlungen nachgerade leitmotivisch wiederkehrenden — Begriff der *Elastizität* miteinander verspannt, dem hier wie dort zentrale Bedeutung beigemessen wird. Ist damit seitens der Nationalökonomie — mit den hauptsächlichen Unterscheidungen von Angebots- und Nachfrageelastizität — die gewinnorientierte „Reagibilität" auf die wechselnden Ansprüche des „Marktes" bezeichnet[61], so ist damit hinsichtlich der Erfordernisse der Manege auf eine alle Willkür und allen Eigenwillen ausschließende, konzise Einfügung in ein fest umrissenes, nach fixen Gesetzen ablaufendes artistisches Aktionsprogramm verwiesen. Daß damit auf jeden Fall eine reflexhaft-mechanische Unterordnung des Menschen unter den platten Sachzwang gemeint ist, stellt Wedekind klar, wenn er — für die Verwendung des Begriffs in beiden Bereichen gleichermaßen illustrativ — in seinem kleinen Aufsatz „Zirkusgedanken" die „Elastizität" als die „plastisch-allegorische Darstellung einer Lebensweisheit" kenntlich macht:

„Kühner, rasch entschlossener Anlauf im günstigen Moment der Erregung; leichter, lachender Sprung; und wenn der Fuß die Erde berührt, eine gefällige Kniebeuge, daß man nicht auf die Nase fällt; fabelhafte Virtuosität im kleinen, um alle Welt in Erstaunen setzende Effekte zu erzielen – sollten das nicht zeitgemäße Devisen sein? Jeder von uns stürzt einmal zur Tiefe nieder. Wem aber dann die Elastizität im Fußgelenk fehlt, dem wird jene Ferse zur Archillesferse; sie zerreißt, er bleibt liegen, und die wilde Jagd geht johlend und kläffend achtlos über ihn hin. Menschenleben zu Tausenden werden so in den Staub getreten [...][62]."

Die „Elastizität", in der dargelegten Weise als Basis und Motor der bürgerlich-kapitalistischen Gesellschaft verstanden, gibt hinsichtlich der einzelnen Gestalten des „Marquis von Keith“ unschwer Aufschluß über Maß und Art der Verankerung in den kollektiven Wirkungsabsichten und Wertvorstellungen; sie verhilft damit zugleich nicht nur zur Abschätzung der Chancen, mit denen der einzelne ans Ziel seiner ideologisch präformierten Wünsche gelangt, sondern sie legt auch und vor allem den Grad der jeweiligen personalen Profiliertheit offen. — So einleuchtend es nach den voraufgeschickten Erörterungen sein dürfte, daß Anna, zweifellos ein laszives Genie der Anpassung, die finanzielle Saturierung, die sie sich aus guten Gründen von einer Vermählung mit dem Konsul Casimir verspricht, nur — was immer dies auch für sie bedeutet — um den Preis der totalen Selbstverleugnung und entwürdigenden Verdinglichung zu erlangen vermag, so konsequent und zwingend muß es erscheinen, daß Ernst Scholz und Molly Griesinger dank ihrer ebenso arroganten wie simplen Starrsinnigkeit an einer Gesellschaft scheitern, die sich definitive Bindungen, wie Molly sie in ihren ungeschlachten und erwiesenermaßen weithin verkommenen Liebeserklärungen anmeldet, ebensowenig leisten kann wie die orthodoxe Widersetzlichkeit eines Moralisten, sei er auch noch so verschroben. (Die katastrophalen Folgen, wie sie sich aus der von Scholz im prätentiösen Pflicht- und Verantwortungsbewußtsein durchgeführten Änderung eines Bahnreglements ergeben, sind in diesem Zusammenhang — als Versuch einer größtmöglichen Perfektionierung und Ausschließung jedes Zwangs zur Improvisation[63] — vom symptomatischer und ineins von symbolischer Bedeutung!)

Was Keith anlangt, so schätzt er seine unermüdlichen Bemühungen, die bürgerliche Gesellschaft für sein wirtschaftliches Avancement einzuspannen, in jeder Hinsicht richtig ein, wenn er sie als ein „halsbrecherische[s] Seiltanzen“[64] apostrophiert. Gleichwohl, gemessen an dem Gebot der „Elastizität“ als der Norm profitträchtigen sozialen Verhaltens, erweist er sich von Anfang an als einer, der das „Gleichgewicht“[64] verloren hat und der in die Tiefe stürzt, weil er in sich den Wahn nährt, sein Lebensziel so gut wie erreicht zu haben, und es dementsprechend für eine ausgemachte Sache hält, sich alsbald finanziell wohlig ausstaffiert niederlassen zu können. Er stempelt sich damit selbst zur einschlägig komischen Figur ab, denn, kaum daß er die Szene betreten hat, wird offenkundig, daß er, der glänzende Analytiker der Ideologie und Geschäftspraxis des Bourgeois, wie ein weltfremder Tölpel an der Realität vorbeiagiert und sich nur mit histrionischen Tricks über die sich zwangsläufig aneinanderreihenden Fehlkalkulationen und Mißgeschicke hinweghelfen kann[65]. In dieser Hinsicht enthält die erste Episode des Dramas in nuce, was im Fortgang des szenischen Geschehens nur mehr entfaltet wird: Hermann Casimir, der Sohn des Konsuls, kommt dem Marquis „wie gerufen“, weil sich über ihn die schon lange erstrebten geschäftlichen Kontakte zu dem reichsten Mann Münchens herstellen lassen könnten. Aber wo sich derlei Möglichkeiten aufzutun scheinen, ballen sich in Wirklichkeit die Hindernisse, die alle Hoffnungen und Pläne als abwegig ausweisen. Der idealistisch schwärmende Hermann steht seinem Vater fast feindlich gegenüber und zieht es vor, sich mit „Seeräubern" und „Anarchisten" zu solidarisieren, um von den Bindungen an sein Elternhaus loszukommen. Erweist er sich damit schon eher als ein Hindernis denn als eine Hilfe, den alten Casimir für eine Subventionierung des „Feenpalast"-Unternehmens zu gewinnen, so überbietet sich Hermann gleich noch dadurch in der Enttäuschung der in ihn gesetzten Erwartungen, daß er, der eigentlich einen Zugang zu reichhaltigen Geldquellen eröffnen sollte, den eh schon bankrotten Marquis bittet, ihm Geld zu borgen. Daß Keith von diesem offensichtlich exemplarischen Fiasko nur scheinbar unangefochten bleibt und nur scheinbar die Misere meistert, indem er den Sohn des Konsuls mit seinen Wünschen vielversprechend an Anna, die Gräfin Werdenfels, weiterverweist, wird unverzüglich offenbar, da sie selbst, kaum daß Hermann sich zu ihr auf den Weg gemacht hat, mit eigenen Geldnöten und -wünschen bei dem Marquis vorstellig wird. Damit ist die — hier im einzelnen nicht nachzuzeichnende — Aktion inszeniert, die mit präziser Ironie an den Tag bringt, daß Keith um so weniger Herr der Lage ist und daß ihm um so konsequenter das Zepter des Handelns entgleitet, als er mit einsinniger Starrheit darum bemüht bleibt, die sich um ihn herum abspielenden Vorgänge nach seinen vorgefaßten Absichten zu lenken, um so seinen mutmaßlich verbürgten Erfolg, koste es, was es wolle, herbeizuzwingen.

Die szenische Präsentation und die Praxis der auf die „Elastizität" verpflichteten kapitalistischen Gesellschaft gehen logisch konform, wenn der Konsul Casimir im Verlauf des weiteren Geschehens zunehmend in den Vordergrund rückt und in demselben Maße zur beherrschenden und die Ordnung wahrenden Instanz wird, wie sich Keith zu einem systemkonformen Handeln weder als fähig noch als willens erweist. Ohne daß zwischen dem Großkaufmann und dem Habenichts eine Feindschaft persönlicher Art bestünde — beide bekunden im Gegenteil so etwas wie eine wechselseitige Hochachtung, wo nicht gar eine intentionale Kumpanei —, stellt sich ihre Rivalität doch zwangsläufig ein, und zwar indem der Konsul handelt, während Keith selbstgefällig redet[66], genauer: indem der alte Casimir eben das in die Tat umsetzt, was der Marquis mit faszinierender Treffsicherheit als die ideale Taktik des Geschäftsmanns beschreibt — aber eben auch nur beschreibt. Während Keith, wie dargelegt, für sich ganz ungerechtfertigt einen sozialen Sonderstatus beansprucht und dementsprechend mit prometheischem Gehabe und wider alle Einsicht darauf abzielt, die bürgerliche

Gesellschaft seiner Verfügungsgewalt zu unterwerfen, bleibt der Konsul bei aller Aktivität und bei einem nicht minder rigorosen, wohl aber klug getarnten Erwerbsstreben „halt an vorsichtiger Mann“[67]. Er sucht mit Geschick und Umsicht, innerhalb der geltenden Ordnung seine Pläne zu realisieren, und sorgt allenthalben dafür, daß er, der anempfohlenen Verhaltensweise entsprechend, das Recht und die Moral auf seiner Seite hat. So in jeder Hinsicht ein Meister und Vorbild, was die gebotene „Elastizität“ angeht, verdankt er seinen Erfolg einer Verhaltenheit, die zum einen der Wachsamkeit und Wendigkeit des Börsenspekulanten entspricht, der auf die Hausse der Konjunktur aus ist, und die zum anderen dem Lauern eines Raubtiers gleicht, das seine Beute wittert[68]. Angesichts einer soldhermaßen konzentrierten Ausrichtung, die an Präzision und Einträglichkeit erlangt, was sie an mitmenschlicher Teilnahme preisgibt, ist es dem Konsul Casimir eine Kleinigkeit, den ebenso sorglos wie selbstgefällig agierenden Keith im günstigsten Augenblick um alle Früchte seiner Anstrengungen zu bringen. — Freilich, der Triumph ist gedämpft und ohne Glanz. Nicht nur, daß der alte Casimir den Sieg mit einer Anpassung an den Kodex der Gesellschaft erreichte, die einer entwürdigenden, den aufgeschlossenen Geist demütigenden Nivellierung gleichkam[69], der erzielte Erfolg läßt sich auch nicht einer Leistung zuschreiben, in der sich die Persönlichkeit des Konsuls mitsamt seinen ganz spezifischen Qualifikationen gleichsam objektivierte, sondern er ist eben bloß das Resultat einer günstigen Konjunktur. Was den alten Casimir allenfalls auszeichnet, ist die Redlichkeit, mit der er dies eingesteht; er bleibt sich der Vorläufigkeit jedes Gewinns bewußt und stellt klar, was die Kehrseite der „Elastizität“ und also der Dispenz von jeder echten ethischen Bindung ausmacht, nämlich daß der heute „angesehenste Mann“ morgen schon „hinter Schloß und Riegel“ sitzen kann[70].

## III.

Wenn anders es zutrifft, daß der sich als Abenteurer mißverstehende Marquis von Keith nicht mehr und nicht weniger darstellt als den „zerquälte[n] Inbegriff der Werte, die zu verachten er vorgibt“[71], so tritt dies mit desavouierender Prägnanz zutage, wo er, um alle Eroberungen gebracht und aller Illusionen beraubt, zur Selbstbesinnung und zur Verantwortung seiner selbst genötigt ist. Nur für einen Moment hat es den Anschein, als wollte er, der so gründlich Gescheiterte, sich durch den Freitod von den Idolen lossagen, denen er bislang nachjagte, und die Mitschuld an Mollys Selbstmord, so wenig eindeutig und nachweisbar sie auch ist, als Teil seines eigenen

Schicksals sühnen. Aber die Geste, mit der er den Revolver auf sich richtet, erweist sich äußerstenfalls als eine zynisch-parodistische Anspielung auf die sogenannten „Bilanz-Suizidenten", deren Zahl durch den Konkurs vieler „Unternehmer-Werkführer" um die Jahrhundertwende erschreckend in die Höhe schnellt[72]. Statt sich auf sich selbst zu besinnen, liefert Keith eine ihm kommode Deutung der Welt, indem er sich mit einer zur Sentenz aufgeschönten Phrase zum Leben als einer „Rutschbahn" bekennt[73]. — Wie immer man es auch angeht, es ist ganz irrig, in der Schlußszene des Dramas ein „Mysterium der Abdankung"[74] zu sehen — die Abdankung erfolgte längst schon oder, anders gewendet, sie erfolgt nie! — und aus der aufrüstenden Parole des Marquis die Einsicht herauszulesen, daß die — willig ergriffene — Möglichkeit zum Neubeginn doch letzten Endes nur auf eine Talfahrt hinauslaufe[75]. Mit der unverzüglich bekundeten Bereitschaft, „mit dem Notgroschen in der Hand die Partie gegen die Bestie Welt" weiterzuspielen[76], gibt Keith zum einen zu erkennen, was Marianne Thalmann in bezug auf Wedekinds „Schloß Wetterstein" hervorgehoben hat, nämlich daß der moderne Hasardeur seinen Elan und seine Energie seiner „Vergangenheitslosigkeit" und vor allem der sich in völliger Hemmungslosigkeit äußernden Tatsache verdankt, durch keine „Überlieferung" und durch keinerlei ethische Grundsätze gebunden zu sein[77]. Zum anderen bedeutet das Bekenntnis zum Leben als einer „Rutschbahn", d. h. die Einwilligung in ein Dasein, das einzig durch einen permanenten Wechsel von Aufstieg und Niedergang, von Gewinn und Verlust, von Bereicherung und Verarmung seine Ordnung und seinen Sinn erhält, nicht eine fatalistische, sondern eine frivol-opportunistische Unterwerfung unter die Wettbewerbsbedingungen des Marktes wie analog unter die Dressurpraktiken des Zirkus[78]. Keith, das ist klar, bequemt sich mit diesem Zugeständnis nur mehr dazu, seine soziale Verhaltensweise seiner bourgeoisen Gesinnung anzupassen. Gleichwohl entgeht er damit nicht der Anschuldigung, sich billig der Chance personaler Selbstbehauptung und Selbstbewahrung zu begeben und den allgemeinen sozialen Prozeß, der auf *Nivellierung* abgestellt ist, zu bestätigen und zu fördern.

Damit sind die gesellschaftskritischen Tendenzen bezeichnet, die das Wedekindsche Drama als Lehrstück ausweisen: Wie „Der Marquis von Keith" einerseits die terroristische Praxis der kapitalistischen Gesellschaft attackiert, weil sie, in der dargelegten Weise, die „Elastizität" zur allgemein verbindlichen Verhaltens- und Gesinnungsnorm erhebt, so gilt andererseits seine Kritik dem Individuum, das sich dank seiner Idolatrie des Geldes und auf Grund seiner verabsolutierten Eingeschworenheit auf die Sachwerte — dies die korrigierende Ausdeutung der ästhetischen Überhöhung der

„Dinge" nach der Art des Jugendstils — aller personalen Rechte und Pflichten sorglos und wie selbstverständlich entäußert[79]. — Entsprechend dieser zweiten Stoßrichtung der Kritik wird die allenfalls kesse und rundweg als gültig propagierte und akzeptierte These, wonach es für den einzelnen keine andere Wahl gibt als die zwischen „Abrichtung" und „Hinrichtung"[80], problematisiert. Das heuristische Stichwort gibt dabei die Parole vom „Genußmenschen" ab, mit der eine Lebensweise ins Bewußtsein gerufen oder auch zurückgerufen wird, die sich nicht auf das „Haben", sondern auf das „Sein" ausrichtet und auf ein „Sich-Umtun-im-Weiten" aus ist, um zugleich zu „Selbstgenuß" und „Weltgenuß" zu gelangen[81].

Wie weit die vorgeführte Gesellschaft von dieser als ideal angesehenen Lebensform entfernt ist — ob derlei „Genuß" tatsächlich die Entfaltung der Individualität garantiert, steht dahin —, wird exemplarisch ansichtig in der Einschätzung der Kunst. Was der „Feenpalast" — wie sein reales Gegenstück, der 1883 in München eröffnete „Glaspalast", ein Teil des „maskierten Prunkschwindel[s] des öffentlichen Lebens" (Hans Schwerte) — im großen Stil praktiziert bzw. nach den Vorstellungen Keiths und der bajuwarischen „Karyatiden" bewerkstelligen soll, bezeugt sich auch in anscheinend so marginalen und angemessenerweise nur beiläufig erwähnten Produkten wie Saranieffs Malerei: Statt eine Analyse des kollektiven Bewußtseins zu betreiben, wird eine Reklameschönheit hergestellt, die betäubt und benebelt; statt die falschen Ideale der Gesellschaft als solche anzuprangern, wird ein gewinnsüchtiges Bekenntnis zu ihnen abgelegt; statt im Kunstschaffen zu einer maximalen Artikulation des eigenen Ichs vorzudringen, wird mit der Anfertigung eines „Böcklin"[82] eine Marktlücke des Kunsthandels geschlossen; in der Anpassung an die vorgefertigte Traumwelt verleugnet sich das Individuum, ohne den Verzicht auf eine Objektivation seiner selbst als schmerzlich zu empfinden. —

Jost Hermand umreißt mit aller wünschenswerten Prägnanz die Misere, die mit der Gesellschaftskritik des „Marquis von Keith" zur Sprache kommt, wenn er, ausgehend von Karl Hetmanns Freiheitsparolen, feststellt:

„Anstatt über sich selbst hinauszudenken und diese Rücksichtnahme auf die anderen als einen kategorischen Imperativ zu empfinden, interessiert man sich nur für die Steigerung der jeweiligen Reizmöglichkeiten. Man hält sich dabei mit voller Bewußtheit an das ideologisch gefärbte Leitbild des bindungslosen Ausnahmemenschen, der auf Grund seiner Klassenzugehörigkeit zu keiner direkten ‚Leistung' verpflichtet ist[83]."

Mit Rücksicht auf diesen sozialdiagnostischen Befund klärt sich zu Teilen zumindest die literarhistorische Position des Autors. — Mit seiner Denunziation der sozialen und wirtschaftlichen Mechanismen, die das Einzelich auf seinen sachdienlichen Funktionswert reduzieren, mit dem Protest gegen die Entäußerung alles dessen, was die Personalität des Menschen ausmacht, und mit der sich folgerichtig ergebenden Forderung nach einer entschiedenen und verantwortungsbewußten Selbstbewahrung des Individuums und nach seiner Abgrenzung gegenüber der Kommerzialisierung der Gesellschaft präludiert Wedekind die wesentlichen Themen des Expressionismus[84]. Aber es hat wohlgemerkt bei der Entlarvung der inhumanen Praktiken und des fehlgeleiteten Strebens des kapitalistischen Bürgertums sein Bewenden. Die Kritik schreitet nicht zur Formulierung von Heilslehren und von sozialen Utopien fort, die fordernd, mahnend und verheißungsvoll der schlechten Realität entgegengestellt werden könnten[85]. Gemessen an den expressionistischen Evokationen des „neuen Menschen", wird offenbar, daß Wedekind noch zu sehr im Bann des zeitgenössischen Geschäfts-, Kunst- und Amüsierbetriebs steht, als daß er gegen ihn eine auf Humanisierung abzielende Alternative zu formulieren vermöchte. Indessen, das Skizzenhafte und Fragmentarische, das nur Angedeutete und halb und halb Gewollte, das das sozialreformerische Konzept Wedekinds als das eines Vorläufers und Wegbereiters ausweist, bewahrt auch vor dem „bedenkliche[n] Illusionismus" der expressionistischen Theoreme und vor jener Inanspruchnahme durch totalitäre Ideologien, die sich, wie Walter Hinck ausgeführt hat, für die konsequent ergibt, deren Erneuerungsbereitschaft sich in Wirklichkeit „auf eine Energie des bloßen Entschlusses" beschränkt[86]. Das Rudimentäre, nur in Ansätzen und Andeutungen Faßbare, das sich zum einen als das sozusagen Unausgegorene der gesellschaftskritischen Anschauungen Wedekinds versteht, macht zum anderen, paradox genug, seine unaufgehobene Aktualität aus.

## ANMERKUNGEN

1. Robert Musil, *Der Mann ohne Eigenschaften*, hrsg. von Adolf Frisé (Sonderausgabe) Hamburg 1970, S. 150.

2. vgl. dazu die Zusammenfassung der Forschungsresultate bei Erwin Koppen, *Dekadenter Wagnerismus. Studien zur europäischen Literatur des Fin de siècle*, Berlin — New York 1973 (= Komparatistische Studien, Bd. 2), Kap. A I.

3. Reichhaltiges Material zu diesem Themenkomplex unterbreitet die komparatistische Dissertation von Ariane Thomalla, *Die ‚femme fragile'. Ein literarischer Frauentypus der Jahrhundertwende*, Düsseldorf 1972 (= Literatur in der Gesellschaft, Bd. 15).

4. vgl. dazu Arnold Hauser, *Sozialgeschichte der Kunst und Literatur* (Sonderausgabe) München 1972, S. 966 ff.; eine umfassende Deutung liefert Helmut Kreuzer, *Die Boheme. Analyse und Dokumentation der intellektuellen Subkultur vom 19. Jahrhundert bis zur Gegenwart*, 2. Aufl. Stuttgart 1971. — Der letztgenannten Arbeit weiß sich der Verf. auch da dankbar verpflichtet, wo im Folgenden nicht expressis verbis auf sie verwiesen wird.

5. Das methodische Verfahren klären — ex negativo — die unlängst vorgelegten Interpretationen von Thomalla und Mattenklott: Während T. in dem ästhetischen Kult eine individuell-psychische Kalamität und, damit in Verbindung stehend, eine generelle Verdrängung der politisch-sozialen Realität sieht (*Die ‚femme fragile‘*, aaO, S. 61 bzw. S. 75), möchte M. ihn als „Opposition“ gegen „in der Realität tabuierte Triebziele“ verstanden wissen (Gert Mattenklott, *Bilderdienst. Ästhetische Opposition bei Beardsley und George*, München 1970). — Wo der Rekurs auf die geistes- und realgeschichtlichen Zusammenhänge ausgeklammert oder nur prätendiert wird, fallen die Interpretationsresultate offensichtlich der Beliebigkeit anheim.

6. vgl. Gunter Martens, *Vitalismus und Expressionismus. Ein Beitrag zur Genese und Deutung expressionistischer Stilstrukturen und Motive*, Stuttgart-Berlin-Köln-Mainz 1971 (= Studien zur Poetik und Geschichte der Literatur, Bd. 22), S. 109—116.

7. Eine methodische Legitimation dieses Vorgehens liefern die detaillierten Nachweise von Martens, *Vitalismus und Expressionismus*, aaO, S. 32—72.

8. Die geistigen Allianzen Wedekinds im Sinne des Positivismus zu klären, unterbleibt hier mit voller Absicht, da nicht die — wie auch immer zu verifizierenden — subjektiven Intentionen des Autors von Interesse sind, sondern es um den historischen Stellenwert des „Marquis von Keith“ geht, wie er vom Kenntnisstand der Gegenwart her auszumachen ist.

9. Hans-Joachim Lieber, *Zur Kulturkritik der Jahrhundertwende*, in: H.-J. L., *Kulturkritik und Lebensphilosophie der Jahrhundertwende*, Darmstadt 1974, S. 5.

10. Frank Wedekind, *Werke in drei Bänden*, hrsg. und eingel. von Manfred Hahn, Berlin-Weimar 1969, Bd. III, S. 348. — Die Ausgabe wird im folgenden abgekürzt als „Werke“ zitiert.

11. Henri Bergson beispielsweise unterscheidet zwischen einem „homme ouvert“ und einem „homme clos“, Walther Rathenau zwischen einem „Furchtmenschen“ und einem „Zweckmenschen“, Werner Sombart zwischen dem „verschwenderischen“ oder „seigneurialen“ und dem „haushälterischen“ oder „bourgeoisen“ Typus, Max Scheler zwischen dem kontemplativen Menschen, der das „große, unbegründete Vertrauen zu Sein und Leben“ hegt, und dem mißtrauisch kalkulierenden, dem es um „Sicherheit“ und „Garantie“, um „Regelhaftigkeit“ und „Berechnung“ zu tun ist. — Vgl. auch Wedekind, *Werke Bd. III*, S. 204 und S. 209.

12. Beispielhaft dafür ist die Interpretation von Wolfgang Hartwich, *Frank Wedekind, ‚Der Marquis von Keith‘. Texte und Materialien zur Interpretation*, Berlin 1965 (= Komedia, Bd. 8), S. 101 ff. — Eine sachgerechte Korrektur liefert Marianne Kesting, *Entdeckung und Destruktion. Zur Strukturumwandlung der Künste*, München 1970, S. 193 f.: „Wedekind schildert nicht allein das Fiasko einer närrischen Idee, sondern das Wahnhaftwerden der Idee überhaupt, die ‚Donquichoterie menschlichen Bewußtseins‘, zu der eine sich integrierende ökonomische und technische Gesellschaft die umgestaltende geistige Idee überhaupt verdammt.“ Vgl. dazu auch die — diese These bestätigende — ‚Hidalla‘-Interpretation bei Volker Klotz, *Wedekinds Circus mundi*, in: *Viermal Wedekind. Methoden der Literaturanalyse am Beispiel von Frank Wedekinds Schauspiel ‚Hidalla‘. Vier Vorträge von Helmut Arntzen* [u. a.], hrsg. von Karl Pestalozzi und Martin Stern, Stuttgart 1975 (= Literaturwissenschaft — Gesellschaftswissenschaft, Bd. 11), S. 22—47, hier insbes. S. 32 ff. — Klotz' aufschlußreiche Studie erschien nach der Fertigstellung der vorliegenden Abhandlung; so erfreulich es ist, in wesentlichen Punkten eine Übereinstimmung der Interpretationen verzeichnen zu können, so bedauerlich ist es doch auch, daß sich — aus technischen Gründen — eine kritische Würdigung auf wenige punktuelle Anmerkungen beschränken muß.

13. vgl. dazu Paul Fechter, *Frank Wedekind. Der Mensch und das Werk*, Jena 1920, S. 72 ff.; Friedrich Rothe, *Frank Wedekinds Dramen. Jugendstil und Lebensphilosophie*, Stuttgart 1968 (= Germanistische Abhandlungen, Bd. 23), S. 65 und S. 76. — Zu einer Revision des Deutungsklischees verpflichtet neuerdings die ausgezeichnete Abhandlung von

Hans-Peter Bayerdörfer, *,Non olet' — altes Thema und neues Sujet. Zur Entwicklung der Konversationskomödie zwischen Restauration und Jahrhundertwende,* in: Euph. 67 (1973), S. 323—358; hier insbes. S. 349 Anm. 68.

14. vgl. Bayerdörfer, *,Non olet' — altes Thema und neues Sujet,* aaO, S. 352; s. hierzu im übrigen die — bei aller sonstigen Divergenz — konform gehenden Essays von Peter Michelsen, *Frank Wedekind,* in: *Deutsche Dichter der Moderne. Ihr Leben und Werk,* [...], hrsg. von Benno v. Wiese, 2. Aufl. Berlin 1969, S. 51—69, hier insbes. S. 63 ff.; und von Paul Böckmann, *Die komödiantischen Grotesken Frank Wedekinds,* in: *Das deutsche Lustspiel,* II. Teil, hrsg. von Hans Steffen, Göttingen 1969 (= Kleine Vandenhoeck-Reihe, Bd. 277 S), S. 79—102, hier vor allem S. 97 ff.

15. Zu diesen Traditionszusammenhängen s. neuerdings die — schwerlich überzeugenden — Nachweise bei Hans Wysling, *Zum Abenteurer-Motiv bei Wedekind, Heinrich und Thomas Mann,* in: *Heinrich Mann 1871—1971. Bestandsaufnahme und Untersuchung. Ergebnisse der Heinrich-Mann-Tagung in Lübeck,* hrsg. von Klaus Matthias, München 1973, S. 44 ff.

16. Zur Entstehungsgeschichte s. Hartwig, *Frank Wedekind,* aaO, S. 93 ff.

17. vgl. dazu die als repräsentativ anzusehende Analyse von Ferdinand Tönnies, *Gemeinschaft und Gesellschaft. Grundbegriffe der reinen Soziologie,* 8. Aufl. Leipzig 1935 (1. Aufl. 1887); s. auch die dank ihrer strengen moralischen Kritik äußerst instruktive Studie von Marianne Thalmann, *Die Anarchie im Bürgertum. Ein Beitrag zur Entstehungsgeschichte des liberalen Dramas,* München 1932, die die literarhistorische Einordnung der hier angesprochenen Problematik gewährleistet.

18. Georg Simmel, *Philosophie des Geldes,* 6. Aufl. Berlin 1958, S. 414, 488 f., 494 f. und passim; s. auch Simmels Ausführungen zur „Vornehmheit", ebenda insbes. S. 430 f. Bezüglich des „Marquis von Keith" sei in diesem Zusammenhang verwiesen auf Gertrud Milkereit, *Die Idee der Freiheit im Werke von Frank Wedekind,* Diss. Köln 1957, S. 124 f.

19. Wedekind, *Werke Bd. I,* S. 436; vgl. hierzu auch die kritischen Anmerkungen über die Ehe als „Zinsbau mit waghalsiger Berechnung" bei Thalmann, *Die Anarchie im Bürgertum,* aaO, S. 7 ff., insbes. S. 12 und S. 17.

20. vgl. Wedekind, *Werke Bd. I,* S. 468.

21. vgl. Wedekind, *Werke Bd. I,* S. 437; s. dazu auch Milkereit, *Die Idee der Freiheit im Werke von Frank Wedekind,* aaO, S. 46 f., 50 ff. und 85 ff.

22. Georg Simmel, *Die Großstädte und das Geistesleben,* in: G. S., *Brücke und Tür. Essays des Philosophen zur Geschichte, Religion, Kunst und Gesellschaft,* [...] hrsg. von Michael Landmann, Stuttgart 1957, S. 227—242, hier: S. 230 f. und S. 234 f.; s. im übrigen die Verweise in Anm. 18 der vorliegenden Arbeit.

23. Wedekind, *Werke Bd. I,* S. 442 f.; s. auch Milkereit, *Die Idee der Freiheit im Werke von Frank Wedekind,* aaO, S. 40 ff.

24. Zur (ambivalenten) Erweiterung des Möglichen und zum Stellenwert des Zufalls in der Großstadt vgl. Erich Köhler, *Der literarische Zufall, das Mögliche und die Notwendigkeit,* München 1973, S. 51 und S. 53; Kreuzer, *Die Boheme,* aaO, S. 219.

25. Wedekind, *Werke Bd. I,* S. 508; s. hierzu die auf die Klärung übergreifender Zusammenhänge abgestellten Ausführungen bei Kreuzer, *Die Boheme,* aaO, S. 216 ff.

26. In gleicher Weise wie der Name der Hauptgestalt ist die Benennung des Dramas instruktiv; den Schwankungen Wedekinds ist zu entnehmen, daß er die Titel „Marquis von Keith" und „Münchener Scenen" für synonyme Bezeichnungen hielt und dementsprechend den in der Buchausgabe von 1901 gewählten Doppeltitel, mit dem auf die im Mittelpunkt stehende Figur und zugleich auf das Milieu verwiesen wurde, als tautologisch verwarf.

27. vgl. Michelsen, *Frank Wedekind,* aaO, S. 64; Bayerdörfer, *,Non olet' — altes Thema und neues Sujet,* aaO, S. 352; widersprüchlich bleibt die Interpretation bei Milkereit, *Die Idee der Freiheit im Werke von Frank Wedekind,* aaO, S. 61 ff.: während M. zum einen in Keiths Bemühungen den Versuch sieht, die „Vergesellschaftung" zu über-

winden und dem „Recht auf Natur“ Geltung zu verschaffen, betont sie wenig später Keiths Übereinstimmung mit den Prinzipien der ihn umgebenden Gesellschaft.

28. Wedekind, *Werke Bd. I*, S. 504. Vgl. Wedekinds Gedicht „Lebensregel“ (*Werke Bd. II*, S. 438), das sich wie ein Resümee des „Marquis von Keith“ ausnimmt.

29. Wedekind, *Werke Bd. I*, S. 490.

30. Diese Feststellung bildet die Ausgangsthese der ergiebigen Interpretationen Michelsens und Bayerdörfers; s. Anm. 27 der vorliegenden Arbeit.

31. Das Spezifische dieser Relation wird auf eine prägnante Formel gebracht bei Werner Sombart, *Der moderne Kapitalismus. [...]. Bd. I: Die vorkapitalistische Wirtschaft*, Berlin 1928, S. 587: „Wer bist du? fragte man früher. Ein Mächtiger. Also bist du reich. Was bist du? fragt man jetzt. Ein Reicher. Also bist du mächtig.“ Vgl. weiterhin Karl Mannheim, *Über das Wesen und die Bedeutung des wirtschaftlichen Erfolgsstrebens. Ein Beitrag zur Wirtschaftssoziologie*, in: Archiv für Sozialwissenschaft und Sozialpolitik 63 (1930), S. 468 f. und, zur Bestätigung Sombarts, S. 466.

32. vgl. Peter Uwe Hohendahl, *Das Bild der bürgerlichen Welt im expressionistischen Drama*, Heidelberg 1967 (= Probleme der Dichtung, Bd. 10), S. 122; Bayerdörfer, *‚Non olet‘ — altes Thema und neues Sujet*, aaO, S. 348.

33. vgl. Bayerdörfer, *‚Non olet‘ — altes Thema und neues Sujet*, aaO, S. 350.

34. Wedekind, *Werke Bd. I*, S. 434. Vgl. in diesem Zusammenhang auch Wedekinds „Kinderlied“ ‚Der Taler‘ (*Werke Bd. II*, S. 427 f.).

35. vgl. Wedekind, *Werke Bd. I*, S. 453; s. ebenda, S. 449.

36. Wedekind, *Werke Bd. I*, S. 509.

37. Mannheim, *Über das Wesen und die Bedeutung des wirtschaftlichen Erfolgsstrebens*, aaO, S. 479.

38. Wedekind, *Werke Bd. I*, S. 466.

39. Wedekind, *Werke Bd. I*, S. 437.

40. Wedekind, *Werke Bd. I*, S. 483.

41. Wedekind, *Werke Bd. I*, S. 468; s. auch Frank Wedekind, *Gesammelte Briefe*, 2 Bde., hrsg. von Fritz Strich, München 1924, Bd. I, S. 225. (Die Brief-Ausgabe wird im folgenden abgekürzt als „Briefe“ zitiert.)

42. Wedekind, *Werke Bd. I*, S. 506.

43. Wolfgang Iskra, *Die Darstellung des Sichtbaren in der dichterischen Prosa um 1900*, Münster 1967 (= Münstersche Beiträge zur deutschen Literaturwissenschaft, Bd. 2), S. 10, S. 13 u. passim; zur Eliminierung der Personalität des Menschen wie alles Individuellen als zwangsläufiger Folgeerscheinung verabsolutierter Wirtschaftsinteressen vgl. im übrigen Mannheim, *Über das Wesen und die Bedeutung des wirtschaftlichen Erfolgsstrebens*, aaO, S. 468 ff.

44. vgl. dazu Kesting, *Entdeckung und Destruktion*, aaO, S. 197 u. passim.

45. vgl. dazu die profunden Feststellungen bei Koppen, *Dekadenter Wagnerismus*, aaO, S. 66 ff. und S. 106 Anm. 29.

46. Damit wenden sich die folgenden Ausführungen gegen Mattenklott (*Bilderdienst*, aaO), der als ästhetische Opposition feiert, was hier als gesellschaftspolitischer Eskapismus denunziert wird.

47. Bayerdörfer, *‚Non olet‘ — altes Thema und neues Sujet*, aaO, S. 354.

48. Simmel, *Philosophie des Geldes*, aaO, S. 321; vgl. ders., *Die Großstädte und das Geistesleben*, aaO, S. 229. Daß diese Feststellungen Simmels eine heuristische Kategorie für die Literatur der Jahrhundertwende liefern, klärt Roy Pascal, *Georg Simmels ‚Die Großstädte und das Geistesleben‘. Zur Frage der ‚Moderne‘*, in: Helmut Kreuzer (Hrsg.), *Gestaltungsgeschichte und Gesellschaftsgeschichte. Literatur-, kunst- und musikwissenschaftliche Studien*, Stuttgart 1969, S. 450—460.

49. Max Scheler, *Der Formalismus in der Ethik und die materiale Wertethik. Neuer Versuch der Grundlegung eines ethischen Personalismus*, 5. Aufl. Bern-München 1966 (= Gesammelte Werke, Bd. 2), S. 187. — In seiner bedeutenden Abhandlung *Zur Sozio-*

*logie des modernen Dramas* (1909) geht Georg Lukács, um den konformen Wandel von sozialer Ethik und dramatischer Gattung nachzuweisen, von der — hier beachtenswerten — Einsicht aus: „Die charakteristischste Eigentümlichkeit der feudalen Ordnung ist vielleicht das sich von Person zu Person Zusammenschließende der Abhängigkeiten und Zusammenhänge; die der bürgerlichen die Versachlichung. Die ganze Staatsorganisation [...], jede Erscheinung des Wirtschaftslebens (das sich auf alle erstreckende Geldwesen, Kreditwesen, Börse, clearing usw.) weist durchwegs dieselbe Tendenz auf: die Entpersönlichung, eine auf die Zurückführung der Qualitäts- zur Qantitätskategorie hinzielende Entwicklung." (G. L., *Schriften zur Literatursoziologie,* ausgew. u. eingel. von Peter Ludz, 5. Aufl. Neuwied 1972 [= Soziologische Texte, Bd. 9], S. 287 f.)

50. vgl. Wedekind, *Werke Bd. I,* S. 483. Zu Wedekinds Überzeugung, um jede Möglichkeit zur Orientierung an absoluten Werten gebracht zu sein, vgl. z. B. Wedekind, *Briefe Bd. II,* S. 48 f.; dazu Hohendahl, *Das Bild der bürgerlichen Welt im expressionistischen Drama,* aaO, S. 29.

51. Simmel, *Philosophie des Geldes,* aaO, S. 318. — Eine Beschreibung der genauen Korrespondenz von Thematik und Struktur des „Marquis von Keith" kann hier unterbleiben; es wäre allenfalls nur zu wiederholen, was Rothe (*Frank Wedekinds Dramen,* aaO, S. 60 ff.), der Definition Peter Szondis verpflichtet, und Bayerdörfer (‚*Non olet*‘ — *altes Thema und neues Sujet,* aaO, S. 353 f.) zur „Konversationskomödie" Wedekinds ausführen.

52. Bruno Seidel, *Die Wirtschaftsgesinnung des Wilhelminischen Zeitalters,* in: Hans Joachim Schoeps (Hrsg.), *Zeitgeist im Wandel, Bd. I: Das Wilhelminische Zeitalter,* Stuttgart 1967, S. 173—198.

53. Werner Sombart, *Der Bourgeois. Zur Geistesgeschichte des modernen Wirtschaftsmenschen,* München-Leipzig 1923, S. 11.

54. Max Scheler, *Vom Umsturz der Werte. Abhandlungen und Aufsätze,* 5. Aufl. Bern-München 1972 (= Gesammelte Werke, Bd. 3), S. 350.

55. vgl. Robert A. Jones, *Frank Wedekind — Circus Fan,* in: MDU 61 (1969), S. 139—156.

56. Wedekind, *Werke Bd. III,* S. 166.

57. Wedekind, *Werke Bd. III,* S. 164.

58. vgl. Wedekind, *Werke Bd. III,* S. 163; s. dazu Jones, *Frank Wedekind,* aaO, S. 148 f., der freilich allzu sorglos Wedekinds Begeisterung für den Zirkus als eine ausgemachte Sache hinstellt.

59. Wedekind, *Werke Bd. III,* S. 165; vgl. in diesem Zusammenhang die Ausführungen zur „Ethik der Manege" bei Michelsen, *Frank Wedekind,* aaO, S. 54.

59a. vgl. dazu Klotz (*Wedekinds Circus mundi,* aaO, S. 26), der sich — die hier vorgetragenen Thesen bestätigend — die bei Wedekind und seinen Zeitgenossen vielfach zu registrierende Verwendung der Zirkus-Metapher aus der sich Bahn brechenden Einsicht erklärt, daß diese Metapher wie ein Schlüssel zur Wirklichkeit passe: „auf die freie Wirtschaft, bewahrt und gesichert im imperialistischen Staat, der außen- und innenpolitisch gleichfalls das Recht des Stärkeren praktiziert. Diese Wirklichkeit [...] drängt sich auf als turbulente Arena, in der die Akteure nebeneinander und widereinander ihr Letztes geben. Jeder gegen jeden, im rücksichtslosen Poly-Agonismus, im Allround-Kampf konkurrierender Hochleistungen. Nach der alles beherrschenden Regel wetteifernder ökonomischer Interessen. Und die übergreifen den Einzelegoismus in einem Gesamtprogramm allenfalls insofern, als es gilt, das allgemeine Prinzip des freien Markts zu befestigen und auszubauen."

60. vgl. Wedekind, *Werke Bd. III,* S. 90 f., 93 („Mine-Haha"), 165, 167, 169 u. ö. — Eine der hier vorgetragenen Interpretation der Wedekindschen Zirkus-Metaphorik entgegengesetzte Deutung liefern Max Horkheimer und Theodor W. Adorno, *Dialektik der Aufklärung. Philosophische Fragmente,* [2. Aufl.] Frankfurt/M. 1969, S. 151 (Kap. „Kulturindustrie").

61. vgl. hierzu die eingängigen Definitionen bei Paul A. Samuelson, *Volkswirtschaftslehre. Eine Einführung*, 4. Aufl. Köln 1970, Bd. II, S. 18 ff.

62. Wedekind, *Werke Bd. III*, S. 156; zur Elastizität als Lebensprinzip s. auch Jones, *Frank Wedekind*, aaO, S. 148.

63. vgl. Wedekind, *Werke Bd. I*, S. 447.

64. Wedekind, *Werke Bd. I*, S. 482.

65. Verfehlt erscheint es, mit Wysling (*Zum Abenteurer-Motiv bei Wedekind, Heinrich und Thomas Mann*, aaO, insbes. S. 64) Keith im Sinne Georg Simmels (*Das Abenteuer*, in: G. S., *Philosophische Kultur. Gesammelte Essais*, Leipzig 1911, S. 13 ff.) als Abenteurer zu apostrophieren; sein hektisches Agieren und Kalkulieren verwehrt es, für ihn eine „erotische" Hingabe an den Augenblick in Anspruch zu nehmen, er bestimmt nicht seine Grenzen, sondern bewegt sich mit uneingestandener spießerhafter Beflissenheit in den vorgeprägten Bahnen des kapitalistischen Wirtschaftslebens (vgl. Sombart, *Der Bourgeois*, aaO, S. 456); s. hierzu auch die ebenso instruktiven wie polemisch überspitzen Feststellungen bei Michelsen, *Frank Wedekind*, aaO, S. 64.

66. Auf diese konträre Konstellation Keith — Casimir verweist mit Nachdruck Bayerdörfer, *‚Non olet' — altes Thema und neues Sujet*, aaO, S. 348 ff., insbes. S. 354; angesichts des im Ablauf des dramatischen Geschehens zutage tretenden Fehlens aller objektiv verbindlichen Werte und Ordnungsprinzipien läßt sich B.s These von der Konfrontation des „Großbürgers" mit dem „Antibürger" freilich kaum aufrechterhalten.

67. Wedekind, *Werke Bd. I*, S. 478.

68. Zur Raubtier-Metaphorik bei Wedekind vgl. vor allem Hans Kaufmann, *Krisen und Wandlungen der deutschen Literatur von Wedekind bis Feuchtwanger. Fünfzehn Vorlesungen*, Berlin-Weimar 1969, S. 72 f. — Vgl. auch Mechtild Plesser, *Der Dramatiker als Regisseur, dargestellt am Beispiel von Wedekind, Sternheim und Kaiser*, Diss. Köln 1972, S. 59 ff.; die Arbeit stellt klar, wie sehr Wedekinds eigene Regiearbeit darauf abgestellt war, das sich in der Gleichzeitigkeit von Machtsucht und Selbstversklavung äußernde Rivalitätsverhalten hervorzuheben.

69. vgl. Kaufmann, *Krisen und Wandlungen*, aaO, S. 25 u. S. 69.

70. vgl. Wedekind, *Werke Bd. I*, S. 490. — Vgl. dazu die präzisen Ausführungen bei Franz Norbert Mennemeier, *Modernes Deutsches Drama. Kritiken und Charakteristiken, Bd. I: 1910—1933*, München 1973 (= Uni-Taschenbücher, Bd. 135), insbes. S. 177.

71. vgl. Michelsen, *Frank Wedekind*, aaO, S. 64.

72. vgl. Seidel, *Die Wirtschaftsgesinnung des Wilhelminischen Zeitalters*, aaO, S. 189. — Klotz, der Wedekind in bezug auf die hier angesprochenen Sachverhalte eine anachronistische Beurteilung der „polit-ökonomischen Entwicklungsstufe gegen Ende des 19. Jahrhunderts" anlastet (*Wedekinds Circus mundi*, aaO, S. 27), muß sich tatsächlich selbst den Vorwurf einer ebenso „verwackelten" wie historisch undifferenzierten „Wirklichkeitssicht" gefallen lassen, von der selbstverständlich die Einschätzung der Zirkus-Metapher durchgängig nicht unbetroffen bleibt.

73. vgl. Wedekind, *Werke Bd. I*, S. 517.

74. Thomas Mann, *Über eine Szene von Wedekind*, in: T. M., *Altes und Neues. Kleine Prosa aus fünf Jahrzehnten*, Frankfurt/M. 1953, S. 37.

75. So Rothe, *Frank Wedekinds Dramen*, aaO, S. 76, in dem vergeblichen Bemühen, die allgemeine Auffassung (s. Fechter, Hartwig, Kaufmann usw.) zu revidieren.

76. Bayerdörfer, *‚Non olet' — altes Thema und neues Sujet*, aaO, S. 352.

77. vgl. Thalmann, *Die Anarchie im Bürgertum*, aaO, S. 24 f.

78. Sehr treffend charakterisiert Bernhard Diebold (*Anarchie im Drama. Kritik und Darstellung der modernen Dramatik*, 4. Aufl. Berlin 1928, S. 58) die von Wedekind präsentierte Welt als „Zirkus mit tragischen Clowns".

79. Zu Wedekinds „Protest gegen die Nivellierung des Menschen" vgl. Kaufmann, *Krisen und Wandlungen*, aaO, S. 66—79, insbes. S. 78 f.

80. vgl. Wedekind, *Werke Bd. I*, S. 434.

81. vgl. dazu die naiv-emphatische Abhandlung von Willem van Wulfen, *Der Genußmensch. Ein Cicerone im rücksichtslosen Lebensgenuß,* München 1911.

82. vgl. Wedekind, *Werke Bd. I,* S. 455; zu Wedekinds Böcklin-Einschätzung s. *Briefe Bd. I,* S. 187 u. S. 193.

83. Richard Hamann / Jost Hermand, *Impressionismus,* 3. Aufl. München 1972 (= Epochen deutscher Kultur von 1870 bis zur Gegenwart, Bd. 3), S. 33.

84. vgl. dazu Walter Hinck, *Individuum und Gesellschaft im expressionistischen Drama,* in: Eckehard Catholy u. Winfried Hellmann (Hrsg.), *Festschrift für Klaus Ziegler,* Tübingen 1968, S. 343—359.

85. Zu Wedekinds konsequentem Verzicht auf den Entwurf einer sozialreformerischen Utopie vgl. Hohendahl, *Das Bild der bürgerlichen Welt im expressionistischen Drama,* aaO, S. 29; s. auch Kesting, *Entdeckung und Destruktion,* aaO, und Bayerdörfer, *‚Non olet' — altes Thema und neues Sujet,* aaO, S. 355.

86. Hinck, *Individuum und Gesellschaft im expressionistischen Drama,* aaO, S. 354. — S. dazu weiterhin Walter [E.] Riedel, *Der neue Mensch. Mythos und Wirklichkeit,* Bonn 1970 (= Studien zur Germanistik, Anglistik und Komparatistik, Bd. 6).

HELMUT SCHANZE

# Thomas Mann: „Buddenbrooks" — im „Kontext" um 1900 — Probleme einer Rezeptionsgeschichte

Die im folgenden vorgelegten Interpretationsansätze zu Thomas Manns Roman „Buddenbrooks" — im „Kontext" um 1900 — stehen im Zusammenhang mit Überlegungen zu einem literaturwissenschaftlichen Verstehensmodell. In ihrem Rahmen sollen einzelne Problemstellungen neuerer Rezeptionstheorien, insbesondere Fragen nach Funktion und Definition eines literarischen „Horizonts" oder „Kontextes" für das jeweilige Verstehen, thematisiert werden.

Der Terminus „Lesemodell", der hier probehalber eingeführt wird, meint eine bestimmbare (oder zu bestimmende) Konstellation von „Text" — hier: der Roman „Buddenbrooks" oder Teilen daraus — und eines oder mehrerer weiterer „Texte", „Kontexte" genannt.

Der Begriff des „Kontextes" ist hier (wie der Begriff des Textes) weiter gefaßt als in Arbeiten zur Textlinguistik. Sie verfährt in der Regel immer noch „textimmanent", d. h., sie zieht, mit der Zielrichtung der Feststellung von Textkohärenz, bzw. zur Aufdeckung bzw. Deutung von „Unbestimmtheitsstellen", meist nur vorausgehende und nachfolgende Sätze heran[1]. Grundsätzlich kann und muß dieses Verfahren jedoch auch auf höherer Ebene, auf der Ebene der Texte anwendbar sein.

Der Begriff des „Kontextes" ist jedoch auch enger, bestimmter gefaßt als im üblichen Sprachgebrauch, wo er auf die Vielzahl von Neben- oder Randbedingungen der Textproduktion bzw. -rezeption bezogen wird, die aber anders als textlich nicht zu fassen sind. Auch „außerliterarische" Kontexte liegen zur Analyse nur verbalisiert — in der Regel sogar literarisiert — vor. Zu den möglichen Kontexten werden also Texte im weitesten Sinn zu zählen sein, also auch Aufzeichnungen, Berichte, Kochbücher, d. h. „Literatur" aus allen Fächern. Auf eine Klärung des Verhältnisses von „literarischen" und „außerliterarischen" Texten muß hier verzichtet werden, da sie allenfalls zu einer Typisierung von Lesemodellen, nicht aber zu ihrer generellen Konstitution beiträgt.

Der Begriff des Lesemodells geht also aus von einer prinzipiellen „Unbestimmtheit“[2] des (literarischen) Textes, die kontextuell gelöst wird, und macht Bedingungen des Prozesses der „Interpretation“ (auch der verschiedenen „Interpretationen“) — zumindest partiell (auf einen bestimmten Kontext bezogen) — bewußt. Dabei kann andererseits aber auch nicht an eine Beliebigkeit der Kontexte und damit an eine Beliebigkeit der Interpretationen gedacht werden. Lesemodelle — oft ideologisch provoziert — sind kritisch an Text und Kontext auf ihre Plausibilität zu prüfen. Eruierung unausgewiesener Kontexte läßt auf die ideologische Herkunft bestimmter Interpretationen schließen[3].

Die Reihe der Lesemodelle, wie sie z. B. in der Sekundärliteratur aufgefunden werden kann, in diachrone Ordnung gebracht, kann als Rezeptionsgeschichte aufgefaßt werden. Sie besteht aus einer Reihe von sich ablösenden Kontexten, die jeweils mit dem Text zusammen eine neue Interpretation oder eine Verlesung des Textes ermöglichten. Der Blick auf die Sekundärliteratur zu den „Buddenbrooks“ zeigt, daß in der nunmehr über 75 Jahre dauernden Interpretationsgeschichte des Romans, die Teil seiner Rezeptionsgeschichte ist, ein ständiger Wandel in der Dominanz von Lesemodellen eingetreten ist[4].

Gemäß der Thematik des Bandes, in dem dieser Beitrag erscheinen soll, werden als Exempel vornehmlich Lesemodelle gewählt, die in der Synchronie um 1900 anzunehmen sind. Damit ist die Vernetzung des Romans in dieser Zeit (und in der rückliegenden Literatur- und Gesellschaftsgeschichte) betont. Partiell wird auch der Verstehenshorizont des Romans bei Erscheinen aufgeklärt. Die Reihe der kontextuellen Möglichkeiten — Lesemodelle — ist dann wiederum einzustellen in das Gesamt einer Lese- bzw. Interpretationsgeschichte, was hier aber nur ansatzweise geschehen kann. Sie ist als prinzipiell unabgeschlossen, offen anzunehmen; damit verbürgt keine noch so vollständige Summe von Lesemodellen eine „endgültige“ Deutung.

## I

In seiner Interpretation der „Buddenbrooks“ hat Eberhard Lämmert mehr oder minder beiläufig auf einen leitenden „Kontext“ des Romans hingewiesen[5]. Die Eingangsworte — wiederaufgenommen am Schluß — verweisen auf den Kontext „Katechismus“: „ ‚Was ist das. — Was — ist das . . .‘ ‚Je, den Düwel ook, c’est la question, ma très chère demoiselle.‘ “[6] Einlösbar ist die Pointe des Eingangs nur für den, der je evangelischen Religionsunterricht genossen hat, oder für den, der auf diesen Kontext —

durch den Autor oder durch eine „Interpretation" — verwiesen worden ist.

An dieser Stelle ist auf weitere Aspekte dieses Lesemodells hinzuweisen. Die „witzige" Wirkung des Mann-Textes beruht darauf, daß hier (im Text der Buddenbrooks) ein angespielter Kontext (der des Katechismus) nicht mehr mit dem im Roman dargestellten Text übereinstimmt, daß er also „ironisch" eingesetzt wird. Der aufgeklärte Alte, der à la mode-Kavalier, mokiert sich über den Glauben der Väter, der gleichwohl weiter examiniert wird. Denn: was hat er, der Kaufmann, zu schaffen mit „Haus und Hof, Weib und Kind, Acker und Vieh", was kann Tony anfangen mit diesen, ihr fernliegenden Dingen? „Dominus providebit" steht zwar über der Tür, und der hochweise Senat läßt den Katechismus 1835 neu herausgeben, aber der alte Buddenbrook — was die Hauptsache ist — ist „mit Lust bey den Geschäften" und macht nur solche, daß er „bey Nacht gut schlafen kann", und dies mit (scheinbar) hanseatischer Selbstsicherheit[7].

Jedoch, und dies wird durch weiteren Kontext deutlich, diese Selbstsicherheit hat bereits ein Moment der Verspätung. Wenn Thomas Mann den alten Jean Buddenbrook als à la mode-Kavalier auftreten läßt, so versetzt er diese Figur geistes- und gesellschaftsgeschichtlich aus dem frühen 19. ins 18. Jahrhundert. Dieses Moment wird in der Schilderung des Hauses, in der Auszierung des Landschaftszimmers, in der Gartensymbolik fortgesetzt, und dies nicht zuletzt auch in der Poesie des Jean Jacques Hoffstede — schon der Vorname spielt hier auf Kontext an.

Diese „Verspätung" läßt sich historisch genauer bestimmen. Walther Rehm hat 1962 in seinem Aufsatz „Prinz Rokoko im alten Garten. Eine Eichendorff-Studie" sehr eindrücklich die Momente einer biedermeierlichen Rokoko-Renaissance herausgearbeitet. „Rokoko" ist um 1840 in der Tat wieder „Mode". Was in den „Buddenbrooks" (nur scheinbar) ahistorisch eingesetzt ist, wird beziehungsreich deutbar im Kontext der erzählten Historie; „Rokoko" ist im Vormärz durchaus präsent. Rehm hat auf den von ihm entdeckten Artikel „Rokoko" im Brockhaus von 1847 (12. Auflage) hingewiesen; dieser hat keinen Geringeren als den jungen Basler Kunsthistoriker Jacob Burckhardt zum Verfasser. Burckhardts Stellungnahme zum neuen Rokoko ist durchaus kritisch, im Sinne einer „edlern" Renaissance: „Die aristokratische Ziererei mit vorgeblichem Ahnenbesitz war es hauptsächlich, die diese Mode hervorrief[8]." Neo-Rokoko bezieht sich also nicht auf alten Adel, sondern auf pseudoadliges Getue großbürgerlicher Familien.

Ähnlich kritisch ist auch die Stellungnahme Eichendorffs — wenn auch nicht ganz ohne Nostalgie — denn schließlich hatte er ja auch noch das

„Original“ miterlebt. Die Eichendorffsche Position ist bekanntlich entfaltet in „Der Adel und die Revolution“, als Warnung vor „romantischen Illusionen“ und „bloßem eigensinnigen Festhalten des Längstverjährten“. Den Abschluß bildet das Gedicht vom „Prinzen Rokoko“[9], das Rehm eingehend interpretiert hat.

Die Rokoko- oder „Biedermeier“-Szenen zu Beginn der Buddenbrooks zeigen ihre problematische historische Schichtung (Abkürzung für einen komplexen Sachverhalt) nicht nur in Kontexten zwischen 1720 und 1770, bzw. um 1840, sondern auch in Kontexten um 1900. Hinzuweisen ist hier auf die erneute Rokoko-Renaissance zur Jahrhundertwende, die Wiederentdeckung der „sinnlichen Grazie“ in Malerei, Musik und Dichtkunst; zu erwähnen sind Ludwig Fulda, Otto Julius Bierbaum und nicht zuletzt Hugo von Hofmannsthals „Rokoko, verstaubt und lieblich“ des Prologs zu Schnitzlers „Anatol“.

Damit also steht bereits der Beginn des Romans in inhaltlichem Zusammenhang mit dem Schluß — nimmt man als Kennzeichen der Rokoko-Renaissance jenen Satz aus dem genannten Prolog: „Frühgereift und zart und traurig“ —. Von diesem Kontext um 1900 wird das „à la mode“-Getue der lübischen Patrizier problematischer, mehrschichtiger, als es den ersten Anschein hatte. Das Thema vom „sensitiven Spätling“ ist bereits hier angelegt. Die Struktur des Romans erscheint zyklisch; die einfache Linie von der Selbstsicherheit der Ahnen zum „Verfall“ einer Lebensform ist zu relativieren. Die historische Schichtung, die dieses Lesemodell aufweist, ist nicht nur doppelt, sondern dreifach zu sehen, oder — wenn man die literaturhistorischen „Renaissancen“ des Rokoko um 1920 und um 1960 hinzunehmen darf — gar fünffach.

## II

Ein weiteres Beispiel eines Lesemodells ist gegenüber den ersten weniger komplex, einsichtiger, aber auch gröber angelegt; es gilt literaturhistorisch als widerlegt. Trotzdem möchte ich es hier kurz ansprechen, weil es in der Wirkungsgeschichte des Romans eine nicht unbeträchtliche Rolle gespielt hat[10].

Bereits kurz nach Erscheinen des Romans kursierten bekanntlich in Lübeck Listen, in denen die im Roman vorkommenden Personen namentlich „entschlüsselt“ wurden: Familie Buddenbrook als Familie Mann usf. bis hin zum Konsul Hermann Hagenström als Konsul Fehling.

Interessant ist dieses Lesemodell — das Lesemodell des „Schlüsselromans“ — natürlich nur für den, der mit den Verhältnissen der betroffenen Personen bekannt war, der also lokale Kontexte kannte. Festzuhalten ist die lokale Fixierung des Kontextes.

Besonders reizvoll — für den Betroffenen allerdings nicht gerade angenehm — dürfte die Einlösung dieses Lesemodells für Personen und Personengruppen gewesen sein, die am Roman nicht gerade im besten, oder in skurrilem Licht erscheinen. Bekannt ist jenes Inserat Friedrich Manns (also „Christians") in den „Lübeckischen Anzeigen" vom 28. 10. 1913:

> Es sind mir im Laufe der letzten 12 Jahre durch die Herausgabe der „Buddenbrooks", verfaßt von meinem Neffen, Herrn Thomas Mann in München, dermaßen viele Unannehmlichkeiten erwachsen, die von den traurigsten Konsequenzen für mich waren, [...]
>
> Ich sehe mich deshalb veranlaßt, mich an das lesende Publikum Lübecks zu wenden und dasselbe zu bitten, das oben erwähnte Buch gebührend einzuschätzen.
>
> Wenn der Verfasser der „Buddenbrooks" in karikierender Weise seine allernächsten Verwandten in den Schmutz zieht und deren Lebensschicksale eklatant preisgibt, so wird jeder rechtdenkende Mensch finden, daß dieses verwerflich ist. Ein trauriger Vogel, der sein eigenes Nest beschmutzt.
>
> Friedrich Mann, Hamburg[11].

Ex negativo wird in diesem Inserat die Wirksamkeit des Lesemodells „Schlüsselroman" deutlich. Mehr noch: es knüpft sich daran eine grundsätzliche Diskussion über die Funktion des Literaten und der Literatur in der Gesellschaft mit klassisch zu nennenden Formulierungen wie „in den Schmutz ziehen" und „eigenes Nest beschmutzen". Friedel Mann appelliert an einen „sensus communis", an die „Rechtdenkenden", was aus seiner Sicht wohl begründet ist.

Daß auf der anderen Seite Thomas Mann die „Frivolität des Individuellen"[12] konsequent genutzt hat und das Risiko des Eklats bewußt einging, scheint mir außer Zweifel zu stehen. Er hatte die ganze Tradition einer in allen Kreuz- und Winkelzügen erfahrenen Gattung hinter sich und konnte für sich in Anspruch nehmen, daß er es keineswegs so weit getrieben habe wie in seiner Zeit Bierbaum oder Wolzogen mit ihren Schlüsselromanen. Kritisch-analytische Literatur ist zudem kaum je vom Vorwurf des „Nestbeschmutzens" frei geblieben; der Alternative: lübisches Städtelob oder idyllisierende Heimatkunst um 1900 wäre dieser Vorwurf wohl erspart geblieben.

Daß sich dieses Lesemodell, das seinen Lesereiz aus der genauen Kenntnis bestimmter Vorgänge und Situationen zieht, über den lübischen Skandal hinaus bis heute fortsetzt, zeigt sich am breiten Interesse, das nicht nur in der Forschung den Quellenpublikationen entgegengebracht wurde. Man denke hier nur an den Reiz des faksilimierten Familienbuchs der Manns, an den Reiz eines Besuchs in Lübeck, an den verhaltenen Stolz, den die Stadt heute auf ihren großen Sohn und Ehrenbürger hegt und zur Schau stellt. Das Interesse an diesem Lesemodell im weiteren Sinne zeigt sich auch in Werken der Gattung „Life and Letters" bzw. „Briefe und Selbstzeugnisse", in denen Kontexte und jeweiliges Werk zusammengestellt sind.

## III

Die bisher betrachteten Lesemodelle bewegen sich noch im engeren literaturhistorischen Raum. Dies gilt auch für einen Vorschlag, den Heinrich Böll im Rahmen seiner Frankfurter Vorlesungen zur Poetik machte; im „Gegeneinanderstellen" von Texten — zum Beispiel von Essensdarstellungen in der europäischen Literatur — versuchte er, zu einem größeren „Kontext", zu einer „Ästhetik des Humanen" zu kommen[13]. Ein Textbeispiel wählte er aus den „Buddenbrooks" (die Essensdarstellung im 5. Kap.), ein anderes aus Stifters „Nachsommer". Sein Kommentar zur Gegenüberstellung dieser Texte lautete wie folgt:

„Solche Aufzählung von Ingredienzien, Gängen, sinnlicher Genüßlichkeit ist selten, setzte wohl auch jenes hanseatische Selbstvertrauen und Selbstbewußtsein, unangefochtene Bürgerlichkeit voraus, den der Text des Romans ‚Die Buddenbrooks' als ganzer widerlegt. Das ist schon weit entfernt von Stifter, bei dem von Ingredienzien und Genuß wenig, von der Förmlichkeit und dem Geist gemeinsamer Mahlzeiten viel zu finden ist[14]."

Von der Problematik dieses „Selbstvertrauens" war bereits die Rede. Wie aber kann, wenn nicht im banalen Sinne des Ausgangs der Geschichte — so ist die Frage —, jene Widerlegung im Text selber dargetan werden? Das folgende Lesemodell setzt nicht nur genaue Lektüre, sondern ebenso auch Kontextkenntnisse voraus, die allerdings nicht mehr aus dem sogenannten literarischen Raum stammen. Bekannt ist, daß sich Thomas Mann die Rezepte für die Schilderung der Mahlzeiten bei der Mutter ausbat. Mangels des Originals habe ich mich diesbezüglich in einem bekannten zeitgenössischen Kochbuch „Zur Stütze der Hausfrau" — kurz „Die Stütze" genannt — umgesehen. Ich beziehe mich im folgenden auf „Karpfen in Rotwein". Im Roman ist das Rezept so wiedergegeben:

„Die Damen waren dem Disput nicht lange gefolgt. Madame Kröger führte bei ihnen das Wort, indem sie in der appetitlichsten Art die beste Manier auseinandersetzte, Karpfen in Rotwein zu kochen . . . ‚Wenn sie in ordentliche Stücke zerschnitten sind, Liebe, dann mit Zwiebeln und Nelken und Zwieback in die Kasserolle, und dann kriegen Sie sie mit etwas Zucker und einem Löffel Butter zu Feuer ... Aber nicht waschen, Liebste, alles Blut mitnehmen, um Gottes willen ...[15]' "

Der Blick in die Stütze bestätigt das gesagte, füllt aber auch die ganz dezent durch Punkte im Text angedeuteten Lücken. Ausgelassen ist „Das Schlachten der Fische":

„Soll Blut in etwas Essig, Bier oder Wein aufgefangen werden, so trenne man das Rückgrat vom Kopf durch einen Schnitt und mache noch einen kleinen Querschnitt nach. Oder man steche mit dem Küchenmesser durch den Unterkiefer nach oben in das Maul[16]."

Das etwas unerwartete „zu Feuer kriegen" erklärt sich übrigens leicht, wenn man weiß, daß frisch getötete Karpfen — selbst in „ordentliche Stücke" zerlegt — sich oft noch ganz lebendig benehmen. In der Tat: Madame Kröger versucht es „auf die angenehmste Art". Die Oberfläche ästhetisch schönen Scheins wird allerdings durch den Kontext widerlegt; des Autors Auslassungen signalisieren diese Widersprüchlichkeit. Es wäre ein psychologisches Thema, dieser doppelten Textmitteilung nachzugehen.

## IV

Andere Lesemodelle betreffen Kontexte, in denen gesellschaftliche Normen, Konventionen und deren Entwicklung präsent gemacht sind.

Zunächst ist auf Form und Inhalt der Briefe im 10. Kapitel des 3. Teils einzugehen. Es ist zu fragen, inwieweit hier nicht der Kontext der üblichen Briefstellerei zur Klärung der textlichen Mitteilung vorausgesetzt werden muß. Bei der Prüfung dieser Hypothese ergibt sich folgendes: Der Brief von Bendix Grünlich ist im Sinne der Briefnormen des 19. Jahrhunderts perfekt; er entspricht durchaus den Konventionen[17]. Diese Konventionen erweisen sich jedoch — nicht nur im Roman — als problematisch, da historisch geschichtet. Die historische Schichtung läßt sich an der Reaktion der beiden Empfänger — des direkten und des indirekten — ausmachen. Tony reagiert (bereits) wie dies bei einem heutigen „modernen" Leser erwartbar ist: „er macht sich ja lächerlich[18]." Der Vater dagegen nimmt den Brief und den in ihm enthaltenen Antrag — damit auch seine besondere Form — durchaus ernst. Mehr noch: sein Brief an Tony, insbesondere die ersten Zeilen, entsprechen der gleichen Briefnorm, die Grünlich befolgt:

„Dein Schreiben ist mir richtig geworden. Auf seinen Gehalt eingehend, teile ich Dir mit, daß ich pflichtgemäß nicht ermangelt habe, Herrn Gr. über Deine Anschauung der Dinge in geziemender Form zu unterrichten; [...]“[19]

Der Vater scheidet sehr sorgfältig zwischen „Gehalt“ und „geziemender Form“; letztere hat Tony in ihrem Brief — der durchaus moderner Briefnorm entsprechen könnte — seiner Ansicht nach nicht gewahrt. Geziemend dagegen — im Gegensatz zu Tonys Protest — ist die Reaktion Grünlichs auf deren Ablehnung:

„Herr Gr. nämlich brach bei meinen Worten in Verzweiflung aus, indem er rief, so sehr liebe er Dich und so wenig könne er Deinen Verlust verschmerzen, daß er willens sei, sich das Leben zu nehmen, wenn Du auf Deinem Entschlusse bestündest[20].“

Grünlich hat mit seinem Pathos-Einsatz (dessen fataler Realitätsbezug später deutlich wird) beim Vater vollen Erfolg. Die Tochter fügt sich mit Rücksicht auf die „Firma“, was „um 1900“ durchaus noch aktuell ist; sie gibt Morten auf und heiratet Grünlich. Erst ex post erweist sich der „Unterlegene“ als der solidere, letztlich überlegenere.

An dieser Stelle wird es aber notwendig, die Kontexte auch für die Gespräche, die nur scheinbare Verständigung Tonys mit Morten aufzusuchen. Die Fischerhaus-Szenen sind nämlich gleichzeitig so „literarisch“ und „politisch“, daß auch sie in ihrer historischen Dimension begriffen werden müssen. Sätze wie:

„Sie schwiegen lange, indes das Meer ruhig und schwerfällig zu ihnen heraufrauschte ... und Tony glaubte plötzlich einig zu sein mit Morten in einem großen, unbestimmten, ahnungsvollen und sehnsüchtigen Verständnis dessen, was ‚Freiheit‘ bedeutete[21].“

sie scheinen auf den ersten Blick trivialisierter Heine zu sein, wären nicht die Beziehungssignale der Auslassungen, der Nachsatz und wieder die Punkte — übrigens ganz im Sinne Heines — als Dementi der „Nordsee-Stimmung“ angelegt. Es folgt im Text, mit der Aufgabe Mortens durch Tony, die Desillusionierung der scheinbaren Einigkeit. Nicht „Morten“ (als allegorische Figur betrachtet) sondern „Grünlich“ gewinnt. Aber auch dessen konventionelles Pathos wird als hohl widerlegt. „Grünlich“ wäre gesellschaftshistorisch zu begreifen als Allegorie auf den Nachmärz und eine hohle Restauration. Über beide Figuren — so die konstruierbare Textmitteilung — ist der Gang der Geschichte längst hinweggegangen. Daß Thomas Manns „allegorische“ Darstellung von erstaunlicher Präzision ist, zeigt der Vergleich mit kompendiösen Darstellungen der Motive der Revolution von 1848 in Deutschland und ihres Scheiterns. An anderen Stellen wäre dieses Lesemodell der historisch-gesellschaftlichen „Allegorie“ weiter zu belegen.

Eine dieser allegorischen Figuren ist hier noch zu nennen; sie trägt den sprechenden Namen „Permaneder“. Sein Verhalten ist in der Ansicht lübischer Kaufleute gänzlich unmöglich; er ist ein Gegenmodell zu der um 1900 von Max Weber idealtypisch herausgearbeiteten „protestantischen“ Erwerbsgesinnung[22]. Webers Analysen geben so für Thomas Manns Roman einen aufschlußreichen „Kontext“ ab.

## V

Ein letztes Lesemodell, das hier angesprochen werden soll, ergibt sich durch den Einbezug philosophischer Kontexte. Ich wähle zu seiner Exemplifizierung eine in der Forschung vieldiskutierte Stelle, das sogenannte „Schopenhauer“-Kapitel nämlich, in dem der philosophische Kontext im Text selbst aufgerufen wird. Der Aufruf des Kontextes ist nur leicht chiffriert: „der zweite Teil nur eines berühmten metaphysischen Systems“, genauer „Über den Tod und sein Verhältnis zur Unzerstörbarkeit unsers Wesens an sich.“, also Kapitel 40 des zweiten Bandes von Schopenhauers „Die Welt als Wille und Vorstellung“ (Ergänzungen zum vierten Buch)[23]. Die genauere Prüfung dieses Kontextes ergibt eine eigentümliche Differenz zwischen dem im Kontext mitgeteilten Gedanken der Palingenesie und dem „Erlebnis“ Thomas Buddenbrooks. Der fiktive Leser Thomas rezipiert aufgrund eines speziellen Lesemodells nur sehr partiell; entscheidend für seine Rezeption dieses Textes ist nicht das „Was“, sondern das „Wie“. Der in vielerlei Varianten vorgetragene, umständlich abgesicherte Gedanke des „Großen Weisen“ hat die Wirkung des „Überwältigtseins“; mit ihm wird ein ekstatisches Erleben verknüpft:

> „Und siehe da: plötzlich war es als wenn die Finsternis vor seinen Augen zerrisse, wie wenn die samtne Wand der Nacht sich klaffend teilte und eine unermeßlich tiefe, eine ewige Fernsicht von Licht enthüllte . . .“[24]

Die Lektüre wird geschildert als mystisches Erlebnis — in der Beschreibungstradition mystischer Erlebnisse. „Und siehe da: plötzlich war es“ — kündigt Engelserscheinungen an. Das „Zerreißen der Finsternis“, die Erscheinungen der „unermeßlichen Tiefe“, der „Fernsicht von Licht“ — diese Formulierungen lassen sich ohne größere Mühe seit Augustin, bei Meister Eckhart, bei Tauler, bei Seuse, bis hin zu Geistlichen Tagebüchern im 20.

Jahrhundert verfolgen. Auch hier läßt sich von einem spezifischen Kontext um 1900 sprechen: einer breiten Reaktualisierung mystischen Gedankenguts seit 1900[25].

Thomas Mann operiert also — wie so oft — mit vorgeprägtem literarischen Material, nutzt traditionalisierte Beschreibungsmuster. Die Pointe, die sich aufgrund dieser Kontexte ergibt, dürfte wohl darin liegen, daß auch hier Thomas Mann die Konvention textlich dementiert, gerade weil er sie in ritualisierter Form benutzt.

Mit Hilfe Schopenhauers — eines sehr speziell rezipierten Schopenhauers — bringt er Thomas „zu Tode". Das schlechthin Absolute wird zum Erzähldetail; Thomas' Tod ist denn auch exakt gegen das von Schopenhauer am Schluß des Kapitels angesprochene Sterben des Weisen angelegt. Statt Schopenhauers „Frieden und der Beruhigung auf dem Gesicht der meisten Toten"[26] erscheinen Thomas' Mundwinkel im Tode „mit beinahe verächtlichem Ausdrucke nach unten gezogen". „Sein Gesicht war stellenweise zerschunden." Solche Stellen dementieren den Kontext; andererseits sind sie aber auch gerade durch den Kontext mehr als bloße Zufälligkeiten der Beschreibung geworden. Ähnliches gilt von Beschreibungsdetails vom Tode der Konsulin und vom Tode Hannos, die zur Bestätigung des Ansatzes beigezogen werden können.

## VI

Nach Art des Liedes: „Ein Omnibus fährt durch die Stadt" ließen sich noch eine Reihe von Lesemodellen anführen; sicher ließen sich auch Konsequenzen aus den bereits gegebenen ziehen. Es ließe sich auch, wie ich es jeweils angedeutet habe, eine Typisierung von Lesemodellen nach der Art der jeweils verwandten Kontexte vornehmen: Selbstaussage des Autors, literaturhistorische Probleme, Gattungsfragen, „außerliterarische" Kontexte, gesellschaftshistorische Probleme, philosophiehistorische Fragestellungen usw. Hinweise auf mögliche Kontexte — in größter Zahl, Vollständigkeit und Genauigkeit — lassen sich in der umfangreichen Thomas-Mann-Literatur finden. Gerade die einläßliche Nutzung und kritische Sichtung der Sekundärliteratur bestätigt das Konzept des „Lesemodells" in sinnvoller Weise. Nur sind die Erkenntnisse der Sekundärliteratur nicht als gesicherter Besitz — statisch also — zu betrachten, sondern vielmehr kritisch-historisch, als Dokumente der Rezeptionsgeschichte.

Eine ziemlich grobe Übersicht über den Wandel der Dominanzen in der Literaturgeschichte — die gewiß noch zu verfeinern wäre — bietet etwa folgendes Bild:

Noch vor dem ersten Weltkrieg — in der ersten Phase der Rezeption — werden vor allem Fragen der literaturhistorischen Einordnung, Gattungsfragen, Fragen der Erzähltechnik, aber auch Fragen nach der sogenannten „Realität" von Gestalten und Verläufen im Roman diskutiert.

Erst in den 20er Jahren treten gesellschafts- und philosophiehistorische Probleme in größerer Zahl in der Sekundärliteratur auf: Dekadenz, Ende des Bürgertums, Psychologie — alles Probleme, deren Kontexte relativ genau zu bestimmen sind.

Eine dritte Phase — grob nach dem zweiten Weltkrieg anzusetzen — bezieht sich wieder vornehmlich auf Fragen der Romantechnik, aber auch auf „Quellen", auf Gestalten und Bezüge, auf historische und soziale Hintergründe und — in besonderem Maße — auf sprachliche und stilistische Aspekte des Werkes[27].

Die kritische Sichtung der Sekundärliteratur als Dokumente der Rezeption stellt sie also ein in Rezeptionsgeschichte; sie wertet sie nach ihrer Plausibilität; sie erkennt aber auch ihren oft hasardeurhaften Umgang mit Kontexten, bei dem diese vielfach lediglich postuliert werden. Oft müssen solche unausgewiesenen Kontexte zunächst einmal eruiert werden. Interpretationen werden in ihrem Gültigkeitsanspruch eingeschränkt, aber dennoch keineswegs als beliebige Aussagen über Texte disqualifiziert. Als „beliebig" sind sie erst anzusehen, wenn sie — bei der Betrachtungsweise als Lesemodelle — nicht mehr sinnvoll über Kontexte einzulösen sind. An dieser Stelle muß dann die kritische Frage nach der Funktion solcher „Interpretationen" einsetzen.

## ANMERKUNGEN

1. Zur Frage von Rezeption und Verstehen vgl. u. a. Arbeiten von Gadamer, Iser, Jauss, Weimann und Weinrich; zu Fragen der Textlinguistik: K. Brinker, *Aufgaben und Methoden der Textlinguistik*, in: Wirkendes Wort 21 (1971), S. 217—237 sowie: W. Dressler. *Einführung in die Textlinguistik*, Tübingen 1972; zur Problematik der kommunikativen Differenz (d. i. die Frage des historisch und aktuell verschiedenen Verstehens von Texten) zusammenfassend: H. F. Plett, *Text und kommunikative Differenz*, in: Die neueren Sprachen (1974), S. 31—47 (mit weiterführenden Literaturangaben).

2. Der Terminus stammt aus: R. Ingarden, *Das literarische Kunstwerk*, 3. Aufl., Tübingen 1968, S. 261—270. Vgl. dazu auch: W. Iser, *Die Appellstruktur der Texte. Unbestimmtheit als Wirkungsbedingungen literarischer Prosa*, Konstanz 1970. Hier ist der Begriff aber mehr „immanent" gefaßt; er gilt als Hinweis auf „Literarizität".

3. vgl. den Forschungsüberblick bei: Christa Bürger, *Textanalyse als Ideologiekritik. Zur Rezeption zeitgenössischer Unterhaltungsliteratur*, Frankfurt/M. 1973. Schon vom Gegenstande her bleibt hier allerdings die historische (literaturhistorische) Dimension ausgespart.

4. vgl. die Bibliographien von: Harry Matter, *Die Literatur über Thomas Mann. Eine Bibliographie. 1898—1969*, 2 Bde., Berlin/Weimar 1972, und K. W. Jonas, *Die Thomas-*

*Mann-Literatur. Bd. I Bibliographie der Kritik 1896—1955*, Berlin 1972. Zur ‚Thomas Mann-Forschung' auch den Forschungsbericht von H. Lehnert, Stuttgart 1969. Dazu: G. Beck, *Fiktives und Nicht-Fiktives. Bemerkungen zu neueren Tendenzen in der Thomas-Mann-Forschung.* in: *studi germanici* (nuova serie) IX, 3 (1971), S. 447—476.

5. E. Lämmert, *Thomas Mann ‚Buddenbrooks'*, in: B. v. Wiese (Hrsg.), *Der Deutsche Roman. Vom Barock bis zur Gegenwart*, Bd. 2, Düsseldorf 1963, S. 190—233; 434—439.

6. Th. Mann, *Buddenbrooks*, in: *Ges. Werke* Bd. I, Frankfurt/M. 1960, S. 9.

7. Zur religionsgeschichtlichen Problematik bzw. „Inanspruchnahme" vgl. in der Bibliographie von Harry Matter die Nummern 4832, 4834, 4835, 4855, 4916, 4922, 4937, 4948.

8. zitiert nach: Walther Rehm, *Prinz Rokoko im alten Garten. Eine Eichendorff-Studie*, zuerst in: *Jahrbuch des Freien Deutschen Hochstifts 1962*, hrsg. v. Detlev Lüders, Tübingen 1962, S. 97—207.

9. Joseph v. Eichendorff, Historisch-Kritische Ausgabe. Hrsg. v. A. Sauer u. W. Kosch, Bd. 10. S. 383 ff. Zuerst Regensburg 1866. Ähnlich kritisch dem Neo-Rokoko gegenüber sind die Positionen Heinrich Heines (*Der Doktor Faust. Ein Tanzpoem*, 1847), Friedrich von Sallets, Franz von Gaudys, Hoffmann von Fallerslebens, die sich alle in den Jahren von 1836—1841 an der Rokoko-Polemik beteiligten, d. h. genauer gesagt: sie wandten sich in der Zeit der Polemik gegen ein künstliches Aufleben des „ancien régime". Für den Bereich der dramatischen Poesie vgl. Heinrich Laubes *Rokoko oder Die alten Herren* von 1842, in dem recht wirksam die gleiche Problematik aufs Theater gebracht ist. Vgl. hierzu: A. Anger, *Literarisches Rokoko*, Stuttgart 1962, S. 1 f.

10. vgl. vor allem Th. Manns Aufsatz *Bilse und ich*, in: *Ges. Werke* Bd. X, Frankfurt/M. 1960, S. 9. (zuerst veröffentlicht 1906)

11. Zitiert nach: *Thomas Mann, Heinrich Mann. Briefwechsel 1900—1949*, Frankfurt/M. 1968, S. 296.

12. „Aber der *Reiz* — ich drücke es ganz frivol aus — des Individuellen, Metaphysischen ist für mich nun einmal unvergleichlich größer." — In: Brief an Julius Bab vom 23. 4. 1925. — Zitiert nach: *Thomas Mann. Briefe 1889—1936*, Frankfurt/M. 1961, S. 238 f. Der Brief bezieht sich auf den ‚Zauberberg'; den Bezug auf die ‚Buddenbrooks' hat Hans Wysling hergestellt. Hier findet sich die Verknüpfung des sehr Persönlichen mit dem absoluten Anspruch von Metaphysik — ein sehr wirksames Lesemodell.

13. Heinrich Böll, *Frankfurter Vorlesungen*, Köln/Berlin 1966, S. 72.

14. Böll, aaO, S. 91.

15. *Buddenbrooks*, aaO, S. 31.

16. Hedwig Dorn (i. e. Hedwig Dormeyer), *Zur Stütze der Hausfrau*, Berlin 1909, Rezept Nr. 389. Vgl. dazu auch: Paul Scherer, *Thomas Manns Mutter liefert Rezepte für die Buddenbrooks*, in: *Libris et litteris. Festschrift für Hermann Tiemann*, Hamburg: Maximilian-Gesellschaft 1959, S. 325—337.

17. vgl. dazu: D. Brüggemann, *Vom Herzen direkt in die Feder. Die Deutschen in ihren Briefstellern*, München 1968, bes. S. 53 f.

18. *Buddenbrooks*, aaO, S. 147.

19. *Buddenbrooks*, aaO, S. 148.

20. *Buddenbrooks*, aaO, S. 148.

21. *Buddenbrooks*, aaO, S. 142.

22. Max Webers Abhandlung *Die protestantische Ethik und der Geist des Kapitalismus* wurde 1903 begonnen und zuerst 1905 publiziert. Die *Gesammelten Aufsätze zur Religionssoziologie*, Bd. 1 erschienen 1920/21 in Tübingen.

23. Arthur Schopenhauer, *Sämtliche Werke* Bd. II. Hrsg. v. W. v. Löhneysen, Stuttgart/Frankfurt/M. 1961, S. 590—651.

24. *Buddenbrooks*, aaO, S. 656.

25. vgl. u. a.: Martin Buber, *Ekstatische Konfessionen*, Jena 1909; sowie: Renate von Heydebrand, *Die Reflexionen Ulrichs in Robert Musils Roman „Der Mann ohne Eigen-*

*schaften". Ihr Zusammenhang mit dem zeitgenössischen Denken,* Münster 1966. (= Münstersche Beiträge zur deutschen Literaturwissenschaft. 1.)

26. Schopenhauer, aaO, S. 650.

27. Daß bei dieser Übersicht das Schlagwortsystem der Bibliographie von Harry Matter „durchschlägt", hat natürlich auch seine Problematik, die ich nicht verschweigen möchte. So könnte sich — aus anderer Sicht — die Unterbewertung problemgeschichtlicher Arbeiten in der dritten Phase aus der Optik des Bibliographen ergeben.

RENATE WERNER

# „Cultur der Oberfläche". Anmerkungen zur Rezeption der Artisten-Metaphysik im frühen Werk Heinrich und Thomas Manns

## I.

Die Nietzsche-Thematik im Zusammenhang mit Heinrich und Thomas Mann aufzugreifen, mag kaum als ein sonderlich originelles Unterfangen erscheinen: Hinweise auf diesen Komplex fehlen in so gut wie keiner Abhandlung zum literarischen Werk der Brüder, und besonders für Thomas Mann besitzt die These von der frühen, folgenreichen und andauernden Wirkung Nietzsches die Qualität eines beinahe unumstößlichen ‚Lehrsatzes'. Nicht um dessen erneute Bestätigung ist es mir zu tun, wohl aber um eine Nuancierung. Denn als ein solcher ‚Lehrsatz' gilt auch Thomas Manns Distanz zu den ästhetizistischen Varianten der Nietzsche-Rezeption der Jahrhundertwende[1], wobei man sich durchweg von den zahlreichen Selbstzeugnissen und Selbstdarstellungen hat leiten lassen, in denen der Autor stets bereitwillig Auskunft über sein Verhältnis zu dem Philosophen gegeben, immer aber betont hat, mit der „Mode- und Gassenwirkung" Nietzsches, „allem [. . .] Übermenschenkult, Cesare Borgia-Ästhetizismus, aller Blut- und Schönheitsgroßmäuligkeit" niemals zu schaffen gehabt zu haben und ein Schüler des Ethikers und Moralisten Nietzsche gewesen zu sein, — ja mehr noch, Nietzsche ‚verbürgerlicht' zu haben (XI, 109 f)[2].

Thomas Manns Polemik gegen den „unzweifelhaft auf Nietzsches Lebens-Romantik zurückgehenden Ästhetizismus", welcher, wie er rückschauend meinte, „zur Zeit [seiner] Anfänge in Blüte stand" (XII, 539), hatte bekanntlich mit dem „Göttinnen-"-Roman seines Bruders Heinrich eingesetzt, einem Werke, das er schon 1903 schlicht als „Blasebalgpoesie" qualifizierte, „die uns seit einigen Jahren aus dem schönen Land Italien eingeführt wird", hinzufügend, es sei nichts mit dem „was steife und kalte Heiden ‚die Schönheit' nennen"[3]. Doch nicht nur die Tonlage, die in den „Betrachtungen eines Unpolitischen" selbst schrille Klänge nicht scheute — man denke an Wendungen wie die von den „nüchterne[n] Schönheits-festivitäten, Romane[n] voll aphrodisischer Pennälerphantasie, Kataloge[n] des Lasters, in denen keine Nummer vergessen war", die er den „von Nietzsche herkommenden" Ästheten à la Heinrich Mann zuschrieb (XII, 539) — fordert Mißtrauen heraus. Es muß gleichermaßen nachdenklich stimmen, wenn Thomas Mann stets für sich in Anspruch genommen hat (und dies gilt nicht nur für seine Nietzsche-Rezeption), nie aktuellen modischen Trends innerhalb der zeitgenössischen literarischen Bewegung unterlegen zu sein, unter welchem Aushängeschild sie auch immer firmierten (vgl. XI, 311).

Welche Gründe Thomas Mann schon relativ früh bewogen, seine geistige Entwicklung und Biographie im Sinne einer in bürgerlich-klassisch-humanistischer Tradition stehenden Dichterlaufbahn zu stilisieren, kann hier nicht diskutiert werden. Doch besteht für den Literaturhistoriker kein Anlaß, solchen Stilisierungen zu folgen und auf die Frage nach den Verflechtungen eines Autors mit dem zeitgenössischen Kontext — dem synchronen literarisch-ästhetischen wie auch sozio-kulturell-geschichtlichen Bezugssystem — zu verzichten und also auch davon abzusehen, die aus dem aktuellen Kommunikationshorizont der Zeit erwachsenden Reaktionen, Übernahmen und Transformationen präzis zu beschreiben. Nicht traditioneller ‚Einflußphilologie' sei damit das Wort geredet, vielmehr die Forderung aufgestellt, als wesentlich mitprägende Faktoren die jeweiligen produktions- und wirkungsästhetischen Ausgangsbedingungen eines Werkes (oder einer Werkreihe) zu analysieren und damit dessen (oder deren) kontextuell gebundene Tiefenschichten freizulegen, auch dort wo diese dem Text nicht explizit, sondern vermittelt gegenwärtig sind[4]. Solchen Fragen hat man — wie ich meine — gerade auch das Frühwerk Thomas Manns in noch viel zu geringem Maße ausgesetzt. Dabei wären sie im Hinblick auf die Anfangssituation des Schriftstellers Thomas Mann, auf jene Phase also, in der der junge Literat erst begann, eine autorspezifische Sprache zu entwickeln, von aufschließender Bedeutung: Wird man doch generell davon auszugehen haben, daß ein poetisches System sich nicht in isoliert-individualistischer Abgeschlossenheit herausbildet, sondern — zunächst — in der Auseinandersetzung mit dem aktuellen literarischen Sub-System (in diesem Falle dem vor und um 1900)[5], präziser formuliert: in der Aneignung und Transformation des textuell gebundenen ästhetischen Kode der Zeit[6], der literarisch aktuellen Techniken und Schreibweisen, der möglichen Themen, schließlich der Reflexion der aus dem Sozialsystem erwachsenden aktuellen Zeitfragen, usw. Alle benannten Aspekte müssen als zwar nicht determinierende, wohl aber mitbedingende Anfangsvoraussetzungen einer ersten Orientierungs- und Schreibphase angesehen werden, auf deren Basis allererst ein spezifisches und beziehungsreiches poetisches System entstehen kann, das sich durch neu hinzukommende Lektürehorizonte, die Evolution des literarisch-ästhetischen Normenkanons, Veränderungen im sozial- und gesamtgeschichtlichen Kontext einerseits festigt und Kontur erlangt, wie andererseits auch fortwährend Modifikationen unterworfen ist. Würde die Thomas-Mann-Forschung sich — wenigstens partiell — weniger von der Vorstellung der Dichter-Individualität und dem chronologischen Faden der Werkreihe, vielmehr stärker von der These der obligatorischen Eingebundenheit von Autoren und ihren Texten in das synchrone Bezugssystem einer Zeit leiten lassen, so könnte die von Thomas Mann gepflegte Aura des individualistischen Nonkonformismus auf ihren realen Grund geführt werden.

Doch lassen sich für eine solche Orientierung des Fragehorizontes vorerst nur wenige Ansätze erkennen[7], — was dazu geführt hat, daß zum Beispiel Bezüge Thomas Manns zu wichtigen literarischen Strömungen des Fin de siècle wie etwa zum Symbolismus oder den Theorien eines l'art-pour-l'art noch wenig geklärt sind[8]. Und selbst die schon so oft ausgeleuchtete Nietzsche-Rezeption kann noch nicht als in allen Punkten aufgehellt gelten[9].

Wer — hypothetisch zunächst — in Frage zu stellen beginnt, was Thomas Mann über sein Verhältnis zu einer auf Nietzsches Lebensphilosophie sich berufenden Weltanschauung immer wieder vorgebracht hat, der entdeckt in der frühen Novellistik allenthalben Nietzsche-Reminiszenzen in Zusammenhängen, die in dieser Hinsicht durchaus nicht auf eine sonderlich kritische oder distanzierte Perspektive hindeuten. Die spätere unermüdlich wiederholte Polemik gegen die Formen eines „Renaissance-Nietzscheanismus" läßt erkennen, daß es offenbar bestimmte Transformationen der Nietzsche-Adaption waren, die seine Kritik hervorriefen, und überdies nur zu deutlich, um wen es sich handelte, der seinen so massiven Unwillen auf sich konzentrierte. Dies wiederum hätte schon lange sehr viel stärker die Schlüsselposition ins Bewußtsein heben müssen, die in der Frage der Stellung Thomas Manns im literarischen Sub-System um 1900 zweifellos dem Bruder Heinrich zukommt, der schon früh ganz bewußt den Anschluß an die wesentlichen Theorien der Avantgarde des Fin de siècle gesucht und für den Jüngeren in nicht wenigen Fällen die Vermittlerrolle übernommen hatte[10]. Sieht man die Brüder in ihrer Frühphase zusammen (d. h.: nicht in wechselseitiger ‚Abhängigkeit' voneinander, sondern gemeinsam eingebunden in den ästhetischen Kommunikationshorizont der Zeit), so zeigt sich, daß sie beide nicht nur in wesentlichen gemeinsamen Voraussetzungen gründen, sondern auch Sprachgestus und Repertoire der literarischen Bohème der Jahrhundertwende beherrschen und in ihm Selbstverständigung suchen. Als sozialgeschichtliche Folie ihrer intellektuellen Biographie hat jene weitgehend ästhetisch-individualistische Revolte zu gelten, die sich als Grundhabitus der literarischen Intelligenz seit dem Ende der achtziger Jahre immer wieder ausmachen und auf dem Hintergrund des durch einen tiefgreifenden Strukturwandel ausgelösten Krisenbewußtseins im bürgerlichen Selbstverständnis analysieren läßt, das den Prozeß der Umbildung der bürgerlich-liberalen in die industrielle Gesellschaft des späten 19. Jahrhunderts in Deutschland begleitete[11]. Daß die literarische Avantgarde der späten achtziger und beginnenden neunziger Jahre (selbst die Naturalisten vollziehen in dieser Zeit eine bezeichnende Wendung[12]) sich als die Vorkämpfer einer „wahrhaften Geistesaristokratie“ verstand, „Sehnsucht nach Höhe“, „die Vergötterung des Individualismus bis zur Tollheit“ und die Verachtung der „Herde, der Masse“[13] proklamierte, wird niemanden wunder nehmen, der sich vor Augen hält, eine wie zentrale Rolle insbesondere seit der Gründerzeit und der anschließenden Phase der sogenannten „Großen Depression“[14] eine elitäre Kulturkritik als oppositive Denkmöglichkeit angesichts der damals in Deutschland erstmals in aller Schärfe zutage tretenden Probleme einer sich etablierenden Industriegesellschaft im Schwange waren, wobei hinzuzufügen ist, daß es sich durchweg um Spielarten einer konservativen, gegen den ideell-ideologischen wie sozial-institutionellen Prozeß einer allmählichen Demokratisierung gerichteten Kultur-Kritik handelt[15]. Daß in diesem Zusammenhang Nietzsches Polemik gegen das „Zeitalter der Massen“[16], seine Forderung nach einem „neuen Adel, der allem Pöbel [...] Widersacher ist“[17], als Berufungsinstanz und Orientierungsmaßstab zu gelten hat, wird bei auch nur flüchtigem Durchmustern der literarisch-ästhetischen Programmschriften und Literaturzeitschriften der Epoche deutlich, und zwar nicht selten unabhängig von der jeweils proklamierten literaturtheoretischen Richtung. Bezeichnend dabei ist, daß Nietzsches — freilich in mythische Formen gekleidete — Kritik der bürgerlichen Gesellschaft in ihrer Radikalität und Tiefenschärfe durchweg nicht wahrgenommen und nur deren Oberfläche als Rechtfertigung des eigenen Geniekultes adaptiert wird. Für Einsichten in eine notwendige Funktionsveränderung von Kunst, sollte sie nicht sehenden Auges gleichwohl mit Blindheit geschlagen sein, blieb auf solchem Hintergrund nur selten Raum.

Die Brüder Mann unterscheiden sich in ihrer Anfangsphase hier kaum von der literarischen Intelligenz der Jahrhundertwende: ihre frühe Nietzsche-Rezeption[18] gewinnt ihre entscheidenden Antriebe aus dem Bewußtsein genialischer Ausnahmeexistenz, dem Anspruch geistiger Nobilität und einem elitären Pathos bewußter Anti-Gesellschaftlichkeit. — Beide haben gleichermaßen an einem weiteren zentralen Denkmotiv des ästhetischen Normensystems der literarischen Moderne um 1900 teil: der bewußten „Hypostasis der Ästhetik zur alleinigen Metaphysik“[19], einer Theorie der Kunst als einer neuen, den Zwangsmechanismen und der Häßlichkeit des banalen Lebens enthobenen, das Dasein überhöhenden bzw. deutenden Wirklichkeit. Heinrich Mann schloß sich dabei im übrigen strikter als Thomas Mann oder auch andere Autoren der Jahrhundertwende in Deutschland (mit Ausnahme Stefan Georges) der Doktrin eines l'art-pour-l'art an, wie sie sich seit 1830 in Frankreich ausgebildet und u. a. in der Kunstlehre der Parnassiens und den kunsttheoretischen Reflexionen Flauberts niedergeschlagen hatte. Wahrscheinlich gehörte Heinrich Mann zu den ersten deutschen Lesern der zwischen 1887 und 1893 erstmals erschienenen vierbändigen Ausgabe der „Correspondance" Flauberts. Was ihn an Flaubert faszinierte, war die kompromißlose Radikalität seiner ästhetischen Anschauungen und die Schärfe seines Hasses auf die Bourgeoisie: Heinrich Mann entdeckt in den Idiosynkrasien Flauberts gegen die universale bürgerliche Ideologie (mit den Worten Flauberts: die „bêtise bourgeoise") die eigenen und steigert sie — wie dieser — zum Mythos[20], aus ihm die Antriebskräfte zu schockierend-satirischer Gestaltung ebenso gewinnend wie die Imagination eines in der absoluten Kunst aufgerichteten Gegenbildes. Der Heinrich Mann dieser Epoche hatte sich Flauberts Glaubenssatz „[...] il faut se créer un autre monde, en dehors de la nature: l'Idéal console du Réel"[21] uneingeschränkt zu eigen gemacht und war darin denen gefolgt, die den Naturalismus als „Kunstideal des modernen Pöbels"[22] radikal ablehnten und — wie z. B. Hermann Bahr — auf Flaubert und dessen artistische Maximen ‚schworen'[23]. Die satirischen Verschärfungen der antibürgerlichen Affekte und der Gesellschaftskritik, die Steigerung der Satire zur Groteske wie sie sich in den Jahrhundertwende-Romanen Heinrich Manns spiegeln, entspringen (so stellte der einsichtsvolle Kritiker Samuel Lublinski schon früh fest[24]) nichts weniger als einem sozial-ethischen Engagement, sondern sind Resultate einer Desillusionierungsabsicht, die aus dem Bewußtsein einer unüberbrückbaren Kluft zwischen dem vorgestellten Ideal eines absoluten Schönen und der Wirklichkeit erwächst.

Was nun Thomas Mann betrifft, so hat er frühe, nicht zuletzt wohl aus dem Dialog mit Heinrich Mann erwachsene Affinitäten zu künstlerischen Prinzipien und ästhetischen Theorien der literarischen Avantgarde um 1900 später gleichfalls zu verschleiern oder für irrelevant zu erklären versucht. Doch wenn er — um einige Beispiele zu erwähnen — den „Buddenbrooks" ein Motto voranzusetzen beabsichtigte, das nicht nur als artistisch-ästhetizistischer Platen/Schopenhauer-Reflex zu lesen ist, sondern auch vollkommen den weltanschaulichen Hintergrund der ästhetischen Prinzipien von „impassibilité" und „impersonnalité" bei Flaubert reflektiert (XII, 191), wenn er sich noch zwischen 1904 und 1909 mehrfach zu dessen Schaffensethos bekannte und den geistesaristokratisch-exklusiven Rang der Kunst und die Notwendigkeit, „schön“ zu schreiben, betonte[25], dann sollten Zweifel an späteren Stilisierungen angebracht sein.

Zwar finden sich keine *programmatisch* ausgesprochenen Hinweise auf eine artistische Kunstauffassung in den ersten Werken Thomas Manns, doch sind gerade die frühen Novellen durch ein so forciertes künstlerisches Bewußtsein geprägt, stecken so voller „Karikatur und Excentrizität“ (H. Mann), die ihre Zuspitzung obendrein aus Nietzsches biologischer Bestimmung des Häßlichen als „Symptom der Degenereszenz“[26] gewinnt, daß — wie mir scheint — auch ein Schluß ex negativo erlaubt ist.

Wie Heinrich Mann variiert auch Thomas Mann in seinen ersten Erzählungen das Thema von der „bêtise de l'homme“, des „plumpen und niedrigen Daseins“: erinnert sei an die pointierte Darstellung des Rechtsanwalts Jakoby in „Luischen“, die ihre unbarmherzige Präzision aus grotesken Tiervergleichen gewinnt (VIII, 169), an die Schilderung der alten Dame mit dem „Vogelgesicht“ und dem Abscheu erregenden „moosartigen Gewächs“ auf der Stirn in der Novelle „Der Kleiderschrank“ (VIII, 156), — ein Detail, das dem „Schlaraffenland“-Leser recht gut vertraut ist (1, 196; 253 u. a.)[27], oder etwa an die Erzählung vom Ende des unglücklichen Lobgott Piepsam, der — am Schlagfluß verreckt — auf der Bahre in den Sanitätswagen geschoben wird „wie ein Brot in den Backofen“ (VIII, 196). Von einer Beimischung des Elements objektiv-epischer Ironie oder gar ‚humorvoller‘ Sympathie, die sich des Menschlich-Lächerlichen und Grotesken in nicht ‚feindlich-radikalistischem‘ Sinne annimmt, wie Thomas Mann später vom Satiriker verlangte (X, 892), kann hier, wie auch sonst in den Erzählungen zwischen 1896 und 1900, keine Rede sein[28]. Im Gegenteil: während bei Heinrich Mann die Darstellung grotesker Vorgänge oder grotesker Figuren zwar einerseits recht oft einen artistischen Selbstwert gewinnt, andererseits aber eingelagert ist in einen konsequent durchgehaltenen Rahmen der Destruktion bürgerlicher Ideologie (vgl. den „Schlaraffenland“-Roman), erscheint bei Thomas Mann das Groteske durchweg nicht in einem gesellschaftskritischen, sondern in einem naturhaften Horizont, der zudem auf eine noch unkritische Rezeption der Nietzscheschen Idee des grausamstarken, das Schwache vernichtenden Lebens schließen läßt: denn fast stets wird im Kontext grotesker Personenbeschreibungen auf den Mangel an Lebensfülle, Schwäche und Häßlichkeit des vom Leben Benachteiligten hingewiesen: „Sein Gesicht sieht aus, als hätte ihm das Leben verächtlich lachend mit voller Faust hineingeschlagen“ (VIII, 142 f), heißt es von dem unseligen Tobias Mindernickel. Und auf die Beschreibung der erbärmlichen Figur des Rechtsanwalts in „Luischen“ folgt — fast schon Nietzsche-Zitat —

beispielsweise die Bemerkung des Erzählers: „Kein Anblick ist häßlicher als derjenige eines Menschen, der sich selbst verachtet", und wenig später: „Ging nicht mehr als jemals von dieser jammervollen Figur ein kalter Hauch des Leidens aus, der jede unbefangene Fröhlichkeit tötete und sich wie ein unabwendbarer Druck peinvoller Mißstimmung über diese ganze Gesellschaft legte?" (VIII, 170; 184)[29].

Bezeichnend für die deterministische, in sozialgeschichtlicher Hinsicht in die Nähe sozialdarwinistischer Zeittendenzen[30] rückende Perspektive ist ferner, daß die jeweiligen Figuren nicht einfach Körperschönheit und anmutige Vitalität besitzen, sondern als entscheidendes Merkmal den Durchsetzungswillen und die grausame Mitleidslosigkeit derer, die sich selbst bejahen und daher „dem Dasein [...] gewachsen" (VIII, 143) sind. Die Attribute, die etwa die Anwaltsgattin oder Gerda von Rinnlingen auszeichnen, sprechen hier eine recht deutliche Sprache: da ist die Rede von „zitternder Grausamkeit" (VIII, 98), „grausamem Spott" (VIII, 96), Eiseskälte des Blicks (VIII, 85), Bosheit (VIII, 171), Verschlagenheit (VIII, 169) und „grausamer Lüsternheit" (VIII, 177), denen der Rechtsanwalt bzw. Friedemann aus „Einverständnis mit der Notwendigkeit" (VIII, 98) erliegen.

Diese Hinweise sind nun nicht in dem Sinne zu verstehen, als schlüge die Teilnahme des Erzählers zugunsten des Starken, Gesunden, Triebsicheren aus: denn die Gegenfiguren entbehren aller positiven Züge. Vielmehr kommt in der Entgegensetzung von physiologischer Häßlichkeit und Schwäche einerseits und vitaler Stärke andererseits und der Vernichtung des einen durch das andere eher so etwas wie eine desillusionierende Totalperspektive zustande, die — wie insbesondere die Erzählschlüsse beweisen — in einen Gestus der Verachtung und des Hohns auf das ganze „Affentheater" (VIII, 196) umschlägt. Was hier erkennbar wird, ist eine Perspektive, die der Bedeutung des Grotesken bei Flaubert (wenngleich durch Nietzsche-Reflexe angereichert) recht nahe kommt; eine Desillusionierungsabsicht, die sich auf die allgemeine Beschaffenheit der menschlichen „bêtise" richtet, letztlich aber nicht das in ihr und durch sie wirkende Prinzip negiert[31]. Sie wendet sich, um die *subscriptio* einer allegorischen Karikatur Thomas Manns zu zitieren, gegen das „Läben"[32], nicht aber gegen das „Leben" im Sinne eines nach fühllosen Gesetzen sich vollziehenden unendlichen Prozesses. Sein Einverständnis in dieses Prinzip bekundet der Erzähler vielmehr mehrfach in dunklen Andeutungen, und zwar gerade auch dort, wo er bürgerlich-moralische Vorbehalte aufzunehmen scheint[33]. Indem er das Handlungsgeschehen als naturhaft sich vollziehend ausgibt, bringt sich der Erzähler um die Möglichkeit eines kritisch-analytischen Eingriffs. Sein Standpunkt ist mitnichten der des wertenden Ethikers, den Thomas Mann sich später zuschrieb, sondern der des distanziert-kühlen Beobachters[34], welcher an seinen Geschöpfen a priori als determiniert angenommene Entwicklungen sich vollziehen läßt.

Der hier skizzierte Rahmen kann zweierlei bestätigen: Erstens einen Grundgestus, der sich zwar nicht in der Proklamation eines Kultes der ‚Schönheit' ergeht, wohl aber die Attitüde impassibler Verachtung der Wirklichkeit als jenes Bereiches, in dem Dummheit und Groteske des Daseins manifest werden, annimmt. Darin reflektiert Thomas Mann unzweifelhaft ein Motiv des literarischen Fin de siècle. Zweitens wird deutlich, wie verfehlt es wäre, Thomas Manns Selbstaussage, die irrationale Lebens-Romantik Nietzsches habe er zu keiner Zeit „wörtlich" (XI, 110) genommen, ohne weiteres zu trauen. Zu offensichtlich bildet eben sie einen wichtigen Orientierungsrahmen seiner ersten erzählerischen Versuche.

Das gilt im übrigen auch für jene Aspekte der Nietzsche-Rezeption, die Thomas Mann in den „Betrachtungen" als eine „nichts-als-ästhetizistische" (VIII, 540) bezeichnet hat, die kunstphilosophisch-metaphysische Theorie einer „rein ästhetischen Weltauslegung" im Mythos vom „Olymp des Scheins" über dionysischem Ur-Grund. Die im gedanklichen System der Tragödienschrift Nietzsches von 1872 vorgegebene Idee der Erlösung durch den ‚Schein', jedoch nicht in der Weise ‚interesseloser Anschauung', sondern durch die in, mit und hinter dem Schein hervorbrechende „dionysische Allgemeinheit"[35], ist, wie man weiß, von Thomas Mann später (weil einseitig an den ‚unteren Seelenkräften' im platonisch-idealistischen Sinne, am Irrationalen also, orientiert) als geistig-sittliche „Naivisierung"[36] problematisiert worden. — Eine der frühesten Novellen freilich, in die Nietzsche-Elemente eingegangen sind, „Der kleine Herr Friedemann", übernimmt diese Konzeption (in der hier erstmals voll entwickelten gedanklich-motivischen Verschlüsselungstechnik) noch in durchaus unkritischer Weise: Denn der bucklige Friedemann, für den anfänglich im ästhetischen Sinne Schopenhauers die Kunst die Funktion eines Willens-Quietivs besitzt, erfährt nicht erst durch die späte Liebe zu der schönen Gerda von Rinnlingen die Übermächtigkeit elementarer Lebenskräfte, sondern, wie Gerhard Kluge am Leitmotiv des „Zitterns" nachgewiesen hat[37], bereits durch die Kunst und in ihr selbst: was ihm am Ende geschieht, der Drang nämlich, sich selbst „in Stücke zu zerreißen" (VIII, 105) (man sollte beachten, daß es sich hier um einen zentralen Hinweis auf den Dionysos-Mythos handelt), stellt sich so nur als der zwangsläufige Vollzug dessen dar, was in seinem Rückzug in die Kunst bereits angelegt ist.

*

Wenn der hier entworfene Rahmen richtig ist, wenn gelten kann, daß Thomas Manns Selbstdeutungen sowohl hinsichtlich zentraler Vorstellungen seines frühen künstlerischen Selbstverständnisses wie auch gewisser Aspekte seiner Nietzsche-Rezeption offensichtlich das Ergebnis späterer Überzeugungen darstellen, und sich überdies erkennen läßt, daß es sich in beiden Fällen um Aspekte handelt, durch die er sich dem Bruder gegenüber abzugrenzen suchte, dann ist die Frage nach Gründen und Motiven angebracht. Um sie einkreisen zu können, wird es nötig sein, zunächst den Blick auf Heinrich Mann selbst zu richten, insonderheit auf das Werk, das so sehr den brüderlichen Zorn herausgefordert hat.

## II.

„Die Herzogin von Assy ist eine Schönheit großen Stils, die zu verschiedenen Zeiten Gesellschaft und Presse in Spannung erhält [...] In dem *ersten* ihrer Romane [„Diana"] sieht man [sie] jung, nach Freiheit und nach Thaten dürstend, [...] wie eine Jägerin [...] ihr Land Dalmatien durchstreifen. [...] In ihren stürmischen Träumen enttäuscht, und geistig gereift, findet man die Herzogin [...] in ihrem *zweiten* Roman [„Minerva"] in Venedig als große Beschützerin der Kunst. [...] In dieser Umgebung von leidenschaftlicher Schönheit entwickeln sich mächtige Leidenschaften [...] So ist aus der keuschen Freiheitsschwärmerin und der prachtliebenden Kunstbegeisterten im *dritten* Roman [„Venus"] eine unersättliche Liebhaberin geworden. [...] Die Herzogin genießt bis zur Selbstzerstörung. Ihr Tod ist stürmisch wie ihr Leben; aber sie bereut nichts. Eine Freudigkeit um jeden Preis athmet aus all diesem Leben, so viel Tragik es auch hervorbringt [...] Kein Pessimismus kommt auf[38]."

Diese Notiz Heinrich Manns aus dem Jahre 1902 könnte auf den ersten Blick den Verdacht nähren, als habe der Bruder mit seiner Polemik gegen die „Schönheits-Festivitäten" der „Göttinnen" im Kern so Unrecht nicht. Sie beschreibt in großen Zügen den Inhalt jenes Romans, von dem Gottfried Benn 1932 erklärte, er werde „für immer am Anfang stehen"[39], am Anfang jener Moderne, die für Benn mit Nietzsche begann. Worin gründet das Urteil den einen wie des anderen? Welche Aspekte des Romans provozierten das, was in der Literaturgeschichte noch immer — allen Revisionen jüngerer Heinrich-Mann-Forschung zum Trotze —[40] als Bild des immoralistischen Ästhetizismus Heinrich Manns herumgeistert?[41] — Was besagen die mythologisch-allegorischen Figurationen, die der Autor selbst mit der *inscriptio* ‚Freiheit und Tat', ‚Kunstbegeisterung' und ‚unersättliche Liebe' versehen hat?

Konstitutiv für die Anlage des Romans ist, daß ständig zwei Bedeutungsebenen ineinander verschränkt werden: eine Realschicht und eine mythische Schicht. Wird diese Doppelpoligkeit nicht erkannt, bleibt die wesentlichste, an der semantischen Textstrukturierung ablesbare Autorintention unvollständig rezipiert. Die zahlreichen Mißverständnisse über diesen Roman gehen nicht zuletzt auf solche Rezeptionsinadäquatheit zurück: Sah man in der Real-Ebene die zentrale ästhetische Intention des Romans, dann lag auch das Mißverständnis nahe, als gehe es Heinrich Mann hier um die kritisch-realistische Kritik einer dekadenten Gesellschaft[42], akzentuierte man hingegen das ästhetisch-erotische Rollenspiel der Herzogin von Assy, so folgten daraus sehr oft Urteile über die ästhetizistische Haltung ihres Autors, bzw. über die Unglaubwürdigkeit der Inszenierung nurmehr „kulturhistorisch nachempfundener" Gesten[43]. Der Fluchtpunkt, auf den hin beide thematischen Linien innerhalb des Textes selbst orientiert sind, blieb dabei notwendig unentdeckt, zu schweigen davon, daß etwa die (die jeweilige Interpretationsperspektive begründenden) erkenntnisleitenden Interessen reflektiert worden wären. — Im Folgenden seien die zentralen ästhetischen Intentionen des Romans kurz skizziert[44].

Die Realschichthandlung entwickelt die drei Lebensphasen der politischen Abenteurerin und kunstbegeisterten Aristokratin Violante von Assy in der dekadenten Adelsgesellschaft Dalmatiens, später in der römischen, florentinischen und venezischen „high society" und Bohème, die als geistige, moralische und physische Verfallskultur mit allen erzählerischen Mitteln der Satire vor Augen geführt wird. Als Medium der dekadenzkritischen Perspektive des Autors fungiert der Bewußtseinshorizont der Hauptfigur, die sich entschieden außerhalb der sozialen Normen und Wertkategorien ihrer Umwelt bewegt und ausschließlich ihre eigenen Wertvorstellungen im Sinne neuer ästhetischer Erfahrungen zu realisieren sucht. Auf dem Hintergrund ihrer eigenen Erkenntnishöhe und ästhetischen Sensibilität erfährt sie die gewöhnliche Wirklichkeit als eine Welt der „bêtise", als (um den äquivalenten Terminus Flauberts hier einzusetzen) Welt des „Bürgers", welcher Begriff denn auch — nach dem Selbstverständnis des Autors — nicht im Sinne des gesellschaftlichen Klassenbegriffes zu verstehen ist, sondern im Sinne einer Größe, in die alle gesellschaftlichen Anti-Affekte eingehen[45]. Und gegen das „bürgerliche" System von „Langerweile und Beschränktheit" (2,65) stellt Violante ihr eigenes Lebenskunstwerk: „Viel lieber begnüge ich mich mit Verkleidung, Oberfläche, Spiel und lasse allen Seelen ihre Schönheit gelten, die eine geschickte Hülle angelegt haben." (3,22) — Mit den Leitwörtern „Verkleidung", „Oberfläche", „Hülle", „Spiel" ist die zentrale zweite Bedeutungsschicht des Romans berührt: Um jene Identität von Geist,

Schönheit und Lebensfülle wiederherzustellen, die ihr in der Gegenwart durch die Ubiquität der „Bürger" unmöglich gemacht ist, transformiert die Herzogin von Assy ihr Leben in ein bewußtes Rollenspiel, in dem sie sich selbst unter der mythischen Maske dreier Göttinnen erfährt: In ihrer „Diana"-Phase glaubt sie an die Möglichkeit eines Lebens anarchischer Freiheit, — freilich nur, um die Erfahrung machen zu müssen, daß es im Zeitalter der Moderne den Heros nicht mehr geben kann. Auf der Suche nach neuen geistigen Erfahrungen wendet sie sich sodann der Kunst zu, die ihr — ganz im Sinne der l'art-pour-l'art-Doktrin — als einzige und ideale Wirklichkeit erscheint: sie begreift sich in der Maske der „Minerva", der strengen Göttin der Kunst. Allerdings erfährt sie die Kunst auf eine exaltiert-erregende Weise: durch mythische Intuition gerät sie in einen Zustand physiologischer Steigerung und Überhöhung[46], der ihre erotischen Leidenschaften weckt und sie in ihrer letzten Lebensphase unter der Maske der „Venus" in einen selbstzerstörerischen Sinnentaumel treibt.

Es war dieser Teil des Romans mit seiner z. T. lasziven Bildlichkeit, der Thomas Mann zu seinem bösen Diktum von der „aphrodisischen Pennälerphantasie" (XII, 539), bzw. Walther Rehm zu dem vom „Rausch im Sinnlichen schlechthin", dem Heinrich Mann verfallen sei[47], veranlaßt hat, — ein peinliches Mißverständnis, das auf seine Urheber zurückfällt. Denn Heinrich Mann hatte mit seinem Roman nichts weniger im Sinne als die ihm hier unterstellte Beinahe-Pornographie. — Was er aufnahm, war zunächst nichts als ein Stichwort innerhalb des zeitgenössischen ästhetischen Normensystems. *Wie* er es aufnahm, blieb allerdings, wenn ich richtig sehe, singulär in der Literatur der Jahrhundertwende: es war der Versuch, den ästhetischen Mythos in Nietzsches „Geburt der Tragödie" in einen epischen Vorgang zu übersetzen, und zwar so, daß er dessen am antiken Mythos orientierte Zentralbegriffe und -motive seinerseits in einen antikisierenden mythologischen Horizont transformierte. Eine unpublizierte, zwischen 1900 und 1902 zu datierende Notiz über den symbolistischen Lyriker Henri de Régnier dokumentiert unmißverständlich, welche Bedeutung dieser Nietzsche-Schrift für die Konzeption der „Göttinnen" und damit für den frühen Heinrich Mann zukommt: hier gerät ihm nämlich die Charakteristik des parnassischen Kunstideals der „Plastizität", dessen Signatur er an den Gedichten Régniers wahrnimmt, unversehens zur Nietzsche-Paraphrase: „Seine Kunst ist rein äußerlich und ist stolz darauf. Das sinnlose Leiden einmal erkannt haben und ihm den Rücken wenden: zu stolz, um tief zu sein. Cultur der Oberfläche. Das Leben nicht bloß gelten lassen, — es auch lieben: die beste Rache. In der elendesten Existenz ein schönes Bild aufstellen und ihm dadurch alles Entmuthigende nehmen"[48]. — Wenn Nietzsche in der „Geburt der Tragödie“ in Anlehnung und Umdeutung der Metaphysik Schopenhauers den dionysischen „Ur-Grund“ als „Leiden“ denkt, die Welt der Phänomene als „Schein“, den der „Ur-Grund“ „zu seiner steten Erlösung braucht“, und wenn er die Kunst als eine zweite Welt des Scheins deutet, die der Mensch aufzubauen gezwungen ist, um sich über die Absurdität des Daseins hinwegzutäuschen, so nimmt Heinrich Mann diesen universalen Weltmythos, gefaßt als Theorie der Kunst, mit dem Stichwort von der „Cultur der Oberfläche“ aus „Tiefe der Erkenntnis“, der Einsicht in das „sinnlose Leiden“ auf. Und eben diese „Cultur der Oberfläche“ bildet auch den Hintergrund der illusionären Selbstmaskierungen der Violante von Assy, die das Nichts zunächst als „reales“ Nichts in Gestalt von „Dummheit“, Häßlichkeit und Groteske der Wirklichkeit erfährt und darauf in mythischem Rollenspiel antwortet, bis sie schließlich — noch einen Schritt weitergehend — ihr Leben selbst als „Kunstwerk“ (vgl. 3,330) begreift. — Zentraler Fluchtpunkt des Romans wird damit die Kunst-Thematik: nicht nur, daß sie — wie L. Ritter-Santini nachgewiesen hat — durch zahlreiche Anspielungen und Zitate zeitgenössischer Kunstpraxis[49] bereits die Realschicht dominant einfärbt, an ihr kristallisiert sich vor allem das aus, was sich auf der mythischen Ebene vollzieht. In ihrer zweiten Lebensphase verschreibt sich Violante von Assy der Vorstellung einer absoluten Kunst, die als reine Idealität alles banal Menschlich-Wirkliche transzendiert. Der Roman enthält hier eine Fülle von Hinweisen auf die Kunstdoktrin des Parnasse, bezeichnenderweise also der Richtung innerhalb der l'art-pour-l'art-Tradition, die ihre ästhetische Theorie aus dem Zusammenhang von Literatur, bildender Kunst und Malerei abgeleitet hat und Dichtung in Analogie zu den „arts plastiques“, den skulpturalen Künsten begriff: eine Ästhetik des Eidetischen, des in der Anschauung erfahrenen geistigen Bildes also. Théophile Gautier, auf dessen Theorie einer statuarisch-plastischen Dichtung Heinrich Mann sich insonderheit berief, hatte 1856 proklamiert: „L'écriture parle quelque part de la concupiscence des yeux, *concupiscentia oculorum:* — ce péché est notre péché, et nous espérons que Dieu le pardonnera. — Jamais oeil ne fut plus avide que le nôtre, et le bohémien de Béranger n'a pas mis en pratique plus consciencieusement que nous la devise: voir c'est avoir[50].“ Diese ‚Sünde‘ der „concupiscentia oculorum“ ist auch die Sünde der Violante von Assy, die ihr Auge zum „Spiegel“ „verklärter Fülle“ (2,280) der Kunst zu machen sucht. Bezeichnend ist nun aber, daß dieses artistische, auf den kontemplativen Akt visuell-geistiger Anschauung bezogene Kunstverständnis für die Protagonistin des Romans nur phasenhaft bleibt, das Ideal eines „art pure“ mithin relativiert wird. Der Erzähler läßt die Kunsterlebnisse seiner Zentralfigur umschlagen in Zustände einer Raum und Zeit entgrenzenden Ausweitung des Ich, in denen die Schranken zwischen der Wirklichkeit und dem im artifiziellen Bild Angeschauten verfließen. Während sie sich noch dem Kult der Statuen und Bilder hingibt, erfährt die Herzogin durch die Welt der Formen und in ihr rauschhaft-physiologische Lebens- und Bewußtseinssteigerungen. — Eben darin erweist sich Heinrich Mann als genuiner Schüler Nietzsches, der einerseits an Theorie und Praxis des l'art-pour-l'art abliest, was eine „göttlich-künstliche Kunst", „Hingebung an die Form"[51] zu sein vermag, andererseits die Artistik konsequent dem Verdikt unterstellt, insofern nämlich, als sie ihren ästhetischen Voraussetzungen gemäß die statisch-autonome Eigenwelt des schönen Kunstgebildes als Ziel des künstlerischen Schaffens ansetzt, was für Nietzsche aber heißen muß, daß der Zusammenhang von höchster Ausdrucksform und höchster Steigerungsform des unaufhörlich den „Schein" hervorbringenden Lebens aufgegeben ist. „Erlösung in der *Form* und ihrer Ewigkeit"[52] wird bei ihm gedacht als „Vergöttlichung des Daseins"[53], nicht aber als kontemplativ-anschauendes Sich-Versenken.

In diesem Denkhorizont Nietzsches setzt Heinrich Mann die dionysische Symbolik der Kunst-Visionen seiner Protagonistin als bewußtes Verweisungssystem ein. Denn daß durch das Medium Kunst (und nur in ihm) Rauschekstasen ausgelöst werden, spiegelt eben den Reflexionszusammenhang wider, innerhalb dessen bei Nietzsche die metaphysischen Grundmächte des Apollinischen und Dionysischen, bzw. von „Schein" und „Rausch" erscheinen. Und dieser Zusammenhang steht folgerichtig als gedankliches Modell auch hinter der Transformation der „Minerva- in die „Venus"-Maske: Indem die Protagonistin das „Kunstwerk" ihres Ich durch die Erfahrung von Kunst bis zu solcher Höhe steigert, daß hinter dem „Schein" der „Zauber des Dionysischen"[54] aufbricht, erreicht sie nach dem Willen des Autors jene metaphysische Dimension, in der bei Nietzsche der Begriff des „Lebens" erscheint.

Die „Göttinnen" Heinrich Manns sind — so betrachtet — ein allegorischer Roman: dem mythischen Rollen-Ich der Violante von Assy ist ein gedankliches System substituiert, das exakt aus dem ästhetisch-metaphysischen Mythos von Nietzsches „Geburt der Tragödie" ableitbar ist. Entsprechend lassen sich Bildlichkeit und Handlungsschema, bzw. -verlauf des Romans beziehen.

*

Schwerlich ist zu übersehen, daß dieser Roman in doch immerhin deutliche Nähe zu jenen Ideologemen rückt, die dem vitalistischen Irrationalismus-Syndrom des Fin de siècle zugehören, das von Heinrich Mann später als eine „Kombination, bestehend aus Ästhetizismus und Bezweiflung der Vernunft“[55] charakterisiert werden sollte. Man könnte angesichts eines solchen Entwurfs einer mythisch-transrealen Traumwelt als Antwort auf eine Wirklichkeit, die als chaotisch, widervernünftig, sinnlos, bürgerlich-mittelmäßig und plebejisch vorgestellt wird, sehr wohl geneigt sein, Georg Lukács zuzustimmen, wenn er die Bedeutung Nietzsches für die bürgerliche Intelligenz der Jahrhundertwende darin ausgedrückt sieht, daß er deren scheinrevolutionäre Attitüden verstärkt, indem er ihnen einen Weg weist, „auf dem das angenehme moralische Gefühl, ein Rebell zu sein, weiter bestehen bleiben kann, sogar vertieft wird, indem der ‚oberflächlichen‘, ‚äußerlichen‘ sozialen Revolution eine ‚gründlichere‘, ‚kosmisch-biologische‘ lockend gegenübergestellt wird“[56], — ist doch bei Heinrich Mann ein eskapistischer Gestus nicht zu verkennen. Man mag sich in der Tat fragen, ob nicht die irrationalistisch konsumierbare ästhetische Mythisierung des „Lebens“ in den „Göttinnen“, das Umbiegen des die Zwangsmechanismen und Antagonismen des bürgerlichen Daseins durchschauenden unglücklichen Bewußtseins, in die Bejahung von „Schein“ und „Rausch“, den Verrat dessen bedeutet, was Theodor W. Adorno die tragende Erfahrung des Ästheten genannt hat: die soziale „Resistenzkraft“ von Kunst[57], die das „Wesen“ der gesellschaftlichen Entfremdung enthülle, nicht aber es interiorisierend verschleiere.

Eine angemessene Antwort auf dieses Problem ist für Heinrich Mann, wie ich meine, nur dann möglich, wenn der ästhetische Mythos, den er in seinem Roman gestaltet, auch in seiner Kehrseite reflektiert wird: Indem in der Realschicht im Medium von Satire und Dekadenzkritik gesellschaftliche Deformationen bloßgelegt werden, indem das Rollenspiel der Protagonistin stets als das dargestellt wird, was es ist: Illusion, Maskerade; indem also die ästhetische Utopie stets auf ihrem realen Hintergrund gedacht ist, wird ihr eskapistischer Charakter *bewußt* gehalten und so im Leser ein Denkprozeß in Gang gesetzt, der eben nicht auf eine bloße Affirmation der ästhetischen Illusion hinauslaufen kann und soll, sondern auf deren Grund zu reflektieren hat.

Wird dieser Bedingungszusammenhang von mythischer Schicht und Realschicht in die Überlegungen einbezogen, tritt die analytische Autorintention hervor: Nicht der ästhetische Mythos bildet deren Fluchtpunkt, sondern die Darstellung jener *Bewußtseinslage*, die der Kunst bedarf, um dem zu entkommen, was als Bedrohung durch eine der durchschauenden Erkenntnis nicht länger standhaltende, gleichwohl aber übermächtige Wirklichkeit empfunden wird. Nicht Realitätsverschleierung durch eine Ideologie des schönen

Scheins wäre mithin für den Roman zu diagnostizieren, sondern: daß die ästhetische Utopie als die notwendige Antwort auf den Zustand der bürgerlich verfaßten gesellschaftlichen Wirklichkeit erscheint, macht deren Entstellung allererst sichtbar. Indem die Realität niemals einfach zugedeckt wird, gewinnt der Roman eine Dimension, die die *Reflexion des Lesers* herausfordert.

Eine ganz andere Frage ist die nach dem historischen Stellenwert: Denn indem Heinrich Mann den Zusammenhang von bürgerlicher Welt und utopisch-ästhetischem Gegenbild einsehbar macht, überschreitet er doch keineswegs den Horizont bürgerlichen Bewußtseins, in dessen Grenzen er vielmehr gerade dadurch verharrt, daß er die autonome Kunst als „Reich der Freiheit im Gegensatz zur materiellen Praxis hypostasiert[]“[58]. Was ihn über das Gros seiner literarischen Zeitgenossen hinaushebt (und nicht zuletzt dazu beigetragen hat, daß er nur wenig später, wie problematisch auch immer, den Versuch unternahm, Kunst als „art social“, als wirklichkeitsverändernde Praxis zu begreifen), ist die Konsequenz, mit der er darauf beharrt, die Widersprüchlichkeit von ästhetisch imagniertem Ideal und Wirklichkeit auszuhalten und den ‚schein‘-haften Charakter des Ästhetischen zu reflektieren.

## III.

Am Kunst-Mythos der „Göttinnen“-Trilogie hat Thomas Mann zur Zeit der „Betrachtungen“ die Möglichkeit einer Nietzsche-Rezeption abgelesen, die auf einer gefährlichen Verkennung des Verhältnisses zwischen Instinkt und Intellekt (vgl. IX, 706 f) basiere, und er hat der — wie er unterstellte — „berauschten Unterwerfung“ unter das ‚schöne Leben‘ die Superiorität des „Geistes“ entgegengehalten. — Doch irrt, wer darin frühe Einsichten in das Irrationalismus-Syndrom der Jahrhundertwende zu erblicken geneigt wäre. Nicht allein, daß die Kategorien der Kritik dessen Voraussetzungen selbst zugehören, Thomas Mann hat sich auch den Mythos der Tragödienschrift Nietzsches durchaus nicht nur ins ‚Geistige‘ transponiert, wie schon der Hinweis auf die frühe Novelle „Der kleine Herr Friedemann“ gezeigt hat.

Zur gleichen Zeit, als Heinrich Mann an den „Göttinnen“ arbeitete, begann Thomas Mann mit ersten Entwürfen zu einem Drama, das in mancher Hinsicht offenkundig als Parallelentwurf zum Roman des Bruders geplant war. Als er es (nach langen Mühen) endlich fertiggestellt hatte, fühlte er sich zumindest subjektiv der brüderlichen Gemeinsamkeit geistiger Ursprünge entwachsen, und schließlich in den „Betrachtungen“ darauf zu sprechen kommend, tat er so, als habe er in seinem Drama eine Auseinandersetzung mit den politischen Lehren des modernen „Aktivismus" vorwegnehmen wollen.

Kaum ein Text ist von Thomas Mann stets so widersprüchlich interpretiert worden wie gerade „Fiorenza"[59]: Da ist einerseits davon die Rede, seine „geheime Sympathie" und „geistige Teilnahme" habe auf der Seite des kritizistischen Intellektuellen gelegen (XII, S. 93), dann wieder heißt es, der „Asket" und „Heilige" sei nichts anderes als eine Anspielung auf den radikalen „Geistes"-Politiker (XII, S. 94) (was nicht weniger bedeuten würde als ein Ausschlagen der Parteilichkeit zugunsten Lorenzos, des Verherrlichers der sinnlichen Schönheit[60]), und schließlich wird dem Leser der „Betrachtungen" auch noch eingeredet, es sei um eine Satire gegangen: eine Satire auf die „Demokratisierung des Künstlerischen", des Schönen, die nach dem Schema von actio und reactio das Gegenteil habe hervorrufen müssen: den „Geist als Moral" (XII, S. 382).

Solche Widersprüchlichkeit indessen ist kein Zufall: denn man gerät mit „Fiorenza" in das Zentrum eines Versuches Thomas Manns, der Nietzsche-Adaption des Bruder eine eigene Übersetzung entgegenzustellen, die offenbar das Ziel verfolgte, komplexer zu entfalten und damit zu korrigieren, was ihm bei Heinrich Mann zu einseitig geraten zu sein schien. Daß dem Roman des Bruders für „Fiorenza" die Rolle eines Katalysators zukommt, hat die Thomas-Mann-Forschung natürlich immer schon gesehen, sich freilich durchweg mit oberflächlichen Hinweisen auf dessen sogenannten „Renaissancismus" und Thomas Manns Absage an ihn zufrieden gegeben[61]. Und da man die „Göttinnen" meist ohnehin nur als das abschreckende Beispiel eines ästhetizistischen Schönheitsrausches[62] ansah, blieb die komplexere Dialogstruktur des Dramas unerhellt, und es blieb verdeckt, wie genau Thomas Mann im Werk des Bruders vorgegebene Stichworte und Denkmodelle reflektiert.

Für den hier diskutierten Zusammenhang erweist sich insbesondere die Schlußszene des Dramas als von zentraler Bedeutung: hier greift der Diskurs zwischen Savonarola und Lorenzo einen Faden auf, der unmittelbar an das Leitthema der „Göttinnen" anschließbar ist: „Buhlfeste zu Ehren der gleißenden Weltoberfläche habt ihr entfacht und nanntet's Kunst" (VIII, S. 1060), so wirft der Prior seinem Gegenspieler vor und unterstellt damit des Mediceers Schönheitspathos und die Verherrlichung allen sinnlichen Lebens dem Verdikt des bloßen „Scheins":

„Ich habe nichts gemein mit Eurer Augen- und Schaukunst [... mir träumte] von einer Fackel, die barmherzig hineinleuchte in alle fürchterlichen Tiefen, in alle scham- und gramvollen Abgründe des Daseins [...] Ich sah durch Schein und Lieblichkeit! Ich litt zu sehr, um stolz nicht auf meiner Einsicht zu bestehen" (VIII, S. 1060), und wenig später insistiert Savonarola noch einmal: „Ich darf wissen und dennoch wollen. [...] Ihr [Lorenzo] schaut das Wunder der wiedergeborenen Unbefangenheit." (VIII, S. 1064)

Auf den ersten Blick erscheinen die hier aufgebauten Entgegensetzungen eindeutig: Sinnliche Schönheit vs. Erkenntnis, Oberflächlichkeit vs. Tiefe, Leben vs. Geist usw., und man könnte leicht geneigt sein, in solchen Oppositionen auch die Kontroversformeln des brüderlichen Dialoges zu erblicken. Bei genauerer Analyse aber wird man feststellen müssen, daß Lorenzo auf des Priors Verdikt antwortet: „Ich sehe eine seltsame Verkehrung ... Ihr eifert wider die Kunst, und dennoch, Bruder, Ihr selbst — auch ihr seid ja ein Künstler!" (VIII, 1060).

Was hat es zu bedeuten, wenn Lorenzo den Prior einen „Künstler" heißt, und vor allem: wie ist es zu verstehen, daß Savonarola dies ohne Widerspruch, obschon mit nuancierender Geste[63], hinnimmt? — Schließlich: was hat es mit den sich nicht recht in das umrissene Oppositionsschema einfügenden Formeln: „wissen und dennoch wollen", sowie „Wunder der wiedergeborenen Unbefangenheit" auf sich? — Soweit die Thomas-Mann-Forschung auf „Fiorenza" eingegangen ist, hat sie für solche Fragen kaum Antworten bereit und bleibt an der Oberfläche einer mehr oder weniger schematischen „Geist"-„Leben"-Antithetik. Und wenn Lothar Pikulik, dem der bislang einläßlichste Versuch zu verdanken ist, die Hintergründe und Motive des Dramas aufzuhellen[64], schreibt: „[Der Prior und Lorenzo] verkörpern [...] nicht die Antithese Leben-Geist, sondern entgegengesetzte Einstellungen des Geistes zum Leben. Beide sind Kinder des Geistes und daher Brüder, aber da der eine das Leben bejaht, der andere es verneint, sind sie ‚feindliche Brüder' "[65], so modifiziert er das Schema nur, indem er — trotz seiner weiterführenden Erkenntnis der „Geistes"-Bruderschaft der beiden Antipoden — die Grundproblematik wieder in die üblichen Bahnen einbiegen läßt. — Die Frage muß vielmehr lauten: warum gilt für beide, daß sie sich „Künstler" und *daher* „Brüder" (mag Savonarola in diesem Fall auch heftig abwehren; vgl. VIII, S. 1059) nennen? — Daß es sich bei dem Verdikt des Mönchs über Lorenzos „Augen- und Schaukunst" um eine Anspielung auf die artistische „concupiscentia oculorum", auf jene „Cultur der Oberfläche" handelt, die den Hintergrund des Lebens-Kunstwerks der Vilante von Assy bildet, mithin um eine konzentrierte Allusion auf die Kontamination der l'art-pour-l'art-Ästhetik mit dem ästhetischen Mythos in Nietzsches „Geburt und Tragödie" bei Heinrich Mann, ist offenkundig[66]. Aber man konstatiert doch mit einiger Verblüffung, daß der Prior seine Verwerfung solcher „Augenlust" (VIII, S. 1060) in eben die Formeln faßt, die auf der Gegenseite der *Begründung* in die Notwendigkeit von Illusion und Schein dienen: Heißt es dort: „Das sinnlose Leiden einmal erkannt haben und ihm den Rücken wenden, zu stolz um tief zu sein", so hier: „Ich sah durch Schein und Lieblichkeit! Ich litt zu sehr, um stolz nicht auf meiner Einsicht zu bestehen" (VIII, S. 1060), einer Einsicht, die dann gleichfalls als „Kunst" ausgegeben wird. Man müßte diese Sätze auf dem bislang umrissenen Hintergrund für einigermaßen unverständlich halten, wäre nicht in Nietzsches Tragödienschrift außer vom „ästhetischen Pessimismus"[67], der in den Willen zu Schein und Täuschung gipfelt, von einer zweiten Weise der Illusion die Rede, die vor dem „praktischen Pessimismus"[68] bewahrt und zum Weiterleben verführt: dem „Zwillingsbruder der Kunst[69]", dem sokratischen Prinzip, der Erkenntnis. Es ist „jener [...] Glaube, daß das Denken, an dem Leitfaden der Kausalität, bis in die tiefsten Abgründe des Seins reiche, und daß das Denken das Sein nicht nur zu erkennen, sondern sogar zu *korrigieren* imstande sei. Dieser erhabene metaphysische Wahn ist als Instinkt der Wissenschaft beigegeben und führt sie immer wieder zu ihren Grenzen, an denen sie in *Kunst* umschlagen muß: auf welche es eigentlich, bei diesem Mechanismus, abgesehen ist"[70]. Zwar gilt Nietzsche der „logische Sokratismus"[71] als „auflösende Macht"[72], Tod der Tragödie, und d. h. des dionysischen Lebensprinzips, und doch rücken für ihn Erkenntnis und Erkennen in die Nähe der Kunst, dadurch nämlich, daß ihnen auf Grund des vorausgesetzten Perspektivismus allen Daseins eine ästhetische Bedeutung zugeschrieben wird, die eben darin besteht, daß sie ihre Logizität ‚in die Dinge hineinlegen'. Dies ist — wie der frühe Nietzsche meint — die „tiefsinnige Wahnvorstellung" von Philosophie und Wissenschaft, die somit zum „höchste[n] Glück"[73] werden kann und wie die Kunst das „Leben" und die „Erhaltung des Lebens" zu ihrer Voraussetzung hat[74].

Man muß sich diese Zusammenhänge vergegenwärtigen, um richtig einzuschätzen, worauf die Personenkonstellation Savonarola / Lorenzo zielt. Lorenzo ist der einzige, der hinter ihrer beider Weltverständnis die nihilistische Metaphysik und hinter ihrem Habitus die Lebensmaske durchschaut: nur daher kann er den Mönch einen „Künstler" nennen und ihn einen „Bruder" heißen; nur nur, weil zum sokratischen „Wahn" unabdingbar das Insistieren auf Erkenntnis, Wissen, Bewußtsein, gehört, *muß* der Prior darauf bestehen: „Ich bin nicht euer Bruder" und kann das Leiden an der Erkenntnis für „Heiligkeit" ausgeben. Savonarola „verneint" also nicht einfach, wie Pikulik meint, das „Leben", während Lorenzo es „bejaht", sondern beide suchen — auf unterschiedliche Weise — in voller Erkenntnis der „Abgründe des Daseins" (VIII, S. 1060) zu *überleben:* der eine durch die Vorstellung des Lebens als eines dionysischen Kunstwerks, der andere durch den „Wahn" des „Erkennens", der sich in Kunst verwandelt. Und wenn Lorenzo erklärt, Florenz werde dem Prior nur darum anhangen, weil es so „kunstverwöhnt" sei (das aber heißt im Nietzsche-Kontext: so ‚gesund' und lebensmächtig, daß ihm Erkennen und Erkenntnis nicht zum Unheil ausschlagen, sondern zum „Leben") und der Prior darauf antwortet: „Ich will das nicht wissen", so vollzieht sich an ihm — nach dem Willen des Autors — „gemäß einer Art Allöopathie der Natur"[75] das Umschlagen von Erkenntnistrieb in Illusion, Kunst. Eben dies ist auch der Hintersinn der Formel von „Wunder der wiedergeborenen Unbefangenheit", die Thomas Mann übrigens im gleichen Sinne sechs Jahre später im „Tod von Venedig" jenem Dichter zuschreibt, der auf die Einsicht, Durchschauen führe zum „Abgrund", zum Nihilismus, mit artistischem Formkult antwortet[76]. Und *weil* Lorenzo solchen Illusionsmechanismus durchschaut, kann er einwerfen: „Ihr scheltet die Unbefangenen [!], die nicht erkennen und schamlos sind. Schämt ihr Euch nicht, die Macht noch zu gewinnen, da Ihr erkannt, wodurch Ihr sie gewinnt?" (XII, S. 1064).

Die Begriffe ‚Kunst als Leben' und ‚Kunst als Erkenntnis', „Buhlfeste zu Ehren der gleißenden Weltoberfläche" und erkennende ‚zweite Unbefangenheit' liegen also bei genauerer Analyse der semantischen Tiefenschicht des Dramas auf *einer* Ebene: Ihre Primärbedeutung liegt nicht in den Oppositionen „Bildende Kunst", sinnliche Schönheit, „Leben" einerseits und Kritik, Moral, Geist andererseits, wie Pikulik teilweise in Anlehnung an eine Selbstdeutung Thomas Manns in den „Betrachtungen" feststellt[77] (diese Entgegensetzungen werden erst in sekundärer Hinsicht, insbesondere für die aus der thematischen Konzeption erwachsende Personenkonstellation, bedeutungsvoll). Vielmehr geht es um die Ausfaltung der beiden Möglichkeiten einer „Kunstoptik" auf das Leben angesichts des behaupteten allgemeinen Weltchaos. Diese Kunstoptik ist es auch, die die beiden Kontrahenten ihrem Selbstbewußtseins nach aus der Masse der „niedrig [...] Hausenden" und „Schwatzenden" heraushebt und zur Herrschaft zwingt, weil in ihr jener „Wille zur Macht" wirksam wird, der sie ursprünglich hervorgerufen hat.

Es ist weder ein Sakrileg noch ein unstatthaftes interpretatorisches Verfahren, „Fiorenza" so stark im Nietzsche-Kontext zu erhellen. Thomas Mann hat selbst zugestanden, „jene Repliken" seien von seinem Geiste „durchtränkt" (XII, S. 146). Davon ist — und nur darauf kommt es mir hier an — nicht nur die psychologische Charakteristik der beiden Antipoden berührt[78], sondern vor allem die Ebene, die den thematischen *Kern* des Stückes ausmacht und seine kontextuell zu realisierende Dialogizität begründet. Denn in der Entgegensetzung Lorenzo / Savonarola, also des Künstler-

Menschen, dessen Ziel die ekstatisch-mythische Identität mit dem Lebensganzen ist, und des geistigen Künstlers, der die Welt dem Prinzip des reinen Geistes zu unterwerfen sucht, wird das argumentative Durchspielen von zwei Denkmöglichkeiten einer Weltauslegung erkennbar, deren prinzipiell ästhetisch-lebensmetaphysischer Charakter nicht geleugnet wird: in beiden wird der gleiche Wille zu Täuschung/Selbsttäuschung, d. h. Kunst, wirksam.

Das aber bedeutet, daß von einem *moralischen* Verdikt über den Ästhetizismus nicht die Rede sein kann. — Der Dialog mit Heinrich Mann wurde im Rahmen gemeinsamer Voraussetzungen geführt: war in den „Göttinnen" mit der gedanklichen Klimax ‚Freiheit', ‚Kunst', ‚großes Leben' nach der Meinung Thomas Manns der Aspekt des Dionysischen überakzentuiert, so sollte hier im gedanklichen Erproben einer weiteren Auslegungsmöglichkeit Nietzsches und in der wechselseitigen Relativierung der Positionen Vereinseitigung vermieden werden. Ein grundsätzlicher *Widerruf* des geistigen Bezugssystems jedoch, auf das hin die Antipoden konstruiert sind, wurde *nicht* vollzogen, — was im übrigen auch des Autors spätere Irritation angesichts dieses Werkes erklärt. Sowohl für den ‚Künstler des Geistes' wie für den ‚Künstler des Lebens' gilt Nietzsches ästhetizistisch-bodenloser Welt- und Kunst-Mythos als expliziter Orientierungshintergrund, und es wird recht deutlich erkennbar, wie sehr Thomas Mann auch dort, wo er zu kritisieren scheint, innerhalb der Vorstellungen und Argumentationsmuster bleibt, die als wesentliche Bestimmungselemente des literarischen Sub-Systems um 1900 gelten können.

*

Wie hoch solche Kontextabhängigkeiten Thomas Manns eingeschätzt werden müssen, zeigt sich im übrigen auch in seinem nächsten Versuch einer Antwort auf das mit vitalistischen Deutungsmöglichkeiten der Artisten-Metaphysik Nietzsches aufgeworfene Problem der Relation von „Leben" und „Geist": der wie „Fiorenza" im Jahre 1905 vollendeten Novelle „Schwere Stunde". Hier erweist sich nämlich, daß er das gedankliche System der „Geburt der Tragödie" noch in einer anderen, überaus zeitsymptomatischen Weise mit der Ästhetik des l'art-pour-l'art in Verbindung setzt, jedoch nicht — wie bei Heinrich Mann — als Transformation des Nietzscheschen Denkmodells in einen mythischen Lebensentwurf, sondern als Absolutsetzung des artistischen Kunstwerks, in dem apollinischer ‚Schein' und dionysische ‚Tiefe' zusammengedacht sind. — In eben diesem Sinne hatten 1896 die „Blätter für die Kunst" „[...] eine kunst frei von jedem dienst: über dem leben nachdem sie das leben durchdrungen hat: die nach dem

Zarathustraweisen zur höchsten aufgabe des lebens werden kann"[79] proklamiert, fordert Rilke 1900 „Schönheit und Strenge der Form" als Korrelat der „gestaltenfeindlichen dionysischen Elemente"[80].

Der kleine ‚Schiller'-Skizze gilt in der Thomas-Mann-Forschung allgemein als Dokument früher „Erfahrungsverwandtschaft" Thomas Manns zu Schiller und als Porträtstudie „von unglaublicher Wahrheit"[81], so sorgfältig nach den Quellen gearbeitet, daß sich „nahezu jeder Satz [...] auf eine [Schiller-]Vorlage zurückführen läßt"[82]. Andererseits hat man offensichtliche Zeitbezüge durchaus hergestellt: Orientierung an Nietzsches Künstlerpsychologie und geheimes Selbstporträt lauten die entsprechenden Stichwörter. — Die Ebene freilich, auf der solche Einzelzüge sich zusammenschließen, geriet durch die Bemühung um die ‚Vorlagen' außer Betracht. Seine Ursache hat das allerdings nicht zuletzt darin, daß Thomas Mann hier ein eigentümliches Vexierspiel treibt.

Hans Joachim Sandberg und Richard Täufel haben aufgewiesen, daß — wie es nahe lag — Thomas Mann für die Personenkonstellation der Novelle auf Schillers Begriffspaar „naiv" und „sentimentalisch" zurückgegriffen hat und seinen ‚Schiller' im Horizont des ‚Sentimentalikers' typisierte[83]. — Differenziert man jedoch noch etwas genauer, so mischen sich in die bekannten Begriffe Nebentöne ein, die recht weit abführen von Schillers Oppositionen: So ermuntert sich der ‚Schiller' der Novelle beispielsweise: „Gesund genug [...], um pathetisch sein [...] zu können! Nur hierin naiv sein, wenn auch sonst wissend in allem!" (VIII, S. 375). Im gedanklichen Zusammenhang der Erzählung beziehen sich die Begriffe „pathetisch" und „naiv" auf mögliche Dispositionen des Dichtertypus, dem nach Schiller „die Natur die Gunst erzeigt, immer als eine ungeteilte Einheit zu wirken"[84]. Doch wenn es heißt: „Gesund" genug sein, um „pathetisch" bzw. „naiv" sein zu können, dann fällt mit dem Adverb „gesund" ein Stichwort, das sich von Schiller nicht mehr herleiten läßt, sondern seinen Bezugspunkt in Nietzsches Bestimmung jenes Zustandes besitzt, der vor den negativen Folgen durchschauender Erkenntnis bewahrt. Vexatorisch wird aus scheinbar Schillerschen Begriffen Nietzsches ‚Oberflächlichkeit aus Tiefe', ein Leitmotiv, das überdies in zwei weiteren Varianten begegnet: „Man war nicht elend, ganz elend noch nicht, solange es möglich war, seinem Elend eine stolze und edle Benennung zu schenken" (VIII, S. 375), und: „Er war zu tief, um grübeln zu dürfen! Nicht ins Chaos hinabsteigen, [...] sondern aus dem Chaos, welches die Fülle ist, ans Licht emporheben, was fähig und reif ist, Form zu gewinnen" (VIII, S. 379).

Wenn Thomas Mann hier den Begriff der „Form" als Korrelat zu dem des „Chaos" sieht und das „Chaos" wiederum mit „Fülle" gleichsetzt, und wenn er ferner „Form“ als Heilmittel gegen die grüblerische „Tiefe“ betrachtet, dann sind dahinter unschwer die im Werk Nietzsches immer wieder auftauchenden Stichworte seiner Artisten-Metaphysik zu erkennen. „Wer tief in die Welt gesehen hat“, heißt es beispielsweise in „Jenseits von Gut und Böse“, „errät wohl, welche Weisheit darin liegt, daß die Menschen oberflächlich sind. [...] Man findet hier und da eine leidenschaftliche Anbetung der ‚reinen Formen‘ bei Philosophen wie bei Künstlern: möge niemand daran zweifeln, daß wer dergestalt den Kultus der Oberfläche *nötig* hat, irgendwann einmal einen unglücklichen Griff *unter* sie getan hat“[85]. Allerdings reicht der offensichtliche Nietzsche-Bezug allein noch nicht aus, um die Bedeutungsnuancen der zitierten Passage schon ganz zu umgreifen. Denn indem Thomas Mann hier mit dem Begriff der „Form“ operiert, zitiert er zugleich einen Schlüsselbegriff der l'art-pour-l'art-Ästhetik und damit ein Kode-Wort des literarischen Sub-Systems der Jahrhundertwende: „Form“ meint in diesem Kontext primär den Gebildecharakter von Kunst; auf die Sprache bezogen: äußerste Stilisierung, Plastizität und formale Präzision, derart, daß das durch Sprache Geformte vollkommene Gestaltqualität gewinnen soll. In diesem Sinne wird im Georgekreis bekanntlich die „handwerkliche seite“ der Kunst betont[86], analog zur Ästhetik des Parnasse von der plastischen „Modellierbarkeit der Sprache“ gesprochen[97] und behauptet, der „wert der dichtung“ werde entschieden durch die „form“[98]. — In dieser Perspektive ist „Form“ Inbegriff alles dessen, was das ästhetische Gebilde ausmachen und auszeichnen soll: Ordnungsgesetzlichkeit, rhythmisch-harmonische Strukturiertheit und Schönheit.

Angesichts der Bedeutung nun, die dem „Form“-Begriff in Schillers Ästhetik zukommt, hat man in Thomas Manns Novelle natürlich auch in diesem Fall Schiller-Bezüge herausgestellt. — Geht man freilich solchen Fäden nach, erweist sich wiederum der vexatorische Charakter der hier eingesetzten Begriffe. Wenn der ‚Schiller‘ der Novelle räsonniert: „Wer schuf, wie er, aus dem Nichts, aus der eigenen Brust? War nicht als Musik, als reines Urbild des Seins ein Gedicht in seiner Seele geboren, lange, bevor es sich Gleichnis und Kleid aus der Welt der Erscheinungen lieh? Geschichte, Weltweisheit, Leidenschaft: Mittel und Vorwände, nicht mehr, für etwas, was wenig mit ihnen zu schaffen, was seine Heimat in orphischen Tiefen hatte“ (VIII, S. 378), dann könnte der Interpret auf den ersten Blick vielleicht noch versucht sein, angesichts von Wendungen wie „Urbild des Seins“/ „Gleichnis und Kleid aus der Welt der Erscheinungen“ die Passage als Reminiszenz an die idealistischen Grundlagen der klassischen Ästhetik auszulegen. Im zweiten Schritt freilich stößt er auf Wendungen (‚Schaffen aus dem Nichts‘, Identität von „Urbild“ und „Musik“, schließlich: Fixierung der Welt der Ideen in „orphischen Tiefen"), die sich solcher Deutung entziehen und expliziter Auflösung bedürfen. — Im Zusammenhang mit dem „Form"-Begriff begegnet die Formel „Musik und Idee" ein weiteresmal: „[. . .] aus seiner Seele, aus Musik und Idee, rangen sich neue Werke hervor, klingende und schimmernde Gebilde, die in heiliger Form die unendliche Heimat wunderbar ahnen ließen, wie in der Muschel das Meer saust, dem sie entfischt ist." (VIII, S. 379) — Sandberg und Täufel vermuten hier als ‚Vorlage' zwei Briefe Schillers, in denen es heißt: „Das Musikalische eines Gedichtes schwebt mir weit öfter von der *Seele,* wenn ich mich hinsetze es zu machen als der klare Begriff" (an Körner, 25. 5. 1792), bzw.: „Bei mir ist die Empfindung anfangs ohne bestimmten und klaren Gegenstand; dieser bildet sich erst später. Eine gewisse musikalische Gemütsstimmung geht vorher" (an Goethe, 18. 3. 1796)[89]. Schiller bezeichnet hier Stufen des Schaffensprozesses, den Weg vom Keim des anfänglich nur vage Empfundenen bis zur klaren Konzeption der Werk-Idee, wobei das nur ‚Musikalische' der bloßen Empfindung eine eindeutige Abwertung erfährt. Dieser negative Aspekt fehlt bei Thomas Mann völlig: wird doch bei ihm das *Produkt* jenes Prozesses, die „Form" als Resultat und Einheit von „Musik und Idee" bezeichnet, die ihren Ursprung in jener „unendlichen Heimat" besitze, auf die dann im Muschel-Meer-Gleichnis hingewiesen wird. Damit aber ist der Schiller-Kontext verlassen und ein Anspielungshorizont anvisiert, der sich nur innerhalb zentraler ästhetischer Theoreme der l'art-pour-l'art-Ästhetik der Jahrhundertwende auflösen läßt. Zu ihnen gehört zunächst das Festhalten an einer platonisch-idealistischen Tradition, — wie etwa schon bei Flaubert, einem der ‚Erzväter' der Doktrin erkennbar, wenn er „Form" und „Idee", ‚Äußeres' und ‚Inneres' zusammendenkt: „Wo die Form fehlt [. . .], gibt es die Idee nicht mehr. Die eine suchen heißt auch die andere suchen. Sie sind ebenso untrennbar voneinander wie es die Substanz von der Farbe ist, und aus diesem Grund ist die Kunst die Wahrheit selbst."[90] „Form" meint hier freilich nicht mehr die ästhetische Manifestation eines sich zur Erscheinung bringenden Seins (im Sinne einer Urbild-Abbild-Relation), sondern die autonome Setzung einer allein durch die Kunst generierten Idealität. Auf sie zielt ein Stil-Ideal, das ein Höchstmaß an Plastizität wie zugleich Abstraktion erstrebt und das Flaubert (wie z. B. auch Baudelaire[91]) vorschwebt im Bild einer Prosa, die „rhythmisch [wäre] wie der Vers, präcis wie die Sprache der Wissenschaft und mit Wellungen, mit Schwellungen wie ein Cello, mit sprühenden Feuern. [Eines] Styls, der einem wie ein Dolchstoß in die Idee einginge"[92]. In dieser Konzeption einer poetisch-musikalischen Prosa vereinigen sich „Musik" und „Idee" zum absoluten Kunstgebilde, — und dieses Kunstideal ist impliziert, wenn um die Jahrhundertwende

Stefan George etwa auf der Identität von „sinn und wolklang“[93] beharrt, Rudolf Kassner die Einheit von „Platonismus“ und „Musik“[94] behauptet, ja selbst noch beim jungen Georg Lukács die Formel von „Musik und Notwendigkeit“ in der „Form“[95] auftaucht. Heinrich Mann schließlich, der unmittelbar vor der Konzeption der ‚Schiller‘-Novelle mit der Niederschrift seines Essays „Eine Freundschaft. Gustave Flaubert und George Sand“ beschäftigt war, hatte dieses Theorem im Blick, als er aus einem Brief Flauberts an George Sand zitierte: „Liegt nicht in der Genauigkeit der Wortgefüge, der Seltenheit der Bestandteile, der Glätte der Oberfläche, der Übereinstimmung des Ganzen, liegt darin nicht eine innere Tugend [...], etwas Ewiges wie ein Prinzip? [...] Warum besteht [...] eine notwendige Beziehung zwischen dem richtigen und dem musikalischen Wort?“[96] — Solchen artistischen „rapport nécessaire entre le mot juste et le mot musical“ dürfte Thomas Mann zunächst gemeint haben, als er die Formel „Musik und Idee“ einsetzte.

Allerdings ist damit erst ein Aspekt des Problems kommentiert: denn wenn „Musik“ als „reines Urbild des Seins“ definiert wird, dann treten dahinter unzweifelhaft auch Schopenhauer bzw. Nietzsche-Reflexe hervor. Schopenhauer sprach bekanntlich der Musik deswegen einen einzigartigen Rang unter allen Künsten zu, weil sie als unmittelbares „Abbild des Willens selbst“ „zu allem Physischen der Welt das Metaphysische, zu aller Erscheinung das Ding an sich“ darstelle[97], und Nietzsche wiederum polte die Willens-Metaphysik Schopenhauers nur wenig um, indem er die Musik als „unmittelbare Idee“ des „ewige[n] Leben[s]“ ansah, die das „gleichnisartige[] Anschauen der dionysischen Allgemeinheit“ ermögliche[98].

Mit dieser Deutung der Musik als Gleichnis des dionysisch erfahrenen „Willens“ scheint Thomas Manns Formel „Musik und Idee“ auf den ersten Blick wenig zu tun zu haben, und doch wird auf sublime Weise auf diesen Bedeutungshorizont hingezielt, und zwar mit dem Hinweis auf die „orphischen Tiefen“ als Anspielung auf den dionysischen Bereich und im Muschel-Meer-Bild. Als repräsentatives Symbol für die Totalität des Lebens begegnet das Bild des Meeres allenthalben in der Literatur der Jahrhundertwende[99], nicht zuletzt bei Thomas Mann selbst, der es nur zwei Jahre zuvor im „Tonio Kröger“ in eben diesem Sinne eingesetzt hatte. Wenn er es in der ‚Schiller‘-Novelle wieder aufgriff, so gewiß nicht zufällig, um so weniger, als sich der gesamte Bildkontext der Passage als ein Zitat lesen läßt: In Hofmannsthals „Der Tor und der Tod“ betrachtet Claudio, sein Ästheten-Leben reflektierend, das Schnitzwerk einer Truhe:

> „Ihr wart doch all einmal gefühlt,
> Gezeugt von zuckenden, lebendgen Launen,

Vom großen Meer emporgespült,
Und wie den Fisch das Netz, hat euch die Form gefangen![100]"

In Claudios Perspektive erscheint die „Form" als für immer von allem Lebendigen abgeschnittenes Petrefakt, jedoch so, daß eine ursprüngliche Relation von ‚Leben' und Artefakt als notwendige Bedingung der Form mitgedacht ist. Diese Beziehung formuliert das Fischfang-Gleichnis, das auch bei Thomas Mann in der zunächst geringfügig erscheinenden Variante ‚Muschel' statt ‚Fisch' aufgenommen ist. Sie erweist sich jedoch insofern als bedeutungsvoll, als der Vergleichpunkt hier nicht das Moment des Gefangenseins ist, sondern das des Weitertönens, so daß sich über den Muschel-Meer-Vergleich die Vorstellung eines unauflöslichen Beziehungszusammenhanges von „Form" und durch die „Form" erkennbar werdendem Urgrund, den „orphischen Tiefen" ergibt.

Mit anderen Worten: der „Form"-Begriff erhält auf diese Weise nicht nur (über die autonome Setzung eines durchs Geformte der Kunst vermittelten idealen Seins) eine metaphysische Dimension im Sinne der Kunstmetaphysik der l'art-pour-l'art-Tradition, sondern zugleich eine solche, die — im Horizont des Kunst-Mythos Nietzsches — auf einen unendlichen Lebenszusammenhang bezogen ist, — so jedoch, daß dieser nicht dominant, sondern *subdominant* erscheint.

In den kunsttheoretisch zentralen Passagen der Novelle vollzieht sich mithin eine ständige Überlagerung von Bedeutungsfeldern: es werden einerseits Begriffe aufgenommen, die einer Porträtverifikation nicht von vornherein im Wege stehen, andererseits wird durch die zitathafte Integration von Kennwörtern und -bildern ein Verweisungssystem aufgebaut, das auf zentrale ästhetische Theoreme innerhalb des literarischen Sub-Systems der Jahrhundertwende zielt. Auf diesem Hintergrund zeigt sich denn auch allererst, daß Thomas Mann in seinem „Schiller'-Porträt zugleich auch das Kryptogramm des Künstlers des l'art-pour-l'art wie des Ästheten auf dem Boden der Artisten-Metaphysik Nietzsches (mit zwar verhaltenen, doch deutlichen Hinweisen auf desen These einer lebenmetaphysischen Funktion der Kunst) zu zeichnen unternahm.

Stellt man in Rechnung, daß dieses Porträt zumindest insofern autobiographisch unterlegt ist, als der Autor hier seine Parteinahme für (wie die um 1905 vielfältig wiederholten Formeln lauten) „Geist", „Kritik" und „Erkenntnis" hat einfließen lassen, ferner, daß dieser ‚Schiller' jenes künstlerische Schaffens- und Werkethos vertritt, das Thomas Mann sich um 1905 selbst zuschrieb[101], und weiter, daß hier eine Lösung des mit der vitalistisch-mythischen Nietzsche-Interpretation Heinrich Manns aufgeworfenen Grundproblems angeboten wird, die auf die dialektisch vermittelte Einheit von „Leben“ und „Geist“ im autonomen Kunstgebilde zielt, so läßt sich in aller Behutsamkeit auf die Quellen schließen, aus denen sich wichtige kunsttheoretische Grundvoraussetzungen des Thomas Mann der Jahrhundertwende speisen.

Was immer ihn später dazu veranlaßt hat, frühe Sympathien zu der artistischen Kunstauffassung der europäischen Moderne und der literarischen Avantgarde der Jahrhundertwende als Neigung zu „ethisch erfülltem“ bürgerlich-handwerklichem „Meistertum“ (XII, 103) auszugeben und zu erklären, mit literarischen Modetendenzen des Fin de siécle habe er nichts zu tun gehabt, in der Periode zwischen etwa 1895 und 1905/6 ist von solcher ‚ethisch-bürgerlichen‘ Kunstgesinnung nicht eben viel zu bemerken. Ganz im Gegenteil hat Thomas Mann ein entschieden artistisches Selbstverständnis mehrfach zum Ausdruck gebracht: Er, der 1918 betonte, nie sei es ihm um ‚Schönheit‘ zu tun gewesen (XII, 541), rügte noch 1910 an einem Drama Samuel Lublinskis das Fehlen von „Glanz“ und „Schönheitsschimmer“ als den Kardinaleigenschaften des Kunstwerks[102], deklarierte 1906 Kunst zu etwas „Absolutem, bürgerlich Indiscutablem“[103] und nahm mit seinem Bogengleichnis ein ebenso berühmtes Diktum Flauberts auf[104]. Schließlich erweist sich auch die spezifisch artistische Nietzsche-Adaption der ‚Schiller‘-Novelle durchaus nicht als ein bloß zufälliges Gedankenexperiment. So hält — beispielsweise — eine Notiz aus dem unvollendeten Essay *Geist und Kunst* überaus prononciert fest:

„Ich liebe *Schiller* sehr, seines Schönheitsglanzes [...] wegen [...] Eine leichtere, skeptischere, ungläubigere, verschlagenere, schalkhaftere und genußfrohere Kunstauffassung, die die Kunst nicht mehr als einen ‚Lastwagen nach dem Himmelreich‘ sondern als ein Spiel, ein Stimulans, einen schönen Rausch, ein erquickliches Blendwerk, hervorgebracht mit den feinsten sinnlichen und intellektuellen Zaubermitteln, — als eine Sache des Lebens und der Verführung zum Leben nimmt, wird vielleicht eine der Befreiungen, Erlösungen, Beglückungen, Erleichterungen sein, die eine nahe Zukunft der Menschheit bringen wird. (Mit diesem Glauben kann man natürlich ein Flaubert an künstlerischer Strenge und Gewissenhaftigkeit sein.)“[105]

Solche Berufung auf Schiller, der wie in „Schwere Stunde“ implizit zugleich die auf Nietzsche (Schiller wird auf der Folie der Kunsttheorie Nietzsches interpretiert[106]) und explizit die auf Flaubert unterlegt ist, ermöglicht Einsichten, die über die primär erkennbare Autorintention hinausgehen: denn ist diese darauf gerichtet, sich des eigenen Kunstverständnisses im Horizont einer ästhetischen Tradition zu versichern, so wird in eben diesem Versuch einer Traditionsanknüpfung eine Perspektive eröffnet, die zugleich den geschichtlichen Standort des Autors erhellt: zutage tritt die verborgene Einsicht, daß im l’art-pour-l’art und im Ästhetizismus der Jahrhundertwende ein Prozeß auf einen seiner Höhepunkte gelangte, der seinen Ursprung in jenem Reflexivwerden und jener Autonomisierung der Kunst besitzt, die Schiller durch den Begriff des Sentimentalischen beschrieb. Doch sei zugestanden, daß dies eine Deutung ‚ex post' ist: Die Einsicht einer Bindung des Ästhetizismus an das „bürgerliche Zeitalter" (IX, 710 f), die Thomas Mann zu einem der Leitmotive seines Nietzsche-Essays von 1947 machte, konnte für ihn wohl nicht auch schon die der Jahre unmittelbar nach 1900 sein. — Gewiß ist nicht zu übersehen, daß Thomas Mann bestimmte Erscheinungsformen der Kunstideologie des Fin de siècle mit großem Unbehagen beobachtete: Er wird nicht müde, gegen die „Renaissance-Männer"[107] zu polemisieren, ihnen unkritisches Harmoniedenken und ungeistige Sinnenhaftigkeit[108] zu unterstellen und sie der „schöne[n] Oberflächlichkeit" ohne „Tiefe"[109] zu beschuldigen. Doch bedeutet diese Formel — wie der hier umrissene Hintergrund zu erweisen vermag — nicht eben mehr als den Vorwurf eines unkritischen Nietzsche-Verständnisses, das nach der Meinung des Autors durch ein besseres (weil nicht um die Dimension durchschauender Erkenntnis verkürztes) aufzuheben wäre.

In diesem Spannungsfeld einer deutlichen Distanzierung von gewissen ästhetizistischen Tendenzen der Literatur um 1900, andererseits aber der Teilhabe an zumindestens einigen deren wesentlicher Prämissen bewegen sich die kunsttheoretischen Reflexionen Thomas Manns im ersten Jahrzehnt nach der Jahrhundertwende, ohne schon bis zu jener Grenzüberschreitung zu gelangen, die Thomas Mann sich später mit Recht zuschreiben mochte, als er erklärte: „[Das bürgerliche Zeitalter] überschreiten, heißt heraustreten aus einer ästhetischen Epoche in eine moralische und soziale." (IX, 710 f)

## ANMERKUNGEN

1. vgl. dazu: H. Lehnert, *Thomas Mann. Fiktion — Mythos — Religion,* Stuttgart 1965, S. 27, und: H. P. Pütz, *Thomas Mann und Nietzsche,* in: H. P. P. (Hrsg.), *Thomas Mann und die Tradition,* Frankfurt 1971, S. 227.

2. Thomas-Mann-Zitate folgen der Ausgabe: Th. Mann, *Gesammelte Werke in 12 Bänden,* Frankfurt 1960 und werden in der Regel unmittelbar im Text durch röm. Ziffer (= Band) und Seitenzahl nachgewiesen.

3. Th. Mann. *Das Ewig-Weibliche,* in: Freistatt 5 (1903), S. 1010 f. (nicht in die Ges. Werke aufgenommen).

4. Zum Text-Kontext-Problem im Rahmen einer wirkungsästhetischen, bzw. semiotisch-strukturalen Fragestellung vgl. insbesondere: R. Weimann, *Gegenwart und Vergangenheit in der Literaturgeschichte,* in: R. W., *Literaturgeschichte und Mythologie,* Berlin und Weimar 1972, bes.: S. 27—46; J. M. Lotman, *Die Struktur literarischer Texte,* München 1972, passim; T. A. van Dijk, *Text und Kontext,* in: T. A. v. D., *Beiträge zur generativen Poetik,* München 1972, S. 143 ff.; J. Schulte-Sasse, Wolfgang Karrer, Georg Behse, *Theorie literarischer Texte,* in: Die Literatur, Basel und Wien 1973, S. 403 f.; S. 407—411.

5. vgl. dazu: Vf., *Skeptizismus, Ästhetizismus, Aktivismus. Der frühe Heinrich Mann*, Düsseldorf 1972, bes.: S. 22 ff.; ferner: Vf., *Heinrich Mann: Eine Freundschaft. Gustave Flaubert und George Sand*, München 1976.

6. Zum Begriff des ästhetischen bzw. kulturellen Kode vgl. J. M. Lotman, aaO, S. 404 f., ferner: H. Weinrich, *Literatur für Leser. Essays und Aufsätze zur Literaturwissenschaft*, Stuttgart (u. a.) 1971, S. 8 f.

7. vgl. dazu: H. R. Vaget, *Thomas Mann und die Neuklassik. ‚Der Tod in Venedig' und Samuel Lublinskis Literaturauffassung*, in: Jahrbuch der deutschen Schillergesellschaft 17 (1973), S. 432—454, und: T. J. Reed, *Thomas Mann. The Uses of Tradition*, Oxford 1974.

8. Methodisch wie sachlich unzureichend blieb leider die Studie von Christoph Geiser (*Naturalismus und Symbolismus im Frühwerk Thomas Manns*, Bern und München 1971), die gleichwohl das Verdienst besitzt, auf dieses Thema den Blick gerichtet zu haben.

9. So auch H. R. Vaget, aaO, S. 433. Neuen Spuren geht nach: Manfred Dierks, *Studien zu Mythos und Psychologie bei Thomas Mann*, Bern und München 1972 (= Thomas-Mann-Studien. 2.).

10. vgl. zum Bruder-Thema insbesondere: H. Lehnert, *Die Künstler-Bürger-Brüder. Doppelorientierung in den frühen Werken Heinrich und Thomas Manns*, in: *Thomas Mann und die Tradition*, aaO (Anm. 1), S. 14—51; Hans Wysling, *Einleitung*, in: *Th. Mann — H. Mann. Briefwechsel 1900—1949*, Frankfurt 1968; André Banuls, *Thomas Mann und sein Bruder Heinrich*, Stuttgart 1968.

11. Zum sozialgeschichtlichen Kontext vgl. insbesondere: Hans-Ulrich Wehler, *Das deutsche Kaiserreich 1871—1918*, Göttingen 1973, S. 41 ff. sowie die dort (S. 258/9) angegebene Literatur. — Zur liter. Intelligenz der Jahrhundertwende vgl. u. a. G. Mattenklott, *Bilderdienst. Ästhetische Opposition bei Beardsley und George*, München 1970, und: Herbert Scherer, *Bürgerlich-oppositionelle Literaten und sozialdemokratische Arbeiterbewegung nach 1890*, Stuttgart 1974.

12. vgl. hierzu: H. Scheuer, *Zwischen Sozialismus und Individualismus — Zwischen Marx und Nietzsche*, in: *Naturalismus. Bürgerliche Dichtung und soziales Engagement*, hg. von H. Scheuer, Stuttgart (u. a.) 1974, S. 150—174; bes.: S. 160 f.; ferner: H. Scherer, aaO, S. 71—78.

13. vgl. das Programm der Zeitschrift „Die Gesellschaft" (Bd. 7, 1 (1891) S. 2: „Unsere ‚Gesellschaft' wird sich zu einer Pflegestätte jener wahrhaften Geistesaristokratie entwickeln, welche berufen ist, in der Literatur, Kunst und öffentlichen Lebensgestaltung die oberste Führung zu übernehmen." Die weiteren Zitate: M. G. Conrad, *Die Sozialdemokratie und die Moderne*, in: Die Gesellschaft 7, 1(1891) S. 591; M. G. Conrad, *Die literarische Bewegung in Deutschland*, in: Die Gesellschaft 9, 2 (1893), S. 817; M. G. Conrad, *Aus dem Münchner Kunstleben*, in: Die Gesellschaft 7, 2 (1891) S. 969.

14. vgl. hierzu die grundlegende Studie: Hans Rosenberg, *Große Depression und Bismarckzeit*, Berlin 1967. Informativ auch: H. U. Wehler, aaO, S. 41 ff.

15. vgl. dazu: Fritz Stern, *Kulturpessimismus als politische Gefahr*, Bern, Stuttgart und Wien 1963; zum Syndrom der sogen. ‚konservativen Revolution' ist heranzuziehen: A. Mohler, *Die konservative Revolution in Deutschland 1918—1932*, Darmstadt ²1972, sowie: H. Rudolph, *Kulturkritik und konservative Revolution*, Tübingen 1970.

16. Friedrich Nietzsche, *Werke in drei Bänden*, hrsg. von Karl Schlechta, München 1966, Bd. II, S. 708 (im Folgenden zit. als: Nietzsche, Schlechta-Ausg.).

17. ebenda, S. 449.

18. Zu *Th. Mann* vgl.: R. A. Nicholls, *Nietzsche in the Early Work of Thomas Mann*, Berkeley and Los Angeles 1955; H. Lehnert, *Th. Mann. Fiktion — Mythos — Religion*, aaO (Anm. 1) S. 26 ff.; P. Pütz, *Th. Mann und Nietzsche*, in: *Thomas Mann und die Tradition*, aaO (Anm. 1) S. 225—249; M. Dierks, *Studien zu Mythos und Psychologie*, aaO (Anm. 9), S. 13—59; Zu *Heinrich Mann:* Klaus Schröter, *Anfänge Heinrich Manns*, Stuttgart 1965; Manfred Hahn, *Das Werk Heinrich Manns von den Anfängen bis zum*

„*Untertan*", Leipzig 1965 (Phil. Diss.); Vf., *Skeptizismus, Ästhetizismus, Aktivismus,* aaO (Anm. 5), S. 58—73.

19. Georg Lukács, *Theorie des Romans,* Neuwied [3]1963, S. 32.

20. Der Mythos-Begriff wird hier im Sinne Roland Barthes' verwandt (Roland Barthes, *Mythen des Alltags,* Frankfurt 1970).

21. Gustave Flaubert an Prinzessin Mathilde [1867], in: G. F., *Nouvelle Correspondance. Nouvelle édition augmenteé,* Bd. V, Paris 1929, S. 280.

22. Stanislaus Przybyszewski, *Auf den Wegen der Seele,* Berlin 1897, S. 15.

23. vgl. Hermann Bahr, *1917,* Innsbruck, München und Wien 1918. S. 132.

24. Samuel Lublinski, *Der Ausgang der Moderne. Ein Buch der Opposition,* Dresden 1909, S. 184.

25. vgl. Th. Mann an Katja Pringsheim, Ende Aug. 1904, in: Th. Mann, *Briefe 1889—1936,* Frankfurt 1962, S. 53 f.; an Kurt Martens am 28. 3. 1906, ebenda, S. 63. Ferner: die Nietzsche Annotation von 1896, zitiert bei: T. J. Reed, *Th. Mann. The Uses of Tradition,* aaO (Anm. 7), S. 29, sowie die Notizen Nr. 2 und 67 (u. a.) zum Essay „Geist und Kunst", in: Paul Scherrer und Hans Wysling, *Quellenkritische Studien zum Werk Th. Manns,* Bern und München 1967, S. 152 und S. 187.

26. Nietzsche, Schlechta-Ausg. Bd. II, S. 1002.

27. Heinrich-Mann-Zitate folgen, sofern möglich, der Ausgabe: H. Mann, *Gesammelte Romane und Novellen,* Bd. 1—10, Leipzig 1917 und werden in der Regel unmittelbar im Text durch arab. Ziffer (= Band) und Seitenzahl nachgewiesen.

28. vgl. dazu auch die (erst nach dem Abschluß des Vortragsmanuskriptes erschienene) Studie von T. J. Reed, aaO (Anm. 7), S. 22; S. 31 ff. — Freilich möchte ich den Folgerungen Reeds, der die Neigung zum Grotesken beim frühen Thomas Mann auf psychologische Momente — Frühreife des Stils bei gleichzeitig mangelnder Erfahrung — zurückführen möchte, widersprechen. Wenn Reed formuliert: „Lack of experience and its materials is thus, paradoxically, the root of the ‚sophisticated' irony which is directed at all targets. This is not so much an expert use of the writer's armory, but rather the tendency of the raw recruit to fire at anything that moves" (S. 34), dann verstellt er den gerade hier besonders notwendigen Blick auf kontextuelle Zusammenhänge.

29. vgl. auch „Der Bajazzo" (VIII, 126; 138). — Zum Nietzsche-Hintergrund vgl. z. B.: „Physiologisch nachgerechnet, schwächt und betrübt alles Häßliche den Menschen. Es erinnert ihn an Verfall, Gefahr, Ohnmacht. Man kann die Wirkung des Häßlichen mit dem Dynamometer messen." (Schlechta-Ausg. Bd. II, 1001), und: „[...] der Anblick des Häßlichen macht schlecht und düster." (Nietzsche, *Werke in 23 Bänden,* München 1920—1929 [Musarion-Ausg.], Bd. XII, S. 212).

30. Heranzuziehen wäre hier: Georg Lukács, *Die Zerstörung der Vernunft,* Neuwied und Berlin 1962, S. 577—662; Hannsjoachim W. Koch, *Der Sozialdarwinismus,* München 1973, bes.: S. 63 ff., sowie: H. G. Zmarzlik, *Der Sozialdarwinismus als geschichtliches Problem,* in: Vierteljahreshefte für Zeitgeschichte 11 (1963), S. 246—273.

31. vgl. dazu auch: W. Rasch, *Thomas Manns Erzählung ‚Tristan',* in: W. Rasch, *Zur deutschen Literatur seit der Jahrhundertwende,* Stuttgart 1967, S. 178.

32. Abgedruckt bei: Victor Mann, *Wir waren fünf. Bildnis der Familie Mann,* Konstanz 1949, S. 57.

33. vgl. dazu den Erzählerkommentar: „Es scheint, möge es fremdartig klingen, ihm die natürliche [...] Überlegenheit zu fehlen, mit der das Einzelwesen auf die Welt der Erscheinungen blickt" (VIII, 142); ähnlich in „Der Weg zum Friedhof": „Ihr müßt nämlich wissen, daß das Unglück des Menschen Würde ertötet — es ist immerhin gut, ein wenig Einsicht in diese Dinge zu besitzen. Es hat eine sonderbare und schauerliche Bewandnis hiermit." (VIII, 190).

34. vgl. dazu schon Ernst Bertram (*Das Problem des Verfalls* [1907]), in: E. Bertram, *Dichtung als Zeugnis,* Bonn 1967, S. 96. Dazu: T. J. Reed, aaO (Anm. 7), S. 20; ferner: R. Baumgart, *Das Ironische und die Ironie in den Werken Thomas Manns,* München [2]1966, S. 98 f.

35. Nietzsche, Schlechta-Ausg. Bd. I, S. 14 f., S. 92.

36. vgl. Th. Mann, Notiz 62 zum Essay „Geist und Kunst", in: P. Scherrer und H. Wysling, *Quellenkritische Studien*, aaO (Anm. 25), S. 184.

37. Gerhard Kluge, *Das Leitmotiv als Sinnträger in „Der kleine Herr Friedemann"*, in: Jahrbuch der deutschen Schillergesellschaft 11 (1967), S. 484—526.

38. Notiz „Für den Waschzettel", in: *Heinrich Mann. 1871—1950. Werk und Leben in Dokumenten und Bildern*, Berlin und Weimar 1971, S. 94 f.

39. Gottfried Benn, Akademie-Rede, in: G. B., *Ges. Werke*, hrsg. von D. Wellershof, Bd. 1—8, Wiesbaden 1968: Bd. 4, S. 1000.

40. vgl. insbesondere: Klaus Schröter, *Anfänge Heinrich Manns*, Stuttgart 1965, L. Ritter-Santini, *L'italiano Heinrich Mann*, Bologna 1965; dies., *Die Verfremdung des optischen Zitats. Anmerkungen zu Heinrich Manns Roman „Die Göttinnen"*, in: Jahrbuch der deutschen Schillergesellschaft 15 (1971), S. 297—325; M. Hahn, *Das Werk Heinrich Manns*, aaO (Anm. 18), sowie: Vf., *Skeptizismus, Ästhetizismus, Aktivismus*, aaO (Anm. 5) und: Hanno König, *Heinrich Mann, Dichter und Moralist*, Tübingen 1972.

41. Ein besonders krasses Beispiel: Klaus Matthias, *Heinrich Mann und die Musik*, in: *Heinrich Mann 1871/1971. Bestandsaufnahme und Untersuchung. Ergebnisse der Heinrich-Mann-Tagung in Lübeck*, München 1973, S. 259 f., und: ds., *Heinrich Mann 1971*, ebenda S. 395 f. Über die „Göttinnen" heißt es dort: „Das einst so gefeierte Romanwerk [...] mußte mit dem Verebben der ästhetisch-dekadenten Zeitströmung an Wirkung verlieren, weil der bloße Ästhetizismus des vom Rausch der Ich-Besessenheit getriebenen Geschehens ohne Ethos nur noch historisch oder kulturpsychologisch interessieren kann. [...] Ein Hang zu Perversitäten und gleichzeitiger Sentimentalität, inszeniert wie verspätete pubertäre Wunschträume des Autors, läßt manche Partien [...] als unfreiwillige Beiträge zum literarischen Kitsch erscheinen."

42. vgl. dazu: Manfred Hahn, *Das Werk Heinrich Manns*, aaO (Anm. 18) S. 257 (u. a.).

43. S. Anm. 41.

44. vgl. dazu ausführlicher: Vf., aaO (Anm. 5), S. 88—116; S. 125 ff.

45. Zu Flaubert in diesem Sinne auch: G. W. Frey, *Die ästhetische Begriffswelt Flauberts*, München 1972, S. 139; S. 146.

46. vgl. 3, 117 ff.; zum Kontext vgl. Vf., aaO (Anm. 5), S. 95 f.

47. Walther Rehm, *Der Renaissancekult und seine Überwindung*, in: ZfdPh 54 (1929), S. 317.

48. Notiz über „Henri de Régnier" (Heinrich-Mann-Archiv); vgl. Vf., aaO (Anm. 5), S. 65.

49. Die Verfremdung des optischen Zitats, aaO (Anm. 40), passim.

50. Th. Gautier (Dez. 1856), zit. bei: Pierre Martino, *Parnasse et Symbolisme*, Paris 1925, S. 18 f.: „A proprement parler, nous ne sommes pas un homme de lettres [...] Épris, tout enfant, de statuaire, de peinture et de plastique, nous avons poussé jusqu'au délire l'amour de l'art ; — arrivé à l'âge mûr, nous ne nous repentons nullement de cette belle folie ; nous lui avons dû et lui devons encore nos moments les plus heureux : c'est par elle que nous valons quelque chose — si nous valons quelque chose. D'autres ont plus de science, plus de profondeur, plus de style, mais nul n'aime plus que nous la peinture ; nous avons toujours laissé, on le voit bien, la littérature pour les tableaux et les bibliothèques pour les musées [...] L'Écriture parle quelque part de la concupiscence des yeux, *concupiscentia oculorum :* — ce péché est notre péché, et nous espérons que Dieu nous le pardonnera. — Jamais oeil ne fut plus avide que le nôtre, et le bohémien de Béranger n'a pas mis en pratique plus consciencieusement que nous la devise : voir c'est avoir. — Après avoir vu, notre plus grand plaisir a été de transporter dans notre art à nous monuments, fresques, tableaux, statues, bas-reliefs, au risque souvent de forcer la langue et de changer le dictionnaire en palette."

51. Nietzsche, Schlechta-Ausg. Bd. II, S. 721.

52. Nietzsche, Musarion-Ausg. Bd. XIV, S. 323.

53. Nietzsche, Schlechta-Ausg. Bd. III, S. 784.

54. Nietzsche, Schlechta-Ausg. Bd. I, S. 24.

55. Heinrich Mann, *Das Bekenntnis zum Übernationalen (1933)*, in: H. M., *Essays*, Hamburg 1960, S. 613.

56. Georg Lukács, *Die Zerstörung der Vernunft*, aaO (Anm. 30), S. 277.

57. Th. W. Adorno, *Ästhetische Theorie*, in: T. W. A., *Ges. Schriften*, Bd. 7, Frankfurt 1970, S. 335.

58. Max Horkheimer und Th. W. Adorno, *Dialektik der Aufklärung*, Frankfurt 1969, S. 143.

59. vgl. u. a.: André Banuls, *Thomas Mann und sein Bruder Heinrich*, aaO (Anm. 10), S. 127 ff.; Lothar Pikulik, *Thomas Mann und die Renaissance*, in: *Thomas Mann und die Tradition*, aaO (Anm. 1), S. 101—129.

60. vgl. dazu auch den Brief Th. Manns an Kurt Martens vom 28. III. 1906, in: *Briefe 1889—1936*, aaO (Anm. 25), S. 63 f.

61. vgl. z. B.: Hans Wysling, *Vorwort zu: Thomas Mann — Heinrich Mann, Briefwechsel 1900—1949*, aaO (Anm. 10), S. XXX: „‚Die Göttinnen' waren eine wahre dionysische Orgie, auch wenn sich Heinrich Mann der Faszination durch das ruchlose Leben immer wieder entzog [...] Tonio Kröger wendet sich als erster gegen das Leben ‚als eine Vision von blutiger Größe und Bilderschönheit', und mit Savonarola bezieht Thomas Mann gegenüber allem lebensgläubigem Ästhetizismus den Standpunkt des asketischen Moralisten."

62. vgl. W. Rehm, *Der Renaissancekult*, aaO (Anm. 47), S. 317 ff.

63. Savonarola bezeichnet sich als „Künstler, der zugleich ein Heiliger ist" (VIII, S. 1060).

64. L. Pikulik, *Thomas Mann und die Renaissance*, aaO (Anm. 59). — Die bei Pikulik (S. 129) erwähnte und als Bd. III der „Thomas-Mann-Studien" angekündigte Studie von Egon Eilers, *Perspektiven und Montage. Studien zu Thomas Manns Schauspiel ‚Fiorenza'*, Marburg 1967 (Phil. Diss.) ist noch immer nicht erschienen bzw. erhältlich.

65. Pikulik, aaO, S. 109.

66. vgl. besonders die auffälligen Nietzsche-Hinweise in VIII, S. 985 (s. dazu: *Die Geburt der Tragödie*, Schlechta-Ausg. Bd. I, S. 24) und in VIII, 1065 (s. dazu: *Der Wille zur Macht*, Leipzig 1901 [*Nietzsches Werke. Zweite Abtheilung*, Bd. XV] S. 381 (= Schlechta-Ausgabe Bd. III, S. 755 f.)). Zu Lorenzos Formel: „O meine Träume! Meine Macht und Kunst!" vgl. „Die Göttinnen" (3, S. 234): „Ich bin zu Gaste bei den schönen Werken, denn sie geben mir Rausch und Macht." — Zu diesem Komplex vgl. Vf., aaO (Anm. 5), S. 94—102.

67. Nietzsche, Schlechta-Ausg. Bd. III, S. 530.

68. ebenda I, S. 85 f.

69. Nietzsche, Musarion-Ausg. Bd. III, S. 309.

70. Nietzsche, Schlechta-Ausg. Bd. I, S. 84.

71. ebenda S. 77.

72. ebenda S. 82.

73. Nietzsche, Musarion-Ausg. Bd. X, S. 342.

74. vgl. Musarion-Ausg. Bd. III, S. 311: „Für den Intellect gibt es kein Nichts als Ziel, somit auch keine absolute Erkenntnis, weil diese dem Sein gegenüber ein Nichtsein wäre. Das Leben unterstützen, zum Leben verführen, ist demnach die jeder Erkenntnis zu Grunde liegende Absicht, das unlogische Element, welches als der Vater jeder Erkenntnis auch die Grenzen derselben bestimmt."

75. Nietzsche, Musarion-Ausg. Bd. III, S. 309.

76. vgl. VIII, S. 455 und S. 522; zum Funktionszusammenhang von „wiedergeborener Unbefangenheit" und Formkult im „Tod in Venedig"; vgl. auch: Vf., aaO (Anm. 5), S. 130—134.

77. Pikulik, *Thomas Mann und die Renaissance*, aaO (Anm. 59), S. 107.

78. Auf diesen Sachverhalt ist die bisherige Forschung zu „Fiorenza" in breiterem Rahmen eingegangen. Vgl. dazu besonders: R. A. Nicholls, *Nietzsche in the Early Work of Thomas Mann,* aaO (Anm. 18), S. 57 f.; H. Lehnert, *Thomas Mann,* aaO (Anm. 1), S. 151; L. Pikulik, *Thomas Mann und die Renaissance,* aaO (Anm. 59), S. 111.

79. Blätter für die Kunst, 3. Folge, 1. Band (Jan. 1896), S. 2.

80. R. M. Rilke, *Marginalien zur Friedrich Nietzsche,* in: R. M. R., *Sämtliche Werke,* hrsg. von Ernst Zinn, Bd. 6, Frankfurt 1966, S. 1174.

81. R. Täufel, *Thomas Manns Verhältnis zu Schiller. Zur Thematik und zu den Quellen der Novelle „Schwere Stunde",* in: *Betrachtungen und Überblicke. Zum Werk Thomas Manns,* hrsg. von Georg Wenzel, Berlin und Weimar 1966, S. 217; S. 210.

82. H.-J. Sandberg, *Thomas Manns Schiller-Studien. Eine quellenkritische Untersuchung,* Oslo 1965, S. 53.

83. vgl. Sandberg, aaO, S. 32: „Die Problematik des Helden in der Skizze ‚Schwere Stunde' entspringt dem Leiden des sentimentalischen Künstlers an seiner Konstitution, die es ihm unmöglich macht, ‚naiv' zu schaffen." Vgl. auch Täufel, aaO, S. 214 f.; S. 217.

84. Friedrich Schiller, *Über naive und sentimentalische Dichtung,* in: *Sämtliche Werke* (Säkular-Ausgabe) Bd. XII, Stuttgart und Berlin o. J., S. 229.

85. Nietzsche, Schlechta-Ausg. Bd. II, S. 620. — Zur Vorstellung „Welt" = „Chaos" vgl. Nietzsche, Schlechta-Ausg. Bd. II, S. 115: „Der Gesamtcharakter der Welt ist [...] in alle Ewigkeit Chaos, nicht im Sinne der fehlenden Ordnung, Gliederung, Form, Schönheit, Weisheit, und wie alle unsere ästhetischen Menschlichkeiten heißen." Vgl. auch: Schlechta-Ausg. Bd. III, S. 683.

86. Blätter für die Kunst, 4. Folge, 1. und 2. Band (1897), S. 37.

87. Stefan George nach dem Bericht Albert Mockels, in: Revue d'Allemagne 2 (1928); zitiert nach: Claude David, *Stefan George. Sein dichterisches Werk,* München 1967, S. 46.

88. Blätter für die Kunst, 2. Folge, 4. Band (Oktober 1894), S. 122.

89. Friedrich Schiller, *Briefe. Kritische Gesamtausgabe,* hrsg. von F. Jonas, Bd. 1—6, Stuttgart (u. a.) 1892—96, Bd. II, S. 202, und: *Der Briefwechsel zwischen Schiller und Goethe,* hrsg. von Hans Gerhard Gräf und Albert Leitzmann, Leipzig 1955, Bd. I, S. 156; vgl. H.-J. Sandberg, *Thomas Manns Schillerstudien,* aaO (Anm. 82), S. 52, und R. Täufel, *Thomas Manns Verhältnis zu Schiller,* aaO (Anm. 81), S. 229.

90. G. Flaubert an Louise Colet am 15./16. Mai 1852, in: G. F., *Correspondance. Nouvelle édition augmentée,* Bd. II, Paris 1926, S. 416.

91. Vgl. W. Benjamin, *Charles Baudelaire. Ein Lyriker im Zeitalter des Hochkapitalismus,* Frankfurt 1969, S. 74.

92. Dieses Flaubert-Zitat notierte sich Thomas Mann im Jahre 1906 in einem Notizbuch, das u. a. Einträge zum frühen „Krull"-Projekt und zum Essay „Geist und Kunst" enthält. Es erweist explizit Affinitäten zum „Form"-Begriff bei Flaubert, die sich aus der ‚Schiller'-Novelle indirekt erschließen lassen. Vgl. Thomas Mann, *Notizen,* hrsg. von Hans Wysling, Heidelberg 1973 (Beihefte zum Euphorion. 5.), S. 21.

93. Stefan George, *Lobreden, Mallarmé,* in: St. G., *Werke in zwei Bänden,* Düsseldorf und München 1968, Bd. I, S. 508.

94. Rudolf Kassner, *Die Mystik, die Künstler und das Leben,* Leipzig 1900, S. 4 f.; S. 267.

95. Georg Lukács, *Die Seele und die Formen,* Neuwied und Berlin 1971, S. 37.

96. Heinrich Mann, *Gustave Flaubert und George Sand,* in: H. M., *Essays,* Hamburg 1960, S. 93.

97. Arthur Schopenhauer, *Die Welt als Wille und Vorstellung,* III, § 52, in: A. S., *Sämtliche Werke in sechs Bänden,* hrsg. von Eduard Grisebach, Bd. 1, Leipzig o. J. (1920).

98. Nietzsche, Schlechta-Ausgabe Bd. I, S. 92.

99. vgl. dazu: Wolfdietrich Rasch, *Zur deutschen Literatur seit der Jahrhundertwende,* aaO (Anm. 31), S. 25 f.

100. Hugo von Hofmannsthal, *Gedichte und lyrische Dramen,* Frankfurt 1963, S. 203.

101. vgl. das in die Novelle (VIII, 375 f.) eingegangene Zitat aus einem Brautbrief an Katja Pringsheim (Ende August 1904; in: Th. Mann, *Briefe 1889—1936*, aaO [Anm. 25], S. 53 f.): „Denn das Talent ist nichts Leichtes, nichts Tändelndes, es ist nicht ohne weiteres ein Können. In der Wurzel ist es *Bedürfnis*, ein kritisches Wissen um das Ideal, eine Ungenügsamkeit, die sich ihr Können nicht ohne Qual erst schafft und steigert."

102. Brief an Samuel Lublinski vom 13. Juni 1910 (in: Th. Mann, *Briefe 1948—1955 und Nachlese*, Frankfurt 1965, S. 459).

103. Brief an Kurt Martens vom 28. März 1906 (in: Th. Mann, *Briefe 1889—1936*, aaO (Anm. 25), S. 63).

104. vgl. Th. Mann, *Bilse und ich* (X, S. 20 f): „Die einzige Waffe aber, die der Reizbarkeit des Künstlers gegeben ist, um damit auf die Erscheinungen und die Erlebnisse zu reagieren, sich ihrer damit auf schöne Art zu erwehren, ist der Ausdruck [...] Dies ist der Ursprung jener kalten und unerbittlichen Genauigkeit der Bezeichnung, dies der zitternd gespannte Bogen, von welchem das *Wort* schnellt, das scharfe, gefiederte Wort, das schwirrt und trifft und bebend im Schwarzen sitzt." Vgl. Flaubert, zit. bei: Guy de Maupassant, *Gustave Flaubert*, Vorrede zu: Lettres de Gustave Flaubert à George Sand, Paris 1884, S. LXVII: „Dans la prose, il faut un sentiment profond du rhythme, rhythme fuyant, sans règles, sans certitude, il faut des qualités innées, et aussi une puissance de raisonnement, un sens artiste infiniment plus subtils, plus aigus, pour changer, à tout instant, le mouvement, la couleur, le son du style, suivant les choses qu'on veut dire. Quand on sait manier cette chose fluide, la prose française, quand on sait la valeur exacte des mots, et quand on sait modifier cette valeur selon la place qu'on leur donne, quand on sait attirer tout l'intérêt d'une page sur une ligne, mettre une idée en relief entre cent autres, uniquement par le choix et la position des termes qui l'expriment ; *quand on sait frapper avec un mot, un seul mot, posé d'une certaine façon, comme on frapperait avec une arme.*" (Kursiv v. d. Vf.)

105. Thomas Mann, *Geist und Kunst*, Notiz 114, in: *Geist und Kunst*, aaO (Anm. 25), S. 212.

106. Von der Kunst als einem Stimulans des Lebens und Rausch spricht Nietzsche z. B. in der *Götzen-Dämmerung* (Schlechta-Ausg. Bd. II, S. 1004) und im Nachlaß der achtziger Jahre (Schlechta-Ausg. Bd. III, S. 692; S. 828).

107. vgl. Th. Mann, *Geist und Kunst*, Notiz 84, aaO, S. 195.

108. vgl. ebenda sowie auch Notiz 150, aaO, S. 222.

109. Thomas Mann, *Das Ewig-Weibliche*, in: *Freistatt 5* (1903), S. 1011; vgl. auch: *Der französische Einfluß* (X, S. 837).

*Abschluß des Manuskripts: November 1974.*

# ABBILDUNGEN

UNIVERSITY LIBRARY
NOTTINGHAM

# Abbildungen zum Beitrag

LEA RITTER-SANTINI

## Maniera Grande: Über italienische Renaissance und deutsche Jahrhundertwende

Seite 170–205

# Nachweise

A 1 Gobelins im Stile der italienischen Renaissance – Hitlers Zimmer in der Berliner Reichskanzlei (verbrannt)

A 2 Dante Gabriele Rossetti: Borgia (Szene aus der italienischen Renaissance 1859). Carlisle Art Gallery. Aus: „Präraffaeliten", Ausstellungskatalog Baden-Baden 1974

A 3 Arnold Böcklin: Villa am Meer, 1878. Kunstverein Winterthur. Aus: „Arnold Böcklin", Ausstellungskatalog Düsseldorf 1974

A 4 Arnold Böcklin: Die Pest, 1898. Kunstmuseum Basel

A 5 Hans Makart: Die Pest in Florenz, 1868 (Detail). Sammlung Georg Schäfer, Schweinfurt

A 6–8 Fritz Erler: Die Pest. Triptychongemälde, 1899–1901. Aus: Fritz von Ostini: Fritz Erler, Kunstmonographien, Leipzig 1921

A 9 Jules-Elie Delaunay: La Peste à Rome, Salon de 1869. Musée du Louvre. Aus: „Equivoques" – Ausstellungskatalog, Paris 1973

A 10 Ex libris der öffentlichen Rothschild'schen Bibliothek Frankfurt (gegründet 1888), 1897

A 11 Vignette für den Roman von E. J. Marlitt „Das Geheimnis der alten Mam'sell. Aus: Gesammelte Romane und Novellen in X Bänden, 1888–1890

A 1 Gobelins im Stile der italienischen Renaissance – Hitlers Zimmer in der Berliner Reichskanzlei

A 2 Dante Gabriele Rossetti: Borgia

A 3 Arnold Böcklin: Villa am Meer

A 5 Hans Makart: Die Pest in Florenz (Detail)

A 4 Arnold Böcklin: Die Pest

A 6–8 Fritz Erler: Die Pest

A 9 Jules-Elie Delaunay: La Peste à Rome

A 11 Vignette für den Roman von E. J. Marlitt „Das Geheimnis der alten Mam'sell“

A 10 Ex libris der öffentlichen Rothschild'schen Bibliothek Frankfurt

Abbildungen zum Beitrag

H. L. C. JAFFÉ

# Der Symbolismus in Belgien und in den Niederlanden

Seite 285–297

# Nachweise

B 1 Félicien Rops: Der Tod auf dem Ball. Rijksmuseum Kröller-Müller, Otterlo
B 2 F. Khnopff: Die Kunst. Museum Boymans-van Beuningen, Rotterdam
B 4 Degouve de Nunques: Das Haus der Geheimnisse. Rijksmuseum Kröller-Müller, Otterlo
B 4 Jan Th. Toorop: Die drei Bräute. Rijksmuseum Kröller-Müller, Otterlo
B 5 (nach Seite 288) Thorn Prikker: Die Braut. Rijksmuseum Kröller-Müller, Otterlo
B 6 R. Roland Holst: Umschlag zum Katalog Vincent van Gogh, 1892. Stedelijk Museum, Amsterdam
B 7 Piet Mondiran: Evolution. Haags Gemeentemuseum, Den Haag

B 1 Félicien Rops: Der Tod auf dem Ball

B 3 Degouve de Nunques: Das Haus der Geheimnisse

B 2 F. Khnopff: Die Kunst

B 4 Jan Th. Toorop: Die drei Bräute

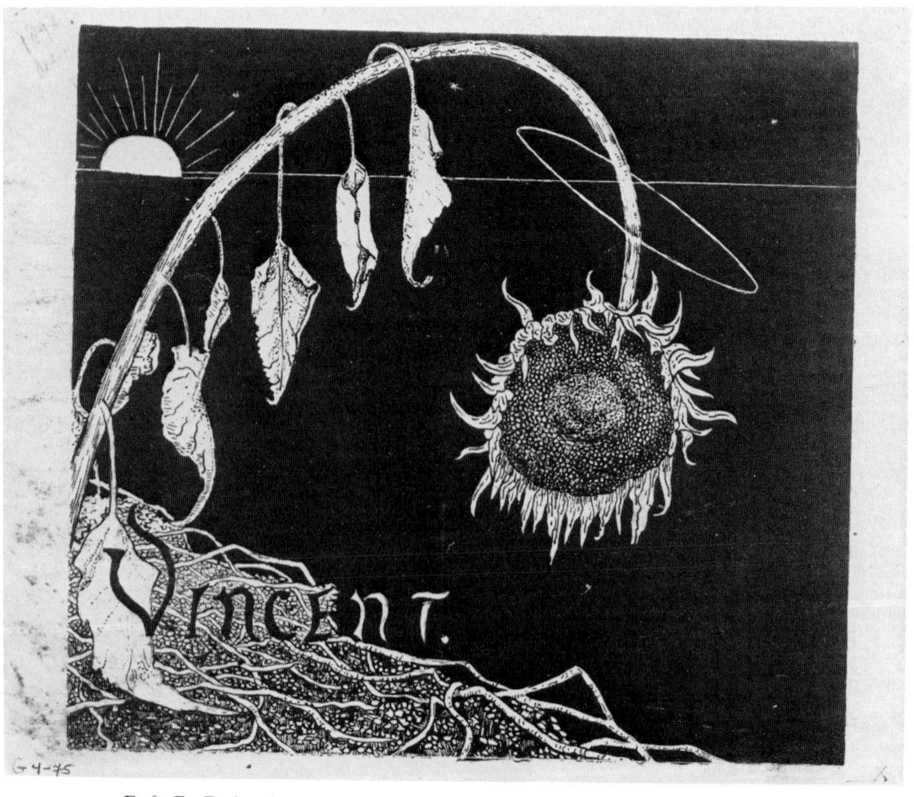


B 6 R. Roland Holst: Umschlag zum Katalog Vincent van Gogh

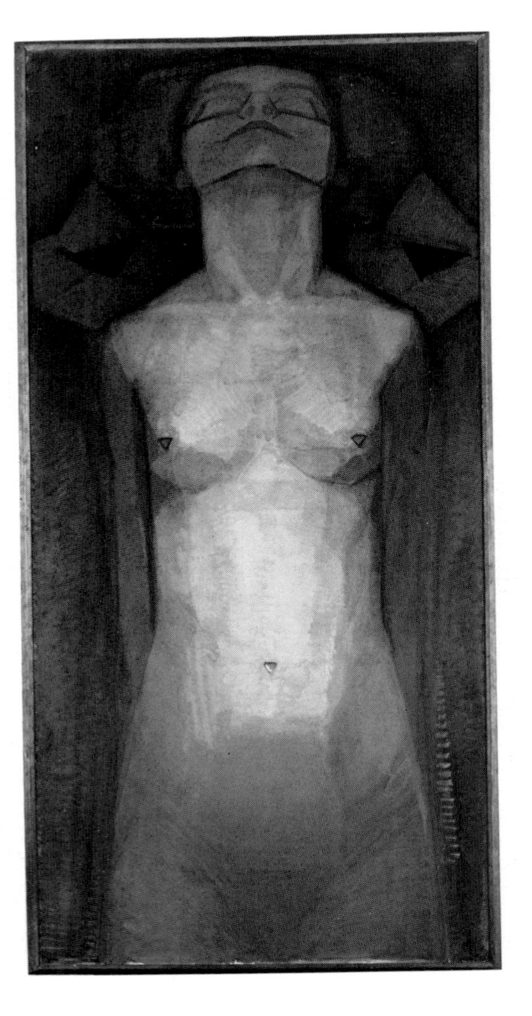
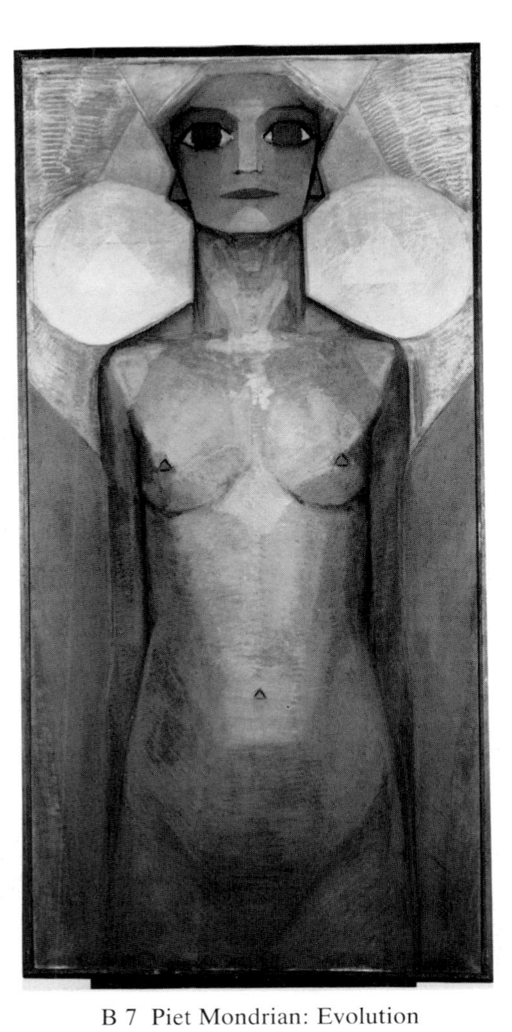
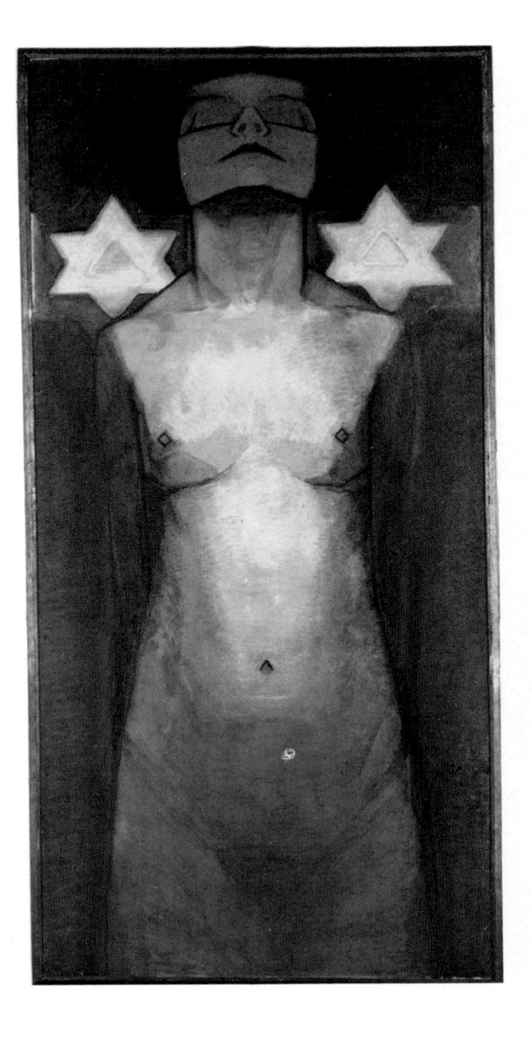

B 7 Piet Mondrian: Evolution

Abbildungen zum Beitrag

WLADYSLAWA JAWORSKA

# Probleme des Symbolismus in der polnischen Malerei

Seite 298–314

# Nachweise

C 1 Jacek Malczewski: Der polnische Hamlet. Bildnis von Aleksander Wielopolski, 1903. Nationalmuseum, Warschau

C 2 Jacek Malczewski: Trugschluß, 1895–1897. Nationalmuseum, Poznań

C 3 (Nach Seite 296) Jacek Malczewski: Selbstbildnis mit lila Hyazinthe, 1902. Nationalmuseum, Poznań

C 4 Stanislaw Wyspiański: Gott Vater „Es werde!“. Entwurf für ein Fenster in der Franziskaner-Kirche Krakau. Nationalmuseum Krakau

C 5 (nach Seite 304) Stanislaw Wyspiański: Bildnis von Eliza Pareńska, 1905. Nationalmuseum, Warschau

C 6 Stanislaw Wyspiański: Strohpuppen, 1898–1899. Nationalmuseum, Warschau

C 7 (Nach Seite 312) Józef Mehoffer: Märtyrertum der hl. Katharina und der hl. Barbara, 1899. Vitrage. St. Nikolaus Kathedrale, Freiburg, Schweiz

C 8 Józef Mehoffer: Seltsamer Garten, 1902. Nationalmuseum, Warschau

C 9 Witold Wojtkiewicz: Meditationen, 1908. Nationalmuseum, Krakau

C 10 Witold Wojtkiewicz: Abschied, 1908. Nationalmuseum, Poznań

C 11 Witold Wojtkiewicz: Kinderkreuzzug, 1905. Nationalmuseum, Warschau

C 1 Jacek Malczewski: Der polnische Hamlet. Bildnis von Aleksander Wielopolski

C 2 Jacek Malczewski: Trugschluß

C 4 Stanislaw Wyspiański: Gott Vater. „Es werde!“ Entwurf für ein Fenster in der Franziskaner-Kirche, Krakau

C 6 Stanislaw Wyspiański: Strohpuppen

C 8 Józef Mehoffer: Seltsamer Garten

C 9 Witold Wojtkiewicz: Meditationen

C 10 Witld Wojtkiewicz: Abschied

C 11 Witold Wojtkiewicz: Kinderkreuzzug

Abbildungen zum Beitrag

HANS A. LÜTHY

# Schweizer Symbolismus

Seite 315–325

# Nachweise

D 1 Ferdinand Hodler: Die Nacht, 1890. Berner Kunstmuseum. Foto: H. Stebler, Bern

D 2 Ferdinand Hodler: Das Aufgehen im All, 1892. Museum der Stadt Solothurn. Foto: Schweizerisches Institut für Kunstwissenschaft, Zürich

D 3 Ferdinand Hodler: Der Weg der Auserwählten, 1893. Privatbesitz. Foto Jean Lacroix, Genf

D 4 (nach Seite 320) Albert Trachsel: Der Blitz, nach 1901 (Aquarellentwurf um 1892). Solothurn, Sammlung Josef Müller. Foto: Schweizerisches Institut für Kunstwissenschaft, Zürich

D 5 Auguste de Niederhäusern-Rodo: Trinité, Bronze, 1895. Foto: Musée d'Art et d'Histoire, Genève

D 6 Carlos Schwabe: Illustrationsentwurf zu Zola's „Le Rêve", 1891. Musée National d'Art Moderne, Paris. Foto: Courtauld Institute of Art, London

D 7 Carlos Schwabe: Madonna in den Lilien, 1899. Privatbesitz. Foto: Courtauld Institute of Art, London

D 8 Eugène Grasset: Junge Frau in einem Garten. Musée des Arts Décoratifs, Paris. Foto: Courtauld Institute of Art, London

D 9 Félix Vallotton: Das Bad am Sommerabend, 1892. Kunsthaus Zürich. Foto: Schweizerisches Institut für Kunstwissenschaft, Zürich

D 10 (Seite 324) Félix Vallotton: Holzschnitt aus der Serie „Les petites Baigneuses", 1893. Foto: Schweizerisches Institut für Kunstwissenschaft, Zürich

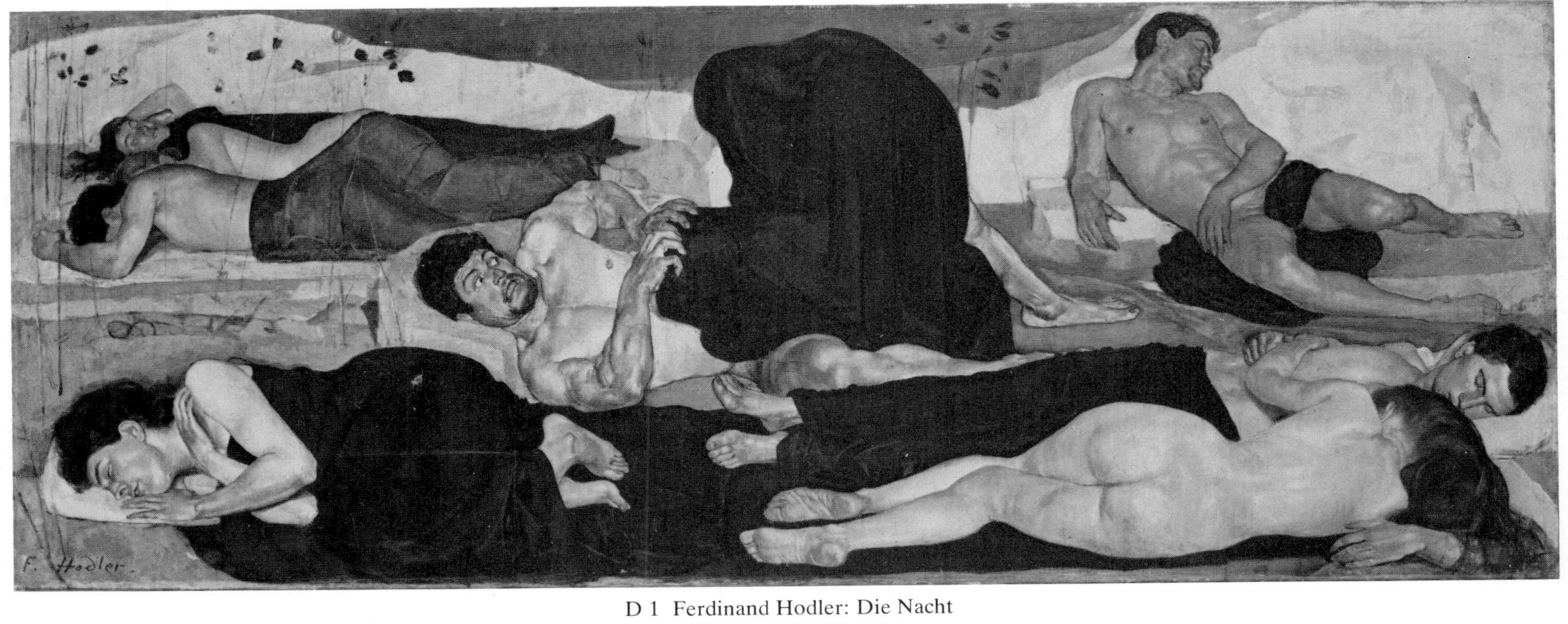


D 1 Ferdinand Hodler: Die Nacht

D 2 Ferdinand Hodler: Das Aufgehen im All

D 3 Ferdinand Hodler: Der Weg der Auserwählten

D 5 Auguste de Niederhäusern-Rodo: Trinité

D 6 Carlos Schwabe: Illustrationsentwurf zu Zola's „Le Rêve“

D 7 Carlos Schwabe: Madonna in den Lilien

D 8 Eugène Grasset: Junge Frau in einem Garten

D 9 Félix Vallotton: Das Bad am Sommerabend

Abbildungen zum Beitrag

LARS OLOF LARSSON

## Symbolismus in Skandinavien

Seite 326–343

# Nachweise

E 1 Ernst Josephson: Der Neck, 1884. Waldemarsudde, Stockholm
E 2 Ernst Josephson: Die Schöpfung Adams. Nationalmuseum, Stockholm
E 3 J. F. Willumsen: Fruchtbarkeit, 1891. Nach: Merete Bodelsen „Willumsen", op. cit., 1957
E 4 J. F. Willumsen: Die „Familienvase", 1891. Kunstindustriemuseum, Kopenhagen
E 5 Eduard Munch: Der Schrei, Holzschnitt 1896. Nach: R. Heller „E. Munch", op. cit., 1973
E 6 Eduard Munch: Madonna, Lithographie 1896. Nach: R. Heller „E. Munch", 1973
E 7 J. A. G. Acke: Im Waldtempel, 1900. Thielska Galleriet, Stockholm
E 8 Richard Bergh: Der Ritter und die Jungfrau, 1897. Thielska Galleriet, Stockholm
E 9 Karl Nordström: Sturmwolken, 1893. Nationalmuseum, Stockholm
E 10 Olof Sager-Nelson: Brügge-Phantasie, 1894. Privatbesitz, Nach: A. Gauffin „O. Sager-Nelson", 1954
E 11 Gerhard Munthe: Vignette aus den „Königssagen", 1899
E 12 Gerhard Munthe: Die Nordlichttöchter, 1892. Nationalgalerie, Oslo
E 13 Axel Gallen-Kallela: Symposion, 1894. Ateneum, Helsinki
E 14 (nach Seite 336) Axel Gallen-Kallela: Lemminkäinens Mutter, 1897. Ateneum, Helsinki
E 15 Hugo Simberg: Der Herbst, 1895. Ateneum, Helsinki
E 16 Hugo Simberg: Märchen II, 1896. Ateneum, Helsinki
E 17 Magnus Enckell: Knabe mit Totenschädel, 1892. Ateneum, Helsinki

E 1 Ernst Josephson: Der Neck

E 2 Ernst Josephson: Die Schöpfung Adams

E 3 J. F. Willumsen: Fruchtbarkeit

E 4 J. F. Willumsen: Die „Familienvase"

E 5 Eduard Munch: Der Schrei

E 6 Eduard Munch: Madonna

E 7 J. A. G. Acke: Im Waldtempel

E 8 Richard Bergh: Der Ritter und die Jungfrau

E 9 Karl Nordström: Sturmwolken

E 10 Olof Sager-Nelson: Brügge-Phantasie

E 11 Gerhard Munthe: Vignette aus den „Königssagen“

E 12 Gerhard Munthe: Die Nordlichttöchter

E 13 Axel Gallen-Kallela: Symposion

E 16 Hugo Simberg: Märchen II

E 15 Hugo Simberg: Der Herbst

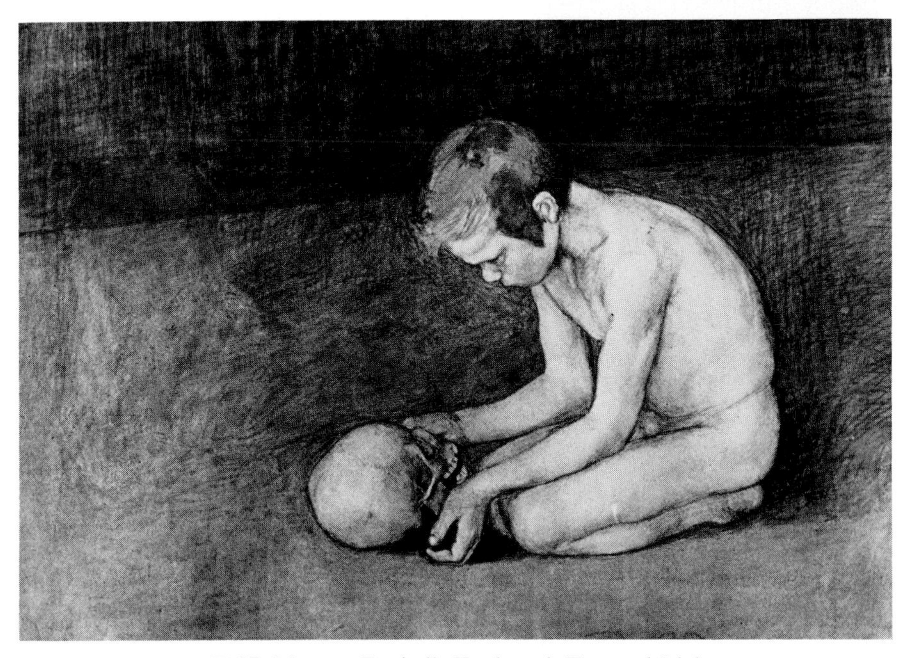

E 17 Magnus Enckell: Knabe mit Totenschädel

Abbildungen zum Beitrag

FRIEDHELM WILHELM FISCHER

# Geheimlehren und moderne Kunst

Seite 344–386

# Nachweise

F 1 Odilon Redon: Als das Leben auf dem dunklen Grund der Materie erwachte

F 2 Odilon Redon: Sollte es nicht eine unsichtbare Welt geben?

F 3 Odilon Redon: Das Auge strebt wie ein seltsamer Ballon zum Unendlichen hin

F 4 Odilon Redon: Unter den Schattenflügeln biß das schwarze Wesen zu

F 5 Paul Gauguin: Selbstbildnis mit Schlange und Heiligenschein

F 6 Paul Sérusier: Bildnis Paul Ransons als Zeremonialpriester der Nabi

F 7 Paul Ranson: Christus und Buddha

F 8 Paul Ranson: Zeichnung

F 9 Paul Ranson: Paysage Nabique

F 10 Wassily Kandinsky: Dame in Moskau

F 11 Wassily Kandinsky: Entwurf für Komposition VII

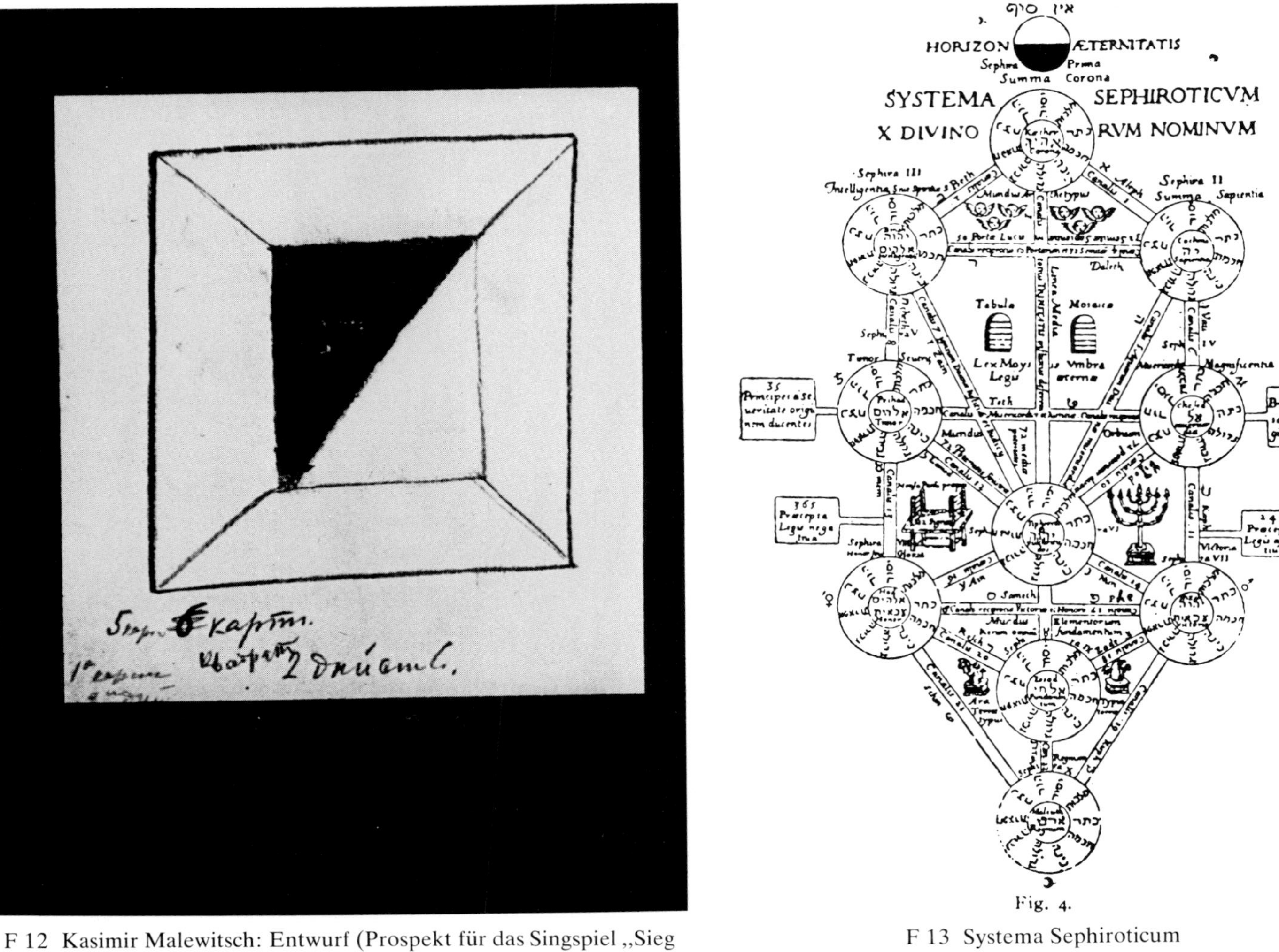


F 12 Kasimir Malewitsch: Entwurf (Prospekt für das Singspiel „Sieg über die Sonne“)

F 13 Systema Sephiroticum

Abbildungen zum Beitrag

J. A. SCHMOLL GEN. EISENWERTH

# Zur Christus-Darstellung um 1900

Seite 403–420

# Nachweise

G 1 Bruno Piglhein: Moritur in Deo, 1879
G 2 Hubert von Herkomer: Ein Riß in den Wolken, 1896 (Grisaille)
G 3 Hans Thoma: Kreuzigung (brauntonige Lithographie), undatiert, ca. 1890
G 4 Wilhelm Trübner: Kreuzigung, 1878
G 5 Max Klinger: Kreuzigung, 1888/90. Museum der bildenden Künste, Leipzig
G 6 Auguste Rodin: Le Christ et la Madeleine, ca. 1894. Musée Rodin, Paris
G 7 Franz von Stuck: Kreuzigung Christi (Temperagemälde), 1892. Staatsgalerie, Stuttgart
G 8 William Holmann Hunt: Das Licht der Welt, 1854. Oxford
G 9 William Holman Hunt im Atelier „Das Licht der Welt II" malend, 1902
G 10 Beuroner Schule: Kreuzigung. Aus den Wandbildern der St. Mauruskapelle bei Beuron, 1868–71
G 11 Beuroner Schule: Kreuzabnahme. Aus dem Freskenzyklus, der nach Entwürfen von Desiderius Lenz von 1880/82 durch Lenz und Gabriel Würger bis 1886 ausgeführt wurde. St. Emmaus, Prag
G 12 Paul Gauguin: Le Christ Jaune, 1889
G 13 Paul Gauguin: Selbstbildnis mit gelbem Christus, 1890
G 14 Paul Gauguin: Au Jardin des Oliviers, 1889
G 15 James Ensor: Der Kalvarienberg (Farbstiftzeichnung), 1886. Privatbesitz, Brüssel
G 16 James Ensor: Satan und die höllischen Legionen foltern den Gekreuzigten (Bleistiftzeichnung), 1886
G 17 James Ensor: Christi Einzug in Brüssel, 1888. Koninklijk Museum voor Schoone Kunsten, Antwerpen
G 18 Edvard Munch: Golgatha, 1900
G 19 Gustave Moreau: Christus der Erlöser (Aquarell), 1895. Musée Moreau, Paris
G 20 Odilon Redon: Le Christ au Sacré Coeur (Pastell), 1895. Louvre, Paris
G 21 Johan Thorn Prikker: Christus am Kreuz und Maria (Aquarell), 1891–92
G 22 Johann Thorn Prikker: Plakat für die „Revue pour l'Art appliqué", 1896. Städtisches Museum, Amsterdam
G 23 Max Klinger: Christus im Olymp, 1897. Museum, Leipzig
G 24 Fritz von Uhde: Lasset die Kindlein zu uns kommen, 1884
G 25 Fritz von Uhde: Komm Herr Jesus sei unser Gast, 1885
G 26 Fritz von Uhde: Das Abendmahl, 1886
G 27 Fritz von Uhde: Die Bergpredigt, 1887
G 28 Fritz von Uhde: Noli me tangere, 1894
G 29 Fritz von Uhde: Christus, 1896
G 30 Fritz von Uhde: Altarbild für die Lutherkirche in Zwickau, 1905
G 31 Lovis Corinth: Kreuzabnahme, 1906. Museum, Leipzig
G 32 Lovis Corinth: Das große Martyrium, 1907. Bes. Th. Corinth, New York
G 33 Lovis Corinth: Golgatha-Triptychon, 1910. Evangelische Kirche, Tapiau
G 34 Lovis Corinth: Pietà, 1889
G 35 Franz von Stuck: Pietà, 1891
G 36 Franz von Stuck: Christus im Grabe, 1903
G 37 Käthe Kollwitz: Zertretene (Radierung), 1900
G 38 Käthe Kollwitz: Die Lebenden dem Toten. Erinnerung an den 15. Januar 1919. Gedenkblatt für Karl Liebknecht (Holzschnitt), 1920
G 39 Constantin Meunier: Schlagende Wetter (Le Grisou), 1893. Musée des Beux Arts, Brüssel

G 1 Bruno Piglhein: Moritur in Deo

G 2 Hubert von Herkomer: Ein Riß in den Wolken

G 3 Hans Thoma: Kreuzigung

G 4 Wilhelm Trübner: Kreuzigung

G 5 Max Klinger: Kreuzigung

G 7 Franz von Stuck: Kreuzigung Christi

G 6 Auguste Rodin: Le Christ et la Madeleine

G 8 William Holmann Hunt: Das Licht der Welt

G 9 William Holmann Hunt, im Atelier „Das Licht der Welt II“ malend

G 10 Beuroner Schule: Kreuzigung

G 11 Beuroner Schule: Kreuzabnahme

G 12 Paul Gauguin: Le Christ Jaune

G 13 Paul Gauguin: Selbstbildnis mit gelbem Christus

G 14 Paul Gauguin: Au Jardin des Oliviers

G 15 James Ensor: Der Kalvarienberg

G 16 James Ensor: Satan und die höllischen Legionen foltern den Gekreuzigten

G 17 James Ensor: Christi Einzug in Brüssel

G 18 Edvard Munch: Golgatha

G 19 Gustave Moreau: Christus der Erlöser

G 20 Odilon Redon: Le Christ au Sacré Cour

G 21 Johan Thorn Prikker: Christus am Kreuz und Maria

G 22 Johan Thorn Prikker: Plakat für die „Revue pur l'Art appliqué"

G 23 Max Klinger: Christus im Olymp

G 24  Fritz von Uhde: Lasset die Kindlein zu uns kommen

G 25  Fritz von Uhde: Komm Herr Jesus sei unser Gast

G 26 Fritz von Uhde: Das Abendmahl

G 27 Fritz von Uhde: Die Bergpredigt

G 28 Fritz von Uhde: Noli me tangere

G 29 Fritz von Uhde: Christus

G 30 Fritz von Uhde: Altarbild für die Lutherkirche in Zwickau

G 31 Lovis Corinth: Kreuzabnahme

G 32 Lovis Corinth: Das große Martyrium

G 33 Lovis Corinth: Golgatha-Triptychon

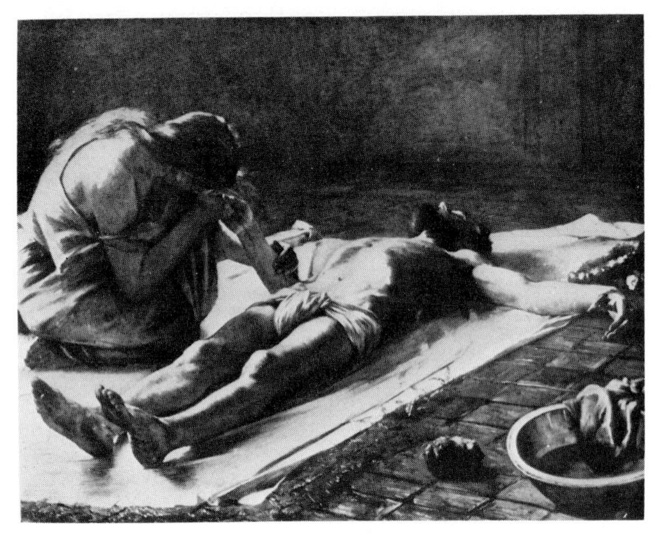

G 34 Lovis Corinth: Pietà

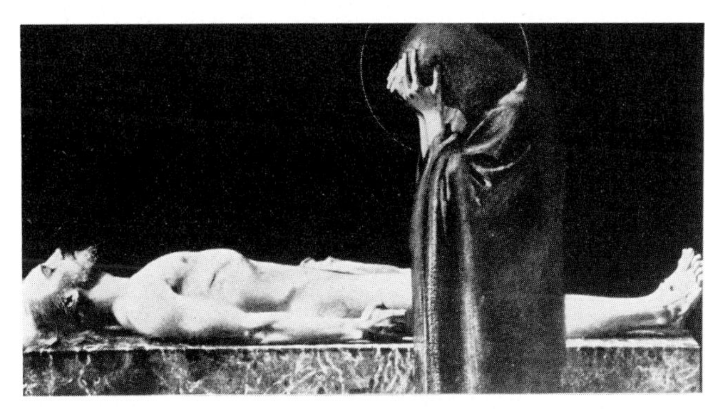

G 35 Franz von Stuck: Pietà

G 36 Franz von Stuck: Christus im Grabe

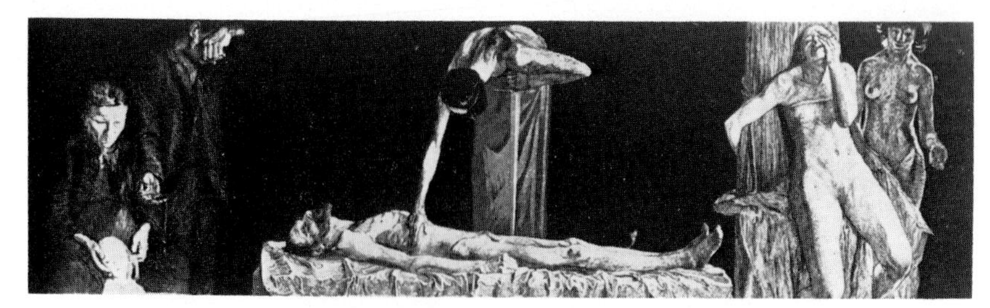

G 37 Käthe Kollwitz: Zertretene

G 38 Käthe Kollwitz: Die Lebenden dem Toten. Erinnerung an den 15. Januar 1919

G 39 Constantin Meunier: Schlagende Wetter